D1236947

JULIE
OU
LA NOUVELLE HÉLOÏSE

ROUSSEAU

JULIE
OU
LA NOUVELLE HÉLOÏSE

Établissement du texte, présentation, notes,
chronologie et bibliographie
par
Érik LEBORGNE et Florence LOTTERIE

GF Flammarion

PRÉSENTATION

Le petit valet, philosophe suisse, débite à Julie son écolière la morale d'Épictète, et lui parle d'amour. Julie, en présence de sa cousine Claire, donne à son maître un baiser très long et *très âcre* dont il se plaint beaucoup, et le lendemain le maître fait un enfant à l'écolière. Les dames pourraient croire que c'est là la conclusion du roman ; mais voici, Monsieur, par quelle intrigue délicate, par quels événements merveilleux ce roman philosophique dure encore cinq tomes entiers après la conclusion [1].

On aura reconnu le style de Voltaire : l'ennemi incomparable de Jean-Jacques vient de dévorer la *Julie* en deux semaines, et lance depuis sa seigneurie de Ferney quatre lettres satiriques qu'il fait passer pour des apocryphes. Il y répertorie tout ce qui fait la radicale nouveauté de ce « roman philosophique » hors normes, à contre-courant des habitudes de lecture, de la façon de penser de la « bonne compagnie », et même de la conduite la plus élémentaire d'un roman. Dans le fond, Voltaire est inquiet : si les roturiers se mettent à engrosser les filles de condition sans être pendus pour leur forfait, c'est le début de la Révolution. « Raillez. Moi, je persiste » (*Entretien*, p. 920), répond « l'éditeur » Rousseau à tous ses détracteurs, en offrant à son siècle un nouveau chef-d'œuvre du genre. Revisitons ce monument en ouvrant la porte rousseauiste par excellence : l'origine.

---

1. Voltaire, *Lettres à M. de Voltaire sur La Nouvelle Héloïse ou Aloïsia de J.-J. Rousseau* (février 1761), in *Écrits satiriques*, 2014, p. 139. Les références complètes sont données dans la Bibliographie critique, p. 961.

« *Une espèce de roman* »

Aucun écrivain des Lumières ne nous a mieux informés dans ses *Confessions* de la manière dont il a composé ses œuvres entre 1750 et 1762. S'y sont ajoutés depuis les lettres personnelles de cette période et les manuscrits conservés, dont celui du brouillon : grand profit pour les chercheurs, qui ont pu reconstituer la genèse de la *Julie* [1].

Reprenons depuis le début : en avril 1756, Rousseau fuit la ville qui l'a transformé en « Jean-Jacques », auteur à la mode et à scandale. Il s'installe en pleine forêt de Montmorency à l'Ermitage, maison aménagée à son intention par Émilie d'Épinay. Cette amie proche de Diderot, Grimm et d'Holbach appartient au milieu fortuné qui soutient les encyclopédistes. Une fois établi dans son antre, notre ours (comme le surnomme Émilie), au lieu d'entreprendre les studieux travaux qu'il avait prévus, passe ses journées à rêver solitairement en se promenant dans les bosquets, « dans la plus belle saison de l'année ». Se sentant le « cœur vide » et dévoré d'une « enivrante volupté », il se remémore les figures féminines qui l'ont ému depuis son enfance, et c'en est fait de lui : « voilà le brave citoyen de Genève, voilà l'austère Jean-Jacques, à près de quarante-cinq ans, redevenu tout à coup le berger extravagant » [2]. En clair, il se jette dans « le pays des chimères » pour vivre avec des créatures de fiction conçues selon son cœur. La jouissance du monde imaginaire devient un remède aux désillusions du monde réel et une transfiguration de l'expérience amoureuse vécue ou rêvée. Ses « érotiques transports » (*Conf.*, livre IX, p. 190) se fixent sur trois personnages : deux amies (les deux cousines Julie et Claire), et l'amant de la première « dont l'autre fût la tendre amie, et même quelque chose de plus » (*Conf.*, *ibid.*, p. 181). Rousseau opte pour une intrigue simple basée sur l'amour, passion naturelle, et refuse toute idée pénible (« ni rivalité, ni querelles, ni jalousie... rien qui dégradât la nature », *ibid.*). D'après la chronologie du livre IX des *Confessions*, l'activité fantasmatique fut donc

---

1. Y. Séité (*Du livre au lire*, 2002) a fait le point sur cette question. **2.** *Confessions*, livre IX, t. II, p. 177.

première dans la composition du roman : la passion pour
Sophie d'Houdetot (maîtresse de son ami Saint-Lambert)
ne sera vécue qu'une fois Julie inventée. Le processus décrit
est tout à fait comparable à la théorie freudienne de la création littéraire [1]. L'intrigue romanesque donne forme à la
composante érotique et hallucinatoire du fantasme, comme
en témoigne le lien organique des lettres et des estampes
auxquelles Rousseau a pensé dès 1757 [2].

L'investissement biographique dans la fiction est avoué
comme tel dans les *Confessions*. Racontant au livre VIII son
infidélité avec la maîtresse de son ami Kluffel, et le prompt
aveu qu'il en fit à sa compagne Thérèse, Rousseau écrit :
« Je sortis de la rue des Moineaux, où logeait cette fille,
aussi honteux que Saint-Preux sortit de la maison où on
l'avait enivré, et je me rappelai bien mon histoire en écrivant
la sienne [3]. » Comme dans l'*Émile*, une part importante de
discours autobiographique se glisse dans des notes qui
prennent même un ton de confidence sexuelle (II, 21,
p. 321). Les postures de Saint-Preux, champion de la vérité,
sont calquées sur celles de Jean-Jacques (II, 19, p. 317). Si
les noms *Étange* et *Wolmar* sont purement fictifs, on trouve
dans la *Julie* comme dans les contes de Diderot des noms
de personnages historiques : ceux-ci interviennent dans la
fiction (l'amiral Amson engage Saint-Preux dans son
escadre), sont simplement évoqués (le lieutenant-général
Sacconex, blessé en 1712, mentionné dans le *P. S.* de I, 34,
p. 141), ou servent à baptiser d'autres personnages (Daniel
Roguin, en I, 34, est le nom du « doyen » des amis de Rousseau) [4]. De même, Claude Anet vient du trio des Charmettes
(*Conf.*, livre V, p. 218 et 245), tandis que le pasteur Perret
évoqué par Julie en III, 18 est le « successeur » de M. Tavel,
premier amant de Mme de Warens [5].

---

1. Freud, « Le poète et l'activité de fantaisie » [1907], in *Freud et la création
littéraire*, PUF, « Quadrige », 2010. **2.** Sur ce point, voir Ch. Martin,
« L'exemple de *La Nouvelle Héloïse* », 2005. **3.** *Confessions*, livre VIII, t. II,
p. 96. De même au livre IX : « Épris de mes deux charmants modèles, je
m'identifiais avec l'amant et l'ami autant qu'il m'était possible ; mais je le
fis aimable et jeune, lui donnant au surplus les vertus et les défauts que je
me sentais » (p. 181-182). **4.** *Ibid.*, livre VII, t. II, p. 17. **5.** *Ibid.*, livre V, t. I,
p. 241.

Durant l'hiver 1756-1757, Rousseau se met sérieusement à l'écriture de son roman, en justifiant comme il peut cette entorse aux maximes austères du « sévère censeur des spectacles » et des Lettres (*Entretien*, p. 923). Rassemblant les lettres des deux premières parties pour « en faire une espèce de roman » (*Conf.*, livre IX, p. 186), il les lit à Thérèse et à sa mère, son premier auditoire populaire. La visée démocratique de la *Julie* est de dépasser le petit cercle des mondains parisiens qui croient donner le ton à toute l'Europe, pour toucher les campagnards, les solitaires, le public bourgeois, le peuple [1].

En mai 1757, les quatre premières parties sont achevées, avec une fin tragique en forme de double noyade des amants : une trace de cette première version subsiste dans l'« horrible tentation » de Saint-Preux sur la barque qui les ramène à Clarens (IV, 17, p. 616-617). Dans la vie réelle, l'ours enchanté reçoit alors une deuxième visite de Sophie d'Houdetot :

> Elle était à cheval et en homme. Quoique je n'aime guère ces sortes de mascarades, je fus pris à l'air romanesque de celle-là, et pour cette fois, ce fut de l'amour. [...] Elle vint, je la vis, j'étais ivre d'amour sans objet, cette ivresse fascina mes yeux, cet objet se fixa sur elle, je vis ma Julie en Mad^e. d'Houdetot [2].

Nous verrons que ce caractère d'androgynie de la cavalière n'est pas sans rapport avec le croisement des identités sexuelles qui se dessine dans la seconde moitié de *La Nouvelle Héloïse* et qui formait déjà l'intrigue de la comédie *Narcisse* (1753) [3].

Cette passion tardive autant qu'impossible altère considérablement les relations déjà houleuses entre Jean-Jacques et les amis de Diderot : la rupture est consommée en décembre 1757 avec le déménagement à Montmorency. Les quatre premières parties de la *Julie* sont à cette date achevées, complétées par les parties V et VI écrites pendant

---

1. Sur la réception du roman, voir Cl. Labrosse, *Lire au XVIIIe siècle : La Nouvelle Héloïse et ses lecteurs*, 1985. **2.** *Confessions*, livre IX, p. 191-192. **3.** Voir l'article de René Démoris, « *Narcisse* : ou comment l'auteur se donne en spectacle », in *Rousseau et le spectacle*, éd. J. Berchtold, C. Martin et Y. Séité, Armand Colin, 2014, p. 93-103.

l'année 1758. Rousseau y projette une petite société idéale de « belles âmes », soit l'antithèse de ce qu'il a vécu à l'Ermitage, mais les dernières lettres produisent un spectaculaire retournement de situation. Le roman comporte désormais six parties qui s'organisent ainsi :

Dans les parties I et II, le roman d'amour est décliné à partir de situations classiques, mais dont les résolutions sont inhabituelles. C'est le temps des illusions et des épreuves pour les amants : éloignements, rivalité, opposition du Baron au mariage de sa fille avec un roturier, exil de Saint-Preux à Paris sous la protection de Milord Bomston.

La partie III est scandée par une succession de crises : mort de Mme d'Étange, fièvre de Julie, retour de Saint-Preux qui s'inocule volontairement la petite vérole, mariage avec Wolmar, lettre-bilan de Julie (III, 18), Saint-Preux est tenté par le suicide mais Bomston l'engage à faire le tour du monde.

Dans les parties IV et V, le retour de Saint-Preux dans la maison des époux Wolmar permet la description de la vie à Clarens, petite société tournée vers l'invention d'un type de bonheur très différent du mode de vie de l'aristocratie française. Ces parties statiques explorent de nouvelles zones du sentiment et de la vie domestique.

La partie VI est celle du retour du temps des inquiétudes : derniers échanges entre Julie et Saint-Preux, et catastrophe (mort dramatique de Julie). La révélation de la lettre posthume de Julie ouvre une fin béante et remet en cause tout le « bonheur » vécu à Clarens.

En divisant et en étoffant la partie V, Rousseau a marqué plus fermement la symétrie des deux grands temps de l'action romanesque : avant et après la coupure de la longue séparation (quatre ans) entre les deux amants. Entre les trois premières parties et les suivantes, une spectaculaire ellipse temporelle et spatiale mais aussi le long silence *entre* les amants [1] manifestent ainsi un choix capital de Rousseau : celui d'un roman inscrit dans une durée longue, où le temps qui passe est la matière d'un drame existentiel – comment

---

1. Après son « dernier adieu » à Saint-Preux (III, 20, p. 453), Julie renoue la correspondance « après sept ans de silence » (VI, 7, p. 790).

être fidèle à soi-même et à l'autre quand il faut renoncer à l'amour ? – et de sa solution paradoxale – comment préserver la vertu au nom d'un amour qui doit pourtant changer de nature ?

« *J'ai vu les mœurs de mon temps, et j'ai publié ces lettres* »

Si l'on s'interroge, à partir de là, sur les enjeux de la forme épistolaire, il convient de ne pas les séparer de l'objectif moral auquel s'attache Rousseau et qui explique aussi la place de la *Julie* dans la tradition antécédente du roman par lettres. On peut d'abord considérer que la durée diégétique (plus de dix ans) se met au service d'une visée dialectique où il s'agirait de réussir la « synthèse » des contraires, de dépasser le conflit de l'amour-passion en le transfigurant dans la communauté confiante et unanime de Clarens, caractérisée par la « transparence » des cœurs [1]. Le temps long est celui de l'effort sincère des âmes vertueuses : leur fidélité à leur propre amour relève d'un travail de sublimation. En contrepoint, les amours « bizarres » de Milord Édouard indiquent que cet effort est commun à ce qui doit devenir la communauté élective de Clarens. Il inscrit les amants dans un véritable héroïsme de la volonté, visant à réconcilier leur droit avec celui de l'ordre social *qui pourtant les opprime*. L'originalité de cette promotion des « belles âmes » (I, 10, p. 78 ; II, 2, p. 237) et de leur aptitude au sacrifice, dont Rousseau a une conscience aiguë, rompt avec la temporalité libertine de l'amour, que caractérisent la rapidité, la superficialité et le nombre de conquêtes. Fondée sur l'affirmation de l'amour unique de toute une vie (I, 3, p. 61 ; I, 7, p. 70 ; VI, 7, p. 793), *La Nouvelle Héloïse* ne se réduit pas à un schéma édifiant de conversion réussie au sublime de la vertu : une fois qu'ils ont renoncé l'un à l'autre, Saint-Preux et Julie, mais aussi Claire, l'ami Bomston et Wolmar lui-même sont confrontés aux contradictions intimes du désir – et à leurs obscurités.

---

1. J. Starobinski, *Jean-Jacques Rousseau, la transparence et l'obstacle*, 1971, p. 105.

La forme épistolaire donne une épaisseur particulièrement expressive à la difficile tâche de se connaître et aux détours parallèles de l'illusion et du non-dit. Claire peut ainsi faire observer ironiquement à Julie la mauvaise foi de ses raisons pour ne pas avertir sa mère (I, 7, p. 70-71). Le pseudo-éditeur, dans ses notes, attire l'attention du lecteur sur les inconséquences morales de la passion, se montrant aussi complice qu'il peut être railleur [1]. Cet équilibre subtil témoigne d'une idéologie du roman : seule compte la vérité des épistoliers *sincères*. Chez ces êtres que Rousseau a voulus d'élite, dominent la confiance de l'épanchement (la lettre étant alors un espace de confidence et d'effusion) et la volonté de se montrer tel qu'on est pour, le cas échéant, se faire corriger. Saint-Preux, Julie et Claire se placent ainsi dès le début de leur correspondance sous la garde les uns des autres.

Tant que cette part intime (et clandestine) de correspondance peut durer, les lettres circulent aisément entre les amis qui se lisent entre eux ; mais dès que les tensions, liées au refoulement du désir, compromettent l'équilibre de Clarens, les échanges deviennent plus confidentiels et limitent leurs destinataires (IV, 7-8 ; V, 12 ; VI, 3). Par la forme épistolaire, Rousseau rend aussi attentif à *l'ordre de lecture* des lettres : dans la quatrième partie, les lettres 13 et 14 se trouvent-elles dans le bon ordre chronologique ? On a plutôt l'impression que Claire ruse avec Julie *après* avoir reçu la confidence de Wolmar sur ses projets et sa méthode pour guérir les deux amants. Est-elle alors entièrement sincère avec sa cousine ? L'ouverture des cœurs n'a-t-elle pas déjà laissé la place au pragmatisme des arrangements bilatéraux pour maintenir une réunion fragile ? Rousseau rend ainsi son lecteur sensible à une série de « crises » à travers lesquelles des individus tentent de se maintenir à la hauteur d'un idéal de vie morale très élevé, la société de son temps y ayant, selon lui, renoncé.

Phénoménal, le succès de *La Nouvelle Héloïse* est paradoxal du fait que le roman, dès son seuil, dénonce le lecteur

---

1. Par exemple, lorsqu'il avertit que les amants « battent la campagne » (II, 1, p. 233).

inapte à comprendre la grandeur de ses héros en quête de réforme de soi. De là, un rapport contrasté aux modèles littéraires antécédents. La *Julie* est lue dans toute l'Europe, alors que son auteur tourne le dos aux dominantes romanesques de son époque : la veine libertine et l'influence des auteurs anglais. Fielding renouvelle la veine comique avec *Tom Jones* (1749), tandis que Richardson, après *Le Doyen de Killerine* (1735-1741) de Prévost, introduit l'esthétique du drame dans le roman, avec sa *Clarissa* (immense roman par lettres de 1748, traduit par Prévost en 1751) et son Lovelace, type de « scélérat » énergique et tourmenté dont l'héritage se retrouvera en partie chez Laclos : il séduit et perd l'héroïne qu'il est incapable d'aimer avec noblesse. Or Rousseau revendique hautement le prix d'une entreprise romanesque qui se refuse aux facilités dramatiques des « noirceurs » et oblige le lecteur à entrer dans l'expérience d'une société sans méchanceté, comme le signale la note ultime de « l'éditeur » (VI, 13, p. 869).

Outre qu'elle est explicitement « anti-richardsonienne », cette note signifie au lecteur que la valeur du roman est à trouver dans le goût et le plaisir de « l'éditeur », seul *responsable* de la correspondance. Le roman est à prendre ou à laisser, prévient-il : « À qui plaira-t-il donc ? Peut-être à moi seul » (Préface, p. 50). L'ultimatum moral qu'il adresse plus spécialement aux « filles chastes » invite à savoir exactement ce que l'on fait, mais surtout ce que l'on est, quand on lit un roman qui nous confronte à nos pulsions désirantes. Cette délicate question constitue le sous-texte du discours moral explicite : le lecteur est-il en quête des tentations du vice, ou d'un miroir qui, fonctionnant comme une pédagogie sensible, le confronte au désir du bien comme à la seule chose qui doive solliciter son cœur, sa conscience et sa raison ? Rousseau a laissé à Saint-Preux le soin d'exposer la conviction selon laquelle la morale se trouve dans le « for intérieur » et s'y manifeste sous la forme du sentiment [1].

---

1. Voir I, 12, p. 86, et VI, 8, p. 820. Claire indique également à Julie que ses dilemmes relatifs à son ancien amant ne peuvent que trouver leur résolution dans les « propres règles » de sa « voix intérieure » (IV, 13, p. 593).

À tel lecteur qui n'en serait pas persuadé, ni avant, ni surtout *après* avoir lu son roman, Rousseau oppose la même
intransigeance que ses héros. Ceux-ci, lorsqu'ils répondent
à une lettre dont ils réprouvent la position, mettent en
demeure leur interlocuteur d'un « je n'ai plus rien à vous
dire » s'il n'entre pas dans leurs raisons, au motif qu'elles
sont celles de la noblesse de cœur qui réclame un accord
uniforme [1]. C'est pourquoi la communication restreinte,
dans ce roman polyphonique, se refuse à la « polychromie »,
c'est-à-dire à la variété des tons et des styles [2], excepté les
lettres de Fanchon et d'Henriette.

Rester « au pied des Alpes » (p. 53) participe de ce programme centripète. Le groupe restreint qui s'y constitue et
tente de lutter, pendant tout le roman, contre les forces centrifuges qui le menacent de dissolution [3] se défie des sociabilités élargies de la grande ville, susceptibles de tous les
maléfices du malentendu. On ne s'y connaît jamais vraiment
les uns les autres, et c'est pourquoi Saint-Preux, arrivant à
Paris, commence non pas, comme le Rica des *Lettres
persanes*, par identifier les habitants, leurs modes d'apparaître et leurs mœurs, mais, comme le mélancolique Usbek,
par constater que son cœur ne trouve personne à qui
parler « dans ce vaste désert du monde » (II, 14, p. 279).
Le séjour parisien est l'occasion d'une réflexion sur le *style*
épistolaire : les lettres de Saint-Preux sont menacées par la
contagion de l'esprit à la mode et cette discordance tonale,
dénoncée par Julie, menace « l'unisson » (I, 45, p. 159) des
amants et des amis, qui sera au contraire la marque de Clarens. Près de Julie et Wolmar, Saint-Preux constate que
« [s]on cœur se met par degrés à l'unisson des leurs, comme
la voix prend sans qu'on y songe le ton des gens avec qui
l'on parle » (V, 2, p. 623). Clarens n'a pas plus le goût des
« étrangers » que les lettres n'ont celui de la différence de
ton : elles sont, comme le salon d'Apollon de Julie, « l'asile

---

1. Voir I, 17, p. 96, et I, 57, p. 199 ; quand il ne s'agit pas carrément d'un
agressif vœu de mort : « Si [cette considération] ne te retient pas ; meurs, tu
n'es qu'un méchant » (III, 22, p. 473). **2.** Voir J. Rousset, *Forme et signification*, 1962, p. 89-93. **3.** Avec un art sûr du pathétique, Rousseau délègue à
une parole enfantine le soin d'exprimer l'implosion lente de l'utopie de
Clarens : « tout le monde s'éparpille » (V, 14, p. 748).

inviolable » de « la société des cœurs » (V, 2, p. 642). Au
bord du lac, les amis fusionnaient dans une complicité
active et enjouée dès l'époque de la passion clandestine.
Lorsque Claire écrit, après avoir éloigné Saint-Preux, que
« le secret [de leur amour] est concentré entre six personnes
sûres » (III, 1, p. 373), elle désigne ceux qui se font
confiance, liés par l'intérêt pour ceux qui souffrent. Inversement, à Paris, Saint-Preux se gausse de voir ces « six personnes choisies exprès pour s'entretenir agréablement
ensemble, et parmi lesquelles règnent même le plus souvent
des liaisons secrètes, ne pouvoir rester une heure entre elles
six, sans y faire intervenir la moitié de Paris, comme si leurs
cœurs n'avaient rien à se dire et qu'il n'y eût là personne qui
méritât de les intéresser » (II, 17, p. 299).

Mais où est le monde dans lequel les « belles âmes » de
Julie et des siens auraient encore leur place ? L'idée que le
roman est un mal nécessaire auquel il faut bien se résoudre
pour parler à des cœurs désormais éloignés de toute transparence nourrit l'agressivité de la première préface (p. 50).
Jean Starobinski a analysé cette disposition spécifiquement
indignée de l'inspiration de Rousseau [1]. La fiction est une
forme de retour à une origine perdue, qui fait revenir par
l'imagination une « mémoire éthique [2] ». Dans le monde des
chimères, l'amour et l'amitié sont des expériences électives ;
elles témoignent de la permanence d'une identité construite
dans le souvenir continué du sentiment, qui confirme une
exceptionnelle singularité morale et une capacité de supporter ensemble la distance et les sacrifices qu'elle impose.

La Nouvelle Héloïse est un roman de la séparation [3]. La
lettre s'écrit d'abord à partir de l'absence de l'autre. Elle
peut se faire épître en forme d'héroïde passionnée, sur le
modèle, si prisé de Rousseau, des *Lettres de la religieuse
portugaise* (1669), monodie épistolaire de Guilleragues. La
plainte de la solitaire et de l'abandonnée n'est pas un genre

1. J. Starobinski, « Rousseau : accuser et séduire », in *Table d'orientation.
L'auteur et son autorité*, Lausanne, L'Âge d'homme, « Poche suisse », 1989,
p. 35-55. **2.** J.-F. Perrin, « Mémoire de l'amour et sentiment moral dans *La
Nouvelle Héloïse* : l'accent de la valeur », 2015. **3.** Voir R. Howells, « Désir
et distance dans *La Nouvelle Héloïse* », 1985.

spécifiquement féminin pour Rousseau [1], puisque Saint-Preux en écrit – quitte à rugir « comme *une lionne* irritée » (I, 26, p. 123 ; nous soulignons). L'absence peut également se conjurer par la mise en scène des conditions de l'écriture : Julie écrit « à genoux » et « baigne le papier de [ses] pleurs » (I, 4, p. 65), Saint-Preux à Meillerie griffonne en tremblant sa lettre « sur un quartier que les glaces ont détaché du rocher voisin » (I, 26, p. 122). Par la suggestion visuelle, la lettre touche, excite (c'est le cas en I, 4 pour l'éruptif Saint-Preux qui la relit « mille fois ») et brûle. Elle manifeste alors son pouvoir d'abolition de la distance. Inversement, elle la mesure, soit par le sentiment d'une aliénation de la relation fusionnelle (« je ne sais plus à qui j'écris », s'alarme Saint-Preux en II, 1), soit par celui du décalage temporel (Claire est mariée « au moment [qu'il écrit] », constate le même en II, 16, traversé par « l'inquiétude sur l'état actuel de ce [qu'il] aime »). L'ultime lettre de Julie dramatise avec crudité ce décalage : « Quand tu verras cette lettre, les vers rongeront le visage de ton amante, et son cœur où tu ne seras plus » (VI, 12, p. 867). Mais alors la mémoire amoureuse qui, comme l'atteste encore la terrible « crise » de Meillerie (IV, 17, p. 613-614), n'a jamais renoncé à la fidélité au sentiment, peut opposer à la vie physique, nécessairement limitée, la possibilité d'une réunion spirituelle dans l'au-delà. La lettre révèle ainsi sa vocation à consacrer un présent éternisé du sentiment.

« Ce ne sont plus des lettres que l'on écrit, ce sont des Hymnes » : chant, musique, poésie

Se maintenir dans le présent d'un éclat premier, dans la « frappe de l'instant [2] », est un des enjeux de l'écriture de ces lettres auxquelles Rousseau confère une exceptionnelle puissance élégiaque. Il invente pour cela une forme inédite :

---

1. Dans la *Lettre à d'Alembert*, il prend sa part dans la controverse du moment sur l'attribution du roman, Guilleragues n'étant pas alors identifié : « Je parierais tout au monde que les *Lettres portugaises* ont été écrites par un homme » (GF-Flammarion, p. 158). **2.** Cl. Labrosse, « Puissance de la fiction, pouvoirs de l'instant », 1991, p. 35.

un roman-mélodrame (au sens de son *Pygmalion* de 1762) placé sous la double tutelle de Pétrarque et de Metastasio, le grand librettiste italien du XVIIIe siècle. Ces deux poètes sont les plus cités (une dizaine d'occurrences pour chacun d'eux) par les deux amants qui lancent leurs duos dès les premières lettres, à grands renforts de *ben mio* (I, 52, p. 181). Car ce n'est plus de la musique française, ce « bruit qui ne fait qu'étourdir l'oreille », qui ravit désormais Saint-Preux, mais la grande musique lyrique italienne, « source délicieuse de sentiments et de plaisirs » (I, 48, p. 166), que perfectionnent à l'époque les Porpora et Pergolese.

On aura compris que le référent du lyrisme rousseauiste est une musique érotisée, chantée dans la langue même de l'amour, celle des « heureux climats » qui ont vu naître « les vers et les chants », comme le dit l'*Essai sur l'origine des langues* (chap. XII). La musique et la poésie, tenues par Rousseau pour des chants de l'âme, fusionnent dans ces « hymnes » (*Entretien*, p. 913) que sont les lettres des deux amants. L'effet en est comparé à celui d'une « longue romance » (*Entretien*, p. 915), c'est-à-dire le genre opposé de l'*aria* faite pour briller. Le soin apporté aux rythmes, à la ponctuation, aux « quantités » (mot technique correspondant à ce que nous appelons le phrasé en musique) fait des lettres les plus lyriques (I, 14, 28, 54-55, pour la seule première partie) autant de *récitatifs* en prose, soit la partie la plus touchante des airs chantés [1]. Rousseau privilégie une musique textuelle intimiste, destinée à attendrir : la fin de la lettre en IV, 17 conduira le lecteur d'aujourd'hui du côté des *Lieder* de Schubert ou du septuor de Vinteuil rêvé par Proust.

La seconde référence esthétique de cette prose littéralement *inouïe* est la poésie pétrarquiste, chère au cœur des deux épistoliers – Platon est la « véritable philosophie des amants », dit une note de l'éditeur (II, 11, p. 270). Le chant est donc porté par une idéologie néoplatonicienne de l'amour, réactivée par le romancier, et déclinée par le trio à travers plusieurs thèmes :

– la passion qui naît au premier regard : « mon cœur fut à vous dès la première vue », écrit Julie (III, 18, p. 408),

---

1. Voir l'article « Récitatif obligé » du *DM* (*OC*, V, p. 1012-1013).

tandis que l'éditeur blâme en note le prosaïsme d'un Richardson ;

– les yeux de l'aimé(e), miroirs de l'âme, image filée lors de l'arrivée à Paris (II, 13, p. 278) ;

– la sympathie des âmes, identifiée par Claire : « votre amour porte un caractère naturel de sympathie que le temps ni les efforts humains ne sauraient effacer » (III, 4, p. 378) ;

– la part divine de l'amour vertueux : « Ce doux enchantement de vertu s'est évanoui comme un songe : nos feux ont perdu cette ardeur divine qui les animait en les épurant », regrette Julie (I, 32, p. 134).

Les images lyriques combinent souvent plusieurs thèmes : Saint-Preux s'adresse à Julie comme cet « amant malheureux [...] animé de ces feux immortels qu'il prit dans tes yeux et qu'ont nourris tes sentiments sublimes, prêt à braver la fortune, à souffrir ses revers, à se voir même privé de toi, et à faire des vertus que tu lui as inspirées le digne ornement de cette empreinte adorable qui ne s'effacera jamais de son âme » (II, 13, p. 276-277).

Ce platonisme amoureux est mis au service d'un dépassement de soi qui a souvent été souligné. « Je sens qu'il faut avoir été ce que je fus pour devenir ce que je veux être » (V, 3, p. 658), écrit Saint-Preux, exalté par sa propre vertu. Reste que la conversion des amants est d'abord une opération méthodique de recréation des cœurs, imaginée par un Wolmar philosophe très assuré de son système, mais dont la figure inquiétante – « l'âme tranquille et le cœur froid » (IV, 12, p. 583) – interroge sourdement les prétentions et les menées de la raison. *La Nouvelle Héloïse* est un roman ambivalent, à la fois laboratoire de savoirs nouveaux, essai fictionnel des grandes interrogations rousseauistes sur l'homme, ses passions et leur inscription dans le politique, mise en question du magistère du « philosophe » et de la vocation émancipatrice de la philosophie.

« *Déplaire aux dévots, aux libertins, aux philosophes* » : un roman des Lumières ironique

Rousseau inscrit sa *Nouvelle Héloïse* dans la lignée des *Lettres persanes* et du *Cleveland* de Prévost, en tant que

roman-somme philosophique concentrant les débats et les
questionnements d'une époque. Plusieurs lettres-disserta-
tions s'inspirent du modèle de Montesquieu : sur l'éducation (I, 12 ; V, 6), le duel (I, 57), Paris et ses mœurs
(partie II), le suicide (III, 21-22), les questions religieuses
(III, 18 ; V, 5 ; VI, 7-8 et 11), l'économie politique, l'ordre
des sexes... La Préface fait d'emblée de la forme romanesque un instrument spécifique dans les controverses religieuses et intellectuelles du moment : si le roman peut irriter
tout le monde, c'est qu'il se refuse à prendre parti et renvoie
chaque camp à son intolérance. En confrontant les points
de vue, le dialogisme épistolaire se met au service de cet
objectif.

À un premier niveau, certaines interventions de l'éditeur
assument le risque de l'hétérodoxie religieuse. L'une fustige,
de manière d'autant plus stratégique qu'on est à la fin du
roman, le fanatisme janséniste (VI, 7, p. 803). Plus développée et souvent commentée, une autre vient appuyer la
longue lettre de Saint-Preux qui révèle à Édouard l'athéisme
de Wolmar et développe le paradoxe de l'athée vertueux
(voir III, 18, note 1, p. 431). Wolmar réussit en effet l'exploit
de « penser en impie et vivre en chrétien », car il fait le bien
selon la vertu (V, 5, p. 697). Pourquoi donc, soupire Julie,
être « incrédule » (*ibid.*) quand on est si bon ? Le portrait
de Wolmar, à cet égard, est d'autant plus ironique que
Rousseau dans le roman a fait de lui la figure par excellence
du « philosophe » au sens des Lumières, critique à l'égard
de la superstition, croyant au pouvoir émancipateur de la
seule raison, et même dissident politique dans un espace
despotique : toutes dispositions qui font de lui un flegmatique héritier d'Usbek.

Dans le contexte, propre à ce début des années 1760, du
conflit entre philosophes, autour de l'*Encyclopédie*, et « anti-
philosophes », champions de la défense de la religion, Rousseau n'entend certes pas être du côté des encyclopédistes et
de leurs amis, conduits par Diderot. Avec le personnage de
Wolmar, il accorde en revanche au camp religieux des
« dévots » que le « philosophe » peut se situer du côté des
dangers de l'athéisme. En effet, la « philosophie », dans la
rhétorique de combat de ce camp, ne désigne pas autre

chose que l'orgueil d'une raison qui ne croit en rien pour mieux soustraire son immoralité au jugement de Dieu et de ses interprètes. Ce n'est pas nouveau : au XVIIe siècle, on appelait « libertin », plutôt que « philosophe », celui qui, pensant et croyant mal (mécréant ou athée), se conduisait nécessairement mal. Et pourtant, Wolmar est loué par les « belles âmes », admiratives de sa vertueuse intelligence… Faut-il donc condamner l'athéisme ? Sans doute, mais en se gardant de confondre le bon grain vertueux (façon Wolmar) de l'ivraie matérialiste des « vulgaires épicuriens » (V, 2, p. 640) : la « philosophie » vraiment condamnée, dans le roman, est en effet le matérialisme avec ce qu'il peut comporter d'immoralisme et de désir libertin de jouir quel qu'en soit le prix humain.

Rousseau est profondément religieux. La trajectoire des deux amants s'accompagne d'une montée en puissance de la place de la religion dans leur existence et du sens social et moral qu'ils lui accordent. Mais si la foi est préférable, on doit tenir compte des idiosyncrasies. À Clarens, Bomston, le philosophe qui croit, et Wolmar, celui qui ne croit pas, en discutent « un hiver entier » mais n'ont aucun zèle convertisseur (VI, 8, p. 819). De même, chacun croit au ciel selon sa vocation et sa sensibilité. Entre Saint-Preux et Julie, l'échange se joue entre deux variantes de déisme fondées sur le « sentiment intérieur » (V, 5, p. 700 ; VI, 7, p. 801) : l'un est plus raisonné, l'autre assume la « dévotion » sensible de la prière. Les deux pourfendent les dogmatismes confessionnels et l'hypocrisie des pratiques extérieures. Dans l'ensemble, la lettre autorise l'expression d'arrangements singuliers, personnels, réclamant le droit – parfois très directement, comme Julie – au retrait dans un sanctuaire intime où nul n'est censé surveiller la foi : tel est aussi le sens du cruel épisode où Wolmar, accompagné de Saint-Preux, s'introduit dans l'espace du « cabinet » où il surprend Julie cachée pour prier (V, 5, p. 702).

Dans cette scène profondément intrusive, assimilable à un viol moral, le goût de Wolmar pour se constituer en « œil vivant » (IV, 12, p. 583) devient de plus en plus suspect. Est-ce là connaître les hommes en philosophe, ou les torturer en froid expérimentateur ? On s'est même demandé s'il n'avait pas planifié la dangereuse équipée de Meillerie [1]. La fiction de l'âge classique avait offert à Rousseau des modèles inquiétants : Arnolphe dans *L'École des femmes*, Usbek dans les *Lettres persanes*, Élisabeth Cleveland dans *Le Philosophe anglais* de Prévost, sans parler de Cleveland lui-même – autant de « philosophes-pédagogues » qui observent en vase clos des êtres se soumettant à des expériences sur leur vie physique et morale [2]. Le « sang-froid d'un philosophe » (V, 3, p. 663) n'empêche pas Wolmar de se tromper lourdement. Lui qui compte remplacer des images par d'autres pour manipuler la mémoire des amants est, pour le coup, trop matérialiste, peu platonicien, et insensible à la « langue des âmes » de la musique : ce qu'il croit pouvoir effacer relève des sensations, mais le *sentiment*, dans la profondeur fondatrice de l'émotion érotique, est irrépressible [3] : Saint-Preux reconnaît immédiatement, lorsque Julie lui écrit « après sept ans de silence », le ton et la « marque » des « impressions éternelles » (VI, 7, p. 791).

Cette erreur du philosophe autoproclamé, qui conduit à une catastrophe, constitue la part émergée d'un thème disséminé dans tout le roman. Sur le mode comique, Saint-Preux et Bomston sont régulièrement désignés par Julie comme « [s]es pauvres philosophes » (VI, 8, p. 811), en manière de tendre raillerie, tant leur prétention à s'élever au-dessus des passions pour correspondre à un certain héroïsme à l'antique se trouve démentie par leurs faiblesses sentimentales. Bomston est ainsi appelé « philosophe anglais », allusion ironique au malheureux Cleveland, héros impuissant de l'*hybris* philosophique, qui ne parviendra jamais à accorder son désir de rationalité aux obscurités de son propre cœur et de celui des autres (I, 47, p. 164, et III, 7, p. 384).

Il faut donc se rendre attentif aux signaux critiques dont Rousseau a parsemé son roman, adressés à un lecteur capable de mesurer l'autorité de discours que se donnent les épistoliers pour ce qu'elle est : partielle et partiale. La parole de portée générale, entée sur la forme-maxime, s'y trouve

---

1. Ch. Martin, « Donner corps aux chimères. *Julie* ou la nouvelle Galathée ? », *Rousseau et le roman*, 2012. **2.** Voir Ch. Martin, « La fabrique du philosophe », *Le Philosophe romanesque*, 2007. **3.** Voir J.-F. Perrin, art. cité.

régulièrement relativisée [1]. Les énoncés de savoir ne sont ainsi jamais détachés de l'expérience affective de ceux qui les profèrent : Saint-Preux ne disserte sur le suicide qu'après l'adieu que lui a imposé Julie, celle-ci se passionne pour l'éducation par amour maternel, Claire brosse à Julie un tableau des mœurs de Genève pour revenir sur le principe de séparation sociale des sexes comme sur un point qui leur importe à toutes deux face au danger érotique que représente Saint-Preux. Aucune pensée, à l'exception (et encore !) de celle de Wolmar, n'est détachée du monde sensible, y compris sur la question religieuse [2].

« Dans les Tableaux de l'humanité chacun doit reconnaître l'Homme » : anthropologie et politique

Nulle tentation sceptique, donc, chez Rousseau, mais bien le désir de retrouver la voix authentique des hommes – et des femmes. À la disposition philosophique du roman, il offre d'ailleurs une solide architecture théorique, l'anthropologie qu'il vient de fonder dans le *Discours sur l'inégalité*. La *Julie* peut se lire comme un roman des sciences de l'homme, celles qui voient le jour dans ces années 1750 avec les travaux de Condillac, de Buffon et de Rousseau lui-même.

Saint-Preux ouvre cette perspective avec sa lettre sur les Valaisans (I, 23), première enquête « ethnologique ». Il y pose les prémisses d'une méthode affinée dans les lettres parisiennes :

> C'est le premier inconvénient des grandes villes que les hommes y deviennent autres que ce qu'ils sont, et que la société leur donne, pour ainsi dire, un être différent du leur. [...] en général il n'y a guère à gagner à tout ce qu'on substitue à la nature. Mais on ne l'efface jamais entièrement ; elle s'échappe toujours par quelque endroit, et c'est dans une certaine adresse à la saisir que consiste l'art d'observer (II, 21, p. 329-330).

---

1. Voir Y. Séité, « *La Nouvelle Héloïse* et le problème des maximes », *Rousseau et le roman*, 2012. **2.** Il est possible de saisir, dans les ultimes discours de Julie, une forme élaborée de dialogue entre désir érotique et foi religieuse.

Cette position d'extériorité est renforcée par le parcours du jeune homme qui effectue, à l'instar de Jean-Jacques, une traversée verticale de toutes les classes sociales. S'il tient à distinguer « l'observation philosophique de la satire nationale », Saint-Preux n'hésite pas à remettre en question l'objectivité de son regard, menacée par la corruption du milieu observé : « Ne suis-je pas à présent moi-même un habitant de Paris ? » se demande le voyageur suisse qui souhaite conserver « l'âme d'un homme libre et les mœurs d'un Citoyen » (II, 16, p. 293), et non dégénérer en « sujet » de la monarchie. Ces lignes caractérisent autant l'engagement politique de l'auteur que l'opposition structurelle homme de la nature/« homme de l'homme » (V, 2, p. 654), base de l'anthropologie rousseauiste.

Depuis le *Discours sur les sciences et les arts* (1750), Rousseau dénonce une civilisation jugée inégalitaire et inique, où règnent la servitude, le masque et les passions sociales. La « servitude volontaire » théorisée par La Boétie est rattachée à un processus historique très large qui a vu l'étouffement progressif de l'homme naturel par l'homme façonné et exploité par l'homme. L'homme civilisé se prive de liberté, y compris de sa liberté de pensée, par sa soumission à des codes artificiels. Son masque de politesse devient un moyen de dissimuler ses vices et son agressivité. « Jusqu'ici j'ai vu beaucoup de masques ; quand verrai-je des visages d'hommes ? » s'interroge Saint-Preux (II, 14, p. 284). Thème moraliste par excellence depuis Molière, La Rochefoucauld et Marivaux, le masque de l'homme en société devient, par comparaison avec le paysan, un moyen d'évaluer le progrès de la corruption : « Le judicieux Wolmar trouve dans la naïveté villageoise des caractères plus marqués, plus d'hommes pensant par eux-mêmes que sous le masque uniforme des habitants des villes, où chacun se montre comme sont les autres, plutôt que comme il est lui-même » (V, 2, p. 654). L'anthropologie rousseauiste fournit une interprétation globale du processus civilisationnel : les passions sociales, première cause de la dégradation de l'amour de soi et des vertus naturelles (pitié, humanité) en amour-propre, nourrissent le désir d'ostentation (luxe, appétit de distinction et de richesses) et d'imitation. Tel est le double aspect du développement des sociétés : le perfectionnement « de l'individu » par les sciences et les arts s'accompagne de la « décrépitude » morale de l'espèce [1]. En conséquence, l'homme civilisé ne vit plus pour soi ni pour les siens ; il devient aliéné dans le regard des autres, dans l'opinion « du monde ». L'individu ne connaît plus les passions douces ; il est réduit aux plaisirs d'amour-propre, toujours négatifs et destructeurs. Il est temps, selon Rousseau, de remédier à cet état des choses.

Une des visées de *La Nouvelle Héloïse* est de faire entendre aux civilisés la voix de la nature : montrer que l'homme de la nature subsiste sous l'homme social, même chez les petits-maîtres et les coquettes (II, 21, p. 334). Pour cela, il faut restaurer les passions douces, celles qui sont exaltées dans la lettre sur les vendanges :

> La simplicité de la vie pastorale et champêtre a toujours quelque chose qui touche. Qu'on regarde les prés couverts de gens qui fanent et chantent, et des troupeaux épars dans l'éloignement : insensiblement on se sent attendrir sans savoir pourquoi. Ainsi quelquefois encore la voix de la nature amollit nos cœurs farouches, et quoiqu'on l'entende avec un regret inutile, elle est si douce qu'on ne l'entend jamais sans plaisir (V, 7, p. 710).

Cela n'est pas du goût du public mondain, qui n'a guère envie de retourner vivre avec les Montagnons du Valais, et encore moins de vendanger les coteaux de Clarens. « Quoi donc ? Faut-il […] retourner vivre dans les forêts comme les ours [2] ? » fait dire Rousseau à ses adversaires, dont il anticipe les objections dans les notes du *Discours sur l'inégalité* et dans l'*Entretien sur les romans*.

L'intrigue amoureuse *et* domestique du roman relève de l'imaginaire des sociétés-familles, correspondant dans le *Discours sur l'inégalité* à un second état de nature qui succède à celui de l'homme sauvage isolé. Ces sociétés correspondent à un état d'équilibre entre les sentiments filiaux développés au sein de la famille par un changement culturel (la douce « habitude de vivre ensemble [3] ») et le développement des premiers affects qui vont modifier l'être sensible.

---

1. Rousseau, *Discours sur l'inégalité*, 2008, p. 118. **2.** *Ibid.*, n. 9, p. 169. **3.** *Ibid.*, p. 114.

L'*Essai sur l'origine des langues* (écrit autour de 1754) va plus loin dans la représentation d'une famille autosuffisante, qui se perpétue par l'inceste frère-sœur [1]. Ce thème hante *Le Fils naturel* de Diderot, le *Narcisse* de Rousseau, mais aussi son roman : les six évocations du frère disparu de Julie dans la première partie [2] suffisent à dresser de lui un portrait moral en tout point identique à celui de Saint-Preux – ce dernier étant tenu explicitement pour un frère par les deux cousines (III, 7, p. 384 ; VI, 6, p. 787 ; VI, 8, p. 810).

La famille est alors repensée comme lieu libidinal centré non plus autour du père comme dans les drames de Diderot, mais autour de la mère. Le pendant de la scène attendrissante de réconciliation – dans le sang et les larmes – entre Julie, sa mère et son père honteux du soufflet donné à sa fille (I, 63, p. 216) est la « matinée à l'anglaise » (V, 3, p. 658). Dans ce « tableau vivant » superlativement familial, ne comportant pas moins de trois enfants et leur gouvernante Fanchon, Julie trône sur ses « sujets » (V, 3, p. 660), en véritable majesté de la maternité rayonnante – Mme de Wolmar goûtant là les seules jouissances permises par le système de Clarens. Ce tableau de l'enfance et du foyer, scrupuleusement décrit par Rousseau dans la légende de la neuvième estampe (p. 903), introduit une nouvelle forme de pathétique dans le genre romanesque, celui des passions douces (amitié, amour filial, bienveillance) qui régit l'économie libidinale des sociétés-familles.

Ce tropisme « maternel » de *La Nouvelle Héloïse* se manifeste de plusieurs façons. Le roman domestique s'inscrit entre la mort de quatre figures maternelles : la mère de Claire et son substitut la Chaillot, Mme d'Étange et enfin Julie devenue « mère à [s]on tour » (V, 9, p. 725). Mme de Wolmar renonce à Saint-Preux (III, 18, p. 438) en identifiant son sort à celui de ses parents. Enfin, la vie à Clarens est définie comme une extension de la propre famille de Julie autant que du modèle de la *familia* antique :

---

1. « Chaque famille se suffisait à elle-même et se perpétuait par son seul sang. [...] on devenait maris et femmes sans avoir cessé d'être frère et sœur » (*Essai sur l'origine des langues*, éd. C. Kintzler, chap. IX, GF-Flammarion, p. 96). **2.** I, 4, p. 64 ; I, 6, p. 68 ; I, 44, p. 158 ; I, 48, p. 166 ; I, 52, p. 181 ; I, 57, p. 199.

> Elle [Julie] s'informe des besoins de son voisinage avec la cha-
> leur qu'on met à son propre intérêt ; elle en connaît tous les
> habitants ; elle y étend, pour ainsi dire, l'enceinte de sa famille,
> et n'épargne aucun soin pour en écarter tous les sentiments de
> douleur et de peine auxquels la vie humaine est assujettie (V, 2,
> p. 628).

Bien avant son mariage, pressée par la proposition de
Bomston de fuir en Angleterre avec son amant, Julie écrit à
Claire cet argument implacable : « Celle qui déshonore sa
famille apprendra-t-elle à ses enfants à l'honorer ? » (II, 4,
p. 246). Le même souci revient dans la lettre autobiographique qui condamne les couples adultères : « Comment
prouvent-ils qu'il est indifférent à un père d'avoir des héritiers
qui ne soient pas de son sang ; d'être chargé, peut-être de
plus d'enfants qu'il n'en aurait eu, et forcé de partager ses
biens aux gages de son déshonneur sans sentir pour eux des
entrailles de père ? » (III, 18, p. 433-434). Ne nous y trom-
pons pas : c'est bien la femme qui est en cause dans cette loi
inégalitaire héritée du droit romain (*Pater semper incertus
est*)[1]. Dans l'esprit du contrat de mariage de l'époque, seule
la femme peut être déclarée adultère. Julie refuse l'idée d'être
une « mère coupable » : c'est son propre cas qu'elle exor-
cise dans cette lettre aux résonances juridiques – effrayante
quand on songe qu'elle écrit à son amant[2].

On en déduira que toute lecture politique du roman ne
peut se comprendre qu'à partir d'une extrapolation de la
société-famille autonome du second *Discours* et des vertus
naturelles incarnées par Julie, à commencer par la pitié. La
capacité d'identification à l'autre souffrant est interprétable
comme une extension de l'amour de soi. La pitié constitue
alors une base anthropologique à la passion amoureuse vécue par les deux amants : la sympathie, l'union des
âmes sont le prolongement d'un *bon* amour de soi. « Peut-
être l'amour seul m'aurait épargnée ; ô ma Cousine, c'est la

---

1. C'est-à-dire : l'identité du père est incertaine, contrairement à celle de la
mère. **2.** Tout le problème est de penser le passage de la femme en tant
qu'*objet* d'échange (« il fait de sa fille une marchandise », I, 28, p. 126) à
celui de *sujet* contractant, donc libre. Voir, sur ce problème que ne règle ici,
comme ailleurs, nullement Rousseau, C. Pateman, *Le Contrat sexuel*, trad.
Ch. Nordmann, La Découverte, 2010 [1988], p. 163-167.

pitié qui me perdit », écrit Julie pour justifier son « égarement » (I, 29, p. 127).

À Clarens sont tenus à l'écart les méfaits de l'amour-propre, l'aliénation par l'opinion, le souci de l'apparence (V, 2). Sont valorisés à l'inverse les passions douces, le travail utile (destiné à une fin commune) et la bienfaisance : Julie « n'a point cette pitié barbare qui se contente de détourner les yeux des maux qu'elle pourrait soulager » (V, 2, p. 628). À travers la voix de ses personnages Rousseau fustige les besoins ruineux du luxe ou de la mode, dénonçant au passage les fallacieux slogans des physiocrates (secte d'économistes très influente parmi les encyclopédistes), comme le fameux « ruissellement des richesses » (IV, 10, p. 550, note 1) sur les classes pauvres. À cette illusion mensongère aux résonances si actuelles, Julie oppose le seul ruissellement valable, celui de l'amour du genre humain :

> Si vous voulez donc être homme en effet, apprenez à redescendre. L'humanité coule comme une eau pure et salutaire, et va fertiliser les lieux bas ; elle cherche toujours le niveau, elle laisse à sec ces roches arides qui menacent la campagne et ne donnent qu'une ombre nuisible ou des éclats pour écraser leurs voisins (II, 27, p. 367).

Les longues lettres sur l'économie domestique autarcique décrivent le changement opéré sous l'influence des époux Wolmar. L'organisation du domaine de Clarens fait passer le visiteur (et le lecteur) du système féodal de la société par états symbolisée par le château d'Étange et l'idéologie nobiliaire du Baron, vers un modèle de « vie uniforme et simple » animée d'un idéal pré-démocratique où « des égaux eussent pu distribuer entre eux les mêmes emplois, sans qu'aucun se fût plaint de son partage. Ainsi nul n'envie celui d'un autre ; nul ne croit pouvoir augmenter sa fortune que par l'augmentation du bien commun » (V, 2, p. 646). L'organisation sociale de Clarens devient alors, sous la plume de Saint-Preux, l'analogue de celle qu'eût mise en place un gouvernement *égalitaire*. L'importance accordée à la condition des domestiques relève de ce choix idéologique qu'il serait anachronique de rapporter à une forme de paternalisme : la primauté est donnée à la formation morale des serviteurs et non à leur efficacité économique. Pour Rousseau qui a connu tous les états de la société, il n'existe pas plus de personnage mineur que de sous-humanité : chaque être humain a son importance, sa dignité et même son style propre, comme le prouvent les lettres de Fanchon Regard, incarnation populaire du chœur antique des tragédies (VI, 9), ou encore Henriette (V, 14), la fille de Claire âgée de huit ans.

Trait peu attendu chez l'auteur de l'*Émile* : les discours politiques les plus profonds sont tenus par les femmes. La lettre de Claire sur Genève (VI, 5) est un réquisitoire lucide et moqueur contre la dégénérescence des mœurs républicaines. La citation du *Sertorius* de Corneille a valeur de symptôme du malaise ressenti par le personnage face à une société genevoise réglée par l'avidité et le profit : « le luxe des autres peuples leur fait mépriser leur antique simplicité ; la fière liberté leur paraît ignoble ; ils se forgent des fers d'argent, non comme une chaîne, mais comme un ornement » (VI, 5, p. 773-774). Cette lettre se lit ainsi en contrepoint de l'ironique « Dédicace à la République de Genève » du *Discours sur l'inégalité* et de la *Lettre à d'Alembert sur les spectacles*, texte politique de défense des principes républicains de la cité de Calvin.

Il revient aux deux cousines d'énoncer une parole politique pertinente et progressiste sur les duels, l'éducation, l'asservissement et l'exploitation, tandis que les hommes... lisent la gazette (I, 7, p. 71 ; I, 35, p. 143 ; V, 3, p. 660). L'être humain ne doit pas « servir simplement d'instrument à d'autres », affirme Julie avant d'ajouter : « les hommes ne sont pas faits pour les places, mais les places sont faites pour eux » (V, 2, p. 633). Certes, les diatribes républicaines ne manquent pas dans la bouche de Saint-Preux (IV, 17, p. 609), mais elles restent des morceaux d'éloquence rhétorique : le personnage n'a aucun moyen d'action, il est entretenu par un Milord qui lui fournit tout. Julie est quant à elle dans la *praxis*, dans la réorganisation d'un domaine dont elle partage l'intendance (V, 6, p. 706) avec l'inséparable cousine.

« *Des deux sexes et autres*[1] » ?

Cette reconfiguration des rôles à Clarens a une autre portée : elle met en évidence un travail de refoulement sexuel qui éclaire différemment l'échec final de la réunion des amis. Si Saint-Preux appelle « système » la façon dont Julie tempère la jouissance (V, 2, p. 643), Claire, qui en est moins dupe, use du même mot pour désigner la doctrine des sphères séparées à Clarens (VI, 5, p. 777). C'est sur Mme de Wolmar que repose la gestion hautement disciplinaire de la séparation des deux sexes : elle avait déjà exposé à Saint-Preux, du temps de leur lecture commune de *La République* de Platon, la thèse de la distinction naturelle des sexes comme fondatrice de l'ordre collectif (I, 46, p. 162).

Face à Julie, Saint-Preux (I, 55, p. 187) et Claire (II, 5, p. 252) défendent plutôt un principe d'indistinction – et un autre versant du platonisme, celui du *Banquet* – qui brouille les identités de genre dans l'économie du trio comme dans celle de Clarens[2]. Les « philosophes », au masculin, ont tôt fait d'en appeler réciproquement à leur identité virile, dans des lettres qui soulignent le goût du stoïcisme romain. Mais outre que ces postures d'autorité n'ont rien de bien solide, on remarquera que Saint-Preux lui-même tente d'échapper à une certaine assignation de masculinité, notamment en transgressant les frontières des espaces durement sexués de Clarens. Il pénètre au « gynécée » et y absorbe force laitages (IV, 10, p. 540), dans une posture volontiers enfantine qu'il tâchera aussi d'inscrire dans le projet fomenté par Wolmar de faire de lui le précepteur de ses fils : « J'élèverai donc vos enfants ? L'aîné des trois élèvera les deux autres ? » (V, 8, p. 721).

Cette dévirilisation vise à lever l'interdit de l'accès à Julie. De son côté, Claire affirme être « en femme une espèce de monstre » et n'hésite pas à expliquer à son futur époux qu'une « bizarrerie de la nature » instruit en elle la concurrence entre le devoir conjugal – auquel elle se plie sans

---

1. Balzac, *Le Père Goriot*, GF-Flammarion, 2006, p. 45. **2.** Voir le livre de L. Challandes, *L'Âme a-t-elle un sexe ? Formes et paradoxes de la distinction sexuelle dans l'œuvre de Rousseau*, 2011.

enthousiasme particulier – et « l'amitié » souveraine pour
Julie, dans une lettre qui célèbre plus généralement les
vertus de l'indistinction affective (I, 64). La féminisation de
Saint-Preux tend à reconfigurer les relations à l'intérieur
même du trio, où il se montre très tôt jaloux de l'intimité des
cousines « inséparables ». Ce déni des identités sexuellement
distinctes s'articule, à la fin du roman, à l'échec des arrangements conjugaux : Saint-Preux comme Claire refusent la
solution du mariage. Julie est devenue victime de sa propre
influence sur les cœurs, au point que chacun entend se priver
des attachements qui ne permettraient plus de l'adorer *absolument*.

Que Rousseau ait ici donné toute sa place au droit
d'aimer librement qui l'on veut ne concerne pas seulement
le déchirant aveu final de Julie elle-même : face aux *réalités*
des devoirs sociaux en la matière, demeure la puissance érotique du fantasme, par lequel chacun se donne au délicieux
et terrible pouvoir des images de l'autre, dans un monde
semi-onirique des *délires* où tout est permis. Saint-Preux se
livre à la fureur sensuelle qu'occasionne l'absence fétichisée
de Julie [1], Claire reconnaît que l'inoculation de l'amour
triomphe de toute censure (III, 14, p. 401). Les corps eux-
mêmes, dans des situations limites orchestrées par Rousseau
avec un sens consommé du pathétique, débordent ce qui
peut se dire explicitement : l'installation définitive de Claire
à Clarens est ainsi l'occasion d'une scène où les corps pâmés
se mêlent, Claire finissant par tomber sur Julie, tandis que
Saint-Preux erre comme une femme en criant et que
Wolmar, calé dans son fauteuil, jouit passivement du spectacle (V, 6).

Brouillage des identités sexuelles et effervescence érotique
vont ainsi de pair, contrariant d'autant la méthodique entreprise d'assignation des places engagée par le couple Wolmar.
Claire, qui parle le plus librement de l'insatisfaction sexuelle
dans le mariage (VI, 2, p. 755), n'y est pas pour rien. C'est
aussi à son contact que Julie éprouvera la force de ce travail

---

1. Lettres du cabinet (I, 54) et du portrait (II, 22). Notons que quelle que
soit l'ancienne déception sur ce portrait, Saint-Preux refusera obstinément
de le restituer à son retour (IV, 9).

souterrain de minage de la censure : « Malheur à qui n'a plus rien à désirer ! » soupire-t-elle (VI, 8, p. 812), juste avant de se précipiter dans les eaux pour sauver son fils, mais aussi pour mourir et acheter ainsi le droit d'aimer « sans crime » (VI, 12, p. 867). Il y a beaucoup à dire du rôle ambigu de Claire tout au long du roman : à cet égard, ses disparitions (sous prétexte de voyages nécessaires) lorsque Saint-Preux et Julie se retrouvent en tête à tête ne sont peut-être pas tant, comme l'écrit Henri Coulet dans son édition du roman, des « facilités » romanesques, qu'un motif secret du livre, où elle apparaît comme celle qui rappelle, en le suscitant, le droit au désir. Qu'elle soit la confidente attitrée de Wolmar (IV, 14, p. 600) relève d'une symétrie concertée : tous deux « jouent » avec le feu, mais si Wolmar est dans l'illusion de la maîtrise, Claire est dans la revendication explicite de la « folie ».

La grande victime collatérale de la catastrophe de Clarens est le mariage : Clarens, pour survivre, semble avoir dû en exclure la part féminine, un peu comme le sérail d'Usbek prétendait à la régénération dans le sang des épouses infidèles. L'histoire de la communauté, réduite à une poignée de célibataires et de veufs, s'achève sur l'impuissance suppliante de Wolmar et sur le silence de Saint-Preux et d'Édouard.

« L'art de jouir » de Julie : de l'économie libidinale

« L'art de jouir est pour elle [Julie] celui des privations », déclare Saint-Preux à propos des exemples de « volupté tempérante » qui ponctuent la vie active de Clarens (V, 2, p. 652). Pour s'accoutumer à maîtriser ses passions, Julie pratique une morale d'inspiration stoïcienne, sous forme d'entraînement quotidien au renoncement : elle se prive volontairement d'une gourmandise pour mieux « savourer avec délices un plaisir d'enfant » (*ibid.*). Sa lettre posthume (« Un jour de plus, peut-être, et j'étais coupable ! », VI, 12, p. 865) révèle que les plaisirs enfantins ne sont que la moindre part de son économie libidinale, la partie visible de l'iceberg du refoulement à l'œuvre dans le système de Clarens, qui n'est sans doute pas le meilleur des mondes possibles. Le bonheur familial de Julie n'est pas exempt d'inquiétude : que penser du vœu de mort qui conclut l'extase narcissique qu'elle expose à Saint-Preux (« je vis à la fois dans tout ce que j'aime, je me rassasie de bonheur et de vie : Ô mort, viens quand tu voudras ! », VI, 8, p. 807) ? ou de cette terrible confidence, toujours dans la même lettre : « Mon ami ; je suis trop heureuse ; le bonheur m'ennuie » (p. 813) ? Le moyen de prévenir le dégoût de la vie ? Élire le « pays des chimères [1] », cette patrie commune à Julie et à Jean-Jacques : « si le bonheur ne vient point, l'espoir se prolonge, et le charme de l'illusion dure autant que la passion qui le cause. Ainsi cet état se suffit à lui-même, et l'inquiétude qu'il donne est une sorte de jouissance qui supplée à la réalité » (VI, 8, p. 812). Cette économie narcissique a une histoire qui remonte aux premières lettres des deux amants.

Rousseau prend très au sérieux la relation pédagogique qui étaye l'amour naissant entre le jeune maître et sa trop charmante élève. La *Julie* articule de façon inédite désir et connaissance [2]. Les lettres des deux amants analysent avec une acuité qu'on retrouvera chez Proust les expériences qui bouleversent le sujet sensible : l'amour, l'amitié, la musique, le paysage, la découverte de la jouissance. Dans ce qui représente un au-delà des passions douces, le moi est tenu de se renforcer pour ne pas être écrasé par l'objet, par exemple en pratiquant une économie libidinale favorisant l'idéal du moi. Cette part narcissique du sur-moi est formée par l'estime de soi et par les modèles investis, culturellement valorisés. De tels modèles d'identification existent, ils sont mêmes énoncés par les deux amants à partir de leur lecture des *Vies* de Plutarque, dont s'est nourri le petit Jean-Jacques [3] : ce sont les « vies héroïques qui rendent le vice inexcusable et font l'honneur de l'humanité », celles de Socrate, Brutus, Régulus, Caton (II, 11, p. 271). Saint-Preux définit le travail moral de l'idéal du moi à partir des catégories anthropologiques de Rousseau : il oppose l'amour-propre, qui nourrit les préjugés artificiels de l'honneur « qui

---

1. « Le pays des chimères est en ce monde le seul digne d'être habité, et tel est le néant des choses humaines, qu'hors l'Être existant par lui-même, il n'y a rien de beau que ce qui n'est pas » (VI, 8, p. 812). **2.** Voie toutefois frayée par Montesquieu (*Lettres persanes*) et Prévost (*Cleveland*, *Histoire d'une Grecque moderne*). **3.** *Confessions*, livre I, t. I, p. 33-34.

se tire de l'opinion publique », à l'amour de soi, source du véritable honneur, « celui qui dérive de l'estime de soi-même » (I, 24, p. 115).

Le travail narcissique opère à deux niveaux : l'amour de soi consolide l'estime de soi (processus conscient) et renforce l'idéal du moi (processus inconscient). Ce dernier correspond à ce que Claire appelle l'« amour propre exquis », procurant un dédommagement narcissique qui fait surmonter la douleur du renoncement : « le véritable amour a cet avantage aussi bien que la vertu, qu'il dédommage de tout ce qu'on lui sacrifie, et qu'on jouit en quelque sorte des privations qu'on s'impose par le sentiment même de ce qu'il en coûte et du motif qui nous y porte » (III, 7, p. 385). Pour reprendre une formule proposée naguère par René Démoris dans un de ses cours, les deux amants « incarnent l'un pour l'autre un idéal du moi ».

« *Tu plaisantes pour faire la brave* » : *l'humour de Claire*

Claire est le personnage humoriste du roman, celle qui plaisante sur les choses de l'amour, et fait surgir le sourire à travers les larmes. Elle contraste avec Bomston, que ses amours compliquées situent dans un registre plus proche du comique de caractère. Ce milord (prétendu) philosophe, philanthrope bourru et passionné, manie l'ironie rêche quand il détourne Saint-Preux de ses pensées suicidaires (III, 22, p. 470-471), et les consolations rudes après avoir entendu le songe funeste (« si j'avais pris pour mon laquais le quart des soins que j'ai pris pour vous, j'en aurais fait un homme ; mais vous n'êtes rien », V, 9, p. 726).

Claire se fait volontiers grondeuse, pour mieux masquer une grande tendresse sur le mode de la complicité [1]. L'humour de Rousseau s'inscrit dans une veine proche de *La Vie de Marianne* qui a pu influencer le ton de badinage

---

[1]. Claire à Saint-Preux : « [...] l'exemple de Julie m'apprend qu'une fille de mon âge est pour un philosophe du vôtre un aussi mauvais précepteur qu'un dangereux disciple, et il ne me conviendrait pas de donner des leçons à mon maître » (II, 8, p. 261).

de Claire. Celle-ci s'amuse du rôle de « duègne de dix-huit ans » qu'elle doit jouer auprès de Julie (I, 7, p. 71) et déclare que l'état de femme mariée, « trop grave » pour son « humeur », nuit à sa gaieté naturelle. Plus encore, un discret fantasme de bisexualité manifeste une autosuffisance narcissique typique du processus humoristique : « Je me trouve une petite veuve assez piquante, assez mariable encore, et je crois que *si j'étais homme*, je m'accommoderais assez de moi » (IV, 2, p. 490 ; nous soulignons).

La gaieté, le ton de plaisanterie sont pour Claire un moyen de tenir à distance les émotions. La complexité psychique et affective du personnage est dévoilée par Julie lorsqu'elle évoque le remariage de sa cousine avec Saint-Preux : « avec toute ton humeur folâtre, rien n'est si timide que toi. Tu plaisantes pour faire la brave, et je vois ton pauvre cœur tout tremblant. Tu fais avec l'amour dont tu feins de rire, comme ces enfants qui chantent la nuit quand ils ont peur » (V, 13, p. 744). Sublimation de la *libido* homosexuelle, manifestation de la bisexualité du surmoi [1], l'humour de Claire est avant tout un barrage contre le Pacifique : quand les digues sont débordées, après la disparition de Julie, la passion se libère de manière effrayante par les pulsions orales [2]. Rousseau est allé aussi loin que Marivaux dans l'utilisation de l'humour comme révélateur libidinal d'une double identité sexuée. Claire illustre ce qu'a compris Rousseau à sa propre bisexualité et aux mécanismes sublimatoires.

Il manifeste aussi une intelligence, propre au roman des Lumières, pour les conséquences psychiques d'une histoire familiale caractérisée par la dangereuse opacité de la « place » qu'on y occupe : si Claire n'entre pas précisément dans la tribu des enfants naturels et autres bâtards à laquelle s'intéresse toute la littérature du XVIIIe siècle, elle est cependant étrangement négligée dans un environnement où nul, et surtout pas son père, ne semble tenir compte d'elle, pas

---

1. Freud, *Le Moi et le ça* [1923], in *Œuvres complètes*, PUF, 1991 ; rééd. 2010, t. XVI, p. 277. Voir É. Leborgne, *L'Humour noir des Lumières*, Classiques Garnier, 2018, p. 302-313. **2.** Claire mord les pieds des chaises dans son accès de désespoir (VI, 11, p. 857), puis alterne accès de boulimie et d'indigestion (*ibid.*, p. 862-863).

même pour se soucier de son mariage. N'est-ce pas parce qu'elle lui « [tient] lieu de toute [sa] famille » qu'elle regrette la Chaillot (I, 7, p. 72) ? Clarens (dont l'onomastique résonne idéalement avec son prénom) lui offre précisément une famille de substitution, autant qu'un lieu où fusionner avec Julie.

Ce n'est pas la moindre modernité de Rousseau, le soi-disant misogyne [1], que d'avoir offert à cette *excentrée*, mal aimée de sa triste parentèle jusqu'à apparaître comme une orpheline – avec laquelle son créateur est sans doute en sympathie projective –, le pouvoir de se faire *excentrique* pour conjurer l'adversité. Presque au même moment, en 1760, Diderot, l'ami devenu rival, imaginait avec Suzanne Simonin un scénario en quelque sorte symétrique, tout aussi attentif aux tortueux détours de la psyché : sa religieuse, tragiquement dépourvue d'humour, cherche en effet à combler le défaut d'amour *de la mère*, et n'a de cesse de construire autour d'elle, constituée en *centre* d'attention, des dispositifs admiratifs et désirants, dans la haine comme dans la passion.

Roxane, Zélis (Montesquieu), Marianne (Marivaux), Théophé (Prévost), Suzanne (Diderot), Julie, bientôt Justine et Juliette (Sade), Delphine (Staël) : les noces du roman et de la philosophie au XVIIIe siècle semblent avoir eu pour principe secret cette part éclatante et opaque du féminin, révélatrice des forces d'Éros. *La Nouvelle Héloïse* est sans doute le jalon le plus spectaculaire de cette histoire.

Érik LEBORGNE et Florence LOTTERIE

---

1. Voir F. Lotterie, « Un "sexisme intelligent" ? Études de genre et usages de Rousseau », *Francofonia. Studi e ricerche sulle letterature di lingua francese*, n° 74, 2018, p. 55-69.

NOTE SUR LA PRÉSENTE ÉDITION

Nous reproduisons le texte de l'édition Rey de 1761, la seule autorisée par l'auteur, d'après sa correspondance avec son éditeur qu'il n'a cessé de « harceler de recommandations et d'exigences [1] » durant toute l'année 1760.

Tout éditeur scientifique bénéficie des éditions précédentes : notre dette envers celle d'Henri Coulet (Gallimard, « Folio », 1993) est particulièrement grande. Ainsi, chaque fois que cela nous a semblé nécessaire, nous nous sommes permis de renvoyer à son annotation.

PONCTUATION

Notre souci a été la fidélité à la ponctuation de Rousseau, qui tenait son texte pour l'équivalent d'une partition, mais nous avons aussi souhaité tenir compte des usages modernes, d'où la recherche d'un équilibre entre modernisation, respect de la musicalité rousseauiste, et faits de langue du temps auxquels l'auteur a été particulièrement attentif.

Au XVIIIe siècle, et même encore au XIXe siècle, l'usage de la majuscule après une ponctuation forte (?, !, …) reste flottant. C'est le cas chez Rousseau, qui privilégie la minuscule dans les passages pathétiques, où l'émotion est également marquée par plusieurs points de suspension, dont le nombre peut varier entre trois et neuf : ils sont à lire comme des soupirs qu'un musicien place sur une portée. La minuscule signale dans ce cas le choix d'une variation de *tempo* à l'intérieur d'une unité syntaxique, comme dans ce cas d'anadiplose : « toi, passer dans les bras d'un autre ?.... un autre

---

1. Voir Y. Séité, *Du livre au lire*, Honoré Champion, 2002, p. 166-178.

te posséder ?.... » (III, 16, p. 404). Cet usage, s'il est majori-
taire, n'est cependant pas systématique dans les leçons des
éditions et dans les manuscrits. Aussi avons-nous adopté,
dans plusieurs cas d'espèce, l'usage actuel, consistant à
rétablir la majuscule après toute ponctuation forte. Ainsi,
lorsque les points de suspension signalent une interruption
qui rompt avec ce qui précède, comme dans le cas de
l'aposiopèse, la majuscule sera rétablie. Par exemple :
« Mais..... Prenez patience ainsi que moi puisqu'il le faut,
sans en demander davantage » (I, 20, p. 101) ; ou encore :
« Si jamais..... J'entends le signal et les cris des Matelots ; je
vois fraîchir le vent et déployer les voiles » (III, 26, p. 477).

Toutefois, lorsque les points d'interrogation, d'exclamation et de suspension sont à l'intérieur d'une unité phras-
tique où se manifeste une montée oratoire, et qu'ils ont
valeur de virgule, la minuscule est respectée. Elle permet de
restituer la respiration et le rythme de la lettre lue orale-
ment, par exemple : « Ô l'exact dénombrement que tu fais !
parmi les devoirs que tu comptes, tu n'oublies que ceux
d'homme et de Citoyen » (III, 22, p. 471). Même s'il arrive
(rarement) que Rousseau laisse une majuscule après des
termes exclamatifs, nous conservons la minuscule après les
apostrophes ou les vocatifs lorsqu'elle figure sur l'édition
Rey de 1761, comme dans : « Père barbare et dénaturé !
mérite-t-il...... » (I, 28, p. 126) ; « Insensée et farouche
vertu ! j'obéis à ta voix sans mérite » (III, 3, p. 377).

Dans certains cas, après les points d'interrogation et
d'exclamation, nous avons aussi maintenu la minuscule sur
la conjonction de coordination, qui leur confère une valeur
plus faible, par exemple : « Que ne puis-je te cacher ton
infortune sans l'augmenter ! ou que la tendre amitié n'a-
t-elle autant de charmes que l'amour ! » (I, 62, p. 209). Ou
encore : « N'es-tu point sensible au bonheur de ce qui te fut
cher ? et ne saurais-tu vivre pour celle qui voulut mourir
avec toi ? » (III, 22, p. 471).

Nous signalons en note que nous rétablissons les points
d'interrogation et d'exclamation lorsque nos usages
modernes de la syntaxe l'exigent.

La principale différence entre l'usage classique et nos
normes modernes de la ponctuation (dont les règles typo-
graphiques n'ont été fixées qu'au cours du XIXᵉ siècle) porte

sur l'usage du deux-points, du point-virgule et de la majuscule après le deux-points et le point-virgule. Ces quatre signes, employés par les écrivains depuis la fin du XVIe siècle, marquent des pauses intermédiaires entre le point et la virgule.

Le deux-points et le point-virgule sont employés indifféremment au XVIIIe siècle pour introduire un discours après un verbe déclaratif (la virgule servant également parfois à cet emploi). Pour se conformer à nos habitudes modernes, nous avons remplacé ou ajouté systématiquement le deux-points après les verbes *dire, répondre, déclarer*, etc. Dans ce cas, où est introduit un discours rapporté, et dans tous ceux où, même en l'absence du verbe, le deux-points a une valeur déclarative, nous mettons aussi une majuscule après le deux-points.

Autre particularité de la prose de Rousseau : en tant qu'auxiliaires de la ponctuation, les majuscules susceptibles d'une valeur expressive peuvent être maintenues après le deux-points ou un point-virgule. Elles marquent alors une pause rythmique ou une indication de suspens oratoire pour une lecture à voix haute, par exemple : « Ce n'est pas tout : Mon père a amené un étranger respectable, son ancien ami, et qui lui a sauvé autrefois la vie à la guerre » (I, 22, p. 105).

Il arrive fréquemment que Rousseau, dans une énumération, ne place pas de virgule là où nos usages en attendraient une. Le contexte est alors celui d'un phrasé émotif. Par exemple : « C'est qu'ils devaient à la patrie *leur sang leur vie* et leurs derniers soupirs » (III, 22, p. 472 ; nous soulignons). Par souci de cette rythmique volontairement marquée, surtout dans un schéma ternaire, nous ne rétablissons pas de virgule. Nous n'intervenons que là où la clarté de la syntaxe est évidemment perturbée par l'absence de virgule : dans ce cas, nous le signalons en note.

Les écrivains de l'époque mettent souvent un point-virgule là où le lecteur d'aujourd'hui attendrait une virgule ou le deux-points. Pour faciliter la compréhension de certaines phrases, nous avons remplacé le point-virgule par une virgule simple ou par le deux-points, en de rares cas que nous signalons en note.

Les guillemets, au XVIIIe siècle, ne signalent pas le discours direct mais uniquement des citations. Dans *La Nouvelle Héloïse*, ils font ressortir des discours qui ont une importance particulière, comme celui du Baron dans III, 18 ou la profession de foi de Julie dans VI, 11. De même, les tirets ne sont pas employés comme dans la ponctuation moderne du dialogue, dans la mesure où il n'y a jamais d'ambiguïté sur le locuteur.

L'italique marque des citations ou des discours rapportés.

Les termes étrangers (comme *castrato*) sont en italique.

ORTHOGRAPHE

L'orthographe a été modernisée selon les principes de la collection, y compris les graphies habituelles de Rousseau (*soupé* est modernisé en *souper*, *puérile* au masculin en *puéril*, *baillif* en *bailli*).

Nous avons maintenu les majuscules aux substantifs à l'intérieur des phrases, susceptibles d'effets de sens dans des contextes différents. En revanche, elles ont été supprimées sur les adjectifs.

Ont été modernisés les noms communs, pronoms, adverbes, conjonctions (*quoi que* mis pour *quoique*, *si tôt* pour *sitôt*), ainsi que les formes verbales (les finales en -*oit*, les subjonctifs imparfait), les participes présents et les formes en -*ant* et -*ent* au pluriel (*amans* est modernisé en *amants*, *plans* en *plants*, etc.).

Les noms propres et les titres ont été modernisés selon l'usage moderne (*Vevey* au lieu de *Vevai*, *York* au lieu de *Yorc*, *Lady* au lieu de *Ladi*, *Kensington* au lieu de *Kinsington*, *Plymouth* au lieu de *Plimouth*, *Oxford* au lieu d'*Oxfort*), sauf dans les cas où l'orthographe est susceptible d'influer sur la prononciation souhaitée par Rousseau (Neufchâtel). On sait combien il est attentif à cette question : il indique en note dans l'*Entretien sur les romans* que Clarens se prononce « Claran ».

GRAMMAIRE

Les formes verbales sont modernisées (*que j'aye* devient *que j'aie*, *envoye* devient *envoie*). Nous avons en revanche conservé les formes archaïsantes ou dialectales qui ont été retenues par Rousseau pour des raisons d'euphonie et de rythme, lorsque les doublons existaient dans la langue (par exemple : il s'assied/il s'asseye, survécut/survéquit, bienveillant/bienveuillant, recueillira/recueillera, abruver/abreuver, vingt-un).

Les règles d'accord du participe passé ont été modernisées, pour unifier un usage qui reste flottant à l'époque de Rousseau.

Nous préservons les cas d'accords avec le sujet proche, latinisme passé en usage et couramment pratiqué à l'âge classique. Par exemple : « l'avilissement où la réduit le remords et la honte » (III, 1, p. 374), « La symétrie et la régularité plaît à tous les yeux » (V, 2, p. 645), « Enfin que le caractère et l'amour du beau soit empreint » (III, 18, p. 431).

NOTES

Les notes explicatives (appelées par un chiffre), placées en bas de page, fournissent les informations historiques, littéraires, lexicales et contextuelles, ainsi que les références des citations. Nous donnons une équivalence approximative en euros pour les sommes mentionnées, sur la base : 1 livre française = 11 euros.

Les notes de Rousseau sont appelées par des astérisques et placées en bas de page.

Les notes des variantes sont appelées par une lettre et ces dernières sont reproduites en fin de volume.

VARIANTES

Cette édition n'étant pas une édition critique exhaustive, nous n'avons retenu que quelques variantes significatives tirées des différents états connus du texte, manuscrits et imprimés. Les mots biffés sont mis entre chevrons. Nous indiquons la source des variantes par les abréviations suivantes :

Manuscrits de Rousseau

Br : brouillon.
CP : copie personnelle.
Ms Rey : manuscrit de l'éditeur Rey.
CH : copie pour Sophie d'Houdetot.
CL : copie pour la Maréchale de Luxembourg.

Éditions

Rey 61 : édition *princeps* (Amsterdam, 1761, 4 vol.), notre texte.
Rey 63 : édition Rey de 1763.
DC : édition Duchesne 1764, exemplaire de Coindet annoté par Rousseau.

RÉFÉRENCES CITÉES DANS LES NOTES

Ces références se trouvant citées dans la bibliographie, on ne les reproduit pas intégralement dans la note : on donnera simplement le titre (éventuellement abrégé) de l'ouvrage ou de l'article, avec la pagination correspondant à l'édition retenue. Lorsque les éditions comportent plusieurs volumes, le titre cité est toujours suivi de son numéro de volume avant pagination.

Dictionnaires

DM : *Dictionnaire de musique* de Rousseau (1767), Gallimard, « Bibliothèque de la Pléiade », t. V, 1995.
Les dictionnaires de langues sont abrégés en : *Fur.* pour Furetière (1690), *Trévoux* (1743 et 1752), *Acad.* 1762 (resp. 1798) pour le Dictionnaire de l'Académie de 1762 (resp. 1798), *Féraud* pour le Dictionnaire critique de Féraud (1787), *Littré* (1872, suppl. 1877).
FRANÇOIS, Alexis, « Les provincialismes suisses romands et savoyards de J.-J. Rousseau », *AJJR*, t. III, 1907, p. 1-67.
WYSS, André, *La Langue de J.-J. Rousseau, Formes et emplois*, Genève/Paris, Slatkine, 1989.

Œuvres de Rousseau

Œuvres complètes, Gallimard, « Bibliothèque de la Pléiade », 5 vols, 1959-1995. [Abrégé *OC.*]

Correspondance complète, éd. R.A. Leigh, Oxford, Voltaire Foundation, 52 vols, 1965-1998. [Abrégé *CC*.]
Les Confessions, éd. A. Grosrichard, GF-Flammarion, 2 vols, 2002.
Dialogues de *Rousseau juge de J.-J.*, éd. É. Leborgne, GF-Flammarion, 1999.
Discours sur l'origine et les fondements de l'inégalité parmi les hommes, éd. B. Bachofen et B. Bernardi, GF-Flammarion, 2008.
Du contrat social, éd. B. Bernardi, GF-Flammarion, 2001.
Lettre à d'Alembert sur les spectacles, éd. M. Buffat, GF-Flammarion, 2003.
Les Rêveries du promeneur solitaire, éd. É. Leborgne, GF-Flammarion, 2012.

Éditions utilisées pour les citations et les références littéraires

BAYLE, Pierre, *Pensées diverses sur la comète* [1680], éd. J. et H. Bost, GF-Flammarion, 2007.
BOUHOURS, Dominique, *Entretiens d'Ariste et d'Eugène* [1672], éd. N. Beugnot et G. Declercq, Honoré Champion, « Sources classiques », 2003.
CERVANTÈS, Miguel DE, *L'Ingénieux Hidalgo don Quichotte de la Manche*, trad. L. Viardot, éd. L. Urrubia, GF-Flammarion, 2 vols, 2006.
DESCARTES, *Discours de la méthode*, éd. L. Renault, GF-Flammarion, 2000.
–, *Lettre-préface des Principes de la philosophie*, éd. D. Moreau, GF-Flammarion, 1996.
DIDEROT, *Lettre sur les aveugles. Lettre sur les sourds et muets*, éd. M. Hobson et S. Harvey, GF-Flammarion, 2000.
–, *Le Neveu de Rameau*, éd. J.-C. Bonnet, GF-Flammarion, 1983.
ÉPICURE, *Lettre à Ménécée*, éd. P.-M. Morel, GF-Flammarion, 2009.
FONTENELLE, *Nouveaux Dialogues des morts*, éd. J. Dagen, Didier, « SFTM », 1971.
GUILLERAGUES, *Lettres portugaises*, éd. A. Brunn, GF-Flammarion, 2009.
HELVÉTIUS, *De l'esprit*, éd. J. Steffen, Honoré Champion, « L'Âge des lumières », 2016.
HORACE, *Épîtres*, éd. et trad. F. Villeneuve, Les Belles Lettres, « Collection des universités de France », 1989.
–, *Odes et épodes*, éd. et trad. F. Villeneuve, Les Belles Lettres, 1991.
–, *Satires*, éd. et trad. F. Villeneuve, Les Belles Lettres, « Collection des universités de France », 2001.

JUVÉNAL, *Satires*, éd. et trad. P. de Labriolle et F. Villeneuve, Les Belles Lettres, 1996.

LA ROCHEFOUCAULD, éd. *Réflexions ou Sentences et maximes morales*, dans J. Lafond (dir.), *Moralistes du XVIIᵉ siècle, de Pibrac à Dufresny*, Robert Laffont, « Bouquins », 1992.

MARINI (Giambatista Marino), *Adone*, t. I, chants I-V, éd. M. Pieri, trad. M.-F. Tristan, Les Belles Lettres, « Bibliothèque italienne », 2014.

MARIVAUX, *Journaux*, éd. J.-C. Abramovici, M. Escola et É. Leborgne, GF-Flammarion, 2 vols, 2010.

–, *La Vie de Marianne*, éd. J. Dagen, Gallimard, « Folio », 1997.

MARTIAL, *Épigrammes*, éd. et trad. H.J. Izaac, Les Belles Lettres, « Collection des universités de France », 3 vols, 1973.

MÉTASTASE (Pietro Metastasio), *Drammi per musica*, éd. A.L. Bellina, Venise, Marsilio, 3 vols, 2002-2004.

MONTAIGNE, *Essais*, dir. J. Céard, LGF, « La Pochothèque », 2001.

MONTESQUIEU, *Lettres persanes*, éd. J. Starobinski, Gallimard, « Folio », 1973.

–, *De l'esprit des lois*, éd. R. Derathé et D. de Casabianca, Classiques Garnier, « Bibliothèque du XVIIIᵉ siècle », 2 vols, 2011.

OVIDE, *Écrits érotiques* (*Amours, Art d'aimer, Remèdes à l'amour*), éd. bilingue et trad. D. Robert, Arles, Actes Sud, « Thésaurus », 2003.

–, *Héroïdes*, trad. M. Prévost, Les Belles Lettres, « Collection des universités de France », 1991.

–, *Les Métamorphoses*, éd. et trad. D. Robert, Arles, Actes Sud, « Thésaurus », 2001.

PASCAL, *Pensées*, éd. Ph. Sellier, LGF, « Le Livre de Poche », 2000.

PERSE, *Satires*, éd. et trad. A. Cartault, Les Belles Lettres, « Collection des universités de France », 2002.

PÉTRARQUE, *Canzionere*, trad. G. Genot, éd. G. Savoca, Les Belles Lettres, « Les Classiques de l'humanisme », 2 vols, 2009.

–, *Rime estravaganti*, éd. V. Pacca et L. Paolino, Milan, Mondadori, 1996.

PLATON, *Œuvres complètes*, dir. L. Brisson, Flammarion, 2008.

PLUTARQUE, *Vies parallèles*, trad. R. Flacelière et E. Chambry, Robert Laffont, « Bouquins », 2 vols, 2001.

PRÉVOST, *Histoire du chevalier des Grieux et de Manon Lescaut*, éd. J. Sgard, GF-Flammarion, 1995.

–, *Le Philosophe anglais ou Histoire de M. Cleveland*, éd. J. Sgard et Ph. Stewart, Desjonquères, « XVIIIᵉ siècle », 2003.

RICHARDSON, *Histoire de Clarisse Harlove*, trad. de Prévost (1751), éd. S. Charles, Desjonquères, 2 vols, 1999.

–, *Histoire de sir Charles Grandison*, trad. de Monod, Göttingen/ Leyde, E. Luzac fils, 7 vols, 1755.

SÉNÈQUE, *Entretiens. Lettres à Lucilius*, éd. P. Veyne, Robert Laffont, « Bouquins », 1993.

TACITE, *Annales*, éd. C. Salles, Robert Laffont, « Bouquins », 2014.

TASSE (Torquato Tasso, dit LE), *La Jérusalem délivrée*, trad. et notes de G. Genot, texte établi par L. Caretti, Les Belles Lettres, « Bibliothèque italienne », 2 vols, 2008.

VIRGILE, *Énéide*, éd. et trad. J. Perret, Les Belles Lettres, « Collection des universités de France », 4 vols, 1977 ; rééd. revue par R. Lesueur, 4 vols, 1995.

–, *Géorgiques*, éd. et trad. E. de Saint-Denis, Les Belles Lettres, « Collection des universités de France », 1957 ; rééd. 2014.

VOLTAIRE, *Candide ou l'Optimisme*, éd. J. Goldzink, GF-Flammarion, 2007.

–, *Écrits satiriques*, éd. J. Goldzink, GF-Flammarion, 2014.

É. L. et F. L.

Julie
ou
la Nouvelle Héloïse

PRÉFACE

Il faut des spectacles dans les grandes villes, et des Romans aux peuples corrompus. J'ai vu les mœurs de mon temps, et j'ai publié ces lettres. Que n'ai-je vécu dans un siècle où je dusse les jeter au feu !

Quoique je ne porte ici que le titre d'Éditeur, j'ai travaillé moi-même à ce livre, et je ne m'en cache pas. Ai-je fait le tout, et la correspondance entière est-elle une fiction ? Gens du monde, que vous importe ? C'est sûrement une fiction pour vous.

Tout honnête homme doit avouer les livres qu'il publie. Je me nomme donc à la tête de ce recueil, non pour me l'approprier, mais pour en répondre. S'il y a du mal, qu'on me l'impute ; s'il y a du bien, je n'entends point m'en faire honneur. Si le livre est mauvais, j'en suis plus obligé de le reconnaître : je ne veux pas passer pour meilleur que je ne suis.

Quant à la vérité des faits, je déclare qu'ayant été plusieurs fois dans le pays des deux amants, je n'y ai jamais ouï parler du Baron d'Étange, ni de sa fille, ni de M. d'Orbe, ni de Milord Édouard Bomston, ni de M. de Wolmar. J'avertis encore que la topographie est grossièrement altérée en plusieurs endroits ; soit pour mieux donner le change au lecteur [1] ; soit qu'en effet l'auteur n'en sût pas davantage. Voilà tout ce que je puis dire. Que chacun pense comme il lui plaira.

Ce livre n'est point fait pour circuler dans le monde, et convient à très peu de lecteurs. Le style rebutera les gens de

---

1. Tromper le lecteur. « On dit figurément, *Donner le change à quelqu'un*, pour dire : Détourner adroitement quelqu'un du dessein et des vues qu'il peut avoir, en lui donnant lieu de croire une chose pour une autre, le lancer sur une fausse piste » (*Acad.* 1762).

goût, la matière alarmera les gens sévères, tous les sentiments seront hors de la nature pour ceux qui ne croient pas
à la vertu. Il doit déplaire aux dévots, aux libertins, aux
philosophes : il doit choquer les femmes galantes [1], et scan-
daliser les honnêtes femmes. À qui plaira-t-il donc ? Peut-
être à moi seul [2] : mais à coup sûr il ne plaira médiocrement
à personne.

Quiconque veut se résoudre à lire ces lettres doit s'armer
de patience sur les fautes de langue, sur le style emphatique
et plat, sur les pensées communes rendues en termes ampou-
lés ; il doit se dire d'avance que ceux qui les écrivent ne sont
pas des Français, des beaux-esprits [3], des académiciens, des
philosophes ; mais des provinciaux, des étrangers, des solitaires, de jeunes gens, presque des enfants, qui dans leurs
imaginations romanesques prennent pour de la philosophie
les honnêtes délires de leur cerveau.

Pourquoi craindrais-je de dire ce que je pense ? Ce recueil
avec son gothique ton [4] convient mieux aux femmes que les
livres de philosophie. Il peut même être utile à celles qui
dans une vie déréglée ont conservé quelque amour pour
l'honnêteté. Quant aux filles, c'est autre chose. Jamais fille
chaste [5] n'a lu de Romans ; et j'ai mis à celui-ci un titre assez
décidé pour qu'en l'ouvrant on sût à quoi s'en tenir. Celle
qui, malgré ce titre, en osera lire une seule page, est une fille
perdue : mais qu'elle n'impute point sa perte à ce livre ; le
mal était fait d'avance. Puisqu'elle a commencé, qu'elle
achève de lire : elle n'a plus rien à risquer.

Qu'un homme austère en parcourant ce recueil se rebute
aux premières parties, jette le livre avec colère, et s'indigne

---

1. Entendre : qui entretiennent des liaisons amoureuses. **2.** Ce retour sur soi
annonce la posture autobiographique des *Rêveries*, qui congédie symboli-
quement l'horizon du lecteur. **3.** Terme dépréciatif visant la culture des
salons. « On appelle *Beaux esprits*, Ceux qui se distinguent du commun par
la politesse de leurs discours ou de leurs ouvrages. On dit quelquefois par
ironie, *Les beaux esprits. Messieurs les beaux esprits* » (*Acad.* 1762). **4.** Son
ton démodé. **5.** Appliqué à la figure de la lectrice et donc aux égarements
de l'imagination, l'adjectif va au-delà de la simple abstinence sexuelle :
« CHASTETÉ, CONTINENCE (synon.) La 1re s'étend jusqu'aux pensées,
discours, lectures, etc. ; la 2de n'envisage que la privation actuelle des plaisirs
de la chair. Tel est *chaste*, qui n'est pas *continent* ; et tel est *continent*, qui
n'est pas *chaste* » (*Féraud*).

contre l'Éditeur ; je ne me plaindrai point de son injustice ; à sa place, j'en aurais pu faire autant. Que si, après l'avoir lu tout entier, quelqu'un m'osait blâmer de l'avoir publié ; qu'il le dise, s'il veut, à toute la terre, mais qu'il ne vienne pas me le dire : je sens que je ne pourrais de ma vie estimer cet homme-là.

LETTRES
DE DEUX AMANTS,
HABITANTS D'UNE PETITE VILLE
AU PIED DES ALPES

Recueillies et publiées
Par J.-J. Rousseau

Non la connobe il mondo, mentre l'ebbe :
Connbill'io ch'a pianger qui rimasi.
[Le monde la posséda sans la connaître, et
moi je l'ai connue, je reste ici-bas à la
pleurer.]

Petrarco [1]

---

1. Pétrarque, *Canzionere*, n° 338, v. 12-13, éd. G. Savoca, Les Belles Lettres, 2009, p. 465 (trad. de Rousseau sur son exemplaire personnel, noté DC par la suite. Voir la Note sur l'édition). La graphie attendue serait *Petrarca*. La graphie *Petrarco*, qu'on trouve dans certaines éditions, est certainement une variante de *Petracco*, qui est le nom du père du poète.

PREMIÈRE PARTIE

Lettre I
À *Julie*

Il faut vous fuir, Mademoiselle, je le sens bien : j'aurais dû beaucoup moins attendre, ou plutôt il fallait ne vous voir jamais. Mais que faire aujourd'hui ? Comment m'y prendre ? Vous m'avez promis de l'amitié ; voyez mes perplexités, et conseillez-moi.

Vous savez que je ne suis entré dans votre maison que sur l'invitation de Madame votre mère. Sachant que j'avais cultivé quelques talents agréables, elle a cru qu'ils ne seraient pas inutiles, dans un lieu dépourvu de maîtres, à l'éducation d'une fille qu'elle adore. Fier, à mon tour, d'orner de quelques fleurs un si beau naturel, j'osai me charger de ce dangereux soin sans en prévoir le péril, ou du moins sans le redouter. Je ne vous dirai point que je commence à payer le prix de ma témérité : j'espère que je ne m'oublierai jamais jusqu'à vous tenir des discours qu'il ne vous convient pas d'entendre, et manquer au respect que je dois à vos mœurs, encore plus qu'à votre naissance et à vos charmes. Si je souffre, j'ai du moins la consolation de souffrir seul, et je ne voudrais pas d'un bonheur qui pût coûter au vôtre.

Cependant je vous vois tous les jours ; et je m'aperçois que sans y songer vous aggravez innocemment des maux que vous ne pouvez plaindre, et que vous devez ignorer. Je sais, il est vrai, le parti que dicte en pareil cas la prudence au défaut de l'espoir, et je me serais efforcé de le prendre, si je pouvais accorder en cette occasion la prudence avec l'honnêteté ; mais comment me retirer décemment d'une maison dont la maîtresse elle-même m'a offert l'entrée, où elle m'accable de bontés, où elle me croit de quelque utilité à ce qu'elle a de plus cher au monde ? Comment frustrer cette tendre mère du plaisir de surprendre un jour son époux par vos progrès dans des études qu'elle lui cache à ce dessein ? Faut-il quitter[1] impoliment sans lui rien dire ? Faut-il

---

1. Quitter les lieux. Cet emploi absolu de *quitter* est archaïque.

lui déclarer le sujet de ma retraite, et cet aveu même ne l'offensera-t-il pas de la part d'un homme dont la naissance et la fortune ne peuvent lui permettre d'aspirer à vous ?

Je ne vois, Mademoiselle, qu'un moyen de sortir de l'embarras où je suis ; c'est que la main qui m'y plonge m'en retire, que ma peine ainsi que ma faute me vienne de vous, et qu'au moins par pitié pour moi vous daigniez m'interdire votre présence. Montrez ma lettre à vos parents ; faites-moi refuser votre porte ; chassez-moi comme il vous plaira ; je puis tout endurer de vous ; je ne puis vous fuir de moi-même.

Vous, me chasser ! moi, vous fuir ! et pourquoi ? Pourquoi donc est-ce un crime d'être sensible au mérite, et d'aimer ce qu'il faut qu'on honore ? Non, belle Julie ; vos attraits avaient ébloui mes yeux, jamais ils n'eussent égaré mon cœur, sans l'attrait plus puissant qui les anime. C'est cette union touchante d'une sensibilité si vive et d'une inaltérable douceur, c'est cette pitié si tendre à tous les maux d'autrui, c'est cet esprit juste et ce goût exquis qui tirent leur pureté de celle de l'âme, ce sont, en un mot, les charmes des sentiments bien plus que ceux de la personne, que j'adore en vous. Je consens qu'on vous puisse imaginer plus belle encore ; mais plus aimable et plus digne du cœur d'un honnête homme, non Julie, il n'est pas possible.

J'ose me flatter quelquefois que le Ciel a mis une conformité secrète entre nos affections, ainsi qu'entre nos goûts et nos âges. Si jeunes encore, rien n'altère en nous les penchants de la nature, et toutes nos inclinations semblent se rapporter [1]. Avant que d'avoir pris les uniformes préjugés du monde, nous avons des manières uniformes de sentir et de voir, et pourquoi n'oserais-je imaginer dans nos cœurs ce même concert que j'aperçois dans nos jugements ? Quelquefois nos yeux se rencontrent ; quelques soupirs nous échappent en même temps ; quelques larmes furtives...... ô Julie ! si cet accord venait de plus loin..... si le Ciel nous avait destinés[a].... toute la force humaine....... ah, pardon ! je m'égare : j'ose prendre mes vœux pour de l'espoir : l'ardeur de mes désirs prête à leur objet la possibilité qui lui manque.

---

1. « Avoir de la conformité, de la convenance, de la ressemblance » (*Acad.* 1762).

Je vois avec effroi quel tourment mon cœur se prépare. Je ne cherche point à flatter mon mal ; je voudrais le haïr s'il était possible. Jugez si mes sentiments sont purs, par la sorte de grâce que je viens vous demander. Tarissez s'il se peut la source du poison qui me nourrit et me tue. Je ne veux que guérir ou mourir, et j'implore vos rigueurs comme un amant implorerait vos bontés [1].

Oui, je promets, je jure de faire de mon côté tous mes efforts pour recouvrer ma raison, ou concentrer au fond de mon âme le trouble que j'y sens naître : mais par pitié, détournez de moi ces yeux si doux qui me donnent la mort ; dérobez aux miens vos traits, votre air, vos bras, vos mains, vos blonds cheveux, vos gestes ; trompez l'avide imprudence de mes regards ; retenez cette voix touchante qu'on n'entend point sans émotion : soyez, hélas, une autre que vous-même, pour que mon cœur puisse revenir à lui.

Vous le dirai-je sans détour ? Dans ces jeux que l'oisiveté de la soirée engendre, vous vous livrez devant tout le monde à des familiarités cruelles ; vous n'avez pas plus de réserve avec moi qu'avec un autre. Hier même, il s'en fallut peu que par pénitence vous ne me laissassiez prendre un baiser : vous résistâtes faiblement. Heureusement je n'eus garde de m'obstiner. Je sentis à mon trouble croissant que j'allais me perdre, et je m'arrêtai. Ah, si du moins je l'eusse pu savourer à mon gré, ce baiser eût été mon dernier soupir, et je serais mort le plus heureux des hommes !

De grâce, quittons ces jeux qui peuvent avoir des suites funestes. Non, il n'y en a pas un qui n'ait son danger, jusqu'au plus puéril de tous. Je tremble toujours d'y rencontrer votre main, et je ne sais comment il arrive que je la rencontre toujours. À peine se pose-t-elle sur la mienne qu'un tressaillement me saisit ; le jeu me donne la fièvre ou plutôt le délire, je ne vois je ne sens plus rien, et dans ce moment d'aliénation [2], que dire, que faire, où me cacher, comment répondre de moi ?

---

1. Cet imaginaire érotique quelque peu masochiste est développé au livre I des *Confessions* : « Être aux genoux d'une maîtresse impérieuse, obéir à ses ordres, avoir des pardons à lui demander, étaient pour moi de très douces jouissances, et plus ma vive imagination m'enflammait le sang, plus j'avais l'air d'un amant transi » (p. 43). **2.** « On dit *Aliénation d'esprit* pour dire : Égarement d'esprit, folie » (*Acad.* 1762).

Durant nos lectures, c'est un autre inconvénient. Si je vous vois un instant sans votre mère ou sans votre cousine, vous changez tout à coup de maintien ; vous prenez un air si sérieux, si froid, si glacé, que le respect et la crainte de vous déplaire m'ôtent la présence d'esprit et le jugement, et j'ai peine à bégayer en tremblant quelques mots d'une leçon que toute votre sagacité vous fait suivre à peine [1]. Ainsi l'inégalité [2] que vous affectez tourne à la fois au préjudice de tous deux : vous me désolez et ne vous instruisez point, sans que je puisse concevoir quel motif fait ainsi changer d'humeur une personne si raisonnable. J'ose vous le demander, comment pouvez-vous être si folâtre en public et si grave dans le tête-à-tête ? Je pensais que ce devait être tout le contraire, et qu'il fallait composer son maintien à proportion du nombre des Spectateurs. Au lieu de cela, je vous vois, toujours avec une égale perplexité de ma part, le ton de cérémonie en particulier, et le ton familier devant tout le monde. Daignez être plus égale, peut-être serai-je moins tourmenté.

Si la commisération naturelle aux âmes bien nées peut vous attendrir sur les peines d'un infortuné auquel vous avez témoigné quelque estime, de légers changements dans votre conduite rendront sa situation moins violente, et lui feront supporter plus paisiblement et son silence et ses maux : si sa retenue et son état ne vous touchent pas, et que vous vouliez user du droit de le perdre, vous le pouvez sans qu'il en murmure : il aime mieux encore périr par votre ordre, que par un transport indiscret [3] qui le rendît coupable à vos yeux. Enfin, quoi que vous ordonniez de mon sort, au moins n'aurai-je point à me reprocher d'avoir pu former un espoir téméraire, et si vous avez lu cette lettre, vous avez fait tout ce que j'oserais vous demander, quand même je n'aurais point de refus à craindre.

---

1. Avec peine. La locution *à peine* a deux sens, mais « en prose, il vaut mieux d'ordinaire dire *avec peine* » (*Féraud*). **2.** Vos changements d'humeur. **3.** *Transport* « se dit figurément des passions violentes qui nous mettent en quelque sorte hors de nous-mêmes » (*Acad.* 1762). *Indiscret* a ici le sens de « déplacé ».

Lettre II
À *Julie*

Que je me suis abusé, Mademoiselle, dans ma première Lettre ! Au lieu de soulager mes maux, je n'ai fait que les augmenter en m'exposant à votre disgrâce, et je sens que le pire de tous est de vous déplaire. Votre silence, votre air froid et réservé ne m'annoncent que trop mon malheur. Si vous avez exaucé ma prière en partie, ce n'est que pour mieux m'en punir,

> *E poi ch'amor di me vi fece accorta*
> *Fur i biondi capelli allor velati,*
> *E l'amoroso sguardo in se raccolto.*

> [Et l'amour vous ayant rendue attentive,/
> vous voilâtes vos blonds cheveux/
> et recueillîtes en vous-même vos doux regards [1].]

Vous retranchez en public l'innocente familiarité dont j'eus la folie de me plaindre ; mais vous n'en êtes que plus sévère dans le particulier, et votre ingénieuse rigueur s'exerce également par votre complaisance et par vos refus.

Que ne pouvez-vous connaître combien cette froideur m'est cruelle ! vous me trouveriez trop puni. Avec quelle ardeur ne voudrais-je pas revenir sur le passé, et faire que vous n'eussiez point vu cette fatale lettre ! Non, dans la crainte de vous offenser encore, je n'écrirais point celle-ci, si je n'eusse écrit la première, et je ne veux pas redoubler ma faute, mais la réparer. Faut-il pour vous apaiser dire que je m'abusais moi-même ? Faut-il protester que ce n'était pas de l'amour que j'avais pour vous ?... .... moi je prononcerais cet odieux parjure ! Le vil mensonge est-il digne d'un cœur où vous régnez ? Ah ! que je sois malheureux, s'il faut l'être ; pour avoir été téméraire je ne serai ni menteur ni lâche, et le crime que mon cœur a commis, ma plume ne peut le désavouer.

---

1. Pétrarque, *Canzoniere*, n° 11, v. 8-10, p. 15. L'original italien porte *Ma poi* et *Fuor i biondi* (trad. par Rousseau dans DC, qui cite Métastase par erreur).

Je sens d'avance le poids de votre indignation, et j'en attends les derniers effets, comme une grâce que vous me devez au défaut de toute autre ; car le feu qui me consume mérite d'être puni, mais non méprisé. Par pitié ne m'abandonnez pas à moi-même ; daignez au moins disposer de mon sort ; dites quelle est votre volonté. Quoi que vous puissiez me prescrire, je ne saurai qu'obéir. M'imposez-vous un silence éternel ? Je saurai me contraindre à le garder. Me bannissez-vous de votre présence ? Je jure que vous ne me verrez plus. M'ordonnez-vous de mourir ? Ah ! ce ne sera pas le plus difficile. Il n'y a point d'ordre auquel je ne souscrive, hors celui de ne vous plus aimer : encore obéirais-je en cela même, s'il m'était possible.

Cent fois le jour je suis tenté de me jeter à vos pieds, de les arroser de mes pleurs, d'y obtenir la mort ou mon pardon. Toujours un effroi mortel glace mon courage ; mes genoux tremblent et n'osent fléchir ; la parole expire sur mes lèvres, et mon âme ne trouve aucune assurance contre la frayeur de vous irriter.

Est-il au monde un état plus affreux que le mien ? Mon cœur sent trop combien il est coupable et ne saurait cesser de l'être ; le crime et le remords l'agitent de concert, et sans savoir quel sera mon destin, je flotte dans un doute insupportable, entre l'espoir de la clémence et la crainte du châtiment.

Mais non je n'espère rien, je n'ai droit de rien espérer. La seule grâce que j'attends de vous est de hâter mon supplice. Contentez une juste vengeance. Est-ce être assez malheureux que de me voir réduit à la solliciter moi-même ? Punissez-moi, vous le devez : mais si vous n'êtes impitoyable, quittez cet air froid et mécontent qui me met au désespoir : quand on envoie un coupable à la mort, on ne lui montre plus de colère.

Lettre III
À *Julie*

Ne vous impatientez pas, Mademoiselle ; voici la dernière importunité que vous recevrez de moi.

Quand je commençai de vous aimer, que j'étais loin de voir tous les maux que je m'apprêtais ! Je ne sentis d'abord que celui d'un amour sans espoir, que la raison peut vaincre à force de temps ; j'en connus ensuite un plus grand dans la douleur de vous déplaire ; et maintenant j'éprouve le plus cruel de tous, dans le sentiment de vos propres peines. Ô Julie ! je le vois avec amertume, mes plaintes troublent votre repos. Vous gardez un silence invincible, mais tout décèle à mon cœur attentif vos agitations secrètes. Vos yeux deviennent sombres, rêveurs, fixés en terre ; quelques regards égarés s'échappent sur moi ; vos vives couleurs se fanent ; une pâleur étrangère couvre vos joues ; la gaieté vous abandonne ; une tristesse mortelle vous accable ; et il n'y a que l'inaltérable douceur de votre âme qui vous préserve d'un peu d'humeur.

Soit sensibilité [1], soit dédain, soit pitié pour mes souffrances, vous en êtes affectée, je le vois ; je crains de contribuer aux vôtres, et cette crainte m'afflige beaucoup plus que l'espoir qui devrait en naître ne peut me flatter ; car ou je me trompe moi-même, ou votre bonheur m'est plus cher que le mien.

Cependant en revenant à mon tour sur moi, je commence à connaître combien j'avais mal jugé de mon propre cœur, et je vois trop tard que ce que j'avais d'abord pris pour un délire passager, fera le destin de ma vie. C'est le progrès de votre tristesse qui m'a fait sentir celui de mon mal. Jamais, non, jamais le feu de vos yeux, l'éclat de votre teint, les charmes de votre esprit, toutes les grâces de votre ancienne gaieté, n'eussent produit un effet semblable à celui de votre abattement. N'en doutez pas, divine Julie, si vous pouviez voir quel embrasement ces huit jours de langueur ont allumé dans mon âme, vous gémiriez vous-même des maux que vous me causez. Ils sont désormais sans remède, et je

---

1. Relevant à la fois d'un sens physique et d'un sens moral, ce mot clé du siècle est ambigu. On lit ainsi dans *Acad.* 1762 : « SENSIBILITÉ DU CŒUR se dit, tant des sentiments d'humanité qui font qu'on est touché des misères d'autrui, que des sentiments de tendresse et d'amour. *C'est une chose très louable que la sensibilité du cœur aux misères d'autrui. La sensibilité de son cœur aux moindres impressions de l'amour, est surprenante.* »

sens avec désespoir que le feu qui me consume ne s'éteindra qu'au tombeau.

N'importe ; qui ne peut se rendre heureux peut au moins mériter de l'être, et je saurai vous forcer d'estimer un homme à qui vous n'avez pas daigné faire la moindre réponse. Je suis jeune et peux mériter un jour la considération dont je ne suis pas maintenant digne. En attendant, il faut vous rendre le repos que j'ai perdu pour toujours, et que je vous ôte ici malgré moi. Il est juste que je porte seul la peine du crime dont je suis seul coupable. Adieu, trop belle Julie, vivez tranquille et reprenez votre enjouement ; dès demain vous ne me verrez plus. Mais soyez sûre que l'amour ardent et pur dont j'ai brûlé pour vous ne s'éteindra de ma vie, que mon cœur, plein d'un si digne objet ne saurait plus s'avilir, qu'il partagera désormais ses uniques hommages entre vous et la vertu, et qu'on ne verra jamais profaner par d'autres feux l'autel où Julie fut adorée.

Billet
De Julie

N'emportez pas l'opinion d'avoir rendu votre éloignement nécessaire. Un cœur vertueux saurait se vaincre ou se taire, et deviendrait peut-être à craindre. Mais vous...... vous pouvez rester.

Réponse

Je me suis tu longtemps ; vos froideurs m'ont fait parler à la fin. Si l'on peut se vaincre pour la vertu, l'on ne supporte point le mépris de ce qu'on aime. Il faut partir.

Billet
De Julie

Non, Monsieur ; après ce que vous avez paru sentir ; après ce que vous m'avez osé dire ; un homme tel que vous avez feint d'être ne part point ; il fait plus.

Réponse

Je n'ai rien feint, qu'une passion modérée, dans un cœur au désespoir. Demain vous serez contente, et quoi que vous en puissiez dire, j'aurai moins fait que de partir.

Billet
De Julie

Insensé ! si mes jours te sont chers, crains d'attenter aux tiens. Je suis obsédée [1], et ne puis ni vous parler ni vous écrire jusqu'à demain. Attendez.

Lettre IV
De Julie

Il faut donc l'avouer enfin, ce fatal secret trop mal déguisé ! Combien de fois j'ai juré qu'il ne sortirait de mon cœur qu'avec la vie ! La tienne en danger me l'arrache ; il m'échappe, et l'honneur est perdu. Hélas ! j'ai trop tenu parole ; est-il une mort plus cruelle que de survivre à l'honneur ?

Que dire, comment rompre un si pénible silence ? Ou plutôt n'ai-je pas déjà tout dit, et ne m'as-tu pas trop entendue [2] ? Ah tu en as trop vu pour ne pas deviner le reste ! Entraînée par degrés dans les pièges d'un vil séducteur, je vois sans pouvoir m'arrêter l'horrible précipice où je cours. Homme artificieux ! c'est bien plus mon amour que le tien qui fait ton audace. Tu vois l'égarement de mon cœur ; tu t'en prévaux pour me perdre et, quand tu me rends méprisable, le pire de mes maux est d'être forcée à te mépriser. Ah malheureux ! je t'estimais, et tu me déshonores ! Crois-moi, si ton cœur était fait pour jouir en paix de ce triomphe, il ne l'eût jamais obtenu.

---

1. Importunée. **2.** Il y a dans cette lettre d'évidents échos de la *Phèdre* (1677) de Racine, en particulier sa grande scène d'aveu (II, 5).

Tu le sais, tes remords en augmenteront ; je n'avais point dans l'âme des inclinations vicieuses. La modestie et l'honnêteté m'étaient chères ; j'aimais à les nourrir dans une vie simple et laborieuse. Que m'ont servi des soins que le Ciel a rejetés ? Dès le premier jour que j'eus le malheur de te voir, je sentis le poison qui corrompt mes sens et ma raison ; je le sentis du premier instant, et tes yeux tes sentiments tes discours ta plume criminelle le rendent chaque jour plus mortel.

Je n'ai rien négligé pour arrêter le progrès de cette passion funeste. Dans l'impuissance de résister, j'ai voulu me garantir d'être attaquée ; tes poursuites ont trompé ma vaine prudence. Cent fois j'ai voulu me jeter aux pieds des auteurs de mes jours, cent fois j'ai voulu leur ouvrir mon cœur coupable ; ils ne peuvent connaître ce qui s'y passe : ils voudront appliquer des remèdes ordinaires à un mal désespéré ; ma mère est faible et sans autorité ; je connais l'inflexible sévérité de mon père, et je ne ferai que perdre et déshonorer moi ma famille et toi-même. Mon amie est absente, mon frère n'est plus ; je ne trouve aucun protecteur au monde contre l'ennemi qui me poursuit ; j'implore en vain le Ciel, le Ciel est sourd aux prières des faibles. Tout fomente [1] l'ardeur qui me dévore ; tout m'abandonne à moi-même, ou plutôt tout me livre à toi ; la nature entière semble être ta complice ; tous mes efforts sont vains, je t'adore en dépit de moi-même. Comment mon cœur, qui n'a pu résister dans toute sa force, céderait-il maintenant à demi ? comment ce cœur qui ne sait rien dissimuler te cacherait-il le reste de sa faiblesse ? Ah ! le premier pas, qui coûte le plus, était celui qu'il ne fallait pas faire ; comment m'arrêterais-je aux autres ? Non, de ce premier pas je me sens entraîner dans l'abîme, et tu peux me rendre aussi malheureuse qu'il te plaira.

Tel est l'état affreux où je me vois, que je ne puis plus avoir recours qu'à celui qui m'y a réduite, et que pour me garantir de ma perte, tu dois être mon unique défenseur contre toi. Je pouvais, je le sais, différer cet aveu de mon désespoir ; je pouvais quelque temps déguiser ma honte, et

1. « Entretenir, Faire durer. Et alors il se prend en mauvaise part » (*Acad.* 1762).

céder par degrés pour m'en imposer à moi-même. Vaine adresse qui pouvait flatter mon amour-propre, et non pas sauver ma vertu. Va, je vois trop, je sens trop où mène la première faute, et je ne cherchais pas à préparer ma ruine, mais à l'éviter.

Toutefois si tu n'es pas le dernier des hommes, si quelque étincelle de vertu brilla dans ton âme, s'il y reste encore quelque trace des sentiments d'honneur dont tu m'as paru pénétré, puis-je te croire assez vil pour abuser de l'aveu fatal que mon délire m'arrache ? Non, je te connais bien ; tu soutiendras ma faiblesse, tu deviendras ma sauvegarde, tu protégeras ma personne contre mon propre cœur. Tes vertus sont le dernier refuge de mon innocence ; mon honneur s'ose confier au tien, tu ne peux conserver l'un sans l'autre ; âme généreuse, ah ! conserve-les tous deux, et du moins pour l'amour de toi-même, daigne prendre pitié de moi.

Ô Dieu ! suis-je assez humiliée ? Je t'écris à genoux ; je baigne mon papier de mes pleurs ; j'élève à toi mes timides supplications. Et ne pense pas, cependant, que j'ignore que c'était à moi d'en recevoir, et que pour me faire obéir je n'avais qu'à me rendre avec art [1] méprisable. Ami, prends ce vain empire, et laisse-moi l'honnêteté [2] : j'aime mieux être ton esclave et vivre innocente, que d'acheter ta dépendance au prix de mon déshonneur. Si tu daignes m'écouter, que d'amour, que de respects ne dois-tu pas attendre de celle qui te devra son retour à la vie ? Quels charmes dans la douce union de deux âmes pures ! Tes désirs vaincus seront la source de ton bonheur, et les plaisirs dont tu jouiras seront dignes du Ciel même.

Je crois, j'espère, qu'un cœur qui m'a paru mériter tout l'attachement du mien ne démentira pas la générosité que j'attends de lui. J'espère encore que s'il était assez lâche pour abuser de mon égarement et des aveux qu'il m'arrache, le mépris, l'indignation me rendraient la raison que j'ai perdue, et que je ne serais pas assez lâche moi-même pour craindre un amant dont j'aurais à rougir. Tu seras vertueux ou méprisé ; je serai respectée ou guérie ; voilà l'unique espoir qui me reste avant celui de mourir.

---

1. De manière artificieuse. **2.** « Chasteté, pudeur, modestie » (*Acad.* 1762).

Lettre V
À Julie

Puissances du Ciel ! j'avais une âme pour la douleur, donnez m'en une pour la félicité. Amour, vie de l'âme, viens soutenir la mienne prête à défaillir. Charme inexprimable de la vertu ! force invincible de la voix de ce qu'on aime ! bonheur, plaisirs, transports, que vos traits sont poignants ! Qui peut en soutenir l'atteinte ? Ô comment suffire au torrent de délices qui vient inonder mon cœur ! comment expier les alarmes d'une craintive amante ? Julie… ! non ! ma Julie à genoux ! ma Julie verser des pleurs !…. celle à qui l'univers devrait des hommages, supplier un homme qui l'adore de ne pas l'outrager, de ne pas se déshonorer lui-même ! Si je pouvais m'indigner contre toi je le ferais, pour tes frayeurs qui nous avilissent ! Juge mieux, beauté pure et céleste, de la nature de ton empire ! Eh ! si j'adore les charmes de ta personne, n'est-ce pas surtout pour l'empreinte de cette âme sans tache qui l'anime, et dont tous tes traits portent la divine enseigne [1] ? Tu crains de céder à mes poursuites ? mais quelles poursuites peut redouter celle qui couvre de respect et d'honnêteté tous les sentiments qu'elle inspire ? Est-il un homme assez vil sur la terre [a] pour oser être téméraire avec toi ?

Permets, permets que je savoure le bonheur inattendu d'être aimé…. aimé de celle….. Trône du monde, combien je te vois au-dessous de moi ! Que je la relise mille fois, cette lettre adorable où ton amour et tes sentiments sont écrits en caractères de feu ; où, malgré tout l'emportement d'un cœur agité, je vois avec transport combien dans une âme honnête les passions les plus vives gardent encore le saint caractère de la vertu. Quel monstre, après avoir lu cette touchante lettre, pourrait abuser de ton état, et témoigner par l'acte le plus marqué son profond mépris pour lui-même ? Non, chère amante, prends confiance en un ami fidèle qui n'est point fait pour te tromper. Bien que ma raison soit à jamais perdue, bien que le trouble de mes sens s'accroisse à

---

1. Marque, indice. Phrase typique du caractère néoplatonique de la passion des deux amants.

chaque instant, ta personne est désormais pour moi le plus charmant, mais le plus sacré dépôt [1] dont jamais mortel fut honoré. Ma flamme et son objet conserveront ensemble une inaltérable pureté. Je frémirais de porter la main sur tes chastes attraits, plus que du plus vil inceste, et tu n'es pas dans une sûreté plus inviolable avec ton père qu'avec ton amant [2]. Ô si jamais cet amant heureux s'oublie un moment devant toi........ L'amant de Julie aurait une âme abjecte ! Non, quand je cesserai d'aimer la vertu, je ne t'aimerai plus ; à ma première lâcheté, je ne veux plus que tu m'aimes.

Rassure-toi donc, je t'en conjure au nom du tendre et pur amour qui nous unit ; c'est à lui de t'être garant de ma retenue et de mon respect, c'est à lui de te répondre de lui-même. Et pourquoi tes craintes iraient-elles plus loin que mes désirs ? à quel autre bonheur voudrais-je aspirer, si tout mon cœur suffit à peine à celui qu'il goûte ? Nous sommes jeunes tous deux, il est vrai ; nous aimons pour la première et l'unique fois de la vie, et n'avons nulle expérience des passions ; mais l'honneur qui nous conduit est-il un guide trompeur ? a-t-il besoin d'une expérience suspecte qu'on n'acquiert qu'à force de vices ? J'ignore si je m'abuse, mais il me semble que les sentiments droits sont tous au fond de mon cœur. Je ne suis point un vil séducteur comme tu m'appelles dans ton désespoir, mais un homme simple et sensible, qui montre aisément ce qu'il sent et ne sent rien dont il doive rougir. Pour dire tout en un seul mot, j'abhorre encore plus le crime que je n'aime Julie. Je ne sais, non, je ne sais pas même si l'amour que tu fais naître est compatible avec l'oubli de la vertu, et si tout autre qu'une âme honnête peut sentir assez tous tes charmes. Pour moi, plus j'en suis pénétré, plus mes sentiments s'élèvent. Quel bien, que je n'aurais pas fait pour lui-même, ne ferais-je pas maintenant

---

1. Nadine Berenguier rappelle que la langue juridique du temps appelle « dépôt » « un contrat par lequel on donne quelque chose à garder à quelqu'un, à la charge de la rendre toutefois et quand il plaira à celui qui l'a déposé ». En se confiant en « dépôt » à Saint-Preux plutôt qu'à sa mère, Julie manifeste « la position ambiguë de la vierge, responsable de la préservation d'un corps qui ne lui appartient pas » (« Le "dangereux dépôt" : virginité et contrat dans *Julie ou la Nouvelle Héloïse* », p. 454). **2.** Déclaration à rapprocher de I, 63 et II, 25.

pour me rendre digne de toi ? Ah ! daigne te confier aux
feux que tu m'inspires, et que tu sais si bien purifier ; crois
qu'il suffit que je t'adore pour respecter à jamais le précieux
dépôt dont tu m'as chargé. Ô quel cœur je vais posséder !
Vrai bonheur, gloire de ce qu'on aime, triomphe d'un amour
qui s'honore, combien tu vaux mieux que tous ses plaisirs !

Lettre VI
De Julie à Claire

Veux-tu, ma Cousine, passer ta vie à pleurer cette pauvre
Chaillot, et faut-il que les morts te fassent oublier les
vivants ? Tes regrets sont justes, et je les partage, mais
doivent-ils être éternels ? Depuis la perte de ta mère elle
t'avait élevée avec le plus grand soin ; elle était plutôt ton
amie que ta gouvernante. Elle t'aimait tendrement et
m'aimait parce que tu m'aimes ; elle ne nous inspira jamais
que des principes de sagesse et d'honneur. Je sais tout cela,
ma chère, et j'en conviens avec plaisir. Mais conviens aussi
que la bonne femme était peu prudente avec nous, qu'elle
nous faisait sans nécessité les confidences les plus indiscrètes [1], qu'elle nous entretenait sans cesse des maximes de
la galanterie [2], des aventures de sa jeunesse, du manège [3] des
amants, et que pour nous garantir des pièges des hommes,
si elle ne nous apprenait pas à leur en tendre, elle nous
instruisait au moins de mille choses que de jeunes filles se
passeraient bien de savoir. Console-toi donc de sa perte,
comme d'un mal qui n'est pas sans quelque dédommagement. À l'âge où nous sommes, ses leçons commençaient à
devenir dangereuses, et le Ciel nous l'a peut-être ôtée au
moment où il n'était pas bon qu'elle nous restât plus longtemps. Souviens-toi de tout ce que tu me disais quand je
perdis le meilleur des frères. La Chaillot t'est-elle plus
chère ? As-tu plus de raison de la regretter ?

Reviens, ma chère, elle n'a plus besoin de toi. Hélas !
tandis que tu perds ton temps en regrets superflus, comment

---

1. Imprudentes. **2.** Au sens de « libertinage », art de la séduction impliquant
des relations illicites. **3.** « Au figuré signifie : certaines manières d'agir
adroites et artificieuses » (*Acad.* 1762).

ne crains-tu point de t'en attirer d'autres ? Comment ne crains-tu point, toi qui connais l'état de mon cœur, d'abandonner ton amie à des périls que ta présence aurait prévenus [1] ? Ô qu'il s'est passé de choses depuis ton départ ! Tu frémiras en apprenant quels dangers j'ai courus par mon imprudence. J'espère en être délivrée ; mais je me vois, pour ainsi dire, à la discrétion d'autrui : c'est à toi de me rendre à moi-même. Hâte-toi donc de revenir. Je n'ai rien dit tant que tes soins étaient utiles à ta pauvre Bonne [2] ; j'eusse été la première à t'exhorter à les lui rendre. Depuis qu'elle n'est plus, c'est à sa famille que tu les dois : nous les remplirons mieux ici de concert que tu ne ferais seule à la campagne, et tu t'acquitteras des devoirs de la reconnaissance, sans rien ôter à ceux de l'amitié.

Depuis le départ de mon Père nous avons repris notre ancienne manière de vivre et ma mère me quitte moins. Mais c'est par habitude plus que par défiance. Ses sociétés [3] lui prennent encore bien des moments qu'elle ne veut pas dérober à mes petites études, et Babi remplit alors sa place assez négligemment. Quoique je trouve à cette bonne mère beaucoup trop de sécurité, je ne puis me résoudre à l'en avertir ; je voudrais bien pourvoir à ma sûreté sans perdre son estime, et c'est à toi seule qui peux concilier tout cela. Reviens, ma Claire, reviens sans tarder. J'ai regret aux leçons que je prends sans toi, et j'ai peur de devenir trop savante. Notre maître n'est pas seulement un homme de mérite ; il est vertueux, et n'en est que plus à craindre. Je suis trop contente de lui pour l'être de moi. À son âge et au nôtre, avec l'homme le plus vertueux, quand il est aimable, il vaut mieux être deux filles qu'une.

Lettre VII
Réponse

Je t'entends, et tu me fais trembler. Non que je croie le danger aussi pressant que tu l'imagines. Ta crainte modère

1. Anticipés (sens classique de *prévenir* : devancer). **2.** « *Bonne* : nom qu'on donne à la gouvernante d'un enfant. Il est familier » (*Acad.* 1762). **3.** Compagnies de personnes avec lesquelles elle entretient des relations suivies, qu'elle reçoit et qui la reçoivent.

la mienne sur le présent : mais l'avenir m'épouvante, et si tu ne peux te vaincre, je ne vois plus que des malheurs. Hélas ! combien de fois la pauvre Chaillot m'a-t-elle prédit que le premier soupir de ton cœur ferait le destin de ta vie [1] ! Ah, Cousine ! si jeune encore, faut-il voir déjà ton sort s'accomplir ? Qu'elle va nous manquer, cette femme habile que tu nous crois avantageux de perdre ! Il l'eût été, peut-être, de tomber d'abord en de plus sûres mains ; mais nous sommes trop instruites en sortant des siennes pour nous laisser gouverner par d'autres, et pas assez pour nous gouverner nous-mêmes : elle seule pouvait nous garantir des dangers auxquels elle nous avait exposées. Elle nous a beaucoup appris, et nous avons, ce me semble, beaucoup pensé pour notre âge. La vive et tendre amitié qui nous unit presque dès le berceau nous a, pour ainsi dire, éclairé le cœur de bonne heure sur toutes les passions. Nous connaissons assez bien leurs signes et leurs effets ; il n'y a que l'art de les réprimer qui nous manque. Dieu veuille que ton jeune philosophe connaisse mieux que nous cet art-là.

Quand je dis *nous*, tu m'entends ; c'est surtout de toi que je parle : car pour moi, la Bonne m'a toujours dit que mon étourderie me tiendrait lieu de raison, que je n'aurais jamais l'esprit de savoir aimer, et que j'étais trop folle [2] pour faire un jour des folies. Ma Julie, prends garde à toi ; mieux elle augurait de ta raison, plus elle craignait pour ton cœur. Aie bon courage, cependant ; tout ce que la sagesse et l'honneur pourront faire, je sais que ton âme le fera, et la mienne fera, n'en doute pas, tout ce que l'amitié peut faire à son tour. Si nous en savons trop pour notre âge, au moins cette étude n'a rien coûté à nos mœurs. Crois, ma chère, qu'il y a bien des filles plus simples, qui sont moins honnêtes que nous : nous le sommes parce que nous voulons l'être, et quoi qu'on en puisse dire, c'est le moyen de l'être plus sûrement.

Cependant sur ce que tu me marques, je n'aurai pas un moment de repos que je ne sois auprès de toi ; car si tu crains le danger, il n'est pas tout à fait chimérique. Il est vrai que le préservatif [3] est facile ; deux mots à ta mère et

---

1. Écho direct de la lettre 3, p. 61. **2.** Au sens de gaie, badine, enjouée.
3. « Remède qui a la vertu de préserver. Il s'emploie figurément en parlant de choses morales » (*Acad.* 1762).

tout est fini ; mais je te comprends ; tu ne veux point d'un expédient qui finit tout : tu veux bien t'ôter le pouvoir de succomber, mais non pas l'honneur de combattre. Ô pauvre Cousine !..... encore si la moindre lueur....... Le Baron d'Étange consentir à donner sa fille, son enfant unique, à un petit bourgeois [1] sans fortune ! L'espères-tu ?...... qu'espères-tu donc ? que veux-tu ?........ pauvre, pauvre Cousine !..... Ne crains rien, toutefois, de ma part. Ton secret sera gardé par ton amie. Bien des gens trouveraient plus honnête de le révéler ; peut-être auraient-ils raison. Pour moi qui ne suis pas une grande raisonneuse, je ne veux point d'une honnêteté qui trahit l'amitié, la foi, la confiance ; j'imagine que chaque relation, chaque âge a ses maximes, ses devoirs, ses vertus, que ce qui serait prudence à d'autres, à moi serait perfidie, et qu'au lieu de nous rendre sages, on nous rend méchants en confondant tout cela. Si ton amour est faible, nous le vaincrons ; s'il est extrême, c'est l'exposer à des tragédies que de l'attaquer par des moyens violents, et il ne convient à l'amitié de tenter que ceux dont elle peut répondre. Mais en revanche, tu n'as qu'à marcher droit quand tu seras sous ma garde. Tu verras, tu verras ce que c'est qu'une Duègne de dix-huit ans !

Je ne suis pas, comme tu sais, loin de toi pour mon plaisir, et le printemps n'est pas si agréable en campagne que tu penses ; on y souffre à la fois le froid et le chaud ; on n'a point d'ombre à la promenade, et il faut se chauffer dans la maison. Mon Père de son côté ne laisse pas au milieu de ses bâtiments, de s'apercevoir qu'on a la gazette [2] ici plus tard qu'à la ville. Ainsi tout le monde ne demande pas mieux que d'y retourner, et tu m'embrasseras, j'espère, dans quatre ou cinq jours. Mais ce qui m'inquiète est que quatre ou cinq jours font je ne sais combien d'heures, dont plusieurs sont destinées au philosophe. Au philosophe, entends-tu, Cousine ? pense que toutes ces heures-là ne doivent sonner que pour lui.

Ne va pas ici rougir et baisser les yeux. Prendre un air grave, il t'est impossible ; cela ne peut aller à tes traits. Tu

---

1. Roturier. **2.** « Cahier, feuille volante qu'on donne au Public à certains jours de la semaine, et qui contient des nouvelles de divers pays » (*Acad.* 1762).

sais bien que je ne saurais pleurer sans rire, et que je n'en
suis pas pour cela moins sensible ; je n'en ai pas moins de
chagrin d'être loin de toi ; je n'en regrette pas moins la
bonne Chaillot. Je te sais un gré infini de vouloir partager
avec moi le soin de sa famille, je ne l'abandonnerai de mes
jours, mais tu ne serais plus toi-même si tu perdais quelque
occasion de faire du bien. Je conviens que la pauvre Mie [1]
était babillarde, assez libre dans ses propos familiers, peu
discrète avec de jeunes filles, et qu'elle aimait à parler de son
vieux temps. Aussi ne sont-ce pas tant les qualités de son
esprit que je regrette, bien qu'elle en eût d'excellentes parmi
de mauvaises. La perte que je pleure en elle, c'est son bon
cœur, son parfait attachement qui lui donnait à la fois pour
moi la tendresse d'une mère et la confiance d'une sœur. Elle
me tenait lieu de toute ma famille ; à peine ai-je connu ma
mère ; mon père m'aime autant qu'il peut aimer ; nous
avons perdu ton aimable frère ; je ne vois presque jamais les
miens. Me voilà comme une orpheline délaissée. Mon
enfant, tu me restes seule ; car ta bonne mère, c'est toi [2]. Tu
as raison pourtant. Tu me restes : je pleurais ! j'étais donc
folle : qu'avais-je à pleurer ?

P. S. De peur d'accident, j'adresse cette lettre à notre
maître, afin qu'elle te parvienne plus sûrement.

Lettre VIII
À *Julie* *

Quels sont, belle Julie, les bizarres caprices de l'amour ?
Mon cœur a plus qu'il n'espérait, et n'est pas content. Vous
m'aimez, vous me le dites, et je soupire. Ce cœur injuste ose

---

* On sent qu'il y a ici une lacune, et l'on en trouvera souvent dans la suite
de cette correspondance. Plusieurs lettres se sont perdues ; d'autres ont été
supprimées ; d'autres ont souffert des retranchements : mais il ne manque
rien d'essentiel qu'on ne puisse aisément suppléer, à l'aide de ce qui reste.

---

1. « Nom que les enfants donnent à leur gouvernante » (*Acad.* 1762).
2. Sens obscur. On attendrait « *ma* bonne mère, c'est toi ». CL porte : « car
ta bonne Maman, c'est toi. »

désirer encore, quand il n'a plus rien à désirer ; il me punit de ses fantaisies [1], et me rend inquiet au sein du bonheur. Ne croyez pas que j'aie oublié les lois qui me sont imposées, ni perdu la volonté de les observer ; non, mais un secret dépit m'agite en voyant que ces lois ne coûtent qu'à moi, que vous qui vous prétendiez si faible êtes si forte à présent, et que j'ai si peu de combats à rendre contre moi-même, tant je vous trouve attentive à les prévenir.

Que vous êtes changée depuis deux mois, sans que rien ait changé que vous ! Vos langueurs ont disparu ; il n'est plus question de dégoût ni d'abattement ; toutes les grâces sont venues reprendre leurs postes ; tous vos charmes se sont ranimés ; la rose qui vient d'éclore n'est pas plus fraîche que vous ; les saillies [2] ont recommencé ; vous avez de l'esprit avec tout le monde ; vous folâtrez, même avec moi comme auparavant ; et, ce qui m'irrite plus que tout le reste, vous me jurez un amour éternel d'un air aussi gai que si vous disiez la chose du monde la plus plaisante.

Dites, dites, volage ? Est-ce là le caractère d'une passion violente réduite à se combattre elle-même, et si vous aviez le moindre désir à vaincre, la contrainte n'étoufferait-elle pas au moins l'enjouement ? Oh que vous étiez bien plus aimable quand vous étiez moins belle ! Que je regrette cette pâleur touchante, précieux gage du bonheur d'un amant, et que je hais l'indiscrète santé que vous avez recouvrée aux dépens de mon repos ! Oui, j'aimerais mieux vous voir malade encore, que cet air content, ces yeux brillants, ce teint fleuri qui m'outragent. Avez-vous oublié si tôt que vous n'étiez pas ainsi quand vous imploriez ma clémence ? Julie, Julie ! Que cet amour si vif est devenu tranquille en peu de temps !

Mais ce qui m'offense plus encore, c'est qu'après vous être remise à ma discrétion, vous paraissez vous en défier, et que vous fuyez les dangers comme s'il vous en restait à craindre. Est-ce ainsi que vous honorez ma retenue, et mon inviolable respect méritait-il cet affront de votre part ? Bien loin que le départ de votre père nous ait laissé plus de liberté, à peine peut-on vous voir seule. Votre inséparable

---

1. Caprices, pensées bizarres. **2.** Traits d'esprit caractérisés par leur vivacité.

Cousine ne vous quitte plus. Insensiblement nous allons reprendre nos premières manières de vivre et notre ancienne circonspection, avec cette unique différence qu'alors elle vous était à charge et qu'elle vous plaît maintenant.

Quel sera donc le prix d'un si pur hommage si votre estime ne l'est pas, et de quoi me sert l'abstinence éternelle et volontaire de ce qu'il y a de plus doux au monde si celle qui l'exige ne m'en sait aucun gré ? Certes, je suis las de souffrir inutilement, et de me condamner aux plus dures privations sans en avoir même le mérite. Quoi ! faut-il que vous embellissiez impunément tandis que vous me méprisez ? Faut-il qu'incessamment mes yeux dévorent des charmes dont jamais ma bouche n'ose approcher ? Faut-il enfin que je m'ôte à moi-même toute espérance, sans pouvoir au moins m'honorer d'un sacrifice aussi rigoureux ? Non, puisque vous ne vous fiez pas à ma foi, je ne veux plus la laisser vainement engagée ; c'est une sûreté injuste que celle que vous tirez à la fois de ma parole et de vos précautions ; vous êtes trop ingrate ou je suis trop scrupuleux, et je ne veux plus refuser de la fortune les occasions que vous n'aurez pu lui ôter. Enfin quoi qu'il en soit de mon sort, je sens que j'ai pris une charge au-dessus de mes forces. Julie, reprenez la garde de vous-même ; je vous rends un dépôt trop dangereux pour la fidélité du dépositaire, et dont la défense coûtera moins à votre cœur que vous n'avez feint de le craindre.

Je vous le dis sérieusement ; comptez sur vous, ou chassez-moi, c'est-à-dire, ôtez-moi la vie. J'ai pris un engagement téméraire [1]. J'admire comment je l'ai pu tenir si longtemps ; je sais que je le dois toujours, mais je sens qu'il m'est impossible. On mérite de succomber quand on s'impose de si périlleux devoirs. Croyez-moi, chère et tendre Julie, croyez-en ce cœur sensible qui ne vit que pour vous ; vous serez toujours respectée ; mais je puis un instant manquer de raison, et l'ivresse des sens peut dicter un crime

---

[1] C'est le titre de la comédie de jeunesse composée en 1747 chez les Dupin, qui se termine par cet avertissement : « On ne peut sans danger se jouer à l'Amour » (*OC*, II, p. 931).

dont on aurait horreur de sens froid [1]. Heureux de n'avoir point trompé votre espoir, j'ai vaincu deux mois, et vous me devez le prix de deux siècles de souffrances.

Lettre IX
De Julie

J'entends : les plaisirs du vice et l'honneur de la vertu vous feraient un sort agréable ? Est-ce là votre morale ?....... Eh ! mon bon ami, vous vous lassez bien vite d'être généreux ! Ne l'étiez-vous donc que par artifice ? La singulière marque d'attachement, que de vous plaindre de ma santé ! Serait-ce que vous espériez voir mon fol amour achever de la détruire, et que vous m'attendiez au moment de vous demander la vie ? ou bien, comptiez-vous de me respecter aussi longtemps que je ferais peur, et de vous rétracter quand je deviendrais supportable ? Je ne vois pas dans de pareils sacrifices un mérite à tant faire valoir.

Vous me reprochez avec la même équité le soin que je prends de vous sauver des combats pénibles avec vous-même, comme si vous ne deviez pas plutôt m'en remercier. Puis, vous vous rétractez de l'engagement que vous avez pris, comme d'un devoir trop à charge ; en sorte que dans la même lettre vous vous plaignez de ce que vous avez trop de peine, et de ce que vous n'en avez pas assez. Pensez-y mieux et tâchez d'être d'accord avec vous, pour donner à vos prétendus griefs une couleur moins frivole. Ou plutôt, quittez toute cette dissimulation qui n'est pas dans votre caractère. Quoi que vous puissiez dire, votre cœur est plus content du mien qu'il ne feint de l'être ; Ingrat, vous savez trop qu'il n'aura jamais tort avec vous ! Votre lettre même vous dément par son style enjoué, et vous n'auriez pas tant d'esprit si vous étiez moins tranquille. En voilà trop sur les

---

1. L'hésitation perdure tout au long du siècle entre les orthographes *sang froid* et *sens froid*. « Suivant *Ménage*, on dit, *de sang froid*, et non pas, *de sens froid* ; mais on dit, *de sens rassis*, et non pas, *de sang rassis*. [...] l'*Académie* dit actuellement, de *sang froid* et *de sang rassis*. Elle avait dit auparavant, de *sens rassis* » (*Féraud*).

vains reproches qui vous regardent ; passons à ceux qui me regardent moi-même, et qui semblent d'abord mieux fondés.

Je le sens bien ; la vie égale et douce que nous menons depuis deux mois ne s'accorde pas avec ma déclaration précédente, et j'avoue que ce n'est pas sans raison que vous êtes surpris de ce contraste. Vous m'avez d'abord vue au désespoir ; vous me trouvez à présent trop paisible ; de là vous accusez mes sentiments d'inconstance et mon cœur de caprice. Ah mon ami ! ne le jugez-vous point trop sévèrement ? Il faut plus d'un jour pour le connaître. Attendez, et vous trouverez peut-être que ce cœur qui vous aime n'est pas indigne du vôtre.

Si vous pouviez comprendre avec quel effroi j'éprouvai les premières atteintes du sentiment qui m'unit à vous, vous jugeriez du trouble qu'il dut me causer. J'ai été élevée dans des maximes si sévères que l'amour le plus pur me paraissait le comble du déshonneur. Tout m'apprenait ou me faisait croire qu'une fille sensible était perdue au premier mot tendre échappé de sa bouche ; mon imagination troublée confondait le crime avec l'aveu de la passion ; et j'avais une si affreuse idée de ce premier pas, qu'à peine voyais-je au delà nul intervalle jusqu'au dernier. L'excessive défiance de moi-même augmenta mes alarmes ; les combats de la modestie me parurent ceux de la chasteté ; je pris le tourment du silence pour l'emportement des désirs. Je me crus perdue aussitôt que j'aurais parlé, et cependant il fallait parler où vous perdre. Ainsi ne pouvant plus déguiser mes sentiments, je tâchai d'exciter la générosité des vôtres, et me fiant plus à vous qu'à moi, je voulus, en intéressant votre honneur à ma défense, me ménager des ressources dont je me croyais dépourvue.

J'ai reconnu que je me trompais ; je n'eus pas parlé [1] que je me trouvai soulagée ; vous n'eûtes pas répondu que je me sentis tout à fait calme, et deux mois d'expérience m'ont appris que mon cœur trop tendre a besoin d'amour, mais que mes sens n'ont aucun besoin d'amant. Jugez, vous qui aimez la vertu, avec quelle joie je fis cette heureuse découverte. Sortie de cette profonde ignominie où mes terreurs

---

1. Je n'eus pas plus tôt parlé.

m'avaient plongée, je goûte le plaisir délicieux d'aimer purement. Cet état fait le bonheur de ma vie ; mon humeur et
ma santé s'en ressentent ; à peine puis-je en concevoir un
plus doux, et l'accord de l'amour et de l'innocence me
semble être le paradis sur la terre.

Dès lors je ne vous craignis plus ; et quand je pris soin
d'éviter la solitude avec vous, ce fut autant pour vous que
pour moi ; car vos yeux et vos soupirs annonçaient plus de
transports que de sagesse, et si vous eussiez oublié l'arrêt
que vous avez prononcé vous-même, je ne l'aurais pas
oublié.

Ah mon ami, que ne puis-je faire passer dans votre âme
le sentiment de bonheur et de paix qui règne au fond de la
mienne ! Que ne puis-je vous apprendre à jouir tranquillement du plus délicieux état de la vie ! Les charmes de
l'union des cœurs se joignent pour nous à ceux de l'innocence ; nulle crainte, nulle honte ne trouble notre félicité ;
au sein des vrais plaisirs de l'amour nous pouvons parler de
la vertu sans rougir,

> *E v'é il piacere con l'onestade accanto.*
>
> [Et le plaisir s'unit à l'honnêteté [1]]

Je ne sais quel triste pressentiment s'élève dans mon sein
et me crie que nous jouissons du seul temps heureux que le
Ciel nous ait destiné. Je n'entrevois dans l'avenir qu'absence,
orages, troubles, contradictions. La moindre altération à
notre situation présente me paraît ne pouvoir être qu'un
mal. Non, quand un lien plus doux nous unirait à jamais,
je ne sais si l'excès du bonheur n'en deviendrait pas bientôt
la ruine. Le moment de la possession est une crise de
l'amour [2], et tout changement est dangereux au nôtre ; nous
ne pouvons plus qu'y perdre.

Je t'en conjure, mon tendre et unique ami, tâche de
calmer l'ivresse des vains désirs que suivent toujours les

---

1. Métastase, *Il Tempio dell'Eternità*, prologue (trad. de Rousseau dans
DC). **2.** Syllepse hardie sur le mot *crise*, pris dans son sens dramatique et
médical. Ce sens physiologique sert à nommer métaphoriquement la découverte de la jouissance. Voir III, 7 et III, 18.

regrets, le repentir, la tristesse. Goûtons en paix notre situation présente. Tu te plais à m'instruire, et tu sais trop si je me plais à recevoir tes leçons. Rendons-les encore plus fréquentes ; ne nous quittons qu'autant qu'il faut pour la bienséance ; employons à nous écrire les moments que nous ne pouvons passer à nous voir, et profitons d'un temps précieux après lequel, peut-être, nous soupirerons un jour. Ah puisse notre sort, tel qu'il est, [1] durer autant que notre vie ! L'esprit s'orne, la raison s'éclaire, l'âme se fortifie, le cœur jouit : que manque-t-il à notre bonheur ?

Lettre X
À *Julie*

Que vous avez raison, ma Julie, de dire que je ne vous connais pas encore ! Toujours je crois connaître tous les trésors de votre belle âme, et toujours j'en découvre de nouveaux. Quelle femme jamais associa comme vous la tendresse à la vertu, et tempérant l'une par l'autre les rendit toutes deux plus charmantes ? Je trouve je ne sais quoi d'aimable et d'attrayant dans cette sagesse qui me désole, et vous ornez avec tant de grâce les privations que vous m'imposez, qu'il s'en faut peu que vous ne me les rendiez chères.

Je le sens chaque jour davantage, le plus grand des biens est d'être aimé de vous ; il n'y en a point, il n'y en peut avoir qui l'égale, et s'il fallait choisir entre votre cœur et votre possession même, non charmante Julie, je ne balancerais pas un instant. Mais d'où viendrait cette amère alternative, et pourquoi rendre incompatible ce que la nature a voulu réunir ? Le temps est précieux, dites-vous, sachons en jouir tel qu'il est, et gardons-nous par notre impatience d'en troubler le paisible cours. Eh ! qu'il passe et qu'il soit heureux ! pour profiter d'un état aimable faut-il en négliger un meilleur, et préférer le repos à la félicité suprême ? Ne perd-on pas tout le temps qu'on peut mieux employer ? Ah ! si l'on peut vivre mille ans en un quart d'heure, à quoi bon compter tristement les jours qu'on aura vécus ?

---

1. Nous ajoutons une virgule.

Tout ce que vous dites du bonheur de notre situation présente est incontestable ; je sens que nous devons être heureux, et pourtant je ne le suis pas. La sagesse a beau parler par votre bouche, la voix de la nature est la plus forte. Le moyen de lui résister quand elle s'accorde à la voix du cœur ? Hors vous seule je ne vois rien dans ce séjour terrestre qui soit digne d'occuper mon âme et mes sens ; non, sans vous la nature n'est plus rien pour moi : mais son empire est dans vos yeux, et c'est là qu'elle est invincible.

Il n'en est pas ainsi de vous, céleste Julie ; vous vous contentez de charmer nos sens, et n'êtes point en guerre avec les vôtres. Il semble que des passions humaines soient au dessous d'une âme si sublime, et comme vous avez la beauté des Anges, vous en avez la pureté. Ô pureté que je respecte en murmurant, que ne puis-je ou vous rabaisser ou m'élever jusqu'à vous ! Mais non, je ramperai toujours sur la terre, et vous verrai toujours briller dans les Cieux. Ah ! soyez heureuse aux dépens de mon repos ; jouissez de toutes vos vertus ; périsse le vil mortel qui tentera jamais d'en souiller une. Soyez heureuse, je tâcherai d'oublier combien je suis à plaindre, et je tirerai de votre bonheur même la consolation de mes maux. Oui, chère Amante, il me semble que mon amour est aussi parfait que son adorable objet ; tous les désirs enflammés par vos charmes s'éteignent dans les perfections de votre âme, je la vois si paisible que je n'ose en troubler la tranquillité. Chaque fois que je suis tenté de vous dérober la moindre caresse, si le danger de vous offenser me retient, mon cœur me retient encore plus par la crainte d'altérer une félicité si pure ; dans le prix des biens où j'aspire, je ne vois plus que ce qu'ils vous peuvent coûter, et ne pouvant accorder mon bonheur avec le vôtre, jugez comment j'aime ! c'est au mien que j'ai renoncé.

Que d'inexplicables contradictions dans les sentiments que vous m'inspirez ! Je suis à la fois soumis et téméraire, impétueux et retenu, je ne saurais lever les yeux sur vous sans éprouver des combats en moi-même. Vos regards, votre voix portent au cœur avec l'amour l'attrait touchant de l'innocence ; c'est un charme divin qu'on aurait regret d'effacer. Si j'ose former des vœux extrêmes ce n'est plus qu'en votre absence ; mes désirs n'osant aller jusqu'à vous s'adressent à votre image, et c'est sur elle que je me venge du respect que je suis contraint de vous porter [1].

Cependant je languis et me consume ; le feu coule dans mes veines ; rien ne saurait l'éteindre ni le calmer, et je l'irrite en voulant le contraindre. Je dois être heureux, je le suis, j'en conviens ; je ne me plains point de mon sort ; tel qu'il est je n'en changerais pas avec les Rois de la terre. Cependant un mal réel me tourmente, je cherche vainement à le fuir ; je ne voudrais point mourir, et toutefois je me meurs ; je voudrais vivre pour vous, et c'est vous qui m'ôtez la vie.

Lettre XI
De Julie

Mon ami, je sens que je m'attache à vous chaque jour davantage ; je ne puis plus me séparer de vous, la moindre absence m'est insupportable, et il faut que je vous voie ou que je vous écrive, afin de m'occuper de vous sans cesse.

Ainsi mon amour s'augmente avec le vôtre ; car je connais [2] à présent combien vous m'aimez par la crainte réelle que vous avez de me déplaire, au lieu que vous n'en aviez d'abord qu'une apparente pour mieux venir à vos fins. Je sais fort bien distinguer en vous l'empire que le cœur a su prendre du délire d'une imagination échauffée, et je vois cent fois plus de passion dans la contrainte où vous êtes, que dans vos premiers emportements. Je sais bien aussi que votre état, tout gênant qu'il est, n'est pas sans plaisirs. Il est doux pour un véritable amant de faire des sacrifices qui lui sont tous comptés, et dont aucun n'est perdu dans le cœur de ce qu'il aime. Qui sait même, si connaissant ma sensibilité, vous n'employez pas pour me séduire une adresse mieux entendue [3] ? Mais non, je suis injuste et vous n'êtes pas capable d'user d'artifice avec moi. Cependant, si je suis sage,

---

1. Cet amour du simulacre annonce déjà les reproches de Julie sur le « dangereux supplément » auquel s'adonne son amant séparé d'elle : « je crains que tu n'outrages ta Julie à force de l'aimer » (II, 15, p. 285). **2.** Je reconnais (sens classique courant). **3.** Adaptée à ma « sensibilité ».

je me défierai plus encore de la pitié que de l'amour. Je me sens mille fois plus attendrie par vos respects que par vos transports, et je crains bien qu'en prenant le parti le plus honnête, vous n'ayez pris enfin le plus dangereux [1].

Il faut que je vous dise dans l'épanchement de mon cœur une vérité qu'il sent fortement, et dont le vôtre doit vous convaincre : c'est qu'en dépit de la fortune, des parents et de nous-mêmes, nos destinées sont à jamais unies, et que nous ne pouvons plus être heureux ou malheureux qu'ensemble. Nos âmes se sont, pour ainsi dire, touchées par tous les points, et nous avons partout senti la même cohérence [2]. (Corrigez-moi, mon ami, si j'applique mal vos leçons de physique.) Le sort pourra bien nous séparer, mais non pas nous désunir. Nous n'aurons plus que les mêmes plaisirs et les mêmes peines ; et comme ces aimants dont vous me parliez, qui ont, dit-on, les mêmes mouvements en différents lieux, nous sentirions les mêmes choses aux deux extrémités du monde.

Défaites-vous donc de l'espoir, si vous l'eûtes jamais, de vous faire un bonheur exclusif,[a] et de l'acheter aux dépens du mien. N'espérez pas pouvoir être heureux si j'étais déshonorée, ni pouvoir d'un œil satisfait contempler mon ignominie et mes larmes. Croyez-moi, mon ami, je connais votre cœur bien mieux que vous ne le connaissez. Un amour si tendre et si vrai doit savoir commander aux désirs ; vous en avez trop fait pour achever sans vous perdre, et ne pouvez plus combler mon malheur sans faire le vôtre.

Je voudrais que vous pussiez sentir combien il est important pour tous deux que vous vous en remettiez à moi du soin de notre destin commun. Doutez-vous que vous ne me soyez aussi cher que moi-même ; et pensez-vous qu'il pût exister pour moi quelque félicité que vous ne partageriez pas ? Non, mon ami ; j'ai les mêmes intérêts que vous et un peu plus de raison pour les conduire. J'avoue que je suis la plus jeune ; mais n'avez-vous jamais remarqué que si la

---

1. Cet aveu de Julie prépare la lettre I, 29. **2.** La *cohérence* désigne la « liaison ou connexion d'une chose avec une autre ; la *cohésion* l'adhérence, la force par laquelle des corps sont unis entre eux. Ce sont des termes de *Physique* qui ne sont usités que parmi les Savants » (*Féraud*).

raison d'ordinaire est plus faible et s'éteint plus tôt chez les femmes elle est aussi plus tôt formée, comme un frêle tournesol croît et meurt avant un chêne ?[1] Nous nous trouvons, dès le premier âge, chargées d'un si dangereux dépôt, que le soin de le conserver nous éveille bientôt le jugement, et c'est un excellent moyen de bien voir les conséquences des choses que de sentir vivement tous les risques qu'elles nous font courir. Pour moi, plus je m'occupe de notre situation, plus je trouve que la raison vous demande ce que je vous demande au nom de l'amour. Soyez donc docile à sa douce voix, et laissez-vous conduire, hélas, par une autre aveugle, mais qui tient au moins un appui.

Je ne sais, mon ami, si nos cœurs auront le bonheur de s'entendre et si vous partagerez en lisant cette Lettre la tendre émotion qui l'a dictée. Je ne sais si nous pourrons jamais nous accorder sur la manière de voir comme sur celle de sentir ; mais je sais bien que l'avis de celui des deux qui sépare le moins son bonheur du bonheur de l'autre, est l'avis qu'il faut préférer.

Lettre XII
À *Julie*

Ma Julie, que la simplicité de votre lettre est touchante ! Que j'y vois bien la sérénité d'une âme innocente, et la tendre sollicitude de l'amour ! Vos pensées s'exhalent sans art et sans peine ; elles portent au cœur une impression délicieuse que ne produit point un style apprêté. Vous donnez des raisons invincibles d'un air si simple, qu'il y faut réfléchir pour en sentir la force, et les sentiments élevés vous coûtent si peu, qu'on est tenté de les prendre pour des manières de penser communes. Ah, oui sans doute, c'est à vous de régler nos destins ; ce n'est pas un droit que je vous laisse, c'est un devoir que j'exige de vous, c'est une justice que je vous demande, et votre raison me doit dédommager du mal que vous avez fait à la mienne. Dès cet instant je vous remets pour ma vie l'empire de mes volontés : disposez

---

1. Nous remplaçons le point par un point d'interrogation.

de moi comme d'un homme qui n'est plus rien pour lui-même, et dont tout l'être n'a de rapport qu'à vous. Je tiendrai, n'en doutez pas, l'engagement que je prends, quoi que vous puissiez me prescrire. Ou j'en vaudrai mieux, ou vous en serez plus heureuse, et je vois partout le prix assuré de mon obéissance. Je vous remets donc sans réserve le soin de notre bonheur commun ;[a] faites le vôtre, et tout est fait. Pour moi qui ne puis ni vous oublier un instant, ni penser à vous sans des transports qu'il faut vaincre, je vais m'occuper uniquement des soins que vous m'avez imposés.

Depuis un an que nous étudions ensemble, nous n'avons guère fait que des lectures sans ordre et presque au hasard, plus pour consulter votre goût que pour l'éclairer. D'ailleurs tant de trouble dans l'âme ne nous laissait guère de liberté d'esprit. Les yeux étaient mal fixés sur le livre, la bouche en prononçait les mots, l'attention manquait toujours. Votre petite cousine, qui n'était pas si préoccupée, nous reprochait notre peu de conception [1], et se faisait un honneur facile de nous devancer. Insensiblement elle est devenue le maître du maître, et quoique nous ayons quelquefois ri de ses prétentions, elle est au fond la seule des trois qui sait quelque chose de tout ce que nous avons appris.

Pour regagner donc le temps perdu (Ah, Julie, en fut-il jamais de mieux employé ?), j'ai imaginé une espèce de plan qui puisse réparer par la méthode le tort que les distractions ont fait au savoir. Je vous l'envoie ; nous le lirons tantôt ensemble, et je me contente d'y faire ici quelques légères observations.

Si nous voulions, ma charmante amie, nous charger d'un étalage d'érudition, et savoir pour les autres plus que pour nous, mon système ne vaudrait rien ; car il tend toujours à tirer peu de beaucoup de choses, et à faire un petit recueil d'une grande bibliothèque. La science est dans la plupart de ceux qui la cultivent une monnaie dont on fait grand cas, qui cependant n'ajoute au bien-être qu'autant qu'on la communique, et n'est bonne que dans le commerce. Ôtez à nos Savants le plaisir de se faire écouter, le savoir ne sera rien pour eux. Ils n'amassent dans le cabinet que pour répandre

---

1. « Faculté de comprendre et de concevoir les choses » (*Acad.* 1762).

dans le public ; ils ne veulent être sages qu'aux yeux d'autrui, et ils ne se soucieraient plus de l'étude s'ils n'avaient plus d'admirateurs *. Pour nous qui voulons profiter de nos connaissances, nous ne les amassons point pour les revendre, mais pour les convertir à notre usage, ni pour nous en charger, mais pour nous en nourrir. Peu lire,[b] et beaucoup méditer à nos lectures ou ce qui est la même chose en causer beaucoup entre nous, est le moyen de les bien digérer. Je pense que quand on a une fois l'entendement ouvert par l'habitude de réfléchir, il vaut toujours mieux trouver de soi-même les choses qu'on trouverait dans les livres : c'est le vrai secret de les bien mouler à sa tête et de se les approprier. Au lieu qu'en les recevant telles qu'on nous les donne, c'est presque toujours sous une forme qui n'est pas la nôtre. Nous sommes plus riches que nous ne pensons, mais, dit Montaigne, on nous dresse à l'emprunt et à la quête [1] ; on nous apprend à nous servir du bien d'autrui plutôt que du nôtre, ou plutôt, accumulant sans cesse nous n'osons toucher à rien : nous sommes comme ces avares qui ne songent qu'à remplir leurs greniers, et dans le sein de l'abondance se laissent mourir de faim.

Il y a, je l'avoue, bien des gens à qui cette méthode serait fort nuisible et qui ont besoin de beaucoup lire et peu méditer, parce qu'ayant la tête mal faite, ils ne rassemblent rien de si mauvais que ce qu'ils produisent d'eux-mêmes. Je vous recommande tout le contraire, à vous qui mettez dans vos lectures mieux que ce que vous y trouvez, et dont l'esprit actif fait sur le livre un autre livre, quelquefois meilleur que le premier. Nous nous communiquerons donc nos idées ; je vous dirai ce que les autres auront pensé, vous me direz sur le même sujet ce que vous pensez vous-même, et souvent après la leçon j'en sortirai plus instruit que vous.

* C'est ainsi que pensait Sénèque lui-même. *Si l'on me donnait*, dit-il, *la science à condition de ne la pas montrer, je n'en voudrais point.* Sublime philosophie, voilà donc ton usage ! [NdE : extrait d'une lettre de Sénèque à Lucilius (VI, 4, Robert Laffont, « Bouquins », p. 611), citée par Montaigne dans « De la vanité » (*Essais*, III, 9, p. 1538).]

1. Citation presque exacte des *Essais*, III, 12, « De la physionomie », p. 1612.

Moins vous aurez de lecture à faire, mieux il faudra la choisir, et voici les raisons de mon choix. La grande erreur de ceux qui étudient est, comme je viens de vous dire, de se fier trop à leurs livres et de ne pas tirer assez de leur fonds ; sans songer que de tous les Sophistes, notre propre raison est presque toujours celui qui nous abuse le moins. Sitôt qu'on veut rentrer en soi-même, chacun sent ce qui est bien, chacun discerne ce qui est beau ; nous n'avons pas besoin qu'on nous apprenne à connaître ni l'un ni l'autre, et l'on ne s'en impose là-dessus qu'autant qu'on s'en veut imposer. Mais les exemples du très bon et du très beau sont plus rares et moins connus, il les faut aller chercher loin de nous. La vanité, mesurant les forces de la nature sur notre faiblesse, nous fait regarder comme chimériques les qualités que nous ne sentons pas en nous-mêmes ; la paresse et le vice s'appuient sur cette prétendue impossibilité, et ce qu'on ne voit pas tous les jours l'homme faible prétend qu'on ne le voit jamais. C'est cette erreur qu'il faut détruire. Ce sont ces grands objets qu'il faut s'accoutumer à sentir et à voir, afin de s'ôter tout prétexte de ne les pas imiter. L'âme s'élève, le cœur s'enflamme à la contemplation de ces divins modèles ; à force de les considé-rer on cherche à leur devenir semblable, et l'on ne souffre plus rien de médiocre sans un dégoût mortel.

N'allons donc pas chercher dans les livres des principes et des règles que nous trouvons plus sûrement au dedans de nous. Laissons là toutes ces vaines disputes des philosophes sur le bonheur et sur la vertu ; employons à nous rendre bons et heureux le temps qu'ils perdent à chercher comment on doit l'être, et proposons-nous de grands exemples à imiter plutôt que de vains systèmes à suivre.

J'ai toujours cru que le bon n'était que le beau mis en action, que l'un tenait intimement à l'autre, et qu'ils avaient tous deux une source commune dans la nature bien ordonnée. Il suit de cette idée que le goût se perfectionne par les mêmes moyens que la sagesse, et qu'une âme bien touchée des charmes de la vertu doit à proportion être aussi sensible à tous les autres genres de beautés.[c] On s'exerce à voir comme à sentir, ou plutôt une vue exquise n'est qu'un sentiment déli-cat et fin. C'est ainsi qu'un peintre à l'aspect d'un beau pay-sage ou devant un beau tableau s'extasie à des objets qui ne sont pas même remarqués d'un Spectateur vulgaire. Combien de choses qu'on n'aperçoit que par sentiment et dont il est impossible de rendre raison ? Combien de ces je ne sais quoi [1] qui reviennent si fréquemment et dont le goût seul décide ? Le goût est en quelque manière le microscope du jugement ; c'est lui qui met les petits objets à sa portée, et ses opérations commencent où s'arrêtent celles du dernier. Que faut-il donc pour le cultiver ? S'exercer à voir ainsi qu'à sentir, et à juger du beau par inspection comme du bon par senti-ment [d]. Non, je soutiens qu'il n'appartient pas même à tous les cœurs d'être émus au premier regard de Julie.

Voilà, ma charmante Écolière, pourquoi je borne toutes vos études à des livres de goût et de mœurs. Voilà pourquoi tournant toute ma méthode en exemples, je ne vous donne point d'autre définition des vertus qu'un tableau des gens vertueux, ni d'autres règles pour bien écrire, que les livres qui sont bien écrits.

Ne soyez donc pas surprise des retranchements que je fais à vos précédentes lectures ; je suis convaincu qu'il faut les res-serrer pour les rendre utiles, et je vois tous les jours mieux que tout ce qui ne dit rien à l'âme n'est pas digne de vous occuper. Nous allons supprimer les langues, hors l'italienne que vous savez et que vous aimez. Nous laisserons là nos éléments d'algèbre et de géométrie. Nous quitterions même la phy-sique, si les termes qu'elle vous fournit m'en laissaient le cou-rage [2]. Nous renoncerons pour jamais à l'histoire moderne, excepté celle de notre pays ; encore n'est-ce que parce que c'est un pays libre et simple, où l'on trouve des hommes antiques dans les temps modernes : car ne vous laissez pas éblouir par ceux qui disent que l'histoire la plus intéressante [3] pour chacun est celle de son pays. Cela n'est pas vrai. Il y a des pays dont l'histoire ne peut pas même être lue, à moins qu'on ne soit imbécile ou négociateur. L'histoire la plus inté-ressante est celle où l'on trouve le plus d'exemples, de mœurs,

1. Cette notion d'esthétique emblématisée par un vers célèbre de Corneille (« Par ces je ne sais quoi qu'on ne peut expliquer », *Rodogune*, 1644, I, 5, v. 362) fait la matière du cinquième des *Entretiens d'Ariste et d'Eugène* de Bouhours (Honoré Champion, p. 279-298). **2.** Voir la n. 2 en I, 11, p. 81. **3.** Au sens de touchant, qui suscite la sensibilité, produit un effet sympa-thique. L'adjectif est récent, à l'époque de Rousseau.

de caractères de toute espèce ; en un mot, le plus d'instruction. Ils vous diront qu'il y a autant de tout cela parmi nous
que parmi les anciens. Cela n'est pas vrai. Ouvrez leur histoire
et faites-les taire. Il y a des peuples sans physionomie auxquels
il ne faut point de peintres, il y a des gouvernements sans
caractère auxquels il ne faut point d'historiens, et où sitôt
qu'on sait quelle place un homme occupe, on sait d'avance
tout ce qu'il y fera. Ils diront que ce sont les bons historiens
qui nous manquent ; mais demandez-leur pourquoi ? Cela
n'est pas vrai. Donnez matière à de bonnes histoires, et les
bons historiens se trouveront. Enfin, ils diront que les
hommes de tous les temps se ressemblent, qu'ils ont les
mêmes vertus et les mêmes vices, qu'on n'admire les anciens
que parce qu'ils sont anciens. Cela n'est pas vrai, non plus ;
car on faisait autrefois de grandes choses avec de petits
moyens, et l'on fait aujourd'hui tout le contraire. Les anciens
étaient contemporains de leurs historiens, et nous ont pourtant appris à les admirer. Assurément si la postérité jamais
admire les nôtres, elle ne l'aura pas appris de nous.

J'ai laissé par égard pour votre inséparable cousine
quelques livres de petite littérature que je n'aurais pas laissés
pour vous. Hors le Pétrarque, le Tasse, le Métastase, et les
maîtres du théâtre français je n'y mêle ni poète ni livres
d'amour [1], contre l'ordinaire des lectures consacrées à votre
Sexe. Qu'appendrions-nous de l'amour dans ces livres ? Ah,
Julie, notre cœur nous en dit plus qu'eux, et le langage imité
des livres est bien froid pour quiconque est passionné lui-
même ! D'ailleurs ces études énervent [2] l'âme, la jettent dans
la mollesse, et lui ôtent tout son ressort. Au contraire,
l'amour véritable est un feu dévorant qui porte son ardeur
dans les autres sentiments, et les anime d'une vigueur nouvelle. C'est pour cela qu'on a dit que l'amour faisait des
Héros [3]. Heureux celui que le sort eût placé pour le devenir,
et qui aurait Julie pour amante !

---

1. Cette formule désigne les romans (voir la variante a, lettre 13, p. 871).
2. Affaiblissent. **3.** À côté du sens littéraire, il y a peut-être une référence
platonicienne et pétrarquisante (voir Présentation, p. 19) : « La promotion
des *héros* au rang des dieux, était due aux dogmes de la philosophie
platonique, qui enseignait que les âmes des grands hommes s'élevaient
jusque aux astres, séjour ordinaire des dieux, et par-là devenaient dignes
des honneurs qu'on rendait aux dieux mêmes, avec lesquels ils habitaient »
(Jaucourt, art. « Héros » de l'*Encyclopédie*).

Lettre XIII
De Julie

Je vous le disais bien, que nous étions heureux ; rien ne me l'apprend mieux que l'ennui que j'éprouve au moindre changement d'état. Si nous avions des peines bien vives, une absence de deux jours nous en ferait-elle tant ? Je dis, nous, car je sais que mon ami partage mon impatience ; il la partage parce que je la sens, et il la sent encore pour lui-même : je n'ai plus besoin qu'il me dise ces choses-là.

Nous ne sommes à la campagne que d'hier au soir, il n'est pas encore l'heure où je vous verrais à la ville, et cependant mon déplacement me fait déjà trouver votre absence plus insupportable. Si vous ne m'aviez pas défendu la géométrie, je vous dirais que mon inquiétude est en raison composée des intervalles du temps et du lieu [1] ; tant je trouve que l'éloignement ajoute au chagrin de l'absence !

J'ai apporté votre Lettre et votre plan d'études, pour méditer l'une et l'autre, et j'ai déjà relu deux fois la première : la fin m'en touche extrêmement. Je vois mon ami, que vous sentez le véritable amour, puisqu'il ne vous a point ôté le goût des choses honnêtes, et que vous savez encore dans la partie la plus sensible de votre cœur faire des sacrifices à la vertu. En effet, employer la voie de l'instruction pour corrompre une femme est de toutes les séductions la plus condamnable, et vouloir attendrir sa maîtresse à l'aide des[a] romans est avoir bien peu de ressources en soi-même. Si vous eussiez plié dans vos leçons la philosophie à vos vues, si vous eussiez tâché d'établir des maximes favorables à votre intérêt, en voulant me tromper vous m'eussiez bientôt détrompée ; mais la plus dangereuse de vos séductions est de n'en point employer. Du moment que la soif d'aimer s'empara de mon cœur et que j'y sentis naître le besoin d'un éternel attachement, je ne demandai point au Ciel de m'unir à un homme aimable, mais à un homme qui eût l'âme belle [2] ; car je sentais bien que c'est de tous les agréments

---

1. C'est-à-dire la multiplication de la durée de l'absence et de la distance de l'éloignement. 2. La formule « les belles âmes » sera raillée par N. dans l'*Entretien* (*infra*, p. 909).

qu'on peut avoir, le moins sujet au dégoût, et que la droiture et l'honneur ornent tous les sentiments qu'ils accompagnent. Pour avoir bien placé ma préférence, j'ai eu comme Salomon, avec ce que j'avais demandé, encore ce que je ne demandais pas [1]. Je tire un bon augure pour mes autres vœux de l'accomplissement de celui-là, et je ne désespère pas, mon ami, de pouvoir vous rendre aussi heureux un jour que vous méritez de l'être. Les moyens en sont lents, difficiles, douteux, les obstacles, terribles. Je n'ose rien me promettre ; mais croyez que tout ce que la patience et l'amour pourront faire ne sera pas oublié. Continuez, cependant, à complaire en tout à ma mère, et préparez-vous, au retour de mon père qui se retire enfin tout à fait après trente ans de service, à supporter les hauteurs d'un vieux gentilhomme brusque mais plein d'honneur, qui vous aimera sans vous caresser [2] et vous estimera sans le dire.

J'ai interrompu ma Lettre pour m'aller promener dans des bocages qui sont près de notre maison. Ô mon doux ami ! je t'y conduisais avec moi, ou plutôt je t'y portais dans mon sein. Je choisissais les lieux que nous devions parcourir ensemble ; j'y marquais des asiles dignes de nous retenir ; nos cœurs s'épanchaient d'avance dans ces retraites délicieuses, elles ajoutaient au plaisir que nous goûtions d'être ensemble, elles recevaient à leur tour un nouveau prix du séjour de deux vrais amants, et je m'étonnais de n'y avoir point remarqué seule les beautés que j'y trouvais avec toi.

Parmi les bosquets naturels que forme ce lieu charmant, il en est un plus charmant que les autres, dans lequel je me plais davantage, et où, par cette raison, je destine une petite surprise à mon ami. Il ne sera pas dit qu'il aura toujours de la déférence et moi jamais de générosité. C'est là que je veux lui faire sentir, malgré les préjugés vulgaires, combien ce que le cœur donne vaut mieux que ce qu'arrache l'importunité. Au reste, de peur que votre imagination vive ne se mette un peu trop en frais, je dois vous prévenir que nous n'irons point ensemble dans le bosquet sans l'*inséparable cousine*.

---

1. Référence au Premier Livre des Rois 3, 11-13. **2.** Sans vous faire de démonstrations d'amitié.

À propos d'elle, il est décidé, si cela ne vous fâche pas trop, que vous viendrez nous voir lundi. Ma mère enverra sa calèche à ma cousine ; vous vous rendrez chez elle à dix heures ; elle vous amènera ; vous passerez la journée avec nous, et nous nous en retournerons tous ensemble le lendemain après le dîner [1].

J'en étais ici de ma lettre quand j'ai réfléchi que je n'avais pas pour vous la remettre les mêmes commodités qu'à la ville. J'avais d'abord pensé[b] de vous renvoyer un de vos livres par Gustin le fils du Jardinier, et de mettre à ce livre une couverture de papier, dans laquelle j'aurais inséré ma lettre. Mais, outre qu'il n'est pas sûr que vous vous avisassiez de la chercher, ce serait une imprudence impardonnable d'exposer à des pareils hasards le destin de notre vie. Je vais donc me contenter de vous marquer simplement par un billet le rendez-vous de lundi, et je garderai la lettre pour vous la donner à vous-même. Aussi bien j'aurais un peu de souci qu'il n'y eût trop de commentaires sur le mystère du bosquet.

Lettre XIV
À *Julie*

Qu'as-tu fait, ah ! qu'as-tu fait, ma Julie ? Tu voulais me récompenser et tu m'as perdu. Je suis ivre, ou plutôt insensé. Mes sens sont altérés, toutes mes facultés sont troublées par ce baiser mortel. Tu voulais soulager mes maux ? Cruelle, tu les aigris. C'est du poison que j'ai cueilli sur tes lèvres ; il fermente, il embrase mon sang, il me tue, et ta pitié me fait mourir.

Ô souvenir immortel de cet instant d'illusion, de délire et d'enchantement, jamais, jamais tu ne t'effaceras de mon âme, et tant que les charmes de Julie y seront gravés, tant que ce cœur agité me fournira des sentiments et des soupirs, tu seras le supplice et le bonheur de ma vie !

---

1. Le dîner désigne le repas de la mi-journée, qui se prenait au début de l'après-midi.

Hélas ! je jouissais d'une apparente tranquillité ; soumis à tes volontés suprêmes, je ne murmurais plus d'un sort auquel tu daignais présider. J'avais dompté les fougueuses saillies d'une imagination téméraire ; j'avais couvert mes regards d'un voile et mis une entrave à mon cœur ; mes désirs n'osaient plus s'échapper qu'à demi, j'étais aussi content que je pouvais l'être. Je reçois ton billet, je vole chez ta cousine ; nous nous rendons à Clarens, je t'aperçois, et mon sein palpite ; le doux son de ta voix y porte une agitation nouvelle ; je t'aborde comme transporté, et j'avais grand besoin de la diversion de ta cousine pour cacher mon trouble à ta mère. On parcourt le jardin, l'on dîne tranquillement, tu me rends en secret ta lettre que je n'ose lire devant ce redoutable témoin ; le soleil commence à baisser, nous fuyons tous trois dans le bois le reste de ses rayons, et ma paisible simplicité n'imaginait pas même un état plus doux que le mien.

En approchant du bosquet j'aperçus, non sans une émotion secrète, vos signes d'intelligence, vos sourires mutuels, et le coloris de tes joues prendre un nouvel éclat. En y entrant, je vis avec surprise ta cousine s'approcher de moi et d'un air plaisamment suppliant, me demander un baiser. Sans rien comprendre à ce mystère j'embrassai cette charmante amie, et tout aimable, toute piquante[a] qu'elle est, je ne connus jamais mieux, que les sensations ne sont rien que ce que le cœur les fait être. Mais que devins-je un moment après, quand je sentis….. la main me tremble…… un doux frémissement…… ta bouche de roses……. la bouche de Julie….. se poser, se presser sur la mienne, et mon corps serré dans tes bras ? Non, le feu du ciel n'est pas plus vif ni plus prompt que celui qui vint à l'instant m'embraser. Toutes les parties de moi-même se rassemblèrent sous ce toucher délicieux. Le feu s'exhalait avec nos soupirs de nos lèvres brûlantes, et mon cœur se mourait sous le poids de la volupté…. quand tout à coup je te vis pâlir, fermer tes beaux yeux, t'appuyer sur ta cousine, et tomber en défaillance. Ainsi la frayeur éteignit le plaisir, et mon bonheur ne fut qu'un éclair.

À peine sais-je ce qui m'est arrivé depuis ce fatal moment. L'impression profonde que j'ai reçue ne peut plus s'effacer. Une faveur ?….. c'est un tourment horrible….. Non garde

tes baisers, je ne les saurais supporter...... ils sont trop
âcres [1], trop pénétrants, ils percent, ils brûlent jusqu'à la
moelle..... ils me rendraient furieux. Un seul, un seul m'a
jeté dans un égarement dont je ne puis plus revenir. Je ne
suis plus le même, et ne te vois plus la même. Je ne te vois
plus comme autrefois réprimante [2] et sévère ; mais je te sens
et te touche sans cesse unie à mon sein comme tu fus un
instant. Ô Julie ! quelque sort que m'annonce un transport
dont je ne suis plus maître, quelque traitement que ta
rigueur me destine, je ne puis plus vivre dans l'état où je
suis, et je sens qu'il faut enfin que j'expire [b] à tes pieds.....
ou dans tes bras.

Lettre XV
De Julie

Il est important, mon ami, que nous nous séparions pour
quelque temps, et c'est ici la première épreuve de l'obéissance que vous m'avez promise. Si je l'exige en cette occasion, croyez que j'en ai des raisons très fortes : il faut bien,
et vous le savez trop, que j'en aie pour m'y résoudre ; quant
à vous, vous n'en avez pas besoin d'autre que ma volonté.

Il y a longtemps que vous avez un voyage à faire en Valais.
Je voudrais que vous pussiez l'entreprendre à présent qu'il
ne fait pas encore froid. Quoique l'automne soit encore
agréable ici, vous voyez déjà blanchir la pointe de la Dent-
de-Jamant *, et dans six semaines je ne vous laisserais pas
faire ce voyage dans un pays si rude. Tâchez donc de partir
dès demain : vous m'écrirez à l'adresse que je vous envoie,
et vous m'enverrez la vôtre quand vous serez arrivé à Sion [3].

---

* Haute montagne du pays de Vaud. [NdE : ce sommet des Alpes bernoises
culmine à 1 875 mètres.]

---

1. Ces « âcres » baisers de Julie ont provoqué les ricanements de Voltaire
(voir Présentation, p. 7). **2.** Ce n'est pas un néologisme : Montesquieu avait
employé les expressions « force réprimante » et « motif réprimant » dans
De l'esprit des lois (V, 7 ; VI, 9 ; XXIV, 2). Rousseau reprendra la première
dans *Du contrat social* (III, 1 et 2, p. 98 et 103). **3.** Sion (Sitten en allemand)
est le chef-lieu du Valais.

I

H. Gravelot inv.

N. Le Mire 1760

Le premier baiser de l'amour.

Vous n'avez jamais voulu me parler de l'état de vos affaires ; mais vous n'êtes pas dans votre patrie ; je sais que vous y avez peu de fortune et que vous ne faites que la déranger ici, où vous ne resteriez pas sans moi [1]. Je puis donc supposer qu'une partie de votre bourse est dans la mienne, et je vous envoie un léger acompte [2] dans celle que renferme cette boîte qu'il ne faut pas ouvrir devant le porteur. Je n'ai garde d'aller au devant des difficultés, je vous estime trop pour vous croire capable d'en faire.

Je vous défends, non seulement de retourner sans mon ordre, mais de venir nous dire adieu. Vous pouvez écrire à ma mère ou à moi, simplement pour nous avertir que vous êtes forcé de partir sur-le-champ pour une affaire imprévue, et me donner, si vous voulez, [3] quelques avis sur mes lectures, jusqu'à votre retour. Tout cela doit être fait naturellement et sans aucune apparence de mystère. Adieu, mon ami, n'oubliez pas que vous emportez le cœur et le repos de Julie.

Lettre XVI
Réponse

Je relis votre terrible lettre, et je frissonne à chaque ligne. J'obéirai, pourtant, je l'ai promis, je le dois ; j'obéirai. Mais vous ne savez pas, non barbare, vous ne saurez jamais ce qu'un tel sacrifice coûte à mon cœur. Ah, vous n'aviez pas besoin de l'épreuve du bosquet pour me le rendre sensible ! C'est un raffinement de cruauté perdu pour votre âme impitoyable, et je puis au moins vous défier de me rendre plus malheureux.

Vous recevrez votre boîte dans le même état où vous l'avez envoyée. C'est trop, d'ajouter[a] l'opprobre à la cruauté ; si je vous ai laissée maîtresse de mon sort, je ne vous ai point laissée l'arbitre de mon honneur. C'est un dépôt sacré,

---

1. Une des rares allusions au passé familial de ce roturier exilé, qui emprunte peut-être à la biographie de Rousseau. **2.** Orthographié généralement *à compte* au XVIIIe siècle. Au thème médiéval de l'amour courtois pour une demoiselle d'un rang plus élevé, Rousseau associe celui de l'amant entretenu par une femme plus riche (à l'image de Dorante dans *Les Fausses Confidences* [1737] de Marivaux). **3.** Nous ajoutons une virgule.

(l'unique, hélas, qui me reste !) dont jusqu'à la fin de ma vie nul ne sera chargé que moi seul.

Lettre XVII
Réplique

Votre lettre me fait pitié ; c'est la seule chose sans esprit que vous ayez jamais écrite.

J'offense donc votre honneur, pour lequel je donnerais mille fois ma vie ? J'offense donc ton honneur, Ingrat ! qui m'as vue[a] prête à t'abandonner le mien ? Où est-il donc, cet honneur que j'offense ? Dis-le-moi, cœur rampant, âme sans délicatesse ? Ah ! que tu es méprisable, si tu n'as qu'un honneur que Julie ne connaisse pas ! Quoi ceux qui veulent partager leur sort n'oseraient partager leurs biens, et celui qui fait profession d'être à moi se tient outragé de mes dons ! Et depuis quand est-il vil de recevoir de ce qu'on aime[b] ? Depuis quand ce que le cœur donne déshonore-t-il le cœur qui l'accepte : mais[1] on méprise un homme qui reçoit d'un autre ? on méprise celui dont les besoins passent la fortune ? Et qui le méprise ? des âmes abjectes qui mettent l'honneur dans la richesse, et pèsent les vertus au poids de l'or. Est-ce dans ces basses maximes qu'un homme de bien met son honneur, et le préjugé même de la raison n'est-il pas en faveur du plus pauvre ?

Sans doute, il est des dons vils qu'un honnête homme ne peut accepter ; mais apprenez qu'ils ne déshonorent pas moins la main qui les offre, et qu'un don honnête à faire est toujours honnête à recevoir ; or sûrement mon cœur ne me reproche pas celui-ci, il s'en glorifie *. Je ne sache rien de plus méprisable qu'un homme dont on achète le cœur et les soins, si ce n'est la femme qui les paye ; mais entre deux cœurs unis la communauté des biens est une justice et un

---

* Elle a raison. Sur le motif secret de ce voyage, on voit que jamais argent ne fut plus honnêtement employé. C'est grand dommage que cet emploi n'ait pas fait un meilleur profit.

---

1. Comprendre : « mais depuis quand ». Le tour de Rousseau est très elliptique.

devoir, et si je me trouve encore en arrière de ce qui me reste de plus qu'à vous, j'accepte sans scrupule ce que je réserve, et je vous dois ce que je ne vous ai pas donné. Ah ! si les dons de l'amour sont à charge, quel cœur jamais peut être reconnaissant ?

Supposeriez-vous que je refuse à mes besoins ce que je destine à pourvoir aux vôtres ?[c] Je vais vous donner du contraire une preuve sans réplique. C'est que la bourse que je vous renvoie contient le double de ce qu'elle contenait la première fois, et qu'il ne tiendrait qu'à moi de la doubler encore. Mon Père me donne pour mon entretien une pension, modique à la vérité, mais à laquelle je n'ai jamais besoin de toucher, tant ma mère est attentive à pourvoir à tout ; sans compter que ma broderie et ma dentelle suffisent pour m'entretenir de l'une et de l'autre. Il est vrai que je n'étais pas toujours aussi riche ; les soucis d'une passion fatale m'ont fait depuis longtemps négliger certains soins auxquels j'employais mon superflu[1] ; c'est une raison de plus d'en disposer comme je fais ; il faut vous humilier pour le mal dont vous êtes cause, et que l'amour expie les fautes qu'il fait commettre.

Venons à l'essentiel. Vous dites que l'honneur vous défend d'accepter mes dons. Si cela est, je n'ai plus rien à dire, et je conviens avec vous qu'il ne vous est pas permis d'aliéner un pareil soin[2]. Si donc vous pouvez me prouver cela, faites-le clairement, incontestablement, et sans vaine subtilité ; car vous savez que je hais les sophismes. Alors vous pouvez me rendre la bourse, je la reprends sans me plaindre, et il n'en sera plus parlé.

Mais comme je n'aime ni les gens pointilleux ni le faux point d'honneur ; si vous me renvoyez encore une fois la boîte sans justification, ou que votre justification soit mauvaise, il faudra ne nous plus voir. Adieu ; pensez-y.

---

1. Pilotis pour préparer la lettre de Fanchon Regard (voir lettres 39 et 40, p. 150-153). **2.** « On dit figurément *Aliéner les affections, les cœurs, les esprits*, pour dire : Faire perdre la bienveillance, l'affection, l'estime » (*Acad.* 1762).

Lettre XVIII
À *Julie*

J'ai reçu vos dons, je suis parti sans vous voir, me voici bien loin de vous. Êtes-vous contente de vos tyrannies, et vous ai-je assez obéi ?

Je ne puis vous parler de mon voyage ; à peine sais-je comment il s'est fait. J'ai mis trois jours à faire vingt lieues [1] ; chaque pas qui m'éloignait de vous séparait mon corps de mon âme et me donnait un sentiment anticipé de la mort. Je voulais vous décrire ce que je verrais. Vain projet ! Je n'ai rien vu que vous et ne puis vous peindre que Julie. Les puissantes émotions que je viens d'éprouver coup sur coup m'ont jeté dans des distractions continuelles ; je me sentais toujours où je n'étais point ; à peine avais-je assez de présence d'esprit pour suivre et demander mon chemin, et je suis arrivé à Sion sans être parti de Vevey.

C'est ainsi que j'ai trouvé le secret d'éluder votre rigueur et de vous voir sans vous désobéir. Oui, cruelle, quoi que vous ayez su faire, vous n'avez pu me séparer de vous tout entier. Je n'ai traîné dans mon exil que la moindre partie de moi-même : tout ce qu'il y a de vivant en moi demeure auprès de vous sans cesse. Il erre impunément sur vos yeux, sur vos lèvres, sur votre sein, sur tous vos charmes ; il pénètre partout comme une vapeur subtile [2], et je suis plus heureux en dépit de vous, que je ne fus jamais de votre gré.

J'ai ici quelques personnes à voir, quelques affaires à traiter ; voilà ce qui me désole. Je ne suis point à plaindre dans la solitude, où je puis m'occuper de vous et me transporter aux lieux où vous êtes. La vie active [3] qui me rappelle à moi tout entier m'est seule insupportable. Je vais faire mal et vite, pour être promptement libre, et pouvoir m'égarer à mon aise dans les lieux sauvages qui forment à mes yeux les charmes de ce pays. Il faut tout fuir et vivre seul au monde, quand on n'y peut vivre avec vous.

---

1. Environ 90 kilomètres. **2.** « Se dit aussi de certaines choses qui sont de nature à pénétrer, à s'insinuer promptement » (*Acad.* 1762). **3.** Saint-Preux remobilise l'opposition traditionnelle entre *vita activa* et *vita contemplativa* au profit de la seule Julie.

Lettre XIX
À *Julie*

Rien ne m'arrête plus ici que vos ordres ; cinq jours que j'y ai passés ont suffi et au-delà pour mes affaires ; si toutefois on peut appeler des affaires celles où le cœur n'a point de part. Enfin vous n'avez plus de prétexte, et ne pouvez me retenir loin de vous qu'afin de me tourmenter.

Je commence à être fort inquiet du sort de ma première lettre ; elle fut écrite et mise à la poste en arrivant ; l'adresse en est fidèlement copiée sur celle que vous m'envoyâtes ; je vous ai envoyé la mienne avec le même soin, et si vous aviez fait exactement réponse, elle aurait déjà dû me parvenir. Cette réponse pourtant ne vient point, et il n'y a nulle cause possible et funeste de son retard que mon esprit troublé ne se figure. Ô ma Julie, que d'imprévues catastrophes peuvent en huit jours rompre à jamais les plus doux liens du monde ! Je frémis de songer qu'il n'y a pour moi qu'un seul moyen d'être heureux, et des millions d'être misérable *. Julie, m'auriez-vous oublié ? Ah ! c'est la plus affreuse de mes craintes ! Je puis préparer ma constance aux autres malheurs, mais toutes les forces de mon âme défaillent au seul soupçon de celui-là.

Je vois le peu de fondement de mes alarmes et ne saurais les calmer. Le sentiment de mes maux s'aigrit sans cesse loin de vous, et comme si je n'en avais pas assez pour m'abattre, je m'en forge encore d'incertains pour irriter tous les autres. D'abord [1], mes inquiétudes étaient moins vives. Le trouble d'un départ subit, l'agitation du voyage, donnaient le change à mes ennuis ; ils se raniment dans la tranquille solitude. Hélas ! je combattais ; un fer mortel a percé mon sein,

---

* On dira que c'est le devoir d'un Éditeur de corriger les fautes de langue. Oui bien pour les Éditeurs qui font cas de cette correction ; oui bien pour les ouvrages dont on peut corriger le style sans le refondre et le gâter ; oui bien quand on est assez sûr de sa plume pour ne pas substituer ses propres fautes à celles de l'auteur. Et avec tout cela, qu'aura-t-on gagné à faire parler un Suisse comme un Académicien ?

---

1. Avant cela.

et la douleur ne s'est fait sentir que longtemps après la blessure.

Cent fois, en lisant des Romans, j'ai ri des froides plaintes des amants sur l'absence. Ah, je ne savais pas alors à quel point la vôtre un jour me serait insupportable ! Je sens aujourd'hui combien une âme paisible est peu propre à juger des passions, et combien il est insensé de rire des sentiments qu'on n'a point éprouvés. Vous le dirai-je pourtant ? Je ne sais quelle idée consolante et douce tempère en moi l'amertume de votre éloignement, en songeant qu'il s'est fait par votre ordre. Les maux qui me viennent de vous me sont moins cruels que s'ils m'étaient envoyés par la fortune ; s'ils servent à vous contenter je ne voudrais pas ne les point sentir ; ils sont les garants de leur dédommagement, et je connais trop bien votre âme pour vous croire barbare à pure perte [1].

Si vous voulez m'éprouver, je n'en murmure plus ; il est juste que vous sachiez si je suis constant, patient, docile, digne en un mot, des biens que vous me réservez. Dieux ! si c'était là votre idée, je me plaindrais de trop peu souffrir. Ah, non ! pour nourrir dans mon cœur une si douce attente, inventez, s'il se peut des maux mieux proportionnés à leur prix.

Lettre XX
De Julie

Je reçois à la fois vos deux Lettres, et je vois par l'inquiétude que vous marquez dans la seconde sur le sort de l'autre que quand l'imagination prend les devants, la raison ne se hâte pas comme elle, et souvent la laisse aller seule. Pensâtes-vous en arrivant à Sion qu'un Courrier [2] tout prêt n'attendait pour partir que votre lettre, que cette lettre me

---

1. En pure perte. Féraud condamne cette construction : « Un Auteur moderne dit, *à pure perte*, contre l'usage. Si je vous disais que non, je blesserais la vérité *à pure perte* ; vous ne me croiriez pas. » **2.** Au sens ici ironique de domestique chargé de porter les lettres (de « courir la poste »). Les deux amants doivent en réalité s'en remettre au courrier public (voir la note de Rousseau ci-après).

serait remise en arrivant ici, et que les occasions ne favorise-
raient pas moins ma réponse ? Il n'en va pas ainsi, mon bel
ami. Vos deux lettres me sont parvenues à la fois, parce que
le Courrier, qui ne passe qu'une fois la semaine *, n'est parti
qu'avec la seconde. Il faut un certain temps pour distribuer
les lettres ; il en faut à mon commissionnaire pour me
rendre la mienne en secret, et le Courrier ne retourne pas
d'ici le lendemain du jour qu'il est arrivé. Ainsi tout bien
calculé, il nous faut huit jours, quand celui du Courrier est
bien choisi, pour recevoir réponse l'un de l'autre ; ce que
je vous explique afin de calmer une fois pour toutes votre
impatiente vivacité. Tandis que vous déclamez contre la fortune et ma négligence, vous voyez que je m'informe adroitement de tout ce qui peut assurer notre correspondance et
prévenir vos perplexités. Je vous laisse à décider de quel côté
sont les plus tendres soins.

Ne parlons plus de peines, mon bon ami ; ah, respectez
et partagez plutôt le plaisir que j'éprouve, après[a] huit mois
d'absence, de revoir le meilleur des Pères ! Il arriva jeudi au
soir, et je n'ai songé qu'à lui ** depuis cet heureux moment.
Ô toi que j'aime le mieux au monde après les auteurs de
mes jours, pourquoi tes lettres, tes querelles, viennent-elles
contrister mon âme et troubler les premiers plaisirs d'une
famille réunie ? Tu voudrais que mon cœur s'occupât de toi
sans cesse ; mais dis-moi, le tien pourrait-il aimer une fille
dénaturée à qui les feux de l'amour feraient oublier les
droits du sang, et que les plaintes d'un amant rendraient
insensibles aux caresses d'un père[1] ? Non, mon digne ami,
n'empoisonne point par d'injustes reproches l'innocente joie
que m'inspire un si doux sentiment. Toi dont l'âme est si
tendre et si sensible, ne conçois-tu point quel charme c'est
de sentir dans ces purs et sacrés embrassements le sein d'un
père palpiter d'aise contre celui de sa fille ?[2] Ah ! crois-tu

---

* Il passe à présent deux fois. [NdE : le Ms Rey porte : « Je suis très sûr
qu'il passe deux fois. »]
** L'article qui précède prouve qu'elle ment. [NdE : note corrigée dans
Rey 63 : « Cette lettre même prouve qu'elle ment. »]

---

1. Double pilotis pour les lettres I, 63 et II, 4. **2.** Nous remplaçons le point
par un point d'interrogation.

qu'alors le cœur puisse un moment se partager et rien dérober à la nature ?

    Sol che son figlia io mi rammento adesso.

    [Tout ce dont je me souviens en ce moment c'est que je suis sa fille [1].]

Ne pensez pas, pourtant, [2] que je vous oublie. Oublia-t-on jamais ce qu'on a une fois aimé ? Non les impressions plus vives qu'on suit quelques instants, n'effacent pas pour cela les autres. [b] Ce n'est point sans chagrin que je vous ai vu partir, ce n'est point sans plaisir que je vous verrais de retour. Mais….. Prenez patience ainsi que moi puisqu'il le faut, sans en demander davantage. Soyez sûr que je vous rappellerai le plus tôt qu'il sera possible, et pensez que souvent tel qui se plaint bien haut de l'absence, n'est pas celui qui en souffre le plus.

Lettre XXI
À *Julie*

Que j'ai souffert en la recevant, cette lettre souhaitée avec tant d'ardeur ! J'attendais le Courrier à la poste. À peine le paquet était-il ouvert que je me nomme, je me rends importun ; on me dit qu'il y a une lettre ; je tressaille ; je la demande agité d'une mortelle impatience : je la reçois enfin. Julie, j'aperçois les traits de ta main adorée ! La mienne tremble en s'avançant pour recevoir ce précieux dépôt. Je voudrais baiser mille fois ces sacrés caractères. Ô circonspection d'un amour craintif ! Je n'ose porter la Lettre à ma bouche, ni l'ouvrir devant tant de témoins. Je me dérobe à la hâte. Mes genoux tremblaient sous moi ; mon émotion croissante me laisse à peine apercevoir mon chemin ; j'ouvre la lettre au premier détour ; je la parcours, je la dévore, et à peine suis-je à ces lignes où tu peins si bien les plaisirs de ton cœur en embrassant ce respectable père, que je fonds en larmes ; on me regarde, j'entre dans une allée pour échapper

---

1. Métastase, *Attilio Regulo*, II, 9, v. 803, Marsilio, 2003, vol. 2, p. 170 (trad. de l'éd. Musset-Pathay). **2.** Nous ajoutons une virgule.

aux spectateurs ; là, je partage ton attendrissement ; j'embrasse avec transport cet heureux père que je connais à peine, et la voix de la nature me rappelant au mien, je donne de nouvelles pleurs [1] à sa mémoire honorée.

Et que vouliez-vous apprendre, incomparable fille, dans mon vain et triste savoir ? Ah, c'est de vous qu'il faut apprendre tout ce qui peut entrer de bon, d'honnête dans une âme humaine, et surtout ce divin accord de la vertu, de l'amour, et de la nature, qui ne se trouva jamais qu'en vous ! Non, il n'y a point d'affection saine qui n'ait sa place dans votre cœur, qui ne s'y distingue par la sensibilité qui vous est propre, et pour savoir moi-même régler le mien, comme j'ai soumis toutes mes actions à vos volontés, je vois bien qu'il faut soumettre encore tous mes sentiments aux vôtres.

Quelle différence pourtant de votre état au mien, daignez le remarquer ! Je ne parle point du rang et de la fortune, l'honneur et l'amour doivent en cela suppléer à tout. Mais vous êtes environnée de gens que vous chérissez et qui vous adorent ; les soins d'une tendre mère, d'un père dont vous êtes l'unique espoir ; l'amitié d'une cousine qui semble ne respirer que par vous ; toute une famille dont vous faites l'ornement ; une ville entière fière de vous avoir vue naître, tout occupe et partage votre sensibilité, et ce qu'il en reste à l'amour n'est que la moindre partie de ce que lui ravissent les droits du sang et de l'amitié. Mais moi, Julie, hélas ! errant, sans famille, et presque sans patrie, je n'ai que vous sur la terre, et l'amour seul me tient lieu de tout. Ne soyez donc pas surprise si, bien que votre âme soit la plus sensible, la mienne sait le mieux aimer, et si, vous cédant en tant de choses, j'emporte au moins le prix de l'amour.

Ne craignez pourtant pas que je vous importune encore de mes indiscrètes plaintes. Non, je respecterai vos plaisirs, et pour eux-mêmes qui sont si purs, et pour vous qui les ressentez. Je m'en formerai dans l'esprit le touchant spectacle ; je les partagerai de loin, et ne pouvant être heureux de ma propre félicité, je le serai de la vôtre. Quelles que soient les raisons qui me tiennent éloigné de vous, je les respecte ; et que me servirait de les connaître, si quand je

---

1. Le tour « nouvelles pleurs » est un provincialisme suisse.

devrais les désapprouver, il n'en faudrait pas moins obéir à la volonté qu'elles vous inspirent ? M'en coûtera-t-il plus de garder le silence qu'il m'en coûta de vous quitter ? Souvenez-vous toujours, ô Julie, que votre âme a deux corps à gouverner, et que celui qu'elle anime par son choix lui sera toujours le plus fidèle.

> *Nodo più forte :*
> *Fabricato da noi, non dalla sorte.*

[Le plus fort des nœuds, notre ouvrage, et non celui du sort [1].]

Je me tais donc, et jusqu'à ce qu'il vous plaise de terminer mon exil je vais tâcher d'en tempérer l'ennui en parcourant les montagnes du Valais, tandis qu'elles sont encore praticables. Je m'aperçois que ce pays ignoré mérite les regards des hommes, et qu'il ne lui manque pour être admiré que des Spectateurs qui le sachent voir. Je tâcherai d'en tirer quelques observations dignes de vous plaire. Pour amuser une jolie femme, il faudrait peindre un peuple aimable et galant. Mais toi, ma Julie, ah, je le sais bien ; le tableau d'un peuple heureux et simple est celui qu'il faut à ton cœur.

Lettre XXII
De Julie

Enfin le premier pas est franchi, et il a été question de vous. Malgré le mépris que vous témoignez pour ma doctrine [2], mon père en a été surpris : il n'a pas moins admiré mes progrès dans la musique et dans le dessin *, et au grand étonnement de ma mère, prévenue par vos calomnies **, au blason [3] près

---

* Voilà, ce me semble, un sage de vingt ans qui sait prodigieusement de choses ! Il est vrai que Julie le félicite à trente de n'être plus si savant.
** Cela se rapporte à une lettre à la mère, écrite sur un ton équivoque, et qui a été supprimée. [NdE : le Ms Rey porte : « Cela paraît se rapporter à quelques lettre à la mère, écrite apparemment sur un ton équivoque. Toutes les autres omissions peuvent se sous-entendre aussi parfaitement que celle-ci. Je n'en parlerai plus. »]

---

1. Métastase, *Demofoonte*, III, dernière scène, v. 1440-1441, vol. 2, p. 371 (trad. de l'éd. Musset-Pathay). **2.** Mon savoir. **3.** Science de l'héraldique. Le Baron manifeste son attachement à la culture féodale.

qui lui a paru négligé, il a été fort content de tous mes talents.
Mais ces talents ne s'acquièrent pas sans maître ; il a fallu
nommer le mien, et je l'ai fait avec une énumération pom-
peuse de toutes les sciences qu'il voulait bien m'enseigner,
hors une. Il s'est rappelé de [1] vous avoir vu plusieurs fois à son
précédent voyage, et il n'a pas paru qu'il eût conservé de vous
une impression désavantageuse.

Ensuite, il s'est informé de votre fortune ; on lui a dit qu'elle
était médiocre [2] ; de votre naissance ; on lui a dit qu'elle était
honnête [3]. Ce mot *honnête* est fort équivoque à l'oreille d'un
gentilhomme, et a excité des soupçons que l'éclaircissement a
confirmés. Dès qu'il a su que vous n'étiez pas noble, il a
demandé ce qu'on vous donnait par mois [4]. Ma mère prenant
la parole a dit qu'un pareil arrangement n'était pas même
proposable, et qu'au contraire, vous aviez rejeté constamment
tous les moindres présents qu'elle avait tâché de vous faire en
choses qui ne se refusent pas ; mais cet air de fierté n'a fait
qu'exciter la sienne, et le moyen de supporter l'idée d'être
redevable à un roturier ? Il a donc été décidé qu'on vous offri-
rait un paiement, au refus duquel, malgré tout votre mérite
dont on convient, vous seriez remercié de vos soins. Voilà,
mon ami, le résumé d'une conversation qui a été tenue sur le
compte de mon très honoré maître, et durant laquelle son
humble écolière n'était pas fort tranquille. J'ai cru ne pouvoir
trop me hâter de vous en donner avis, afin de vous laisser le
temps d'y réfléchir. Aussitôt que vous aurez pris votre résolution, ne manquez pas de m'en instruire ; car cet article est de
votre compétence, et mes droits ne vont pas jusque-là.

J'apprends avec peine vos courses dans les montagnes ;
non que vous n'y trouviez, à mon avis, une agréable diversion, et que le détail de ce que vous aurez vu ne me soit fort

---

1. Emploi grammaticalement rigoureux. « *Se rappeler* régit *que* avec l'indicatif, ou *de* avec l'infinitif. [...] Je *me rappelle* fort bien *que* vous me l'*avez*
dit : je ne *me rappelle* pas *de* vous en *avoir donné* la commission » (*Féraud*).
2. La médiocrité désigne, sans péjoration, « un état où l'on n'est ni riche,
ni pauvre » (*Féraud*). **3.** *Honnête* a un sens social perçu par le hobereau.
« *Naissance honnête, condition honnête* : qui n'a rien de bas. *Honnête famille* :
à laquelle il n'y a rien à reprocher » (*Féraud*). **4.** Selon l'éthique et l'idéologie
nobiliaires, seule la relation de service entre aristocrates peut se passer de
l'échange monétaire : le roturier Saint-Preux déclasse, pour ainsi dire, les
pratiques de cette économie de caste.

agréable à moi-même : mais je crains pour vous des fatigues que vous n'êtes guère en état de supporter. D'ailleurs la saison est fort avancée ;[a] d'un jour à l'autre tout peut se couvrir de neige, et je prévois que vous aurez encore plus à souffrir du froid que de la fatigue. Si vous tombiez malade dans le pays où vous êtes je ne m'en consolerais jamais. Revenez donc, mon bon ami, dans mon voisinage. Il n'est pas temps encore de rentrer à Vevey, mais je veux que vous habitiez un séjour moins rude, et que nous soyons plus à portée d'avoir aisément des nouvelles l'un de l'autre. Je vous laisse le maître du choix de votre station[1]. Tâchez seulement qu'on ne sache point ici où vous êtes, et soyez discret sans être mystérieux. Je ne vous dis rien sur ce chapitre ; je me fie à l'intérêt que vous avez d'être prudent, et plus encore à celui que j'ai que vous le soyez.

Adieu mon Ami ; je ne puis m'entretenir plus longtemps avec vous. Vous savez de quelles précautions j'ai besoin pour vous écrire[2]. Ce n'est pas tout : Mon père a amené un étranger respectable, son ancien ami, et qui lui a sauvé autrefois la vie à la guerre[3]. Jugez si nous nous sommes efforcés de le bien recevoir ! Il repart demain, et nous nous hâtons de lui procurer pour le jour qui nous reste, tous les amusements qui peuvent marquer notre zèle à un tel bienfaiteur. On m'appelle : il faut finir. Adieu, derechef[4].

Lettre XXIII
À Julie

À peine ai-je employé huit jours à parcourir un pays qui demanderait des années d'observation : mais outre que la

---

1. « *Station* : Pause, demeure de peu de durée qu'on fait en un lieu » (*Acad.* 1762). **2.** C'est là un des *leitmotive* des lettres du roman de Richardson, *Clarissa Harlowe*, que Rousseau réduit ici à quelques notations pour la vraisemblance (voir Présentation, p. 14). Le Ms Rey portait plus explicitement : « il faut me cacher pour vous écrire ». **3.** Pilotis pour introduire longtemps à l'avance le personnage de Wolmar qui appartient à la même génération que le père de Julie. **4.** Encore une fois. Trait d'archaïsme volontaire relevé par Féraud : « *Derechef* : Une autre fois, de nouveau. Il est vieux, et ne se dit plus que dans le burlesque. *J.-J. Rousseau* s'en est servi souvent : il l'écrit en deux mots, *de rechef.* »

neige me chasse, j'ai voulu revenir au devant du Courrier qui m'apporte, j'espère, une de vos lettres. En attendant qu'elle arrive, je commence par vous écrire celle-ci, après laquelle j'en écrirai s'il est nécessaire une seconde pour répondre à la vôtre.

Je ne vous ferai point ici un détail de mon voyage et de mes remarques ; j'en ai fait une relation que je compte vous porter. Il faut réserver notre correspondance pour les choses qui nous touchent de plus près l'un et l'autre. Je me contenterai de vous parler de la situation de mon âme : il est juste de vous rendre compte de l'usage qu'on fait de votre bien.

J'étais parti, triste de mes peines, et consolé de votre joie ; ce qui me tenait dans un certain état de langueur qui n'est pas sans charme pour un cœur sensible. Je gravissais lentement et à pied des sentiers assez rudes, conduit par un homme que j'avais pris pour être mon guide, et dans lequel durant toute la route j'ai trouvé plutôt un ami qu'un mercenaire. Je voulais rêver [1], et j'en étais toujours détourné par quelque spectacle inattendu. Tantôt d'immenses roches pendaient en ruines au-dessus de ma tête. Tantôt de hautes et bruyantes cascades m'inondaient de leur épais brouillard. Tantôt un torrent éternel ouvrait à mes côtés un abîme dont les yeux n'osaient sonder la profondeur. Quelquefois je me perdais dans l'obscurité d'un bois touffu. Quelquefois en sortant d'un gouffre, une agréable prairie réjouissait tout à coup mes regards. Un mélange étonnant de la nature sauvage et de la nature cultivée, montrait partout la main des hommes, où l'on eût cru qu'ils n'avaient jamais pénétré : à côté d'une caverne on trouvait des maisons ; on voyait des pampres secs où l'on n'eût cherché que des ronces, des vignes dans des terres éboulées, d'excellents fruits sur des rochers, et des champs dans des précipices.

Ce n'était pas seulement le travail des hommes qui rendait ces pays étranges si bizarrement contrastés ; la nature semblait encore prendre plaisir à s'y mettre en opposition avec elle-même, tant on la trouvait différente en un même lieu sous divers aspects. Au levant les fleurs du printemps, au midi les fruits de l'automne, au nord les glaces de l'hiver :

---

1. Méditer profondément.

elle réunissait toutes les saisons dans le même instant, tous les climats dans le même lieu, des terrains contraires sur le même sol, et formait l'accord inconnu partout ailleurs des productions des plaines et de celles des Alpes. Ajoutez à tout cela les illusions de l'optique, les pointes des monts différemment éclairées, le clair-obscur du soleil et des ombres, et tous les accidents de lumière qui en résultaient le matin et le soir ; vous aurez quelque idée des scènes continuelles qui ne cessèrent d'attirer mon admiration, et qui semblaient m'être offertes en un vrai théâtre ; car la perspective des monts étant verticale frappe les yeux tout à la fois et bien plus puissamment que celle des plaines qui ne se voit qu'obliquement, en fuyant, et dont chaque objet vous en cache un autre.

J'attribuai durant la première journée aux agréments de cette variété le calme que je sentais renaître en moi. J'admirais l'empire qu'ont sur nos passions les plus vives les êtres les plus insensibles, et je méprisais la philosophie de ne pouvoir pas même autant [1] sur l'âme qu'une suite d'objets inanimés. Mais cet état paisible ayant duré la nuit et augmenté le lendemain, je ne tardai pas de juger qu'il avait encore quelque autre cause qui ne m'était pas connue. J'arrivai ce jour-là sur des montagnes les moins élevées, et parcourant ensuite leurs inégalités, sur celles des plus hautes qui étaient à ma portée. Après m'être promené dans les nuages, j'atteignais un séjour plus serein d'où l'on voit, dans la saison le tonnerre et l'orage se former au dessous de soi ; [a] image trop vaine [2] de l'âme du sage, dont l'exemple n'exista jamais, ou n'existe qu'aux mêmes lieux d'où l'on en a tiré l'emblème [3].

Ce fut là que je démêlai sensiblement dans la pureté de l'air où je me trouvais, la véritable cause du changement de mon humeur, et du retour de cette paix intérieure que j'avais perdue depuis si longtemps. En effet, c'est une impression

---

1. De n'avoir pas autant de force. **2.** Trop orgueilleuse, pleine de fierté, de vanité. **3.** Ce « on » est probablement Sénèque, qui décrit le sage comme « un homme que le péril n'effraie point, que les désirs ont laissé intact, qui, heureux dans l'adversité, paisible au milieu des tempêtes, voit de haut les hommes, les dieux à son niveau » (*Lettres à Lucilius*, XLI, p. 694).

générale qu'éprouvent tous les hommes, quoiqu'ils ne l'observent pas tous, que sur les hautes montagnes où l'air est pur et subtil, on se sent plus de facilité dans la respiration, plus de légèreté dans le corps, plus de sérénité dans l'esprit, les plaisirs y sont moins ardents, les passions plus modérées. Les méditations y prennent je ne sais quel caractère grand et sublime, proportionné aux objets qui nous frappent, je ne sais quelle volupté tranquille qui n'a rien d'âcre et de sensuel [1]. Il semble qu'en s'élevant au-dessus du séjour des hommes on y laisse tous les sentiments bas et terrestres, et qu'à mesure qu'on approche des régions éthérées l'âme contracte quelque chose de leur inaltérable pureté. On y est grave sans mélancolie, paisible sans indolence, content d'être et de penser : tous les désirs trop vifs s'émoussent ; ils perdent cette pointe aiguë qui les rend douloureux, ils ne laissent au fond du cœur qu'une émotion légère et douce, et c'est ainsi qu'un heureux climat fait servir à la félicité de l'homme les passions qui font ailleurs son tourment. Je doute qu'aucune agitation violente, aucune maladie de vapeurs [2] pût tenir contre un pareil séjour prolongé, et je suis surpris que des bains de l'air salutaire et bienfaisant des montagnes ne soient pas un des grands remèdes de la médecine et de la morale.

> *Qui non palazzi, non teatro o loggia ;*
> *Ma'n lor vece un' abete, un faggio, un pino,*
> *Trà l'erba verde e'l bel monte vicino*
> *Levan di terra al Ciel nostr' intelletto.*

[Au lieu des palais, des pavillons, des théâtres, les chênes, les noirs sapins, les hêtres s'élancent de l'herbe au sommet des monts et semblent élever au ciel avec leurs têtes les yeux et l'esprit du monde [3].]

Supposez les impressions réunies de ce que je viens de vous décrire, et vous aurez quelque idée de la situation délicieuse où je me trouvais. Imaginez la variété, la grandeur, la

---

1. Voir *supra* la lettre 14. **2.** « On appelle *Vapeurs*, au pluriel, Une certaine maladie, dont l'effet ordinaire est de rendre mélancolique, quelquefois même de faire pleurer, et qui resserre le cœur, et embarrasse la tête » (*Acad.* 1762). **3.** Pétrarque, *Canzoniere*, n° 10, v. 5-7 et 9, p. 13. Trad. libre de Rousseau dans DC. Le texte italien dit : « Mais en leur lieu un pin, un hêtre ou un sapin,/ Entre l'herbage vert et le beau mont voisin,/ Font s'élever de terre au ciel notre intellect » (trad. G. Genot, p. 12).

beauté de mille étonnants spectacles ; le plaisir de ne voir autour de soi que des objets tout nouveaux, des oiseaux étranges, des plantes bizarres et inconnues, d'observer en quelque sorte une autre nature, et de se trouver dans un nouveau monde. Tout cela fait aux yeux un mélange inexprimable dont le charme augmente encore par la subtilité de l'air qui rend les couleurs plus vives, les traits plus marqués, rapproche tous les points de vue ; les distances paraissant moindres que dans les plaines, où l'épaisseur de l'air couvre la terre d'un voile, l'horizon présente aux yeux plus d'objets qu'il semble n'en pouvoir contenir : enfin, le spectacle a je ne sais quoi de magique, de surnaturel qui ravit l'esprit et les sens ; on oublie tout, on s'oublie soi-même, on ne sait plus où l'on est [1].

J'aurais passé tout le temps de mon voyage dans le seul enchantement du paysage, si je n'en eusse éprouvé un plus doux encore dans le commerce des habitants. Vous trouverez dans ma description un léger crayon [2] de leurs mœurs, de leur simplicité, de leur égalité d'âme, et de cette paisible tranquillité qui les rend heureux par l'exemption des peines plutôt que par le goût des plaisirs : Mais ce que je n'ai pu vous peindre et qu'on ne peut guère imaginer, c'est leur humanité désintéressée, et leur zèle hospitalier pour tous les étrangers que le hasard ou la curiosité conduisent parmi eux. J'en fis une épreuve surprenante, moi qui n'étais connu de personne et qui ne marchais qu'à l'aide d'un conducteur. Quand j'arrivais le soir dans un hameau, chacun venait avec tant d'empressement m'offrir sa maison que j'étais embarrassé du choix, et celui qui obtenait la préférence en paraissait si content que la première fois je pris cette ardeur pour de l'avidité. Mais je fus bien étonné quand après en avoir usé chez mon hôte à peu près comme au cabaret, il refusa le lendemain mon argent, s'offensant même de ma proposition, et il en a partout été de même. Ainsi c'était le pur amour de l'hospitalité, communément assez tiède, qu'à sa vivacité j'avais pris pour l'âpreté du gain. Leur désintéressement fut si complet que dans tout le voyage je n'ai pu trouver à placer

---

1. Cette expérience de fusion dans le cosmos sera développée dans la cinquième des *Rêveries du promeneur solitaire*. **2.** Une esquisse.

un patagon*. En effet à quoi dépenser de l'argent dans un pays où les maîtres ne reçoivent point le prix de leurs frais, ni les domestiques celui de leurs soins, et où l'on ne trouve aucun mendiant ? Cependant l'argent est fort rare dans le Haut-Valais, mais c'est pour cela que les habitants sont à leur aise : car les denrées y sont abondantes sans aucun débouché au dehors, sans consommation de luxe au dedans, et sans que le cultivateur montagnard, dont les travaux sont les plaisirs, devienne moins laborieux[1]. Si jamais ils ont plus d'argent, ils seront infailliblement plus pauvres. Ils ont la sagesse de le sentir, et il y a dans le pays des mines d'or qu'il n'est pas permis d'exploiter.

J'étais d'abord fort surpris de l'opposition de ces usages avec ceux du Bas-Valais, où, sur la route d'Italie, on rançonne assez durement les passagers, et j'avais peine à concilier dans un même peuple des manières si différentes. Un Valaisan m'en expliqua la raison. Dans la vallée, me dit-il, les étrangers qui passent sont des marchands, et d'autres gens uniquement occupés de leur négoce et de leur gain. Il est juste qu'ils nous laissent une partie de leur profit et nous les traitons comme ils traitent les autres : Mais ici où nulle affaire n'appelle les étrangers, nous sommes sûrs que leur voyage est désintéressé ; l'accueil qu'on leur fait l'est aussi. Ce sont des hôtes qui nous viennent voir parce qu'ils nous aiment, et nous les recevons avec amitié.

Au reste, ajouta-t-il en souriant, cette hospitalité n'est pas coûteuse, et peu de gens s'avisent d'en profiter. Ah, je le crois ! lui répondis-je. Que ferait-on chez un peuple qui vit pour vivre, non pour gagner ni pour briller ? Hommes heureux et dignes de l'être, j'aime à croire qu'il faut vous ressembler en quelque chose pour se plaire au milieu de vous.

Ce qui me paraissait le plus agréable dans leur accueil, c'était de n'y pas trouver le moindre vestige de gêne ni pour eux ni pour moi. Ils vivaient dans leur maison comme si je

---

* Écu du pays. [NdE : monnaie de Flandre fabriquée également en Franche-Comté, le patagon valait environ 3 livres françaises, soit à peu près 35 euros.]

1. Le lecteur est préparé ici aux développements sur les vertus de l'autarcie à Clarens (V, 2, p. 652-653).

n'y eusse pas été, et il ne tenait qu'à moi d'y être comme si j'y eusse été seul. Ils ne connaissent point l'incommode vanité d'en faire les honneurs aux étrangers, comme pour les avertir de la présence d'un maître, dont on dépend au moins en cela. Si je ne disais rien, ils supposaient que je voulais vivre à leur manière ; je n'avais qu'à dire un mot pour vivre à la mienne, sans éprouver jamais de leur part la moindre marque de répugnance ou d'étonnement. Le seul compliment qu'ils me firent après avoir su que j'étais Suisse, fut de me dire que nous étions frères et que je n'avais qu'à me regarder chez eux comme étant chez moi. Puis ils ne s'embarrassèrent plus de ce que je faisais, n'imaginant pas même que je pusse avoir le moindre doute sur la sincérité de leurs offres ni le moindre scrupule à m'en prévaloir. Ils en usent entre eux avec la même simplicité ; les enfants en âge de raison sont les égaux de leurs pères, les domestiques s'asseyent à table avec leurs maîtres ; la même liberté règne dans les maisons et dans la république, et la famille est l'image de l'État.

La seule chose sur laquelle je ne jouissais pas de la liberté était la durée excessive des repas. J'étais bien le maître de ne pas mettre à table ; mais quand j'y étais une fois, il y fallait rester une partie de la journée et boire d'autant. Le moyen d'imaginer qu'un homme et un Suisse n'aimât pas à boire ? En effet, j'avoue que le bon vin me paraît une excellente chose, et que je ne hais point à m'en égayer pourvu qu'on ne m'y force pas. J'ai toujours remarqué que les gens faux sont sobres, et la grande réserve de la table annonce assez souvent des mœurs feintes et des âmes doubles. Un homme franc craint moins ce babil affectueux et ces tendres épanchements qui précèdent l'ivresse ; mais il faut savoir s'arrêter et prévenir l'excès. Voilà ce qu'il ne m'était guère possible de faire avec d'aussi déterminés buveurs que les Valaisans, des vins aussi violents que ceux du pays, et sur des tables où l'on ne vit jamais d'eau. Comment se résoudre à jouer si sottement le sage et à fâcher de si bonnes gens ? Je m'enivrais donc par reconnaissance, et ne pouvant payer mon écot de ma bourse, je le payais de ma raison.

Un autre usage qui ne me gênait guère moins, c'était de voir, même chez des magistrats, la femme et les filles de la

maison, debout derrière ma chaise, servir à table comme des
domestiques. La galanterie française se serait d'autant plus
tourmentée à réparer cette incongruité, qu'avec la figure des
Valaisanes, des servantes mêmes rendraient leurs services
embarrassants. Vous pouvez m'en croire, elles sont jolies
puisqu'elles m'ont paru l'être. Des yeux accoutumés à vous
voir sont difficiles en beauté.

Pour moi, qui respecte encore plus les usages des pays où
je vis que ceux de la galanterie, je recevais leur service en
silence, avec autant de gravité que D. Quichotte chez la
Duchesse [1]. J'opposais quelquefois en souriant les grandes
barbes et l'air grossier des convives au teint éblouissant de
ces jeunes beautés timides, qu'un mot faisait rougir, et ne
rendait que plus agréables. Mais je fus un peu choqué de
l'énorme ampleur de leur gorge qui n'a dans sa blancheur
éblouissante qu'un des avantages du modèle que j'osais lui
comparer ; modèle unique et voilé dont les contours furtivement observés me peignent ceux de cette coupe célèbre à
qui le plus beau sein du monde servit de moule [2].

Ne soyez pas surprise de me trouver si savant sur des
mystères que vous cachez si bien : je le suis en dépit de
vous ; un sens en peut quelquefois instruire un autre :
malgré la plus jalouse vigilance, il échappe à l'ajustement le
mieux concerté quelques légers interstices, par lesquels la
vue opère l'effet du toucher. L'œil avide et téméraire s'insinue impunément sous les fleurs d'un bouquet ; il erre sous
la chenille et la gaze, et fait sentir à la main la résistance
élastique qu'elle n'oserait éprouver [3].

> *Parte appar delle mamme acerbe e crude,*
> *Parte altrui ne ricopre invida vesta ;*
> *Invida, ma s'agli occhi il varco chiude,*
> *L'amoroso pensier gia non arresta.*

---

1. Allusion au chapitre II, 32 du *Don Quichotte* de Cervantès : à la fin du
repas, quatre demoiselles lavent la barbe de don Quichotte, « lequel, sans
dire un mot, mais étonné d'une semblable cérémonie, crut que c'était l'usage
du pays, au lieu de laver les mains, de laver la barbe » (t. II, p. 226). **2.** Le
sein d'Hélène, d'après Pline (*Histoire naturelle*, I, 33, chap. XXIII). **3.** Cet
érotisme du vêtement peut s'interpréter comme un pilotis pour la lettre
écrite dans le cabinet de Julie (I, 54, p. 184).

[Son acerbe et dure mamelle se laisse entrevoir ;/ un vêtement jaloux en cache en vain la plus grande partie ;/ l'amoureux désir plus perçant que l'œil/ pénètre à travers tous les obstacles [1].]

Je remarquai aussi un grand défaut dans l'habillement des Valaisanes : c'est d'avoir des corps-de-robe [2] si élevés par derrière qu'elles en paraissent bossues ; cela fait un effet singulier avec leurs petites coiffures noires et le reste de leur ajustement, qui ne manque au surplus ni de simplicité ni d'élégance. Je vous porte un habit complet à la Valaisane, et j'espère qu'il vous ira bien ; il a été pris sur la plus jolie taille du pays.

Tandis que je parcourais avec extase ces lieux si peu connus et si dignes d'être admirés, que faisiez-vous cependant, ma Julie ? Étiez-vous oubliée de votre ami ? Julie oubliée ? Ne m'oublierais-je pas plutôt moi-même, et que pourrais-je un moment seul, moi qui ne suis plus rien que par vous ? Je n'ai jamais mieux remarqué avec quel instinct je place en divers lieux notre existence commune selon l'état de mon âme. Quand je suis triste, elle se réfugie auprès de la vôtre, et cherche des consolations aux lieux où vous êtes ; c'est ce que j'éprouvais en vous quittant. Quand j'ai du plaisir, je n'en saurais jouir seul, et pour le partager avec vous, je vous appelle alors où je suis. Voilà ce qui m'est arrivé durant toute cette course où la diversité des objets me rappelant sans cesse en moi-même, je vous conduisais partout avec moi. Je ne faisais pas un pas que nous ne le fissions ensemble. Je n'admirais pas une vue sans me hâter de vous la montrer. Tous les arbres que je rencontrais vous prêtaient

---

1. Le Tasse, *La Jérusalem délivrée*, chant IV, 31, v. 3-6, Les Belles Lettres, vol. 1, p. 76. Trad. par Rousseau dans DC. Les vers décrivent la guerrière Armide. Rousseau avait ajouté une note narquoise dans Ms Rey : « Mon jeune philosophe vous vous mettez assez lestement à l'abri du Tasse, comme derrière un rempart ; mais permettez-moi de vous dire que son exemple vous justifie mal. L'amour est craintif et scrupuleux, il s'effarouche aisément, et un amant écrivant à sa maîtresse est obligé à plus de circonspection qu'un poëte parlant au public. Voilà sûrement ce que Julie vous eût dit si son silence sur ce passage n'eût été plus modeste et n'eût mieux marqué son improbation. » Voir le début de I, 25. **2.** *Corps* se dit pour désigner « la partie de certains habillements qui est depuis le cou jusqu'à la ceinture » (*Acad.* 1762).

leur ombre, tous les gazons vous servaient de siège. Tantôt assis à vos côtés, je vous aidais à parcourir des yeux les objets ; tantôt à vos genoux j'en contemplais un plus digne des regards d'un homme sensible. Rencontrais-je un pas difficile ? Je vous le voyais franchir avec la légèreté d'un faon qui bondit après sa mère. Fallait-il traverser un torrent ? J'osais presser dans mes bras une si douce charge ; je passais le torrent lentement, avec délices, et voyais à regret le chemin que j'allais atteindre. Tout me rappelait à vous dans ce séjour paisible ; et les touchants attraits de la nature, et l'inaltérable pureté de l'air, et les mœurs simples des habitants, et leur sagesse égale et sûre, et l'aimable pudeur du sexe, et ses innocentes grâces, et tout ce qui frappait agréablement mes yeux et mon cœur leur peignait celle qu'ils cherchent.

Ô ma Julie ! disais-je avec attendrissement, que ne puis-je couler mes jours avec toi dans ces lieux ignorés, heureux de notre bonheur et non du regard des hommes ! Que ne puis-je ici rassembler toute mon âme en toi seule, et devenir à mon tour l'univers pour toi ! Charmes adorés, vous jouiriez alors des hommages qui vous sont dus ! Délices de l'amour, c'est alors que nos cœurs vous savoureraient sans cesse ! Une longue et douce ivresse nous laisserait ignorer le cours des ans : et quand enfin l'âge aurait calmé nos premiers feux, l'habitude de penser et sentir ensemble ferait succéder à leurs transports une amitié non moins tendre. Tous les sentiments honnêtes nourris dans la jeunesse avec ceux de l'amour en rempliraient un jour le vide immense ; nous pratiquerions au sein de cet heureux peuple, et à son exemple, tous les devoirs de l'humanité : sans cesse nous nous unirions pour bien faire, et nous ne mourrions point sans avoir vécu.

La poste arrive, il faut finir ma lettre, et courir recevoir la vôtre. Que le cœur me bat jusqu'à ce moment ! Hélas ! j'étais heureux dans mes chimères [1] : mon bonheur fuit avec elles ; que vais-je être en réalité ?

---

1. Voir II, 23 et VI, 8. Le sens péjoratif d'imagination vaine est le plus souvent celui du roman (II, 17, p. 308).

Lettre XXIV
À *Julie*

Je réponds sur-le-champ à l'article de votre lettre qui regarde le paiement, et n'ai Dieu merci nul besoin d'y réfléchir. Voici, ma Julie, quel est mon sentiment sur ce point.

Je distingue dans ce qu'on appelle honneur, celui qui se tire de l'opinion publique, et celui qui dérive de l'estime de soi-même. Le premier consiste en vains préjugés plus mobiles qu'une onde agitée ; le second a sa base dans les vérités éternelles de la morale. L'honneur du monde peut être avantageux à la fortune, mais il ne pénètre point dans l'âme et n'influe en rien sur le vrai bonheur. L'honneur véritable au contraire en forme l'essence, parce qu'on ne trouve qu'en lui ce sentiment permanent de satisfaction intérieure qui seul peut rendre heureux un être pensant. Appliquons, ma Julie, ces principes à votre question ; elle sera bientôt [1] résolue.

Que je m'érige en maître de philosophie et prenne, comme ce fou de la fable, de l'argent pour enseigner la sagesse [2] ; cet emploi paraîtra bas aux yeux du monde, et j'avoue qu'il a quelque chose de ridicule en soi : cependant comme aucun homme ne peut tirer sa subsistance absolument de lui-même et qu'on ne saurait l'en tirer de plus près que par son travail, nous mettrons ce mépris au rang des plus dangereux préjugés ; nous n'aurons point la sottise de sacrifier la félicité à cette opinion insensée ; vous ne m'en estimerez pas moins et je n'en serai pas plus à plaindre, quand je vivrai des talents que j'ai cultivés.

Mais ici, ma Julie, nous avons d'autres considérations à faire. Laissons la multitude et regardons en nous-mêmes. Que[a] serai-je réellement à votre père, en recevant de lui le salaire des leçons que je vous aurai données, et lui vendant une partie de mon temps c'est-à-dire de ma personne ? Un mercenaire, un homme à ses gages, une espèce de valet, et il aura de ma part pour garant de sa confiance, et pour sûreté

---

1. Très vite. **2.** Le fou de La Fontaine enseigne la sagesse en donnant des soufflets (« Le fou qui vend la sagesse », *Fables*, IX, 8).

de ce qui lui appartient ma foi tacite, comme celle du dernier de ses gens.

Or quel bien plus précieux peut avoir un père que sa fille unique, fût-ce même une autre que Julie ? Que fera donc celui qui lui vend ses services ? fera-t-il taire ses sentiments pour elle ? ah ! tu sais si cela se peut ! ou bien se livrant sans scrupule au penchant de son cœur offensera-t-il dans la partie la plus sensible celui à qui il doit fidélité ? Alors je ne vois plus dans un tel maître qu'un perfide qui foule aux pieds les droits les plus sacrés *, un traître, un séducteur domestique, que les lois condamnent très justement à la mort. J'espère que celle à qui je parle sait m'entendre ; ce n'est pas la mort que je crains, mais la honte d'en être digne, et le mépris de moi-même.

Quand les lettres d'Héloïse et d'Abélard tombèrent entre vos mains, vous savez ce que je vous dis de cette lecture et de la conduite du Théologien. J'ai toujours plaint Héloïse ; elle avait un cœur fait pour aimer : mais Abélard ne m'a jamais paru qu'un misérable digne de son sort, et connaissant aussi peu l'amour que la vertu. Après l'avoir jugé faudra-t-il que je l'imite ? Malheur à quiconque prêche une morale qu'il ne veut pas pratiquer ! Celui qu'aveugle sa passion jusqu'à ce point en est bientôt puni par elle, et perd le goût des sentiments auxquels il a sacrifié son honneur. L'amour est privé de son plus grand charme quand l'honnêteté l'abandonne ; pour en sentir tout le prix, il faut que le cœur s'y complaise, et qu'il nous élève en élevant l'objet aimé. Ôtez l'idée de la perfection, vous ôtez l'enthousiasme ; ôtez l'estime, et l'amour n'est plus rien. Comment une femme pourrait-elle honorer un homme qui se déshonore ? Comment pourra-t-il adorer lui-même celle qui n'a pas craint de s'abandonner à un vil corrupteur ? Ainsi bientôt

* Malheureux jeune homme ! qui ne voit pas qu'en se laissant payer en reconnaissance ce qu'il refuse de recevoir en argent, il viole des droits plus sacrés encore. Au lieu d'instruire il corrompt ; au lieu de nourrir il empoisonne ; il se fait remercier par une mère abusée d'avoir perdu son enfant. On sent pourtant qu'il aime sincèrement la vertu, mais sa passion l'égare, et si sa grande jeunesse ne l'excusait pas, avec ses beaux discours il ne serait qu'un scélérat. Les deux amants sont à plaindre ; la mère seule est inexcusable.

ils se mépriseront mutuellement ; l'amour ne sera plus pour eux qu'un honteux commerce, ils auront perdu l'honneur et n'auront point trouvé la félicité.

Il n'en est pas ainsi ma Julie, entre deux amants de même âge, tous deux épris du même feu, qu'un mutuel attachement unit, qu'aucun lien particulier ne gêne, qui jouissent tous deux de leur première liberté, et dont aucun droit ne proscrit l'engagement réciproque. Les lois les plus sévères ne peuvent leur imposer d'autre peine que le prix même de leur amour ; la seule punition de s'être aimés est l'obligation de s'aimer à jamais ; et s'il est quelques malheureux climats au monde où l'homme barbare brise ces innocentes chaînes, il en est puni, sans doute, par les crimes que cette contrainte engendre.

Voilà mes raisons, sage et vertueuse Julie, elles ne sont qu'un froid commentaire de celles que vous m'exposâtes avec tant d'énergie et de vivacité dans une de vos lettres [1] ; mais c'en est assez pour vous montrer combien je m'en suis pénétré. Vous vous souvenez que je n'insistai point sur mon refus, et que malgré la répugnance que le préjugé m'a laissée, j'acceptai vos dons en silence, ne trouvant point en effet [2] dans le véritable honneur de solide raison pour les refuser. Mais ici le devoir, la raison, l'amour même, tout parle d'un ton que je ne peux méconnaître. S'il faut choisir entre l'honneur et vous, mon cœur est prêt à vous perdre : Il vous aime trop, ô Julie, pour vous conserver à ce prix.

Lettre XXV
De Julie

La relation de votre voyage est charmante, mon bon ami ; elle me ferait aimer celui qui l'a écrite, quand même je ne le connaîtrais pas. J'ai pourtant à vous tancer sur un passage dont vous vous doutez bien ; quoique je n'aie pu m'empêcher de rire de la ruse avec laquelle vous vous êtes mis à l'abri du Tasse, comme derrière un rempart. Eh, comment ne sentiez-vous point qu'il y a bien de la différence entre

---

1. Voir I, 17. **2.** En réalité.

écrire au public ou à sa maîtresse ? L'amour, si craintif, si scrupuleux, n'exige-t-il pas plus d'égards que la bienséance ? Pouviez-vous ignorer que ce style n'est pas de mon goût, et cherchiez-vous à me déplaire ? Mais en voilà déjà trop, peut-être, sur un sujet qu'il ne fallait point relever. Je suis, d'ailleurs, trop occupée de [1] votre seconde lettre, pour répondre en détail à la première. Ainsi, mon ami, laissons le Valais pour une autre fois, et bornons-nous maintenant à nos affaires ; nous serons assez occupés.

Je savais le parti que vous prendriez. Nous nous connaissons trop bien pour en être encore à ces éléments [2]. Si jamais la vertu nous abandonne, ce ne sera pas, croyez-moi, dans les occasions qui demandent du courage et des sacrifices *. Le premier mouvement, aux attaques vives est de résister ; et nous vaincrons, je l'espère, tant que l'ennemi nous avertira de prendre les armes. C'est au milieu du sommeil, c'est dans le sein d'un doux repos qu'il faut se défier des surprises : mais c'est, surtout, la continuité des maux qui rend leur poids insupportable, et l'âme résiste bien plus aisément aux vives douleurs qu'à la tristesse prolongée. Voilà, mon ami, la dure espèce de combat que nous aurons désormais à soutenir : ce ne sont point des actions héroïques que le devoir nous demande, mais une résistance plus héroïque encore à des peines sans relâche.

Je l'avais trop prévu ; le temps du bonheur est passé comme un éclair ; celui des disgrâces commence, sans que rien m'aide à juger quand il finira.[a] Tout m'alarme et me décourage ; une langueur mortelle s'empare de mon âme ; sans sujet bien précis de pleurer, des pleurs involontaires s'échappent de mes yeux ; je ne lis pas dans l'avenir des maux inévitables ; mais je cultivais l'espérance et la vois flétrir tous les jours. Que sert, hélas, d'arroser le feuillage quand l'arbre est coupé par le pied ?

Je le sens, mon ami, le poids de l'absence m'accable. Je ne puis vivre sans toi, je le sens ; c'est ce qui m'effraye le plus.

---

* On verra bientôt que la prédiction ne saurait plus mal cadrer avec l'événement.

---

1. Préoccupée par. **2.** Ces rudiments, ces principes élémentaires.

Je parcours cent fois le jour les lieux que nous habitions ensemble, et ne t'y trouve jamais. Je t'attends à ton heure ordinaire ; l'heure passe et tu ne viens point. Tous les objets que j'aperçois me portent quelque idée de ta présence pour m'avertir que je t'ai perdu. Tu n'as point ce supplice affreux. Ton cœur seul peut te dire que je te manque. Ah, si tu savais quel pire tourment c'est de rester quand on se sépare, combien tu préférerais ton état au mien ?

Encore si j'osais gémir ! si j'osais parler de mes peines, je me sentirais soulager[1] des maux dont je pourrais me plaindre. Mais hors quelques soupirs exhalés en secret dans le sein de ma cousine, il faut étouffer tous les autres ; il faut contenir mes larmes ; il faut sourire quand je me meurs.

> *Sentirsi, oh Dei, morir ;*
> *E non poter mai dir :*
> *Morir mi sento !*

[Ô Dieux ! se sentir mourir et n'oser dire : je me sens mourir[2]]

Le pis est que tous ces maux[b] aggravent sans cesse mon plus grand mal, et que plus ton souvenir me désole, plus j'aime à me le rappeler. Dis-moi, mon ami, mon doux ami ! sens-tu combien un cœur languissant est tendre, et combien la tristesse fait fermenter l'amour ?

Je voulais vous parler de mille choses ; mais outre qu'il vaut mieux attendre de savoir positivement où vous êtes, il ne m'est pas possible de continuer cette lettre dans l'état où je me trouve en l'écrivant. Adieu, mon Ami ; je quitte la plume, mais croyez que je ne vous quitte pas.

Billet

J'écris par un batelier que je ne connais point ce billet à l'adresse ordinaire, pour donner avis que j'ai choisi mon asile à Meillerie sur la rive opposée ; afin de jouir au moins de la vue du lieu dont je n'ose approcher.

---

1. Je sentirais que je me soulage. Tour classique repris lettre 29 (« Je me sentais troubler »). **2.** Vers de l'*Antigono* de Métastase (I, 11, v. 363-365, vol. 3, p. 87) traduits par Rousseau dans DC.

Lettre XXVI
À *Julie*

Que mon état est changé dans peu de jours ! Que d'amertumes se mêlent à la douceur de me rapprocher de vous ! Que de tristes réflexions m'assiègent ! Que de traverses mes craintes me font prévoir ! Ô Julie, que c'est un fatal présent du ciel qu'une âme sensible [1] ! Celui qui l'a reçu doit s'attendre à n'avoir que peine et douleur sur la terre. Vil jouet de l'air et des saisons, le soleil ou les brouillards, l'air couvert ou serein régleront sa destinée, et il sera content ou triste au gré des vents. Victime des préjugés, il trouvera dans d'absurdes maximes un obstacle invincible aux justes vœux de son cœur. Les hommes le puniront d'avoir des sentiments droits de chaque chose, et d'en juger par ce qui est véritable plutôt que par ce qui est de convention. Seul il suffirait pour faire sa propre misère, en se livrant indiscrètement aux attraits divins de l'honnête et du beau, tandis que les pesantes chaînes de la nécessité l'attachent à l'ignominie. Il cherchera la félicité suprême sans se souvenir qu'il est homme : son cœur et sa raison seront incessamment en guerre, et des désirs sans bornes lui prépareront d'éternelles privations.

Telle est la situation cruelle où me plongent, le sort qui m'accable, et mes sentiments qui m'élèvent, et ton père qui me méprise, et toi qui fais le charme et le tourment de ma vie. Sans toi, Beauté fatale, je n'aurais jamais senti ce contraste insupportable de grandeur au fond de mon âme et de bassesse dans ma fortune : j'aurais vécu tranquille et serais mort content, sans daigner remarquer quel rang j'avais occupé sur la terre : Mais t'avoir vue et ne pouvoir te posséder, t'adorer et n'être qu'un homme ! être aimé et ne pouvoir être heureux ! habiter les mêmes lieux et ne pouvoir vivre ensemble ! Ô Julie à qui je ne puis renoncer ! Ô

---

1. Formule caractéristique des héros hypersensibles du XVIIIe siècle. Une source de Rousseau pourrait bien être une citation de Lovelace traduite ainsi par l'abbé Prévost en 1751 : « Qu'un cœur tendre est un mauvais présent du ciel ! quel moyen d'être heureux avec un cœur sensible ? » (Richardson, *Clarissa Harlowe*, lettre 234, Desjonquères, t. II, 1999, p. 285). Voir aussi M. Delon, « "Fatal présent du ciel qu'une âme sensible". Le succès d'une formule de Rousseau », 1991.

destinée que je ne puis vaincre ! quels combats affreux vous excitez en moi, sans pouvoir jamais surmonter mes désirs ni mon impuissance !

Quel effet bizarre et inconcevable ! Depuis que je suis rapproché de vous, je ne roule dans mon esprit que des pensées funestes. Peut-être le séjour où je suis contribue-t-il à cette mélancolie ; il est triste et horrible [1] ; il en est plus conforme à l'état de mon âme, et je n'en habiterais pas si patiemment un plus agréable. Une file de rochers stériles borde la côte, et environne mon habitation que l'hiver rend encore plus affreuse [2]. Ah ! je le sens, ma Julie, s'il fallait renoncer à vous, il n'y aurait plus pour moi d'autre séjour ni d'autre saison.

Dans les violents transports qui m'agitent je ne saurais demeurer en place ; je cours, je monte avec ardeur, je m'élance sur les rochers ; je parcours à grands pas tous les environs, et trouve partout dans les objets la même horreur qui règne au dedans de moi. On n'aperçoit plus de verdure, l'herbe est jaune et flétrie, les arbres sont dépouillés, le séchard * et la froide bise entassent la neige et les glaces, et toute la nature est morte à mes yeux, comme l'espérance au fond de mon cœur.

Parmi les rochers de cette côte, j'ai trouvé dans un abri solitaire une petite esplanade d'où l'on découvre à plein la ville heureuse où vous habitez. Jugez avec quelle avidité mes yeux se portèrent vers ce séjour chéri. Le premier jour, je fis mille efforts pour y discerner votre demeure ; mais l'extrême éloignement les rendit vains, et je m'aperçus que mon imagination donnait le change à mes yeux fatigués. Je courus chez le Curé emprunter un télescope avec lequel je vis ou crus voir votre maison, et depuis ce temps je passe les jours entiers dans cet asile à contempler ces murs fortunés qui renferment la source de ma vie. Malgré la saison je m'y

* Vent de nord-est.

---

1. Effrayant. **2.** La description du lieu solitaire et désolé présente une proximité d'inspiration avec les *Tristes* d'Ovide, poèmes de l'exil dont Rousseau a tiré l'épigraphe du premier *Discours sur les sciences et les arts* (1750) et des *Dialogues* (1772-1776).

rends dès le matin et n'en reviens qu'à la nuit. Des feuilles et quelques bois secs que j'allume servent avec mes courses à me garantir du froid excessif. J'ai pris tant de goût pour ce lieu sauvage que j'y porte même de l'encre et du papier, et j'y écris maintenant cette lettre sur un quartier que les glaces ont détaché du rocher voisin [1].

C'est là, ma Julie, que ton malheureux amant achève de jouir des derniers plaisirs qu'il goûtera peut-être en ce monde. C'est de là qu'à travers les airs et les murs, il ose en secret pénétrer jusque dans ta chambre. Tes traits charmants le frappent encore ; tes regards tendres raniment son cœur mourant ; il entend le son de ta douce voix ; il ose chercher encore en tes bras ce délire qu'il éprouva dans le bosquet. Vain fantôme d'une âme agitée qui s'égare dans ses désirs ! Bientôt forcé de rentrer en moi-même, je te contemple au moins dans le détail de ton innocente vie ; je suis de loin les diverses occupations de ta journée, et je me les représente dans les temps et les lieux où j'en fus quelquefois l'heureux témoin. Toujours je te vois vaquer à des soins qui te rendent plus estimable, et mon cœur s'attendrit avec délices sur l'inépuisable bonté du tien. Maintenant, me dis-je au matin, elle sort d'un paisible sommeil, son teint a la fraîcheur de la rose, son âme jouit d'une douce paix ; elle offre à celui dont elle tient l'être un jour qui ne sera point perdu pour la vertu. Elle passe à présent chez sa mère ; les tendres affections de son cœur s'épanchent avec les auteurs de ses jours, elle les soulage dans le détail des soins de la maison, elle fait peut-être la paix d'un domestique imprudent, elle lui fait peut-être une exhortation secrète, elle demande peut-être une grâce pour un autre. Dans un autre temps, [2] elle s'occupe sans ennui des travaux de son sexe, elle orne son âme de connaissances utiles, elle ajoute à son goût exquis les agréments des beaux-arts, et ceux de la danse à sa légèreté naturelle. Tantôt je vois une élégante et simple parure orner des charmes qui n'en ont pas besoin ; ici je la vois consulter un pasteur vénérable sur la peine ignorée d'une famille indigente, là, secourir ou consoler la triste veuve et l'orphelin

---

1. Voir aussi, sur ce thème, la brûlante lettre I, 54. **2.** Point-virgule sur les manuscrits et les éditions que nous remplaçons par une virgule.

délaissé. Tantôt elle charme une honnête société par ses discours sensés et modestes ; tantôt en riant avec ses compagnes elle ramène une jeunesse folâtre au ton de la sagesse
et des bonnes mœurs : Quelques moments ! ah pardonne !
j'ose te voir même t'occuper de moi ; je vois tes yeux attendris parcourir une de mes Lettres ; je lis dans leur douce
langueur que c'est à ton amant fortuné que s'adressent les
lignes que tu traces, je vois que c'est de lui que tu parles à
ta cousine avec une si tendre émotion. Ô Julie ! ô Julie ! et
nous ne serions pas unis ? et nos jours ne couleraient pas
ensemble ? Non, que jamais cette affreuse idée ne se présente à mon esprit ! En un instant elle change tout mon
attendrissement en fureur ; la rage me fait courir de caverne
en caverne ; des gémissements et des cris m'échappent
malgré moi ; je rugis comme une lionne irritée ; je suis
capable de tout, hors de renoncer à toi, et il n'y a rien, non,
rien que je ne fasse pour te posséder ou mourir.

    J'en étais ici de ma lettre, et je n'attendais qu'une occasion
sûre pour vous l'envoyer, quand j'ai reçu de Sion la dernière
que vous m'y avez écrite. Que la tristesse qu'elle respire a
charmé la mienne ! Que j'y ai vu un frappant exemple de ce
que vous me disiez de l'accord de nos âmes dans des lieux
éloignés [1] ! Votre affliction je l'avoue, est plus patiente, la
mienne est plus emportée ; mais il faut bien que le même
sentiment prenne la teinture des caractères qui l'éprouvent,
et il est bien naturel que les plus grandes pertes causent les
plus grandes douleurs. Que dis-je, des pertes ? Eh ! qui les
pourrait supporter ? Non, connaissez-le enfin, ma Julie, un
éternel arrêt du ciel nous destina l'un pour l'autre ; c'est la
première loi qu'il faut écouter ; c'est le premier soin de la
vie de s'unir à qui doit nous la rendre douce. Je le vois, j'en
gémis, tu t'égares dans tes vains projets ; tu veux forcer des
barrières insurmontables et négliges les seuls moyens possibles ; l'enthousiasme de l'honnêteté t'ôte la raison, et ta
vertu n'est plus qu'un délire.

    Ah ! si tu pouvais rester toujours jeune et brillante comme
à présent, je ne demanderais au Ciel que de te savoir éternellement heureuse, te voir tous les ans de ma vie une fois, une

---

1. Référence à la lettre 11 ci-dessus.

seule fois ; et passer le reste de mes jours à contempler de loin ton asile, à t'adorer parmi ces rochers. Mais hélas ! vois la rapidité de cet astre qui jamais n'arrête ; il vole et le temps fuit, l'occasion s'échappe, ta beauté, ta beauté même aura son terme, elle doit décliner et périr un jour comme une fleur qui tombe sans avoir été cueillie ; et moi cependant, je gémis, je souffre, ma jeunesse s'use dans les larmes, et se flétrit dans la douleur. Pense, pense, Julie, que nous comptons déjà des années perdues pour le plaisir [1]. Pense qu'elles ne reviendront jamais ; qu'il en sera de même de celles qui nous restent si nous les laissons échapper encore. Ô amante aveuglée ! tu cherches un chimérique bonheur pour un temps où nous ne serons plus ; tu regardes un avenir éloigné, et tu ne vois pas que nous nous consumons sans cesse, et que nos âmes, épuisées d'amour et de peines, se fondent et coulent comme l'eau. Reviens, il en est temps encore, reviens, ma Julie, de cette erreur funeste. Laisse là tes projets et sois heureuse. Viens, ô mon âme, dans les bras de ton ami réunir les deux moitiés de notre être : viens à la face du ciel guide de notre fuite et témoin de nos serments jurer de vivre et mourir l'un à l'autre. [a] Ce n'est pas toi, je le sais, qu'il faut rassurer contre la crainte de l'indigence. Soyons heureux et pauvres, ah quels trésors nous aurons acquis ! Mais ne faisons point cet affront à l'humanité, de croire qu'il n'y restera pas sur la terre entière un asile à deux Amants infortunés. J'ai des bras, je suis robuste ; le pain gagné par mon travail te paraîtra plus délicieux que les mets des festins. Un repas apprêté par l'amour peut-il jamais être insipide ? Ah, tendre et chère amante, dussions-nous n'être heureux qu'un seul jour, veux-tu quitter cette courte vie sans avoir goûté le bonheur ?

Je n'ai plus qu'un mot à vous dire, ô Julie ! vous connaissez l'antique usage du rocher de Leucate, dernier refuge de tant d'amants malheureux [2]. Ce lieu-ci lui ressemble à bien

---

1. Le mot *plaisir* explicite le sens sexuel des métaphores qui précèdent. Les lettres des deux amants énoncent un discours sur la sexualité de plus en plus précis (voir Présentation, p. 30-34). **2.** Les amants désespérés se jetaient du haut du rocher de Leucade (île de la mer Ionienne) pour mourir ou pour guérir de leur passion s'ils en réchappaient. D'après la légende, Sapho, rebutée par le beau Phaon, se serait précipitée de ce rocher. C'est donc à une figure féminine que s'identifie Saint-Preux.

des égards. La roche est escarpée, l'eau est profonde, et je suis au désespoir.

Lettre XXVII
De Claire

Ma douleur me laisse à peine la force de vous écrire. Vos malheurs et les miens sont au comble : L'aimable Julie est à l'extrémité et n'a peut-être pas deux jours à vivre. L'effort qu'elle fit pour vous éloigner d'elle commença d'altérer sa santé. La première conversation qu'elle eut sur votre compte avec son père y porta de nouvelles attaques : d'autres chagrins plus récents ont accru ses agitations, et votre dernière lettre a fait le reste. Elle en fut si vivement émue qu'après avoir passé une nuit dans d'affreux combats, elle tomba hier dans l'accès d'une fièvre ardente qui n'a fait qu'augmenter sans cesse et lui a enfin donné le transport [1]. Dans cet état elle vous nomme à chaque instant, et parle de vous avec une véhémence qui montre combien elle en est occupée. On éloigne son père autant qu'il est possible ; cela prouve assez que ma tante a conçu des soupçons : elle m'a même demandé avec inquiétude si vous n'étiez pas de retour, et je vois que le danger de sa fille effaçant pour le moment toute autre considération, elle ne serait pas fâchée de vous voir ici.

Venez donc, sans différer. J'ai pris ce bateau exprès pour vous porter cette lettre ; il est à vos ordres, servez-vous-en pour votre retour, et surtout ne perdez pas un moment si vous voulez revoir la plus tendre amante qui fut jamais.

Lettre XXVIII
De Julie à Claire

Que ton absence me rend amère la vie que tu m'as rendue ! Quelle convalescence ! Une passion plus terrible que la fièvre et

---

1. *Transport* employé absolument désigne le transport au cerveau : « délire passager, qui est ordinairement la suite d'une fièvre violente » (*Acad.* 1762).

le transport m'entraîne à ma perte. Cruelle ! tu me quittes quand j'ai plus [1] besoin de toi ; tu m'a quittée pour huit jours, peut-être ne me reverras-tu jamais. Ô si tu savais ce que l'insensé m'ose proposer !..... et de quel ton !..... m'enfuir ! le suivre ! m'enlever !..... le malheureux !..... de qui me plains-je ? Mon cœur, mon indigne cœur m'en dit cent fois plus que lui..... Grand Dieu ! que serait-ce, s'il savait tout ?... Il en deviendrait furieux, je serais entraînée, il faudrait partir..... Je frémis.....

Enfin, mon père m'a donc vendue ? Il fait de sa fille une marchandise, une esclave, il s'acquitte à mes dépens ! il paye sa vie de la mienne !.... car je le sens bien, je n'y survivrai jamais.... Père barbare et dénaturé ! mérite-t-il...... Quoi, mériter ? C'est le meilleur des pères ; il veut unir sa fille à son ami, voilà son crime. Mais ma mère, ma tendre mère ! quel mal m'a-t-elle fait ?.... Ah beaucoup ! elle m'a trop aimée, elle m'a perdue.

Claire, que ferai-je ? que deviendrai-je ? Hanz ne vient point. Je ne sais comment t'envoyer cette lettre. Avant que tu la reçoives.... avant que tu sois de retour....... qui sait.... fugitive, errante, déshonorée.... C'en est fait, c'en est fait, la crise est venue [2]. Un jour, une heure, un moment, peut-être.... qui est-ce qui sait éviter son sort ?...... Ô dans quelque lieu que je vive et que je meure ; en quelque asile obscur que je traîne ma honte et mon désespoir ; Claire, souviens-toi de ton amie...... Hélas ; la misère et l'opprobre changent les cœurs...... Ah, si jamais le mien t'oublie, il aura beaucoup changé !

Lettre XXIX
De Julie à Claire

Reste, ah reste ! ne reviens jamais ; tu viendrais trop tard. Je ne dois plus te voir ; comment soutiendrais-je ta vue ?

Où étais-tu, ma douce amie, ma sauvegarde, mon Ange tutélaire ? Tu m'as abandonnée, et j'ai péri. Quoi, ce fatal voyage était-il si nécessaire ou si pressé ? Pouvais-tu me laisser à moi-même dans l'instant le plus dangereux de ma vie ?

---

1. Le plus (tour archaïque). **2.** Voir *supra*, n. 2, p. 77.

Que de regrets tu t'es préparés par cette coupable négligence ? Ils seront éternels ainsi que mes pleurs. Ta perte n'est pas moins irréparable que la mienne, et une autre amie digne de toi n'est pas plus facile à recouvrer que mon innocence.

[a] Qu'ai-je dit, misérable ? Je ne puis ni parler ni me taire. Que sert le silence quand le remords crie ? L'univers entier ne me reproche-t-il pas ma faute ? Ma honte n'est-elle pas écrite sur tous les objets ? Si je ne verse mon cœur dans le tien il faudra que j'étouffe. Et toi ne te reproches-tu rien, facile et trop confiante amie ? Ah que ne me trahissais-tu ? C'est ta fidélité, ton aveugle amitié, c'est ta malheureuse indulgence qui m'a perdue.

Quel Démon t'inspira de le rappeler, ce cruel qui fait mon opprobre ? Ses perfides soins devaient-ils me redonner la vie pour me la rendre odieuse ? Qu'il fuie à jamais, le barbare ! qu'un reste de pitié le touche ; qu'il ne vienne plus redoubler mes tourments par sa présence ; qu'il renonce au plaisir féroce de contempler mes larmes. Que dis-je, hélas ? il n'est point coupable ; c'est moi seule qui le suis ; tous mes malheurs sont mon ouvrage, et je n'ai rien à reprocher qu'à moi. Mais le vice a déjà corrompu mon âme ; c'est le premier de ses effets de nous faire accuser autrui de nos crimes.

Non, non, jamais il ne fut capable d'enfreindre ses serments. Son cœur vertueux ignore l'art abject d'outrager ce qu'il aime. Ah ! sans doute, il sait mieux aimer que moi puisqu'il sait mieux se vaincre. Cent fois mes yeux furent témoins de ses combats et de sa victoire ; les siens étincelaient du feu de ses désirs, il s'élançait vers moi dans l'impétuosité d'un transport aveugle ; il s'arrêtait tout à coup ; une barrière insurmontable semblait m'avoir entourée, et jamais son amour impétueux mais honnête ne l'eût franchie. J'osai trop contempler ce dangereux spectacle. [b] Je me sentais troubler de ses transports, ses soupirs oppressaient mon cœur ; je partageais ses tourments en ne pensant que les plaindre. Je le vis dans des agitations convulsives, prêt à s'évanouir à mes pieds. Peut-être l'amour seul m'aurait épargnée ; ô ma Cousine, c'est la pitié qui me perd [1].

---

1. La pitié, première vertu naturelle selon l'anthropologie rousseauiste, est fondée sur la capacité d'identification à l'autre souffrant (voir le *Discours sur l'inégalité*, p. 95-98).

Il semblait que ma passion funeste voulût se couvrir pour me séduire du masque de toutes les vertus. Ce jour même il m'avait pressée avec plus d'ardeur de le suivre. C'était désoler le meilleur des pères ; c'était plonger le poignard dans le sein maternel ; je résistai, je rejetai ce projet avec horreur. L'impossibilité de voir jamais nos vœux accomplis, le mystère qu'il fallait lui faire de cette impossibilité, le regret d'abuser un amant si soumis et si tendre après avoir flatté son espoir, tout abattait mon courage, tout augmentait ma faiblesse, tout aliénait ma raison. Il fallait donner la mort aux auteurs de mes jours, à mon amant, ou à moi-même. Sans savoir ce que je faisais je choisis ma propre infortune. J'oubliai tout et ne me souvins que de l'amour. C'est ainsi qu'un instant d'égarement m'a perdue à jamais. Je suis tombée dans l'abîme d'ignominie dont une fille ne revient point ; et si je vis, c'est pour être plus malheureuse.

Je cherche en gémissant quelque reste de consolation sur la terre. Je n'y vois que toi, mon aimable amie ; ne me prive pas d'une si charmante ressource, je t'en conjure ; ne m'ôte pas les douceurs de ton amitié.[c] J'ai perdu le droit d'y prétendre, mais jamais je n'en eus si grand besoin. Que la pitié supplée à l'estime. Viens, ma chère, ouvrir ton âme à mes plaintes ; viens recueillir les larmes de ton amie ; garantismoi, s'il se peut, du mépris de moi-même, et fais-moi croire que je n'ai pas tout perdu, puisque ton cœur me reste encore.

Lettre XXX
Réponse

Fille infortunée ! Hélas, qu'as-tu fait ? Mon Dieu ! tu étais si digne d'être sage ! Que te dirai-je dans l'horreur de ta situation, et dans l'abattement où elle te plonge ? Achèveraije d'accabler ton pauvre cœur, ou t'offrirai-je des consolations qui se refusent au mien ? Te montrerai-je les objets tels qu'ils sont, ou tels qu'il te convient de les voir ? Sainte et pure amitié ! porte à mon esprit tes douces illusions, et dans la tendre pitié que tu m'inspires, abuse-moi la première sur des maux que tu ne peux plus guérir.

J'ai craint, tu le sais, le malheur dont tu gémis.[a] Combien de fois je te l'ai prédit sans être écoutée !.... Il est l'effet d'une téméraire confiance..... Ah ! ce n'est plus de tout cela qu'il s'agit. J'aurais trahi ton secret, sans doute, si j'avais pu te sauver ainsi : mais j'ai lu mieux que toi dans ton cœur trop sensible ; je le vis se consumer d'un feu dévorant que rien ne pouvait éteindre. Je sentis dans ce cœur palpitant d'amour qu'il fallait être heureuse ou mourir, et quand la peur de succomber te fit bannir ton amant avec tant de larmes, je jugeai que bientôt tu ne serais plus, ou qu'il serait bientôt rappelé. Mais quel fut mon effroi quand je te vis dégoûtée de vivre, et si près de la mort ! N'accuse ni ton amant ni toi d'une faute dont je suis la plus coupable, puisque je l'ai prévue sans la prévenir.

Il est vrai que je partis malgré moi ; tu le vis, il fallut obéir ; si je t'avais crue[b] si près de ta perte, on m'aurait plutôt mise en pièces que de m'arracher à toi. Je m'abusai sur le moment du péril. Faible et languissante encore, tu me parus en sûreté contre une si courte absence : je ne prévis pas la dangereuse alternative où tu t'allais trouver ;[c] j'oubliai que ta propre faiblesse laissait ce cœur abattu moins en état de se défendre contre lui-même. J'en demande pardon au mien, j'ai peine à me repentir d'une erreur qui t'a sauvé la vie ; je n'ai pas ce dur courage qui te faisait renoncer à moi ; je n'aurais pu te perdre sans un mortel désespoir, et j'aime encore mieux que tu vives et que tu pleures.

Mais pourquoi tant de pleurs, chère et douce amie ? Pourquoi ces regrets plus grands que ta faute, et ce mépris de toi-même que tu n'as pas mérité ? Une faiblesse effacera-t-elle tant de sacrifices, et le danger même dont tu sors n'est-il pas une preuve de ta vertu ? Tu ne penses qu'à ta défaite et oublies tous les triomphes pénibles qui l'ont précédée.[d] Si tu as plus combattu que celles qui résistent, n'as-tu pas plus fait pour l'honneur qu'elles ? Si rien ne peut te justifier, songe au moins à ce qui t'excuse. Je connais à peu près ce qu'on appelle amour ; je saurai toujours résister aux transports qu'il inspire ; mais j'aurais fait moins de résistance à un amour pareil au tien, et sans avoir été vaincue, je suis moins chaste que toi.

Ce langage te choquera ; mais ton plus grand malheur est de l'avoir rendu nécessaire ; je donnerais ma vie pour qu'il ne te fût pas propre ; car je hais les mauvaises maximes encore plus que les mauvaises actions *. Si la faute était à commettre, que j'eusse la bassesse de te parler ainsi, et toi celle de m'écouter, nous serions toutes deux les dernières des créatures. À présent, ma chère, je dois te parler ainsi, et tu dois m'écouter, ou tu es perdue : car il reste en toi mille adorables qualités que l'estime de toi-même peut seule conserver, qu'un excès de honte et^e l'abjection qui le suit détruiraient infailliblement : et c'est sur ce que tu croiras valoir encore que tu vaudras en effet [1].

Garde-toi donc de tomber dans un abattement dangereux qui t'avilirait plus que ta faiblesse. Le véritable amour est-il fait pour dégrader l'âme ? Qu'une faute que l'amour a commise ne t'ôte point ce noble enthousiasme de l'honnête et du beau, qui t'éleva toujours au-dessus de toi-même. Une tache paraît-elle au soleil ? Combien de vertus te restent pour une qui s'est altérée ? En seras-tu moins douce, moins sincère, moins modeste, moins bienfaisante ? En seras-tu moins digne, en un mot, de tous nos hommages ? L'honneur, l'humanité, l'amitié, le pur amour en seront-ils moins chers à ton cœur ? En aimeras-tu moins les vertus mêmes que tu n'auras plus ? Non, chère et bonne Julie, ta Claire en te plaignant t'adore ; elle sait, elle sent qu'il n'y a rien de bien qui ne puisse encore sortir de ton âme. Ah ! crois-moi, tu pourrais beaucoup perdre avant qu'aucune autre plus sage que toi te valût jamais.

^f Enfin tu me restes ; je puis me consoler de tout, hors de te perdre. Ta première lettre m'a fait frémir. Elle m'eût presque fait désirer la seconde, si je ne l'avais reçue en même temps. Vouloir délaisser son amie ! projeter de s'enfuir sans moi ! Tu ne parles point de ta plus grande faute. C'était de celle-là qu'il fallait cent fois plus rougir. Mais l'ingrate ne

---

* Ce sentiment est juste et sain. Les passions déréglées inspirent les mauvaises actions ; mais les mauvaises maximes corrompent la raison même, et ne laissent plus de ressource pour revenir au bien.

---

1. Réellement.

songe qu'à son amour.... Tiens, je t'aurais été tuer au bout du monde.

Je compte avec une mortelle impatience les moments que je suis forcée à passer loin de toi. Ils se prolongent cruellement ; nous sommes encore pour six jours à Lausanne, après quoi je volerai vers mon unique amie. J'irai la consoler ou m'affliger avec elle, essuyer ou partager ses pleurs. Je ferai parler dans ta douleur moins l'inflexible raison que la tendre amitié. Chère cousine,^g il faut gémir, nous aimer, nous taire, et, s'il se peut, effacer à force de vertus une faute qu'on ne répare point avec des larmes. Ah ! ma pauvre Chaillot !

Lettre XXXI
À *Julie*

Quel prodige du Ciel es-tu donc, inconcevable Julie ? Et par quel art connu de toi seule peux-tu rassembler dans un cœur tant de mouvements incompatibles ? Ivre d'amour et de volupté, le mien nage dans la tristesse ; je souffre et languis de douleur au sein de la félicité suprême, et je me reproche comme un crime l'excès de mon bonheur. Dieu ! quel tourment affreux de n'oser se livrer tout entier à nul sentiment, de les combattre incessamment l'un par l'autre, et d'allier toujours l'amertume au plaisir ! Il vaudrait mieux cent fois n'être que misérable.

Que me sert, hélas, d'être heureux [1] ? Ce ne sont plus mes maux, mais les tiens que j'éprouve, et ils ne m'en sont que plus sensibles. Tu veux en vain me cacher tes peines ; je les lis malgré toi dans la langueur et l'abattement de tes yeux. Ces yeux touchants peuvent-ils dérober quelque secret à l'amour ? Je vois, je vois sous une apparente sérénité les déplaisirs cachés qui t'assiègent, et ta tristesse voilée d'un doux sourire n'en est que plus amère à mon cœur.

Il n'est plus temps de me rien dissimuler. J'étais hier dans la chambre de ta mère ; elle me quitte un moment ; j'entends des gémissements qui me percent l'âme, pouvais-je à cet

---

1. L'adjectif a un sens sexuel.

effet méconnaître leur source ? Je m'approche du lieu d'où ils semblent partir ; j'entre dans ta chambre, je pénètre jusqu'à ton cabinet. Que devins-je en entr'ouvrant la porte, quand j'aperçus celle qui devrait être sur le trône de l'univers assise à terre, la tête appuyée sur un fauteuil inondé de ses larmes ? Ah, j'aurais moins souffert s'il l'eût été de mon sang ! De quels remords je fus à l'instant déchiré ? Mon bonheur devint mon supplice ; je ne sentis plus que tes peines, et j'aurais racheté de ma vie tes pleurs et tous mes plaisirs. Je voulais me précipiter à tes pieds, je voulais essuyer de mes lèvres ces précieuses larmes, les recueillir au fond de mon cœur, mourir ou les tarir pour jamais : j'entends revenir ta mère ; il faut retourner brusquement à ma place, j'emporte en moi toutes tes douleurs, et des regrets qui ne finiront qu'avec elles.

Que je suis humilié, que je suis avili de ton repentir ! Je suis donc bien méprisable, si notre union te fait mépriser de toi-même, et si le charme de mes jours est le[a] tourment des tiens ? Sois plus juste envers toi, ma Julie ; vois d'un œil moins prévenu les sacrés liens que ton cœur a formés. N'as-tu pas suivi les plus pures lois de la nature ? N'as-tu pas librement contracté le plus saint des engagements ? Qu'as-tu fait que les lois divines et humaines ne puissent et ne doivent autoriser ? Que manque-t-il au nœud qui nous joint qu'une déclaration publique ? Veuille être à moi, tu n'es plus coupable. Ô mon épouse ! Ô ma digne et chaste compagne ! ô [b] gloire et bonheur de ma vie ! non ce n'est point ce qu'a fait ton amour qui peut être un crime, mais ce que tu lui voudrais ôter : ce n'est qu'en acceptant un autre époux que tu peux offenser l'honneur. Sois sans cesse à l'ami de ton cœur pour être innocente. La chaîne qui nous lie est légitime, l'infidélité seule qui la romprait serait blâmable, et c'est désormais à l'amour d'être garant de la vertu.

Mais quand ta douleur serait raisonnable, quand tes regrets seraient fondés, pourquoi m'en dérobes-tu ce qui m'appartient ?[c] pourquoi mes yeux ne versent-ils pas la moitié de tes pleurs ? Tu n'as pas une peine que je ne doive sentir, pas un sentiment que je ne doive partager, et mon cœur justement jaloux te reproche toutes les larmes que tu ne répands pas dans mon sein. Dis, froide et mystérieuse amante, tout ce que ton âme ne communique point à la mienne, n'est-il pas un vol que tu fais à l'amour ? Tout ne doit-il pas être commun entre nous, ne te souvient-il plus de l'avoir dit ? Ah ! si tu savais aimer comme moi, mon bonheur te consolerait comme ta peine m'afflige, et tu sentirais mes plaisirs comme je sens ta tristesse !

Mais je le vois, tu me méprises comme un insensé, parce que ma raison s'égare au sein des délices. Mes emportements t'effrayent, mon délire te fait pitié, et tu ne sens pas que toute la force humaine ne peut suffire à des félicités sans bornes. Comment veux-tu qu'une âme sensible goûte modérément des biens infinis ? Comment veux-tu qu'elle supporte à la fois[d] tant d'espèces de transports sans sortir de son assiette ? Ne sais-tu pas qu'il est un terme où nulle raison ne résiste plus, et qu'il n'est point d'homme au monde dont le bon sens soit à toute épreuve ? Prends donc pitié de l'égarement où tu m'as jeté, et ne méprise pas des erreurs qui sont ton ouvrage. Je ne suis plus à moi, je l'avoue, mon âme aliénée est toute en toi. J'en suis plus propre à sentir tes peines et plus digne de les partager. Ô Julie, ne te dérobe pas à toi-même !

Lettre XXXII
Réponse

Il fut un temps, mon aimable ami, où nos Lettres étaient faciles et charmantes ; le sentiment qui les dictait coulait avec une élégante simplicité ; il n'avait besoin ni d'art ni de coloris[1], et sa pureté faisait toute sa parure. Cet heureux temps n'est plus : hélas ! il ne peut revenir ; et pour premier effet d'un changement si cruel, nos cœurs ont déjà cessé de s'entendre.

Tes yeux ont vu mes douleurs. Tu crois en avoir pénétré la source ; tu veux me consoler par de vains discours, et

---

1. Terme de peinture. « La couleur est ce qui rend les objets sensibles à la vue, et le *coloris* est l'art d'imiter les couleurs des objets naturels relativement à leur position », peut-on lire dans l'article « Coloris » de l'*Encyclopédie* (vol. 3, 1753) : Julie reproche au style de Saint-Preux un caractère fabriqué.

quand tu penses m'abuser, c'est toi, mon ami, qui t'abuses. Crois-moi, crois-en le cœur tendre de ta Julie ; mon regret est bien moins d'avoir donné trop à l'amour que de l'avoir privé de son plus grand charme. Ce doux enchantement de vertu s'est évanoui comme un songe : nos feux ont perdu cette ardeur divine qui les animait en les épurant ; nous avons recherché le plaisir et le bonheur a fui loin de nous. Ressouviens-toi de ces moments délicieux où nos cœurs s'unissaient d'autant mieux que nous nous respections davantage, où la passion tirait de son propre excès la force de se vaincre elle-même, où l'innocence nous consolait de la contrainte, où les hommages rendus à l'honneur tournaient tous au profit de l'amour. Compare un état si charmant à notre situation présente : que d'agitations ! que d'effroi ! que de mortelles alarmes ! que de sentiments immodérés ont perdu leur première douceur ! [1] Qu'est devenu ce zèle de sagesse et d'honnêteté dont l'amour animait toutes les actions de notre vie, et qui rendait à son tour l'amour plus délicieux ? Notre jouissance était paisible et durable ; nous n'avons plus que des transports : ce bonheur insensé ressemble à des accès de fureur plus qu'à de tendres caresses. Un feu pur et sacré brûlait nos cœurs ; livrés aux erreurs des sens, nous ne sommes plus que des amants vulgaires [2] ; trop heureux si l'amour jaloux daigne présider encore, à des plaisirs que le plus vil mortel peut goûter sans lui.

Voilà, mon ami, les pertes qui nous sont communes et que je ne pleure pas moins pour toi que pour moi. Je n'ajoute rien sur les miennes, ton cœur est fait pour les sentir. Vois ma honte, et gémis si tu sais aimer. Ma faute est irréparable, mes pleurs ne tariront point. Ô toi qui les fais couler, crains d'attenter à de si justes douleurs ; tout mon espoir est de les rendre éternelles ; le pire de mes maux serait d'en être consolée, et c'est le dernier degré de l'opprobre de perdre avec l'innocence le sentiment qui nous la fait aimer.

Je connais mon sort, j'en sens l'horreur, et cependant il me reste une consolation dans mon désespoir, elle est unique, mais elle est douce. C'est de toi que je l'attends, mon aimable ami. Depuis que je n'ose plus porter mes

---

1. Ponctuation modifiée. **2.** Qui ressemblent à tout le monde.

regards sur moi-même, je les porte avec plus de plaisir sur celui que j'aime. Je te rends tout ce que tu m'ôtes de ma propre estime, et tu ne m'en deviens que plus cher en me forçant à me haïr. L'amour, cet amour fatal qui me perd te donne un nouveau prix ; tu t'élèves quand je me dégrade ; ton âme semble avoir profité de tout l'avilissement de la mienne. Sois donc désormais mon unique espoir, c'est à toi de justifier s'il se peut ma faute ; couvre-la de l'honnêteté de tes sentiments ; que ton mérite efface ma honte ; rends excusable à force de vertus la perte de celles que tu me coûtes. Sois tout mon être, à présent que je ne suis plus rien. Le seul honneur qui me reste est tout en toi, et tant que tu seras digne de respect, je ne serai pas tout à fait méprisable.

Quelque regret que j'aie au retour de ma santé, je ne saurais le dissimuler plus longtemps. Mon visage démentirait mes discours, et ma feinte convalescence ne peut plus tromper personne. Hâte-toi donc, avant que je sois forcée de reprendre mes occupations ordinaires, de faire la démarche dont nous sommes convenus. Je vois clairement que ma mère a conçu des soupçons et qu'elle nous observe. Mon père n'en est pas là, je l'avoue : ce fier gentilhomme n'imagine pas même qu'un roturier puisse être amoureux de sa fille ; mais enfin, tu sais ses résolutions ; il te préviendra si tu ne le préviens, et pour avoir voulu te conserver le même accès dans notre maison, tu t'en banniras tout à fait. Crois-moi, parle à ma mère tandis qu'il en est encore temps. Feins des affaires qui t'empêchent de continuer à m'instruire, et renonçons à nous voir si souvent, pour nous voir au moins quelquefois : car si l'on te ferme la porte tu ne peux plus t'y présenter ; mais si tu te la fermes toi-même, tes visites seront en quelque sorte à ta discrétion, et avec un peu d'adresse et de complaisance, tu pourras les rendre plus fréquentes dans la suite, sans qu'on l'aperçoive ou qu'on le trouve mauvais. Je te dirai ce soir les moyens que j'imagine d'avoir d'autres occasions de nous voir, et tu conviendras que l'inséparable Cousine, qui causait autrefois tant de murmures, ne sera pas maintenant inutile à deux amants qu'elle n'eût point dû quitter.

Lettre XXXIII
De Julie

Ah, mon ami, le mauvais refuge pour deux amants qu'une assemblée ! Quel tourment de se voir et de se contraindre ! Il vaudrait mieux cent fois ne se point voir. Comment avoir l'air tranquille avec tant d'émotion ? Comment être si différent de soi-même ? Comment songer à tant d'objets quand on n'est occupé que d'un seul ? Comment contenir le geste et les yeux quand le cœur vole ? Je ne sentis de ma vie un trouble égal à celui que j'éprouvai hier quand on t'annonça chez Mad[e] d'Hervart. Je pris ton nom prononcé[1] pour un reproche qu'on m'adressait ; je m'imaginai que tout le monde m'observait de concert[2] ; je ne savais plus ce que je faisais, et à ton arrivée je rougis si prodigieusement, que ma Cousine, qui veillait sur moi, fut contrainte d'avancer son visage et son éventail, comme pour me parler à l'oreille. Je tremblai que cela même ne fît un mauvais effet, et qu'on cherchât du mystère à cette chuche-terie[3]. En un mot, je trouvais partout de nouveaux sujets d'alarmes, et je ne sentis jamais mieux combien une conscience coupable arme contre nous de témoins qui n'y songent pas.

Claire prétendit remarquer que tu ne faisais pas une meilleure figure ; tu lui paraissais embarrassé de ta contenance, inquiet de ce que tu devais faire, n'osant aller ni venir, ni m'aborder ni t'éloigner, et promenant tes regards à la ronde pour avoir, disait-elle, occasion de les tourner sur nous. Un peu remise de mon agitation, je crus m'apercevoir moi-même de la tienne, jusqu'à ce que la jeune Madame Belon t'ayant adressé la parole, tu t'assis en causant avec elle, et devins plus calme à ses côtés.

Je sens, mon ami, que cette manière de vivre, qui donne tant de contrainte et si peu de plaisir, n'est pas bonne pour nous : nous aimons trop pour pouvoir nous gêner ainsi. Ces

---

1. Comme celui du narrateur proustien, ce « nom » ne sera jamais prononcé pour le lecteur. **2.** D'intelligence, en s'étant tous concertés. **3.** Graphie archaïque corrigée en *chuchoterie* dans DC. Trévoux donne pour synonyme *chuchètement*, qui est supplanté par la forme moderne *chuchotement*.

rendez-vous publics ne conviennent qu'à des gens qui, sans connaître l'amour, ne laissent pas d'être bien ensemble, ou qui peuvent se passer du mystère : les inquiétudes sont trop vives de ma part, les indiscrétions trop dangereuses de la tienne, et je ne puis pas tenir une Madame Belon toujours à mes côtés, pour faire diversion au besoin.

Reprenons, reprenons cette vie solitaire et paisible, dont je t'ai tiré si mal à propos. C'est elle qui a fait naître et nourri nos feux ; peut-être s'affaibliraient-ils par une manière de vivre plus dissipée. Toutes les grandes passions se forment dans la solitude ; on n'en a point de semblables dans le monde, où nul objet n'a le temps de faire une profonde impression, et où la multitude des goûts énerve la force des sentiments. Cet état est aussi plus convenable à ma mélancolie ; elle s'entretient du même aliment que mon amour ; c'est ta chère image qui soutient l'une et l'autre, et j'aime mieux te voir tendre et sensible au fond de mon cœur, que contraint et distrait dans une assemblée.

Il peut, d'ailleurs, venir un temps où je serais forcée à une plus grande retraite ; fût-il déjà venu, ce temps désiré ! La prudence et mon inclination veulent également que je prenne d'avance des habitudes conformes à ce que peut exiger la nécessité. Ah ! si de mes fautes pouvait naître le moyen de les réparer ! Le doux espoir d'être un jour...... Mais insensiblement j'en dirais plus que je n'en veux dire sur le projet qui m'occupe. Pardonne-moi ce mystère, mon unique Ami, mon cœur n'aura jamais de secret qui ne te fût doux à savoir. Tu dois pourtant ignorer celui-ci, et tout ce que je t'en puis dire à présent, c'est que l'amour qui fit nos maux, doit nous en donner le remède [1]. Raisonne, commente, si tu veux dans ta tête ; mais je te défends de m'interroger là-dessus.

---

1. Thème typiquement rousseauiste du remède dans le mal. Saint-Preux répondra à ce souhait de grossesse par une invitation sexuelle assez hardie à la fin de sa réponse. Julie s'expliquera sur ses mobiles dans la lettre III, 18.

Lettre XXXIV
Réponse

Nò, non vedrete mai
Cambiar gl' affetti miei,
Bei lumi onde imparai
A sospirar d'amor.

[Non, non, beaux yeux qui m'apprîtes à soupirer,
Jamais vous ne verrez changer mes affections [1].]

Que je dois l'aimer, cette jolie Madame Belon, pour le plaisir qu'elle m'a procuré ! Pardonne-le-moi, divine Julie, j'osai jouir un moment de tes tendres alarmes, et ce moment fut un des plus doux de ma vie. Qu'ils étaient charmants, ces regards inquiets, et curieux qui se portaient sur nous à la dérobée, et se baissaient aussitôt pour éviter les miens ! Que faisait alors ton heureux amant ? S'entretenait-il avec Madame Belon ? Ah, ma Julie, peux-tu le croire ? Non, non, fille incomparable ; il était plus dignement occupé. Avec quel charme son cœur suivait les mouvements du tien ! Avec quelle avide impatience ses yeux dévoraient tes attraits ! Ton amour, ta beauté remplissaient, [2] ravissaient son âme ; elle pouvait suffire à peine à tant de sentiments délicieux. Mon seul regret était de goûter aux dépens de celle que j'aime des plaisirs qu'elle ne partageait pas. Sais-je ce que durant tout ce temps me dit Madame Belon ? Sais-je ce que je lui répondis ? Le savais-je au moment de notre entretien ? A-t-elle pu le savoir elle-même, et pouvait-elle comprendre la moindre chose aux discours d'un homme qui parlait sans penser et répondait sans entendre ?

Com' huom, che par ch' ascolti, e nulla intende.

[Comme celui qui semble écouter et qui n'entend rien [3].]

Aussi m'a-t-elle pris dans le plus parfait dédain. Elle a dit à tout le monde, à toi peut-être, que je n'ai pas le sens commun, qui pis est pas le moindre esprit, et que je suis

---

1. Métastase, *Ciro riconosciuto*, III, 12, v. 1388-1391, vol. 2, p. 590. Trad. par Rousseau dans DC. **2.** Nous ajoutons ici une virgule. **3.** Pétrarque, *Rime estravaganti*, sonnet 1, v. 8, Mondadori, 1996, p. 649. Trad. par Rousseau dans DC.

tout aussi sot que mes livres. Que m'importe ce qu'elle en dit et ce qu'elle en pense ? Ma Julie ne décide-t-elle pas seule de mon être et du rang que je veux avoir ? Que le reste de la terre pense de moi comme il voudra, tout mon prix est dans ton estime.

Ah, crois qu'il n'appartient ni à Madame Belon ni à toutes les beautés supérieures à la sienne, de faire la diversion dont tu parles, et d'éloigner un moment de toi mon cœur et mes yeux ! Si tu pouvais douter de ma sincérité, si tu pouvais faire cette mortelle injure à mon amour et à tes charmes, dis-moi, qui pourrait avoir tenu registre de tout ce qui se fit autour de toi ? Ne te vis-je pas briller entre ces jeunes beautés comme le soleil entre les astres qu'il éclipse ? N'aperçus-je pas les Cavaliers * se rassembler autour de ta chaise ? Ne vis-je pas au dépit de tes compagnes l'admiration qu'ils marquaient pour toi ? Ne vis-je pas leurs respects empressés, et leurs hommages, et leurs galanteries ? Ne te vis-je pas recevoir tout cela avec cet air de modestie et d'indifférence qui en impose plus que la fierté ? Ne vis-je pas, quand tu te dégantais pour la collation l'effet que ce bras découvert produisit sur les spectateurs [1] ? Ne vis-je pas le jeune étranger qui releva ton gant vouloir baiser la main charmante qui le recevait ? N'en vis-je pas un plus téméraire dont l'œil ardent suçait mon sang et ma vie t'obliger quand tu t'en fus aperçue d'ajouter une épingle à ton fichu ? Je n'étais pas si distrait que tu penses ; je vis tout cela, Julie, et n'en fus point jaloux ; car je connais ton cœur. Il n'est pas, je le sais bien, de ceux qui peuvent aimer deux fois. Accuseras-tu le mien d'en être ?

Reprenons-la donc, cette vie solitaire que je ne quittai qu'à regret. Non, le cœur ne se nourrit point dans le tumulte du monde. Les faux plaisirs lui rendent la privation des vrais

---

* *Cavaliers* : vieux mot qui ne se dit plus. On dit : *hommes*. J'ai cru devoir aux provinciaux cette importante remarque, afin d'être au moins une fois utile au public. [NdE : Féraud note : « On ne le dit plus qu'en province. » Note lexicale absente de CL qui donne la leçon *homme*.]

---

1. Peut-être un souvenir de la main dénudée que fait voir Marianne à l'église (Marivaux, *La Vie de Marianne*, partie II, 1731).

plus amère, et il préfère sa souffrance à de vains dédommagements. Mais, ma Julie, il en est, il en peut être de plus solides à la contrainte où nous vivons, et tu sembles les oublier ! Quoi, passer quinze jours entiers si près l'un de l'autre sans se voir, ou sans se rien dire ! Ah, que veux-tu qu'un cœur brûlé d'amour fasse durant tant de siècles ? L'absence même serait moins cruelle. Que sert un excès de prudence qui nous fait plus de maux qu'il n'en prévient ? Que sert de prolonger sa vie avec son supplice ? Ne vaudrait-il pas mieux cent fois se voir un seul instant et puis mourir ?

Je ne le cache point, ma douce Amie, j'aimerais à pénétrer l'aimable secret que tu me dérobes, il n'en fut jamais de plus intéressant pour nous ; mais j'y fais d'inutiles efforts. Je saurai pourtant garder le silence que tu m'imposes, et contenir une indiscrète curiosité ; mais en respectant un si doux mystère, que n'en puis-je au moins assurer l'éclaircissement ? Qui sait, qui sait encore si tes projets ne portent point sur des chimères ? Chère âme de ma vie, ah ! commençons du moins par les bien réaliser.

P. S. J'oubliais de te dire que M. Roguin m'a offert une compagnie dans le Régiment qu'il lève pour le Roi de Sardaigne. J'ai été sensiblement touché de l'estime de ce brave officier ; je lui ai dit, en le remerciant, que j'avais la vue trop courte [1] pour le service et que ma passion pour l'étude s'accordait mal avec une vie aussi active. En cela, je n'ai point fait un sacrifice à l'amour. Je pense que chacun doit sa vie et son sang à la patrie, qu'il n'est pas permis de s'aliéner à des Princes auxquels on ne doit rien, moins encore de se vendre et de faire du plus noble métier du monde celui d'un vil mercenaire. Ces maximes étaient celles de mon père que je serais bien heureux d'imiter dans son amour pour ses devoirs et pour son pays [2]. Il ne voulut jamais entrer au service d'aucun Prince étranger : Mais dans la guerre de 1712 il porta les armes avec honneur pour la patrie ; il se

---

1. Saint-Preux est myope, tout comme son créateur. **2.** « Jean-Jacques, aime ton pays », lui dit son père à la fin du souvenir d'enfance qui clôt la *Lettre à d'Alembert* (1758, p. 193). Tout, dans ce *post-scriptum*, oppose le père de Saint-Preux à celui de Julie, qui s'est fait « mercenaire ».

trouva dans plusieurs combats à l'un desquels il fut blessé ;
et à la bataille de Wilmerghen, il eut le bonheur d'enlever
un Drapeau ennemi sous les yeux du Général de Sacconex [1].

Lettre XXXV
De Julie

Je ne trouve pas, mon Ami, que les deux mots que j'avais
dits en riant sur Madame Belon valussent une explication si
sérieuse. Tant de soins à se justifier produisent quelquefois
un préjugé contraire, et c'est l'attention qu'on donne aux
bagatelles, qui seule en fait des objets importants. Voilà ce
qui sûrement n'arrivera pas entre nous ; car les cœurs bien
occupés ne sont guère pointilleux, et les tracasseries des
Amants sur des riens ont presque toujours un fondement
beaucoup plus réel qu'il ne semble.

Je ne suis pas fâchée pourtant que cette bagatelle nous
fournisse une occasion de traiter entre nous de la jalousie ;
sujet malheureusement trop important pour moi.

Je vois, mon ami, par la trempe de nos âmes et par le tour
commun de nos goûts, que l'amour sera la grande affaire
de notre vie. Quand une fois il a fait les impressions profondes que nous en avons reçues,[a] il faut qu'il éteigne ou
absorbe toutes les autres passions ; le moindre refroidisse-
ment serait bientôt pour nous la langueur de la mort ; un
dégoût invincible, un éternel ennui, succéderaient à l'amour
éteint, et nous ne saurions longtemps vivre après avoir cessé
d'aimer. En mon particulier, tu sens bien qu'il n'y a que le
délire de la passion qui puisse me voiler l'horreur de ma
situation présente, et qu'il faut que j'aime avec transport,
ou que je meure de douleur. Vois donc si je suis fondée à
discuter sérieusement un point, d'où doit dépendre le bonheur ou le malheur de mes jours !

Autant que je puis juger de moi-même, il me semble que,
souvent affectée avec trop de vivacité, je suis pourtant peu

_____

1. Le lieutenant-général Sacconex, au service du canton de Berne, fut blessé
à cette bataille contre les cantons catholiques (25 juillet 1712). Daniel
Roguin était le nom du « doyen » des amis de Rousseau (*Confessions*,
livre VII, GF, t. II, p. 17).

sujette à l'emportement. Il faudrait que mes peines eussent
fermenté longtemps en dedans, pour que j'osasse en découvrir la source à leur Auteur, et comme je suis persuadée
qu'on ne peut faire une offense sans le vouloir, je supporte-
rais plutôt cent sujets de plainte qu'une explication. Un
pareil caractère doit mener loin pour peu qu'on ait de penchant à la jalousie, et j'ai bien peur de sentir en moi ce
dangereux penchant. Ce n'est pas que je ne sache que ton
cœur est fait pour le mien et non pour un autre : Mais on
peut s'abuser soi-même, prendre un goût passager pour une
passion, et faire autant de choses par fantaisie qu'on en eût
peut-être fait par amour. Or si tu peux te croire inconstant
sans l'être, à plus forte raison puis-je t'accuser à tort d'infidélité [1]. Ce doute affreux empoisonnerait pourtant ma vie ;
je gémirais sans me plaindre et mourrais inconsolable sans
avoir cessé d'être aimée.

Prévenons, je t'en conjure, un malheur dont la seule idée
me fait frissonner. Jure-moi donc, mon doux ami, non par
l'amour, serment qu'on ne tient que quand il est superflu ;
mais par ce nom sacré de l'honneur, si respecté de toi, que
je ne cesserai jamais d'être la confidente de ton cœur, et
qu'il n'y surviendra point de changement dont je ne sois la
première instruite. Ne m'allègue pas que tu n'auras jamais
rien à m'apprendre ; je le crois, je l'espère ; mais préviens
mes folles alarmes, et donne-moi dans tes engagements pour
un avenir qui ne doit point être, l'éternelle sécurité du présent. Je serais moins à plaindre d'apprendre de toi mes malheurs réels que d'en souffrir sans cesse d'imaginaires ; je
jouirais au moins de tes remords ; si tu ne partageais plus
mes feux, tu partagerais encore mes peines, et je trouverais
moins amères les larmes que je verserais dans ton sein.

C'est ici, mon ami, que je me félicite doublement de mon
choix, et par le doux lien qui nous unit et par la probité qui
l'assure ; voilà l'usage de cette règle de sagesse dans les
choses de pur sentiment ; voilà comment la vertu sévère sait

---

1. Gradation : *inconstant* est synonyme de léger en amour, par défaut de
caractère ; l'*infidélité* désigne un manque de parole, par perfidie. Souvenir
possible de Racine : « Je t'aimais inconstant, qu'aurais-je fait fidèle ? »
(*Andromaque*, IV, 1).

écarter les peines du tendre amour. Si j'avais un amant sans principes, dût-il m'aimer éternellement, où seraient pour moi les garants de cette constance ? Quels moyens aurais-je de me délivrer de mes défiances continuelles, et comment m'assurer de n'être point abusée ou par sa feinte ou par ma crédulité ? Mais toi, mon digne et respectable ami, toi qui n'es capable ni d'artifice ni de déguisement tu me garderas, je le sais, la sincérité que tu m'auras promise. La honte d'avouer une infidélité ne l'emportera point dans ton âme droite sur le devoir de tenir ta parole, et si tu pouvais ne plus aimer ta Julie, tu lui dirais........ Oui, tu pourrais lui dire,[b] ô Julie, je ne.... Mon ami, jamais je n'écrirai ce mot-là.

Que penses-tu de mon expédient ? C'est le seul j'en suis sûre qui pouvait déraciner en moi tout sentiment de jalousie. Il y a je ne sais quelle délicatesse qui m'enchante à me fier de ton amour à ta bonne foi, et à m'ôter le pouvoir de croire une infidélité que tu ne m'apprendrais pas toi-même. Voilà, mon cher, l'effet assuré de l'engagement que je t'impose ; car je pourrais te croire amant volage, mais non pas ami trompeur[1], et quand je douterais de ton cœur, je ne puis jamais douter de ta foi. Quel plaisir je goûte à prendre en ceci des précautions inutiles, à prévenir les apparences d'un changement dont je sens si bien l'impossibilité ! Quel charme de parler de jalousie avec un Amant si fidèle ! Ah, si tu pouvais cesser de l'être ne crois pas que je t'en parlasse ainsi ! Mon pauvre cœur ne serait pas si sage au besoin, et la moindre défiance m'ôterait bientôt la volonté de m'en garantir.

Voilà, mon très honoré maître, matière à discussion pour ce soir : car je sais que vos deux humbles Disciples auront l'honneur de souper avec vous chez le père de l'inséparable. Vos doctes commentaires sur la gazette[2] vous ont tellement fait trouver grâce devant lui, qu'il n'a pas fallu beaucoup de manège pour vous faire inviter. La fille a fait accorder son Clavecin ; le père a feuilleté Lamberti[3] ; moi, je recorderai[4]

---

1. Voir II, 26. **2.** Voir I, 7. **3.** L'historien Guillaume de Lamberty, auteur des *Mémoires pour servir à l'histoire du XVIIIe siècle* (1724-1740). **4.** « Répéter quelque chose afin de l'apprendre par cœur. Il ne se dit guère qu'en cette phrase : *Recorder sa leçon.* Il est du style familier » (*Acad.* 1762).

peut-être la leçon du bosquet de Clarens : ô Docteur en toutes facultés, vous avez partout quelque science de mise. M. d'Orbe, qui n'est pas oublié, comme vous pouvez penser, a le mot [1] pour entamer une savante dissertation sur le futur hommage du Roi de Naples [2], durant laquelle nous passerons tous trois dans la chambre de la Cousine. C'est là, mon féal, qu'à genoux devant votre Dame et maîtresse, vos deux mains dans les siennes et en présence de son Chancelier, vous lui jurerez foi et loyauté à toute épreuve, non pas à dire amour éternel ; engagement qu'on n'est maître ni de tenir ni de rompre ; mais vérité, sincérité, franchise inviolable. Vous ne jurerez point d'être toujours soumis, mais de ne point commettre acte de félonie, et de déclarer au moins la guerre avant de secouer le joug. Ce faisant aurez l'accolade, et serez reconnu vassal unique et loyal Chevalier [3].

Adieu, mon bon Ami, l'idée du souper de ce soir m'inspire de la gaieté. Ah ! qu'elle me sera douce quand je te la verrai partager !

Lettre XXXVI
De Julie

Baise cette Lettre et saute de joie pour la nouvelle que je vais t'apprendre ; mais pense que pour ne point sauter et n'avoir rien à baiser, je n'y suis pas la moins sensible. Mon père obligé d'aller à Berne pour son procès, et de là à Soleure pour sa pension, a proposé à ma mère d'être du voyage, et elle l'a accepté espérant pour sa santé quelque effet salutaire du changement d'air [4]. On voulait me faire la grâce de m'emmener aussi, et je ne jugeai pas à propos de dire ce que j'en pensais : mais la difficulté des arrangements de voiture a fait abandonner ce projet, et l'on travaille à me consoler de n'être

---

1. Est complice. **2.** En mai 1734, Carlos, futur roi d'Espagne, conquiert Naples, ce qui occasionne une querelle avec le pape, Clément XII. **3.** Parodie de « langage troubadour ». Rousseau a lu *L'Histoire et plaisante chronique du petit Jehan de Saintré* (1456) d'Antoine de La Sale, qu'il cite dans la *Lettre à d'Alembert* (p. 100). Voir É. Leborgne, « De Saintré à Saint-Preux : culte amoureux et vassalité » (2002). **4.** La mère de Julie souffre d'une hydropisie de poitrine, comme nous l'apprend Claire (III, 7).

pas de la partie. Il fallait feindre de la tristesse, et le faux rôle que je me vois contrainte à jouer m'en donne une si véritable, que le remords m'a presque dispensée de la feinte.

Pendant l'absence de mes parents, je ne resterai point maîtresse de maison ; mais on me dépose chez le Père de la Cousine, en sorte que je serai tout de bon durant ce temps inséparable de l'inséparable. De plus ; ma mère a mieux aimé se passer de femme de chambre et me laisser Babi pour gouvernante : sorte d'Argus [1] peu dangereux dont on ne doit ni corrompre la fidélité ni se faire des confidents, mais qu'on écarte aisément au besoin, sur la moindre lueur de plaisir ou de gain qu'on leur offre.

Tu comprends quelle facilité nous aurons à nous voir durant une quinzaine de jours ; mais c'est ici que la discrétion doit suppléer à la contrainte, et qu'il faut nous imposer volontairement la même réserve à laquelle nous sommes forcés dans d'autres temps. Non seulement tu ne dois pas, quand je serai chez ma Cousine, y venir plus souvent qu'auparavant, de peur de la compromettre ; j'espère même qu'il ne faudra te parler ni des égards qu'exige son sexe, ni des droits sacrés de l'hospitalité, et qu'un honnête homme n'aura pas besoin qu'on l'instruise du respect dû par l'amour à l'amitié qui lui donne asile. Je connais tes vivacités, mais j'en connais les bornes inviolables. [a] Si tu n'avais jamais fait de sacrifice à ce qui est honnête, tu n'en aurais point à faire aujourd'hui.

D'où vient cet air mécontent et cet œil attristé ? Pourquoi murmurer [2] des Lois que le devoir t'impose ? Laisse à ta Julie le soin de les adoucir ; t'es-tu jamais repenti d'avoir été docile à sa voix ? Près des coteaux fleuris d'où part la source de la Vevaise [3], il est un hameau solitaire qui sert quelquefois de repaire aux chasseurs et ne devrait servir que d'asile aux amants. Autour de l'habitation principale dont M. d'Orbe dispose, sont épars assez loin quelques Chalets *, qui de leurs

---

* Sorte de maisons de bois où se font les fromages et diverses espèces de laitage dans la montagne. [NdE : le mot *chalet*, attesté en 1723, est récent ; mais c'est ce roman qui va le populariser.]

---

1. Dans la mythologie romaine, prince aux cent yeux chargé par Junon de surveiller Io, aimée de Jupiter, et qu'elle a transformée par jalousie en vache (Ovide, *Métamorphoses*, I, v. 623 *sq.*, éd. D. Robert, p. 61-65). **2.** Se plaindre sourdement. **3.** Veveyse : rivière suisse qui se jette dans le Léman à Vevey.

toits de chaume peuvent couvrir l'amour et le plaisir, amis de la simplicité rustique. Les fraîches et discrètes laitières savent garder pour autrui le secret dont elles ont besoin pour elles-mêmes. Les ruisseaux qui traversent les prairies sont bordés d'arbrisseaux et de bocages délicieux. Des bois épais offrent au delà des asiles plus déserts et plus sombres.

> *Al bel seggio riposto, ombroso e fosco,*
> *Ne mai pastori appressan, ne bifolci.*

[Jamais pâtre ni laboureur n'approcha des épais ombrages qui couvrent ces charmants asiles [1].]

L'art ni la main des hommes n'y montrent nulle part leurs soins inquiétants ; on n'y voit partout que les tendres soins de la Mère commune. C'est là mon ami, qu'on n'est que sous ses auspices et qu'on peut n'écouter que ses lois. Sur l'invitation de M. d'Orbe, Claire a déjà persuadé à son papa qu'il avait envie d'aller faire avec quelques amis, une chasse de deux ou trois jours dans ce Canton, et d'y mener les Inséparables. Ces Inséparables en ont d'autres, comme tu ne sais que trop bien. L'un représentant le maître de la maison, en fera naturellement les honneurs ; l'autre avec moins d'éclat pourra faire à sa Julie ceux d'un humble chalet, et ce chalet consacré par l'amour sera pour eux le Temple de Gnide [2]. Pour exécuter heureusement et sûrement ce charmant projet, il n'est question que de quelques arrangements qui se concerteront facilement entre nous, et qui feront partie eux-mêmes des plaisirs qu'ils doivent produire. Adieu, mon ami, je te quitte brusquement, de peur de surprise [3]. Aussi bien, je sens que le cœur de ta Julie vole un peu trop tôt habiter le Chalet.

P. S. Tout bien considéré, je pense que nous pourrons sans indiscrétion nous voir presque tous les jours ; savoir, chez ma Cousine de deux jours l'un, et l'autre à la promenade.

---

1. Pétrarque, *Canzoniere*, n° 323, v. 40-41, p. 437. Trad. de Rousseau dans DC. Le texte italien porte : *Ne pastori appresavan*. **2.** Le temple, dédié à Vénus, est le lieu où se retrouvent les amants fidèles. L'allusion au conte galant et allégorique de Montesquieu (*Le Temple de Gnide*, 1725), qui oppose l'amour luxurieux des sens à l'amour tendre et pudique, est délibérée. **3.** De peur d'être surprise par quelqu'un.

Lettre XXXVII
De Julie

Ils sont partis ce matin, ce tendre père et cette mère incomparable, en accablant des plus tendres caresses une fille chérie, et trop indigne de leurs bontés. Pour moi, je les embrassais avec un léger serrement de cœur, tandis qu'au dedans de lui-même, ce cœur ingrat et dénaturé pétillait d'une odieuse joie. Hélas ! qu'est devenu ce temps heureux où je menais incessamment sous leurs yeux une vie innocente et sage, où je n'étais bien que contre leur sein, et ne pouvais les quitter d'un seul pas sans déplaisir ? Maintenant coupable et craintive, je tremble en pensant à eux, je rougis en pensant à moi ; tous mes bons sentiments se dépravent, et je me consume en vains et stériles regrets que n'anime pas même un vrai repentir. Ces amères réflexions m'ont rendu toute la tristesse que leurs adieux ne m'avaient pas d'abord donnée. Une secrète angoisse étouffait mon âme après le départ de ces chers parents. Tandis que Babi faisait les paquets, je suis entrée machinalement dans la chambre de ma mère, et voyant quelques-unes de ses hardes [1] encore éparses, je les ai toutes baisées l'une après l'autre en fondant en larmes. Cet état d'attendrissement m'a un peu soulagée, et j'ai trouvé quelque sorte de consolation à sentir que les doux mouvements de la nature ne sont pas tout à fait éteints dans mon cœur. Ah, tyran ! tu veux en vain l'asservir tout entier, ce tendre et trop faible cœur ; malgré toi, malgré tes prestiges [2], il lui reste au moins des sentiments légitimes, il respecte et chérit encore des droits plus sacrés que les tiens.

Pardonne, ô mon doux ami, ces mouvements involontaires, et ne crains pas que j'étende ces réflexions aussi loin que je le devrais. Le moment de nos jours, peut-être, où notre amour est le plus en liberté, n'est pas, je le sais bien, celui des regrets : je ne veux ni te cacher mes peines ni t'en accabler ; il faut que tu les connaisses, non pour les porter

---

1. « Se dit généralement de tout ce qui est de l'usage nécessaire et ordinaire pour l'habillement » (*Acad.* 1762). **2.** « Illusion par sortilège, fascination » (*Acad.* 1762).

mais pour les adoucir. Dans le sein de qui les épancherais-je, si je n'osais les verser dans le tien ? N'es-tu pas mon tendre consolateur ? N'est-ce pas toi qui soutiens mon courage ébranlé ? N'est-ce pas toi qui nourris dans mon âme le goût de la vertu, même après que je l'ai perdue ? Sans toi, sans cette adorable amie dont la main compatissante essuya si souvent mes pleurs, combien de fois n'eussé-je pas déjà succombé sous le plus mortel abattement ? Mais vos tendres soins me soutiennent ; je n'ose m'avilir tant que vous m'estimez encore, et je me dis avec complaisance que vous ne m'aimeriez pas tant l'un et l'autre, si je n'étais digne que de mépris. Je vole dans les bras de cette chère Cousine, ou plutôt de cette tendre sœur, [1] déposer au fond de son cœur une importune tristesse. Toi, viens ce soir achever de rendre au mien la joie et la sérénité qu'il a perdues.

Lettre XXXVIII
À *Julie*

Non, Julie, il ne m'est pas possible de ne te voir chaque jour que comme je t'ai vue la veille : il faut que mon amour s'augmente et croisse incessamment avec tes charmes, et tu m'es une source inépuisable de sentiments nouveaux que je n'aurais pas même imaginés. Quelle soirée inconcevable ! Que de délices inconnues tu fis éprouver à mon cœur ! Ô tristesse enchanteresse ! Ô langueur d'une âme attendrie ! combien vous surpassez les turbulents plaisirs, et la gaieté folâtre, et la joie emportée, et tous les transports qu'une ardeur sans mesure offre aux désirs effrénés des amants ! Paisible et pure jouissance qui n'a rien d'égal dans la volupté des sens, jamais, jamais ton pénétrant souvenir ne s'effacera de mon cœur ! Dieux ! quel ravissant spectacle ou plutôt quelle extase, de voir deux Beautés si touchantes s'embrasser tendrement, le visage de l'une se pencher sur le sein de l'autre, leurs douces larmes se confondre, et baigner ce sein charmant comme la rosée du Ciel humecte un lis fraîchement éclos ! J'étais jaloux d'une amitié si tendre ; je

---

1. Nous ajoutons une virgule.

lui trouvais je ne sais quoi de plus intéressant [1] qu'à l'amour même, et je me voulais une sorte de mal de ne pouvoir t'offrir des consolations aussi chères, sans les troubler par l'agitation de mes transports. Non, rien, rien sur la terre n'est capable d'exciter un si voluptueux attendrissement que vos mutuelles caresses, et le spectacle de deux amants eût offert à mes yeux une sensation moins délicieuse.

Ah, qu'en ce moment j'eusse été amoureux de cette aimable Cousine, si Julie n'eût pas existé. Mais non, c'était Julie elle-même qui répandait son charme invincible sur tout ce qui l'environnait [2]. Ta robe, ton ajustement, tes gants, ton éventail, ton ouvrage ; tout ce qui frappait autour de toi mes regards enchantait mon cœur, et toi seule faisais tout l'enchantement. Arrête, ô ma douce amie ! à force d'augmenter mon ivresse tu m'ôterais le plaisir de la sentir. Ce que tu me fais éprouver approche d'un vrai délire, et je crains d'en perdre enfin la raison. Laisse-moi du moins connaître un égarement qui fait mon bonheur ; laisse-moi goûter ce nouvel enthousiasme, plus sublime, plus vif que toutes les idées que j'avais de l'amour. Quoi tu peux te croire avilie ! quoi la passion t'ôte-t-elle aussi le sens [3] ? Moi, je te trouve trop parfaite pour une mortelle. Je t'imaginerais d'une espèce plus pure, si ce feu dévorant qui pénètre ma substance ne m'unissait à la tienne et ne me faisait sentir qu'elles sont la même. Non, personne au monde ne te connaît ; tu ne te connais pas toi-même ; mon cœur seul te connaît, te sent, et sait te mettre à ta place. Ma Julie ! Ah quels hommages te seraient ravis, si tu n'étais qu'adorée ! Ah ! si tu n'étais qu'un ange, combien tu perdrais de ton prix !

Dis-moi comment il se peut qu'une passion telle que la mienne puisse augmenter ? Je l'ignore, mais je l'éprouve. Quoique tu me sois présente dans tous les temps, il y a quelques jours surtout que ton image plus belle que jamais me poursuit et me tourmente avec une activité à laquelle ni lieu ni temps ne me dérobe, et je crois que tu me laissas avec elle dans ce chalet que tu quittas en finissant ta dernière

---

1. Voir I, 12, n. 3, p. 86. **2.** Sur cette influence de Julie sur son entourage, voir II, 5. **3.** Le bon sens, la raison.

lettre. Depuis qu'il est question de ce rendez-vous champêtre, je suis trois fois sorti de la ville ; chaque fois mes pieds
m'ont porté des mêmes côtés, et chaque fois la perspective
d'un séjour si désiré m'a paru plus agréable.

> *Non vide il mondo si leggiadri rami,*
> *Ne mosse 'l vento mai si verdi frondi.*

[Jamais œil d'homme ne vit des bocages aussi charmants,
jamais zéphyr n'agita de plus verts feuillages [1].]

Je trouve la campagne plus riante, la verdure plus fraîche
et plus vive, l'air plus pur, le Ciel plus serein ; le chant des
oiseaux semble avoir plus de tendresse et de volupté ; le
murmure des eaux inspire une langueur plus amoureuse ; la
vigne en fleurs exhale au loin de plus doux parfums ; un
charme secret embellit tous les objets ou fascine mes sens,
on dirait que la terre se pare pour former à ton heureux
amant un lit nuptial digne de la beauté qu'il adore et du feu
qui le consume. Ô Julie ! ô chère et précieuse moitié de mon
âme, hâtons-nous d'ajouter à ces ornements du printemps
la présence de deux amant fidèles : portons le sentiment du
plaisir dans des lieux qui n'en offrent qu'une vaine image ;
allons animer toute la nature, elle est morte sans les feux de
l'amour. Quoi ! trois jours d'attente ? trois jours encore ?
Ivre d'amour, affamé de transports, j'attends ce moment
tardif avec une douloureuse impatience. Ah ! qu'on serait
heureux si le Ciel ôtait de la vie tous les ennuyeux intervalles
qui séparent de pareils instants !

Lettre XXXIX
De Julie

Tu n'as pas un sentiment, mon bon ami, que mon cœur ne
partage ; mais ne me parle plus de plaisir tandis que des gens
qui valent mieux que nous souffrent, gémissent, et que j'ai
leur peine à me reprocher. Lis la lettre ci-jointe, et sois tranquille si tu le peux. Pour moi qui connais l'aimable et bonne
fille qui l'a écrite, je n'ai pu la lire sans des larmes de remords

---

1. Pétrarque, *Canzoniere*, n° 142, v. 7-8, p. 227. Trad. de Rousseau dans DC.

et de pitié. Le regret de ma coupable négligence m'a pénétré l'âme, et je vois avec une amère confusion jusqu'où l'oubli du premier de mes devoirs m'a fait porter celui de tous les autres. J'avais promis de prendre soin de cette pauvre enfant ; je la protégeais auprès de ma mère ; je la tenais en quelque manière sous ma garde, et pour n'avoir su [1] me garder moi-même, je l'abandonne sans me souvenir d'elle, et l'expose à des dangers pires que ceux où j'ai succombé. Je frémis en songeant que deux jours plus tard c'en était fait peut-être de mon dépôt [2], et que l'indigence et la séduction perdaient une fille modeste et sage qui peut faire un jour une excellente mère de famille. Ô mon ami, comment y a-t-il dans le monde des hommes assez vils pour acheter de la misère un prix que le cœur seul doit payer, et recevoir d'une bouche affamée les tendres baisers de l'amour !

Dis-moi, pourrais-tu n'être pas touché de la piété filiale de ma Fanchon, de ses sentiments honnêtes, de son innocente naïveté ? Ne l'es-tu pas de la rare tendresse de cet amant qui se vend lui-même pour soulager sa maîtresse ? Ne seras-tu pas trop heureux de contribuer à former un nœud si bien assorti ? [3] Ah si nous étions sans pitié pour les cœurs unis qu'on divise, de qui pourraient-ils jamais en attendre ? Pour moi, j'ai résolu de réparer envers ceux-ci ma faute à quelque prix que ce soit, et de faire en sorte que ces deux jeunes gens soient unis par le mariage. J'espère que le Ciel bénira cette entreprise, et qu'elle sera pour nous d'un bon augure. Je te propose et te conjure au nom de notre amitié [4] de partir dès aujourd'hui, si tu le peux, ou tout au moins demain matin pour Neufchâtel. Va négocier avec M. de Merveilleux [5] le congé de cet honnête garçon ; n'épargne ni les supplications ni l'argent : Porte avec toi la lettre de ma Fanchon, il n'y a point de cœur sensible qu'elle ne doive attendrir. Enfin, quoi

---

1. Parce que je n'ai pas su. **2.** Voir lettre 5, n. 1, p. 67. **3.** Nous remplaçons le point par un point d'interrogation. **4.** Au sens de l'amour courtois et sur le modèle platonique de Pétrarque. Saint-Preux est à la fois « ami » et « féal » (I, 35) : la fidélité de l'amoureux est calquée sur le serment de vassalité et sur l'*amitié* du seigneur et de son vassal. **5.** Il est question d'un David François Merveilleux, secrétaire auprès de l'ambassadeur de Berne, que Rousseau a connu dans sa jeunesse, dans la première partie des *Confessions*.

qu'il nous en coûte et de plaisir et d'argent, ne reviens qu'avec le congé absolu de Claude Anet [1], ou crois que l'amour ne me donnera de mes jours un moment de pure joie.

Je sens combien d'objections ton cœur doit avoir à me faire ; doutes-tu que le mien ne les ait faites avant toi ? Et je persiste ; car il faut que ce mot de vertu ne soit qu'un vain nom, ou qu'elle exige des sacrifices. Mon ami, mon digne ami, un rendez-vous manqué peut revenir mille fois ; quelques heures agréables s'éclipsent comme un éclair et ne sont plus ; mais si le bonheur d'un couple honnête est dans tes mains, songe à l'avenir que tu vas te préparer. Crois-moi, l'occasion de faire des heureux est plus rare qu'on ne pense ; la punition de l'avoir manquée est de ne la plus retrouver, et l'usage que nous ferons de celle-ci nous va laisser un sentiment éternel de contentement ou de repentir. Pardonne à mon zèle ces discours superflus ; j'en dis trop à un honnête homme, et cent fois trop à mon ami. Je sais combien tu hais cette volupté cruelle qui nous endurcit aux maux d'autrui. Tu l'as dit mille fois toi-même : malheur à qui ne sait pas sacrifier un jour de plaisir aux devoirs de l'humanité.

Lettre XL
De Fanchon Regard à Julie

Mademoiselle,

Pardonnez une pauvre fille au désespoir, qui ne sachant plus que devenir ose encore avoir recours à vos bontés. Car vous ne vous lassez point de consoler les affligés, et je suis si malheureuse qu'il n'y a que vous et le bon Dieu que mes plaintes n'importunent pas. J'ai eu bien du chagrin de quitter l'apprentissage où vous m'aviez mise ; mais ayant eu le malheur de perdre ma mère cet hiver, il a fallu revenir auprès de mon pauvre père que sa paralysie retient toujours dans son lit.

Je n'ai pas oublié le conseil que vous aviez donné à ma mère de tâcher de m'établir avec un honnête homme qui prît soin de la famille. Claude Anet que Monsieur votre père avait

---

1. Nom d'un autre personnage réel, l'homme de confiance de Mme de Warens (*Confessions*, livre V, p. 218-219).

ramené du Service est un brave garçon, rangé, qui sait un bon métier, et qui me veut du bien. Après tant de charité que vous avez eue pour nous, je n'osais plus vous être incommode, et c'est lui qui nous a fait vivre pendant tout l'hiver. Il devait m'épouser ce printemps ; il avait mis son cœur à ce mariage. Mais on m'a tellement tourmentée pour payer trois ans de loyer échu à Pâques, que ne sachant où prendre tant d'argent comptant, le pauvre jeune homme s'est engagé derechef sans m'en rien dire dans la Compagnie de Monsieur de Merveilleux, et m'a apporté l'argent de son engagement. Monsieur de Merveilleux n'est plus à Neufchâtel que pour sept ou huit jours, et Claude Anet doit partir dans trois ou quatre pour suivre la recrue : ainsi nous n'avons pas le temps ni le moyen de nous marier, et il me laisse sans aucune ressource. Si par votre crédit ou celui de Monsieur le Baron, vous pouviez nous obtenir au moins un délai de cinq ou six semaines, on tâcherait pendant ce temps-là de prendre quelque arrangement pour nous marier ou pour rembourser ce pauvre garçon ; mais je le connais bien ; il ne voudra jamais reprendre l'argent qu'il m'a donné.

Il est venu ce matin un Monsieur bien riche m'en offrir beaucoup davantage ; mais Dieu m'a fait la grâce de le refuser. Il a dit qu'il reviendrait demain matin savoir ma dernière résolution. Je lui ai dit de n'en pas prendre la peine et qu'il la savait déjà. Que Dieu le conduise, il sera reçu demain comme aujourd'hui. Je pourrais bien aussi recourir à la bourse des pauvres, mais on est si méprisé qu'il vaut mieux pâtir : et puis, Claude Anet a trop de cœur [1] pour vouloir d'une fille assistée.

Excusez la liberté que je prends, ma bonne Demoiselle ; je n'ai trouvé que vous seule à qui j'ose avouer ma peine, et j'ai le cœur si serré qu'il faut finir cette lettre. Votre bien humble et affectionnée servante à vous servir [2].

Fanchon Regard.

---

1. Au sens de courage, de fierté, signes de noblesse de cœur. **2.** La parlure populaire de cette lettre n'est signalée que par les répétitions et de discrètes fautes grammaticales. L'esthétique de l'époque n'admet pas la reproduction d'une lettre comme celles qu'écrit Thérèse Levasseur, sans orthographe ni ponctuation, mais Marivaux et Rousseau remettent en question cette exclusion toute idéologique de la parole du peuple dans les romans du XVIIIe siècle (voir J. Proust, « Les Maîtres sont les maîtres », 1977).

Lettre XLI
Réponse

J'ai manqué de mémoire et toi de confiance, ma chère enfant ; nous avons eu grand tort toutes deux, mais le mien est impardonnable : je tâcherai du moins de le réparer. Babi, qui te porte cette Lettre, [1] est chargée de pourvoir au plus pressé. Elle retournera demain matin pour t'aider à congédier ce Monsieur, s'il revient, et l'après-dînée [2] nous irons te voir, ma Cousine et moi ; car je sais que tu ne peux pas quitter ton pauvre père, et je veux connaître par moi-même l'état de ton petit ménage.

Quant à Claude Anet, n'en sois point en peine ; mon père est absent ; mais en attendant son retour on fera ce qu'on pourra ; et tu peux compter que je n'oublierai ni toi ni ce brave garçon. Adieu, mon enfant, que le bon Dieu te console. Tu as bien fait de n'avoir pas recours à la bourse publique ; c'est ce qu'il ne faut jamais faire tant qu'il reste quelque chose dans celle des bonnes gens [3].

Lettre XLII
À Julie

Je reçois votre Lettre et je pars à l'instant : ce sera toute ma réponse. Ah cruelle ! que mon cœur en est loin, de cette odieuse vertu que vous me supposez et que je déteste ! Mais vous ordonnez, il faut obéir. Dussé-je en mourir cent fois, il faut être estimé de Julie.

Lettre XLIII
À Julie

J'arrivai hier matin à Neufchâtel ; j'appris que M. de Merveilleux était à la campagne, je courus l'y chercher ; il était à

---

1. Nous ajoutons ici une virgule. **2.** Dans l'après-midi. **3.** Julie n'exerce point la « charité paresseuse des riches » qui sera blâmée par Saint-Preux à Clarens (V, 2, p. 631).

la chasse et je l'attendis jusqu'au soir. Quand je lui eus expliqué le sujet de mon voyage, et que je l'eus prié de mettre un prix au congé de Claude Anet, il me fit beaucoup de difficultés. Je crus les lever, en offrant de moi-même une somme assez considérable, et l'augmentant à mesure qu'il résistait ; mais n'ayant pu rien obtenir, je fus obligé de me retirer, après m'être assuré de le retrouver ce matin, bien résolu de ne plus le quitter jusqu'à ce qu'à force d'argent, ou d'importunités, ou de quelque manière que ce pût être, j'eusse obtenu ce que j'étais venu lui demander. M'étant levé pour cela de très bonne heure, j'étais prêt à monter à cheval, quand je reçus par un Exprès [1] ce billet de M. de Merveilleux, avec le congé du jeune homme en bonne forme.

Voilà, Monsieur, le congé que vous êtes venu solliciter. Je l'ai refusé à vos offres. Je le donne à vos intentions charitables, et vous prie de croire que je ne mets point à prix une bonne action.

Jugez, à la joie que vous donnera cet heureux succès, de celle que j'ai sentie en l'apprenant. Pourquoi faut-il qu'elle ne soit pas aussi parfaite qu'elle devrait l'être ? Je ne puis me dispenser d'aller remercier et rembourser M. de Merveilleux, et si cette visite retarde mon départ d'un jour comme il est à craindre, n'ai-je pas droit de dire qu'il s'est montré généreux à mes dépens ? N'importe, j'ai fait ce qui vous est agréable, je puis tout supporter à ce prix. Qu'on est heureux de pouvoir bien faire en servant ce qu'on aime, et réunir ainsi dans le même soin les charmes de l'amour et de la vertu ! Je l'avoue, ô Julie ! je partis le cœur plein d'impatience et de chagrin. Je vous reprochais d'être si sensible aux peines d'autrui, et de compter pour rien les miennes, comme si j'étais le seul au monde qui n'eût rien mérité de vous. Je trouvais de la barbarie, après m'avoir leurré d'un si doux espoir, à me priver sans nécessité d'un bien dont vous m'aviez flatté vous-même. Tous ces murmures se sont évanouis ; je sens renaître à leur place au fond de mon âme un contentement inconnu ; j'éprouve déjà le dédommagement que vous m'avez promis, vous que l'habitude de bien faire a

---

1. « Homme envoyé à dessein pour porter des lettres, des nouvelles, des ordres » (*Acad.* 1762).

tant instruite du goût qu'on y trouve. Quel étrange empire est le vôtre, de pouvoir rendre les privations aussi douces que les plaisirs, et donner à ce qu'on fait pour vous, le même charme qu'on trouverait à se contenter soi-même ! Ah, je l'ai dit cent fois, tu es un ange du Ciel, ma Julie ! Sans doute avec tant d'autorité sur mon âme la tienne est plus divine qu'humaine. Comment n'être pas éternellement à toi puisque ton règne est céleste, et que servirait de cesser de t'aimer s'il faut toujours qu'on t'adore ?

P. S. Suivant mon calcul, nous avons encore au moins cinq ou six jours jusqu'au retour de la Maman. Serait-il impossible durant cet intervalle de faire un pèlerinage au Chalet ?

Lettre XLIV
De Julie

Ne murmure pas tant, mon ami, de ce retour précipité. Il nous est plus avantageux qu'il ne semble, et quand nous aurions fait par adresse ce que nous avons fait par bienfaisance nous n'aurions pas mieux réussi. Regarde ce qui serait arrivé si nous n'eussions suivi que nos fantaisies. Je serais allée à la campagne précisément la veille du retour de ma mère à la ville : j'aurais eu un exprès avant d'avoir pu ménager notre entrevue : il aurait fallu partir sur-le-champ, peut-être sans pouvoir t'avertir, te laisser dans des perplexités mortelles, et notre séparation se serait faite au moment qui la rendait le plus douloureuse. De plus, on aurait su que nous étions tous deux à la campagne ; malgré nos précautions, peut-être eût-on su que nous y étions ensemble ; du moins on l'aurait soupçonné, c'en était assez. L'indiscrète avidité du présent nous ôtait toute ressource pour l'avenir, et le remords d'une bonne œuvre dédaignée nous eût tourmentés toute la vie.

Compare à présent cet état à notre situation réelle. Premièrement ton absence a produit un excellent effet. Mon argus[1] n'aura pas manqué de dire à ma mère qu'on t'avait

---

1. La servante Babi. Voir lettre 36.

peu vu chez ma Cousine ; elle sait ton voyage et le sujet ; c'est une raison de plus pour t'estimer ; et le moyen d'imaginer que des gens qui vivent en bonne intelligence prennent volontairement pour s'éloigner le seul moment de liberté qu'ils ont pour se voir ? Quelle ruse avons-nous employée pour écarter une trop juste défiance ? La seule, à mon avis, qui soit permise à d'honnêtes gens, c'est de l'être à un point qu'on ne puisse croire, en sorte qu'on prenne un effort de vertu pour un acte d'indifférence. Mon ami, qu'un amour caché par de tels moyens doit être doux aux cœurs qui le goûtent ! Ajoute à cela le plaisir de réunir des amants désolés, et de rendre heureux deux jeunes gens si dignes de l'être. Tu l'as vue, ma Fanchon ; dis, n'est-elle pas charmante, et ne mérite-t-elle pas bien tout ce que tu as fait pour elle ? N'est-elle pas trop jolie et trop malheureuse pour rester fille impunément ? Claude Anet, de son côté, dont le bon naturel a résisté par miracle à trois ans de service, en eût-il pu supporter encore autant sans devenir un vaurien comme tous les autres ? Au lieu de cela, ils s'aiment et seront unis ; ils sont pauvres et seront aidés ; ils sont honnêtes gens et pourront continuer de l'être ; car mon père a promis de prendre soin de leur établissement. Que de biens tu as procurés à eux et à nous par ta complaisance, sans parler du compte que je t'en dois tenir ! Tel est, mon ami, l'effet assuré des sacrifices qu'on fait à la vertu : s'ils coûtent souvent à faire, il est toujours doux de les avoir faits, et l'on n'a jamais vu personne se repentir d'une bonne action.

Je me doute bien qu'à l'exemple de l'Inséparable, tu m'appelleras aussi *la prêcheuse*, et il est vrai que je ne fais pas mieux ce que je dis que les gens du métier. Si mes sermons ne valent pas les leurs, au moins je vois avec plaisir qu'ils ne sont pas comme eux jetés au vent. Je ne m'en défends point, mon aimable ami, je voudrais ajouter autant de vertus aux tiennes qu'un fol amour m'en a fait perdre, et ne pouvant plus m'estimer moi-même j'aime à m'estimer encore en toi. De ta part il ne s'agit que d'aimer parfaitement, et tout viendra comme de lui-même [1]. Avec quel plaisir tu dois voir augmenter sans cesse les dettes que l'amour s'oblige à payer !

---

1. « Cherchez d'abord le royaume de Dieu et sa Justice, et tout le reste vous sera donné par surcroît » (Matthieu 6, 33).

Ma Cousine a su les entretiens que tu as eus avec son père au sujet de M. d'Orbe ; elle y est aussi sensible que si nous pouvions en offices de l'amitié [1] n'être pas toujours en reste avec elle. Mon Dieu, mon ami, que je suis une heureuse fille ! que je suis aimée et que je trouve charmant de l'être ! Père, mère, amie, amant, j'ai beau chérir tout ce qui m'environne, je me trouve toujours ou prévenue ou surpassée. Il semble que tous les plus doux sentiments du monde viennent sans cesse chercher mon âme, et j'ai le regret de n'en avoir qu'une pour jouir de tout mon bonheur.

J'oubliais de t'annoncer une visite pour demain matin. C'est Milord Bomston qui vient de Genève où il a passé sept ou huit mois. Il dit t'avoir vu à Sion à son retour d'Italie. Il te trouva fort triste, et parle au surplus de toi comme j'en pense. Il fit hier ton éloge si bien et si à propos devant mon père, qu'il m'a tout à fait disposée à faire le sien. En effet j'ai trouvé du sens, du sel, du feu [2] dans sa conversation. Sa voix s'élève et son œil s'anime au récit des grandes actions, comme il arrive aux hommes capables d'en faire. Il parle aussi avec intérêt des choses de goût, entre autres de la musique italienne qu'il porte jusqu'au sublime ; je croyais entendre encore mon pauvre frère. Au surplus il met plus d'énergie que de grâce dans ses discours, et je lui trouve même l'esprit un peu rêche *. Adieu, mon ami.

Lettre XLV
À Julie

Je n'en étais encore qu'à la seconde lecture de ta lettre, quand Milord Édouard Bomston est entré. Ayant tant

---

* Terme du pays, pris ici métaphoriquement. Il signifie au propre une surface rude au toucher et qui cause un frissonnement désagréable en y passant la main, comme celle d'une brosse fort serrée ou du velours d'Utrecht. [NdE : « rêche » est un mot vieilli qui n'apparaît plus dans les dictionnaires de langue du XVIIIᵉ siècle.]

---

1. Par devoir pour l'amitié. **2.** Feu « se dit aussi de la vivacité de l'esprit. *Cet Orateur a bien du feu* » ; « On dit figurément, qu'*Il y a du sel dans un ouvrage*, qu'*un ouvrage est plein de sel*, pour dire, qu'Il est plein de raillerie fine, ou qu'il a quelque chose de satirique » (*Acad.* 1762).

d'autres choses à te dire, comment aurais-je pensé, ma Julie, à te parler de lui ? Quand on se suffit l'un à l'autre s'avise-t-on de songer à un tiers ? Je vais te rendre compte de ce que j'en sais, maintenant que tu parais le désirer.

Ayant passé le Semplon [1], il était venu jusqu'à Sion au-devant d'une chaise [2] qu'on devait lui amener de Genève à Brigue, et le désœuvrement rendant les hommes assez liants, il me rechercha. Nous fîmes une connaissance aussi intime qu'un Anglais naturellement peu prévenant peut la faire avec un homme fort préoccupé, qui cherche la solitude. Cependant nous sentîmes que nous nous convenions ; il y a un certain unisson d'âmes qui s'aperçoit au premier instant, et nous fûmes familiers au bout de huit jours, mais pour toute la vie, comme deux Français l'auraient été au bout de huit heures, pour tout le temps qu'ils ne se seraient pas quittés. Il m'entretint de ses voyages, et le sachant anglais, je crus qu'il m'allait parler d'édifices et de peintures [3] : bientôt je vis avec plaisir que les Tableaux et les monuments ne lui avaient point fait négliger l'étude des mœurs et des hommes. Il me parla cependant des beaux-arts avec beaucoup de discernement, mais modérément et sans prétention. J'estimai qu'il en jugeait avec plus de sentiment que de Science et par les effets plus que par les règles, ce qui me confirma qu'il avait l'âme sensible [4]. Pour la musique italienne, il m'en parut enthousiaste comme à toi ; il m'en fit même entendre : car il mène un virtuose avec lui, son valet de chambre joue fort bien du violon, et lui-même passablement du violoncelle. Il me choisit plusieurs morceaux très pathétiques, à ce qu'il prétendait ; mais soit qu'un accent

---

1. Orthographe de l'époque pour Simplon, mont des Alpes dont le col relie l'Italie à la ville valaisane de Brigue. **2.** « Une sorte de voiture légère à deux roues, traînée par un ou par deux chevaux » (*Acad.* 1762). **3.** Allusion à la pratique du « Grand Tour » répandue au XVIIIᵉ siècle dans l'aristocratie anglaise, qui se rend dans toute l'Europe, et surtout en Italie, pour y admirer les chefs-d'œuvre de l'art et de l'architecture. **4.** Saint-Preux énonce ici un principe esthétique tout droit venu des *Réflexions critiques sur la poésie et sur la peinture* (1719) de l'abbé Dubos : « Le sublime de la poésie et de la peinture est de toucher et de plaire, comme celui de l'éloquence est de persuader. Il ne suffit pas que nos vers soient beaux, dit Horace en style de législateur, pour donner plus de poids à la décision ; il faut encore que ces vers puissent remuer les cœurs et qu'ils soient capables d'y faire naître les sentiments qu'ils prétendent exciter » (II, 1).

si nouveau pour moi demandât une oreille plus exercée ; soit que le charme de la musique, si doux dans la mélancolie, s'efface dans une profonde tristesse, ces morceaux me firent peu de plaisir, et j'en trouvai le chant agréable, à la vérité, mais bizarre et sans expression.

Il fut aussi question de moi, et Milord s'informa avec intérêt de ma situation. Je lui en dis tout ce qu'il en devait savoir. Il me proposa un voyage en Angleterre avec des projets de fortune impossibles, dans un pays où Julie n'était pas. Il me dit qu'il allait passer l'hiver à Genève, l'été suivant à Lausanne, et qu'il viendrait à Vevey avant de retourner en Italie, il m'a tenu parole, et nous nous sommes revus avec un nouveau plaisir.

Quant à son caractère, je le crois vif et emporté, mais vertueux et ferme. Il se pique de philosophie, et de ces principes dont nous avons autrefois parlé. Mais au fond, je le crois par tempérament ce qu'il pense être par méthode, et le vernis stoïque qu'il met à ses actions ne consiste qu'à parer de beaux raisonnements le parti que son cœur lui a fait prendre. J'ai cependant appris avec un peu de peine qu'il avait eu quelques affaires en Italie, et qu'il s'y était battu plusieurs fois.

Je ne sais ce que tu trouves de rêche dans ses manières ; véritablement elles ne sont pas prévenantes, mais je n'y sens rien de repoussant. Quoique son abord ne soit pas aussi ouvert que son cœur[a] et qu'il dédaigne les petites bienséances, il ne laisse pas, ce me semble, d'être d'un commerce agréable. S'il n'a pas cette politesse réservée et circonspecte qui se règle uniquement sur l'extérieur, et que nos jeunes Officiers nous apportent de France, il a celle de l'humanité qui se pique moins de distinguer au premier coup d'œil les états et les rangs, et respecte en général tous les hommes [1]. Te

---

1. L'opposition entre rudesse de manières anglaise et « grâces » françaises relève du stéréotype national que les *Lettres sur les mœurs et le caractère des Anglais* (1725) de Béat Louis de Muralt ont largement contribué à construire. On y trouve une explication politique de cette différence : la liberté publique et l'égalité politique, en Angleterre, rendraient moins soucieux de plaire en se soumettant à des manières uniformément admises, ce qui fait en revanche l'esprit « courtisan » de la culture monarchique française honnie par le « républicain » Rousseau.

l'avouerai-je naïvement ? La privation des grâces est un défaut que les femmes ne pardonnent point, même au mérite, et j'ai peur que Julie n'ait été femme une fois en sa vie.

Puisque je suis en train de sincérité, je te dirai encore, ma jolie prêcheuse, qu'il est inutile de vouloir donner le change à mes droits, et qu'un amour affamé ne se nourrit point de sermons. Songe, songe aux dédommagements promis et dus ; car toute la morale que tu m'as débitée est fort bonne ; mais, quoi que tu puisses dire, le Chalet valait encore mieux.

Lettre XLVI
De Julie

Hé bien donc, mon ami, toujours le chalet ? L'histoire de ce chalet te pèse furieusement sur le cœur, et je vois bien qu'à la mort ou à la vie il faut te faire raison du chalet ! Mais des lieux où tu ne fus jamais te sont-ils si chers qu'on ne puisse t'en dédommager ailleurs, et l'amour qui fit le palais d'Armide au fond d'un désert [1] ne saurait-il nous faire un chalet à la ville ? Écoute ; on va marier ma Fanchon. Mon père, qui ne hait pas les fêtes et l'appareil [2], veut lui faire une noce où nous serons tous : cette noce ne manquera pas d'être tumultueuse. Quelquefois le mystère a su tendre son voile au sein de la turbulente joie et du fracas des festins : Tu m'entends, mon ami ; ne serait-il pas doux de retrouver dans l'effet de nos soins les plaisirs qu'ils nous ont coûtés ? [3]

Tu t'animes, ce me semble, d'un zèle assez superflu sur l'apologie de Milord Édouard dont je suis fort éloignée de mal penser. D'ailleurs, comment jugerais-je un homme que je n'ai vu qu'un après-midi, et comment en pourras-tu juger toi-même sur une connaissance de quelques jours ? Je n'en

---

1. Le palais de la magicienne Armide, amante du chevalier Renaud (le Tasse, *La Jérusalem délivrée*, chant XVI, strophes 1-16). L'épisode a inspiré la dernière tragédie en musique de Quinault et Lully, *Armide* (1686), dont le célèbre monologue est éreinté par Rousseau dans sa *Lettre sur la musique française* de 1753 (*OC*, t. V, p. 322-327). Voir *infra* la lettre 48. **2.** « Apprêt, préparatif de tout ce qui a de la pompe, de la solennité, du spectacle » (*Acad.* 1798). **3.** Nous rétablissons le point d'interrogation à la place du point.

parle que par conjecture, et tu ne peux guère être plus avancé ; car les propositions qu'il t'a faites sont de ces offres vagues dont un air de puissance et la facilité de les éluder rendent souvent les étrangers prodigues. Mais je reconnais tes vivacités ordinaires et combien tu as de penchant à te prévenir pour ou contre les gens presque à la première vue. Cependant nous examinerons à loisir les arrangements qu'il t'a proposés. Si l'amour favorise le projet qui m'occupe, il s'en présentera peut-être de meilleurs pour nous. Ô mon bon ami, la patience est amère, mais son fruit est doux !

Pour revenir à ton Anglais, je t'ai dit qu'il me paraissait avoir l'âme grande et forte, et plus de lumières que d'agréments dans l'esprit. Tu dis à peu près la même chose, et puis, avec cet air de supériorité masculine qui n'abandonne point nos humbles adorateurs, tu me reproches d'avoir été de mon sexe une fois en ma vie, comme si jamais une femme devait cesser d'en être ? Te souvient-il qu'en lisant ta *République* de Platon nous avons autrefois disputé sur ce point de la différence morale des sexes ? Je persiste dans l'avis dont j'étais alors, et ne saurais imaginer un modèle commun de perfection pour deux êtres si différents. L'attaque et la défense, l'audace des hommes, la pudeur des femmes ne sont point des conventions, comme le pensent tes philosophes [1], mais des institutions naturelles dont il est facile de rendre raison, et dont se déduisent aisément toutes les autres distinctions morales. D'ailleurs, la destination de la nature n'étant pas la même, les inclinations, les manières de voir et de sentir doivent être dirigées de chaque côté selon ses vues ; [2] il ne faut point les mêmes goûts ni la même constitution pour labourer la terre et pour allaiter des enfants. Une taille plus haute, une voix plus forte et des traits plus marqués semblent n'avoir aucun rapport nécessaire au sexe ; mais les modifications extérieures annoncent l'intention de l'ouvrier dans les modifications de l'esprit. Une femme parfaite et un homme parfait ne doivent pas plus se ressembler d'âme que de visage ; ces vaines imitations de sexe sont le

---

1. « Vos philosophes », dira Julie en III, 18 : l'expression désigne sous la plume des deux amants « ces foules de Savants » qui « regardent l'adultère comme un jeu » (III, 16). **2.** Nous substituons un point-virgule à la virgule.

comble de la déraison ; elles font rire le sage et fuir les amours. Enfin, je trouve qu'à moins d'avoir cinq pieds et demi de haut [1], une voix de basse et de la barbe au menton, l'on ne doit point se mêler d'être homme [2].

Vois combien les amants sont maladroits en injures ! Tu me reproches une faute que je n'ai pas commise ou que tu commets aussi bien que moi, et l'attribues à un défaut dont je m'honore. Veux-tu que te rendant sincérité pour sincérité je te dise naïvement ce que je pense de la tienne ? Je n'y trouve qu'un raffinement de flatterie, pour te justifier à toi-même par cette franchise apparente les éloges enthousiastes dont tu m'accables à tout propos. Mes prétendues perfections t'aveuglent au point, que pour démentir les reproches que tu te fais en secret de ta prévention, tu n'as pas l'esprit d'en trouver un solide à me faire.

Crois-moi, ne te charge point de me dire mes vérités, tu t'en acquitterais trop mal ; les yeux de l'amour, tout perçants qu'ils sont, savent-ils voir des défauts ? C'est à l'intègre amitié [3] que ces soins appartiennent, et là-dessus ta disciple Claire est cent fois plus savante que toi. Oui, mon ami, loue-moi, admire-moi, trouve-moi belle, charmante, parfaite. Tes éloges me plaisent sans me séduire, parce que je vois qu'ils sont le langage de l'erreur et non de la fausseté, et que tu te trompes toi-même ; mais que tu ne veux pas me tromper. Ô que les illusions de l'amour sont aimables ! Ses flatteries sont en un sens des vérités : le jugement se tait, mais le cœur parle. L'amant qui loue en nous des perfections que nous n'avons pas, les voit en effet telles qu'il les représente ; il ne ment point en disant des mensonges ; il flatte sans s'avilir, et l'on peut au moins l'estimer sans le croire.

J'ai entendu, non sans quelque battement de cœur, proposer d'avoir demain deux philosophes à souper. L'un est

---

1. Presque 1,80 m. **2.** Rousseau donne une forme théorique développée à cette conception du rapport des sexes dans le livre V de son traité *Émile ou De l'éducation* (1762). Il y discute en particulier le livre V de *La République* de Platon. Voir sur ce point notre Présentation, p. 30-32. **3.** L'amitié n'a pas ici le sens « féodal » qu'il peut prendre avec Saint-Preux (voir n. 4, p. 151). Mais l'usage du même mot signale la porosité des frontières entre amour et amitié et l'ambiguïté sexuelle dans le trio des jeunes gens. Voir notre Présentation.

Milord Édouard, l'autre est un sage dont la gravité s'est quelquefois un peu dérangée aux pieds d'une jeune écolière ; ne le connaîtriez-vous point ? Exhortez-le, je vous prie, à tâcher de garder demain le décorum philosophique un peu mieux qu'à son ordinaire. J'aurai soin d'avertir aussi la petite personne de baisser les yeux, et d'être aux siens le moins jolie qu'il se pourra.

Lettre XLVII
À Julie

Ah, mauvaise ! Est-ce là la circonspection que tu m'avais promise ? Est-ce ainsi que tu ménages mon cœur et voiles tes attraits ? Que de contraventions [1] à tes engagements ! Premièrement, ta parure ; car tu n'en avais point, et tu sais bien que jamais tu n'es si dangereuse. Secondement ton maintien si doux, si modeste, si propre à laisser remarquer à loisir toutes tes grâces. Ton parler plus rare, plus réfléchi, plus spirituel encore qu'à l'ordinaire, qui nous rendait tous plus attentifs, et faisait voler l'oreille et le cœur au-devant de chaque mot. Cet air que tu chantas à demi-voix, pour donner encore plus de douceur à ton chant, et qui, bien que français, plut à Milord Édouard même. Ton regard timide et tes yeux baissés dont les éclairs inattendus me jetaient dans un trouble inévitable [2]. Enfin, ce je ne sais quoi d'inexprimable, d'enchanteur, que tu semblais avoir répandu sur toute ta personne pour faire tourner la tête à tout le monde, sans paraître même y songer. Je ne sais, pour moi, comment tu t'y prends ; mais si telle est ta manière d'être jolie le moins qu'il est possible, je t'avertis que c'est l'être beaucoup plus qu'il ne faut pour avoir des sages autour de toi.

Je crains fort que le pauvre philosophe anglais [3] n'ait un peu ressenti la même influence. Après avoir reconduit ta

---

1. Infractions à une règle (sens vieilli). **2.** Suite de phrases nominales scandées comme un récitatif. **3.** Allusion humoristique au grand roman-Mémoires de Prévost, *Le Philosophe anglais ou Histoire de M. Cleveland, fils naturel de Cromwell* (1731-1739), que Rousseau adorait. Cleveland s'y efforce, sa vie durant, de devenir « philosophe », mais ses passions et celles des autres, qu'il ne comprend pas davantage que les siennes, ont toujours raison de ses systèmes.

Cousine, comme nous étions tous encore fort éveillés, il nous proposa d'aller chez lui faire de la Musique et boire du punch [1]. Tandis qu'on rassemblait ses gens, il ne cessa de nous parler de toi avec un feu qui me déplut, et je n'entendis pas ton éloge dans sa bouche avec autant de plaisir que tu avais entendu le mien. En général, j'avoue que je n'aime point que personne, excepté ta Cousine, me parle de toi ; il me semble que chaque mot m'ôte une partie de mon secret ou de mes plaisirs, et quoi que l'on puisse dire, on y met un intérêt si suspect, ou l'on est si loin de ce que je sens, que je n'aime écouter là-dessus que moi-même.

Ce n'est pas que j'aie comme toi du penchant à la jalousie. Je connais mieux ton âme ; j'ai des garants qui ne me permettent pas même d'imaginer ton changement possible. Après tes assurances, je ne te dis plus rien des autres prétendants. Mais celui-ci, Julie !..... des conditions sortables [2].... les préjugés de ton père..... Tu sais bien qu'il s'agit de ma vie ; daigne donc me dire un mot là-dessus. Un mot de Julie, et je suis tranquille à jamais.

J'ai passé la nuit à entendre ou exécuter de la musique italienne, car il s'est trouvé des duos et il a fallu hasarder d'y faire ma partie. Je n'ose te parler encore de l'effet qu'elle a produit sur moi ; j'ai peur, j'ai peur que l'impression du souper d'hier ne se soit prolongée sur ce que j'entendais, et que je n'aie pris l'effet de tes séductions pour le charme de la musique. Pourquoi la même cause qui me la rendait ennuyeuse à Sion, ne pourrait-elle pas ici me la rendre agréable dans une situation contraire ? N'es-tu pas la première source de toutes les affections de mon âme, et suis-je à l'épreuve des prestiges de ta magie ? [3] Si la musique eût réellement produit cet enchantement, il eût agi sur tous ceux qui l'entendaient. Mais tandis que ces chants me tenaient

---

1. Mot orthographié *ponche* à l'époque : « mot emprunté de l'Anglais *Punch*. C'est le nom d'une liqueur qui est un mélange de jus de citron, d'eau-de-vie, de vin blanc, d'eau et de sucre » (*Acad.* 1762). Il fait partie des clichés sur les mœurs anglaises. **2.** « Qui est convenable, qui convient à l'état et à la condition de personnes. *Un mariage sortable. Un parti sortable* » (*Acad.* 1762). **3.** Nous rétablissons un point d'interrogation à la place du point.

en extase, M. d'Orbe dormait tranquillement dans un fauteuil, et au milieu de mes transports, il s'est contenté pour tout éloge de demander si ta Cousine savait l'italien.

Tout ceci sera mieux éclairci demain ; car nous avons pour ce soir un nouveau rendez-vous de musique. Milord veut la rendre complète et il a mandé de Lausanne un second violon qu'il dit être assez entendu [1]. Je porterai de mon côté des scènes, des cantates françaises, et nous verrons !

En arrivant chez moi j'étais d'un accablement que m'a donné le peu d'habitude de veiller et qui se perd en t'écrivant. Il faut pourtant tâcher de dormir quelques heures. Viens avec moi, ma douce Amie, ne me quitte point durant mon sommeil ; mais soit que ton image le trouble ou le favorise, soit qu'il m'offre ou non les noces de la Fanchon, un instant délicieux qui ne peut m'échapper et qu'il me prépare, c'est le sentiment de mon bonheur au réveil.

Lettre XLVIII
À *Julie*

Ah ! ma Julie, qu'ai-je entendu ? Quels sons touchants ? quelle musique ? quelle source délicieuse de sentiments et de plaisirs ? Ne perds pas un moment ; rassemble avec soin tes opéras, tes cantates, ta musique française, fais un grand feu bien ardent, jettes-y tout ce fatras, et l'attise avec soin, afin que tant de glace puisse y brûler et donner de la chaleur au moins une fois. Fais ce sacrifice propitiatoire au Dieu du goût, pour expier ton crime et le mien d'avoir profané ta voix à cette lourde psalmodie, et d'avoir pris si longtemps pour le langage du cœur un bruit qui ne fait qu'étourdir l'oreille. Ô que ton digne frère avait raison ! Dans quelle étrange erreur j'ai vécu jusqu'ici sur les productions de cet art charmant ? Je sentais leur peu d'effet, et l'attribuais à sa faiblesse. Je disais : la musique n'est qu'un vain son qui peut flatter l'oreille et n'agit qu'indirectement et légèrement sur l'âme. L'impression des accords est purement mécanique et

---

1. Compétent et connaisseur.

physique ; qu'a-t-elle à faire au sentiment, et pourquoi devrais-je espérer d'être plus vivement touché d'une belle harmonie que d'un bel accord de couleurs ? Je n'apercevais pas dans les accents de la mélodie appliqués à ceux de la langue, le lien puissant et secret des passions avec les sons : je ne voyais pas que l'imitation des tons divers dont les sentiments animent la voix parlante donne à son tour à la voix chantante le pouvoir d'agiter les cœurs, et que l'énergique tableau des mouvements de l'âme de celui qui se fait entendre, est ce qui fait le vrai charme de ceux qui l'écoutent.

C'est ce que me fit remarquer le chanteur de Milord, qui, pour un Musicien, ne laisse pas de parler assez bien de son art. L'harmonie, me disait-il, n'est qu'un accessoire éloigné dans la musique imitative ; il n'y a dans l'harmonie proprement dite aucun principe d'imitation. Elle assure, il est vrai, les intonations [1] ; elle porte témoignage de leur justesse et rendant les modulations plus sensibles, elle ajoute de l'énergie à l'expression et de la grâce au chant : Mais c'est de la seule mélodie que sort cette puissance invincible des accents passionnés ; c'est d'elle que dérive tout le pouvoir de la musique sur l'âme ; formez les plus savantes successions d'accords sans mélange de mélodie, vous serez ennuyés au bout d'un quart d'heure. De beaux chants sans aucune harmonie sont longtemps à l'épreuve de l'ennui. Que l'accent du sentiment anime les chants les plus simples, ils seront intéressants. Au contraire, une mélodie qui ne parle point chante toujours mal, et la seule harmonie n'a jamais rien su dire au cœur.

C'est en ceci, continuait-il, que consiste l'erreur des Français sur les forces de la musique. N'ayant et ne pouvant avoir une mélodie à eux dans une langue qui n'a point d'accent, et sur une poésie maniérée qui ne connut jamais la nature, ils n'imaginent d'effets que ceux de l'harmonie et des éclats de voix qui ne rendent pas les sons plus mélodieux mais plus bruyants, et ils sont si malheureux dans leurs prétentions que cette harmonie même qu'ils cherchent leur

---

1. Action d'entonner, c'est-à-dire de « former avec justesse les sons et les intervalles qui sont marqués » (*DM*, art. « Entonner », p. 809).

échappe ; à force de la vouloir charger ils n'y mettent plus de choix, ils ne connaissent plus les choses d'effet [1], ils ne font plus que du remplissage, ils se gâtent l'oreille, et ne sont plus sensibles qu'au bruit ; en sorte que la plus belle voix pour eux n'est que celle qui chante le plus fort. Aussi faute d'un genre propre n'ont-ils jamais fait que suivre pesamment et de loin nos modèles, et depuis leur célèbre Lulli ou plutôt le nôtre, qui ne fit qu'imiter les Opéras dont l'Italie était déjà pleine de son temps, on les a toujours vus à la piste de trente ou quarante ans [2] copier, gâter nos vieux Auteurs, et faire à peu près de notre musique comme les autres peuples font de leurs modes. Quand ils se vantent de leurs chansons, c'est leur propre condamnation qu'ils prononcent : s'ils savaient chanter des sentiments ils ne chanteraient pas de l'esprit, mais parce que leur musique n'exprime rien, elle est plus propre aux chansons qu'aux Opéras, et parce que la nôtre est toute passionnée, elle est plus propre aux Opéras qu'aux chansons.

Ensuite m'ayant récité sans chant quelques scènes italiennes, il me fit sentir les rapports de la musique à la parole dans le récitatif [3], de la musique au sentiment dans les airs,

---

1. Effet : « impression agréable et forte que produit une excellente Musique sur l'oreille et l'esprit des écoutants : ainsi le seul mot Effet signifie en Musique un grand et bel Effet. Et non-seulement on dira d'un ouvrage qu'il fait de l'Effet ; mais on y distinguera, sous le nom de choses d'Effet, toutes celles où la sensation produite paraît supérieure aux moyens employés pour l'exciter. Une longue pratique, peut apprendre à connaître sur le papier les choses d'Effet ; mais il n'y a que le Génie qui les trouve » (*ibid.*, p. 801). **2.** Comprendre : en remontant les trente ou quarante dernières années. Le compte est bon : Jean-Baptiste Lully, musicien de la cour sous Louis XIV, est mort en 1687 ; la querelle dite des « lullistes » et des « ramistes » (partisans du musicien français Jean-Philippe Rameau) commence en 1733 et correspond au présent diégétique. Mais les idées du « musicien », partisan de la musique italienne contre la musique française, renvoient plutôt à la querelle dite « des Bouffons » qui commence en 1752 ; elles reflètent la position de Rousseau, telle qu'elle s'exprime dans la *Lettre sur la musique française* et surtout dns l'*Essai sur l'origine des langues* (notamment les chapitres XIII et XIV) écrit concomitamment au roman. **3.** « Discours récité d'un ton musical et harmonieux. C'est une manière de Chant qui approche beaucoup de la parole, une déclamation en musique, dans laquelle le Musicien doit imiter, autant qu'il est possible, les inflexions de voix du Déclamateur » (*DM*, p. 1007). Le « récitatif obligé » employé dans les scènes pathétiques est typique de l'opéra italien.

et partout l'énergie que la mesure exacte et le choix des accords ajoutent à l'expression. Enfin après avoir joint à la connaissance que j'ai de la langue la meilleure idée qu'il me fut possible de l'accent oratoire et pathétique, c'est-à-dire de l'art de parler à l'oreille et au cœur dans une langue sans articuler des mots, je me mis à écouter cette musique enchanteresse, et je sentis bientôt aux émotions qu'elle me causait que cet art avait un pouvoir supérieur à celui que j'avais imaginé. Je ne sais quelle sensation voluptueuse me gagnait insensiblement. Ce n'était plus une vaine suite de sons, comme dans nos récits [1]. À chaque phrase quelque image entrait dans mon cerveau ou quelque sentiment dans mon cœur ; le plaisir ne s'arrêtait point à l'oreille, il pénétrait jusqu'à l'âme ; l'exécution coulait sans effort avec une facilité charmante ; tous les concertants semblaient animés du même esprit ; le chanteur maître de sa voix en tirait sans gêne tout ce que le chant et les paroles demandaient de lui, et je trouvai surtout un grand soulagement à ne sentir ni ces lourdes cadences [2], ni ces pénibles efforts de voix, ni cette contrainte que donne chez nous au musicien le perpétuel combat du chant et de la mesure, qui, ne pouvant jamais s'accorder, ne lassent guère moins l'auditeur que l'exécutant.

Mais quand après une suite d'airs agréables, on vint à ces grands morceaux d'expression, qui savent exciter et peindre le désordre des passions violentes, je perdais à chaque instant l'idée de musique, de chant, d'imitation ; je croyais entendre la voix de la douleur, de l'emportement, du désespoir ; je croyais voir des mères éplorées, des amants trahis, des Tyrans furieux, et dans les agitations que j'étais forcé d'éprouver j'avais peine à rester en place. Je connus alors pourquoi cette même musique qui m'avait autrefois ennuyé, m'échauffait maintenant jusqu'au transport : c'est que j'avais commencé de la concevoir, et que sitôt qu'elle pouvait agir elle agissait avec toute sa force [3]. Non Julie, on ne

---

1. Au sens musical de « récitatifs ». **2.** Trilles vocaux. La *cadence* « est, en terme de Chant, ce battement de gosier que les Italiens appellent *Trillo*, que nous appelons autrement Tremblement, et qui se fait ordinairement sur la pénultième Note d'une phrase Musicale » (*DM*, p. 679). **3.** Ce pouvoir érotique de la musique italienne, comparable à celle de Wagner dans *À la recherche du temps perdu* de Proust, trouvera son antithèse dans la lettre sur l'Opéra de Paris (II, 23).

supporte point à demi de pareilles impressions ; elles sont
excessives ou nulles, jamais faibles ou médiocres ; il faut
rester insensible ou se laisser émouvoir outre mesure ; ou
c'est le vain bruit d'une langue qu'on n'entend point, ou
c'est une impétuosité de sentiment qui vous entraîne, et à
laquelle il est impossible à l'âme de résister.

Je n'avais qu'un regret ; mais il ne me quittait point ;
c'était qu'un autre que toi formât des sons dont j'étais si
touché, et de voir sortir de la bouche d'un vil *castrato* les
plus tendres expressions de l'amour [1]. Ô ma Julie ! n'est-ce
pas à nous de revendiquer tout ce qui appartient au sentiment ? Qui sentira, qui dira mieux que nous ce que doit dire
et sentir une âme attendrie ? Qui saura prononcer d'un ton
plus touchant le *cor mio*, l'*idolo amato* [2] ? Ah que le cœur
prêtera d'énergie à l'art, si jamais nous chantons ensemble
un de ces duos charmants qui font couler des larmes si délicieuses ! Je te conjure premièrement d'entendre un essai de
cette musique, soit chez toi, soit chez l'inséparable. Milord
y conduira quand tu voudras tout son monde, et je suis
sûr qu'avec un organe aussi sensible que le tien, et plus de
connaissance que je n'en avais de la déclamation italienne,
une seule séance suffira pour t'amener au point où je suis,
et te faire partager mon enthousiasme. Je te propose et te
prie encore de profiter du séjour du virtuose pour prendre
leçon de lui, comme j'ai commencé de faire dès ce matin.
Sa manière d'enseigner est simple, nette, et consiste en pratique plus qu'en discours ; il ne dit pas ce qu'il faut faire, il
le fait, et en ceci comme en bien d'autres choses l'exemple
vaut mieux que la règle. Je vois déjà qu'il n'est question que
de s'asservir à la mesure, de la bien sentir, de phraser et

---

1. Ce « nouvel Abélard » qu'est Saint-Preux dénie aux hommes châtrés (ici,
le castrat Regianino) la capacité d'éprouver des passions, selon un préjugé
pourtant battu en brèche par Montesquieu au sujet des eunuques dans les
Lettres persanes. Sur cette question, qui fait débat au XVIIIe siècle, voir
M. Delon, « Le castrat de Rousseau », *Europe*, 2006. **2.** « Mon cœur »,
« idole aimée » (*idolo* est masculin en italien). L'*idolo amato* est un motif
topique des airs de la musique italienne et de celle de ses partisans, comme
Haendel. On peut songer à la cantate d'Alessandro Scarlatti, *Tu parti, idolo
amato* (fin du XVIIe siècle), ou au début de certaines arias de Haendel :
Bell'idolo amato (*Ariane en Crète*, 1733) ou *Di, cor mio, quanto t'amai*
(*Alcine*, 1735).

ponctuer [1] avec soin, de soutenir également des sons et non de les renfler, enfin d'ôter de la voix les éclats et toute la prétintaille [2] française, pour la rendre juste, expressive, et flexible ; la tienne naturellement si légère et si douce prendra facilement ce nouveau pli ; tu trouveras bientôt dans ta sensibilité l'énergie et la vivacité de l'accent qui anime la musique italienne.

> *E'l cantar che nell' anima si sente*
> [Et le chant qui se sent dans l'âme [3]]

Laisse donc pour jamais cet ennuyeux et lamentable chant français qui ressemble au cri de la colique mieux qu'aux transports des passions. Apprends à former ces sons divins que le sentiment inspire, seuls dignes de ta voix, seuls dignes de ton cœur, et qui portent toujours avec eux le charme et le feu des caractères sensibles.

Lettre XLIX
De Julie

Tu sais bien, mon ami, que je ne puis t'écrire qu'à la dérobée, et toujours en danger d'être surprise. Ainsi, dans l'impossibilité de faire de longues lettres je me borne à répondre à ce qu'il y a de plus essentiel dans les tiennes, ou à suppléer à ce que je n'ai pu te dire dans des conversations non moins furtives de bouche que par écrit. C'est ce que je ferai surtout aujourd'hui que deux mots au sujet de Milord Édouard me font oublier le reste de ta lettre.

Mon ami, tu crains de me perdre et me parles de chansons ! Belle matière à tracasserie entre amants qui s'entendraient moins. Vraiment, tu n'es pas jaloux, on le voit bien ;

---

1. La *phrase* est une « Suite de Chant ou d'Harmonie qui forme sans interruption un sens plus ou moins achevé, et qui se termine sur un repos par une cadence plus ou moins parfaite » (*DM*, p. 979). *Ponctuer* consiste à « marquer les repos [...] et diviser tellement les Phrases qu'on sente par la Modulation et par les Cadences leurs commencements, leurs chutes et leurs liaisons » (*ibid.*, p. 990). **2.** Emploi original et polémique du mot. Féraud propose une autre graphie : « *Pretintâille*, ornement en découpure, qui se met sur les robes des femmes. [...] Quelques critiques l'ont dit au *fig.* en parlant du style, du discours chargé de petits ornements affectés. » **3.** Pétrarque, *Canzoniere*, n° 213, v. 6, p. 305. Trad. de Rousseau dans DC.

mais pour le coup je ne serais pas jalouse moi-même, car j'ai pénétré dans ton âme et ne sens que ta confiance où d'autres croiraient sentir ta froideur. Ô la douce et charmante sécurité que celle qui vient du sentiment d'une union parfaite ! C'est par elle, je le sais, que tu tires de ton propre cœur le bon témoignage du mien, c'est par elle aussi que le mien te justifie, et je te croirais bien moins amoureux si je te voyais plus alarmé.

Je ne sais ni ne veux savoir si Milord Édouard a d'autres attentions pour moi que celles qu'ont tous les hommes pour les personnes de mon âge ; ce n'est point de ses sentiments qu'il s'agit, mais de ceux de mon père et des miens ; ils sont aussi d'accord sur son compte que sur celui des prétendus prétendants, dont tu dis que tu ne dis rien. Si son exclusion et la leur suffisent à ton repos, sois tranquille. Quelque honneur que nous fît la recherche d'un homme de ce rang, jamais du consentement du père ni de la fille, Julie d'Étange ne sera Lady Bomston. Voilà sur quoi tu peux compter.

Ne va pas croire qu'il ait été pour cela question de Milord Édouard ; je suis sûre que de nous quatre tu es le seul qui puisse même lui supposer du goût pour moi. Quoi qu'il en soit, je sais à cet égard la volonté de mon père sans qu'il en ait parlé ni à moi ni à personne, et je n'en serais pas mieux instruite quand il me l'aurait positivement déclarée. En voilà assez pour calmer tes craintes, c'est-à-dire autant que tu en dois savoir. Le reste serait pour toi de pure curiosité, et tu sais que j'ai résolu de ne la pas satisfaire. Tu as beau me reprocher cette réserve et la prétendre hors de propos dans nos intérêts communs. Si je l'avais toujours eue, elle me serait moins importante aujourd'hui. Sans le compte indiscret [1] que je te rendis d'un discours de mon père, tu n'aurais point été te désoler à Meillerie [2] ; tu ne m'eusses point écrit la lettre qui m'a perdue ; je vivrais innocente et pourrais encore aspirer au bonheur. Juge par ce que me coûte une seule indiscrétion, de la crainte que je dois avoir d'en commettre d'autres ! Tu as trop d'emportement pour avoir de la prudence ; tu pourrais plutôt vaincre tes passions que les déguiser. La moindre alarme te mettrait en fureur ;

---

1. Imprudent, étourdi. 2. Voir I, 26.

à la moindre lueur favorable tu ne douterais plus de rien. On lirait tous nos secrets dans ton âme, et tu détruirais à force de zèle tout le succès de mes soins. Laisse-moi donc les soucis de l'amour, et n'en garde que les plaisirs ; ce partage est-il si pénible, et ne sens-tu pas que tu ne peux rien à notre bonheur que de n'y point mettre obstacle ?[1]

Hélas, que me serviront désormais ces précautions tardives ? Est-il temps d'affermir ses pas au fond du précipice, et de prévenir les maux dont on se sent accablé ? Ah misérable fille, c'est bien à toi de parler de bonheur ! En peut-il jamais être où règnent la honte et le remords ? Dieu ! quel état cruel, de ne pouvoir ni supporter son crime, ni s'en repentir ; d'être assiégé par mille frayeurs, abusé par mille espérances vaines, et de ne jouir pas même de l'horrible tranquillité du désespoir ! Je suis désormais à la seule merci du sort. Ce n'est plus ni de force ni de vertu qu'il est question, mais de fortune et de prudence, et il ne s'agit pas d'éteindre un amour qui doit durer autant que ma vie, mais de le rendre innocent ou de mourir coupable. Considère cette situation, mon ami, et vois si tu peux te fier à mon zèle ?

Lettre L
De Julie

Je n'ai point voulu vous expliquer hier en vous quittant, la cause de la tristesse que vous m'avez reprochée, parce que vous n'étiez pas en état de m'entendre. Malgré mon aversion pour les éclaircissements, je vous dois celui-ci, puisque je l'ai promis, et je m'en acquitte.

Je ne sais si vous vous souvenez des étranges discours que vous me tîntes hier au soir et des manières dont vous les accompagnâtes ; quant à moi, je ne les oublierai jamais assez tôt pour votre honneur et pour mon repos, et malheureusement j'en suis trop indignée pour pouvoir les oublier aisément. De pareilles expressions avaient quelquefois frappé mon oreille en passant auprès du port ; mais je ne

---

1. Nous remplaçons le point par un point d'interrogation.

croyais pas qu'elles pussent jamais sortir de la bouche d'un honnête homme ; je suis très sûre au moins qu'elles n'entrèrent jamais dans le dictionnaire des amants, et j'étais bien éloignée de penser qu'elles pussent être d'usage entre vous et moi. Eh Dieu, quel amour est le vôtre, s'il assaisonne ainsi ses plaisirs ! Vous sortiez, il est vrai, d'un long repas, et je vois ce qu'il faut pardonner en ce pays aux excès qu'on y peut faire : c'est aussi pour cela que je vous en parle. Soyez certain qu'un tête-à-tête où vous m'auriez traitée ainsi de sang-froid eût été le dernier de notre vie.

Mais ce qui m'alarme sur votre compte, c'est que souvent la conduite d'un homme échauffé de vin n'est que l'effet de ce qui se passe au fond de son cœur dans les autres temps. Croirai-je que dans un état où l'on ne déguise rien vous vous montrâtes tel que vous êtes ?[1] Que deviendrais-je si vous pensiez à jeun comme vous parliez hier au soir ? Plutôt que de supporter un pareil mépris j'aimerais mieux éteindre un feu si grossier, et perdre un amant qui sachant si mal honorer sa maîtresse mériterait si peu d'en être estimé. Dites-moi, vous qui chérissez les sentiments honnêtes, seriez-vous tombé dans cette erreur cruelle que l'amour heureux n'a plus de ménagement à garder avec la pudeur, et qu'on ne doit plus de respect à celle dont on n'a plus de rigueur à craindre ? Ah ! si vous aviez toujours pensé ainsi, vous auriez été moins à redouter et je ne serais pas si malheureuse ! Ne vous y trompez pas, mon ami, rien n'est si dangereux pour les vrais amants que les préjugés du monde ; tant de gens parlent d'amour, et si peu savent aimer, que la plupart prennent pour ses pures et douces lois les viles maximes d'un commerce abject, qui bientôt assouvi de lui-même a recours aux monstres de l'imagination et se déprave pour se soutenir [2].

---

1. Nous remplaçons le point par un point d'interrogation. L'ivresse, le délire (II, 2, fragments) et le rêve (V, 9 et 11) offrent un accès à ce que la psyché censure dans l'état de veille. **2.** Le mot « commerce » évoque les *Maximes* de La Rochefoucauld (qualifiées cependant de « triste livre » : voir *infra*, III, 20, note de Rousseau), notamment la maxime 76 : « Il en est du véritable amour comme de l'apparition des esprits : tout le monde en parle, mais peu de gens en ont vu » (*Réflexions ou Sentences et maximes morales*, p. 141).

Je ne sais si je m'abuse ; mais il me semble que le véritable amour est le plus chaste de tous les liens. C'est lui, c'est son feu divin qui sait épurer nos penchants naturels, en les concentrant dans un seul objet ; c'est lui qui nous dérobe aux tentations, et qui fait qu'excepté cet objet unique, un sexe n'est plus rien pour l'autre. Pour une femme ordinaire, tout homme est toujours un homme ; mais pour celle dont le cœur aime, il n'y a point d'homme que son amant. Que dis-je ? Un amant n'est-il qu'un homme ? Ah qu'il est un être bien plus sublime ! Il n'y a point d'homme pour celle qui aime : son amant est plus ; tous les autres sont moins ; elle et lui sont les seuls de leur espèce. Ils ne désirent pas, ils aiment. Le cœur ne suit point les sens, il les guide ; il couvre leurs égarements d'un voile délicieux. Non il n'y a rien d'obscène que la débauche et son grossier langage. Le véritable amour toujours modeste n'arrache point ses faveurs avec audace ; il les dérobe avec timidité. Le mystère, le silence, la honte craintive aiguisent et cachent ses doux transports ; sa flamme honore et purifie[a] toutes ses caresses ; la décence et l'honnêteté l'accompagnent au sein de la volupté même, et lui seul sait tout accorder aux désirs sans rien ôter à la pudeur. Ah dites ! vous qui connûtes les vrais plaisirs ; Comment une cynique[1] effronterie pourrait-elle s'allier avec eux ? Comment ne bannirait-elle pas leur délire et tout leur charme ? Comment ne souillerait-elle pas cette image de perfection sous laquelle on se plaît à contempler l'objet aimé ? Croyez-moi, mon ami, la débauche et l'amour ne sauraient loger ensemble, et ne peuvent pas même se compenser. Le cœur fait le vrai bonheur quand on s'aime, et rien n'y peut suppléer sitôt qu'on ne s'aime plus.

Mais quand vous seriez assez malheureux pour vous plaire à ce déshonnête langage, comment avez-vous pu vous résoudre à l'employer si mal à propos, et à prendre avec

---

1. Au sens de la philosophie cynique, celle de Diogène, qui enseigne que l'homme, pur animal, doit obéir sans aucune honte – sentiment acquis par intériorisation de normes sociales – aux besoins immédiats de sa nature, en particulier sexuels. Au cynisme s'oppose, dans ce contexte, l'idéal platonicien des amants.

celle qui vous est chère un ton et des manières qu'un homme d'honneur doit même ignorer ? Depuis quand est-il doux d'affliger ce qu'on aime, et quelle est cette volupté barbare qui se plaît à jouir du tourment d'autrui ? Je n'ai pas oublié que j'ai perdu le droit d'être respectée ; mais si je l'oubliais jamais, est-ce à vous de me le rappeler ? Est-ce à l'auteur de ma faute d'en aggraver la punition ? Ce serait à lui plutôt à m'en consoler. Tout le monde a droit de me mépriser hors vous. Vous me devez le prix de l'humiliation où vous m'avez réduite et tant de pleurs versés sur ma faiblesse méritaient que vous me la fissiez moins cruellement sentir. Je ne suis ni prude ni précieuse [1]. Hélas, que j'en suis loin, moi qui n'ai pas su même être sage ! Vous le savez trop, ingrat, si ce tendre cœur sait rien refuser à l'amour ? Mais au moins ce qu'il lui cède, il ne veut le céder qu'à lui, et vous m'avez trop bien appris son langage, pour lui en pouvoir substituer un si différent. Des injures, des coups m'outrageraient moins que de semblables caresses. Ou renoncez à Julie, ou sachez être estimé d'elle. Je vous l'ai déjà dit, je ne connais point d'amour sans pudeur, et s'il m'en coûtait de perdre le vôtre, il m'en coûterait encore plus de le conserver à ce prix.

Il me reste beaucoup de choses à dire sur le même sujet ; mais il faut finir cette lettre et je les renvoie à un autre temps. En attendant, remarquez un effet de vos fausses maximes sur l'usage immodéré du vin. Votre cœur n'est point coupable, j'en suis très sûre. Cependant vous avez navré le mien, et sans savoir ce que vous faisiez, vous désoliez comme à plaisir ce cœur trop facile à s'alarmer, et pour qui rien n'est indifférent de ce qui lui vient de vous.

Lettre LI
Réponse

Il n'y a pas une ligne dans votre lettre qui ne me fasse glacer le sang, et j'ai peine à croire, après l'avoir relue vingt

---

1. Au sens du néoplatonisme de la préciosité venue du XVIIe siècle. Chantre du « parfait amour », la précieuse est traditionnellement satirisée en « prude ».

fois que ce soit à moi qu'elle est adressée. Qui moi, moi ?
j'aurais offensé Julie ? J'aurais profané ses attraits ? Celle à
qui chaque instant de ma vie j'offre des adorations, eût été
en butte à mes outrages ? Non, je me serais percé le cœur
mille fois avant qu'un projet si barbare en eût approché. Ah,
que tu le connais mal, ce cœur qui t'idolâtre ! ce cœur qui
vole et se prosterne sous chacun de tes pas ! ce cœur qui
voudrait inventer pour toi de nouveaux hommages inconnus
aux mortels ! Que tu le connais mal, ô Julie, si tu l'accuses
de manquer envers toi à ce respect ordinaire et commun
qu'un amant vulgaire aurait même pour sa maîtresse ! Je ne
crois être ni impudent ni brutal, je hais les discours déshonnêtes et n'entrai de mes jours dans les lieux où l'on apprend
à les tenir. Mais, que je le redise après toi, que je renchérisse
sur ta juste indignation ; quand je serais le plus vil des mortels, quand j'aurais passé mes premiers ans dans la crapule [1],
quand le goût des honteux plaisirs pourrait trouver place en
un cœur où tu règnes, oh dis-moi, Julie, Ange du Ciel, dis-
moi comment je pourrais apporter devant toi l'effronterie
qu'on ne peut avoir que devant celles qui l'aiment ? Ah non,
il n'est pas possible ! Un seul de tes regards eût contenu ma
bouche et purifié mon cœur. L'amour eût couvert mes désirs
emportés des charmes de ta modestie ; il l'eût vaincue sans
l'outrager, et dans la douce union de nos âmes, leur seul
délire eût produit les erreurs des sens. J'en appelle à ton
propre témoignage. Dis, si dans toutes les fureurs d'une passion sans mesure, je cessai jamais d'en respecter le charmant
objet ? Si je reçus le prix que ma flamme avait mérité, dis si
j'abusai de mon bonheur pour outrager[a] ta douce honte ?
Si d'une main timide l'amour ardent et craintif attenta quelquefois à tes charmes, dis si jamais une témérité brutale osa
les profaner ? Quand un transport indiscret écarte un
instant le voile qui les couvre, l'aimable pudeur n'y substi-
tue-t-elle pas aussitôt le sien ? Ce vêtement sacré
t'abandonnerait-il un moment quand tu n'en aurais point
d'autre ? Incorruptible comme ton âme honnête, tous les

---

1. La *crapule* est un « vilain excès de boire et de manger qui est passé en
habitude » (*Acad.* 1762). Féraud note que le mot n'est « pas du beau style ».
Il sera repris par Julie à propos d'un autre cas d'ivresse fâcheuse (II, 27).

feux de la mienne l'ont-ils jamais altéré ? Cette union si touchante et si tendre ne suffit-elle pas à notre félicité ? Ne
fait-elle pas seule tout le bonheur de nos jours ? Connais-
sons-nous au monde quelques plaisirs hors ceux que
l'amour donne ? En voudrions-nous connaître d'autres ?
Conçois-tu comment cet enchantement eût pu se détruire ?
Comment j'aurais oublié dans un moment l'honnêteté,
notre amour, mon honneur, et l'invincible respect que
j'aurais toujours eu pour toi, quand même je ne t'aurais
point adorée ? Non, ne le crois pas ; ce n'est point moi qui
pus t'offenser. Je n'en ai nul souvenir ; et si j'eusse été coupable un instant, le remords me quitterait-il jamais ? Non
Julie, un démon jaloux d'un sort trop heureux pour un
mortel a pris ma figure pour le troubler et m'a laissé mon
cœur pour me rendre plus misérable.

J'abjure, je déteste un forfait que j'ai commis, puisque tu
m'en accuses, mais auquel ma volonté n'a point de part.
Que je vais l'abhorrer, cette fatale intempérance qui me
paraissait favorable aux épanchements du cœur, et qui put
démentir si cruellement le mien ! J'en fais par toi l'irrévocable serment, dès aujourd'hui je renonce pour ma vie au
vin comme au plus mortel poison ; jamais cette liqueur
funeste ne troublera mes sens ; jamais elle ne souillera mes
lèvres, et son délire insensé ne me rendra plus coupable à
mon insu. Si j'enfreins ce vœu solennel ; Amour, accable-
moi du châtiment dont je serai digne, puisse à l'instant
l'image de ma Julie sortir pour jamais de mon cœur, et
l'abandonner à l'indifférence et au désespoir.

Ne pense pas que je veuille expier mon crime par une
peine si légère. C'est une précaution et non pas un châtiment. J'attends de toi celui que j'ai mérité. Je l'implore pour
soulager mes regrets. Que l'amour offensé se venge et
s'apaise ; punis-moi sans me haïr, je souffrirai sans murmure. Sois juste et sévère ; il le faut, j'y consens ; mais si tu
veux me laisser la vie, ôte-moi tout hormis ton cœur.

Lettre LII
De Julie

Comment, mon ami, renoncer au vin pour sa maîtresse ?
Voilà ce qu'on appelle un sacrifice ! Oh, je défie qu'on

trouve dans les quatre Cantons [1] un homme plus amoureux que toi ! Ce n'est pas qu'il n'y ait parmi nos jeunes gens de petits Messieurs francisés qui boivent de l'eau par air [2], mais tu seras le premier à qui l'amour en aura fait boire ; c'est un exemple à citer dans les fastes galants de la Suisse. Je me suis même informée de tes déportements [3], et j'ai appris avec une extrême édification que soupant hier chez M. de Vueillerans [4], tu laissas faire la ronde à six bouteilles après le repas, sans y toucher, et ne marchandais non plus [5] les verres d'eau, que les convives ceux de vin de la côte [6]. Cependant cette pénitence dure depuis trois jours que ma lettre est écrite, et trois jours font au moins six repas. Or à six repas observés par fidélité, l'on en peut ajouter six autres par crainte, et six par honte, et six par habitude, et six par obstination. Que de motifs peuvent prolonger des privations pénibles dont l'amour seul aurait la gloire ? Daignerait-il se faire honneur de ce qui peut n'être pas à lui ?

Voilà plus de mauvaises plaisanteries que tu ne m'as tenu de mauvais propos, il est temps d'enrayer [7]. Tu es grave naturellement ; je me suis aperçue qu'un long badinage t'échauffe, comme une longue promenade échauffe un homme replet ; mais je tire à peu près de toi la vengeance qu'Henri quatre tira du Duc de Mayenne [8], et ta Souveraine veut imiter la clémence du meilleur des Rois. Aussi bien je craindrais qu'à force de regrets et d'excuses tu ne te fisses à la fin un mérite d'une faute si bien réparée, et je veux me hâter de l'oublier, de peur que si j'attendais trop longtemps ce ne fût plus générosité, mais ingratitude.

À l'égard de ta résolution de renoncer au vin pour toujours, elle n'a pas autant d'éclat à mes yeux que tu pourrais

---

1. Les quatre cantons historiques de la Confédération helvétique (Lucerne, Uri, Schwyz, Unterwald), dont les habitants se fournissaient en vins du pays de Vaud (d'après D. Mornet). **2.** Par affectation, pour paraître du bon ton. **3.** « Conduite, mœurs, manière de vie. Il se prend ordinairement en mauvaise part, et ne se dit qu'au pluriel » (*Féraud*). **4.** Vuillerans est une authentique seigneurie du pays de Vaud. **5.** Tu n'épargnais pas plus (familier). **6.** Le vignoble qui longe le Léman, entre Nyon et Allaman. **7.** « S'emploie familièrement au figuré, pour dire, Arrêter la trop grande vivacité de quelqu'un » (*Acad.* 1762). **8.** Référence à une anecdote plaisante selon laquelle Henri IV aurait forcé le duc de Mayenne, réputé pour sa gourmandise, à manger au-delà de ses forces.

croire ; les passions vives ne songent guère à ces petits sacrifices, et l'amour ne se repaît point de galanterie [1]. D'ailleurs, il y a quelquefois plus d'adresse que de courage à tirer avantage pour le moment présent d'un avenir incertain, et à se payer d'avance d'une abstinence éternelle à laquelle on renonce quand on veut. Eh mon bon ami ! dans tout ce qui flatte les sens l'abus est-il donc inséparable de la jouissance ? L'ivresse est-elle nécessairement attachée au goût du vin, et la philosophie serait-elle assez vaine ou assez cruelle pour n'offrir d'autre moyen d'user modérément des choses qui plaisent, que de s'en priver tout à fait ?

Si tu tiens ton engagement, tu t'ôtes un plaisir innocent, et risques ta santé en changeant de manière de vivre : si tu l'enfreins, l'amour est doublement offensé et ton honneur même en souffre. J'use donc en cette occasion de mes droits, et non seulement je te relève d'un vœu nul, comme fait sans mon congé [2], mais je te défends même de l'observer au delà du terme que je vais te prescrire. Mardi nous aurons ici la musique [3] de Milord Édouard. À la collation je t'enverrai une coupe à demi pleine d'un nectar pur et bienfaisant. Je veux qu'elle soit bue en ma présence, et à mon intention, après avoir fait de quelques gouttes une libation expiatoire aux Grâces. Ensuite mon pénitent reprendra dans ses repas l'usage sobre du vin tempéré par le cristal des fontaines, et comme dit ton bon Plutarque, en calmant les ardeurs de Bacchus par le commerce des Nymphes [4].

À propos du concert de mardi, cet étourdi de Regianino ne s'est-il pas mis dans la tête que j'y pourrais déjà chanter un air italien et même un duo avec lui ? Il voulait que je le chantasse avec toi pour mettre ensemble ses deux écoliers ;

---

1. *Galanterie* se dit, au sens mondain, « de certains soins que l'on rend aux Dames, et des petits présents qu'on leur fait par politesse » (*Acad.* 1762). Julie a employé le mot en un sens plus péjoratif plus haut (lettre 6, n. 2, p. 68). **2.** Consentement. **3.** Musique « se prend pour Une compagnie de personnes qui font profession de la musique, et qui ont accoutumé de chanter ensemble » (*Acad.* 1762). **4.** Allusion à un passage d'un traité de Plutarque sur les nymphes nourrices de Bacchus : « il faut qu'il [Bacchus] soit allaité et nourri de plusieurs nymphes, c'est-à-dire, de plus de fois autant d'eau pour le rendre plus sage et mieux dompté » (*Œuvres morales et philosophiques*, « Des propos de table », l. III, 9e question, « Que signifie ce vieil proverbe : Bois cinq ou trois, et non pas quatre », éd. Morel, 1597, p. 386).

mais il y a dans ce duo de certains *ben mio* [1] dangereux à dire sous les yeux d'une mère quand le cœur est de la partie ; il vaut mieux renvoyer cet essai au premier concert qui se fera chez l'inséparable. J'attribue la facilité avec laquelle j'ai pris le goût de cette musique à celui que mon frère m'avait donné pour la poésie italienne, et que j'ai si bien entretenu avec toi que je sens aisément la cadence des vers, et qu'au dire de Regianino, j'en prends assez bien l'accent. Je commence chaque leçon par lire quelques octaves du Tasse [2], ou quelques scènes du Métastase : ensuite il me fait dire et accompagner du récitatif, et je crois continuer de parler ou de lire, ce qui sûrement ne m'arrivait pas dans le récitatif français. Après cela il faut soutenir en mesure des sons égaux et justes ; exercice que les éclats auxquels j'étais accoutumée me rendent assez difficile. Enfin nous passons aux airs, et il se trouve que la justesse et la flexibilité de la voix, l'expression pathétique, les sons renforcés et tous les passages [3], sont un effet naturel de la douceur du chant et de la précision de la mesure, de sorte que ce qui me paraissait le plus difficile à apprendre, n'a pas même besoin d'être enseigné. Le caractère de la mélodie a tant de rapport au ton de la langue, et une si grande pureté de modulation, qu'il ne faut qu'écouter la basse et savoir parler, pour déchiffrer aisément le chant. Toutes les passions y ont des expressions aiguës et fortes ; tout au contraire de l'accent traînant et pénible du chant français, le sien, toujours doux et facile, mais vif et touchant dit beaucoup avec peu d'effort. Enfin, je sens que cette musique agite l'âme et repose la poitrine ; c'est précisément celle qu'il faut à mon cœur et à mes poumons. À mardi donc, mon aimable ami, mon maître, mon pénitent, mon apôtre, hélas ! que ne m'es-tu point ! Pourquoi faut-il qu'un seul titre manque à tant de droits ?

---

1. Mon bien-aimé. **2.** « Stances de huit vers de la poésie italienne. *Les Poèmes de l'Arioste et du Tasse sont distribués par octaves* » (*Acad.* 1762). **3.** Les *sons renforcés* correspondent aux indications *crescendo* et *rinforzando* sur les partitions. Un *passage* est un « Ornement dont on charge un trait de Chant, pour l'ordinaire assez court ; lequel est composé de plusieurs Notes ou Diminutions qui se chantent ou se jouent très légèrement. C'est ce que les Italiens appellent aussi *Passo* » (*DM*, p. 975).

P. S. Sais-tu qu'il est question d'une jolie promenade sur l'eau, pareille à celle que nous fîmes il y a deux ans avec la pauvre Chaillot ? Que mon rusé maître était timide alors ! Qu'il tremblait en me donnant la main pour sortir du bateau ! Ah l'hypocrite !.... il a beaucoup changé.

Lettre LIII
De Julie

Ainsi tout déconcerte nos projets, tout trompe notre attente, tout trahit des feux que le ciel eût dû couronner ! Vils jouets d'une aveugle fortune, tristes victimes d'un moqueur espoir, toucherons-nous sans cesse au plaisir qui fuit, sans jamais l'atteindre ? Cette noce trop vainement désirée devait se faire à Clarens ; le mauvais temps nous contrarie, il faut la faire à la ville. Nous devions nous y ménager une entrevue ; tous deux obsédés d'importuns, nous ne pouvons leur échapper en même temps, et le moment où l'un des deux se dérobe est celui où il est impossible à l'autre de le joindre ! Enfin, un favorable instant se présente, la plus cruelle des mères vient nous l'arracher, et peu s'en faut que cet instant ne soit celui de la perte de deux infortunés qu'il devait rendre heureux ! Loin de rebuter mon courage, tant d'obstacles l'ont irrité. Je ne sais quelle nouvelle force m'anime, mais je me sens une hardiesse que je n'eus jamais ; et si tu l'oses partager, ce soir, ce soir même peut acquitter mes promesses et payer d'une seule fois toutes les dettes de l'amour.

Consulte-toi bien, mon ami, et vois jusqu'à quel point il t'est doux de vivre ; car l'expédient que je te propose peut nous mener tous deux à la mort. Si tu la crains, n'achève point cette lettre, mais si la pointe d'une épée n'effraye pas plus aujourd'hui ton cœur, que ne l'effrayaient jadis les gouffres de Meillerie, le mien court le même risque et n'a pas balancé. Écoute.

Babi, qui couche ordinairement dans ma chambre est malade depuis trois jours, et quoique je voulusse absolument la soigner, on l'a transportée ailleurs malgré moi : mais comme elle est mieux, peut-être elle reviendra dès demain. Le lieu où l'on mange est loin de l'escalier qui conduit à l'appartement de ma mère et au mien : à l'heure du souper toute la maison est déserte hors la cuisine et la salle à manger. Enfin la nuit dans cette saison est déjà obscure à la même heure, son voile peut dérober aisément dans la rue les passants aux spectateurs, et tu sais parfaitement les êtres [1] de la maison.

Ceci suffit pour me faire entendre. Viens cet après-midi chez ma Fanchon ; je t'expliquerai le reste, et te donnerai les instructions nécessaires : que si je ne le puis je les laisserai par écrit à l'ancien entrepôt de nos lettres, où, comme je t'en ai prévenu tu trouveras déjà celle-ci : car le sujet en est trop important pour l'oser confier à personne.

Ô comme je vois à présent palpiter ton cœur ! Comme j'y lis tes transports, et comme je les partage ! Non, mon doux Ami, non, nous ne quitterons point cette courte vie sans avoir un instant goûté le bonheur. Mais songe, pourtant, que cet instant est environné des horreurs de la mort ; que l'abord est sujet à mille hasards, le séjour dangereux, la retraite d'un péril extrême ; que nous sommes perdus si nous sommes découverts, et qu'il faut que tout nous favorise pour pouvoir éviter de l'être. Ne nous abusons point ; je connais trop mon père pour douter que je ne te visse à l'instant percer le cœur de sa main, si même il ne commençait par moi ; car sûrement je ne serais pas plus épargnée, et crois-tu que je t'exposerais à ce risque si je n'étais sûre de le partager ?

Pense encore qu'il n'est point question de te fier à ton courage ; il n'y faut pas songer, et je te défends même très expressément d'apporter aucune arme pour ta défense, pas même ton épée : aussi bien te serait-elle parfaitement inutile ; car si nous sommes surpris, mon dessein est de me précipiter dans tes bras, de t'enlacer fortement dans les miens, et de recevoir ainsi le coup mortel pour n'avoir plus à me séparer de toi ; plus heureuse à ma mort que je ne le fus de ma vie.

J'espère qu'un sort plus doux nous est réservé ; je sens au moins, qu'il nous est dû, et la fortune se lassera de nous être

---

1. La disposition.

injuste. Viens donc, âme de mon cœur, vie de ma vie, viens te réunir à toi-même. Viens sous les auspices du tendre amour, recevoir le prix de ton obéissance et de tes sacrifices. Viens avouer, même au sein des plaisirs, que c'est de l'union des cœurs qu'ils tirent leur plus grand charme.

Lettre LIV
À *Julie*

J'arrive plein d'une émotion qui s'accroît en entrant dans cet asile. Julie ! me voici dans ton cabinet, me voici dans le sanctuaire de tout ce que mon cœur adore. Le flambeau de l'amour guidait mes pas, et j'ai passé sans être aperçu. Lieu charmant, lieu fortuné, qui jadis vis tant réprimer de regards tendres, tant étouffer de soupirs brûlants ; toi qui vis naître et nourrir mes premiers feux ; pour la seconde fois tu les verras couronner ; témoin de ma constance immortelle, sois le témoin de mon bonheur, et voile à jamais les plaisirs du plus fidèle et du plus heureux des hommes.

Que ce mystérieux séjour est charmant ![1] Tout y flatte et nourrit l'ardeur qui me dévore. Ô Julie ! il est plein de toi, et la flamme de mes désirs s'y répand sur tous tes vestiges[2]. Oui, tous mes sens y sont enivrés à la fois. Je ne sais quel parfum presque insensible, plus doux que la rose, et plus léger que l'iris s'exhale ici de toutes parts. J'y crois entendre le son flatteur de ta voix. Toutes les parties de ton habillement éparses présentent à mon ardente imagination celles de toi-même qu'elles recèlent. Cette coiffure légère que parent de grands cheveux blonds qu'elle feint de couvrir ; cet heureux fichu contre lequel une fois au moins je n'aurai point à murmurer ; ce déshabillé élégant et simple qui marque si bien le goût de celle qui le porte ; ces mules si mignonnes qu'un pied souple remplit sans peine ; ce corps[3] si délié qui touche et embrasse….. quelle taille enchanteresse….. au-devant deux légers contours…… ô spectacle de volupté…. la baleine a cédé à la force de l'impression….. empreintes délicieuses, que

---

1. Nous remplaçons le point d'interrogation par un point d'exclamation. **2.** Traces d'une présence. **3.** Corset. Voir I, 23, n. 2, p. 113.

je vous baise mille fois !.... Dieux ! Dieux ! que sera-ce quand....... Ah, je crois déjà sentir ce tendre cœur battre sous une heureuse main ! Julie ! ma charmante Julie ! je te vois, je te sens partout, je te respire avec l'air que tu as respiré ; tu pénètres toute ma substance ; que ton séjour est brûlant et douloureux pour moi ! Il est terrible à mon impatience. Ô viens, vole, ou je suis perdu.

Quel bonheur d'avoir trouvé de l'encre et du papier ! J'exprime ce que je sens pour en tempérer l'excès, je donne le change à mes transports en les décrivant [1].

Il me semble entendre du bruit. Serait-ce ton barbare père ? Je ne crois pas être lâche..... mais qu'en ce moment la mort me serait horrible ! [2] Mon désespoir serait égal à l'ardeur qui me consume. Ciel ! je te demande encore une heure de vie, et j'abandonne le reste de mon être à ta rigueur. Ô désirs ! ô crainte ! ô palpitations cruelles !.... on ouvre !.... on entre !..... c'est elle ! c'est elle ! je l'entrevois, je l'ai vue, j'entends refermer la porte. Mon cœur, mon faible cœur, tu succombes à tant d'agitations. Ah cherche des forces pour supporter la félicité qui t'accable !

Lettre LV
À Julie

Ô mourons, ma douce Amie ! mourons, la bien-aimée de mon cœur ! Que faire désormais d'une jeunesse insipide dont nous avons épuisé toutes les délices ? Explique-moi, si tu le peux, ce que j'ai senti dans cette nuit inconcevable ; donne-moi l'idée d'une vie ainsi passée, ou laisse-m'en quitter une qui n'a plus rien de ce que je viens d'éprouver avec toi. J'avais goûté le plaisir, et croyais concevoir le bonheur. Ah, je n'avais senti qu'un vain songe et n'imaginais que le bonheur d'un enfant ! Mes sens abusaient mon âme grossière ; je ne cherchais qu'en eux le bien suprême, et j'ai trouvé que leurs plaisirs épuisés n'étaient que le commencement des miens. Ô chef-d'œuvre unique de la nature ! Divine Julie !

---

1. Le personnage rejoue ici les « érotiques transports » de Jean-Jacques composant son roman (*Confessions*, livre IX). Voir Présentation, p. 8-9.
2. Nous remplaçons le point d'interrogation par un point d'exclamation.

possession délicieuse à laquelle tous les transports du plus ardent amour suffisent à peine ! Non, ce ne sont point ces transports que je regrette le plus : ah non ; retire, s'il le faut, ces faveurs enivrantes pour lesquelles je donnerais mille vies ; mais rends-moi tout ce qui n'était point elles, et les effaçait mille fois. Rends-moi cette étroite union des âmes, que tu m'avais annoncée et que tu m'as si bien fait goûter. Rends-moi cet abattement si doux rempli par les effusions de nos cœurs ; rends-moi ce sommeil enchanteur trouvé sur ton sein ; rends-moi ce réveil plus délicieux encore, et ces soupirs entrecoupés, et ces douces larmes, et ces baisers qu'une voluptueuse langueur nous faisait lentement savourer, et ces gémissements si tendres, durant lesquels tu pressais sur ton cœur ce cœur fait pour s'unir à lui.

Dis-moi, Julie, toi qui d'après ta propre sensibilité sais si bien juger de celle d'autrui, crois-tu que ce que je sentais auparavant fût véritablement de l'amour ? Mes sentiments, n'en doute pas, ont depuis hier changé de nature ; ils ont pris je ne sais quoi de moins impétueux, mais de plus doux, de plus tendre et de plus charmant. Te souvient-il de cette heure entière que nous passâmes à parler paisiblement de notre amour et de cet avenir obscur et redoutable, par qui le présent nous était encore plus sensible ; de cette heure, hélas, trop courte dont une légère empreinte de tristesse rendit les entretiens si touchants ? J'étais tranquille, et pourtant j'étais près de toi ; je t'adorais et ne désirais rien. Je n'imaginais pas même une autre félicité, que de sentir ainsi ton visage auprès du mien, ta respiration sur ma joue, et ton bras autour de mon cou. Quel calme dans tous mes sens ! Quelle volupté pure, continue, universelle ! Le charme de la jouissance était dans l'âme ; il n'en sortait plus ; il durait toujours. Quelle différence des fureurs de l'amour à une situation si paisible ! C'est la première fois de mes jours que je l'ai éprouvée auprès de toi ; et cependant, juge du changement étrange que j'éprouve ; c'est de toutes les heures de ma vie, celle qui m'est la plus chère, et la seule que j'aurais voulu prolonger éternellement *. Julie, dis-moi donc

---

* Femme trop facile, voulez-vous savoir si vous êtes aimée ? Examinez votre amant sortant de vos bras. Ô amour ! Si je regrette l'âge où l'on te goûte, ce n'est pas pour l'heure de la jouissance ; c'est pour l'heure qui la suit.

si je ne t'aimais point auparavant, ou si maintenant je ne t'aime plus ?

Si je ne t'aime plus ? Quel doute ! Ai-je donc cessé d'exister, et ma vie n'est-elle pas plus dans ton cœur que dans le mien ? Je sens, je sens que tu m'es mille fois plus chère que jamais, et j'ai trouvé dans mon abattement de nouvelles forces pour te chérir plus tendrement encore. J'ai pris pour toi des sentiments plus paisibles, il est vrai, mais plus affectueux et de plus de différentes espèces ; sans s'affaiblir ils se sont multipliés : les douceurs de l'amitié tempérèrent les emportements de l'amour, et j'imagine à peine quelque sorte d'attachement qui ne m'unisse pas à toi. Ô ma charmante maîtresse, ô mon épouse,[a] ma sœur, ma douce amie ! que j'aurai peu dit pour ce que je sens, après avoir épuisé tous les noms les plus chers au cœur de l'homme !

Il faut que je t'avoue un soupçon que j'ai conçu dans la honte et l'humiliation de moi-même : c'est que tu sais mieux aimer que moi. Oui, ma Julie, c'est bien toi qui fais ma vie et mon être ; je t'adore bien de toutes les facultés de mon âme ; mais la tienne est plus aimante, l'amour l'a plus profondément pénétrée ; on le voit, on le sent ; c'est lui qui anime tes grâces, qui règne dans tes discours, qui donne à tes yeux cette douceur pénétrante, à ta voix ces accents si touchants ; c'est lui, qui par ta seule présence communique aux autres cœurs sans qu'ils s'en aperçoivent la tendre émotion du tien. Que je suis loin de cet état charmant qui se suffit à lui-même ! Je veux jouir, et tu veux aimer ; j'ai des transports et toi de la passion ; tous mes emportements ne valent pas ta délicieuse langueur, et le sentiment dont ton cœur se nourrit est la seule félicité suprême. Ce n'est que d'hier seulement que j'ai goûté cette volupté si pure. Tu m'as laissé quelque chose de ce charme inconcevable qui est en toi, et je crois qu'avec ta douce haleine tu m'inspirais une âme nouvelle. Hâte-toi, je t'en conjure, d'achever ton ouvrage. Prends de la mienne tout ce qui m'en reste et mets tout à fait la tienne à la place. Non, beauté d'ange, âme céleste ; il n'y a que des sentiments comme les tiens qui puissent honorer tes attraits. Toi seule es digne d'inspirer un parfait amour, toi seule es propre à le sentir. Ah donne-moi ton cœur, ma Julie, pour t'aimer comme tu le mérites !

Lettre LVI
De Claire à Julie

J'ai, ma chère Cousine, à te donner un avis qui t'importe. Hier au soir ton ami eut avec Milord Édouard un démêlé qui peut devenir sérieux. Voici ce que m'en a dit M. d'Orbe qui était présent, et qui, inquiet des suites de cette affaire est venu ce matin m'en rendre compte.

Ils avaient tous deux soupé chez Milord, et après une heure ou deux de musique ils se mirent à causer et boire du punch. Ton ami n'en but qu'un seul verre mêlé d'eau ; les deux autres ne furent pas si sobres, et quoique M. d'Orbe ne convienne pas de s'être enivré, je me réserve à lui en dire mon avis dans un autre temps. La conversation tomba naturellement sur ton compte ; car tu n'ignores pas que Milord n'aime à parler que de toi. Ton ami, à qui ces confidences déplaisent, les reçut avec si peu d'aménité, qu'enfin Édouard échauffé de punch et piqué de cette séche-resse, osa dire en se plaignant de ta froideur, qu'elle n'était pas si générale qu'on pourrait croire et que tel qui n'en disait mot n'était pas si mal traité que lui. À l'instant ton ami, dont tu connais la vivacité, releva ce discours avec un emportement insultant qui lui attira un démenti, et ils sau-tèrent à leurs épées. Bomston à demi ivre se donna en cou-rant une entorse qui le força de s'asseoir. Sa jambe enfla sur-le-champ, et cela calma la querelle mieux que tous les soins que M. d'Orbe s'était donnés. Mais comme il était attentif à ce qui se passait, il vit ton ami s'approcher, en sortant, de l'oreille de Milord Édouard, et il entendit qu'il lui disait à demi-voix : *Sitôt que vous serez en état de sortir, faites-moi donner de vos nouvelles, ou j'aurai soin de m'en informer. N'en prenez pas la peine*, lui dit Édouard avec un souris [1] moqueur, *vous en saurez assez tôt. Nous verrons*, reprit froidement ton ami, et il sortit. M. d'Orbe en te remettant cette lettre t'expliquera le tout plus en détail. C'est à ta prudence à te suggérer des moyens d'étouffer cette fâcheuse affaire, ou à me prescrire de mon côté ce que je

----

1. Sourire.

dois faire pour y contribuer. En attendant le porteur est à tes ordres ; il fera tout ce que tu lui commanderas, et tu peux compter sur le secret.

Tu te perds, ma chère, il faut que mon amitié te le dise. L'engagement où tu vis ne peut rester longtemps caché dans une petite ville comme celle-ci, et c'est un miracle de bonheur [1] que depuis plus de deux ans qu'il a commencé tu ne sois pas encore le sujet des discours publics. Tu le vas devenir si tu n'y prends garde ; tu le serais déjà, si tu étais moins aimée ; mais il y a une répugnance si générale à mal parler de toi, que c'est un mauvais moyen de se faire fête [2], et un très sûr de se faire haïr. Cependant tout a son terme ; je tremble que celui du mystère ne soit venu pour ton amour, et il y a grande apparence que les soupçons de Milord Édouard lui viennent de quelques mauvais propos qu'il peut avoir entendus. Songes-y bien, ma chère enfant. Le Guet [3] dit il y a quelque temps avoir vu sortir de chez toi ton ami à cinq heures du matin. Heureusement celui-ci sut des premiers ce discours, il courut chez cet homme et trouva le secret de le faire taire ; mais qu'est-ce qu'un pareil silence, sinon le moyen d'accréditer des bruits sourdement répandus ? La défiance de ta mère augmente aussi de jour en jour ; tu sais combien de fois elle te l'a fait entendre. Elle m'en a parlé à mon tour d'une manière assez dure, et si elle ne craignait la violence de ton père, il ne faut pas douter qu'elle ne lui en eût déjà parlé à lui-même ; mais elle l'ose d'autant moins qu'il lui donnera toujours le principal tort d'une connaissance qui te vient d'elle.

Je ne puis trop le répéter ; songe à toi tandis qu'il en est temps encore. Écarte ton ami avant qu'on en parle ; préviens des soupçons naissants que son absence fera sûrement tomber : car enfin que peut-on croire qu'il fait ici ? Peut-être dans six semaines dans un mois sera-t-il trop tard. Si le moindre mot venait aux oreilles de ton père, tremble de ce qui résulterait de l'indignation d'un vieux militaire entêté de l'honneur de sa maison, et de la pétulance d'un jeune

---

1. De chance. **2.** Se ménager un accueil favorable. **3.** Le soldat chargé de la surveillance de la ville pendant la nuit.

homme emporté qui ne sait rien endurer. [1] Mais il faut commencer par vider [2] de manière ou d'autre l'affaire de Milord Édouard ; car tu ne ferais qu'irriter ton ami, et t'attirer un juste refus, si tu lui parlais d'éloignement avant qu'elle fût terminée.

Lettre LVII
De Julie

Mon ami, je me suis instruite avec soin de ce qui s'est passé entre vous et Milord Édouard. C'est sur l'exacte connaissance des faits que votre amie veut examiner avec vous comment vous devez vous conduire en cette occasion d'après les sentiments que vous professez, et dont je suppose que vous ne faites pas une vaine et fausse parade.

Je ne m'informe point si vous êtes versé dans l'art de l'escrime, ni si vous vous sentez en état de tenir tête à un homme qui a dans l'Europe la réputation de manier supérieurement les armes, et qui s'étant battu cinq ou six fois en sa vie a toujours tué, blessé, ou désarmé son homme. Je comprends que dans le cas où vous êtes, on ne consulte pas son habileté mais son courage, et que la bonne manière de se venger d'un brave qui vous insulte est de faire qu'il vous tue. Passons sur une maxime si judicieuse ; vous me direz que votre honneur et le mien vous sont plus chers que la vie : voilà donc le principe sur lequel il faut raisonner.

Commençons par ce qui vous regarde. Pourriez-vous jamais me dire en quoi vous êtes personnellement offensé dans un discours où c'est de moi seule qu'il s'agissait ? Si vous deviez en cette occasion prendre fait et cause pour moi, c'est ce que nous verrons tout à l'heure : en attendant, vous ne sauriez disconvenir que la querelle ne soit parfaitement étrangère à votre honneur particulier, à moins que vous ne preniez pour un affront le soupçon d'être aimé de moi. Vous avez été insulté, je l'avoue ; mais après avoir commencé vous-même par une insulte atroce, et moi dont la famille est

---

1. Nous rétablissons un point à la place du deux-points. **2.** Vider : régler. « Affaire » est synonyme de « duel ».

pleine de militaires, et qui ai tant ouï débattre ces horribles questions, je n'ignore pas qu'un outrage en réponse à un autre ne l'efface point, et que le premier qu'on insulte demeure le seul offensé : c'est le même cas d'un combat imprévu, où l'agresseur est le seul criminel, et où celui qui tue ou blesse en se défendant n'est point coupable de meurtre.

Venons maintenant à moi ; accordons que j'étais outragée par le discours de Milord Édouard, quoiqu'il ne fît que me rendre justice. Savez-vous ce que vous faites en me défendant avec tant de chaleur et d'indiscrétion ? Vous aggravez son outrage ; vous prouvez qu'il avait raison ; vous sacrifiez mon honneur à un faux point d'honneur ; vous diffamez votre maîtresse pour gagner tout au plus la réputation d'un bon spadassin [1]. Montrez-moi, de grâce, quel rapport il y a entre votre manière de me justifier et ma justification réelle ? Pensez-vous que prendre ma cause avec tant d'ardeur soit une grande preuve qu'il n'y a point de liaison entre nous, et qu'il suffise de faire voir que vous êtes brave, pour montrer que vous n'êtes pas mon amant ? Soyez sûr que tous les propos de Milord Édouard me font moins de tort que votre conduite ; c'est vous seul qui vous chargez par cet éclat de les publier et de les confirmer. Il pourra bien, quant à lui, éviter votre épée dans le combat ; mais jamais ma réputation ni mes jours, peut-être, n'éviteront le coup mortel que vous leur portez.

Voilà des raisons trop solides pour que vous ayez rien qui le puisse être à y répliquer [2] ; mais vous combattrez, je le prévois, la raison par l'usage ; vous me direz qu'il est des fatalités qui nous entraînent malgré nous ; que dans quelque cas que ce soit, un démenti ne se souffre jamais ; et que quand une affaire a pris un certain tour, on ne peut plus éviter de se battre ou de se déshonorer. Voyons encore.

Vous souvient-il d'une distinction que vous me fîtes autrefois dans une occasion importante, entre l'honneur réel et

---

1. Le terme est péjoratif : « bretteur, traîneur d'épée. *Les braves gens méprisent les spadassins* » (*Acad.* 1762). **2.** Pour que vous n'ayez rien d'aussi solide que mes arguments qui vous permette d'y répliquer. La dense syntaxe de Rousseau joue audacieusement des pronoms de rappel.

l'honneur apparent [1] ? Dans laquelle des deux classes met-
trons-nous celui dont il s'agit aujourd'hui ? Pour moi, je ne
vois pas comment cela peut même faire une question. Qu'y
a-t-il de commun entre la gloire d'égorger un homme et le
témoignage d'une âme droite, et quelle prise peut avoir la
vaine opinion d'autrui sur l'honneur véritable, dont toutes
les racines sont au fond du cœur ? Quoi ! les vertus qu'on a
réellement périssent-elles sous les mensonges d'un calom-
niateur ? Les injures d'un homme ivre prouvent-elles qu'on
les mérite, et l'honneur du sage serait-il à la merci du premier brutal qu'il peut rencontrer ? Me direz-vous qu'un duel
témoigne qu'on a du cœur, et que cela suffit pour effacer
la honte ou le reproche de tous les autres vices ? Je vous
demanderai quel honneur peut dicter une pareille décision,
et quelle raison peut la justifier ? À ce compte un fripon n'a
qu'à se battre pour cesser d'être un fripon ; les discours d'un
menteur deviennent des vérités, sitôt qu'ils sont soutenus à
la pointe de l'épée, et si l'on vous accusait d'avoir tué un
homme, vous en iriez tuer un second pour prouver que cela
n'est pas vrai ? Ainsi vertu, vice, honneur, infamie, vérité,
mensonge, tout peut tirer son être de l'événement [2] d'un
combat ; une salle d'armes est le siège de toute justice ; il
n'y a d'autre droit que la force, d'autre raison que le
meurtre ; toute la réparation due à ceux qu'on outrage est
de les tuer, et toute offense est également bien lavée dans le
sang de l'offenseur ou de l'offensé ? Dites, si les loups
savaient raisonner auraient-ils d'autres maximes ? Jugez
vous-même par le cas où vous êtes si j'exagère leur absurdité. De quoi s'agit-il ici pour vous ? D'un démenti reçu
dans une occasion où vous mentiez en effet. Pensez-vous
donc tuer la vérité avec celui que vous voulez punir de
l'avoir dite ? Songez-vous qu'en vous soumettant au sort
d'un duel, vous appelez le Ciel en témoignage d'une fausseté [3], et que vous osez dire à l'arbitre des combats : Viens

---

1. Développement de l'antithèse « mon honneur/un faux point d'honneur »,
fondée sur l'opposition anthropologique homme de la nature/homme de
l'homme (voir Présentation, p. 23-24). Julie fait référence à la lettre 24.
2. « Issue, succès de quelque chose » (*Acad.* 1762). **3.** Le duel est originelle-
ment considéré comme une ordalie où le vainqueur a raison au regard du
Jugement de Dieu. Saint-Preux s'expose donc à mentir devant la divinité,
d'où le « blasphème ».

soutenir la cause injuste, et faire triompher le mensonge ?
Ce blasphème n'a-t-il rien qui vous épouvante ? Cette absurdité n'a-t-elle rien qui vous révolte ? Eh Dieu ! quel est ce
misérable honneur qui ne craint pas le vice mais le reproche,
et qui ne vous permet pas d'endurer d'un autre un démenti
reçu d'avance de votre propre cœur ?

Vous qui voulez qu'on profite pour soi de ses lectures,
profitez donc des vôtres, et cherchez si l'on vit un seul
appel [1] sur la terre quand elle était couverte de Héros ? Les
plus vaillants hommes de l'Antiquité songèrent-ils jamais à
venger leurs injures personnelles par des combats particuliers ? César envoya-t-il un cartel [2] à Caton, ou Pompée à
César, pour tant d'affronts réciproques, et le plus grand
capitaine de la Grèce fut-il déshonoré pour s'être laissé
menacer du bâton [3] ? D'autres temps, d'autres mœurs, je le
sais ; mais n'y en a-t-il que de bonnes, et n'oserait-on
s'enquérir si les mœurs d'un temps sont celles qu'exige le
solide honneur ? Non, cet honneur n'est point variable, il ne
dépend ni des temps ni des lieux ni des préjugés, il ne peut
ni passer ni renaître, il a sa source éternelle dans le cœur de
l'homme juste et dans la règle inaltérable de ses devoirs. Si
les Peuples les plus éclairés, les plus braves, les plus vertueux
de la terre n'ont point connu le duel, je dis qu'il n'est pas
une institution de l'honneur, mais une mode affreuse et barbare digne de sa féroce origine [4]. Reste à savoir si, quand il

---

1. « *Appel* signifie aussi le défi qu'on fait à quelqu'un de se battre en duel »
(*Acad.* 1762). **2.** Appel à se battre en duel. **3.** Allusion à une réplique de
Thémistocle à Eurybiade au sujet de la stratégie à suivre pour combattre la
flotte perse : « Dans les concours, Thémistocle, on bat de verges ceux qui
partent avant le signal. – Oui, dit Thémistocle, mais on ne couronne pas
ceux qui restent en arrière. Et comme Eurybiade levait son bâton pour le
frapper : Frappe, dit Thémistocle, mais écoute. Étonné de son calme, Eurybiade lui dit de parler » (Plutarque, *Vie de Thémistocle*, in *Vies parallèles*,
t. I, p. 168). **4.** Allusion au fait que le « duel d'honneur », ou duel judiciaire,
est une institution médiévale, liée aux mœurs guerrières des Francs. Dans
une longue digression de la *Lettre à d'Alembert*, Rousseau dénonce « l'opinion la plus extravagante et la plus barbare qui jamais entra dans l'esprit
humain, savoir, que tous les devoirs de la Société sont suppléés par la bravoure ; [...] qu'on n'a jamais tort avec un homme, pourvu qu'on le tue. Il y
a, je l'avoue, une autre sorte d'affaire où la gentillesse se mêle à la cruauté,
et où l'on ne tue les gens que par hasard ; c'est celle où l'on se bat au
premier sang. Au premier sang ! Grand Dieu ! Et qu'en veux-tu faire de ce
sang, bête féroce ! Le veux-tu boire ? » (p. 125).

s'agit de sa vie ou de celle d'autrui, l'honnête homme se règle sur la mode, et s'il n'y a pas alors plus de vrai courage à la braver qu'à la suivre ? Que ferait à votre avis, celui qui s'y veut asservir, dans les lieux où règne un usage contraire ? À Messine ou à Naples, il irait attendre son homme au coin d'une rue et le poignarder par derrière. Cela s'appelle être brave en ce pays-là, et l'honneur n'y consiste pas à se faire tuer par son ennemi, mais à le tuer lui-même.

Gardez-vous donc de confondre le nom sacré de l'honneur avec ce préjugé féroce qui met toutes les vertus à la pointe d'une épée, et n'est propre qu'à faire de braves scélérats [1]. Que cette méthode puisse fournir si l'on veut un supplément à la probité, partout où la probité règne son supplément n'est-il pas inutile, et que penser de celui qui s'expose à la mort pour s'exempter d'être honnête homme ? Ne voyez-vous pas que les crimes que la honte et l'honneur n'ont point empêchés, sont couverts et multipliés par la fausse honte et la crainte du blâme ? C'est elle qui rend l'homme hypocrite et menteur ; c'est elle qui lui fait verser le sang d'un ami pour un mot indiscret qu'il devrait oublier, pour un reproche mérité qu'il ne peut souffrir. C'est elle qui transforme en furie infernale une fille abusée et craintive. C'est elle, ô Dieu puissant ! qui peut armer la main maternelle contre le tendre fruit….. Je sens défaillir mon âme à cette idée horrible, et je rends grâce au moins à celui qui sonde les cœurs d'avoir éloigné du mien cet honneur affreux qui n'inspire que des forfaits et fait frémir la nature.

Rentrez donc en vous-même et considérez s'il vous est permis d'attaquer de propos délibéré la vie d'un homme et d'exposer la vôtre pour satisfaire une barbare et dangereuse fantaisie qui n'a nul fondement raisonnable, et si le triste souvenir du sang versé dans une pareille occasion peut

---

1. La critique du duel de « point d'honneur » – considéré ainsi après 1547 – comme préjugé nobiliaire entraînant trop de morts violentes est typique du discours des Lumières : en témoignent la lettre 90 des *Lettres persanes* de Montesquieu et l'article « Duel » de l'*Encyclopédie* (Boucher d'Argis parle de « coutume barbare »). La monarchie finit par l'interdire officiellement, mais sa pratique persista. Julie distingue l'honneur qui repose sur le sentiment universel de la justice du « point d'honneur » comme usage coutumier et relatif.

cesser de crier vengeance au fond du cœur de celui qui l'a
fait couler ? Connaissez-vous aucun crime égal à l'homicide
volontaire, et si la base de toutes les vertus est l'humanité [1],
que penserons-nous de l'homme sanguinaire et dépravé qui
l'ose attaquer dans la vie de son semblable ? Souvenez-vous
de ce que vous m'avez dit vous-même contre le service étranger [2], avez-vous oublié que le citoyen doit sa vie à la patrie
et n'a pas le droit d'en disposer sans le congé des lois, à plus
forte raison contre leur défense [3] ? Ô mon ami ! si vous
aimez sincèrement la vertu, apprenez à la servir à sa mode,
et non à la mode des hommes. Je veux [4] qu'il en puisse résul-
ter quelque inconvénient : Ce mot de vertu n'est-il donc
pour vous qu'un vain nom, et ne serez-vous vertueux que
quand il n'en coûtera rien de l'être ?

Mais quels sont au fond ces inconvénients ? Les murmures
des gens oisifs, des méchants, qui cherchent à s'amuser des
malheurs d'autrui et voudraient avoir toujours quelque histoire nouvelle à raconter. Voilà vraiment un grand motif pour
s'entr'égorger ! Si le philosophe et le sage se règlent dans les
plus grandes affaires de la vie sur les discours insensés de la
multitude, que sert tout cet appareil d'études, pour n'être au
fond qu'un homme vulgaire ? Vous n'osez donc sacrifier le
ressentiment au devoir, à l'estime, à l'amitié, de peur qu'on ne
vous accuse de craindre la mort ? Pesez les choses, mon bon
ami, et vous trouverez bien plus de lâcheté dans la crainte de
ce reproche, que dans celle de la mort même. Le fanfaron, le
poltron veut à toute force passer pour brave ;

> *Ma verace valor, ben che negletto,*
> *È di se stesso a se freggio assai chiaro.*

[Mais la véritable valeur n'a pas besoin du témoignage
d'autrui et tire sa gloire d'elle-même [5].]

---

1. Ses fondements anthropologiques, l'amour de soi et la pitié, sont définis
dans le *Discours sur l'inégalité* : « qu'est-ce que la générosité, la clémence,
l'humanité, sinon la pitié appliquée aux faibles, aux coupables, ou à l'espèce
humaine en général ? » (p. 97). **2.** Voir la fin de I, 34. **3.** Selon Rousseau,
« le traité social a pour fin la conservation des contractants. [...] Qui veut
conserver sa vie aux dépens des autres doit la donner aussi pour eux quand
il faut ». La vie du citoyen n'est pas « seulement un bienfait de la nature,
mais un don conditionnel de l'état » (*Du contrat social*, II, 5, p. 74). **4.** Je
vous accorde, j'admets. **5.** Le Tasse, *La Jérusalem délivrée*, II, 60, v. 5-6, t. I,
p. 39. Trad. de Rousseau dans DC.

Celui qui feint d'envisager la mort sans effroi, ment. Tout homme craint de mourir ; c'est la grande loi des êtres sensibles, sans laquelle toute espèce mortelle serait bientôt détruite. Cette crainte est un simple mouvement de la nature, non seulement indifférent mais bon en lui-même et conforme à l'ordre [1]. Tout ce qui la rend honteuse et blâmable, c'est qu'elle peut nous empêcher de bien faire et de remplir nos devoirs. Si la lâcheté n'était jamais un obstacle à la vertu, elle cesserait d'être un vice. Quiconque est plus attaché à sa vie qu'à son devoir ne saurait être solidement vertueux, j'en conviens. Mais expliquez-moi, vous qui vous piquez de raison, quelle espèce de mérite on peut trouver à braver la mort pour commettre un crime ?

Quand il serait vrai qu'on se fait mépriser en refusant de se battre, quel mépris est le plus à craindre, celui des autres en faisant bien, ou le sien propre en faisant mal ? Croyez-moi, celui qui s'estime véritablement lui-même est peu sensible à l'injuste mépris d'autrui, et ne craint que d'en être digne : car le bon et l'honnête ne dépendent point du jugement des hommes, mais de la nature des choses [2], et quand toute la terre approuverait l'action que vous allez faire, elle n'en serait pas moins honteuse. Mais il est faux qu'à s'en abstenir par vertu l'on se fasse mépriser. L'homme droit dont toute la vie est sans tache et qui ne donna jamais aucun signe de lâcheté, refusera de souiller sa main d'un

---

1. Référence à l'instinct de conservation. Voir aussi le *Discours sur l'inégalité* : « jamais l'animal ne saura ce que c'est que mourir, et la connaissance de la mort, et de ses terreurs, est une des premières acquisitions que l'homme ait faites, en s'éloignant de la condition animale » (p. 81). **2.** Réminiscence de Montesquieu : dans les *Lettres persanes*, Usbek définit la justice comme « un rapport de convenance, qui se trouve réellement entre deux choses ; ce rapport est toujours le même, quelque être qui le considère, soit que ce soit Dieu, soit que ce soit un ange, ou enfin que ce soit un homme ». Les hommes peuvent faire le mal, poursuit Usbek, s'ils suivent leur intérêt personnel, mais ils ont en eux une idée de la justice, qui est « éternelle et ne dépend point des conventions humaines », et qui doit leur servir de référence (lettre 83, p. 203-204). Mais Julie est également proche de la « Profession de foi du vicaire savoyard » insérée au livre IV d'*Émile ou De l'éducation*, où les principes de la morale sont reconnus par la voix de la « conscience » en tant que « sentiment intérieur » (p. 417-418). Voir aussi *infra*, III, 18, p. 430-438.

homicide et n'en sera que plus honoré. Toujours prêt à servir la patrie, à protéger le faible, à remplir les devoirs les plus dangereux, et à défendre, en toute rencontre juste et honnête ce qui lui est cher au prix de son sang, il met dans ses démarches cette inébranlable fermeté qu'on n'a point sans le vrai courage. Dans la sécurité de sa conscience, il marche la tête levée, il ne fuit ni ne cherche son ennemi. On voit aisément qu'il craint moins de mourir que de mal faire, et qu'il redoute le crime et non le péril. Si les vils préjugés s'élèvent un instant contre lui, tous les jours de son honorable vie sont autant de témoins qui les récusent, et dans une conduite si bien liée on juge d'une action sur toutes les autres.

Mais savez-vous ce qui rend cette modération si pénible à un homme ordinaire ? C'est la difficulté de la soutenir dignement. C'est la nécessité de ne commettre ensuite aucune action blâmable : Car si la crainte de mal faire ne le retient pas dans ce dernier cas, pourquoi l'aurait-elle retenu dans l'autre où l'on peut supposer un motif plus naturel ? On voit bien alors que ce refus ne vient pas de vertu mais de lâcheté, et l'on se moque avec raison d'un scrupule qui ne vient que dans le péril. N'avez-vous point remarqué que les hommes si ombrageux et si prompts à provoquer les autres sont, pour la plupart, de très malhonnêtes gens qui, de peur qu'on n'ose leur montrer ouvertement le mépris qu'on a pour eux, s'efforcent de couvrir de quelques affaires d'honneur l'infamie de leur vie entière ? Est-ce à vous d'imiter de tels hommes ? Mettons encore à part les militaires de profession qui vendent leur sang à prix d'argent ; qui, voulant conserver leur place, calculent par leur intérêt ce qu'ils doivent à leur honneur, et savent à un écu près ce que vaut leur vie. Mon ami, laissez battre [1] tous ces gens-là. Rien n'est moins honorable que cet honneur dont ils font si grand bruit ; ce n'est qu'une mode insensée, une fausse imitation de vertu qui se pare des plus grands crimes. L'honneur d'un homme comme vous n'est point au pouvoir d'un autre, il est en lui-même et non dans l'opinion du peuple [2] ; il ne se défend ni par l'épée ni par le bouclier, mais par une

---

1. Combattre. Emploi archaïque de *battre* pour *se battre*. **2.** De la foule.

vie intègre et irréprochable, et ce combat vaut bien l'autre en fait de courage.

C'est par ces principes que vous devez concilier les éloges que j'ai donnés dans tous les temps à la véritable valeur avec le mépris que j'eus toujours pour les faux braves. J'aime les gens de cœur et ne puis souffrir les lâches ; je romprais avec un amant poltron que la crainte ferait fuir le danger, et je pense comme toutes les femmes que le feu du courage anime celui de l'amour. Mais je veux que la valeur se montre dans les occasions légitimes, et qu'on ne se hâte pas d'en faire hors de propos une vaine parade, comme si l'on avait peur de ne la pas retrouver au besoin. Tel fait un effort et se présente une fois pour avoir droit de se cacher le reste de sa vie. Le vrai courage a plus de constance et moins d'empressement ; il est toujours ce qu'il doit être ; il ne faut ni l'exciter ni le retenir : l'homme de bien le porte partout avec lui ; au combat contre l'ennemi ; dans un cercle en faveur des absents et de la vérité ; dans son lit contre les attaques de la douleur et de la mort. La force de l'âme qui l'inspire est d'usage dans tous les temps ; elle met toujours la vertu au-dessus des événements, et ne consiste pas à se battre, mais à ne rien craindre. Telle est, mon ami, la sorte de courage que j'ai souvent louée, et que j'aime à trouver en vous. Tout le reste n'est qu'étourderie, extravagance, férocité ; c'est une lâcheté de s'y soumettre, et je ne méprise pas moins celui qui cherche un péril inutile, que celui qui fuit un péril qu'il doit affronter.

Je vous ai fait voir, si je ne me trompe, que dans votre démêlé avec Milord Édouard votre honneur n'est point intéressé ; que vous compromettez le mien en recourant à la voie des armes ; que cette voie n'est ni juste, ni raisonnable, ni permise ; qu'elle ne peut s'accorder avec les sentiments dont vous faites profession ; qu'elle ne convient qu'à de malhonnêtes gens qui font servir la bravoure de supplément aux vertus qu'ils n'ont pas, ou aux Officiers qui ne se battent point par honneur mais par intérêt ; qu'il y a plus de vrai courage à la dédaigner qu'à la prendre ; que les inconvénients auxquels on s'expose en la rejetant sont inséparables de la pratique des vrais devoirs et plus apparents que réels ; qu'enfin les hommes les plus prompts à y recourir sont toujours ceux dont la probité est la plus suspecte. D'où je conclus que vous ne sauriez en cette occasion ni faire ni accepter un appel, sans renoncer en même temps à la raison, à la vertu, à l'honneur, et à moi. Retournez mes raisonnements comme il vous plaira, entassez de votre part sophisme sur sophisme ; il se trouvera toujours qu'un homme de courage n'est point un lâche, et qu'un homme de bien ne peut être un homme sans honneur. Or je vous ai démontré, ce me semble, que l'homme de courage dédaigne le duel, et que l'homme de bien l'abhorre.

J'ai cru, mon ami, dans une matière aussi grave, devoir faire parler la raison seule, et vous présenter les choses exactement telles qu'elles sont. Si j'avais voulu les peindre telles que je les vois, et faire parler le sentiment et l'humanité, [1] j'aurais pris un langage fort différent. Vous savez que mon père dans sa jeunesse eut le malheur de tuer un homme en duel ; cet homme était son ami ; ils se battirent à regret, l'insensé point d'honneur les y contraignit. Le coup mortel qui priva l'un de la vie ôta pour jamais le repos à l'autre. Le triste remords n'a pu depuis ce temps sortir de son cœur ; souvent dans la solitude on l'entend pleurer et gémir ; il croit sentir encore le fer poussé par sa main cruelle entrer dans le cœur de son ami ; il voit dans l'ombre de la nuit son corps pâle et sanglant ; il contemple en frémissant la plaie mortelle ; il voudrait étancher le sang qui coule ; l'effroi le saisit, il s'écrie, ce cadavre affreux ne cesse de le poursuivre. Depuis cinq ans qu'il a perdu le cher soutien de son nom et l'espoir de sa famille, il s'en reproche la mort comme un juste châtiment du Ciel, qui vengea sur son fils unique le père infortuné qu'il priva du sien.

Je vous l'avoue ; tout cela joint à mon aversion naturelle pour la cruauté m'inspire une telle horreur des duels, que je les regarde comme le dernier degré de brutalité où les hommes puissent parvenir. Celui qui va se battre de gaieté de cœur n'est à mes yeux qu'une bête féroce qui s'efforce d'en déchirer une autre, et s'il reste le moindre sentiment naturel dans leur âme, je trouve celui qui périt moins à plaindre que le vainqueur. Voyez ces hommes accoutumés

---

1. Nous remplaçons le point-virgule par une virgule.

au sang : ils ne bravent les remords qu'en étouffant la voix de la nature ; ils deviennent par degrés cruels, insensibles ; ils se jouent de la vie des autres, et la punition d'avoir pu manquer d'humanité est de la perdre. enfin tout à fait. Que sont-ils dans cet état ? Réponds, veux-tu leur devenir semblable ? Non, tu n'es point fait pour cet odieux abrutissement ; redoute le premier pas qui peut t'y conduire : ton âme est encore innocente et saine ; ne commence pas à la dépraver au péril de ta vie, par un effort sans vertu, un crime sans plaisir, un point d'honneur sans raison.

Je ne t'ai rien dit de ta Julie ; elle gagnera, sans doute, à laisser parler ton cœur. Un mot, un seul mot, et je te livre à lui. Tu m'as honorée quelquefois du tendre nom d'épouse : peut-être en ce moment dois-je porter celui de mère. Veux-tu me laisser veuve avant qu'un nœud sacré nous unisse ?

P. S. J'emploie dans cette lettre une autorité à laquelle jamais homme sage n'a résisté. Si vous refusez de vous y rendre, je n'ai plus rien à vous dire ; mais pensez-y bien auparavant. Prenez huit jours de réflexion pour méditer sur cet important sujet. Ce n'est pas au nom de la raison que je vous demande ce délai, c'est au mien. Souvenez-vous que j'use en cette occasion du droit que vous m'avez donné vous-même [1] et qu'il s'étend au moins jusque-là.

Lettre LVIII
De Julie à Milord Édouard

Ce n'est point pour me plaindre de vous, Milord, que je vous écris : puisque vous m'outragez, il faut bien que j'aie avec vous des torts que j'ignore. Comment concevoir qu'un honnête homme voulût déshonorer sans sujet une famille estimable ? Contentez donc votre vengeance, si vous la croyez légitime. Cette lettre vous donne un moyen facile de perdre une malheureuse fille qui ne se consolera jamais de vous avoir offensé, et qui met à votre discrétion l'honneur que vous voulez lui ôter. Oui, Milord, vos imputations

---

1. Voir *supra*, lettre 12.

étaient justes, j'ai un amant aimé ; il est maître de mon cœur et de ma personne ; la mort seule pourra briser un nœud si doux. Cet amant est celui même que vous honoriez de votre amitié ; il en est digne, puisqu'il vous aime et qu'il est vertueux. Cependant il va périr de votre main ; je sais qu'il faut du sang à l'honneur outragé ; je sais que sa valeur même le perdra ; je sais que dans un combat si peu redoutable pour vous, son intrépide cœur ira sans crainte chercher le coup mortel. J'ai voulu retenir ce zèle inconsidéré ; j'ai fait parler la raison. Hélas ! en écrivant ma lettre j'en sentais l'inutilité, et quelque respect que je porte à ses vertus, je n'en attends point de lui d'assez sublimes pour le détacher d'un faux point d'honneur. Jouissez d'avance du plaisir que vous aurez de percer le sein de votre ami : mais sachez, homme barbare, qu'au moins vous n'aurez pas celui de jouir de mes larmes et de contempler mon désespoir. Non, j'en jure par l'amour qui gémit au fond de mon cœur ; soyez témoin d'un serment qui ne sera point vain ; je ne survivrai pas d'un jour à celui pour qui je respire, et vous aurez la gloire de mettre au tombeau d'un seul coup deux amants infortunés, qui n'eurent point envers vous de tort volontaire, et qui se plaisaient à vous honorer.

On dit, Milord, que vous avez l'âme belle et le cœur sensible. S'ils vous laissent goûter en paix une vengeance que je ne puis comprendre et la douceur de faire des malheureux, puissent-ils quand je ne serai plus, vous inspirer quelques soins pour un père et une mère inconsolables, que la perte du seul enfant qui leur reste va livrer à d'éternelles douleurs.

Lettre LIX
De M. d'Orbe à Julie

Je me hâte, Mademoiselle, selon vos ordres, de vous rendre compte de la commission dont vous m'avez chargé. Je viens de chez Milord Édouard que j'ai trouvé souffrant encore de son entorse, et ne pouvant marcher dans sa chambre qu'à l'aide d'un bâton. Je lui ai remis votre lettre, qu'il a ouverte avec empressement ; il m'a paru ému en la lisant : il a rêvé quelque temps, puis il l'a relue une seconde fois avec une agitation plus sensible. Voici ce qu'il m'a dit en la finissant : *Vous savez, Monsieur, que les affaires d'honneur ont leurs règles dont on ne peut se départir : vous avez vu ce qui s'est passé dans celle-ci ; il faut qu'elle soit vidée régulièrement. Prenez deux amis, et donnez-vous la peine de revenir ici demain matin avec eux ; vous saurez alors ma résolution.* Je lui ai représenté que l'affaire s'étant passée entre nous, il serait mieux qu'elle se terminât de même. *Je sais ce qui convient*, m'a-t-il dit brusquement, *et ferai ce qu'il faut. Amenez vos deux amis, ou je n'ai plus rien à vous dire.* Je suis sorti là-dessus, cherchant inutilement dans ma tête quel peut être son bizarre dessein ; quoi qu'il en soit j'aurai l'honneur de vous voir ce soir, et j'exécuterai demain ce que vous me prescrirez. Si vous trouvez à propos que j'aille au rendez-vous avec mon cortège, je le composerai de gens dont je sois sûr à tout événement [1].

Lettre LX
À *Julie*

Calme tes alarmes, tendre et chère Julie, et sur le récit de ce qui vient de se passer connais et partage les sentiments que j'éprouve.

J'étais si rempli d'indignation quand je reçus ta Lettre, qu'à peine pus-je la lire avec l'attention qu'elle méritait. J'avais beau ne la pouvoir réfuter : l'aveugle colère était la plus forte. Tu peux avoir raison, disais-je en moi-même, mais ne me parle jamais de te laisser avilir. Dussé-je te perdre et mourir coupable, je ne souffrirai point qu'on manque au respect qui t'est dû, et tant qu'il me restera un souffle de vie, tu seras honorée de tout ce qui t'approche comme tu l'es de mon cœur. Je ne balançai pas pourtant sur les huit jours que tu me demandais ; l'accident de Milord Édouard et mon vœu d'obéissance concouraient à rendre ce délai nécessaire. Résolu, selon tes ordres, d'employer cet intervalle à méditer sur le sujet de ta lettre, je m'occupais sans

---

1. Quoi qu'il arrive.

cesse à la relire et à y réfléchir, non pour changer de sentiment, mais pour justifier le mien.

J'avais repris ce matin cette lettre trop sage et trop judicieuse à mon gré, et je la relisais avec inquiétude [1], quand on a frappé à la porte de ma chambre. Un moment après, j'ai vu entrer Milord Édouard sans épée, appuyé sur une canne ; trois personnes le suivaient, parmi lesquelles j'ai reconnu M. d'Orbe. Surpris de cette visite imprévue, j'attendais en silence ce qu'elle devait produire, quand Édouard m'a prié de lui donner un moment d'audience, et de le laisser agir et parler sans l'interrompre. Je vous en demande, a-t-il dit, votre parole ; la présence de ces Messieurs, qui sont de vos amis, [2] doit vous répondre que vous ne l'engagez pas indiscrètement [3]. Je l'ai promis sans balancer ; à peine avais-je achevé que j'ai vu avec l'étonnement que tu peux concevoir Milord Édouard à genoux devant moi. Surpris d'une si étrange attitude, j'ai voulu sur-le-champ le relever ; mais après m'avoir rappelé ma promesse, il m'a parlé dans ces termes : « Je viens, Monsieur, rétracter hautement les discours injurieux que l'ivresse m'a fait tenir en votre présence : leur injustice les rend plus offensants pour moi que pour vous, et je m'en dois l'authentique désaveu [4]. Je me soumets à toute la punition que vous voudrez m'imposer, et je ne croirai mon honneur rétabli que quand ma faute sera réparée. À quelque prix que ce soit, accordez-moi le pardon que je vous demande, et me rendez votre amitié. » Milord, lui ai-je dit aussitôt, je reconnais maintenant votre âme grande et généreuse ; et je sais bien distinguer en vous les discours que le cœur dicte de ceux que vous tenez quand vous n'êtes pas à vous-même ; qu'ils soient à jamais oubliés. À l'instant, je l'ai soutenu en se relevant, et nous nous sommes embrassés. Après cela Milord se tournant vers les spectateurs leur a dit : *Messieurs, je vous remercie de votre complaisance. De braves gens comme vous,* a-t-il ajouté d'un air fier et d'un ton animé, *sentent que celui qui répare ainsi ses torts, n'en sait endurer de personne. Vous pouvez publier*

---

1. Agitation, trouble. **2.** Nous ajoutons la virgule. **3.** Imprudemment, étourdiment. Voir *supra*, lettre 49, n. 1, p. 172. **4.** Un désaveu en bonne et due forme. « *Authentique* » a ici un sens juridique.

ce que vous avez vu. Ensuite il nous a tous quatre invités à souper pour ce soir, et ces Messieurs sont sortis.

À peine avons-nous été seuls qu'il est revenu m'embrasser d'une manière plus tendre et plus amicale ; puis me prenant la main et s'asseyant à côté de moi : Heureux mortel, s'est-il écrié, jouissez d'un bonheur dont vous êtes digne. Le cœur de Julie est à vous ; puissiez-vous tous deux… … Que dites-vous, Milord ? ai-je interrompu ; perdez-vous le sens ? Non, m'a-t-il dit en souriant, mais peu s'en est fallu que je ne le perdisse, et c'en était fait de moi, peut-être, si celle qui m'ôtait la raison ne me l'eût rendue. Alors il m'a remis une lettre que j'ai été surpris de voir écrite d'une main qui n'en écrivit jamais à d'autre homme * qu'à moi. Quels mouvements j'ai sentis à sa lecture ! Je voyais une amante incomparable vouloir se perdre pour me sauver, et je reconnaissais Julie. Mais quand je suis parvenu à cet endroit où elle jure de ne pas survivre au plus fortuné des hommes, j'ai frémi des dangers que j'avais courus, j'ai murmuré d'être trop aimé, et mes terreurs m'ont fait sentir que tu n'es qu'une mortelle. Ah rends-moi le courage dont tu me prives ; j'en avais pour braver la mort qui ne menaçait que moi seul, je n'en ai point pour mourir tout entier.

Tandis que mon âme se livrait à ces réflexions amères, Édouard me tenait des discours auxquels j'ai donné d'abord peu d'attention : cependant il me l'a rendue à force de me parler de toi ; car ce qu'il m'en disait plaisait à mon cœur et n'excitait plus ma jalousie. Il m'a paru pénétré de regret d'avoir troublé nos feux et ton repos ; tu es ce qu'il honore le plus au monde, et n'osant te porter les excuses qu'il m'a faites, il m'a prié de les recevoir en ton nom et de te les faire agréer. Je vous ai regardé, m'a-t-il dit, comme son représentant, et n'ai pu trop m'humilier devant ce qu'elle aime, ne pouvant, sans la compromettre, m'adresser à sa personne ni même la nommer. Il avoue avoir conçu pour toi les sentiments dont on ne peut se défendre en te voyant avec trop de soin ; c'était une tendre admiration plutôt que de l'amour. Ils ne lui ont jamais inspiré ni prétention ni espoir ; il les a tous sacrifiés aux nôtres à l'instant qu'ils lui ont été

* Il en faut, je pense, excepter son père.

l'Heroisme de la valeur.

connus, et le mauvais propos qui lui est échappé était l'effet
du punch et non de la jalousie. Il traite l'amour en philosophe qui croit son âme au-dessus des passions : pour moi,
je suis trompé s'il n'en a déjà ressenti quelqu'une qui ne
permet plus à d'autres de germer profondément [1]. Il prend
l'épuisement du cœur pour l'effort de la raison, et je sais
bien qu'aimer Julie et renoncer à elle n'est pas une vertu
d'homme.

Il a désiré de savoir en détail l'histoire de nos amours, et
les causes qui s'opposent au bonheur de ton ami ; j'ai cru
qu'après ta lettre une demi-confidence était dangereuse et
hors de propos ; je l'ai faite entière, et il m'a écouté avec
une attention qui m'attestait sa sincérité. J'ai vu plus d'une
fois ses yeux humides et son âme attendrie ; je remarquais
surtout l'impression puissante que tous les triomphes de la
vertu faisaient sur son âme, et je crois avoir acquis à Claude
Anet un nouveau protecteur qui ne sera pas moins zélé que
ton père. Il n'y a, m'a-t-il dit, ni incidents ni aventures dans
ce que vous m'avez raconté, et les catastrophes d'un Roman
m'attacheraient beaucoup moins ; tant les sentiments sup-
pléent aux situations, et les procédés honnêtes aux actions
éclatantes [2]. Vos deux âmes sont si extraordinaires qu'on
n'en peut juger sur les règles communes ; le bonheur n'est
pour vous ni sur la même route ni de la même espèce que
celui des autres hommes ; ils ne cherchent que la puissance
et les regards d'autrui, il ne vous faut que la tendresse et la
paix. Il s'est joint à votre amour une émulation de vertu qui
vous élève,[a] et vous vaudriez moins l'un et l'autre si vous
ne vous étiez point aimés. L'amour passera [3], osa-t-il ajouter
(pardonnons-lui ce blasphème prononcé dans l'ignorance de
son cœur). L'amour passera, dit-il, et les vertus resteront.
Ah, puissent-elles durer autant que lui, ma Julie ! le ciel n'en
demandera pas davantage.

Enfin je vois que la dureté philosophique et nationale [4]
n'altère point dans cet honnête Anglais l'humanité naturelle,

---

1. Pilotis pour l'appendice des *Amours de Milord Édouard Bomston* (p. 935).
2. Le roman de Rousseau appelle une réception nouvelle, énoncée ici par
Bomston et développée dans l'*Entretien*, p. 907 *sq.* **3.** Contradiction de la
célèbre parole paulinienne : « L'amour ne passera jamais » (1 Corinthiens
13). **4.** Poursuite du stéréotype sur l'Anglais dur, rogue.

et qu'il s'intéresse véritablement à nos peines. Si le crédit et la richesse nous pouvaient être utiles, je crois que nous aurions lieu de compter sur lui. Mais hélas ! de quoi servent la puissance et l'argent pour rendre les cœurs heureux ?

Cet entretien, durant lequel nous ne comptions pas les heures, nous a menés jusqu'à celle du dîner ; j'ai fait apporter un poulet, et après le dîner nous avons continué de causer. Il m'a parlé de sa démarche de ce matin, et je n'ai pu m'empêcher de témoigner quelque surprise d'un procédé si authentique et si peu mesuré : Mais, outre la raison qu'il m'en avait déjà donnée, il a ajouté qu'une demi-satisfaction était indigne d'un homme de courage ; qu'il la fallait complète ou nulle, [1] de peur qu'on ne s'avilît sans rien réparer, et qu'on ne fît attribuer à la crainte une démarche faite à contrecœur et de mauvaise grâce. D'ailleurs, a-t-il ajouté, ma réputation est faite ; je puis être juste sans soupçon de lâcheté ; mais vous qui êtes jeune et débutez dans le monde, il faut que vous sortiez si net de la première affaire, qu'elle ne tente personne de vous en susciter une seconde. Tout est plein de ces poltrons adroits qui cherchent, comme on dit, à tâter leur homme ; c'est-à-dire, à découvrir quelqu'un qui soit encore plus poltron qu'eux, et aux dépens duquel ils puissent se faire valoir. Je veux éviter à un homme d'honneur comme vous la nécessité de châtier sans gloire un de ces gens-là, et j'aime mieux, s'ils ont besoin de leçon qu'ils la reçoivent de moi que de vous ; car une affaire de plus n'ôte rien à celui qui en a déjà eu plusieurs : mais en avoir une est toujours une sorte de tache, et l'amant de Julie en doit être exempt.

Voilà l'abrégé de ma longue conversation avec Milord Édouard. J'ai cru nécessaire de t'en rendre compte afin que tu me prescrives la manière dont je dois me comporter avec lui.

Maintenant que tu dois être tranquillisée, chasse je t'en conjure, les idées funestes qui t'occupent depuis quelques jours. Songe aux ménagements qu'exige l'incertitude de ton état actuel. Oh si bientôt tu pouvais tripler mon être ! Si bientôt un gage adoré......[b] espoir déjà trop déçu, viendrais-tu m'abuser encore ?.... Ô désirs ! ô crainte ! ô perplexités ! Charmante amie de mon cœur, vivons pour nous aimer, et que le Ciel dispose du reste.

---

1. Nous remplaçons le point-virgule par une virgule.

P. S. J'oubliais de te dire que Milord m'a remis ta lettre, et que je n'ai point fait difficulté de la recevoir, ne jugeant pas qu'un pareil dépôt doive rester entre les mains d'un tiers. Je te la rendrai à notre première entrevue ; car quant à moi, je n'en ai plus à faire [1]. Elle est trop bien écrite au fond de mon cœur pour que jamais j'aie besoin de la relire.

Lettre LXI
De Julie

Amène demain Milord Édouard que je me jette à ses pieds comme il s'est mis aux tiens. Quelle grandeur ! quelle générosité ! Ô que nous sommes petits devant lui ! Conserve ce précieux ami comme la prunelle de ton œil. Peut-être vaudrait-il moins s'il était plus tempérant ; jamais homme sans défauts eut-il de grandes vertus ?

Mille angoisses de toutes espèces m'avaient jetée dans l'abattement ; ta lettre est venue ranimer mon courage éteint. En dissipant mes terreurs elle m'a rendu mes peines plus supportables. Je me sens maintenant assez de force pour souffrir. Tu vis ; tu m'aimes, ton sang, le sang de ton ami n'ont point été répandus et ton honneur est en sûreté : je ne suis donc pas tout à fait misérable.

Ne manque pas au rendez-vous de demain. Jamais je n'eus si grand besoin de te voir, ni si peu d'espoir de te voir longtemps. Adieu, mon cher et unique ami. Tu n'as pas bien dit, ce me semble : vivons pour nous aimer. Ah ! il fallait dire : Aimons-nous pour vivre.

Lettre LXII
De Claire à Julie

Faudra-t-il toujours, aimable Cousine, ne remplir envers toi que les plus tristes devoirs de l'amitié ? Faudra-t-il toujours dans l'amertume de mon cœur affliger le tien par de cruels avis ? Hélas ! tous nos sentiments nous sont communs, tu le sais

---

1. Elle ne m'est plus utile.

bien et je ne saurais t'annoncer de nouvelles peines que je ne les aie déjà senties. Que ne puis-je te cacher ton infortune sans l'augmenter ! ou que la tendre amitié n'a-t-elle autant de charmes que l'amour ! Ah ! que j'effacerais promptement tous les chagrins que je te donne !

Hier après le concert, ta mère en s'en retournant ayant accepté le bras de ton ami, et toi celui de M. d'Orbe, nos deux pères restèrent avec Milord à parler de politique ; sujet dont je suis si excédée que l'ennui me chassa dans ma chambre. Une demi-heure après, j'entendis nommer ton ami plusieurs fois avec assez de véhémence : je connus que la conversation avait changé d'objet et je prêtai l'oreille. Je jugeai par la suite du discours qu'Édouard avait osé proposer ton mariage avec ton ami, qu'il appelait hautement le sien, et auquel il offrait de faire en cette qualité un établissement convenable. Ton père avait rejeté avec mépris cette proposition, et c'était là-dessus que les propos commençaient à s'échauffer. Sachez, lui disait Milord, malgré vos préjugés qu'il est de tous les hommes le plus digne d'elle et peut-être le plus propre à la rendre heureuse. Tous les dons qui ne dépendent pas des hommes, il les a reçus de la nature, et il y a ajouté tous les talents qui ont dépendu de lui. Il est jeune, grand, bien fait, robuste, adroit ; il a de l'éducation, du sens, des mœurs, du courage ; il a l'esprit orné, l'âme saine, que lui manque-t-il donc pour mériter votre aveu ? La fortune ? Il l'aura. Le tiers de mon bien suffit pour en faire le plus riche particulier du pays de Vaud, j'en donnerai s'il le faut jusqu'à la moitié. La noblesse ? Vaine prérogative dans un pays où elle est plus nuisible qu'utile [1]. Mais il l'a encore, n'en doutez pas, non point écrite d'encre en de vieux parchemins, mais gravée au fond de son cœur en caractères ineffaçables. En un mot, si vous préférez la raison au préjugé, et si vous aimez mieux votre fille que vos titres, c'est à lui que vous la donnerez.

---

1. L'autorité de Berne sur le canton de Vaud, qui ne s'en affranchira qu'en 1798, a exclu la vieille noblesse vaudoise des charges publiques et considérablement réduit son influence. Mais Édouard porte aussi la parole de Rousseau sur l'opposition entre égalité républicaine (à Genève, sa patrie idéalisée) et aristocratie de la naissance (dans la monarchie française), ce qui explique l'ironie de la note de Rousseau ci-après, p. 211, sur le régime vaudois. L'opposition entre citoyens libres et sujets réapparaîtra dans IV, 17.

Là-dessus ton père s'emporta vivement. Il traita la proposition d'absurde et de ridicule. Quoi ! Milord, dit-il, un homme d'honneur comme vous peut-il seulement penser que le dernier rejeton d'une famille illustre aille éteindre ou dégrader son nom dans celui d'un Quidam [1] sans asile et réduit à vivre d'aumônes ?...... Arrêtez, interrompit Édouard, vous parlez de mon ami, songez que je prends pour moi tous les outrages qui lui sont faits en ma présence, et que les noms injurieux à un homme d'honneur le sont encore plus à celui qui les prononce. De tels quidams sont plus respectables que tous les Houbereaux [2] de l'Europe, et je vous défie de trouver aucun moyen plus honorable d'aller à la fortune que les hommages de l'estime et les dons de l'amitié. Si le Gendre que je vous propose ne compte point, comme vous, une longue suite d'aïeux toujours incertains, il sera le fondement et l'honneur de sa maison comme votre premier ancêtre le fut de la vôtre. Vous seriez-vous donc tenu pour déshonoré par l'alliance du chef de votre famille, et ce mépris ne rejaillirait-il pas sur vous-même ? Combien de grands noms retomberaient dans l'oubli si l'on ne tenait compte que de ceux qui ont commencé par un homme estimable ? Jugeons du passé par le présent ; sur deux ou trois Citoyens qui s'illustrent par des moyens honnêtes, mille coquins anoblissent tous les jours leur famille ; et que prouvera cette noblesse dont leurs descendants seront si fiers, sinon les vols et l'infamie de leur ancêtre* ? On voit, je l'avoue, beaucoup de malhonnêtes gens parmi les roturiers ; mais il y a toujours vingt à parier contre un qu'un gentilhomme descend d'un fripon. Laissons, si vous voulez [3],

---

* Les lettres de noblesse sont rares en ce siècle, et même elles y ont été illustrées au moins une fois. Mais quant à la noblesse qui s'acquiert à prix d'argent, et qu'on achète avec des charges, tout ce que j'y vois de plus honorable est le privilège de n'être pas pendu.

---

1. Le terme, d'emploi juridique, désigne proprement un « homme sans nom ». « Terme latin, employé dans les Monitoires, procès-verbaux, *etc.* Personne, dont on ignore, ou dont on ne veut pas exprimer le nom » (*Féraud*).
2. « Hobereau », terme familier et méprisant, désigne le « petit gentilhomme de campagne » (*Acad.* 1762). Rousseau maintient une forme archaïque.
3. Nous ajoutons une virgule.

l'origine à part, et pesons le mérite et les services. Vous avez porté les armes chez un Prince étranger, son père les a portées gratuitement pour la patrie [1]. Si vous avez bien servi, vous avez été bien payé, et quelque honneur que vous ayez acquis à la guerre, cent roturiers en ont acquis encore plus que vous.

De quoi s'honore donc, continua Milord Édouard, cette noblesse dont vous êtes si fier ? Que fait-elle pour la gloire de la patrie ou le bonheur du genre humain ? Mortelle ennemie des lois et de la liberté qu'a-t-elle jamais produit dans la plupart des pays où elle brille, si ce n'est la force de la Tyrannie et l'oppression des peuples ? Osez-vous dans une République vous honorer d'un état destructeur des vertus et de l'humanité ? d'un état où l'on se vante de l'esclavage, et où l'on rougit d'être homme ? Lisez les annales de votre patrie * ; en quoi votre ordre a-t-il bien mérité d'elle ? Quels nobles comptez-vous parmi ses libérateurs ? Les *Furst*, les *Tell*, les *Stouffacher* étaient-ils gentilshommes [2] ?[a] Quelle est donc cette gloire insensée dont vous faites tant de bruit ? Celle de servir un homme, et d'être à charge à l'État.

Conçois, ma chère, ce que je souffrais de voir cet honnête homme nuire ainsi par une âpreté déplacée aux intérêts de l'ami qu'il voulait servir. En effet, ton père irrité par tant d'invectives piquantes quoique générales, se mit à les repousser par des personnalités [3]. Il dit nettement à Milord Édouard que jamais homme de sa condition n'avait tenu les propos qui venaient de lui échapper. Ne plaidez point inutilement la cause d'autrui, ajouta-t-il d'un ton

---

* Il y a ici beaucoup d'inexactitude. Le pays de Vaud n'a jamais fait partie de la Suisse. C'est une conquête des Bernois, et ses habitants ne sont ni citoyens ni libres, mais sujets.

---

1. Voir *supra*, lettre 34. **2.** Allusion à trois grandes figures de la fondation de la Confédération helvétique, contre la domination des Habsbourg. Furst, Stauffacher et Melchtal sont les héros du pacte de Brunnen (1315) où apparaît le mot « confédération ». La légende de Guillaume Tell, ancien mercenaire que son expérience militaire avait rendu très habile à l'arbalète, veut que l'opposition de ce villageois au bailli (gouverneur) ait sonné le début de la révolte qui allait aboutir à la libération nationale. **3.** Personnalité « se prend communément en mauvaise part, et signifie alors un trait piquant, injurieux et personnel contre quelqu'un » (*Acad.* 1762).

brusque ; tout grand seigneur que vous êtes, je doute que vous puissiez bien défendre la vôtre sur le sujet en question. Vous demandez ma fille pour votre ami prétendu sans savoir si vous-même seriez bon pour elle, et je connais assez la noblesse d'Angleterre pour avoir sur vos discours une médiocre opinion de la vôtre.

Pardieu ! dit Milord, quoi que vous pensiez de moi, je serais bien fâché de n'avoir d'autre preuve de mon mérite que celui d'un homme mort depuis cinq cents ans. Si vous connaissez la noblesse d'Angleterre, vous savez qu'elle est la plus éclairée, la mieux instruite, la plus sage et la plus brave de l'Europe : avec cela, je n'ai pas besoin de chercher si elle est la plus antique ; car quand on parle de ce qu'elle est, il n'est pas question de ce qu'elle fut. Nous ne sommes point, il est vrai, les esclaves du Prince mais ses amis, ni les tyrans du peuple mais ses chefs. Garants de la liberté, soutiens de la patrie et appuis du trône, nous formons un invincible équilibre entre le peuple et le Roi. Notre premier devoir est envers la Nation ; le second, envers celui qui la gouverne : ce n'est pas sa volonté mais son droit que nous consultons. Ministres suprêmes des lois dans la chambre des Pairs, quelquefois même législateurs, nous rendons également justice au peuple et au Roi, et nous ne souffrons point que personne dise : *Dieu et mon épée*, mais seulement : *Dieu et mon droit* [1].

Voilà, Monsieur, continua-t-il, quelle est cette noblesse respectable, ancienne autant qu'aucune autre, mais plus fière de son mérite que de ses ancêtres, et dont vous parlez sans la connaître. Je ne suis point le dernier en rang dans cet ordre illustre, et crois, malgré vos prétentions vous valoir à tous égards. J'ai une sœur à marier : elle est noble, jeune, aimable, riche ; elle ne cède à Julie que par les qualités que vous comptez pour rien. Si quiconque a senti les charmes de votre fille pouvait tourner ailleurs ses yeux et son cœur, quel honneur je me ferais d'accepter avec rien pour mon

---

1. Devise de la monarchie britannique depuis le roi Henri V (1413-1422). Sur ce tableau du rôle politique de la noblesse anglaise, qui souligne sa fonction de corps intermédiaire, voir Montesquieu, *De l'esprit des lois*, XI, 6.

Beau-frère celui que je vous propose pour Gendre avec la moitié de mon bien !

Je connus à la réplique de ton père que cette conversation ne faisait que l'aigrir, et, quoique pénétrée d'admiration pour la générosité de Milord Édouard, je sentis qu'un homme aussi peu liant que lui n'était propre qu'à ruiner à jamais la négociation qu'il avait entreprise. Je me hâtai donc de rentrer avant que les choses allassent plus loin. Mon retour fit rompre cet entretien, et l'on se sépara le moment d'après assez froidement. Quant à mon père, je trouvai qu'il se comportait très bien dans ce démêlé. Il appuya d'abord avec intérêt la proposition ; mais voyant que ton père n'y voulait point entendre, et que la dispute commençait à s'animer, il se retourna comme de raison du parti de son Beau-frère, et en interrompant à propos l'un et l'autre par des discours modérés, il les retint tous deux dans des bornes dont ils seraient vraisemblablement sortis s'ils fussent restés tête-à-tête. Après leur départ, il me fit confidence de ce qui venait de se passer, et comme je prévis où il en allait venir, je me hâtai de lui dire que les choses étant en cet état, il ne convenait plus que la personne en question te vît si souvent ici, et qu'il ne conviendrait pas même qu'il y vînt du tout, si ce n'était faire une espèce d'affront à M. d'Orbe dont il était l'ami ; mais que je le prierais de l'amener plus rarement ainsi que Milord Édouard. C'est, ma chère, tout ce que j'ai pu faire de mieux pour ne leur pas fermer tout à fait ma porte.

Ce n'est pas tout. La crise où je te vois me force à revenir sur mes avis précédents. L'affaire de Milord Édouard et de ton ami a fait par la ville tout l'éclat auquel on devait s'attendre. Quoique M. d'Orbe ait gardé le secret sur le fond de la querelle, trop d'indices le décèlent pour qu'il puisse rester caché. On soupçonne, on conjecture, on te nomme : le rapport du guet n'est pas si bien étouffé qu'on ne s'en souvienne, et tu n'ignores pas qu'aux yeux du public la vérité soupçonnée est bien près de l'évidence. Tout ce que je puis te dire pour ta consolation c'est qu'en général on approuve ton choix, et qu'on verrait avec plaisir l'union d'un si charmant couple ; ce qui me confirme que ton ami s'est bien comporté dans ce pays et n'y est guère moins aimé que toi : Mais que fait la voix publique à ton inflexible père ? Tous ces bruits lui sont parvenus ou lui vont parvenir, et je frémis de l'effet qu'ils peuvent produire, si tu ne te hâtes de prévenir sa colère. Tu dois t'attendre de sa part à une explication terrible pour toi-même, et peut-être à pis encore pour ton ami : non que je pense qu'il veuille à son âge se mesurer avec un jeune homme qu'il ne croit pas digne de son épée ; mais le pouvoir qu'il a dans la ville lui fournirait, s'il le voulait, mille moyens de lui faire un mauvais parti, et il est à craindre que sa fureur ne lui en inspire la volonté.

Je t'en conjure à genoux, ma douce amie, songe aux dangers qui t'environnent, et dont le risque augmente à chaque instant. Un bonheur inouï t'a préservée jusqu'à présent au milieu de tout cela ; tandis qu'il en est temps encore mets le sceau de la prudence au mystère de tes amours, et ne pousse pas à bout la fortune, de peur qu'elle n'enveloppe dans tes malheurs celui qui les aura causés. Crois-moi, mon ange, l'avenir est incertain ; mille événements peuvent, avec le temps, offrir des ressources inespérées ; mais quant à présent, je te l'ai dit et le répète plus fortement : Éloigne ton ami, ou tu es perdue.

Lettre LXIII
De Julie à Claire

Tout ce que tu avais prévu, ma chère, est arrivé. Hier une heure après notre retour, mon père entra dans la chambre de ma mère, les yeux étincelants, le visage enflammé ; dans un état en un mot où je ne l'avais jamais vu. Je compris d'abord qu'il venait d'avoir querelle ou qu'il allait la chercher, et ma conscience agitée me fit trembler d'avance.

Il commença par apostropher vivement mais en général les mères de famille qui appellent indiscrètement chez elles des jeunes gens sans état et sans nom, dont le commerce n'attire que honte et déshonneur à celles qui les écoutent. Ensuite voyant que cela ne suffisait pas pour arracher quelque réponse d'une femme intimidée, il cita sans ménagement en exemple ce qui s'était passé dans notre maison, depuis qu'on y avait introduit un prétendu bel esprit, un diseur de riens [1], plus propre à corrompre une fille sage qu'à lui donner aucune bonne instruction. Ma mère, qui vit qu'elle gagnerait peu de chose à se taire, l'arrêta sur ce mot de corruption, et lui demanda ce qu'il trouvait dans la conduite ou dans la réputation de l'honnête homme dont il parlait, qui pût autoriser de pareils soupçons. Je n'ai pas cru, ajouta-t-elle, que l'esprit et le mérite fussent des titres d'exclusion dans la société. À qui donc faudra-t-il ouvrir votre maison si les talents et les mœurs n'en obtiennent pas l'entrée ? À des gens sortables [2], Madame, reprit-il en colère, qui puissent réparer l'honneur d'une fille quand ils l'ont offensé. Non, dit-elle, mais à des gens de bien qui ne l'offensent point. Apprenez, dit-il, que c'est offenser l'honneur d'une maison que d'oser en solliciter l'alliance sans titres pour l'obtenir. Loin de voir en cela, dit ma mère, une offense, je n'y vois au contraire, qu'un témoignage d'estime. D'ailleurs, je ne sache point que celui contre qui vous vous emportez ait rien fait de semblable à votre égard. Il l'a fait, Madame, et fera pis encore si je n'y mets ordre ; mais je veillerai, n'en doutez, [3] pas aux soins que vous remplissez si mal.

Alors commença une dangereuse altercation qui m'apprit que les bruits de ville dont tu parles étaient ignorés de mes parents, mais durant laquelle ton indigne Cousine eût voulu être à cent pieds sous terre. Imagine-toi la meilleure et la plus abusée des mères faisant l'éloge de sa coupable fille, et la louant, hélas ! de toutes les vertus qu'elle a perdues, dans les termes les plus honorables, ou pour mieux dire, les plus humiliants. Figure-toi un père irrité, prodigue d'expressions offensantes, et qui dans tout son emportement n'en laisse pas échapper une qui marque le moindre doute sur la sagesse de celle que le remords déchire et que la honte écrase en sa présence. Ô quel incroyable tourment d'une conscience avilie de se reprocher des crimes que la colère et l'indignation ne pourraient soupçonner ! Quel poids accablant et

---

1. « On dit aussi de ceux dont les discours sont pleins de belles paroles sans qu'il y ait aucune solidité, que *ce sont de grands diseurs de riens* » (*Acad.* 1762). Sur le « bel esprit », voir préface, n. 3, p. 50. **2.** Voir *supra*, lettre 47, n. 2, p. 165. **3.** Nous ajoutons une virgule.

insupportable que celui d'une fausse louange, et d'une estime que le cœur rejette en secret ! Je m'en sentais tellement oppressée que pour me délivrer d'un si cruel supplice j'étais prête à tout avouer, si mon père m'en eût laissé le temps ; mais l'impétuosité de son emportement lui faisait redire cent fois les mêmes choses, et changer à chaque instant de sujet. Il remarqua ma contenance basse, éperdue, humiliée, indice de mes remords. S'il n'en tira pas la conséquence de ma faute, il en tira celle de mon amour, et pour m'en faire plus de honte, il en outragea l'objet en des termes si odieux, et si méprisants que je ne pus malgré tous mes efforts, le laisser poursuivre sans l'interrompre.

Je ne sais, ma chère, où je trouvai tant de hardiesse et quel moment d'égarement me fit oublier ainsi le devoir et la modestie ; mais si j'osai sortir un instant d'un silence respectueux, j'en portai, comme tu vas voir, assez rudement la peine. Au nom du Ciel, lui dis-je, daignez vous apaiser ; jamais un homme digne de tant d'injures ne sera dangereux pour moi. À l'instant, mon père, qui crut sentir un reproche à travers ces mots et dont la fureur n'attendait qu'un prétexte, s'élança sur ta pauvre amie : pour la première fois de ma vie, je reçus un soufflet qui ne fut pas le seul, et se livrant à son transport avec une violence égale à celle qu'il lui avait coûtée [1], il me maltraita sans ménagement, quoique ma mère se fût jetée entre deux, m'eût couverte de son corps, et eût reçu quelques-uns des coups qui m'étaient portés. En reculant pour les éviter je fis un faux pas, je tombai, et mon visage alla donner contre le pied d'une table qui me fit saigner.

Ici finit le triomphe de la colère et commença celui de la nature. Ma chute, mon sang, mes larmes, celles de ma mère l'émurent. Il me releva avec un air d'inquiétude et d'empressement, et m'ayant assise sur une chaise, ils recherchèrent tous deux avec soin, si je n'étais point blessée [2]. Je n'avais qu'une légère contusion au front et ne saignais que du nez.

---

1. Avec une violence égale à celle qu'il avait dû se faire pour réfréner sa colère, et qui lui a donc « coûté ». **2.** On peut lire dans ce mot une syllepse de sens annonçant la fin de la lettre : « se blesser » pour une femme signifie faire une fausse couche.

Cependant, je vis au changement d'air et de voix de mon Père qu'il était mécontent de ce qu'il venait de faire. Il ne revint point à moi par des caresses, la dignité paternelle ne souffrait pas un changement si brusque ; mais il revint à ma mère avec de tendres excuses, et je voyais si bien, aux regards qu'il jetait furtivement sur moi, que la moitié de tout cela m'était indirectement adressée. Non, ma chère, il n'y a point de confusion si touchante que celle d'un tendre père qui croit s'être mis dans son tort. Le cœur d'un père sent qu'il est fait pour pardonner, et non pour avoir besoin de pardon.

Il était l'heure du souper ; on le fit retarder pour me donner le temps de me remettre, et mon père ne voulant pas que les domestiques fussent témoins de mon désordre m'alla chercher lui-même un verre d'eau, tandis que ma mère me bassinait le visage. Hélas, cette pauvre maman ! déjà languissante et valétudinaire [1], elle se serait bien passée d'une pareille scène, et n'avait guère moins besoin de secours que moi.

À table, il ne me parla point ; mais ce silence était de honte et non de dédain ; il affectait de trouver bon chaque plat pour dire à ma mère de m'en servir, et ce qui me toucha le plus sensiblement, fut de m'apercevoir qu'il cherchait les occasions de me nommer sa fille, et non pas Julie comme à l'ordinaire.

Après le souper, l'air se trouva si froid que ma mère fit faire du feu dans sa chambre. Elle s'assit à l'un des coins de la cheminée, et mon père à l'autre. J'allais prendre une chaise pour me placer entre eux, quand m'arrêtant par ma robe et me tirant à lui sans rien dire, il m'assit sur ses genoux. Tout cela se fit si promptement, et par une sorte de mouvement si involontaire, qu'il en eut une espèce de repentir le moment d'après. Cependant j'étais sur ses genoux, il ne pouvait plus s'en dédire, et ce qu'il y avait de pis pour la contenance, il fallait me tenir embrassée dans cette gênante attitude. Tout cela se faisait en silence ; mais je sentais de temps en temps ses bras se presser contre mes flancs avec un soupir assez mal étouffé. Je ne sais quelle mauvaise honte empêchait ces bras paternels de se livrer à ces douces

---

1. Maladive, de santé fragile.

étreintes ; une certaine gravité qu'on n'osait quitter ; une certaine confusion qu'on n'osait vaincre mettaient entre un père et sa fille ce charmant embarras que la pudeur et l'amour donnent aux amants ; tandis qu'une tendre mère, transportée d'aise, dévorait en secret un si doux spectacle. Je voyais, je sentais tout cela, mon ange, et ne pus tenir plus longtemps à l'attendrissement qui me gagnait. Je feignis de glisser ; je jetai pour me retenir un bras au cou de mon père ; je penchai mon visage sur son visage vénérable, et dans un instant il fut couvert de mes baisers et inondé de mes larmes. Je sentis à celles qui lui coulaient des yeux qu'il était lui-même soulagé d'une grande peine ; ma mère vint partager nos transports. Douce et paisible innocence, tu manquas seule à mon cœur pour faire de cette scène de la nature le plus délicieux moment de ma vie !

Ce matin, la lassitude et le ressentiment [1] de ma chute m'ayant retenue au lit un peu tard, mon père est entré dans ma chambre avant que je fusse levée ; il s'est assis à côté de mon lit en s'informant tendrement de ma santé ; il a pris une de mes mains dans les siennes, il s'est abaissé jusqu'à la baiser plusieurs fois en m'appelant sa chère fille, et me témoignant du regret de son emportement. Pour moi, je lui ai dit, et je le pense, que je serais trop heureuse d'être battue tous les jours au même prix, et qu'il n'y a point de traitement si rude qu'une seule de ses caresses n'efface au fond de mon cœur.

Après cela prenant un ton plus grave, il m'a remise sur le sujet d'hier et m'a signifié sa volonté en termes honnêtes, mais précis. Vous savez, m'a-t-il dit, [2] à qui je vous destine [3], je vous l'ai déclaré dès mon arrivée, et ne changerai jamais d'intention sur ce point. Quant à l'homme dont m'a parlé Milord Édouard, quoique je ne lui dispute point le mérite que tout le monde lui trouve, je ne sais s'il a conçu de lui-même le ridicule espoir de s'allier à moi, ou si quelqu'un a pu le lui inspirer ; mais quand je n'aurais personne en vue et qu'il aurait toutes les guinées de l'Angleterre, soyez sûre

---

1. « Faible attaque, faible renouvellement d'un mal qu'on a eu, d'une douleur qu'on a eue » (*Acad.* 1762). **2.** Nous ajoutons une virgule. **3.** Voir *supra*, lettres 22 et 28. Wolmar n'est toujours pas nommé.

que je n'accepterais jamais un tel gendre. Je vous défends de le voir et de lui parler de votre vie, et cela, autant pour la sûreté de la sienne que pour votre honneur. Quoique je me sois toujours senti peu d'inclination pour lui, je le hais surtout à présent pour les excès qu'il m'a fait commettre, et ne lui pardonnerai jamais ma brutalité.

À ces mots, il est sorti sans attendre ma réponse, et, presque avec le même air de sévérité qu'il venait de se reprocher. Ah, ma Cousine, quels monstres d'enfer sont ces préjugés, qui dépravent les meilleurs cœurs, et font taire à chaque instant la nature ?

Voilà, ma Claire, comment s'est passée l'explication que tu avais prévue, et dont je n'ai pu comprendre la cause jusqu'à ce que ta Lettre me l'ait apprise. Je ne puis bien te dire quelle révolution s'est faite en moi, mais depuis ce moment je me trouve changée. Il me semble que je tourne les yeux avec plus de regret sur l'heureux temps où je vivais tranquille et contente au sein de ma famille, et que je sens augmenter le sentiment de ma faute, avec celui des biens qu'elle m'a fait perdre. Dis, cruelle ! dis-le-moi si tu l'oses, le temps de l'amour serait-il passé et faut-il ne se plus revoir ? Ah, sens-tu bien tout ce qu'il y a de sombre et d'horrible dans cette funeste idée ? Cependant l'ordre de mon père est précis, le danger de mon amant est certain ! Sais-tu ce qui résulte en moi de tant de mouvements opposés qui s'entre-détruisent ? Une sorte de stupidité [1] qui me rend l'âme presque insensible, et ne me laisse l'usage ni des passions ni de la raison. Le moment est critique, tu me l'as dit et je le sens ; cependant, je ne fus jamais moins en état de me conduire. J'ai voulu tenter vingt fois d'écrire à celui que j'aime : je suis prête à m'évanouir à chaque ligne et n'en saurais tracer deux de suite. Il ne me reste que toi, ma douce amie, daigne penser, parler, agir pour moi ; je remets mon sort en tes mains ; quelque parti que tu prennes je confirme d'avance tout ce que tu feras ; je confie à ton amitié[a] ce pouvoir funeste que l'amour m'a vendu si cher. Sépare-moi pour jamais de moi-même ; donne-moi la mort s'il faut que

---

1. Hébétude, stupeur.

je meure, mais ne me force pas à me percer le cœur de ma propre main.

Ô mon ange ! ma protectrice ! quel horrible emploi je te laisse ! Auras-tu le courage de l'exercer ? Sauras-tu bien en adoucir la barbarie ? Hélas ! ce n'est pas mon cœur seul qu'il faut déchirer. Claire, tu le sais, tu le sais, comment je suis aimée ! Je n'ai pas même la consolation d'être la plus à plaindre. De grâce ! fais parler mon cœur par ta bouche ; pénètre le tien de la tendre commisération de l'amour ; console un infortuné ! Dis-lui cent fois......... Ah, dis-lui........ Ne crois-tu pas, chère amie, que, malgré tous les préjugés, tous les obstacles, tous les revers, le Ciel nous a faits l'un pour l'autre ? Oui, oui, j'en suis sûre ; il nous destine à être unis. Il m'est impossible de perdre cette idée ; il m'est impossible de renoncer à l'espoir qui la suit. Dis-lui qu'il se garde lui-même du découragement et du désespoir. Ne t'amuse point à lui demander en mon nom amour et fidélité ; encore moins à lui en promettre autant de ma part. L'assurance n'en est-elle pas au fond de nos âmes ? Ne sentons-nous pas qu'elles sont indivisibles, et que nous n'en avons plus qu'une à nous deux ? Dis-lui donc seulement qu'il espère ; et que si le sort nous poursuit, il se fie au moins à l'amour : car, je le sens, ma Cousine, il guérira de manière ou d'autre les maux qu'il nous cause, et quoi que le Ciel ordonne de nous, nous ne vivrons pas longtemps séparés.

P. S. Après ma Lettre écrite, j'ai passé dans la chambre de ma mère, et je me suis trouvée si mal que je suis obligée de venir me remettre dans mon lit. Je m'aperçois même...... je crains...... ah, ma chère ! je crains bien que ma chute d'hier n'ait quelque suite plus funeste que je n'avais pensé. Ainsi tout est fini pour moi ; toutes mes espérances m'abandonnent en même temps.

Lettre LXIV
De Claire à M. d'Orbe

Mon père m'a rapporté ce matin l'entretien qu'il eut hier avec vous. Je vois avec plaisir que tout s'achemine à ce qu'il

vous plaît d'appeler votre bonheur. J'espère, vous le savez,
d'y trouver aussi le mien ; l'estime et l'amitié vous sont
acquises, et tout ce que mon cœur peut nourrir de sentiments plus tendres est encore à vous. Mais ne vous y trompez pas ; je suis en femme une espèce de monstre [1], et je ne
sais par quelle bizarrerie de la nature l'amitié l'emporte en
moi sur l'amour. Quand je vous dis que ma Julie m'est plus
chère que vous, vous n'en faites que rire, et cependant rien
n'est plus vrai. Julie le sent si bien qu'elle est plus jalouse
pour vous que vous-même, et que tandis que vous paraissez
content, elle trouve toujours que je ne vous aime pas assez.
Il y a plus, et je m'attache tellement à tout ce qui lui est
cher, que son amant et vous, êtes à peu près dans mon cœur
en [2] même degré, quoique de différentes manières. Je n'ai
pour lui que de l'amitié, mais elle est plus vive ; je crois
sentir un peu d'amour pour vous, mais, il est plus posé.
Quoique tout cela pût paraître assez équivalent pour troubler la tranquillité d'un jaloux, je ne pense pas que la vôtre
en soit fort altérée.

Que les pauvres enfants en sont loin, de cette douce tranquillité dont nous osons jouir ; et que notre contentement a
mauvaise grâce, tandis que nos amis sont au désespoir !
C'en est fait, il faut qu'ils se quittent ; voici l'instant peut-
être, de leur éternelle séparation, et la tristesse que nous leur
reprochâmes le jour du concert était peut-être un pressentiment qu'ils se voyaient pour la dernière fois. Cependant,
votre ami ne sait rien de son infortune : Dans la sécurité de
son cœur il jouit encore du bonheur qu'il a perdu ; au
moment du désespoir il goûte en idée une ombre de félicité ;
et comme celui qu'enlève un trépas imprévu, le malheureux
songe à vivre et ne voit pas la mort qui va le saisir [3]. Hélas !

1. Au sens moral, *monstre* se dit « figurément d'une personne cruelle et
dénaturée » (*Acad.* 1762). Mais on doit d'abord l'entendre, en contexte, au
sens biologique de création accidentelle non conforme à l'ordre dit naturel,
impliquant notamment un jugement esthétique. **2.** Pour « au ». La construction est attestée par Féraud. **3.** Cette situation relève du « pathétique indirect » ainsi défini par Marmontel : « Voyez un berger et une bergère jouant
sur l'herbe et prêts à fouler un serpent qu'ils n'aperçoivent pas ; voyez une
famille tranquillement endormie dans une maison que la flamme enveloppe :
voilà l'image de ce pathétique indirect » (*Éléments de littérature*, éd. S. Le
Ménahèze, Desjonquères, p. 854).

c'est de ma main qu'il doit recevoir ce coup terrible ! Ô divine amitié ! seule idole de mon cœur ! viens l'animer de ta sainte cruauté. Donne-moi le courage d'être barbare, et de te servir dignement dans un si douloureux devoir.

Je compte sur vous en cette occasion et j'y compterais même quand vous m'aimeriez moins ; car je connais votre âme ; je sais qu'elle n'a pas besoin du zèle de l'amour, où parle celui de l'humanité. Il s'agit d'abord d'engager notre ami à venir chez moi demain dans la matinée. Gardez-vous, au surplus, de l'avertir de rien. Aujourd'hui l'on me laisse libre, et j'irai passer l'après-midi chez Julie ; tâchez de trouver Milord Édouard, et de venir seul avec lui m'attendre à huit heures, afin de convenir ensemble de ce qu'il faudra faire pour résoudre au départ cet infortuné, et prévenir son désespoir.

J'espère beaucoup de son courage et de nos soins. J'espère encore plus de son amour. La volonté de Julie, le danger que courent sa vie et son honneur sont des motifs auxquels il ne résistera pas. Quoi qu'il en soit ; je vous déclare qu'il ne sera point question de noce entre nous, que Julie ne soit tranquille, et que jamais les larmes de mon amie n'arroseront le nœud qui doit nous unir. Ainsi, Monsieur, s'il est vrai que vous m'aimiez, votre intérêt s'accorde en cette occasion avec votre générosité ; et ce n'est pas tellement ici l'affaire d'autrui, que ce ne soit aussi la vôtre.

Lettre LXV
De Claire à Julie

Tout est fait ; et malgré ses imprudences, ma Julie est en sûreté. Les secrets de ton cœur sont ensevelis dans l'ombre du mystère ; tu es encore au sein de ta famille et de ton pays, chérie, honorée, jouissant d'une réputation sans tache, et d'une estime universelle. Considère en frémissant les dangers que la honte ou l'amour t'ont fait courir en faisant trop ou trop peu. Apprends à ne vouloir plus concilier des sentiments incompatibles, et bénis le Ciel, trop aveugle amante ou fille trop craintive, d'un bonheur qui n'était réservé qu'à toi.

Je voulais éviter à ton triste cœur le détail de ce départ si cruel et si nécessaire. Tu l'as voulu, je l'ai promis, je tiendrai parole avec cette même franchise qui nous est commune, et qui ne mit jamais aucun avantage en balance avec la bonne foi. Lis donc, chère et déplorable[1] amie ; lis, puisqu'il le faut ; mais prends courage et tiens-toi ferme.

Toutes les mesures que j'avais prises et dont je te rendis compte hier ont été suivies de point en point. En rentrant chez moi j'y trouvai M. d'Orbe et Milord Édouard. Je commençai par déclarer au dernier ce que nous savions de son héroïque générosité, et lui témoignai combien nous en étions toutes deux pénétrées. Ensuite je leur exposai les puissantes raisons que nous avions d'éloigner promptement son ami, et les difficultés que je prévoyais à l'y résoudre. Milord sentit parfaitement tout cela et montra beaucoup de douleur de l'effet qu'avait produit son zèle inconsidéré. Ils convinrent qu'il était important de précipiter le départ de ton ami, et de saisir un moment de consentement pour prévenir de nouvelles irrésolutions, et l'arracher au continuel danger du séjour. Je voulais charger M. d'Orbe de faire à son insu les préparatifs convenables ; mais Milord regardant cette affaire comme la sienne, voulut en prendre le soin. Il me promit que sa chaise serait prête ce matin à onze heures, ajoutant qu'il l'accompagnerait aussi loin qu'il serait nécessaire, et proposa de l'emmener d'abord sous un autre prétexte pour le déterminer plus à loisir. Cet expédient ne me parut pas assez franc pour nous et pour notre ami, et je ne voulus pas, non plus, l'exposer loin de nous au premier effet d'un désespoir qui pouvait plus aisément échapper aux yeux de Milord qu'aux miens. Je n'acceptai pas, par la même raison, la proposition qu'il fit de lui parler lui-même et d'obtenir son consentement. Je prévoyais que cette négociation serait délicate, et je n'en voulus charger que moi seule ; car je connais plus sûrement les endroits sensibles de son cœur, et je sais qu'il règne toujours entre hommes une sécheresse qu'une femme sait mieux adoucir. Cependant, je conçus que les soins de Milord ne nous seraient pas inutiles

---

1. « Qui mérite d'être déploré, qui est digne de compassion, de pitié » (*Acad.* 1762).

pour préparer les choses. Je vis tout l'effet que pouvaient
produire sur un cœur vertueux les discours d'un homme sensible qui croit n'être qu'un philosophe, et quelle chaleur la
voix d'un ami pouvait donner aux raisonnements d'un sage.

J'engageai donc Milord Édouard à passer avec lui la
soirée, et, sans rien dire qui eût un rapport direct à sa situation, de disposer insensiblement son âme à la fermeté stoïque. Vous qui savez si bien votre Épictète, lui dis-je, [1] voici
le cas ou jamais de l'employer utilement. Distinguez avec
soin les biens apparents des biens réels ; ceux qui sont en
nous de ceux qui sont hors de nous. Dans un moment où
l'épreuve se prépare au dehors, prouvez-lui qu'on ne reçoit
jamais de mal que de soi-même, et que le sage se portant
partout avec lui, porte aussi partout son bonheur [2]. Je
compris à sa réponse que cette légère ironie, qui ne pouvait
le fâcher, suffisait pour exciter son zèle, et qu'il comptait
fort m'envoyer le lendemain ton ami bien préparé. C'était
tout ce que j'avais prétendu : car quoique au fond, je ne
fasse pas grand cas, non plus que toi, de toute cette philosophie parlière [3], je suis persuadée qu'un honnête homme a
toujours quelque honte de changer de maxime du soir au
matin, et de se dédire en son cœur dès le lendemain de tout
ce que sa raison lui dictait la veille.

M. d'Orbe voulait être aussi de la partie, et passer la
soirée avec eux, mais je le priai de n'en rien faire ; il n'aurait
fait que s'ennuyer ou gêner l'entretien. L'intérêt que je
prends à lui ne m'empêche pas de voir qu'il n'est point du
vol des deux autres. Ce penser [4] mâle des âmes fortes, qui
leur donne un idiome si particulier est une langue dont il

---

1. Nous remplaçons ici le point-virgule par une virgule. **2.** Ces principes clés
du stoïcisme rencontrent la conception morale de la liberté chez Rousseau,
telle qu'elle s'exprime dans la « Profession de foi du vicaire savoyard » (voir
n. 2, p. 196) : c'est parce que l'homme est libre qu'il lui appartient de choisir
de faire ce qui est bon et juste, et d'être heureux par les ressources qu'il
trouve en lui-même. **3.** Souvenir de Montaigne : « J'aimerais mieux, que
mon fils apprît aux tavernes à parler, qu'aux écoles de la parlerie. [...] Je
hais toute sorte de tyrannie, et la parlière, et l'effectuelle » (*Essais*, III, 8,
« De l'art de conférer », p. 1450 et 1457). Nous remplaçons par ailleurs
ici le point-virgule par une virgule. **4.** Cette manière de penser. Cet emploi
substantivé du verbe est archaïque : « il n'a guère d'usage que dans la poésie,
où même il est vieux » (*Acad.* 1762).

n'a pas la grammaire. En les quittant, je songeai au punch, et craignant les confidences anticipées j'en glissai un mot en riant [1] à Milord. Rassurez-vous, me dit-il, je me livre aux habitudes quand je n'y vois aucun danger ; mais je ne m'en suis jamais fait l'esclave ; il s'agit ici de l'honneur de Julie, du destin peut-être de la vie d'un homme et de mon ami. Je boirai du punch selon ma coutume, de peur de donner à l'entretien quelque air de préparation ; mais ce punch sera de la limonade, et comme il s'abstient d'en boire, il ne s'en apercevra point. Ne trouves-tu pas, ma chère, qu'on doit être bien humilié d'avoir contracté des habitudes qui forcent à de pareilles précautions ?

J'ai passé la nuit dans de grandes agitations qui n'étaient pas toutes pour ton compte. Les plaisirs innocents de notre première jeunesse ; la douceur d'une ancienne familiarité ; la société plus resserrée encore depuis une année entre lui et moi par la difficulté qu'il avait de te voir ; tout portait dans mon âme l'amertume de cette séparation. Je sentais que j'allais perdre avec la moitié de toi-même une partie de ma propre existence. Je comptais les heures avec inquiétude, et voyant poindre le jour, je n'ai pas vu naître sans effroi celui qui devait décider de ton sort. J'ai passé la matinée à méditer mes discours et à réfléchir sur l'impression qu'ils pouvaient faire. Enfin, l'heure est venue et j'ai vu entrer ton ami. Il avait l'air inquiet, et m'a demandé précipitamment de tes nouvelles ; car dès le lendemain de ta scène avec ton père, il avait su que tu étais malade, et Milord Édouard lui avait confirmé hier que tu n'étais pas sortie de ton lit. Pour éviter là-dessus les détails, je lui ai dit aussitôt que je t'avais laissée mieux hier au soir, et j'ai ajouté qu'il en apprendrait dans un moment davantage par le retour de Hanz que je venais de t'envoyer. Ma précaution n'a servi de rien, il m'a fait cent questions sur ton état, et comme elles m'éloignaient de mon objet, j'ai fait des réponses succinctes, et me suis mise à le questionner à mon tour.

J'ai commencé par sonder la situation de son esprit. Je l'ai trouvé grave, méthodique, et prêt à peser le sentiment au poids de la raison. Grâce au Ciel, ai-je dit en moi-même,

---

1. Par plaisanterie.

voilà mon sage bien préparé. Il ne s'agit plus que de le
mettre à l'épreuve. Quoique l'usage ordinaire soit d'annoncer par degrés les tristes nouvelles, la connaissance que j'ai
de son imagination fougueuse, qui sur un mot porte tout à
l'extrême, m'a déterminée à suivre une route contraire, et
j'ai mieux aimé l'accabler d'abord pour lui ménager des
adoucissements, que de multiplier inutilement ses douleurs
et les lui donner mille fois pour une. Prenant donc un ton
plus sérieux et le regardant fixement : Mon ami, lui ai-je dit,
connaissez-vous les bornes du courage et de la vertu dans
une âme forte, et croyez-vous que renoncer à ce qu'on aime
soit un effort au-dessus de l'humanité ? À l'instant il s'est
levé comme un furieux, puis frappant des mains et les portant à son front aussi jointes : Je vous entends, s'est-il écrié,
Julie est morte. Julie est morte ! a-t-il répété d'un ton qui
m'a fait frémir : Je le sens à vos soins trompeurs, à vos vains
ménagements, qui ne font que rendre ma mort plus lente et
plus cruelle.

Quoique effrayée d'un mouvement si subit, j'en ai bientôt
deviné la cause, et j'ai d'abord conçu comment les nouvelles
de ta maladie, les moralités de Milord Édouard, le rendez-
vous de ce matin, ses questions éludées, celles que je venais
de lui faire l'avaient pu jeter dans de fausses alarmes. Je
voyais bien aussi quel parti je pouvais tirer de son erreur en
l'y laissant quelques instants ; mais je n'ai pu me résoudre
à cette barbarie. L'idée de la mort de ce qu'on aime est si
affreuse, qu'il n'y en a point qui ne soit douce à lui substituer, et je me suis hâtée de profiter de cet avantage. Peut-
être ne la verrez-vous plus, lui ai-je dit ; mais elle vit et vous
aime. Ah ! si Julie était morte, Claire aurait-elle quelque
chose à vous dire ? Rendez grâces au Ciel qui sauve à votre
infortune des maux dont il pourrait vous accabler. Il était si
étonné, si saisi, si égaré, qu'après l'avoir fait rasseoir, j'ai eu
le temps de lui détailler par ordre tout ce qu'il fallait qu'il
sût, et j'ai fait valoir de mon mieux les procédés de
Milord Édouard, afin de faire dans son cœur honnête
quelque diversion à la douleur, par le charme de la reconnaissance.

Voilà, mon cher, ai-je poursuivi, l'état actuel des choses.
Julie est au bord de l'abîme, prête à s'y voir accabler du

déshonneur public, de l'indignation de sa famille, des violences d'un père emporté, et de son propre désespoir. Le danger augmente incessamment : de la main de son père ou de la sienne, le poignard à chaque instant de sa vie, est à deux doigts de son cœur. Il reste un seul moyen de prévenir tous ces maux, et ce moyen dépend de vous seul. Le sort de votre amante est entre vos mains. Voyez si vous avez le courage de la sauver en vous éloignant d'elle, puisque aussi bien il ne lui est plus permis de vous voir, ou si vous aimez mieux être l'auteur et le témoin de sa perte et de son opprobre. Après avoir tout fait pour vous, elle va voir ce que votre cœur peut faire pour elle. Est-il étonnant que sa santé succombe à ses peines ? Vous êtes inquiet de sa vie : sachez que vous en êtes l'arbitre.

Il m'écoutait sans m'interrompre ; mais sitôt qu'il a compris de quoi il s'agissait, j'ai vu disparaître ce geste animé, ce regard furieux, cet air effrayé, mais vif et bouillant, qu'il avait auparavant. Un voile sombre de tristesse et de consternation a couvert son visage : son œil morne et sa contenance effacée annonçaient l'abattement de son cœur : À peine avait-il la force d'ouvrir la bouche pour me répondre. Il faut partir, m'a-t-il dit d'un ton qu'une autre aurait cru tranquille. Hé bien, je partirai. N'ai-je pas assez vécu ? Non, sans doute, ai-je repris aussitôt ; il faut vivre pour celle qui vous aime : avez-vous oublié que ses jours dépendent des vôtres ? Il ne fallait donc pas les séparer, a-t-il à l'instant ajouté ; elle l'a pu et le peut encore. J'ai feint de ne pas entendre ces derniers mots, et je cherchais à le ranimer par quelques espérances auxquelles son âme demeurait fermée, quand Hanz est rentré, et m'a rapporté de bonnes nouvelles. Dans le moment de joie qu'il en a ressenti, il s'est écrié : Ah, qu'elle vive ! qu'elle soit heureuse…. s'il est possible. Je ne veux que lui faire mes derniers adieux…. et je pars. Ignorez-vous, ai-je dit, qu'il ne lui est plus permis de vous voir ?[1] Hélas ! vos adieux sont faits, et vous êtes déjà séparés ! Votre sort sera moins cruel quand vous serez plus loin d'elle ; vous aurez du moins le plaisir de l'avoir mise en sûreté. Fuyez dès ce jour, dès cet instant ;

---

1. Nous remplaçons le point par un point d'interrogation.

craignez qu'un si grand sacrifice ne soit trop tardif ; tremblez de causer encore sa perte après vous être dévoué pour elle. Quoi ! m'a-t-il dit avec une espèce de fureur, je partirais sans la revoir ? Quoi ! je ne la verrais plus ? Non, non, nous périrons tous deux, s'il le faut ; la mort, je le sais bien ne lui sera point dure avec moi : Mais je la verrai, quoi qu'il arrive ; je laisserai mon cœur et ma vie à ses pieds, avant de m'arracher à moi-même. Il ne m'a pas été difficile de lui montrer la folie et la cruauté d'un pareil projet. Mais ce [1] *quoi je ne la verrai plus* [2] ! qui revenait sans cesse d'un ton plus douloureux, semblait chercher au moins des consolations pour l'avenir. Pourquoi, lui ai-je dit, vous figurer vos maux pires qu'ils ne sont ? Pourquoi renoncer à des espérances que Julie elle-même n'a pas perdues ? Pensez-vous qu'elle pût se séparer ainsi de vous, si elle croyait que ce fût pour toujours ? Non, mon ami, vous devez connaître son cœur. Vous devez savoir combien elle préfère son amour à sa vie. Je crains, je crains trop (j'ai ajouté ces mots, je te l'avoue), qu'elle ne le préfère bientôt à tout. Croyez donc qu'elle espère, puisqu'elle consent à vivre : croyez que les soins que la prudence lui dicte vous regardent plus qu'il ne semble, et qu'elle ne se respecte pas moins pour vous que pour elle-même. Alors j'ai tiré ta dernière lettre, et lui montrant les tendres espérances de cette fille aveuglée qui croit n'avoir plus d'amour, j'ai ranimé les siennes à cette douce chaleur. Ce peu de lignes semblait distiller un baume salutaire sur sa blessure envenimée. J'ai vu ses regards s'adoucir et ses yeux s'humecter ; j'ai vu l'attendrissement succéder par degrés au désespoir ; mais ces derniers mots si touchants, tels que ton cœur les sait dire : *nous ne vivrons pas longtemps séparés*, l'ont fait fondre en larmes. Non Julie, non ma Julie, a-t-il dit en élevant la voix et baisant la lettre, nous ne vivrons pas longtemps séparés ; le Ciel unira nos destins sur la terre, ou nos cœurs dans le séjour éternel.

---

1. Nous supprimons ici une virgule. **2.** Cette plainte douloureuse rappelle la séparation de Titus et Bérénice. Voir Racine, *Bérénice* (1670), V, 7 : « Adieu, Seigneur, régnez : je ne vous verrai plus » ; et Voltaire, *Brutus* (1730), IV, 1 : « Fort contre vos raisons, faible contre ses pleurs/ Je ne la verrai plus [...] ». La formule est devenue un cliché du pathétique.

C'était là l'état où je l'avais souhaité. Sa sèche et sombre douleur m'inquiétait. Je ne l'aurais pas laissé partir dans cette situation d'esprit ; mais sitôt que je l'ai vu pleurer, et que j'ai entendu ton nom chéri sortir de sa bouche avec douceur, je n'ai plus craint pour sa vie ; car rien n'est moins tendre que le désespoir. Dans cet instant il a tiré de l'émotion de son cœur une objection que je n'avais pas prévue. Il m'a parlé de l'état où tu soupçonnais d'être, jurant qu'il mourrait plutôt mille fois que de t'abandonner à tous les périls qui t'allaient menacer. Je n'ai eu garde de lui parler de ton accident ; je lui ai dit simplement que ton attente avait encore été trompée, et qu'il n'y avait plus rien à espérer [1]. Ainsi, m'a-t-il dit en soupirant, il ne restera sur la terre aucun monument [2] de mon bonheur ; il a disparu comme un songe qui n'eut jamais de réalité.

Il me restait à exécuter la dernière partie de ta commission, et je n'ai pas cru qu'après l'union dans laquelle vous avez vécu il fallût à cela ni préparatif ni mystère. Je n'aurais pas même évité un peu d'altercation sur ce léger sujet pour éluder celle qui pourrait renaître sur celui de notre entretien. Je lui ai reproché sa négligence dans le soin de ses affaires. Je lui ai dit que tu craignais que de longtemps il ne fût plus soigneux, et qu'en attendant qu'il le devînt, tu lui ordonnais de se conserver pour toi, de pourvoir mieux à ses besoins, et de se charger à cet effet du léger supplément que j'avais à lui remettre de ta part. Il n'a ni paru humilié de cette proposition, ni prétendu en faire une affaire. Il m'a dit simplement que tu savais bien que rien ne lui venait de toi qu'il ne reçût avec transports ; mais que ta précaution était superflue, et qu'une petite maison qu'il venait de vendre * à Grandson [3], reste de son chétif patrimoine, lui avait procuré plus d'argent qu'il n'en avait possédé de sa vie. D'ailleurs,

* Je suis un peu en peine de savoir comment cet amant anonyme, qu'il sera dit ci-après n'avoir pas encore 24 ans, a pu vendre une maison, n'étant pas majeur. Ces Lettres sont si pleines de semblables absurdités que je n'en parlerai plus ; il suffit d'en avoir averti.

1. Saint-Preux n'a pas vu le *post-scriptum* de la lettre 63. **2.** Témoignage. **3.** Petite ville au nord d'Yverdon, sur le lac de Neuchâtel, dans le canton de Vaud.

a-t-il ajouté, j'ai quelques talents dont je puis tirer partout des ressources. Je serai trop heureux de trouver dans leur exercice quelque diversion à mes maux, et depuis que j'ai vu de plus près l'usage que Julie fait de son superflu, je le regarde comme le trésor sacré de la veuve et de l'orphelin, dont l'humanité ne me permet pas de rien aliéner. Je lui ai rappelé son voyage du Valais, ta lettre et la précision de tes ordres. Les mêmes raisons subsistent.... Les mêmes ! a-t-il interrompu d'un ton d'indignation. La peine de mon refus était de ne la plus voir : qu'elle me laisse donc rester, et j'accepte. Si j'obéis, pourquoi me punit-elle ? Si je refuse, que me fera-t-elle de pis ?..... Les mêmes ! répétait-il avec impatience. Notre union commençait ; elle est prête à finir ; peut-être vais-je pour jamais me séparer d'elle ; il n'y a plus rien de commun entre elle et moi ; nous allons être étrangers l'un à l'autre. Il a prononcé ces derniers mots avec un tel serrement de cœur, que j'ai tremblé de le voir retomber dans l'état d'où j'avais eu tant de peine à le tirer. Vous êtes un enfant, ai-je affecté de lui dire d'un air riant ; vous avez encore besoin d'un tuteur et je veux être le vôtre. Je vais garder ceci [1], et pour en disposer à propos dans le commerce que nous allons avoir ensemble, je veux être instruite de toutes vos affaires. Je tâchais de détourner ainsi ses idées funestes par celle d'une correspondance familière continuée entre nous, et cette âme simple [2] qui ne cherche pour ainsi dire qu'à s'accrocher à ce qui t'environne, a pris aisément le change. Nous nous sommes ensuite ajustés [3] pour les adresses de Lettres, et comme ces mesures ne pouvaient que lui être agréables, j'en ai prolongé le détail jusqu'à l'arrivée de M. d'Orbe, qui m'a fait signe que tout était prêt.

Ton ami a facilement compris de quoi il s'agissait ; il a instamment demandé à t'écrire, mais je me suis gardée de le permettre. Je prévoyais qu'un excès d'attendrissement lui relâcherait trop le cœur, et qu'à peine serait-il au milieu de sa lettre, qu'il n'y aurait plus moyen de le faire partir. Tous les délais sont dangereux, lui ai-je dit ; hâtez-vous d'arriver à la première station d'où vous pourrez lui écrire à votre

---

1. La somme d'argent que Julie voulait lui remettre. **2.** Encore pleine de la fraîcheur et du naturel de l'enfance. **3.** Concertés, mis d'accord.

aise. En disant cela, j'ai fait signe à M. d'Orbe ; je me suis avancée, et, le cœur gros de sanglots, j'ai collé mon visage sur le sien ; je n'ai plus su ce qu'il devenait ; les larmes m'offusquaient [1] la vue, ma tête commençait à se perdre, et il était temps que mon rôle finît.

Un moment après je les ai entendus descendre précipitamment. Je suis sortie sur le paillier [2] pour les suivre des yeux : Ce dernier trait manquait à mon trouble. J'ai vu l'insensé se jeter à genoux au milieu de l'escalier, en baiser mille fois les marches, et d'Orbe pouvoir à peine l'arracher de cette froide pierre qu'il pressait de son corps de la tête et des bras en poussant de longs gémissements. J'ai senti les miens près d'éclater malgré moi, et je suis brusquement rentrée, de peur de donner une scène à toute la maison.

À quelques instants de là, M. d'Orbe est revenu tenant son mouchoir sur ses yeux. C'en est fait, m'a-t-il dit, ils sont en route. En arrivant chez lui, votre ami a trouvé la chaise à sa porte ; Milord Édouard l'y attendait aussi ; il a couru au-devant de lui et le serrant contre sa poitrine : *Viens, homme infortuné,* lui a-t-il dit d'un ton pénétré, *viens verser tes douleurs dans ce cœur qui t'aime. Viens, tu sentiras peut-être qu'on n'a pas tout perdu sur la terre, quand on y retrouve un ami tel que moi.* À l'instant, il l'a porté d'un bras vigoureux dans la chaise, et ils sont partis en se tenant étroitement embrassés.

Fin de la première partie

---

1. Offusquer : « empêcher de voir, ou d'être vu » (*Acad.* 1762). **2.** Archaïsme volontaire de Rousseau, encore attesté par le *Dictionnaire* de l'Académie de 1798, pour « palier ».

SECONDE PARTIE

Lettre I
À Julie *

J'ai pris et quitté cent fois la plume ; j'hésite dès le premier mot ; je ne sais quel ton je dois prendre ; je ne sais par où commencer ; et c'est à Julie que je veux écrire ! Ah malheureux ! que suis-je devenu ? Il n'est donc plus ce temps où mille sentiments délicieux coulaient de ma plume comme un intarissable torrent ! Ces doux moments de confiance et d'épanchement sont passés : Nous ne sommes plus l'un à l'autre, nous ne sommes plus les mêmes, et je ne sais plus à qui j'écris. Daignerez-vous recevoir mes Lettres ? vos yeux daigneront-ils les parcourir ? les trouverez-vous assez réservées, assez circonspectes ? Oserais-je y garder encore une ancienne familiarité ? Oserais-je y parler d'un amour éteint ou méprisé, et ne suis-je pas plus reculé que le premier jour où je vous écrivis ? Quelle différence, ô Ciel, de ces jours si charmants et si doux à mon effroyable misère ! Hélas ! je commençais d'exister et je suis tombé dans l'anéantissement ; l'espoir de vivre animait mon cœur ; je n'ai plus devant moi que l'image de la mort, et trois ans d'intervalle ont fermé le cercle fortuné de mes jours. Ah, que ne les ai-je terminés avant de me survivre à moi-même ! Que n'ai-je suivi mes pressentiments après ces rapides instants de délices, où je ne voyais plus rien dans la vie qui fût digne de la prolonger ! Sans doute, il fallait la borner à ces trois ans ou les ôter de sa durée ; il valait mieux ne jamais goûter la félicité, que la goûter et la perdre. Si j'avais franchi ce fatal intervalle, si j'avais évité ce premier regard qui me fit une autre âme, [1] je jouirais de ma raison ; je remplirais les

---

* Je n'ai guère besoin, je crois, d'avertir que dans cette seconde partie et dans la suivante, les deux Amants séparés ne font que déraisonner et battre la campagne ; leurs pauvres têtes n'y sont plus.

---

1. Nous remplaçons ici un point-virgule par une virgule.

devoirs d'un homme, et sèmerais peut-être de quelques vertus mon insipide carrière. Un moment d'erreur a tout changé. Mon œil osa contempler ce qu'il ne fallait point voir. Cette vue a produit enfin son effet inévitable. Après m'être égaré par degrés, je ne suis qu'un furieux dont le sens est aliéné, un lâche esclave sans force et sans courage, qui va traînant dans l'ignominie sa chaîne et son désespoir.

Vains rêves d'un esprit qui s'égare ! Désirs faux et trompeurs, désavoués à l'instant par le cœur qui les a formés ! Que sert d'imaginer à des maux réels de chimériques remèdes qu'on rejetterait quand ils nous seraient offerts ? Ah ! qui jamais connaîtra l'amour, t'aura vue et pourra le croire, qu'il y ait quelque félicité possible que je voulusse acheter au prix de mes premiers feux ? Non, non, que le Ciel garde ses bienfaits et me laisse, avec ma misère, le souvenir de mon bonheur passé. J'aime mieux les plaisirs qui sont dans ma mémoire et les regrets qui déchirent mon âme, que d'être à jamais heureux sans ma Julie. Viens image adorée, remplir un cœur qui ne vit que par toi : suis-moi dans mon exil, console-moi dans mes peines, ranime et soutiens mon espérance éteinte. Toujours ce cœur infortuné sera ton sanctuaire inviolable, d'où le sort ni les hommes ne pourront jamais t'arracher. Si je suis mort au bonheur, je ne le suis point à l'amour qui m'en rend digne. Cet amour est invincible comme le charme qui l'a fait naître. Il est fondé sur la base inébranlable du mérite et des vertus ; il ne peut périr dans une âme immortelle ; il n'a plus besoin de l'appui de l'espérance, et le passé lui donne des forces pour un avenir éternel.

Mais toi, Julie, ô toi, qui sus aimer une fois ! comment ton tendre cœur a-t-il oublié de vivre ? Comment ce feu sacré s'est-il éteint dans ton âme pure ? Comment as-tu perdu le goût de ces plaisirs célestes que toi seule étais capable de sentir et de rendre ? Tu me chasses sans pitié ; tu me bannis avec opprobre ; tu me livres à mon désespoir, et tu ne vois pas, dans l'erreur qui t'égare, qu'en me rendant misérable tu t'ôtes le bonheur de tes jours. Ah Julie, crois-moi ; tu chercheras vainement un autre cœur ami du tien ! Mille t'adoreront, sans doute ; le mien seul te savait aimer [1].

---

1. « Comme il savait aimer ! » s'exclamera plus tard Julie avec nostalgie (IV, 1, p. 484).

Réponds-moi maintenant, Amante abusée ou trompeuse : que sont devenus ces projets formés avec tant de mystère ? Où sont ces vaines espérances dont tu leurras si souvent ma crédule simplicité ? Où est cette union sainte et désirée, doux objet de tant d'ardents soupirs, et dont ta plume et ta bouche flattaient mes vœux ? Hélas ! sur la foi de tes promesses j'osais aspirer à ce nom sacré d'époux ; et me croyais déjà le plus heureux des hommes. Dis, cruelle ! ne m'abusais-tu que pour rendre enfin ma douleur plus vive et mon humiliation plus profonde ? Ai-je attiré mes malheurs par ma faute ? Ai-je manqué d'obéissance, de docilité, de discrétion ? M'as-tu vu désirer assez faiblement pour mériter d'être éconduit, ou préférer mes fougueux désirs à tes volontés suprêmes ? J'ai tout fait pour te plaire et tu m'abandonnes ! Tu te chargeais de mon bonheur, et tu m'as perdu ! Ingrate, rends-moi compte du dépôt que je t'ai confié : rends-moi compte de moi-même après avoir égaré mon cœur dans cette suprême félicité que tu m'as montrée et que tu m'enlèves. Anges du Ciel ! j'eusse méprisé votre sort. J'eusse été le plus heureux des êtres...... Hélas ! je ne suis plus rien, un instant m'a tout ôté. J'ai passé sans intervalle du comble des plaisirs aux regrets éternels : je touche encore au bonheur qui m'échappe.... j'y touche encore et le perds pour jamais !...... Ah si je le pouvais croire ! si les restes d'une espérance vaine ne soutenaient......... Ô rochers de Meillerie que mon œil égaré mesura tant de fois, que ne servîtes-vous mon désespoir ! J'aurais moins regretté la vie, quand je n'en avais pas senti le prix.

Lettre II
De Milord Édouard à Claire

Nous arrivons à Besançon, et mon premier soin est de vous donner des nouvelles de notre voyage. Il s'est fait sinon paisiblement, du moins sans accident, et[a] votre ami est aussi sain de corps qu'on peut l'être avec un cœur aussi malade. Il voudrait même affecter à l'extérieur une sorte de tranquillité. Il a honte de son état, et se contraint beaucoup devant moi ; mais tout décèle ses secrètes agitations, et si je feins de m'y tromper, c'est pour le laisser aux prises avec lui-même, et occuper ainsi une partie des forces de son âme à réprimer l'effet de l'autre.

Il fut fort abattu la première journée ; je la fis courte voyant que la vitesse de notre marche irritait sa douleur. Il ne me parla point, ni moi à lui ; les consolations indiscrètes [1] ne font qu'aigrir les violentes afflictions. L'indifférence et la froideur trouvent aisément des paroles ; mais la tristesse et le silence sont alors le vrai langage de l'amitié. Je commençai d'apercevoir hier les premières étincelles de la fureur qui va succéder infailliblement à cette léthargie : à la dînée [2], à peine y avait-il un quart d'heure que nous étions arrivés qu'il m'aborda d'un air d'impatience. Que tardons-nous à partir, me dit-il avec un souris amer, pourquoi restons-nous un moment si près d'elle ? Le soir il affecta de parler beaucoup, sans dire un mot de Julie. Il recommençait des questions auxquelles j'avais répondu dix fois. Il voulut savoir si nous étions déjà sur terres de France, et puis il demanda si nous arriverions bientôt à Vevey. La première chose qu'il fait à chaque station, c'est de commencer quelque lettre qu'il déchire ou chiffonne un moment après. J'ai sauvé du feu deux ou trois de ces brouillons sur lesquels vous pourrez entrevoir l'état de son âme. Je crois pourtant qu'il est parvenu à écrire une lettre entière.

L'emportement qu'annoncent ces premiers symptômes est facile à prévoir ; mais je ne saurais dire quel en sera l'effet et le terme ; car cela dépend d'une combinaison du caractère de l'homme, du genre de sa passion, des circonstances qui peuvent naître, de mille choses que nulle prudence humaine ne peut déterminer. Pour moi, je puis répondre de ses fureurs mais non pas de son désespoir, et quoi qu'on fasse, tout homme est toujours maître de sa vie [3].

Je me flatte, cependant, qu'il respectera sa personne et mes soins ; et je compte moins pour cela sur le zèle de

---

1. Imprudentes, malencontreuses. **2.** « Le repas ou la dépense qu'on fait à dîner dans les voyages, tant pour hommes que pour chevaux » (*Acad.* 1762). **3.** Contre le déterminisme empiriste, voire matérialiste, Rousseau fait ici défendre par Édouard, conformément à sa propre philosophie, le principe de la liberté du sujet.

l'amitié qui n'y sera pas épargné, que sur le caractère de sa passion et sur celui de sa maîtresse. L'âme ne peut guère s'occuper fortement et longtemps d'un objet, sans contracter des dispositions qui s'y rapportent. L'extrême douceur de Julie doit tempérer l'âcreté [1] du feu qu'elle inspire, et je ne doute pas, non plus, que l'amour d'un homme aussi vif ne lui donne à elle-même un peu plus d'activité qu'elle n'en aurait naturellement sans lui.

J'ose compter aussi sur son cœur ; il est fait pour combattre et vaincre. Un amour pareil au sien n'est pas tant une faiblesse qu'une force mal employée. Une flamme ardente et malheureuse est capable d'absorber pour un temps, pour toujours peut-être une partie de ses facultés ; mais elle est elle-même une preuve de leur excellence, et du parti qu'il en pourrait tirer pour cultiver la sagesse : car la sublime raison ne se soutient que par la même vigueur de l'âme qui fait les grandes passions, et l'on ne sert dignement la philosophie qu'avec le même feu qu'on sent pour une maîtresse.

Soyez-en sûre, aimable Claire ; je ne m'intéresse pas moins que vous au sort de ce couple infortuné ; non par un sentiment de commisération qui peut n'être qu'une faiblesse ; mais par la considération de la justice et de l'ordre, qui veulent que chacun soit placé de la manière la plus avantageuse à lui-même et à la société. Ces deux belles âmes [2] sortirent l'une pour l'autre des mains de la nature ; c'est dans une douce union, c'est dans le sein du bonheur que, libres de déployer leurs forces et d'exercer leurs vertus, elles eussent éclairé la terre de leurs exemples. Pourquoi faut-il qu'un insensé préjugé vienne changer les directions éternelles, et bouleverser l'harmonie des êtres pensants ? Pourquoi la vanité d'un père barbare cache-t-elle ainsi la lumière sous le boisseau [3], et fait-elle gémir dans les larmes des cœurs tendres et bienfaisants nés pour essuyer celles d'autrui ? Le lien conjugal n'est-il pas le plus libre ainsi que le plus sacré des engagements ? Oui, toutes les lois qui le gênent sont injustes ; tous les pères qui l'osent former ou rompre sont des tyrans. Ce chaste nœud de la nature n'est

---

1. Voir I, 14, n. 1, p. 92. **2.** Première occurrence au pluriel de cette formule capitale. **3.** Paraphrase évangélique (Matthieu 5, 15).

soumis ni au pouvoir souverain ni à l'autorité paternelle, mais à la seule autorité du père commun qui sait commander aux cœurs, et qui leur ordonnant de s'unir, les peut contraindre à s'aimer *.

Que signifie ce sacrifice des convenances de la nature aux convenances de l'opinion ? La diversité de fortune et d'état s'éclipse et se confond dans le mariage, elle ne fait rien au bonheur ; mais celle de caractère et d'humeur demeure, et c'est par elle qu'on est heureux ou malheureux. L'enfant qui n'a de règle que l'amour choisit mal, le père qui n'a de règle que l'opinion choisit plus mal encore. Qu'une fille manque de raison, d'expérience, pour juger de la sagesse et des mœurs, un bon père y doit suppléer sans doute. Son droit, son devoir même est de dire : Ma fille, c'est un honnête homme, ou : C'est un fripon ; c'est un homme de sens, ou : C'est un fou. Voilà les convenances dont il doit connaître [1], le jugement de toutes les autres appartient à la fille. En criant qu'on troublerait ainsi l'ordre de la société, ces tyrans le troublent eux-mêmes. Que le rang se règle par le mérite, et l'union des cœurs par leur choix, voilà le véritable ordre social ; ceux qui le règlent par la naissance ou par les richesses sont les vrais perturbateurs de cet ordre ; ce sont ceux-là qu'il faut décrier ou punir.

---

* Il y a des pays où cette convenance des conditions et de la fortune est tellement préférée à celle de la nature et des cœurs, qu'il suffit que la première ne s'y trouve pas pour empêcher ou rompre les plus heureux mariages, sans égard pour l'honneur perdu des infortunées qui sont tous les jours victimes de ces odieux préjugés. J'ai vu plaider au Parlement de Paris une cause célèbre où l'honneur du rang attaquait insolemment et publiquement l'honnêteté, le devoir, la foi conjugale, et où l'indigne père qui gagna son procès, osa déshériter son fils pour n'avoir pas voulu être un malhonnête homme. On ne saurait dire à quel point dans ce pays si galant les femmes sont tyrannisées par les lois. Faut-il s'étonner qu'elles s'en vengent si cruellement par leurs mœurs ? [NdE : Rousseau fait allusion à un procès retentissant auquel il a pu s'intéresser à son retour de Venise, en octobre 1744 : Charles Huchet de La Bédoyère (1786-1815), fils du procureur général au parlement de Rennes, avait épousé, contre l'avis de sa famille, une jeune actrice. En 1745, son père intenta un procès pour annulation, qui fut défavorable aux jeunes époux. L'affaire frappa beaucoup les esprits.]

---

1. Dans cet emploi intransitif, « connaître de » relève d'un sens juridique et signifie : être compétent pour juger.

Il est donc de la justice universelle que ces abus soient redressés ; il est du devoir de l'homme de s'opposer à la[b] violence, de concourir à l'ordre, et s'il m'était possible d'unir ces deux amants en dépit d'un vieillard sans raison, ne doutez pas que je n'achevasse en cela l'ouvrage du ciel, sans m'embarrasser de l'approbation des hommes.

Vous êtes plus heureuse, aimable Claire ; vous avez un père qui ne prétend point savoir mieux que vous en quoi consiste votre bonheur. Ce n'est, peut-être, ni par de grandes vues de sagesse, ni par une tendresse excessive qu'il vous rend ainsi maîtresse de votre sort ; mais qu'importe la cause, si l'effet est le même, et si, dans la liberté qu'il vous laisse, l'indolence lui tient lieu de raison ? Loin d'abuser de cette liberté, le choix que vous avez fait à vingt ans aurait l'approbation du plus sage père. Votre cœur, absorbé par une amitié qui n'eut jamais d'égale, a gardé peu de place aux feux de l'amour. Vous leur substituez tout ce qui peut y suppléer dans le mariage : moins amante qu'amie, si vous n'êtes la plus tendre épouse, vous serez la plus vertueuse, et cette union qu'a formée la sagesse doit croître avec l'âge et durer autant qu'elle. L'impulsion du cœur est plus aveugle, mais elle est plus invincible : c'est le moyen de se perdre que de se mettre dans la nécessité de lui résister. Heureux ceux que l'amour assortit comme aurait fait la raison, et qui n'ont point d'obstacle à vaincre et de préjugés à combattre ! Tels seraient nos deux amants sans l'injuste résistance d'un père entêté. Tels malgré lui pourraient-ils être encore, si l'un des deux était bien conseillé.

L'exemple de Julie et le vôtre montrent également que c'est aux Époux seuls à juger s'ils se conviennent. Si l'amour ne règne pas, la raison choisira seule ; c'est le cas où vous êtes ; si l'amour règne, la nature a déjà choisi ; c'est celui de Julie. Telle est la loi sacrée de la nature qu'il n'est pas permis à l'homme d'enfreindre, qu'il n'enfreint jamais impunément, et que la considération des états et des rangs ne peut abroger qu'il[1] n'en coûte des malheurs et des crimes.

Quoique l'hiver s'avance et que j'aie à me rendre à Rome, je ne quitterai point l'ami que j'ai sous ma garde, que je ne

---

1. Sans qu'il.

voie son âme dans un état de consistance [1] sur lequel je puisse compter. C'est un dépôt qui m'est cher par son prix, et parce que vous me l'avez confié. Si je ne puis faire qu'il soit heureux, je tâcherai de faire au moins qu'il soit sage, et qu'il porte en homme les maux de l'humanité. J'ai résolu de passer ici une quinzaine de jours avec lui, durant lesquels j'espère que nous recevrons des nouvelles de Julie et des vôtres, et que vous m'aiderez toutes deux à mettre quelque appareil [2] sur les blessures de ce cœur malade, qui ne peut encore écouter la raison que par l'organe du sentiment.

Je joins ici une lettre pour votre amie : ne la confiez, je vous prie, à aucun commissionnaire, mais remettez-la vous-même.

Fragments
Joints à la Lettre précédente

I

Pourquoi n'ai-je pu vous voir avant mon départ ? Vous avez craint que je n'expirasse en vous quittant ? Cœur pitoyable ! rassurez-vous. Je me porte bien..... je ne souffre pas..... je vis encore..... je pense à vous...... je pense au temps où je vous fus cher...... j'ai le cœur un peu serré...... la voiture m'étourdit.... je me trouve abattu..... je ne pourrai longtemps vous écrire aujourd'hui. Demain, peut-être aurai-je plus de force....... ou n'en aurai-je plus besoin.......

II

Où m'entraînent ces chevaux avec tant de vitesse ? Où me conduit avec tant de zèle cet homme qui se dit mon ami ? Est-ce loin de toi, Julie ? Est-ce par ton ordre ? Est-ce en des lieux où tu n'es pas ?.... Ah fille insensée !....... je mesure des yeux le chemin que je parcours si rapidement. D'où viens-je ? où vais-je ? et pourquoi tant de diligence ? Avez-vous peur, cruels, que je ne coure pas assez tôt à ma

---

1. Fermeté. **2.** Appareil « se dit des onguents, des emplâtres qu'on applique sur une plaie » (*Acad.* 1762).

perte ? Ô amitié ! ô amour ! est-ce là votre accord ? sont-ce là vos bienfaits ?.......

III

As-tu bien consulté ton cœur, en me chassant avec tant de violence ? As-tu pu, dis, Julie, as-tu pu renoncer pour jamais....... Non, non, ce tendre cœur m'aime ; je le sais bien. Malgré le sort, malgré lui-même, il m'aimera jusqu'au tombeau.... Je le vois, tu t'es laissé suggérer.... * Quel repentir éternel tu te prépares !.... hélas ! il sera trop tard.... quoi, tu pourrais oublier.... quoi, je t'aurais mal connue !..... Ah, songe à toi, songe à moi, songe à.... écoute, il en est temps encore..... tu m'as chassé avec barbarie. Je fuis plus vite que le vent..... Dis un mot, un seul mot, et je reviens plus prompt que l'éclair. Dis un mot, et pour jamais nous sommes unis. Nous devons l'être [1] ;..... nous le serons...... Ah ! l'air emporte mes plaintes !.... et cependant je fuis ; je vais vivre et mourir loin d'elle.... vivre loin d'elle !......

Lettre III
De Milord Édouard à Julie

Votre Cousine vous dira des nouvelles de votre ami. Je crois d'ailleurs qu'il vous écrit par cet ordinaire. Commencez par satisfaire là-dessus votre empressement, pour lire ensuite posément cette lettre ; car je vous préviens que son sujet demande toute votre attention.

Je connais les hommes : j'ai vécu beaucoup en peu d'années ; j'ai acquis une grande expérience à mes dépens, et c'est le chemin des passions qui m'a conduit à la philosophie. Mais de tout ce que j'ai observé jusqu'ici, je n'ai rien vu de si extraordinaire que vous et votre amant. Ce n'est pas que vous ayez ni l'un ni l'autre un caractère marqué

---

* La suite montre que ces soupçons tombaient sur Milord Édouard, et que Claire les a pris pour elle.

---

1. Il est juste que nous le soyons.

dont on puisse au premier coup d'œil assigner les différences, et il se pourrait bien que cet embarras de vous définir
vous fît prendre pour des âmes communes par un observateur superficiel. Mais c'est cela même qui vous distingue,
qu'il est impossible de vous distinguer, et que les traits du
modèle commun, dont quelqu'un [1] manque toujours à
chaque individu, brillent tous également dans les vôtres.
Ainsi chaque épreuve d'une estampe a ses défauts particuliers qui lui servent de caractère, et s'il en vient une qui soit
parfaite, quoiqu'on la trouve belle au premier coup d'œil, il
faut la considérer longtemps pour la reconnaître. La première
fois que je vis votre amant, je fus frappé d'un sentiment nouveau, qui n'a fait qu'augmenter de jour en jour, à mesure que
la raison l'a justifié. À votre égard, ce fut tout autre chose
encore, et ce sentiment fut si vif que je me trompai sur sa
nature. Ce n'était pas tant la différence des sexes qui produi-
sait cette impression, qu'un caractère encore plus marqué
de perfection que le cœur sent, même indépendamment de
l'amour. Je vois bien ce que vous seriez sans votre ami ; je
ne vois pas de même ce qu'il serait sans vous ; beaucoup
d'hommes peuvent lui ressembler, mais il n'y a qu'une Julie
au monde. Après un tort que je ne me pardonnerai jamais,
votre lettre vint m'éclairer sur mes vrais sentiments. Je
connus que je n'étais point jaloux ni par conséquent amoureux [2] ; je connus que vous étiez trop aimable pour moi ; il
vous faut les prémices d'une âme, et la mienne ne serait pas
digne de vous.

Dès ce moment je pris pour votre bonheur mutuel un
tendre intérêt qui ne s'éteindra point. Croyant lever toutes
les difficultés, je fis auprès de votre père une démarche indiscrète dont le mauvais succès [3] n'est qu'une raison de plus
pour exciter mon zèle. Daignez m'écouter, et je puis réparer
encore tout le mal que je vous ai fait.

Sondez bien votre cœur, ô Julie, et voyez s'il vous est possible d'éteindre le feu dont il est dévoré ? Il fut un temps,
peut-être, où vous pouviez en arrêter le progrès ; mais si

---

1. Dont un des traits. **2.** Voir I, 35 pour un autre point de vue. **3.** *Succès* :
issue, en bien comme en mal. *Indiscrète* : étourdie, imprudente.

Julie pure et chaste a pourtant succombé, comment se relèvera-t-elle après sa chute ? Comment résistera-t-elle à l'amour vainqueur, et armé de la dangereuse image de tous les plaisirs passés ? Jeune amante ne vous en imposez plus, et renoncez à la confiance qui vous a séduite [1] : vous êtes perdue, s'il faut combattre encore : vous serez avilie et vaincue, et le sentiment de votre honte étouffera par degrés toutes vos vertus. L'amour s'est insinué trop avant dans la substance de votre âme pour que vous puissiez jamais l'en chasser ; il en renforce et pénètre tous les traits comme une eau forte et corrosive [2] ; vous n'en effacerez jamais la profonde impression sans effacer à la fois tous les sentiments exquis que vous reçûtes de la nature, et quand il ne vous restera plus d'amour, il ne vous restera plus rien d'estimable. Qu'avez-vous donc maintenant à faire, ne pouvant plus changer l'état de votre cœur ? Une seule chose, Julie, c'est de le rendre légitime. Je vais vous proposer pour cela l'unique moyen qui vous reste ; profitez-en, tandis qu'il est temps encore ; rendez à l'innocence et à la vertu cette sublime raison dont le Ciel vous fit dépositaire, ou craignez d'avilir à jamais le plus précieux de ses dons.

J'ai dans le Duché d'York une terre assez considérable, qui fut longtemps le séjour de mes ancêtres. Le château est ancien, mais bon et commode ; les environs sont solitaires, mais agréables et variés. La rivière d'Ouse qui passe au bout du parc offre à la fois une perspective charmante à la vue et un débouché facile aux denrées ; le produit de la terre suffit pour l'honnête entretien du maître et peut doubler sous ses yeux. L'odieux préjugé n'a point d'accès dans cette heureuse contrée. L'habitant paisible y conserve encore les mœurs simples des premiers temps, et l'on y trouve une image du Valais décrit avec des traits si touchants par la plume de votre ami [3]. Cette terre est à vous, Julie, si vous daignez l'habiter avec lui, et c'est là que vous pourrez accomplir ensemble tous les tendres souhaits par où finit la lettre dont je parle.

---

1. Trompée. **2.** Métaphore chimique de l'acide (eau-forte) utilisé pour les gravures (voir page précédente : « épreuve d'une estampe »). **3.** Allusion au récit de voyage mentionné par Julie au début de I, 25.

Venez, modèle unique des vrais amants ; venez, couple aimable et fidèle prendre possession d'un lieu fait pour servir d'asile à l'amour et à l'innocence. Venez y serrer, à la face du ciel et des hommes, le doux nœud qui vous unit. Venez honorer de l'exemple de vos vertus un pays où elles seront adorées, et des gens simples portés à les imiter. Puissiez-vous en ce lieu tranquille goûter à jamais dans les sentiments qui vous unissent le bonheur[a] des âmes pures ; puisse le Ciel y bénir vos chastes feux d'une famille qui vous ressemble ; puissiez-vous y prolonger vos jours dans une honorable vieillesse, et les terminer enfin paisiblement dans les bras de vos enfants ; puissent nos neveux[1] en parcourant avec un charme secret ce monument de la félicité conjugale, dire un jour dans l'attendrissement de leur cœur : *Ce fut ici l'asile de l'innocence ; ce fut ici la demeure des deux amants.*

Votre sort est en vos mains, Julie ; pesez attentivement la proposition que je vous fais, et n'en examinez que le fond ; car d'ailleurs, je me charge d'assurer d'avance et irrévocablement votre ami de l'engagement que je prends ; je me charge aussi de la sûreté de votre départ, et de veiller avec lui à celle de votre personne jusqu'à votre arrivée. Là vous pourrez aussitôt vous marier publiquement sans obstacle ; car parmi nous une fille nubile n'a nul besoin du consentement d'autrui pour disposer d'elle-même. Nos sages lois n'abrogent point celles de la nature, et s'il résulte de cet heureux accord quelques inconvénients, ils sont beaucoup moindres que ceux qu'il prévient. J'ai laissé à Vevey mon Valet de chambre, homme de confiance, brave, prudent, et d'une fidélité à toute épreuve. Vous pourrez aisément vous concerter avec lui de bouche ou par écrit à l'aide de Regianino, sans que ce dernier sache de quoi il s'agit. Quand il sera temps, nous partirons pour vous aller joindre, et vous ne quitterez la maison paternelle que sous la conduite de votre Époux.

[b] Je vous laisse à vos réflexions ; mais je le répète, craignez l'erreur des préjugés et la séduction des scrupules qui

---

1. « On dit, *Nos neveux*, dans le style soutenu et en Poésie, pour dire, La postérité, ceux qui viendront après nous » (*Acad.* 1762).

mènent souvent au vice par le chemin de l'honneur. Je prévois ce qui vous arrivera si vous rejetez mes offres. La tyrannie d'un père intraitable vous entraînera dans l'abîme que vous ne connaîtrez qu'après la chute. Votre extrême douceur dégénère quelquefois en timidité : vous serez sacrifiée à la chimère des conditions * : il faudra contracter un engagement désavoué par le cœur. L'approbation publique sera démentie incessamment par le cri de la conscience ; vous serez honorée et méprisable. Il vaut mieux être oubliée et vertueuse.

P. S. Dans le doute de votre résolution, je vous écris à l'insu de notre ami, de peur qu'un refus de votre part ne vînt détruire en un instant tout l'effet de mes soins.

Lettre IV
De Julie à Claire

ᵃ Oh, ma chère ! dans quel trouble tu m'as laissée hier au soir, et quelle nuit j'ai passée en rêvant à cette fatale lettre ! Non, jamais tentation plus dangereuse ne vint assaillir mon cœur ; jamais je n'éprouvai de pareilles agitations, et jamais je n'aperçus moins le moyen de les apaiser. Autrefois une certaine lumière de sagesse et de raison dirigeait ma volonté ; dans toutes les occasions embarrassantes, je discernais d'abord le parti le plus honnête, et le prenais à l'instant. Maintenant avilie et toujours vaincue, je ne fais que flotter entre des passions contraires : mon faible cœur n'a plus que le choix de ses fautes, et tel est mon déplorable aveuglement, que si je viens par hasard à prendre le meilleur parti, la vertu ne m'aura point guidée, et je n'en aurai pas moins de remords. Tu sais quel Époux mon père me destine ; tu sais quels liens l'amour m'a donnés : veux-je être vertueuse ? l'obéissance et la foi m'imposent des devoirs opposés. Veux-je suivre le penchant de mon cœur ? qui préférer d'un amant ou d'un père ? Hélas, en écoutant l'amour ou la nature, je ne puis éviter de

---

* La chimère des conditions ! C'est un pair d'Angleterre qui parle ainsi ! et tout ceci ne serait pas une fiction ? Lecteur, qu'en dites-vous ?

mettre l'un ou l'autre au désespoir ; en me sacrifiant au devoir je ne puis éviter de commettre un crime, et quelque parti que je prenne, il faut que je meure à la fois malheureuse et coupable.

Ah ! chère et tendre amie, toi qui fus toujours mon unique ressource et qui m'as tant de fois sauvée de la mort et du désespoir, considère aujourd'hui l'horrible état de mon âme, et vois si jamais tes secourables soins me furent plus nécessaires ! Tu sais si tes avis sont écoutés, tu sais si tes conseils sont suivis, tu viens de voir au prix du bonheur de ma vie si je sais déférer aux leçons de l'amitié. Prends donc pitié de l'accablement où tu m'as réduite ; achève, puisque tu as commencé ; supplée à mon courage abattu, pense pour celle qui ne pense plus que par toi. Enfin, tu lis dans ce cœur qui t'aime ; tu le connais mieux que moi. Apprends-moi donc ce que je veux et choisis à ma place, quand je n'ai plus la force de vouloir, ni la raison de choisir.

Relis la Lettre de ce généreux Anglais ; relis-la mille fois, mon Ange. Ah ! laisse-toi toucher au tableau charmant du bonheur que l'amour, la paix, la vertu peuvent me promettre encore ! Douce et ravissante union des âmes ! délices inexprimables, même au sein des remords ! Dieux ! que seriez-vous pour mon cœur au sein de la foi conjugale ? Quoi ! le bonheur et l'innocence seraient encore en mon pouvoir ? Quoi, je pourrais expirer d'amour et de joie entre un époux adoré, et les chers gages de sa tendresse !..... et j'hésite un seul moment, et je ne vole pas réparer ma faute dans les bras de celui qui me la fit commettre ? et je ne suis pas déjà femme vertueuse, et chaste mère de famille ?..... Oh que les auteurs de mes jours ne peuvent-ils me voir sortir de mon avilissement ! Que ne peuvent-ils être témoins de la manière dont je saurai remplir à mon tour les devoirs sacrés qu'ils ont remplis envers moi !....... Et les tiens ? fille ingrate et dénaturée ; qui les remplira près d'eux, tandis que tu les oublies ? Est-ce en plongeant le poignard dans le sein d'une mère que tu te prépares à le devenir ? Celle qui déshonore sa famille apprendra-t-elle à ses enfants à l'honorer ? Digne objet de l'aveugle tendresse d'un père et d'une mère idolâtres, abandonne-les au regret de t'avoir fait naître ; couvre leurs vieux jours de douleur et d'opprobre….. et jouis, si tu peux, d'un bonheur acquis à ce prix.

Mon Dieu ! que d'horreurs m'environnent ! Quitter furtivement son pays ; déshonorer sa famille, abandonner à la fois père, mère, amis, parents, et toi-même ! et toi, ma douce amie ! et toi, la bien-aimée de mon cœur [1] ! toi dont à peine dès mon enfance, je puis rester éloignée un seul jour ; te fuir, te quitter, te perdre, ne te plus voir !….. ah non ! que jamais….. Que de tourments déchirent ta malheureuse amie ! Elle sent à la fois tous les maux dont elle a le choix, sans qu'aucun des biens qui lui resteront la console. Hélas, je m'égare. Tant de combats passent ma force et troublent ma raison ; je perds à la fois le courage et le sens. Je n'ai plus d'espoir qu'en toi seule. Ou choisis ou laisse-moi mourir.

Lettre V
Réponse

Tes perplexités ne sont que trop bien fondées, ma chère Julie ; je les ai prévues et n'ai pu les prévenir [2] ; je les sens et ne les puis apaiser ; et ce que je vois de pire dans ton état, c'est que personne ne t'en peut tirer que toi-même. Quand il s'agit de prudence, l'amitié vient au secours d'une âme agitée ; s'il faut choisir le bien ou le mal, la passion qui les méconnaît peut se taire devant un conseil désintéressé. Mais ici quelque parti que tu prennes, la nature l'autorise et le condamne, la raison le blâme et l'approuve, le devoir se tait ou s'oppose à lui-même ; les suites sont également à craindre de part et d'autre ; tu ne peux ni rester indécise ni bien choisir ; tu n'as que des peines à comparer, et ton cœur seul en est le juge. Pour moi, l'importance de la délibération m'épouvante et son effet m'attriste. Quelque sort que tu préfères, il sera toujours peu digne de toi, et ne pouvant ni te montrer un parti qui te convienne, ni te conduire au vrai bonheur, je n'ai pas le courage de décider de ta destinée. Voici le premier refus que tu reçus jamais de ton amie, et je

1. Même formule sous la plume de Saint-Preux au début de I, 55, p. 185.
2. Les anticiper. Même formule en I, 30, p. 129.

sens bien par ce qu'il me coûte que ce sera le dernier ; mais, je te trahirais en voulant te gouverner dans un cas où la raison même s'impose silence, et où la seule règle à suivre est d'écouter ton propre penchant.

Ne sois pas injuste envers moi, ma douce amie, et ne me juge point avant le temps. Je sais qu'il est des amitiés circonspectes qui, craignant de se compromettre, refusent des conseils dans les occasions difficiles, et dont la réserve augmente avec le péril des amis. Ah ! tu vas connaître si ce cœur qui t'aime connaît ces timides précautions ! Souffre qu'au lieu de te parler de tes affaires, je te parle un instant des miennes.

N'as-tu jamais remarqué, mon Ange, à quel point tout ce qui t'approche s'attache à toi ? Qu'un père et une mère chérissent une fille unique, il n'y a pas, je le sais, de quoi s'en fort étonner ; qu'un jeune homme ardent s'enflamme pour un objet aimable, cela n'est pas plus extraordinaire ; mais qu'à l'âge mûr un homme aussi froid que M. de Wolmar [1] s'attendrisse en te voyant, pour la première fois de sa vie ; que toute une famille t'idolâtre unanimement ; que tu sois chère à mon père, cet homme si peu sensible, autant et plus, peut-être, que ses propres enfants : que les amis, les connaissances, les domestiques, les voisins et toute une ville entière, t'adorent de concert et prennent à toi le plus tendre intérêt : voilà, ma chère, un concours moins vraisemblable, et qui n'aurait point lieu s'il n'avait en ta personne quelque cause particulière. Sais-tu bien quelle est cette cause ? Ce n'est ni ta beauté, ni ton esprit, ni ta grâce, ni rien de tout ce qu'on entend par le don de plaire : mais c'est cette âme tendre et cette douceur d'attachement qui n'a point d'égale ; c'est le don d'aimer, mon enfant, qui te fait aimer. On peut résister à tout, hors à la bienveillance, et il n'y a point de moyen plus sûr d'acquérir l'affection des autres que de leur donner la sienne. Mille femmes sont plus belles que toi ; plusieurs ont autant de grâce ; toi seule as avec les grâces, je ne sais quoi de plus séduisant qui ne plaît pas seulement, mais qui touche, et qui fait voler tous les cœurs au-devant du tien. On sent que ce tendre cœur ne

---

1. Première mention du nom de ce personnage.

demande qu'à se donner, et le doux sentiment qu'il cherche le va chercher à son tour.

Tu vois, par exemple, avec surprise l'incroyable affection de Milord Édouard pour ton ami ; tu vois son zèle pour ton bonheur ; tu reçois avec admiration [1] ses offres généreuses ; tu les attribues à la seule vertu, et ma Julie de s'attendrir ! Erreur, abus, charmante Cousine ! À Dieu ne plaise que j'exténue les bienfaits de Milord Édouard, et que je déprise [2] sa grande âme. Mais crois-moi, ce zèle tout pur qu'il est, serait moins ardent si dans la même circonstance il s'adressait à d'autres personnes. C'est ton ascendant invincible et celui de ton ami, qui, sans même qu'il s'en aperçoive le déterminent avec tant de force, et lui font faire par attachement ce qu'il croit ne faire que par honnêteté.

Voilà ce qui doit arriver à toutes les âmes d'une certaine trempe ; elles transforment pour ainsi dire les autres en elles-mêmes ; elles ont une sphère d'activité dans laquelle rien ne leur résiste : on ne peut les connaître sans les vouloir imiter, et de leur sublime élévation elles attirent à elles tout ce qui les environne. C'est pour cela, ma chère, que ni toi ni ton ami ne connaîtrez peut-être jamais les hommes ; car vous les verrez bien plus comme vous les ferez, que comme ils seront d'eux-mêmes. Vous donnerez le ton à tous ceux qui vivront avec vous ; ils vous fuiront ou vous deviendront semblables, et tout ce que vous aurez vu n'aura peut-être rien de pareil dans le reste du monde.

Venons maintenant à moi, Cousine ; à moi qu'un même sang, un même âge, et surtout une parfaite conformité de goûts et d'humeurs avec des tempéraments contraires unit à toi dès l'enfance.

> *Congiunti eran gl' alberghi,*
> *Ma più congiunti i cori :*
> *Conforme era l'etate,*
> *Ma 'l pensier più conforme.*

[Nos âmes étaient jointes ainsi que nos demeures et nous avions la même conformité de goût que d'âges [3].]

---

1. Avec étonnement. **2.** Diminue la valeur. *Exténuer* : « terme de pratique dont on se sert pour dire, affaiblir, diminuer » (*Acad.* 1762). **3.** Le Tasse, vers de la tragédie *Aminta* (I, 2, v. 414-417), p. 31-32. Trad. de Rousseau dans DC.

Que penses-tu qu'ait produit sur celle qui a passé sa vie avec toi, cette charmante influence qui se fait sentir à tout ce qui t'approche ? Crois-tu qu'il puisse ne régner entre nous qu'une union commune ? Mes yeux ne te rendent-ils pas la douce joie que je prends chaque jour dans les tiens en nous abordant ? Ne lis-tu pas dans mon cœur attendri le plaisir de partager tes peines et de pleurer avec toi ? Puis-je oublier que dans les premiers transports d'un amour naissant, l'amitié ne te fut point importune, et que les murmures de ton amant ne purent t'engager à m'éloigner de toi, et à me dérober le spectacle de ta faiblesse ? Ce moment fut critique, ma Julie ; je sais ce que vaut dans ton cœur modeste le sacrifice d'une honte qui n'est pas réciproque. Jamais je n'eusse été ta confidente si j'eusse été ton amie à demi, et nos âmes se sont trop bien senties en s'unissant, pour que rien les puisse désormais séparer.

Qu'est-ce qui rend les amitiés si tièdes et si peu durables entre les femmes, je dis entre celles qui sauraient aimer ? Ce sont les intérêts de l'amour ; c'est l'empire de la beauté ; c'est la jalousie des conquêtes. Or si rien de tout cela nous eût pu diviser, cette division serait déjà faite ; mais quand mon cœur serait moins inepte [1] à l'amour, quand j'ignorerais que vos feux sont de nature à ne s'éteindre qu'avec la vie, ton amant est mon ami, c'est-à-dire, mon frère ; et qui vit jamais finir par l'amour une véritable amitié [2] ? Pour M. d'Orbe, assurément il aura longtemps à se louer de tes sentiments, avant que je songe à m'en plaindre, et je ne suis pas plus tentée de le retenir par force que toi de me l'arracher. Eh, mon enfant ! plût au Ciel qu'au prix de son attachement je te pusse guérir du tien ; je le garde avec plaisir, je le céderais avec joie.

À l'égard des prétentions sur la figure j'en puis avoir tant qu'il me plaira, tu n'es pas fille à me les disputer, et je suis bien sûre qu'il ne t'entra de tes jours dans l'esprit de savoir qui de nous deux est la plus jolie. Je n'ai pas été tout à fait si indifférente ; je sais là-dessus à quoi m'en tenir, sans en avoir le moindre chagrin. Il me semble même que j'en suis plus fière que jalouse ; car enfin les charmes de ton visage

---

1. Inapte (adjectif employé à partir du XIXᵉ siècle seulement). **2.** Voir toutefois la lettre V, 13.

n'étant pas ceux qu'il faudrait au mien, ne m'ôtent rien de ce que j'ai, et je me trouve encore belle de ta beauté, aimable de tes grâces, ornée de tes talents ; je me pare de toutes tes perfections, et c'est en toi que je place mon amour-propre le mieux entendu. Je n'aimerais pourtant guère à faire peur pour mon compte, mais je suis assez jolie pour le besoin que j'ai de l'être. Tout le reste m'est inutile, et je n'ai pas besoin d'être humble pour te céder.

Tu t'impatientes de savoir à quoi j'en veux venir. Le voici. Je ne puis te donner le conseil que tu me demandes, je t'en ai dit la raison : mais le parti que tu prendras pour toi, tu le prendras en même temps pour ton amie, et quel que soit ton destin je suis déterminée à le partager. Si tu pars, je te suis ; si tu restes, je reste : j'en ai formé l'inébranlable résolution, je le dois, rien ne m'en peut détourner. Ma fatale indulgence a causé ta perte ; ton sort doit être le mien, et puisque nous fûmes inséparables dès l'enfance, ma Julie, il faut l'être jusqu'au tombeau.

Tu trouveras, je le prévois, beaucoup d'étourderie dans ce projet ; mais au fond il est plus sensé qu'il ne semble, et je n'ai pas les mêmes motifs d'irrésolution que toi. Premièrement, quant à ma famille, si je quitte un père facile, je quitte un père assez indifférent, qui laisse faire à ses enfants tout ce qui leur plaît, plus par négligence que par tendresse : car tu sais que les affaires de l'Europe l'occupent beaucoup plus que les siennes, et que sa fille lui est moins chère que la pragmatique [1]. D'ailleurs, je ne suis pas comme toi fille unique, et avec les enfants qui lui resteront, à peine saura-t-il s'il lui en manque un.

J'abandonne un mariage prêt à conclure ? *Manco male* [2], ma chère ; c'est à M. d'Orbe, s'il m'aime, à s'en consoler. Pour

---

1. « En quelques pays, on donne le nom de *Pragmatique*, aux actes qui contiennent la disposition que fait le Souverain concernant ses états et sa famille » (*Acad.* 1762). Claire fait sans doute allusion à la Pragmatique de l'empereur d'Autriche Charles VI (1713) par laquelle ce dernier avait institué sa fille, Marie-Thérèse, son héritière. La décision sera très contestée à sa mort, en 1740, donnant lieu à une guerre européenne (dite de Succession d'Autriche). **2.** « Ce n'est pas plus mal ! Tant pis ! » Expression familière que Rousseau a pu trouver chez Montaigne (*Essais*, III, 9, « De la vanité », p. 1551).

moi, quoique j'estime son caractère, que je ne sois pas sans attachement pour sa personne, et que je regrette en lui un fort honnête homme, il ne m'est rien auprès de ma Julie. Dis-moi, mon enfant, l'âme a-t-elle un sexe ? En vérité, je ne le sens guère à la mienne. Je puis avoir des fantaisies, mais fort peu d'amour. Un mari peut m'être utile, mais il ne sera jamais pour moi qu'un mari, et de ceux-là, libre encore et passable comme je suis, j'en puis trouver un par tout le monde.

Prends bien garde, Cousine, que quoique je n'hésite point, ce n'est pas à dire que tu ne doives point hésiter, ni que je veuille t'insinuer à prendre le parti que je prendrai si tu pars. La différence est grande entre nous et tes devoirs sont beaucoup plus rigoureux que les miens. Tu sais encore qu'une affection presque unique remplit mon cœur, et absorbe si bien tous les autres sentiments qu'ils y sont comme anéantis. Une invincible et douce habitude m'attache à toi dès[1] mon enfance ; je n'aime parfaitement que toi seule, et si j'ai quelques liens à rompre en te suivant, je m'encouragerai par ton exemple. Je me dirai : J'imite Julie, et me croirai justifiée[a].

Billet
De Julie à Claire

Je t'entends, amie incomparable, et je te remercie. Au moins une fois j'aurai fait mon devoir, et ne serai pas en tout indigne de toi.

Lettre VI
De Julie à Milord Édouard

Votre Lettre, Milord, me pénètre d'attendrissement et d'admiration. L'ami que vous daignez protéger n'y sera pas moins sensible quand il saura tout ce que vous avez voulu faire pour nous. Hélas ! il n'y a que les infortunés qui sentent le prix des âmes bienfaisantes. Nous ne savons déjà qu'à trop de titres tout ce que vaut la vôtre, et vos vertus

---

1. Depuis.

héroïques nous toucheront toujours, mais elles ne nous surprendront plus.

Qu'il me serait doux d'être heureuse sous les auspices d'un ami si généreux, et de tenir de ses bienfaits le bonheur que la fortune m'a refusé ! Mais, Milord, je le vois avec désespoir, elle trompe vos bons desseins ; mon sort cruel l'emporte sur votre zèle, et la douce image des biens que vous m'offrez ne sert qu'à m'en rendre la privation plus sensible. Vous donnez une retraite agréable et sûre à deux amants persécutés ; vous y rendez leurs feux légitimes, leur union solennelle, et je sais que sous votre garde j'échapperais aisément aux poursuites d'une famille irritée. C'est beaucoup pour l'amour, est-ce assez pour la félicité ? Non, si vous voulez que je sois paisible et contente, donnez-moi quelque asile plus sûr encore, où l'on puisse échapper à la honte et au repentir. Vous allez au-devant de nos besoins, et par une générosité sans exemple, vous vous privez pour notre entretien d'une partie des biens destinés au vôtre. Plus riche, plus honorée de vos bienfaits que de mon patrimoine, je puis tout recouvrer près de vous, et vous daignerez me tenir lieu de père. Ah Milord ! serai-je digne d'en trouver un, après avoir abandonné celui que m'a donné la nature ?

Voilà la source des reproches d'une conscience épouvantée, et des murmures secrets qui déchirent mon cœur. Il ne s'agit pas de savoir si j'ai droit de disposer de moi contre le gré des auteurs de mes jours, mais si j'en puis disposer sans les affliger mortellement, si je puis les fuir sans les mettre au désespoir ?[1] Hélas ! il vaudrait autant consulter si j'ai droit de leur ôter la vie. Depuis quand la vertu pèse-t-elle ainsi les droits du sang et de la nature ? Depuis quand un cœur sensible marque-t-il avec tant de soin les bornes de la reconnaissance ? N'est-ce pas être déjà coupable que de vouloir aller jusqu'au point où l'on commence à le devenir, et cherche-t-on si scrupuleusement le terme de ses devoirs, quand on n'est point tenté de le passer ? Qui, moi ? j'abandonnerais impitoyablement ceux par qui je respire, ceux qui me conservent la vie qu'ils m'ont donnée, et me la rendent

---

1. Sur cette utilisation expressive de la ponctuation par Rousseau, voir la Note sur l'édition.

chère ; ceux qui n'ont d'autre espoir d'autre plaisir qu'en moi seule ? Un père presque sexagénaire, une mère toujours languissante ! Moi leur unique enfant, je les laisserais sans assistance dans la solitude et les ennuis [1] de la vieillesse, quand il est temps de leur rendre les tendres soins qu'ils m'ont prodigués ? Je livrerais leurs derniers jours à la honte, aux regrets, aux pleurs ? La terreur, le cri de ma conscience agitée me peindraient sans cesse mon père et ma mère expirant [2] sans consolation, et maudissant la fille ingrate qui les délaisse et les déshonore ? Non, Milord, la vertu que j'abandonnai m'abandonne à son tour et ne dit plus rien à mon cœur ; mais cette idée horrible me parle à sa place, elle me suivrait pour mon tourment à chaque instant de mes jours, et me rendrait misérable au sein du bonheur. Enfin, si tel est mon destin qu'il faille livrer le reste de ma vie aux remords, celui-là seul est trop affreux pour le supporter ; j'aime mieux braver tous les autres.

Je ne puis répondre à vos raisons, je l'avoue, je n'ai que trop de penchant à les trouver bonnes : mais, Milord, vous n'êtes pas marié ! ne sentez-vous point qu'il faut être père pour avoir droit de conseiller les enfants d'autrui ? Quant à moi, mon parti est pris ; mes parents me rendront malheureuse, je le sais bien ; mais il me sera moins cruel de gémir dans mon infortune que d'avoir causé la leur, et je ne déserterai jamais la maison paternelle. Va donc, douce chimère d'une âme sensible, félicité si charmante et si désirée, va te perdre dans la nuit des songes, tu n'auras plus de réalité pour moi. Et vous, ami trop généreux, oubliez vos aimables projets, et qu'il n'en reste de trace qu'au fond d'un cœur trop reconnaissant pour en perdre le souvenir. Si l'excès de nos maux ne décourage point votre grande âme, si vos généreuses bontés ne sont point épuisées, il vous reste de quoi les exercer avec gloire, et celui que vous honorez du titre de votre ami, peut par vos soins mériter de le devenir. Ne jugez pas de lui par l'état où vous le voyez : son égarement ne vient point de lâcheté, mais d'un génie [3] ardent et fier qui

---

1. En particulier au pluriel, « ennui » a un sens fort dans la langue classique : « tristesse, déplaisir, souci, chagrin » (*Féraud*). **2.** Rousseau orthographie *expirans*. **3.** Caractère propre, disposition naturelle.

se roidit contre la fortune. Il y a souvent plus de stupidité que de courage dans une constance apparente ; le vulgaire ne connaît point de violentes douleurs, et les grandes passions ne germent guère chez les hommes faibles. Hélas ! il a mis dans la sienne cette énergie de sentiments qui caractérise les âmes nobles, et c'est ce qui fait aujourd'hui ma honte et mon désespoir. Milord, daignez le croire, s'il n'était qu'un homme ordinaire, Julie n'eût point péri.

Non, non ; cette affection secrète qui prévint en vous une estime éclairée ne vous a point trompé. Il est digne de tout ce que vous avez fait pour lui sans le bien connaître ; vous ferez plus encore s'il est possible, après l'avoir connu. Oui, soyez son consolateur, son protecteur, son ami, son père, c'est à la fois pour vous et pour lui que je vous en conjure ; il justifiera votre confiance, il honorera vos bienfaits, il pratiquera vos leçons, il imitera vos vertus, il apprendra de vous la sagesse. Ah, Milord ! s'il devient entre vos mains tout ce qu'il peut être, que vous serez fier un jour de votre ouvrage !

Lettre VII
De Julie

Et toi aussi, mon doux ami ! et toi l'unique espoir de mon cœur, tu viens le percer encore quand il se meurt de tristesse ! J'étais préparée aux coups de la fortune, de longs pressentiments me les avaient annoncés ; je les aurais supportés avec patience : mais toi pour qui je les souffre ! ah ceux qui me viennent de toi me sont seuls insupportables, et il m'est affreux de voir aggraver mes peines par celui qui devait me les rendre chères ! Que de douces consolations je m'étais promises qui s'évanouissent avec ton courage ! Combien de fois je me flattai que ta force animerait ma langueur, que ton mérite effacerait ma faute, que tes vertus relèveraient mon âme abattue ! Combien de fois j'essuyai mes larmes amères en me disant : Je souffre pour lui, mais il en est digne ; je suis coupable, mais il est vertueux ; mille ennuis m'assiègent, mais sa constance me soutient, et je trouve au fond de son cœur le dédommagement de toutes mes pertes ?

Vain espoir que la première épreuve a détruit ! Où est maintenant cet amour sublime qui sait élever tous les sentiments et faire éclater la vertu ? Où sont ces fières maximes ? Qu'est devenue cette imitation des grands hommes ? Où est ce philosophe que le malheur ne peut ébranler, et qui succombe au premier accident qui le sépare de sa maîtresse [1] ? Quel prétexte excusera désormais ma honte à mes propres yeux, quand je ne vois plus dans celui qui m'a séduite qu'un homme sans courage, amolli par les plaisirs, qu'un cœur lâche abattu par le premier revers, qu'un insensé qui renonce à la raison sitôt qu'il a besoin d'elle ? Ô Dieu ! dans ce comble d'humiliation devais-je me voir réduite à rougir de mon choix autant que de ma faiblesse ?

Regarde à quel point tu t'oublies ; ton âme égarée et rampante s'abaisse jusqu'à la cruauté ? tu m'oses faire des reproches ? tu t'oses plaindre de moi ?... de ta Julie ?... barbare !... comment tes remords n'ont-ils pas retenu ta main ? Comment les plus doux témoignages du plus tendre amour qui fut jamais, t'ont-ils laissé le courage de m'outrager ? Ah si tu pouvais douter de mon cœur que le tien serait méprisable ! ... Mais non, tu n'en doutes pas, tu n'en peux douter, j'en puis défier ta fureur ; et dans cet instant même où je hais ton injustice, tu vois trop bien la source du premier mouvement de colère que j'éprouvai de ma vie.

Peux-tu t'en prendre à moi, si je me suis perdue par une aveugle confiance, et si mes desseins n'ont point réussi ? Que tu rougirais de tes duretés si tu connaissais quel espoir m'avait séduite, quels projets j'osai former pour ton bonheur et le mien, et comment ils se sont évanouis avec toutes mes espérances ! [2] Quelque jour, j'ose m'en flatter encore, tu pourras en savoir davantage [3], et tes regrets me vengeront alors de tes reproches. Tu sais la défense de mon père ; tu n'ignores pas les discours publics ; j'en prévis les conséquences, je te les fis exposer, tu les sentis comme nous, et

---

1. Le jugement fait écho à celui de Rousseau devant la faiblesse de Titus ne parvenant pas à se séparer de Bérénice dans la tragédie de Racine, et « qui balance comme le dernier des hommes entre son devoir et sa maîtresse » (*Lettre à d'Alembert*, p. 103). **2.** Nous remplaçons le point par un point d'exclamation **3.** Ce sera l'un des objets de III, 18.

pour nous conserver l'un à l'autre il fallut nous soumettre
au sort qui nous séparait.

Je t'ai donc chassé, comme tu l'oses dire ? Mais pour qui
l'ai-je fait, amant sans délicatesse ? Ingrat ! c'est pour un
cœur bien plus honnête qu'il ne croit l'être, et qui mourrait
mille fois plutôt que de me voir avilie. Dis-moi, que devien-
dras-tu quand je serai livrée à l'opprobre ? Espères-tu pouvoir supporter le spectacle de mon déshonneur ? Viens cruel,
si tu le crois, viens recevoir le sacrifice de ma réputation avec
autant de courage que je puis te l'offrir. Viens, ne crains pas
d'être désavoué de celle à qui tu fus cher. Je suis prête à
déclarer à la face du Ciel et des hommes tout ce que nous
avons senti l'un pour l'autre ; je suis prête à te nommer hautement mon amant, à mourir dans tes bras d'amour et de
honte : j'aime mieux que le monde entier connaisse ma tendresse que de t'en voir douter un moment, et tes reproches
me sont plus amers que l'ignominie.

Finissons pour jamais ces plaintes mutuelles, je t'en
conjure ; elles me sont insupportables. Ô Dieu ! comment
peut-on se quereller quand on s'aime, et perdre à se tourmenter l'un l'autre des moments où l'on a si grand besoin
de consolation ? Non, mon ami, que sert de feindre un
mécontentement qui n'est pas ?[1] Plaignons-nous du sort et
non de l'amour. Jamais, il ne forma d'union si parfaite ;
jamais il n'en forma de plus durable. Nos âmes trop bien
confondues ne sauraient plus se séparer, et nous ne pouvons
plus vivre éloignés l'un de l'autre, que comme deux parties
d'un même tout. Comment peux-tu donc ne sentir que tes
peines ? Comment ne sens-tu point celles de ton amie ?
Comment n'entends-tu point dans ton sein ses tendres
gémissements ? Combien ils sont plus douloureux que tes
cris emportés ! Combien si tu partageais mes maux ils te
seraient plus cruels que les tiens mêmes !

Tu trouves ton sort déplorable ! Considère celui de ta Julie, et
ne pleure que sur elle. Considère dans nos communes infortunes
l'état de mon Sexe et du tien, et juge qui de nous est le plus à
plaindre ? Dans la force des passions affecter d'être insensible ;
en proie à mille peines paraître joyeuse et contente ; avoir l'air

---

1. Nous remplaçons le point par un point d'interrogation.

serein et l'âme agitée ; dire toujours autrement qu'on ne pense ;
déguiser tout ce qu'on sent ; être fausse par devoir, et mentir par
modestie : voilà l'état habituel de toute fille de mon âge. On
passe ainsi ses beaux jours sous la tyrannie des bienséances,
qu'aggrave enfin celle des parents dans un lien mal assorti. Mais
on gêne en vain nos inclinations ; le cœur ne reçoit de lois que
de lui-même ; il échappe à l'esclavage ; il se donne à son gré.
Sous un joug de fer que le ciel n'impose pas on n'asservit qu'un
corps sans âme : la personne et la foi restent séparément enga-
gées, et l'on force au crime une malheureuse victime, en la forçant de manquer de part ou d'autre au devoir sacré de la fidélité.
Il en est de plus sages ? ah, je le sais ! Elles n'ont point aimé ?
Qu'elles sont heureuses ! Elles résistent ? J'ai voulu résister. Elles
sont plus vertueuses ? Aiment-elles mieux la vertu ? Sans toi,
sans toi seul je l'aurais toujours aimée. Il est donc vrai que je ne
l'aime plus ?...... tu m'as perdue, et c'est moi qui te console !....
mais moi que vais-je devenir ?... que les consolations de l'amitié
sont faibles où manquent celles de l'amour ! qui me consolera
donc dans mes peines ? Quel sort affreux j'envisage, moi qui
pour avoir vécu dans le crime ne vois plus qu'un nouveau crime
dans des nœuds abhorrés et peut-être inévitables ! Où trouverai-
je assez de larmes pour pleurer ma faute et mon amant, si je
cède ? où trouverai-je assez de force pour résister, dans l'abattement où je suis ? Je crois déjà voir les fureurs d'un père irrité ! Je
crois déjà sentir le cri de la nature émouvoir mes entrailles, ou
l'amour gémissant déchirer mon cœur ! Privée de toi, je reste
sans ressource, sans appui, sans espoir ; le passé m'avilit, le présent m'afflige, l'avenir m'épouvante. J'ai cru tout faire pour
notre bonheur, je n'ai fait que nous rendre plus méprisables en
nous préparant une séparation plus cruelle. Les vains plaisirs ne
sont plus, les remords demeurent, et la honte qui m'humilie est
sans dédommagement.

C'est à moi, c'est à moi d'être faible et malheureuse. Laisse-
moi pleurer et souffrir ; mes pleurs ne peuvent non plus tarir
que [1] mes fautes se réparer, et le temps même qui guérit tout
ne m'offre que de nouveaux sujets de larmes : Mais toi qui
n'as nulle violence à craindre, que la honte n'avilit point, que
rien ne force à déguiser bassement tes sentiments ; toi qui ne

---

1. Ne peuvent pas plus tarir que. Tour classique.

sens que l'atteinte du malheur et jouis au moins de tes premières vertus, comment t'oses-tu dégrader au point de soupirer et gémir comme une femme, et de t'emporter comme un
furieux ? N'est-ce pas assez du mépris que j'ai mérité pour
toi, sans l'augmenter en te rendant méprisable toi-même, et
sans m'accabler à la fois de mon opprobre et du tien ? Rappelle donc ta fermeté, sache supporter l'infortune et sois
homme. Sois encore, si j'ose le dire, l'amant que Julie a choisi.
Ah si je ne suis plus digne d'animer ton courage, souviens-
toi, du moins, de ce que je fus un jour ; mérite que pour toi
j'aie cessé de l'être ; ne me déshonore pas deux fois.

Non, mon respectable ami, ce n'est point toi que je reconnais dans cette lettre efféminée que je veux à jamais oublier
et que je tiens déjà désavouée par toi-même. J'espère, toute
avilie, toute confuse que je suis, j'ose espérer que mon souvenir n'inspire point des sentiments si bas, que mon image
règne encore avec plus de gloire dans un cœur que je pus
enflammer, et que je n'aurai point à me reprocher, avec ma
faiblesse, la lâcheté de celui qui l'a causée.

Heureux dans ta disgrâce, tu trouves le plus précieux
dédommagement qui soit connu des âmes sensibles. Le Ciel,
dans ton malheur te donne un ami, et te laisse à douter si
ce qu'il te rend ne vaut pas mieux que ce qu'il t'ôte. Admire
et chéris cet homme trop généreux qui daigne aux dépens
de son repos prendre soin de tes jours et de ta raison. Que
tu serais ému si tu savais tout ce qu'il a voulu faire pour
toi ! Mais que sert d'animer ta reconnaissance en aigrissant
tes douleurs ? Tu n'as pas besoin de savoir à quel point il
t'aime pour connaître tout ce qu'il vaut, et tu ne peux l'estimer comme il le mérite, sans l'aimer comme tu le dois.

Lettre VIII
De Claire

Vous avez plus d'amour que de délicatesse, et savez mieux
faire des sacrifices que les faire valoir. Y pensez-vous
d'écrire à Julie sur un ton de reproches dans l'état où elle
est, et parce que vous souffrez, faut-il vous en prendre à elle
qui souffre encore plus ? Je vous l'ai dit mille fois, je ne vis

de ma vie un amant si grondeur que vous ; toujours prêt à disputer sur tout, l'amour n'est pour vous qu'un état de guerre, ou si quelquefois vous êtes docile, c'est pour vous plaindre ensuite de l'avoir été. Oh que de pareils amants sont à craindre et que je m'estime heureuse de n'en avoir jamais voulu que de ceux qu'on peut congédier quand on veut, sans qu'il en coûte une larme à personne !

Croyez-moi, changez de langage avec Julie si vous voulez qu'elle vive ; c'en est trop pour elle de supporter à la fois sa peine et vos mécontentements. Apprenez une fois à ménager ce cœur trop sensible ; vous lui devez les plus tendres consolations ; craignez d'augmenter vos maux à force de vous en plaindre, ou du moins ne vous en plaignez qu'à moi qui suis l'unique auteur de votre éloignement. Oui, mon Ami, vous avez deviné juste ; je lui ai suggéré le parti qu'exigeait son honneur en péril, ou plutôt je l'ai forcée à le prendre en exagérant le danger ; je vous ai déterminé vous-même, et chacun a rempli son devoir. J'ai plus fait encore ; je l'ai détournée d'accepter les offres de Milord Édouard ; je vous ai empêché d'être heureux, mais le bonheur de Julie m'est plus cher que le vôtre ; je savais qu'elle ne pouvait être heureuse après avoir livré ses parents à la honte et au désespoir, et j'ai peine à comprendre par rapport à vous-même quel bonheur vous pourriez goûter aux dépens du sien.

Quoi qu'il en soit, voilà ma conduite et mes torts, et puisque vous vous plaisez à quereller ceux qui vous aiment, voilà de quoi vous en prendre à moi seule ; si ce n'est pas cesser d'être ingrat, c'est au moins cesser d'être injuste. Pour moi, de quelque manière que vous en usiez, je serai toujours la même envers vous ; vous me serez cher tant que Julie vous aimera, et je dirais davantage s'il était possible [1]. Je ne me repens d'avoir ni favorisé ni combattu votre amour. Le pur zèle de l'amitié qui m'a toujours guidée me justifie également dans ce que j'ai fait pour et contre vous, et si quelquefois je m'intéressai pour vos feux, plus peut-être, qu'il ne semblait me convenir, le témoignage de mon cœur suffit à mon repos ; je ne rougirai jamais des services que j'ai pu rendre à mon amie, et ne me reproche que leur inutilité.

---

1. Pilotis pour V, 13 et VI, 2.

Je n'ai pas oublié ce que vous m'avez appris autrefois de la constance du sage dans les disgrâces, et je pourrais ce me semble vous en rappeler à propos quelques maximes ; mais l'exemple de Julie m'apprend qu'une fille de mon âge est pour un philosophe du vôtre un aussi mauvais précepteur qu'un dangereux disciple, et il ne me conviendrait pas de donner des leçons à mon maître.

Lettre IX
De Milord Édouard à Julie

Nous l'emportons, charmante Julie, une erreur de notre ami l'a ramené à la raison. La honte de s'être mis un moment dans son tort a dissipé toute sa fureur, et l'a rendu si docile que nous en ferons désormais tout ce qu'il nous plaira. Je vois avec plaisir que la faute qu'il se reproche lui laisse plus de regret que de dépit, et je connais qu'il m'aime, en ce qu'il est humble et confus en ma présence, mais non pas embarrassé ni contraint. Il sent trop bien son injustice pour que je m'en souvienne, et des torts ainsi reconnus font plus d'honneur à celui qui les répare qu'à celui qui les pardonne.

J'ai profité de cette révolution et de l'effet qu'elle a produit pour prendre avec lui quelques arrangements nécessaires, avant de nous séparer ; car je ne puis différer mon départ plus longtemps. Comme je compte revenir l'été prochain, nous sommes convenus qu'il irait m'attendre à Paris, et qu'ensuite nous irions ensemble en Angleterre. Londres est le seul théâtre digne des grands talents, et où leur carrière est la plus étendue *. Les siens sont supérieurs à bien

---

* C'est avoir une étrange prévention pour son pays ; car je n'entends pas dire qu'il y en ait au monde où généralement parlant les étrangers soient moins bien reçus, et trouvent plus d'obstacles à s'avancer qu'en Angleterre. Par le goût de la Nation ils n'y sont favorisés en rien ; par la forme du gouvernement ils n'y sauraient parvenir à rien. Mais convenons aussi que l'Anglais ne va guère demander aux autres l'hospitalité qu'il leur refuse chez lui. Dans quelle Cour hors celle de Londres voit-on ramper lâchement ces fiers insulaires ? Dans quel pays hors le leur vont-ils chercher à s'enrichir ? Ils sont durs, il est vrai ; cette dureté ne me déplaît pas quand elle marche avec la justice. Je trouve beau qu'ils ne soient qu'anglais, puisqu'ils n'ont pas besoin d'être hommes.

des égards, et je ne désespère pas de lui voir faire en peu de temps à l'aide de quelques amis, un chemin digne de son mérite. Je vous expliquerai mes vues plus en détail à mon passage auprès de vous. En attendant vous sentez qu'à force de succès on peut lever bien des difficultés, et qu'il y a des degrés de considération qui peuvent compenser la naissance, même dans l'esprit de votre père. C'est, ce me semble, le seul expédient qui reste à tenter pour votre bonheur et le sien, puisque le sort et les préjugés vous ont ôté tous les autres.

J'ai écrit à Regianino de venir me joindre en poste, pour profiter de lui pendant huit ou dix jours que je passe encore avec notre ami. Sa tristesse est trop profonde pour laisser place à beaucoup d'entretien. La musique remplira les vides du silence, le laissera rêver, et changera par degrés sa douleur en mélancolie [1]. J'attends cet état pour le livrer à lui-même : je n'oserais m'y fier auparavant. Pour Regianino, je vous le rendrai en repassant et ne le reprendrai qu'à mon retour d'Italie, temps où, sur les progrès que vous avez déjà faits toutes deux, je juge qu'il ne vous sera plus nécessaire. Quant à présent, sûrement il vous est inutile, et je ne vous prive de rien en vous l'ôtant pour quelques jours.

Lettre X
À *Claire*

Pourquoi faut-il que j'ouvre enfin les yeux sur moi ? Que ne les ai-je fermés pour toujours, plutôt que de voir l'avilissement où je suis tombé ; plutôt que de me trouver le dernier des hommes, après en avoir été le plus fortuné ! Aimable et généreuse amie, qui fûtes si souvent mon refuge, j'ose encore verser ma honte et mes peines dans votre cœur compatissant ; j'ose encore implorer vos consolations contre le sentiment de ma propre indignité ; j'ose recourir à vous quand je suis abandonné de moi-même. Ciel, comment un homme aussi méprisable a-t-il pu jamais être aimé d'elle, ou comment un feu si divin n'a-t-il point épuré mon âme ?

---

1. En tristesse atténuée. À la fin du siècle, le mot « mélancolie » perd son sens humoral mais sera repris par les aliénistes.

Qu'elle doit maintenant rougir de son choix, celle que je ne suis plus digne de nommer ! Qu'elle doit gémir de voir profaner son image dans un cœur si rampant et si bas ! Qu'elle doit de dédains et de haine à celui qui put l'aimer et n'être qu'un lâche ! Connaissez toutes mes erreurs, charmante Cousine * ; connaissez mon crime et mon repentir ; soyez mon Juge et que je meure ; ou soyez mon intercesseur, et que l'objet qui fait mon sort daigne encore en être l'arbitre.

Je ne vous parlerai point de l'effet que produisit sur moi cette séparation imprévue ; je ne vous dirai rien de ma douleur stupide et de mon insensé désespoir : vous n'en jugerez que trop par l'égarement inconcevable où l'un et l'autre m'ont entraîné. Plus je sentais l'horreur de mon état, moins j'imaginais qu'il fût possible de renoncer volontairement à Julie ; et l'amertume de ce sentiment, jointe à l'étonnante générosité de Milord Édouard me fit naître des soupçons que je ne me rappellerai jamais sans horreur, et que je ne puis oublier sans ingratitude envers l'ami qui me les pardonne.

En rapprochant dans mon délire toutes les circonstances de mon départ, j'y crus reconnaître un dessein prémédité, et j'osai l'attribuer au plus vertueux des hommes. À peine ce doute affreux me fut-il entré dans l'esprit que tout me sembla le confirmer. La conversation de Milord avec le Baron d'Étange ; le ton peu insinuant que je l'accusais d'y avoir affecté ; la querelle qui en dériva ; la défense de me voir ; la résolution prise de me faire partir ; la diligence et le secret des préparatifs ; l'entretien qu'il eut avec moi la veille ; enfin la rapidité avec laquelle je fus plutôt enlevé qu'emmené ; tout me semblait prouver de la part de Milord un projet formé de m'écarter de Julie, et le retour que je savais qu'il devait faire auprès d'elle achevait selon moi de me déceler le but de ses soins. Je résolus pourtant de m'éclaircir encore mieux avant d'éclater [1], et dans ce dessein je me bornai à examiner les choses avec plus d'attention.

---

* À l'imitation de Julie, il l'appelait : ma Cousine ; et à l'imitation de Julie, Claire l'appelait : mon ami.

---

1. De faire paraître ma colère.

Mais tout redoublait mes ridicules soupçons, et le zèle de l'humanité ne lui inspirait rien d'honnête en ma faveur, dont mon aveugle jalousie ne tirât quelque indice de trahison. À Besançon je sus qu'il avait écrit à Julie, sans me communiquer sa lettre, sans m'en parler. Je me tins alors suffisamment convaincu, et je n'attendis que la réponse, dont j'espérais bien le trouver mécontent, pour avoir avec lui l'éclaircissement que je méditais.

Hier au soir nous rentrâmes assez tard, et je sus qu'il y avait un paquet venu de Suisse, dont il ne me parla point en nous séparant. Je lui laissai le temps de l'ouvrir ; je l'entendis de ma chambre murmurer, en lisant, quelques mots. Je prêtai l'oreille attentivement. Ah Julie ! disait-il en phrases interrompues, j'ai voulu vous rendre heureuse….. je respecte votre vertu…. mais je plains votre erreur….. À ces mots et d'autres semblables que je distinguai parfaitement, je ne fus plus maître de moi ; je pris mon épée sous mon bras ; j'ouvris, ou plutôt j'enfonçai la porte ; j'entrai comme un furieux. Non, je ne souillerai point ce papier ni vos regards des injures que me dicta la rage pour le porter à se battre avec moi sur-le-champ.

Ô ma Cousine ! c'est là surtout que je pus reconnaître l'empire de la véritable sagesse, même sur les hommes les plus sensibles ; quand ils veulent écouter sa voix. D'abord il ne put rien comprendre à mes discours, et il les prit pour un vrai délire : Mais la trahison dont je l'accusais, les desseins secrets que je lui reprochais, cette lettre de Julie qu'il tenait encore et dont je lui parlais sans cesse, lui firent connaître enfin le sujet de ma fureur. Il sourit ; puis il me dit froidement : Vous avez perdu la raison, et je ne me bats point contre un insensé. Ouvrez les yeux, aveugle que vous êtes, ajouta-t-il d'un ton plus doux, est-ce bien moi que vous accusez de vous trahir ? Je sentis dans l'accent de ce discours je ne sais quoi qui n'était pas d'un perfide ; le son de sa voix me remua le cœur ; je n'eus pas jeté les yeux sur les siens que tous mes soupçons se dissipèrent, et je commençai de voir avec effroi mon extravagance.

Il s'aperçut à l'instant de ce changement ; il me tendit la main. Venez, me dit-il, si votre retour [1] n'eût précédé ma

---

1. Sens moral : réflexion sur soi-même conduisant à se ressaisir.

justification, je ne vous aurais vu de ma vie. À présent que vous êtes raisonnable, lisez cette lettre, et connaissez une fois vos amis. Je voulus refuser de la lire ; mais l'ascendant que tant d'avantages lui donnaient sur moi le lui fit exiger d'un ton d'autorité que, malgré mes ombrages dissipés, mon désir secret n'appuyait que trop.

Imaginez en quel état je me trouvai après cette lecture, qui m'apprit les bienfaits inouïs de celui que j'osais calomnier avec tant d'indignité. Je me précipitai à ses pieds, et le cœur chargé d'admiration de regrets et de honte, je serrais ses genoux de toute ma force, sans pouvoir proférer un seul mot. Il reçut mon repentir comme il avait reçu mes outrages, et n'exigea de moi pour prix du pardon qu'il daigna m'accorder que de ne m'opposer jamais au bien qu'il voudrait me faire. Ah qu'il fasse désormais ce qu'il lui plaira ! son âme sublime est au-dessus de celle des hommes, et il n'est pas plus permis de résister à ses bienfaits qu'à ceux de la divinité.

Ensuite il me remit les deux lettres qui s'adressaient à moi, lesquelles il n'avait pas voulu me donner avant d'avoir lu la sienne, et d'être instruit de la résolution de votre Cousine. Je vis en les lisant quelle amante et quelle amie le Ciel m'a données ; je vis combien il a rassemblé de sentiments et de vertus autour de moi pour rendre mes remords plus amers et ma bassesse plus méprisable. Dites, quelle est donc cette mortelle unique dont le moindre empire est dans sa beauté, et qui, semblable aux puissances éternelles se fait également adorer et par les biens et par les maux qu'elle fait ? Hélas ! elle m'a tout ravi, la cruelle, et je l'en aime davantage. Plus elle me rend malheureux, plus je la trouve parfaite. Il semble que tous les tourments qu'elle me cause soient pour elle un nouveau mérite auprès de moi. Le sacrifice qu'elle vient de faire aux sentiments de la nature me désole et m'enchante ; il augmente à mes yeux le prix de celui qu'elle a fait à l'amour. Non, son cœur ne sait rien refuser qui ne fasse valoir ce qu'il accorde.

Et vous, digne et charmante Cousine ; vous unique et parfait modèle d'amitié, qu'on citera seule entre toutes les femmes, et que les cœurs qui ne ressemblent pas au vôtre

H. Gravelot invt.   L. Lempereur Sculp.

Ah! jeune homme, à ton bienfaiteur!

oseront traiter de chimère : ah ne me parlez plus de philoso-phie ! je méprise ce trompeur étalage qui ne consiste qu'en vains discours ; ce fantôme qui n'est qu'une ombre, qui nous excite à menacer de loin les passions et nous laisse comme un faux brave à leur approche. Daignez ne pas m'abandon-ner à mes égarements ; daignez rendre vos anciennes bontés à cet infortuné qui ne les mérite plus, mais qui les désire plus ardemment et en a plus besoin que jamais ; daignez me rappeler à moi-même, et que votre douce voix supplée en ce cœur malade à celle de la raison.

Non, je l'ose espérer, je ne suis point tombé dans un abaissement éternel. Je sens ranimer en moi ce feu pur et saint dont j'ai brûlé ; l'exemple de tant de vertus ne sera point perdu pour celui qui en fut l'objet, qui les aime, les admire, et veut les imiter sans cesse. Ô chère amante dont je dois honorer le choix ! Ô mes amis dont je veux recouvrer l'estime ! mon âme se réveille et reprend dans les vôtres sa force et sa vie. Le chaste amour et l'amitié sublime me ren-dront le courage qu'un lâche désespoir fut prêt à m'ôter : les purs sentiments de mon cœur me tiendront lieu de sagesse ; je serai par vous tout ce que je dois être, et je vous forcerai d'oublier ma chute, si je puis m'en relever un instant. Je ne sais, ni ne veux savoir quel sort le Ciel me réserve ; quel qu'il puisse être, je veux me rendre digne de celui dont j'ai joui. Cette immortelle image que je porte en moi me servira d'égide, et rendra mon âme invulnérable aux coups de la fortune [1]. N'ai-je pas assez vécu pour mon bon-heur ? C'est maintenant pour sa gloire que je dois vivre. Ah, que ne puis-je étonner le monde de mes vertus afin qu'on pût dire un jour en les admirant : Pouvait-il moins faire ? Il fut aimé de Julie !

[a] *P. S.* Des nœuds abhorrés et *peut-être inévitables* ! Que signifient ces mots ? Ils sont dans sa lettre. Claire, je

---

1. Dans *Les Aventures de Télémaque* (1699) de Fénelon, grand roman péda-gogique qui fut un succès énorme et dont Rousseau fut un passionné lecteur, le héros parti pour un long voyage chercher Ulysse, son père disparu, reçoit, sous la figure de Mentor, la protection de la déesse Minerve (Pallas Athéna), qui lui fait offrir son « égide », son bouclier.

m'attends à tout ; je suis résigné, prêt à supporter mon sort. Mais ces mots…. Jamais quoi qu'il arrive, je ne partirai d'ici que je n'aie eu l'explication de ces mots-là.

Lettre XI
De Julie

Il est donc vrai que mon âme n'est pas fermée au plaisir, et qu'un sentiment de joie y peut pénétrer encore ? Hélas, je croyais depuis ton départ n'être plus sensible qu'à la douleur ; je croyais ne savoir que souffrir loin de toi, et je n'imaginais pas même des consolations à ton absence. Ta charmante [1] Lettre à ma Cousine est venue me désabuser ; je l'ai lue et baisée avec des larmes d'attendrissement ; elle a répandu la fraîcheur d'une douce rosée sur mon cœur séché d'ennuis et flétri de tristesse, et j'ai senti par la sérénité qui m'en est restée, que tu n'as pas moins d'ascendant de loin que de près sur les affections de ta Julie.

Mon ami ! quel charme pour moi, de te voir reprendre cette vigueur de sentiments qui convient au courage d'un homme ! Je t'en estimerai davantage, et m'en mépriserai moins de n'avoir pas en tout avili la dignité d'un amour honnête, ni corrompu deux cœurs à la fois. Je te dirai plus, à présent que nous pouvons parler librement de nos affaires ; ce qui aggravait mon désespoir était de voir que le tien nous ôtait la seule ressource qui pouvait nous rester, dans l'usage de tes talents. Tu connais maintenant le digne ami que le Ciel t'a donné : ce ne serait pas trop de ta vie entière pour mériter ses bienfaits ; ce ne sera jamais assez pour réparer l'offense que tu viens de lui faire, et j'espère que tu n'auras plus besoin d'autre leçon pour contenir ton imagination fougueuse. C'est sous les auspices de cet homme respectable que tu vas entrer dans le monde ; c'est à l'appui de son crédit, c'est guidé par son expérience que tu vas tenter de venger le mérite oublié, des rigueurs de la fortune. Fais pour lui ce que tu ne ferais pas pour toi, tâche au moins d'honorer ses bontés en ne les rendant pas inutiles.

---

1. Qui exerce un charme puissant, envoûtant.

Vois quelle riante perspective s'offre encore à toi ; vois quels succès tu dois espérer dans une carrière où tout concourt à favoriser ton zèle. Le Ciel t'a prodigué ses dons ; ton heureux naturel cultivé par ton goût t'a doué de tous les talents ; à moins de vingt-quatre ans tu joins les grâces de ton âge à la maturité qui dédommage plus tard des progrès des ans :

> *Frutto senile in su 'l giovenil fiore.*
>
> [Les fruits de l'automne sur la fleur du printemps [1].]

L'étude n'a point émoussé ta vivacité, ni appesanti ta personne : la fade galanterie n'a point rétréci ton esprit, ni hébété ta raison. L'ardent amour en t'inspirant tous les sentiments sublimes dont il est le père t'a donné cette élévation d'idées et cette justesse de sens * qui en sont inséparables. À sa douce chaleur, j'ai vu ton âme déployer ses brillantes facultés, comme une fleur s'ouvre aux rayons du soleil : tu as à la fois tout ce qui mène à la fortune et tout ce qui la fait mépriser. Il ne te manquait pour obtenir les honneurs du monde que d'y daigner prétendre, et j'espère qu'un objet plus cher à ton cœur te donnera pour eux le zèle dont ils ne sont pas dignes.

Ô mon doux ami, tu vas t'éloigner de moi ?....... Ô mon bien-aimé, tu vas fuir ta Julie ?....... Il le faut ; il faut nous séparer si nous voulons nous revoir heureux un jour, et l'effet des soins que tu vas prendre est notre dernier espoir. Puisse une si chère idée t'animer, te consoler durant cette amère et longue séparation ! puisse-t-elle te donner cette ardeur qui surmonte les obstacles et dompte la fortune ! Hélas, le monde et les affaires seront pour toi des distractions continuelles, et feront une utile diversion aux peines de l'absence ! Mais je vais rester abandonnée à moi seule ou livrée aux persécutions, et tout me forcera de te regretter

---

* Justesse de sens inséparable de l'amour ? Bonne Julie, elle ne brille pas ici dans le vôtre.

---

1. Pétrarque, *Canzoniere*, n° 215, v. 3, p. 309. Vers traduit dans Musset-Pathay.

sans cesse. Heureuse au moins si de vaines alarmes n'aggra-
vaient mes tourments réels, et si avec mes propres maux, je
ne sentais encore en moi tous ceux auxquels tu vas
t'exposer !

Je frémis en songeant aux dangers de mille espèces que
vont courir ta vie et tes mœurs. Je prends en toi toute la
confiance qu'un homme peut inspirer ; mais puisque le sort
nous sépare, ah mon ami, pourquoi n'es-tu qu'un homme ?
Que de conseils te seraient nécessaires dans ce monde
inconnu où tu vas t'engager ! Ce n'est pas à moi jeune, sans
expérience, et qui ai moins d'étude et de réflexion que toi,
qu'il appartient de te donner là-dessus des avis ; c'est un
soin que je laisse à Milord Édouard. Je me borne à te
recommander deux choses, parce qu'elles tiennent plus au
sentiment qu'à l'expérience, et que si je connais peu le
monde, je crois bien connaître ton cœur : N'abandonne
jamais la vertu, et n'oublie jamais ta Julie.

Je ne te rappellerai point tous ces arguments subtils que
tu m'as toi-même appris à mépriser, qui remplissent tant de
livres et n'ont jamais fait un honnête homme. Ah ! ces tristes
raisonneurs ! quels doux ravissements leurs cœurs n'ont
jamais sentis ni donnés ! Laisse, mon ami, ces vains moralistes [1], et rentre au fond de ton âme ; c'est là que tu retrouveras toujours la source de ce feu sacré qui nous embrasa
tant de fois de l'amour des sublimes vertus ; c'est là que tu
verras ce simulacre [2] éternel du vrai beau dont la contemplation nous anime d'un saint enthousiasme, et que nos passions souillent sans cesse sans pouvoir jamais l'effacer *.
Souviens-toi des larmes délicieuses qui coulaient de nos
yeux, des palpitations qui suffoquaient nos cœurs agités, des
transports qui nous élevaient au-dessus de nous-mêmes, au
récit de ces vies héroïques qui rendent le vice inexcusable et
font l'honneur de l'humanité [3]. Veux-tu savoir laquelle est

* La véritable philosophie des Amants est celle de Platon ; durant le charme
ils n'en ont jamais d'autre. Un homme ému ne peut quitter ce philosophe ;
un lecteur froid ne peut le souffrir.

---

1. « Écrivain qui traite des mœurs » (*Acad.* 1762). Julie citera toutefois
La Rochefoucauld (III, 20). **2.** Représentation d'une divinité (sens vieilli).
3. Nouvelle référence aux *Vies parallèles* de Plutarque, si appréciées par
Rousseau (*Confessions*, livre I, p. 33-34).

vraiment désirable, de la fortune ou de la vertu ? Songe à celle que le cœur préfère quand son choix est impartial. Songe où l'intérêt nous porte en lisant l'histoire. T'avisas-tu jamais de désirer les trésors de Crésus, ni la gloire de César, ni le pouvoir de Néron, ni les plaisirs d'Héliogabale [1] ? Pourquoi, s'ils étaient heureux, tes désirs ne te mettaient-ils pas à leur place ? C'est qu'ils ne l'étaient point et tu le sentais bien ; c'est qu'ils étaient vils et méprisables, et qu'un méchant heureux ne fait envie à personne. Quels hommes contemplais-tu donc avec le plus de plaisir ? Desquels adorais-tu les exemples ? Auxquels aurais-tu mieux aimé ressembler ? Charme inconcevable de la beauté qui ne périt point ! c'était l'Athénien buvant la Ciguë, c'était Brutus mourant pour son pays, c'était Régulus au milieu des tourments, c'était Caton déchirant ses entrailles, c'étaient tous ces vertueux infortunés qui te faisaient envie, et tu sentais au fond de ton cœur la félicité réelle que couvraient leurs maux apparents [2]. Ne crois pas que ce sentiment fût particulier à toi seul ; il est celui de tous les hommes, et souvent même en dépit d'eux. Ce divin modèle que chacun de nous porte avec lui nous enchante malgré que nous en ayons ; sitôt que la passion nous permet de le voir, nous lui voulons ressembler, et si le plus méchant des hommes pouvait être un autre que lui-même, il voudrait être un homme de bien.

[a] Pardonne-moi ces transports, mon aimable ami ; tu sais qu'ils me viennent de toi, et c'est à l'amour dont je les tiens à te les rendre. Je ne veux point t'enseigner ici tes propres maximes, mais t'en faire un moment l'application, pour voir ce qu'elles ont à ton usage : car voici le temps de pratiquer tes propres leçons, et de montrer comment on exécute ce que tu sais dire. S'il n'est pas question d'être un Caton ou un Régulus, chacun pourtant doit aimer son pays, être intègre et courageux, tenir sa foi, même aux dépens de sa vie. Les vertus privées sont souvent d'autant plus sublimes qu'elles n'aspirent point à l'approbation d'autrui mais seulement au bon témoignage de soi-même, et la conscience du juste lui

---

1. Héliogabale ou Élagabal : empereur romain du début du IIIᵉ siècle, archétype du tyran cruel et débauché. **2.** Exemples de vertu repris par Saint-Preux dans la lettre III, 21.

tient lieu des louanges de l'univers. Tu sentiras donc que la grandeur de l'homme appartient à tous les états, et que nul ne peut être heureux s'il ne jouit de sa propre estime ; car si la véritable jouissance de l'âme est dans la contemplation du beau, comment le méchant peut-il l'aimer dans autrui sans être forcé de se haïr lui-même ?

Je ne crains pas que les sens et les plaisirs grossiers te corrompent. Ils sont des pièges peu dangereux pour un cœur sensible, et il lui en faut de plus délicats : Mais je crains les maximes et les leçons du monde ; je crains cette force terrible que doit avoir l'exemple universel et continuel du vice ; je crains les sophismes adroits dont il se colore : Je crains, enfin, que ton cœur même ne t'en impose, et ne te rende moins difficile sur les moyens d'acquérir une considération que tu saurais dédaigner si notre union n'en pouvait être le fruit.

Je t'avertis, mon ami, de ces dangers ; ta sagesse fera le reste ; car c'est beaucoup pour s'en garantir que d'avoir su les prévoir. Je n'ajouterai qu'une réflexion qui l'emporte à mon avis sur la fausse raison du vice, sur les fières erreurs des insensés, et qui doit suffire pour diriger au bien la vie de l'homme sage. C'est que la source du bonheur n'est tout entière ni dans l'objet désiré ni dans le cœur qui le possède, mais dans le rapport de l'un et de l'autre, et que, comme tous les objets de nos désirs ne sont pas propres à produire la félicité, tous les états du cœur ne sont pas propres à la sentir. Si l'âme la plus pure ne suffit pas seule à son propre bonheur, il est plus sûr encore que toutes les délices de la terre ne sauraient faire celui d'un cœur dépravé ; car il y a des deux côtés une préparation nécessaire, un certain concours dont résulte ce précieux sentiment recherché de tout être sensible, et toujours ignoré du faux sage qui s'arrête au plaisir du moment faute de connaître un bonheur durable. Que servirait donc d'acquérir un de ces avantages aux dépens de l'autre, de gagner au dehors pour perdre encore plus au dedans, et de se procurer les moyens d'être heureux en perdant l'art de les employer ? Ne vaut-il pas mieux encore, si l'on ne peut avoir qu'un des deux, sacrifier celui que le sort peut nous rendre à celui qu'on ne recouvre point quand on l'a perdu ? Qui le doit mieux savoir que moi, qui n'ai fait qu'empoisonner les douceurs de ma

vie en pensant y mettre le comble ? Laisse donc dire les
méchants qui montrent leur fortune et cachent leur cœur, et
sois sûr que s'il est un seul exemple du bonheur sur la terre,
il se trouve dans un homme de bien. Tu reçus du Ciel cet
heureux penchant à tout ce qui est bon et honnête ; n'écoute
que tes propres désirs, ne suis que tes inclinations naturelles ; songe surtout à nos premières amours. Tant que ces
moments purs et délicieux reviendront à ta mémoire, il n'est
pas possible que tu cesses d'aimer ce qui te les rendit si
doux, que le charme du beau moral s'efface dans ton âme,
ni que tu veuilles jamais obtenir ta Julie par des moyens
indignes de toi. Comment jouir d'un bien dont on aurait
perdu le goût ? Non, pour pouvoir posséder ce qu'on aime,
il faut garder le même cœur qui l'a aimé.

Me voici à mon second point, car comme tu vois je n'ai
pas oublié[b] mon métier. Mon ami, l'on peut sans amour
avoir les sentiments sublimes d'une âme forte : mais un
amour tel que le nôtre l'anime et la soutient tant qu'il brûle ;
sitôt qu'il s'éteint elle tombe en langueur, et un cœur usé
n'est plus propre à rien. Dis-moi, que serions-nous si nous
n'aimions plus ? Eh ! ne vaudrait-il pas mieux cesser d'être
que d'exister sans rien sentir, et pourrais-tu te résoudre à
traîner sur la terre l'insipide vie d'un homme ordinaire,
après avoir goûté tous les transports qui peuvent ravir une
âme humaine ? Tu vas habiter de grandes villes, où ta figure
et ton âge encore plus que ton mérite tendront mille
embûches à ta fidélité. L'insinuante coquetterie affectera le
langage de la tendresse, et te plaira sans t'abuser ; tu ne
chercheras point l'amour, mais les plaisirs ; tu les goûteras
séparés de lui et ne les pourras reconnaître. Je ne sais si tu
retrouveras ailleurs le cœur de Julie, mais je te défie de
jamais retrouver auprès d'une autre ce que tu sentis auprès
d'elle. L'épuisement de ton âme t'annoncera le sort que je
t'ai prédit ; la tristesse et l'ennui t'accableront au sein des
amusements frivoles. Le souvenir de nos premières amours
te poursuivra malgré toi. Mon image cent fois plus belle que
je ne fus jamais viendra tout à coup te surprendre. À
l'instant le voile du dégoût couvrira tous tes plaisirs, et mille
regrets amers naîtront dans ton cœur. Mon bien-aimé, mon
doux ami ! ah, si jamais tu m'oublies... Hélas ! je ne ferai

qu'en mourir ; mais toi tu vivras vil et malheureux, et je mourrai trop vengée.

Ne l'oublie donc jamais, cette Julie qui fut à toi, et dont le cœur ne sera point à d'autres. Je ne puis rien te dire de plus dans la dépendance où le Ciel m'a placée : Mais après t'avoir recommandé la fidélité, il est juste de te laisser de la mienne le seul gage qui soit en mon pouvoir. J'ai consulté, non mes devoirs, mon esprit égaré ne les connaît plus, mais mon cœur, dernière règle de qui n'en saurait plus suivre ; et voici le résultat de ses inspirations. Je ne t'épouserai jamais sans le consentement de mon père ; mais je n'en épouserai jamais un autre sans ton consentement. Je t'en donne ma parole, elle me sera sacrée, quoi qu'il arrive, et il n'y a point de force humaine qui puisse m'y faire manquer. Sois donc sans inquiétude sur ce que je puis devenir en ton absence. Va, mon aimable ami, chercher sous les auspices du tendre amour un sort digne de le couronner. Ma destinée est dans tes mains autant qu'il a dépendu de moi de l'y mettre, et jamais elle ne changera que de ton aveu[c].

Lettre XII
À *Julie*

> *O qual fiamma di gloria, d'onore,*
> *Scorrer sento per tutte le vene,*
> *Alma grande, parlando con te !*

[Ô de quelle flamme d'honneur et de gloire je sens embraser tout mon sang, âme grande, en parlant avec toi [1] !]

Julie, laisse-moi respirer. Tu fais bouillonner mon sang ; tu me fais tressaillir, tu me fais palpiter. Ta lettre brûle comme ton cœur du saint amour de la vertu, et tu portes au fond du mien son ardeur céleste. Mais pourquoi tant d'exhortations où il ne fallait que des ordres ? Crois que si je m'oublie au point d'avoir besoin de raisons pour bien faire, au moins ce n'est pas de ta part, ta seule volonté me suffit. Ignores-tu que je serai toujours ce qu'il te plaira, et

---

1. Métastase, *Attilio Regolo*, II, 2, v. 600-603, vol. 3, p. 160. Trad. de Rousseau dans DC.

que je ferais le mal même avant de pouvoir te désobéir ?[1]
Oui, j'aurais brûlé le Capitole si tu me l'avais commandé,
parce que je t'aime plus que toutes choses ; mais sais-tu bien
pourquoi je t'aime ainsi ? Ah ! fille incomparable ! c'est
parce que tu ne peux rien vouloir que d'honnête, et que
l'amour de la vertu rend plus invincible celui que j'ai pour
tes charmes.

Je pars, encouragé par l'engagement que tu viens de
prendre et dont tu pouvais t'épargner le détour ; car promettre de n'être à personne sans mon consentement, n'est-
ce pas promettre de n'être qu'à moi ? Pour moi, je le dis
plus librement, et je t'en donne aujourd'hui ma foi d'homme
de bien qui ne sera point violée : J'ignore dans la carrière
où je vais m'essayer pour te complaire à quel sort la fortune
m'appelle ; mais jamais les nœuds de l'amour ni de l'hymen
ne m'uniront à d'autres qu'à Julie d'Étange ; je ne vis, je
n'existe que pour elle, et mourrai libre ou son époux. Adieu,
l'heure presse et je pars à l'instant.

Lettre XIII
À *Julie*

J'arrivai hier au soir à Paris, et celui qui ne pouvait vivre
séparé de toi par deux rues en est maintenant à plus de cent
lieues. Ô Julie ! plains-moi, plains ton malheureux ami.
Quand mon sang en longs ruisseaux aurait tracé cette route
immense, elle m'eût paru moins longue, et je n'aurais pas senti
défaillir mon âme avec plus de langueur. Ah si du moins je
connaissais le moment qui doit nous rejoindre ainsi que
l'espace qui nous sépare, je compenserais l'éloignement des
lieux par le progrès du temps, je compterais dans chaque jour
ôté de ma vie les pas qui m'auraient rapproché de toi ! Mais
cette carrière de douleurs est couverte des ténèbres de
l'avenir : le terme qui doit la borner se dérobe à mes faibles
yeux. Ô doute ! ô supplice ! Mon cœur inquiet te cherche et
ne trouve rien. Le soleil se lève et ne me rend plus l'espoir de
te voir ; il se couche et je ne t'ai point vue : mes jours vides

---

1. Nous remplaçons le point par un point d'interrogation.

de plaisir et de joie s'écoulent dans une longue nuit [1]. J'ai beau vouloir ranimer en moi l'espérance éteinte, elle ne m'offre qu'une ressource incertaine et des consolations suspectes. Chère et tendre amie de mon cœur, hélas ! à quels maux faut-il m'attendre, s'ils doivent égaler mon bonheur passé ?

Que cette tristesse ne t'alarme pas, je t'en conjure, elle est l'effet passager de la solitude et des réflexions du voyage. Ne crains point le retour de mes premières faiblesses ; mon cœur est dans ta main, ma Julie, et puisque tu le soutiens, il ne se laissera plus abattre. Une des consolantes idées qui sont le fruit de ta dernière lettre est que je me trouve à présent porté par une double force, et quand l'amour aurait anéanti la mienne je ne laisserais pas d'y gagner encore ; car le courage qui me vient de toi me soutient beaucoup mieux que je n'aurais pu me soutenir moi-même. Je suis convaincu qu'il n'est pas bon que l'homme soit seul [2]. Les âmes humaines veulent être accouplées pour valoir tout leur prix, et la force unie des amis, comme celle des lames d'un aimant artificiel, est incomparablement plus grande que la somme de leurs forces particulières. Divine amitié, c'est là ton triomphe ! Mais qu'est-ce que la seule amitié auprès de cette union parfaite qui joint à toute l'énergie de l'amitié des liens cent fois plus sacrés ? Où sont-ils ces hommes grossiers qui ne prennent les transports de l'amour que pour une fièvre des sens, pour un désir de la nature avilie ? Qu'ils viennent, qu'ils observent, qu'ils sentent ce qui se passe au fond de mon cœur ; qu'ils voient un amant malheureux éloigné de ce qu'il aime, incertain de le revoir jamais, sans espoir de recouvrer sa félicité perdue ; mais pourtant animé de ces feux immortels qu'il prit dans tes yeux et qu'ont nourris tes sentiments sublimes, prêt à braver la fortune, à souffrir ses revers, à se voir même privé de

---

1. Cette plainte lyrique est peut-être un souvenir de Racine, *Bérénice*, IV, 5 : « Que le jour recommence et que le jour finisse/ Sans que jamais Titus puisse voir Bérénice/ Sans que de tout le jour je puisse voir Titus ? » **2.** Au-delà de la paraphrase biblique (Genèse 2, 18), cette déclaration entre en résonance avec une querelle récurrente entre Rousseau et la coterie parisienne des « philosophes ». En 1757, lisant dans la pièce de Diderot *Le Fils naturel*, la réplique « Il n'y a que le méchant qui soit seul » (IV, 3), Rousseau, qui avait choisi de s'installer hors de Paris, s'était senti visé et avait vivement répliqué à son ancien ami (voir *Confessions*, l. IX).

toi, et à faire des vertus que tu lui as inspirées le digne ornement de cette empreinte adorable qui ne s'effacera jamais de son âme. Julie, eh qu'aurais-je été sans toi ? La froide raison m'eût éclairé, peut-être ; tiède admirateur du bien, je l'aurais du moins aimé dans autrui. Je ferai plus ; je saurai le pratiquer avec zèle, et pénétré de tes sages leçons, je ferai dire un jour à ceux qui nous auront connus : Ô quels hommes nous serions tous, si le monde était plein de Julies et de cœurs qui les sussent aimer !

En méditant en route sur ta dernière lettre, j'ai résolu de rassembler en un recueil toutes celles que tu m'as écrites, maintenant que je ne puis plus recevoir tes avis de bouche. Quoiqu'il n'y en ait pas une que je ne sache par cœur, et bien par cœur, tu peux m'en croire ; j'aime pourtant à les relire sans cesse, ne fût-ce que pour revoir les traits de cette main chérie qui seule peut faire mon bonheur. Mais insensiblement le papier s'use, et avant qu'elles soient déchirées je veux les copier toutes dans un livre blanc que je viens de choisir exprès pour cela. Il est assez gros, mais je songe à l'avenir, et j'espère ne pas mourir assez jeune pour me borner à ce volume. Je destine les soirées à cette occupation charmante, et j'avancerai lentement pour la prolonger. Ce précieux recueil ne me quittera de mes jours ; il sera mon manuel dans le monde où je vais entrer ; il sera pour moi le contrepoison des maximes qu'on y respire ; il me consolera dans mes maux ; il préviendra ou corrigera mes fautes ; il m'instruira durant ma jeunesse, il m'édifiera dans tous les temps, et ce seront à mon avis les premières lettres d'amour dont on aura tiré cet usage [1].

Quant à la dernière que j'ai présentement sous les yeux ; toute belle qu'elle me paraît, j'y trouve pourtant un article à retrancher. Jugement déjà fort étrange ; mais ce qui doit l'être encore plus, c'est que cet article est précisément celui qui te regarde, et je te reproche d'avoir même songé à l'écrire. Que

---

1. Référence à l'expérience d'écriture euphorique de Rousseau au moment de la composition de son roman, mais aussi réminiscence probable du *Philosophe anglais* : on y voit le jeune Cleveland, élevé dans une grotte par sa mère, s'aider du « livre d'or » de maximes qu'elle lui a laissé pour affronter le monde dont elle lui a dressé un terrifiant tableau (*Cleveland*, éd. citée, p. 45 et 71).

me parles-tu de fidélité, de constance ? Autrefois tu connaissais mieux mon amour et ton pouvoir. Ah Julie ! inspires-tu
des sentiments périssables, et quand je ne t'aurais rien promis,
pourrais-je cesser jamais d'être à toi ? Non non, c'est du premier regard de tes yeux, du premier mot de ta bouche, du premier transport de mon cœur que s'alluma dans lui cette
flamme éternelle que rien ne peut plus éteindre. Ne t'eussé-je
vue que ce premier instant, c'en était déjà fait, il était trop tard
pour pouvoir jamais t'oublier. Et je t'oublierais maintenant ?
Maintenant qu'enivré de mon bonheur passé, son seul souvenir suffit pour me le rendre encore ? Maintenant qu'oppressé
du poids de tes charmes, je ne respire qu'en eux ? Maintenant
que ma première âme est disparue, et que je suis animé de celle
que tu m'as donnée ? Maintenant, ô Julie, que je me dépite
contre moi, de t'exprimer si mal tout ce que je sens ? Ah ! que
toutes les beautés de l'univers tentent de me séduire ! en est-il
d'autres que la tienne à mes yeux ? Que tout conspire à l'arracher de mon cœur ; qu'on le perce, qu'on le déchire, qu'on
brise ce fidèle miroir de Julie, sa pure image ne cessera de
briller jusque dans le dernier fragment ; rien n'est capable de
l'y détruire. Non, la suprême puissance elle-même ne saurait
aller jusque-là ; elle peut anéantir mon âme, mais non pas
faire qu'elle existe et cesse de t'adorer.

Milord Édouard s'est chargé de te rendre compte à son passage de ce qui me regarde et de ses projets en ma faveur : mais
je crains qu'il ne s'acquitte mal de cette promesse par rapport
à ses arrangements présents. Apprends qu'il ose abuser du
droit que lui donnent sur moi ses bienfaits, pour les étendre
au delà même de la bienséance. Je me vois, par une pension
qu'il n'a pas tenu à lui de rendre irrévocable, en état de faire
une figure fort au-dessus de ma naissance, et c'est peut-être ce
que je serai forcé de faire à Londres pour suivre ses vues. Pour
ici où nulle affaire ne m'attache, je continuerai de vivre à ma
manière, et ne serai point tenté d'employer en vaines dépenses
l'excédent de mon entretien. Tu me l'as appris, ma Julie, les
premiers besoins ou du moins les plus sensibles, sont ceux
d'un cœur bienfaisant et tant que quelqu'un manque du
nécessaire, quel honnête homme a du superflu ?

Lettre XIV
À *Julie*

*J'entre avec une secrète horreur dans ce vaste désert du monde [1]. Ce chaos ne m'offre qu'une solitude affreuse, où règne un morne silence. Mon âme à la presse [2] cherche à s'y répandre, et se trouve partout resserrée. Je ne suis jamais moins seul que quand je suis seul, disait un ancien [3] ; moi, je ne suis seul que dans la foule, où je ne puis être ni à toi ni aux autres. Mon cœur voudrait parler, il sent qu'il n'est point écouté. [4] Il voudrait répondre ; on ne lui dit rien qui puisse aller jusqu'à lui. Je n'entends point la langue du pays, et personne ici n'entend la mienne.

Ce n'est pas qu'on ne me fasse beaucoup d'accueil, d'amitiés, de prévenances, et que mille soins officieux [5] n'y semblent voler au-devant de moi. Mais c'est précisément de quoi je me plains. Le moyen d'être aussitôt l'ami de quelqu'un qu'on n'a jamais vu ? L'honnête intérêt de l'humanité, l'épanchement simple et touchant d'une âme franche,

---

* Sans prévenir le jugement du Lecteur et celui de Julie sur ces relations, je crois pouvoir dire que si j'avais à les faire et que je ne les fisse pas meilleures, je les ferais du moins fort différentes. J'ai été plusieurs fois sur le point de les ôter et d'en substituer de ma façon ; enfin je les laisse, et je me vante de ce courage. Je me dis qu'un jeune homme de vingt-quatre ans entrant dans le monde ne doit pas le voir comme le voit un homme de cinquante, à qui l'expérience n'a que trop appris à le connaître. Je me dis encore que sans y avoir fait un fort grand rôle, je ne suis pourtant plus dans le cas d'en pouvoir parler avec impartialité. Laissons donc ces Lettres comme elles sont. Que les lieux communs usés restent ; que les observations triviales restent ; c'est un petit mal que tout cela. Mais, il importe à l'ami de la vérité que jusqu'à la fin de sa vie ses passions ne souillent point ses écrits.

---

1. Souvenir littéraire : « Plus je voyais de monde et de mouvement dans cette prodigieuse ville de Paris, plus j'y trouvais de silence et de solitude pour moi : une forêt m'aurait paru moins déserte, je m'y serais sentie moins seule, moins égarée. De cette forêt, j'aurais pu m'en tirer ; mais comment sortir du désert où je me trouvais ? Tout l'univers en était un pour moi, puisque je n'y tenais par aucun lien à personne » (Marivaux, *La Vie de Marianne*, p. 190-191). **2.** Oppressée par la foule. **3.** Scipion, selon Cicéron : *numquam se minus otiosum esse, quam cum otiosus, nec minus solum esse, quam cum solus esset* (*De officiis*, III, 1, « jamais il n'était moins en repos que lorsqu'il était au repos, ni moins seul que lorsqu'il était tout seul »). **4.** Nous remplaçons le deux-points par un point. **5.** « Honnête, obligeant, prompt à rendre service, un bon office » (*Trévoux*).

ont un langage bien différent des fausses démonstrations de la politesse, et des dehors trompeurs que l'usage du monde exige. J'ai grand peur que celui qui dès la première vue me traite comme un ami de vingt ans, ne me traitât au bout de vingt ans comme un inconnu si j'avais quelque important service à lui demander ; et quand je vois des hommes si dissipés prendre un intérêt si tendre à tant de gens, je présumerais volontiers qu'ils n'en prennent à personne.

Il y a pourtant de la réalité à tout cela ; car le Français est naturellement bon, ouvert, hospitalier, bienfaisant ; mais il y a aussi mille manières de parler qu'il ne faut pas prendre à la lettre, mille offres apparentes, qui ne sont faites que pour être refusées, mille espèces de pièges que la politesse tend à la bonne foi rustique. Je n'entendis jamais tant dire : Comptez sur moi dans l'occasion ; disposez de mon crédit, de ma bourse, de ma maison, de mon équipage. Si tout cela était sincère et pris au mot, il n'y aurait pas de Peuple moins attaché à la propriété, la communauté des biens serait ici presque établie, le plus riche offrant sans cesse, et le plus pauvre acceptant toujours, tout se mettrait naturellement de niveau, et Sparte même eût eu des partages moins égaux qu'ils ne seraient à Paris. Au lieu de cela, c'est peut-être la ville du monde où les fortunes sont le plus inégales, et où règnent à la fois la plus somptueuse opulence et la plus déplorable misère. Il n'en faut pas davantage pour comprendre ce que signifient cette apparente commisération qui semble toujours aller au-devant des besoins d'autrui, et cette facile tendresse de cœur qui contracte en un moment des amitiés éternelles.

Au lieu de tous ces sentiments suspects et de cette confiance trompeuse, veux-je chercher des lumières et de l'instruction ? C'en est ici l'aimable source, et l'on est d'abord enchanté du savoir et de la raison qu'on trouve dans les entretiens, non seulement des Savants et des gens de Lettres, mais des hommes de tous les états et même des femmes : le ton de la conversation y est coulant et naturel ; il n'est ni pesant ni frivole ; il est savant sans pédanterie, gai sans tumulte, poli sans affectation, galant sans fadeur [1],

---

1. Sans complaisance excessive, sans flatterie.

badin sans équivoques [1]. Ce ne sont ni des dissertations ni des épigrammes [2] ; on y raisonne sans argumenter ; on y plaisante sans jeux de mots ; on y associe avec art l'esprit et la raison, les maximes et les saillies [3], la satire aiguë l'adroite flatterie et la morale austère. On y parle de tout pour que chacun ait quelque chose à dire ; on n'approfondit point les questions, de peur d'ennuyer, on les propose comme en passant, on les traite avec rapidité, la précision mène à l'élégance ; chacun dit son avis et l'appuie en peu de mots ; nul n'attaque avec chaleur celui d'autrui, nul ne défend opiniâtrement le sien ; on discute pour s'éclairer, on s'arrête avant la dispute ; chacun s'instruit, chacun s'amuse, tous s'en vont contents, et le sage même peut rapporter de ces entretiens des sujets dignes d'être médités en silence.

Mais au fond que penses-tu qu'on apprenne dans ces conversations si charmantes ? À juger sainement des choses du monde ? à bien user de la société, à connaître au moins les gens avec qui l'on vit ? Rien de tout cela, ma Julie. On y apprend à plaider avec art la cause du mensonge, à ébranler à force de philosophie tous les principes de la vertu, à colorer de sophismes subtils ses passions et ses préjugés, et à donner à l'erreur un certain tour à la mode selon les maximes du jour. Il n'est point nécessaire de connaître le caractère des gens, mais seulement leurs intérêts, pour deviner à peu près ce qu'ils diront de chaque chose. Quand un homme parle, c'est pour ainsi dire, son habit et non pas lui qui a un sentiment, et il en changera sans façon tout aussi souvent que d'état. Donnez-lui tour à tour une longue perruque, un habit d'ordonnance et une croix pectorale [4] ; vous l'entendrez successivement prêcher avec le même zèle les lois, le despotisme, et l'inquisition. Il y a une raison commune pour la robe [5], une autre pour la finance, une autre pour l'épée. Chacune prouve très bien que les deux autres

---

1. Propos à double entente ; plus précisément ici, sous-entendus érotiques. **2.** Petits poèmes mondains qui s'achèvent sur un « trait » amusant, mais aussi, au figuré, railleries mordantes. **3.** « Se dit de certains traits d'esprit brillants et surprenants, qui semblent échapper dans un ouvrage d'Éloquence ou de Poésie, et dans la conversation » (*Acad.* 1762). **4.** Attributs respectifs du magistrat de parlement, de l'officier et de l'ecclésiastique. **5.** La magistrature.

sont mauvaises, conséquence facile à tirer pour les trois *. Ainsi nul ne dit jamais ce qu'il pense, mais ce qu'il lui convient de faire penser à autrui, et le zèle apparent de la vérité n'est jamais en eux que le masque de l'intérêt.

Vous croiriez que les gens isolés qui vivent dans l'indépendance ont au moins un esprit à eux ; point du tout ; autres machines qui ne pensent point, et qu'on fait penser par ressorts. On n'a qu'à s'informer de leurs sociétés, de leurs coteries, de leurs amis, des femmes qu'ils voient, des auteurs qu'ils connaissent : là-dessus on peut d'avance établir leur sentiment futur sur un livre prêt à paraître et qu'ils n'ont point lu, sur une pièce prête à jouer et qu'ils n'ont point vue, sur tel ou tel auteur qu'ils ne connaissent point, sur tel ou tel système dont ils n'ont aucune idée. Et comme la pendule ne se monte ordinairement que pour vingt-quatre heures, tous ces gens-là s'en vont chaque soir apprendre dans leurs sociétés ce qu'ils penseront le lendemain [1].

[a] Il y a ainsi un petit nombre d'hommes et de femmes qui pensent pour tous les autres et pour lesquels tous les autres parlent et agissent, et comme chacun songe à son intérêt, personne au bien commun, et que les intérêts particuliers sont toujours opposés entre eux, c'est un choc perpétuel de brigues et de cabales, un flux et reflux de préjugés, d'opinions contraires, où les plus échauffés animés par les autres ne savent presque jamais de quoi il est question. Chaque coterie a ses règles, ses jugements, ses principes qui ne sont point admis ailleurs [2]. L'honnête homme d'une maison est un fripon dans la maison voisine. Le bon, le

* On doit passer ce raisonnement à un Suisse qui voit son pays fort bien gouverné, sans qu'aucune des trois professions y soit établie. Quoi ! l'État peut-il subsister sans défenseurs ? non, il faut des défenseurs à l'État ; mais tous les Citoyens doivent être soldats par devoir, aucun par métier. Les mêmes hommes chez les Romains et chez les Grecs étaient Officiers au Camp, magistrats à la ville, et jamais ces deux fonctions ne furent mieux remplies que quand on ne connaissait pas ces bizarres préjugés d'états qui les séparent et les déshonorent.

1. Voir, sur ce thème satirique, classique chez les moralistes, de l'esprit d'emprunt dans la conversation, la lettre 54 des *Lettres persanes* de Montesquieu. 2. Sur l'effet de « coterie », voir La Bruyère, *Les Caractères*, « De la ville », 4.

mauvais, le beau, le laid, la vérité, la vertu, n'ont qu'une existence locale et circonscrite. Quiconque aime à se répandre et fréquente plusieurs sociétés doit être plus flexible qu'Alcibiade [1], changer de principes comme d'assemblées, modifier son esprit, pour ainsi dire à chaque pas, et mesurer ses maximes à la toise. Il faut qu'à chaque visite il quitte en entrant son âme, s'il en a une ; qu'il en prenne une autre aux couleurs de la maison, comme un laquais prend un habit de livrée, qu'il la pose de même en sortant et reprenne s'il veut la sienne jusqu'à nouvel échange.

Il y a plus ; c'est que chacun se met sans cesse en contradiction avec lui-même, sans qu'on s'avise de le trouver mauvais. On a des principes pour la conversation et d'autres pour la pratique ; leur opposition ne scandalise personne, et l'on est convenu qu'ils ne se ressembleraient point entre eux. On n'exige pas même d'un Auteur, surtout d'un moraliste qu'il parle comme ses livres, ni qu'il agisse comme il parle. Ses Écrits, ses discours, sa conduite, sont trois choses toutes différentes, qu'il n'est point obligé de concilier. En un mot, tout est absurde et rien ne choque, parce qu'on y est accoutumé, et il y a même à cette inconséquence une sorte de bon air dont bien des gens se font honneur. En effet, quoique tous prêchent avec zèle les maximes de leur profession, tous se piquent d'avoir le ton d'une autre. Le Robin prend l'air Cavalier [2] ; le financier fait le Seigneur ; l'Évêque a le propos galant ; l'homme de cour parle de philosophie ; l'homme d'État de bel esprit, il n'y a pas jusqu'au simple artisan qui ne pouvant prendre un autre ton que le sien se met en noir les dimanches, pour avoir l'air d'un homme de Palais [3]. Les militaires seuls, dédaignant tous les autres états, gardent sans façon le ton du leur et sont insupportables de bonne foi. Ce n'est pas que M. de Muralt n'eût raison quand il donnait la préférence à leur Société [4] ; mais ce qui était vrai

---

1. Élève de Socrate, homme politique et stratège athénien. Dans ses *Vies parallèles*, Plutarque peint ce brillant orateur comme un démagogue flattant le peuple pour conquérir le pouvoir. **2.** Entendre : l'homme de la noblesse de « robe » tâche d'imiter le courtisan. « Robin » est une appellation péjorative. **3.** Un magistrat. **4.** Béalt Louis de Muralt, dans ses *Lettres sur les Français* (éditées, comme les *Lettres sur les Anglais*, en 1725).

de son temps ne l'est plus aujourd'hui. Le progrès de la littérature [1] a changé en mieux le ton général ; les militaires seuls n'en ont point voulu changer, et le leur, qui était le meilleur auparavant, est enfin devenu le pire *.

Ainsi les hommes à qui l'on parle ne sont point ceux avec qui l'on converse ; leurs sentiments ne partent point de leur cœur, leurs lumières ne sont point dans leur esprit, leurs discours ne représentent point leurs pensées, on n'aperçoit d'eux que leur figure, et l'on est dans une assemblée à peu près comme devant un tableau mouvant, où le Spectateur paisible est le seul être mû par lui-même [2].

Telle est l'idée que je me suis formée de la grande société sur celle que j'ai vue à Paris. Cette idée est peut-être plus relative à ma situation particulière qu'au véritable état des choses, et se réformera sans doute sur de nouvelles lumières. D'ailleurs, je ne fréquente que les sociétés où les amis de Milord Édouard m'ont introduit, et je suis convaincu qu'il faut descendre dans d'autres états pour connaître les véritables mœurs d'un pays, car celles des riches sont presque partout les mêmes. Je tâcherai de m'éclaircir mieux dans la suite. En attendant, juge si j'ai raison d'appeler cette foule un désert, et de m'effrayer d'une solitude où je ne trouve qu'une vaine apparence de sentiments et de vérité qui change à chaque instant et se détruit elle-même, où je n'aperçois que larves et fantômes qui frappent l'œil un moment, et disparaissent aussitôt qu'on les veut saisir ? Jusqu'ici j'ai vu beaucoup de masques ; quand verrai-je des visages d'hommes [3] ?

---

* Ce jugement, vrai ou faux, ne peut s'entendre que des Subalternes, et de ceux qui ne vivent pas à Paris : car tout ce qu'il y a d'illustre dans le Royaume est au service, et la Cour même est toute militaire. Mais il y a une grande différence, pour les manières que l'on contracte, entre faire campagne en temps de guerre, et passer sa vie dans des garnisons.

---

1. Connaissance des « lettres », c'est-à-dire de l'ensemble de la culture (littérature, arts, sciences), érudition. Le mot « littérature » n'a pas encore le sens spécialisé que nous lui connaissons. **2.** Souvenir possible de la feuille V du *Spectateur français* de Marivaux (1722) : « En vérité, à cela près que nous vivons, et que nous pensons, nous sommes tous des Tableaux les uns pour les autres » (*Journaux*, t. I, p. 85). **3.** Marivaux évoquait les « porteurs de visage » dans la feuille III du *Spectateur français* (*ibid.*, p. 68), mais c'est sans doute toujours un écho de la feuille V (« voilà le fantôme qui nous

Lettre XV
De Julie

Oui, mon ami, nous serons unis malgré notre éloignement ; nous serons heureux en dépit du sort. C'est l'union
des cœurs qui fait leur véritable félicité ; leur attraction ne
connaît point la loi des distances, et les nôtres se touche-
raient aux deux bouts du monde. Je trouve, comme toi, que
les amants ont mille moyens d'adoucir le sentiment de
l'absence, et de se rapprocher en un moment. Quelquefois
même on se voit plus souvent encore que quand on se voyait
tous les jours ; car sitôt qu'un des deux est seul, à l'instant
tous deux sont ensemble. Si tu goûtes ce plaisir tous les
soirs, je le goûte cent fois le jour ; je vis plus solitaire ; je
suis environnée de tes vestiges, et je ne saurais fixer les yeux
sur les objets qui m'entourent, sans te voir tout autour de
moi.

> *Qui cantò dolcemente, e qui s'assise :*
> *Qui si rivolse, e qui ritenne il passo ;*
> *Qui co' begli occhi mi trafise il core :*
> *Qui disse una parola, et qui sorrise.*

[C'est ici qu'il chanta d'un ton si doux. Voilà le siège où il
s'assit ; ici il marchait et là il s'arrêta ; ici d'un sourire tendre il
me perça le cœur ; ici il me dit un mot, et là je le vis sourire [1].]

Mais toi, sais-tu t'arrêter à ces situations paisibles ? sais-
tu goûter un amour tranquille et tendre qui parle au cœur
sans émouvoir les sens, et tes regrets sont-ils aujourd'hui
plus sages que tes désirs ne l'étaient autrefois ? Le ton de ta
première lettre me fait trembler. Je redoute ces emportements trompeurs, d'autant plus dangereux que l'imagination qui les excite n'a point de bornes, et je crains que tu
n'outrages ta Julie à force de l'aimer. Ah tu ne sens pas,
non, ton cœur peu délicat ne sent pas combien l'amour
s'offense d'un vain hommage ; tu ne songes ni que ta vie est

---

frappe à la place de l'homme que nous n'apercevons pas ; voilà le masque
qui nous cache son visage », *ibid.*, p. 85). **1.** Pétrarque, *Canzoniere*, n° 112,
v. 9-12, p. 167. Le sujet grammatical des verbes est Laure. Vers traduits par
Rousseau dans DC.

à moi ni qu'on court souvent à la mort en croyant servir la nature[1]. Homme sensuel, ne sauras-tu jamais aimer ? Rappelle-toi, rappelle-toi ce sentiment si calme et si doux que tu connus une fois et que tu décrivis d'un ton si touchant et si tendre[2]. S'il est le plus délicieux qu'ait jamais savouré l'amour heureux, il est le seul permis aux amants séparés et, quand on l'a pu goûter un moment, on n'en doit plus regretter d'autre. Je me souviens de réflexions que nous faisions en lisant ton Plutarque, sur un goût dépravé qui outrage la nature. Quand ses tristes plaisirs n'auraient que de n'être pas partagés, c'en serait assez, disions-nous, pour les rendre insipides et méprisables[3]. Appliquons la même idée aux erreurs d'une imagination trop active, elle ne leur conviendra pas moins. Malheureux ! de quoi jouis-tu quand tu es seul à jouir ? Ces voluptés solitaires sont des voluptés mortes. Ô amour ! les tiennes sont vives, c'est l'union des âmes qui les anime, et le plaisir qu'on donne à ce qu'on aime fait valoir celui qu'il nous rend.

Dis-moi, je te prie, mon cher ami, en quelle langue ou plutôt en quel jargon[4] est la relation de ta dernière Lettre ? Ne serait-ce point là par hasard du bel esprit ? Si tu as dessein de t'en servir souvent avec moi, tu devrais bien m'en envoyer le dictionnaire. Qu'est-ce, je te prie, que le sentiment de l'habit d'un homme ? Qu'une âme qu'on prend comme un habit de livrée ? Que des maximes qu'il faut mesurer à la toise ? Que veux-tu qu'une pauvre Suissesse entende à ces sublimes figures[5] ? Au lieu de prendre comme les autres des âmes aux couleurs des maisons, ne voudrais-tu point déjà

---

1. Julie reproche à son amant les « consolations suspectes » qu'il avoue dans la lettre 13 : tout un discours médical, au XVIIIe siècle, affirme que la masturbation peut conduire à la mort. Rousseau lui-même s'en montre convaincu dans le passage célèbre des *Confessions* sur le « dangereux supplément qui trompe la nature » (livre III, t. I, p. 143). **2.** Voir I, 55. **3.** Quand bien même ses tristes plaisirs auraient pour seul défaut le fait de n'être pas partagés, c'en serait assez pour les rendre insipides et méprisables. Tour elliptique archaïsant. **4.** « Le langage particulier d'une certaine sorte de gens » (*Acad.* 1762). Le *jargon* signale la fermeture de la *coterie*, du groupe social qui se veut choisi, initié, et bien sûr à la mode. **5.** Julie développe ici une critique qui a été adressée en son temps au style dit « entortillé » et obscur de Marivaux, dont la lettre 14 est de fait un pastiche. Sur « entortillé », voir *infra*, lettre 17, n. 1, p. 298.

donner à ton esprit la teinte de celui du pays ? Prends garde,
mon bon ami, j'ai peur qu'elle n'aille pas bien sur ce fond-
là. À ton avis les *traslati* du Cavalier Marin [1] dont tu t'es si
souvent moqué, approchèrent-ils jamais de ces métaphores,
et si l'on peut faire opiner l'habit d'un homme dans une
lettre, pourquoi ne ferait-on pas suer le feu * dans un
sonnet ?

Observer en trois semaines toutes les sociétés d'une
grande ville ; assigner le caractère des propos qu'on y tient,
y distinguer exactement le vrai du faux, le réel de l'apparent,
et ce qu'on y dit de ce qu'on y pense ; voilà ce qu'on accuse
les Français de faire quelquefois chez les autres peuples,
mais ce qu'un étranger ne doit point faire chez eux ; car ils
valent la peine d'être étudiés posément. Je n'approuve pas
non plus qu'on dise du mal du pays où l'on vit et où l'on
est bien traité : j'aimerais mieux qu'on se laissât tromper
par les apparences, que de moraliser aux dépens de ses
hôtes. Enfin, je tiens pour suspect tout observateur qui se
pique d'esprit : je crains toujours que sans y songer il ne
sacrifie la vérité des choses à l'éclat des pensées et ne fasse
jouer sa phrase aux dépens de la justice.

Tu ne l'ignores pas, mon ami, l'esprit, dit notre Muralt,
est la manie des Français [2] ; je te trouve à toi-même du penchant à la même manie, avec cette différence qu'elle a chez
eux de la grâce, et que de tous les peuples du monde c'est à
nous qu'elle sied le moins. Il y a de la recherche et du jeu
dans plusieurs de tes lettres. Je ne parle point de ce tour vif
et de ces expressions animées qu'inspire la force du sentiment ; je parle de cette gentillesse [3] de style qui n'étant point

* * *

* *Sudate, o fochi, a preparar metalli.* Vers d'un sonnet du cavalier Marin.
[NdE : il s'agit d'un vers faussement attribué à Marino (ou Marini), extrait
d'un sonnet de Claudio Achillini (1574-1640), poète courtisan auteur de
Poesie (1632), qu'il dédia à Louis XIII à l'occasion de sa « victoire » (le
massacre des protestants au siège de La Rochelle en 1627).]

* * *

1. Les *traslati* sont les figures, les métaphores. Giambattista Marino (ou
Marini) est un poète italien de l'âge baroque connu pour ses images et ses
« pointes » recherchées, qui ont pu être jugées maniéristes (c'est le point de
vue de Saint-Preux). Il est notamment l'auteur d'un long poème retraçant
les amours de Vénus et Adonis, l'*Adone* (1623), dont il sera question dans
la lettre 25. **2.** Dans la première des *Lettres sur les Français*. **3.** « Grâce,
agrément » (*Acad.* 1762).

naturelle ne vient d'elle-même à personne, et marque la prétention de celui qui s'en sert. Eh Dieu ! des prétentions avec
ce qu'on aime ! n'est-ce pas plutôt dans l'objet aimé qu'on
les doit placer, et n'est-on pas glorieux soi-même de tout le
mérite qu'il a de plus que nous[a] ? Non, si l'on anime les
conversations indifférentes de quelques saillies qui passent
comme des traits, ce n'est point entre deux amants que ce
langage est de saison, et le jargon fleuri de la galanterie est
beaucoup plus éloigné du sentiment que le ton le plus
simple qu'on puisse prendre. J'en appelle à toi-même.
L'esprit eut-il jamais le temps de se montrer dans nos tête-
à-tête, et si le charme d'un entretien passionné l'écarte et
l'empêche de paraître, comment des Lettres que l'absence
remplit toujours d'un peu d'amertume et où le cœur parle
avec plus d'attendrissement le pourraient-elles supporter ?
Quoique toute grande passion soit sérieuse et que l'excessive
joie elle-même arrache des pleurs plutôt que des ris, je ne
veux pas pour cela que l'amour soit toujours triste ; mais je
veux que sa gaieté soit simple, sans ornement, sans art, nue
comme lui ; en un mot, qu'elle brille de ses propres grâces
et non de la parure du bel esprit.

L'Inséparable, dans la chambre de laquelle je t'écris cette
Lettre, prétend que j'étais en la commençant dans cet état
d'enjouement que l'amour inspire ou tolère ; mais je ne sais
ce qu'il est devenu. À mesure que j'avançais, une certaine
langueur s'emparait de mon âme, et me laissait à peine la
force de t'écrire les injures que la mauvaise a voulu t'adresser : car il est bon de t'avertir que la critique de ta critique
est bien plus de sa façon que de la mienne ; elle m'en a dicté
surtout le premier article en riant comme une folle, et sans
me permettre d'y rien changer. Elle dit que c'est pour
t'apprendre à manquer de respect au Marini qu'elle protège
et que tu plaisantes.

Mais sais-tu bien ce qui nous met toutes deux de si bonne
humeur ? C'est son prochain mariage. Le contrat fut passé
hier au soir, et le jour est pris de lundi en huit. Si jamais
amour fut gai, c'est assurément le sien ; on ne vit de la vie
une fille si bouffonnement amoureuse. Ce bon M. d'Orbe, à
qui de son côté la tête en tourne, est enchanté d'un accueil
si folâtre. Moins difficile que tu n'étais autrefois, il se prête

avec plaisir à la plaisanterie, et prend pour un chef-d'œuvre de l'amour l'art d'égayer sa maîtresse. Pour elle, on a beau la prêcher, lui représenter la bienséance, lui dire que si près du terme elle doit prendre un maintien plus sérieux, plus grave, et faire un peu mieux les honneurs de l'état qu'elle est prête à quitter. Elle traite tout cela de sottes simagrées, elle soutient en face à M. d'Orbe que le jour de la cérémonie elle sera de la meilleure humeur du monde, et qu'on ne saurait aller trop gaiement à la noce. Mais la petite dissimulée ne dit pas tout ; je lui ai trouvé ce matin les yeux rouges ; et je parie bien que les pleurs de la nuit payent les ris de la journée. Elle va former de nouvelles chaînes qui relâcheront les doux liens de l'amitié ; elle va commencer une manière de vivre différente de celle qui lui fut chère ; elle était contente et tranquille, elle va courir les hasards auxquels le meilleur mariage expose, et quoi qu'elle en dise, comme une eau pure et calme commence à se troubler aux approches de l'orage, son cœur timide et chaste ne voit point sans quelque alarme le prochain changement de son sort.

Ô mon ami, qu'ils sont heureux ! Ils s'aiment ; ils vont s'épouser ; ils jouiront de leur amour sans obstacles, sans craintes, sans remords ! Adieu, adieu, je n'en puis dire davantage.

P. S. Nous n'avons vu Milord Édouard qu'un moment, tant il était pressé de continuer sa route. Le cœur plein de ce que nous lui devons, je voulais lui montrer mes sentiments et les tiens ; mais j'en ai eu une espèce de honte. En vérité, c'est faire injure à un homme comme lui de le remercier de rien.

Lettre XVI
À *Julie*

Que les passions impétueuses rendent les hommes enfants ! Qu'un amour forcené se nourrit aisément de chimères, et qu'il est aisé de donner le change à des désirs extrêmes par les plus frivoles objets ! J'ai reçu ta lettre avec les mêmes transports que m'aurait causés ta présence, et dans l'emportement de ma joie un vain papier me tenait lieu de toi. Un des plus grands maux de l'absence, et le seul auquel la raison ne peut rien, c'est l'inquiétude sur l'état actuel de ce qu'on aime. Sa santé, sa vie, son repos, son amour, tout échappe à qui craint de tout perdre ; on n'est pas plus sûr du présent que de l'avenir, et tous les accidents possibles se réalisent sans cesse dans l'esprit d'un amant qui les redoute. Enfin je respire, je vis, tu te portes bien, tu m'aimes, ou plutôt il y a dix jours que tout cela était vrai ; mais qui me répondra d'aujourd'hui ? Ô absence ! ô tourment ! ô bizarre et funeste état, où l'on ne peut jouir que du moment passé, et où le présent n'est point encore !

Quand tu ne m'aurais pas parlé de l'Inséparable, j'aurais reconnu sa malice dans la critique de ma relation, et sa rancune dans l'apologie du Marini ; mais s'il m'était permis de faire la mienne, je ne resterais pas sans réplique.

Premièrement, ma Cousine (car c'est à elle qu'il faut répondre), quant au style, j'ai pris celui de la chose ; j'ai tâché de vous donner à la fois l'idée et l'exemple du ton des conversations à la mode, et suivant un ancien précepte [1], je vous ai écrit à peu près comme on parle en certaines sociétés. D'ailleurs, ce n'est pas l'usage des figures, mais leur choix que je blâme dans le Cavalier Marin. Pour peu qu'on ait de chaleur dans l'esprit, on a besoin de métaphores et d'expressions figurées pour se faire entendre. Vos lettres mêmes en sont pleines sans que vous y songiez, et je soutiens qu'il n'y a qu'un géomètre et un sot qui puissent parler sans figures. En effet, un même jugement n'est-il pas susceptible de cent degrés de force ? Et comment déterminer celui de ces degrés qu'il doit avoir, sinon par le tour qu'on lui donne ? Mes propres phrases me font rire, je l'avoue, et je les trouve absurdes, grâce au soin que vous avez pris de les isoler ; mais laissez-les où je les ai mises, vous les trouverez claires et même énergiques. Si ces yeux éveillés, que vous savez si bien faire parler, étaient séparés l'un de l'autre, et de votre visage ; Cousine, que pensez-vous qu'ils diraient avec tout leur feu ? Ma foi, rien du tout ; pas même à M. d'Orbe.

---

1. Probable souvenir de l'*Art poétique* d'Horace (v. 114-118, p. 208).

La première chose qui se présente à observer dans un pays où l'on arrive, n'est-ce pas le ton général de la Société ? Hé bien, c'est aussi la première observation que j'ai faite dans celui-ci, et je vous ai parlé de ce qu'on dit à Paris et non pas de ce qu'on y fait. Si j'ai remarqué du contraste entre les discours, les sentiments, et les actions des honnêtes gens, c'est que ce contraste saute aux yeux au premier instant. Quand je vois les mêmes hommes changer de maximes selon les Coteries, molinistes dans l'une, jansénistes dans l'autre [1], vils courtisans chez un Ministre, frondeurs mutins chez un mécontent ; quand je vois un homme doré décrier le luxe, un financier les impôts, un prélat le dérèglement ; quand j'entends une femme de la Cour parler de modestie, un grand Seigneur de vertu, un auteur de simplicité, un Abbé de Religion, et que ces absurdités ne choquent personne, ne dois-je pas conclure à l'instant qu'on ne se soucie pas plus ici d'entendre la vérité que de la dire, et que loin de vouloir persuader les autres quand on leur parle, on ne cherche pas même à leur faire penser qu'on croit ce qu'on leur dit ?

Mais c'est assez plaisanter avec la Cousine. Je laisse un ton qui nous est étranger à tous trois, et j'espère que tu ne me verras pas plus prendre le goût de la Satire que celui du bel esprit. C'est à toi, Julie, qu'il faut à présent répondre ; car je sais distinguer la critique badine, des reproches sérieux.

Je ne conçois pas comment vous avez pu prendre toutes deux le change sur mon objet. Ce ne sont point les Français que je me suis proposé d'observer : car si le caractère des nations ne peut se déterminer que par leurs différences, comment moi qui n'en connais encore aucune autre, entreprendrais-je de peindre celle-ci ? Je ne serais pas, non plus, si maladroit que de choisir la Capitale pour le lieu de mes observations. Je n'ignore pas que les Capitales diffèrent

---

1. Allusion à la querelle entre jésuites (molinistes) et jansénistes, ouverte au XVIIᵉ siècle comme une controverse théologique, et devenue, depuis 1713 et la bulle *Unigenitus*, un conflit politique qui traverse toute la société française et divise les lieux du pouvoir. Voir Catherine Maire, « Les querelles jansénistes de la décennie 1730-1740 », *Recherches sur Diderot et sur l'Encyclopédie*, 38, 2005, p. 71-92.

moins entre elles que les Peuples, et que les caractères natio-
naux s'y effacent et confondent en grande partie, tant à
cause de l'influence commune des Cours qui se ressemblent
toutes, que par l'effet commun d'une société nombreuse et
resserrée, qui est le même à peu près sur tous les hommes,
et l'emporte à la fin sur le caractère originel.

Si je voulais étudier un peuple, c'est dans les provinces
reculées où les habitants ont encore leurs inclinations naturelles que j'irais les observer. Je parcourrais lentement et
avec soin plusieurs de ces provinces, les plus éloignées les
unes des autres ; toutes les différences que j'observerais
entre elles me donneraient le génie particulier de chacune ;
tout ce qu'elles auraient de commun, et que n'auraient pas
les autres peuples, formerait le génie national, et ce qui se
trouverait partout, appartiendrait en général à l'homme.
Mais je n'ai ni ce vaste projet ni l'expérience nécessaire pour
le suivre. Mon objet est de connaître l'homme, et ma
méthode de l'étudier dans ses diverses relations. Je ne l'ai
vu jusqu'ici qu'en petites sociétés, épars et presque isolé sur
la terre. Je vais maintenant le considérer entassé par multitudes dans les mêmes lieux, et je commencerai à juger par
là des vrais effets de la Société ; car s'il est constant [1] qu'elle
rende les hommes meilleurs, plus elle est nombreuse, et rap-
prochée, mieux ils doivent valoir, et les mœurs, par exemple,
seront beaucoup plus pures à Paris que dans le Valais ; que
si l'on trouvait le contraire, il faudrait tirer une conséquence
opposée [2].

Cette méthode pourrait, j'en conviens, me mener encore
à la connaissance des Peuples, mais par une voie si longue
et si détournée que je ne serais peut-être de ma vie en état
de prononcer sur aucun d'eux. Il faut que je commence par
tout observer dans le premier où je me trouve ; que j'assigne
ensuite les différences, à mesure que je parcourrai les autres
pays ; que je compare la France à chacun d'eux, comme on

---

1. S'il est certain. Le tour reste hypothétique. **2.** Cette méthode est proche
de celle du *Discours sur l'inégalité* : Rousseau imagine un hypothétique « état
de nature » lui servant de norme, à l'aune de laquelle il juge des effets de
l'entrée dans l'état de société. L'homme de la nature est ici celui du Valais,
et l'homme social celui de Paris.

décrit l'olivier sur un saule ou le palmier sur un sapin, et que j'attende à juger du premier peuple observé que j'aie observé tous les autres.

Veuille donc, ma charmante prêcheuse, distinguer ici l'observation philosophique de la satire nationale. Ce ne sont point les Parisiens que j'étudie, mais les habitants d'une grande ville, et je ne sais si ce que j'en vois ne convient pas à Rome et à Londres tout aussi bien qu'à Paris. Les règles de la morale ne dépendent point des usages des Peuples ; ainsi malgré les préjugés dominants je sens fort bien ce qui est mal en soi ; mais ce mal, j'ignore s'il faut l'attribuer au Français ou à l'homme, et s'il est l'ouvrage de la coutume ou de la nature. Le tableau du vice offense en tous lieux un œil impartial, et l'on n'est pas plus blâmable de le reprendre [1] dans un pays où il règne, quoiqu'on y soit, que de relever les défauts de l'humanité, quoiqu'on vive avec les hommes. Ne suis-je pas à présent moi-même un habitant de Paris ? Peut-être sans le savoir ai-je déjà contribué pour ma part au désordre que j'y remarque ; peut-être un trop long séjour y corromprait-il ma volonté même ; peut-être au bout d'un an ne serais-je plus qu'un bourgeois [2], si pour être digne de toi je ne gardais l'âme d'un homme libre et les mœurs d'un Citoyen. Laisse-moi donc te peindre sans contrainte des objets auxquels je rougisse de ressembler, et m'animer au pur zèle de la vérité par le tableau de la flatterie et du mensonge.

Si j'étais le maître de mes occupations et de mon sort, je saurais, n'en doute pas, choisir d'autres sujets de Lettres, et tu n'étais pas mécontente de celles que je t'écrivais de Meillerie et du Valais : mais, chère amie, pour avoir la force de supporter le fracas du monde où je suis contraint de vivre, il faut bien au moins que je me console à te le décrire, et que l'idée de te préparer des relations m'excite à en chercher les sujets. Autrement le découragement va m'atteindre à chaque pas, et il faudra que j'abandonne tout si tu ne veux

---

1. Blâmer, corriger. **2.** Un citadin, gagné aux habitudes de la vie urbaine. Le « citoyen », par opposition, est ici l'habitant d'une cité, au sens politique du terme : une patrie à laquelle il est dévoué. L'opposition porte aussi sur la différence entre le Français « poli » et le sévère Suisse républicain.

rien voir avec moi. Pense que pour vivre d'une manière si peu conforme à mon goût je fais un effort qui n'est pas indigne de sa cause, et pour juger quels soins me peuvent mener à toi, souffre que je te parle quelquefois des maximes qu'il faut connaître et des obstacles qu'il faut surmonter.

Malgré ma lenteur, malgré mes distractions inévitables, mon recueil était fini quand ta lettre est arrivée heureusement pour le prolonger, et j'admire en le voyant si court combien de choses ton cœur m'a su dire en si peu d'espace. Non, je soutiens qu'il n'y a point de lecture aussi délicieuse, même pour qui ne te connaîtrait pas, s'il avait une âme semblable aux nôtres : mais comment ne te pas connaître en lisant tes lettres ? Comment prêter un ton si touchant et des sentiments si tendres à une autre figure que la tienne ? À chaque phrase ne voit-on pas le doux regard de tes yeux ? À chaque mot n'entend-on pas ta voix charmante ? Quelle autre que Julie a jamais aimé, pensé, parlé, agi, écrit comme elle ? Ne sois donc pas surprise si tes lettres qui te peignent si bien font quelquefois sur ton idolâtre amant le même effet que ta présence. En les relisant je perds la raison, ma tête s'égare dans un délire continuel, un feu dévorant me consume, mon sang s'allume et pétille, une fureur me fait tressaillir. Je crois te voir, te toucher, te presser contre mon sein.... objet adoré, fille enchanteresse, source de délices et de volupté, comment en te voyant ne pas voir les houris faites pour les bienheureux ?.... ah viens !.... je la sens.... elle m'échappe, et je n'embrasse qu'une ombre..... Il est vrai, chère Amie, tu es trop belle et tu fus trop tendre pour mon faible cœur ; il ne peut oublier ni ta beauté ni tes caresses ; tes charmes triomphent de l'absence, ils me poursuivent partout, ils me font craindre la solitude, et c'est le comble de ma misère de n'oser m'occuper toujours de toi.

Ils seront donc unis malgré les obstacles, ou plutôt ils le sont au moment que j'écris. Aimables et dignes Époux ! Puisse le Ciel les combler du bonheur que méritent leur sage et paisible amour, l'innocence de leurs mœurs, l'honnêteté de leurs âmes ! Puisse-t-il leur donner ce bonheur précieux dont il est si avare envers les cœurs faits pour le goûter ! Qu'ils seront heureux, s'il leur accorde, hélas, tout ce qu'il nous ôte ! Mais pourtant ne sens-tu pas quelque sorte de

consolation dans nos maux ? Ne sens-tu pas que l'excès de
notre misère n'est point non plus sans dédommagement, et
que s'ils ont des plaisirs dont nous sommes privés, nous en
avons aussi qu'ils ne peuvent connaître ? Oui, ma douce
amie, malgré l'absence, les privations, les alarmes, malgré le
désespoir même, les puissants élancements de deux cœurs
l'un vers l'autre ont toujours une volupté secrète ignorée des
âmes tranquilles. C'est un des miracles de l'amour de nous
faire trouver du plaisir à souffrir ; et nous regarderions
comme le pire des malheurs un état d'indifférence et d'oubli
qui nous ôterait tout le sentiment de nos peines [1]. Plaignons
donc notre sort, ô Julie ! mais n'envions celui de personne. Il
n'y a point, peut-être, à tout prendre d'existence préférable
à la nôtre, et comme la divinité tire tout son bonheur d'elle-
même, les cœurs qu'échauffe un feu céleste, trouvent dans
leurs propres sentiments une sorte de jouissance pure et délicieuse, indépendante de la fortune et du reste de l'univers.

Lettre XVII
À *Julie*

Enfin me voilà tout à fait dans le torrent. Mon recueil
fini, j'ai commencé de fréquenter les spectacles et de souper
en ville. Je passe ma journée entière dans le monde, je prête
mes oreilles et mes yeux à tout ce qui les frappe, et n'apercevant rien qui te ressemble, je me recueille au milieu du bruit
et converse en secret avec toi. Ce n'est pas que cette vie
bruyante et tumultueuse n'ait aussi quelque sorte d'attraits,
et que la prodigieuse diversité d'objets n'offre de certains
agréments à de nouveaux débarqués ; mais pour les sentir il
faut avoir le cœur vide et l'esprit frivole ; l'amour et la
raison semblent s'unir pour m'en dégoûter : comme tout
n'est que vaine apparence et que tout change à chaque
instant, je n'ai le temps d'être ému de rien, ni celui de rien
examiner [2].

---

1. À rapprocher de la première des *Lettres portugaises* (1669) de Guilleragues, dont Rousseau admirait l'accent passionné : « Adieu, aimez-moi toujours ; et faites-moi souffrir encore plus de maux » (p. 78). **2.** Souvenir des
Persans de Montesquieu, confrontés à la vitesse et à la variété parisiennes :
« Ne crois pas que je puisse, quant à présent, te parler à fond des mœurs et
des coutumes européennes : je n'en ai moi-même qu'une légère idée, et je

Ainsi je commence à voir les difficultés de l'étude du monde, et je ne sais pas même quelle place il faut occuper pour le bien connaître. Le philosophe en est trop loin, l'homme du monde en est trop près. L'un voit trop pour pouvoir réfléchir, l'autre trop peu pour juger du tableau total. Chaque objet qui frappe le philosophe, il le considère à part, et n'en pouvant discerner ni les liaisons ni les rapports avec d'autres objets qui sont hors de sa portée, il ne le voit jamais à sa place et n'en sent ni la raison ni les vrais effets. L'homme du monde voit tout et n'a le temps de penser à rien. La mobilité des objets ne lui permet que de les apercevoir et non de les observer ; ils s'effacent mutuellement avec rapidité, et il ne lui reste du tout que des impressions confuses qui ressemblent au chaos.

On ne peut pas, non plus, voir et méditer alternativement, parce que le spectacle exige une continuité d'attention, qui interrompt la réflexion. Un homme qui voudrait diviser son temps par intervalles entre le monde et la solitude, toujours agité dans sa retraite et toujours étranger dans le monde ne serait bien nulle part. Il n'y aurait d'autre moyen que de partager sa vie entière en deux grands espaces, l'un pour voir, l'autre pour réfléchir : Mais cela même est presque impossible ; car la raison n'est pas un meuble qu'on pose et qu'on reprenne à son gré, et quiconque a pu vivre dix ans sans penser, ne pensera de sa vie.

Je trouve aussi que c'est une folie de vouloir étudier le monde en simple spectateur [1]. Celui qui ne prétend qu'observer n'observe rien, parce qu'étant inutile dans les affaires et importun dans les plaisirs, il n'est admis nulle part. On ne voit agir les autres qu'autant qu'on agit soi-même ; dans

---

n'ai eu à peine que le temps de m'étonner » (*Lettres persanes*, lettre 24, p. 91). On songera aussi à la réaction de l'héroïne de Marivaux : « Je ne saurais vous dire ce que je sentis en voyant cette grande ville, et son fracas, et son peuple, et ses rues. C'était pour moi l'empire de la lune : je n'étais plus à moi, je ne me ressouvenais plus de rien ; j'allais, j'ouvrais les yeux, j'étais étonnée, et voilà tout » (*La Vie de Marianne*, p. 69). L'épisode est en train de devenir un *topos* romanesque : voir J. Rustin (2003). **1.** Le personnage, qui pose la question sociologique et anthropologique moderne de la *place* de l'observateur, se démarque de la *posture* distante, moraliste et misanthrope du *Spectateur français* (1721-1724) de Marivaux.

l'école du monde comme dans celle de l'amour, il faut commencer par pratiquer ce qu'on veut apprendre.

Quel parti prendrai-je donc, moi étranger qui ne puis avoir aucune affaire en ce pays, et que la différence de religion empêcherait seule d'y pouvoir aspirer à rien [1] ? Je suis réduit à m'abaisser pour m'instruire, et ne pouvant jamais être un homme utile, à tâcher de me rendre un homme amusant. Je m'exerce autant qu'il est possible à devenir poli sans fausseté, complaisant sans bassesse, et à prendre si bien ce qu'il y a de bon dans la société que j'y puisse être souffert sans en adopter les vices. Tout homme oisif qui veut voir le monde doit au moins en prendre les manières jusqu'à certain point [2] ; car de quel droit exigerait-on d'être admis parmi des gens à qui l'on n'est bon à rien, et à qui l'on n'aurait pas l'art de plaire ? Mais aussi quand il a trouvé cet art on ne lui en demande pas davantage, surtout s'il est étranger. Il peut se dispenser de prendre part aux cabales, aux intrigues, aux démêlés ; s'il se comporte honnêtement envers chacun, s'il ne donne à certaines femmes ni exclusion ni préférence, s'il garde le secret de chaque société où il est reçu, s'il n'étale point les ridicules d'une maison dans une autre, s'il évite les confidences, s'il se refuse aux tracasseries, s'il garde partout une certaine dignité, il pourra voir paisiblement le monde, conserver ses mœurs, sa probité, sa franchise même, pourvu qu'elle vienne d'un esprit de liberté et non d'un esprit de parti. Voilà ce que j'ai tâché de faire par l'avis de quelque gens éclairés que j'ai choisis pour guides parmi les connaissances que m'a données Milord Édouard. J'ai donc commencé d'être admis dans des sociétés moins nombreuses et plus choisies. Je ne m'étais trouvé jusqu'à présent qu'à des dîners réglés [3] où l'on ne voit de femme que la maîtresse de la maison, où tous les désœuvrés de Paris sont reçus pour peu qu'on les connaisse, où chacun paye comme il peut son dîner en esprit ou en flatterie, et

---

1. Les protestants ne pouvaient occuper aucune charge ni exercer un emploi réglementé dans la France toute catholique après la révocation de l'édit de Nantes (1685). **2.** Jusqu'à un certain point. Tour archaïque. **3.** Tables ouvertes à des jours fixes. Les dîners réglés correspondent à des repas de l'après-midi, par opposition aux « soupers priés », repas du soir auquel les invités sont personnellement conviés.

dont le ton bruyant et confus ne diffère pas beaucoup de celui des tables d'auberges.

Je suis maintenant initié à des mystères plus secrets. J'assiste à des soupers priés où la porte est fermée à tout survenant et où l'on est sûr de ne trouver que des gens qui conviennent tous, sinon les uns aux autres, au moins à ceux qui les reçoivent. C'est là que les femmes s'observent moins, et qu'on peut commencer à les étudier ; c'est là que règnent plus paisiblement des propos plus fins et plus satiriques ; c'est là qu'au lieu des nouvelles publiques, des spectacles, des promotions, des morts, des mariages dont on a parlé le matin, on passe discrètement en revue les anecdotes de Paris, qu'on dévoile tous les événements secrets de la chronique scandaleuse, qu'on rend le bien et le mal également plaisants et ridicules, et que peignant avec art et selon l'intérêt particulier les caractères des personnages, chaque interlocuteur sans y penser peint encore beaucoup mieux le sien ; c'est là qu'un reste de circonspection fait inventer devant les laquais un certain langage entortillé [1], sous lequel feignant de rendre la satire plus obscure on la rend seulement plus amère ; c'est là, en un mot, qu'on affile avec soin le poignard, sous prétexte de faire moins de mal, mais en effet [2] pour l'enfoncer plus avant.

Cependant à considérer ces propos selon nos idées, on aurait tort de les appeler satiriques ; car ils sont bien plus railleurs que mordants, et tombent moins sur le vice que sur le ridicule. En général la satire a peu de cours dans les grandes villes, où ce qui n'est que mal est si simple que ce n'est pas la peine d'en parler. Que reste-t-il à blâmer où la vertu n'est plus estimée, et de quoi médirait-on quand on ne trouve plus de mal à rien ? À Paris surtout où l'on ne saisit les choses que par le côté plaisant, tout ce qui doit allumer la colère et l'indignation est toujours mal reçu s'il n'est mis en chanson ou en épigramme. Les jolies femmes n'aiment point à se fâcher ; aussi ne se fâchent-elles de rien ;

---

1. Au sens figuré, pour dire « un style embarrassé, une pensée confuse » (*Acad.* 1762). Le terme est satirique : il nourrit la critique du langage affecté des « petits-maîtres », à l'instar du personnage des *Bijoux indiscrets* (1748) de Diderot, nommé « Girgiro l'entortillé ». **2.** En réalité.

elles aiment à rire ; et comme il n'y a pas le mot pour rire [1] au crime, les fripons sont d'honnêtes gens [2] comme tout le monde ; mais malheur à qui prête le flanc au ridicule, sa caustique empreinte est ineffaçable ; il ne déchire pas seulement les mœurs, la vertu, il marque jusqu'au vice même ; il sait calomnier les méchants. Mais revenons à nos soupers.

Ce qui m'a le plus frappé dans ces sociétés d'élite, c'est de voir six personnes choisies exprès pour s'entretenir agréablement ensemble, et parmi lesquelles règnent même le plus souvent des liaisons secrètes, ne pouvoir rester une heure entre elles six, sans y faire intervenir la moitié de Paris, comme si leurs cœurs n'avaient rien à se dire et qu'il n'y eût là personne qui méritât de les intéresser. Te souvient-il, ma Julie, comment en soupant chez ta Cousine ou chez toi ; nous savions, en dépit de la contrainte et du mystère, faire tomber l'entretien sur des sujets qui eussent du rapport à nous, et comment à chaque réflexion touchante, à chaque allusion subtile, un regard plus vif qu'un éclair, un soupir plutôt deviné qu'aperçu, en portait le doux sentiment d'un cœur à l'autre ? [3]

Si la conversation se tourne par hasard sur les convives, c'est communément dans un certain jargon de société dont il faut avoir la clef pour l'entendre. À l'aide de ce chiffre, on se fait réciproquement et selon le goût du temps mille mauvaises plaisanteries, durant lesquelles le plus sot n'est pas celui qui brille le moins, tandis qu'un tiers mal instruit est réduit à l'ennui et au silence, ou à rire de ce qu'il n'entend point. Voilà, hors le tête-à-tête qui m'est et me sera toujours inconnu, tout ce qu'il y a de tendre et d'affectueux dans les liaisons de ce pays.

Au milieu de tout cela qu'un homme de poids avance un propos grave ou agite une question sérieuse, aussitôt l'attention commune se fixe à ce nouvel objet ; hommes, femmes, vieillards, jeunes gens, tout se prête à le considérer par

---

1. Il n'y a pas de quoi rire. **2.** Trait d'esprit par la syllepse sur *honnête* : Rousseau joue sur le sens social de l'adjectif « honnête » (voir *supra* I, 22, n. 3, p. 104), antagoniste ici du sens moral. Saint-Preux définit plus loin l'honnête homme comme « celui qui dit de belles choses » (p. 307) et non comme quelqu'un d'intègre. **3.** Ponctuation modifiée.

toutes ses faces, et l'on est étonné du sens et de la raison qui sortent comme à l'envi de toutes ces têtes folâtres *. Un point de morale ne serait pas mieux discuté dans une société de philosophes que dans celle d'une jolie femme de Paris ; les conclusions y seraient même souvent moins sévères ; car le philosophe qui veut agir comme il parle, y regarde à deux fois ; mais ici où toute la morale est un pur verbiage, on peut être austère sans conséquence, et l'on ne serait pas fâché, pour rabattre un peu l'orgueil philosophique, de mettre la vertu si haut que le sage même n'y pût atteindre. Au reste, hommes et femmes, tous, instruits par l'expérience du monde et surtout par leur conscience, se réunissent pour penser de leur espèce aussi mal qu'il est possible, toujours philosophant tristement, toujours dégradant par vanité la nature humaine, toujours cherchant dans quelque vice la cause de tout ce qui se fait de bien, toujours d'après leur propre cœur médisant du cœur de l'homme [1].

Malgré cette avilissante doctrine, un des sujets favoris de ces paisibles entretiens c'est le sentiment ; mot par lequel il ne faut pas entendre un épanchement affectueux dans le sein de l'amour ou de l'amitié ; cela serait d'une fadeur à

---

* Pourvu, toutefois, qu'une plaisanterie imprévue ne vienne pas déranger cette gravité ; car alors chacun renchérit ; tout part à l'instant, et il n'y a plus moyen de reprendre le ton sérieux. Je me rappelle un certain paquet de gimblette qui troubla si plaisamment une représentation de la foire. Les acteurs dérangés n'étaient que des animaux ; mais que de choses sont gimblettes pour beaucoup d'hommes ! On sait qui Fontenelle a voulu peindre dans l'histoire des Tyrinthiens. [NdE : gimblette : « petite pâtisserie dure et sèche, faite en forme d'anneau » (*Acad.* 1762). « Les Tyrinthiens, peuple enjoué, consultèrent un oracle pour retrouver leur raison ; pour éviter toute dissipation lors du sacrifice, on ne réunit que des gens tristes ou malheureux ; ils voulurent écarter un enfant. Il cria : Quoi ? avez-vous peur que j'avale votre Taureau ? Cette sottise déconcerta toutes ces gravités contrefaites. On éclata de rire, le Sacrifice fut troublé, et la raison ne revint point aux Tyrinthiens » (Fontenelle, *Nouveaux Dialogues des morts*, dialogue V, « Parménisque, Théocrite de Chio », éd. J. Dagen, Didier, 1971, p. 286).]

---

1. Cette morale négative est peut-être d'abord celle de La Rochefoucauld, dont le pessimisme anthropologique est blâmé plus loin dans une note de Rousseau sur son « triste livre » : voir *infra*, III, 20. Mais la cible est également Helvétius et la tradition philosophique matérialiste fondée sur la doctrine de « l'intérêt » comme fondement des conduites.

mourir. C'est le sentiment mis en grandes maximes générales et quintessencié [1] par tout ce que la métaphysique a de
plus subtil. Je puis dire n'avoir de ma vie ouï tant parler du
sentiment, ni si peu compris ce qu'on en disait. Ce sont des
raffinements inconcevables. Ô Julie, nos cœurs grossiers
n'ont jamais rien su de toutes ces belles maximes, et j'ai peur
qu'il n'en soit du sentiment chez les gens du monde comme
d'Homère chez les Pédants, qui lui forgent mille beautés chimériques, faute d'apercevoir les véritables [2]. Ils dépensent
ainsi tout leur sentiment en esprit, et il s'en exhale tant dans
le discours qu'il n'en reste plus pour la pratique. Heureusement, la bienséance y supplée, et l'on fait par usage à peu
près les mêmes choses qu'on ferait par sensibilité ; du moins
tant qu'il n'en coûte que des formules et quelques gênes
passagères, qu'on s'impose pour faire bien parler de soi ; car
quand les sacrifices vont jusqu'à gêner trop longtemps ou à
coûter trop cher, adieu le sentiment ; la bienséance n'en
exige pas jusque-là. À cela près, on ne saurait croire à quel
point tout est compassé, mesuré, pesé, dans ce qu'ils
appellent des procédés ; tout ce qui n'est plus dans les sentiments, ils l'ont mis en règle, et tout est règle parmi eux. Ce
peuple imitateur serait plein d'originaux qu'il serait impossible d'en rien savoir ; car nul homme n'ose être lui-même.
Il faut faire comme les autres ; c'est la première maxime de
la sagesse du pays [3]. *Cela se fait, cela ne se fait pas.* Voilà la
décision suprême.

   Cette apparente régularité donne aux usages communs
l'air du monde le plus comique, même dans les choses les
plus sérieuses. On sait à point nommé quand il faut envoyer
savoir des nouvelles, quand il faut se faire écrire [4], c'est-
à-dire, faire une visite qu'on ne fait pas ; quand il faut la

---

1. Raffiné pour en tirer l'essence. Le verbe « quintessencier » est signalé
comme satirique par Féraud. Rousseau continue ici de railler le style précieux, « entortillé », mis à la mode par Marivaux mais aussi par Crébillon
fils. **2.** Nouvelle variation possible sur la 76ᵉ des *Réflexions ou sentences et
maximes morales* de La Rochefoucauld : voir *supra*, I, 50, n. 2, p. 174. Rousseau fait aussi allusion à la « querelle d'Homère », nouvelle phase, en 1714,
de la querelle des Anciens et des Modernes. **3.** Pays : « quelquefois il ne
signifie que *lieu* » (*Féraud*). **4.** Se faire inscrire comme « visiteur » à la loge
du portier.

faire soi-même ; quand il est permis d'être chez soi ; quand on doit n'y pas être, quoiqu'on y soit ; quelles offres l'un doit faire ; quelles offres l'autre doit rejeter ; quel degré de tristesse on doit prendre à telle ou telle mort *, combien de temps on doit pleurer à la campagne ; le jour où l'on peut revenir se consoler à la ville ; l'heure et la minute où l'affliction permet de donner le bal ou d'aller au spectacle. Tout le monde y fait à la fois la même chose dans la même circonstance : tout va par temps[1] comme les évolutions d'un régiment en bataille : vous diriez que ce sont autant de marionnettes clouées sur la même planche, ou tirées par le même fil.

Or comme il n'est pas possible que tous ces gens qui font exactement la même chose soient exactement affectés de même, il est clair qu'il faut les pénétrer par d'autres moyens pour les connaître ; il est clair que tout ce jargon n'est qu'un vain formulaire[2] et sert moins à juger des mœurs, que du ton qui règne à Paris. On apprend ainsi les propos qu'on y tient mais rien de ce qui peut servir à les apprécier. J'en dis autant de la plupart des écrits nouveaux ; j'en dis autant de la Scène même qui depuis Molière est bien plus un lieu où se débitent de jolies conversations, que la représentation de la vie civile. Il y a ici trois théâtres, sur deux desquels on représente des Êtres chimériques, savoir sur l'un des Arlequins, des Pantalons, des scaramouches ; sur l'autre des Dieux, des Diables, des sorciers. Sur le troisième on représente ces pièces immortelles dont la lecture nous faisait tant de plaisir, et d'autres plus nouvelles qui paraissent de temps en temps sur la scène[3]. Plusieurs de ces pièces sont tragiques mais peu touchantes, et si l'on y trouve quelques sentiments naturels et quelque vrai rapport au cœur humain, elles n'offrent aucune sorte d'instruction sur les mœurs particulières du peuple qu'elles amusent.

* S'affliger à la mort de quelqu'un est un sentiment d'humanité et un témoignage de bon naturel, mais non pas un devoir de vertu, ce quelqu'un fût-il même notre Père. Quiconque en pareil cas n'a point d'affliction dans le cœur n'en doit point montrer au dehors ; car il est beaucoup plus essentiel de fuir la fausseté, que de s'asservir aux bienséances.

1. Tout se fait en mesure. 2. Recueil de formules. 3. Saint-Preux évoque successivement la Comédie-Italienne, l'Opéra et le Théâtre-Français.

L'institution de la tragédie avait chez ses inventeurs un fondement de religion qui suffisait pour l'autoriser. D'ailleurs, elle offrait aux Grecs un spectacle instructif et agréable dans les malheurs des Perses leurs ennemis, dans les crimes et les folies des Rois dont ce peuple s'était délivré [1]. Qu'on représente à Berne, à Zurich, à La Haye l'ancienne tyrannie de la maison d'Autriche [2], l'amour de la patrie et de la liberté nous rendra ces pièces intéressantes ; mais qu'on me dise de quel usage sont ici les tragédies de Corneille, et ce qu'importe au peuple de Paris Pompée ou Sertorius [3] ? Les tragédies grecques roulaient sur des événements réels ou réputés tels par les spectateurs, et fondés sur des traditions historiques. Mais que fait une flamme héroïque et pure dans l'âme des Grands ? Ne dirait-on pas que les combats de l'amour et de la vertu leur donnent souvent de mauvaises nuits, et que le cœur a beaucoup à faire dans les mariages des Rois ? Juge de la vraisemblance et de l'utilité de tant de pièces, qui roulent toutes sur ce chimérique sujet [4] !

Quant à la comédie, il est certain qu'elle doit représenter au naturel les mœurs du peuple pour lequel elle est faite, afin qu'il s'y corrige de ses vices et de ses défauts, comme on ôte devant un miroir les taches de son visage [5]. Térence et Plaute se trompèrent dans leur objet ; mais avant eux Aristophane et Ménandre avaient exposé aux Athéniens les

---

1. C'est le sujet politique de la tragédie en prose *La Mort de Lucrèce* imaginée par Rousseau en 1754, dont il n'est resté que quelques scènes, publiées en 1792. **2.** Ces trois villes se sont progressivement libérées à partir du XIVe siècle de la tutelle des Habsbourg pour devenir indépendantes. **3.** *La Mort de Pompée* (1644) et *Sertorius* (1662) sont deux tragédies romaines de Corneille. Claire citera la seconde (VI, 5, p. 772). **4.** Cette diatribe contre la tendance du théâtre moderne au romanesque dans le privilège donné à la peinture de l'amour, oubliant ainsi sa sévère mission civique, fait écho à la thèse de la *Lettre à d'Alembert*, où Rousseau se plaint de ce que « depuis Molière et Corneille, on ne voit plus réussir au théâtre que des romans, sous le nom de pièces dramatiques » (p. 97). **5.** Image conforme à la définition classique de la comédie : « le devoir de la Comédie étant de corriger les hommes en les divertissant, j'ai cru que, dans l'emploi où je me trouve, je n'avais rien de mieux à faire que d'attaquer par des peintures ridicules les vices de mon siècle », rappelle Molière dans le premier placet du *Tartuffe* (1664). *Castigat ridendo mores* (« elle châtie les mœurs en riant ») était la devise gravée au fronton de la Comédie-Italienne.

mœurs athéniennes, et depuis, le seul Molière peignit plus naïvement [1] encore celles des Français du siècle dernier à leurs propres yeux. Le Tableau a changé ; mais il n'est plus revenu de peintre. Maintenant on copie au théâtre les conversations d'une centaine de maisons de Paris. Hors de cela, on n'y apprend rien des mœurs des Français. Il y a dans cette grande ville cinq ou six cent mille âmes dont il n'est jamais question sur la Scène. Molière osa peindre des bourgeois et des artisans aussi bien que des Marquis ; Socrate faisait parler des cochers, menuisiers, cordonniers, maçons. Mais les Auteurs d'aujourd'hui qui sont des gens d'un autre air, se croiraient déshonorés s'ils savaient ce qui se passe au comptoir d'un Marchand ou dans la boutique d'un ouvrier ; il ne leur faut que des interlocuteurs illustres, et ils cherchent dans le rang de leurs personnages l'élévation qu'ils ne peuvent tirer de leur génie. Les spectateurs eux-mêmes sont devenus si délicats, qu'ils craindraient de se compromettre à la Comédie comme en visite, et ne daigneraient pas aller voir en représentation des gens de moindre condition qu'eux [2]. Ils sont comme les seuls habitants de la terre ; tout le reste n'est rien à leurs yeux. Avoir un Carrosse, un Suisse, un maître d'hôtel, c'est être comme tout le monde. Pour être comme tout le monde il faut être comme très peu de gens. Ceux qui vont à pied ne sont pas du monde ; ce sont des Bourgeois, des hommes, du peuple, des gens de l'autre monde [3], et l'on dirait qu'un carrosse n'est pas tant nécessaire pour se conduire que pour exister. Il y a comme cela une poignée d'impertinents qui ne comptent qu'eux dans tout l'univers et ne valent guère la peine qu'on

---

1. Avec plus de naturel. **2.** Ce discours sur l'innovation théâtrale par l'élargissement social des « conditions » représentées est proche de celui de Diderot à la même époque dans le *Discours sur la poésie dramatique* (1758), même si Rousseau tire, sur l'effet moral et civique du théâtre, des conclusions opposées à celles de son ancien ami. **3.** La ponctuation est celle des manuscrits : « de l'autre monde » est le complément nominal de Bourgeois, homme, peuple et gens, antithèse de l'univers *mondain* dont on entend ici, en discours indirect libre, la voix méprisante. Rousseau joue sur une expression lexicalisée pour souligner l'écart entre les situations et les fortunes à Paris : « On dit d'un homme dont les mœurs, dont les façons de vivre paraissent opposées à celles de la société commune des autres hommes, que *C'est un homme de l'autre monde* » (*Acad.* 1762). Voir *infra*, p. 908.

les compte, si ce n'est pour le mal qu'ils font. C'est pour eux uniquement que sont faits les spectacles. Ils s'y montrent à la fois comme représentés au milieu du théâtre et comme représentants aux deux côtés ; ils sont personnages sur la scène et comédiens sur les bancs [1]. C'est ainsi que la Sphère du monde et des auteurs se rétrécit ; c'est ainsi que la scène moderne ne quitte plus son ennuyeuse dignité. On n'y sait plus montrer les hommes qu'en habit doré. Vous diriez que la France n'est peuplée que de Comtes et de Chevaliers, et plus le peuple y est misérable et gueux plus le tableau du peuple y est brillant et magnifique [2]. Cela fait qu'en peignant le ridicule des états qui servent d'exemple aux autres, on le répand plutôt que de l'éteindre, et que le peuple, toujours singe et imitateur des riches, va moins au théâtre pour rire de leurs folies que pour les étudier, et devenir encore plus fous qu'eux en les imitant. Voilà de quoi fut cause Molière lui-même ; il corrigea la cour en infectant la ville, et ses ridicules Marquis furent le premier modèle des petits-maîtres bourgeois qui leur succédèrent.

En général il y a beaucoup de discours et peu d'action sur la scène française ; peut-être est-ce qu'en effet le Français parle encore plus qu'il n'agit, ou du moins qu'il donne un bien plus grand prix à ce qu'on dit qu'à ce qu'on fait. Quelqu'un disait en sortant d'une pièce de Denys le Tyran : Je n'ai rien vu, mais j'ai entendu force paroles [3]. Voilà ce qu'on peut dire en sortant des pièces françaises. Racine et Corneille avec tout leur génie ne sont eux-mêmes que des parleurs, et leur Successeur est le premier qui à l'imitation des Anglais ait osé mettre quelquefois la scène en représentation [4]. Communément tout se passe en beaux dialogues

1. Ce n'est qu'en 1759 que le comte de Lauraguais a débarrassé la scène des banquettes louées fort cher aux spectateurs et qui gênaient les mouvements des acteurs. **2.** Syllepse sur « peuple » : Rousseau oppose la multitude des habitants pauvres de Paris et la manière dont les roturiers (essentiellement la bourgeoisie qui forme le « peuple » des spectateurs) sont représentés sur la scène. **3.** Anecdote tirée du traité de Plutarque, *Comment il faut ouïr*. Le trait est rapporté par Montaigne : « Melanthius interrogé sur ce qu'il lui semblait de la tragédie de Dionysius : Je ne l'ai, dit-il, point vue, tant elle est offusquée de langage » (*Essais*, III, 8, « De l'art de conférer », p. 1463). « Nous parlons trop dans nos drames », dit Dorval dans les *Entretiens sur le fils naturel* (p. 89). **4.** Qui ait osé mettre l'art dramatique en images, en tableaux de l'imagination. Allusion aux innovations des tragédies de

bien agencés, bien ronflants, où l'on voit d'abord que le premier soin de chaque interlocuteur est toujours celui de
briller. Presque tout s'énonce en maximes générales.
Quelque agités qu'ils puissent être, ils songent toujours plus
au public qu'à eux-mêmes ; une Sentence leur coûte moins
qu'un sentiment ; les pièces de Racine et de Molière * excep-
tées, le *je* est presque aussi scrupuleusement banni de la
scène française que des écrits de Port-Royal, et les passions
humaines aussi modestes que l'humilité chrétienne n'y
parlent jamais que par *on*. Il y a encore une certaine dignité
maniérée dans le geste et dans le propos, qui ne permet
jamais à la passion de parler exactement son langage ni à
l'auteur de revêtir son personnage et de se transporter au
lieu de la scène, mais le tient toujours enchaîné sur le théâtre
et sous les yeux des Spectateurs. Aussi les situations les plus
vives ne lui font-elles jamais oublier un bel arrangement de
phrases ni des attitudes élégantes ; et si le désespoir lui
plonge un poignard dans le cœur, non content d'observer la
décence en tombant comme Polyxène [1], il ne tombe point,
la décence le maintient debout après sa mort, et tous ceux
qui viennent d'expirer s'en retournent l'instant d'après sur
leurs jambes.

Tout cela vient de ce que le Français ne cherche point sur
la scène le naturel et l'illusion et n'y veut que de l'esprit et
des pensées ; il fait cas de l'agrément et non de l'imitation,
et ne se soucie pas d'être séduit pourvu qu'on l'amuse. Personne ne va au spectacle pour le plaisir du spectacle, mais
pour voir l'assemblée, pour en être vu, pour ramasser de

---

* Il ne faut point associer en ceci Molière à Racine ; car le premier est,
comme tous les autres, plein de maximes et de sentences, surtout dans ses
pièces en vers : Mais chez Racine tout est sentiment, il a su faire parler
chacun pour soi, et c'est en cela qu'il est vraiment unique parmi les auteurs
dramatiques de sa nation.

Voltaire, inspirées de certaines pièces de Shakespeare : *Jules César* pour
Brutus (1731) et *La Mort de César* (1735), ou encore *Hamlet* pour l'ombre
de Ninus dans *Sémiramis* (1748). **1.** Allusion au sacrifice de Polyxène dans
l'*Hécube* d'Euripide. Le *topos* de la mort esthétisée de l'acteur ou du gladia-
teur est un héritage de Cicéron (*Tusculanes*, II, 46), repris par Dubos dans
ses *Réflexions critiques sur la poésie et la peinture* (I, 2, éd. D. Désirat,
ENSBA, 1993, p. 6).

quoi fournir au caquet après la pièce, et l'on ne songe à ce qu'on voit que pour savoir ce qu'on en dira. L'acteur pour eux est toujours l'acteur, jamais le personnage qu'il représente. Cet homme qui parle en maître du monde n'est point Auguste, c'est Baron, la veuve de Pompée est Adrienne, Alzire est Mlle Gaussin, et ce fier sauvage est Grandval [1]. Les Comédiens de leur côté négligent entièrement l'illusion dont ils voient que personne ne se soucie. Ils placent les Héros de l'Antiquité entre six rangs de jeunes Parisiens ; ils calquent les modes françaises sur l'habit romain ; on voit Cornélie en pleurs avec deux doigts de rouge, Caton poudré au blanc, et Brutus en panier [2]. Tout cela ne choque personne et ne fait rien au succès des pièces ; comme on ne voit que l'Acteur dans le personnage, on ne voit, non plus, que l'Auteur dans le drame, et si le costume [3] est négligé cela se pardonne aisément ; car on sait bien que Corneille n'était pas tailleur ni Crébillon [4] perruquier.

Ainsi, de quelque sens qu'on envisage les choses, tout n'est ici que babil [5], jargon, propos sans conséquence. Sur la scène comme dans le monde on a beau écouter ce qui se dit, on n'apprend rien de ce qui se fait, et qu'a-t-on besoin de l'apprendre ? Sitôt qu'un homme a parlé, s'informe-t-on de sa conduite, n'a-t-il pas tout fait, n'est-il pas jugé ? L'honnête homme d'ici n'est point celui qui fait de bonnes actions, mais celui qui dit de belles choses, et un seul propos inconsidéré, lâché sans réflexion, peut faire à celui qui le tient un tort irréparable que n'effaceraient pas quarante ans d'intégrité. En un mot, bien que les œuvres des hommes ne ressemblent guère à leurs discours je vois qu'on ne les peint

---

1. Baron, vétéran de la troupe de Molière, est mort en 1729, et Adrienne Lecouvreur en 1730. Elle jouait Cornélie, femme de Pompée, dans *La Mort de Pompée*. Selon la chronologie interne des lettres, Saint-Preux a pu voir en revanche Mlle Gaussin et Grandval jouer *Alzire ou Les Américains* (1736) de Voltaire, pièce qui a bouleversé Jean-Jacques lorsqu'il la vit à Grenoble en 1737. **2.** « Espèce de jupon garni de cercles de baleine pour soutenir les jupes et la robe. » Le mot désigne ici par métaphore le *tonnelet*, « partie basse d'un habit à la Romaine » (*Acad.* 1762). **3.** « Mot pris de l'Italien, et qui signifie Les usages des différents temps, des différents lieux auxquels le Peintre est obligé de se conformer. Il se dit aussi en parlant des Poèmes, des pièces dramatiques, des fictions, des histoires, etc. » (*Acad.* 1762). Terme clé de l'esthétique théâtrale et picturale. **4.** L'auteur tragique Prosper Jolyot de Crébillon (1674-1762), père du romancier, rival et tête de Turc de Voltaire. **5.** Paroles superflues, creuses.

que par leurs discours sans égard à leurs œuvres ; je vois aussi que dans une grande ville la société paraît plus douce, plus facile, plus sûre même que parmi des gens moins étudiés ; mais les hommes y sont-ils en effet plus humains, plus modérés, plus justes ? Je n'en sais rien. Ce ne sont encore là que des apparences, et sous ces dehors si ouverts et si agréables les cœurs sont peut-être plus cachés, plus enfoncés en dedans que les nôtres. Étranger, isolé, sans affaires, sans liaisons, sans plaisirs et ne voulant m'en rapporter qu'à moi, le moyen de pouvoir prononcer [1] ?

Cependant je commence à sentir l'ivresse où cette vie agitée et tumultueuse plonge ceux qui la mènent, et je tombe dans un étourdissement semblable à celui d'un homme aux yeux duquel on fait passer rapidement une multitude d'objets. Aucun de ceux qui me frappent n'attache mon cœur, mais tous ensemble en troublent et suspendent les affections, au point d'en oublier quelques instants ce que je suis et à qui je suis. Chaque jour en sortant de chez moi j'enferme mes sentiments sous la clef, pour en prendre d'autres qui se prêtent aux frivoles objets qui m'attendent. Insensiblement je juge et raisonne comme j'entends juger et raisonner tout le monde. Si quelquefois j'essaye de secouer les préjugés et de voir les choses comme elles sont, à l'instant je suis écrasé d'un certain verbiage qui ressemble beaucoup à du raisonnement. On me prouve avec évidence qu'il n'y a que le demi-philosophe qui regarde à la réalité des choses ; que le vrai sage ne les considère que par les apparences ; qu'il doit prendre les préjugés pour principes, les bienséances pour lois, et que la plus sublime sagesse consiste à vivre comme les fous.

Forcé de changer ainsi l'ordre de mes affections morales ; forcé de donner un prix à des chimères, et d'imposer silence à la nature et à la raison, je vois ainsi défigurer ce divin modèle que je porte au dedans de moi, et qui servait à la fois d'objet à mes désirs et de règle à mes actions, je flotte de caprice en caprice, et mes goûts étant sans cesse asservis

---

1. « Prononcer » employé absolument signifie « déclarer son sentiment sur quelque chose, décider, ordonner » (*Acad.* 1762).

à l'opinion, je ne puis être sûr un seul jour de ce que j'aimerai le lendemain.

Confus, humilié, consterné [1], de sentir dégrader en moi la nature de l'homme, et de me voir ravalé si bas de cette grandeur intérieure où nos cœurs enflammés s'élevaient réciproquement, je reviens le soir, pénétré d'une secrète tristesse, accablé d'un dégoût mortel, et le cœur vide et gonflé comme un ballon rempli d'air. Ô amour ! ô purs sentiments que je tiens de lui !.... avec quel charme je rentre en moi-même ! avec quel transport j'y retrouve encore mes premières affections et ma première dignité ? Combien je m'applaudis d'y revoir briller dans tout son éclat l'image de la vertu, d'y contempler la tienne, ô Julie, assise sur un trône de gloire et dissipant d'un souffle tous ces prestiges [2] ! Je sens respirer mon âme oppressée, je crois avoir recouvré mon existence et ma vie, et je reprends avec mon amour tous les sentiments sublimes qui le rendent digne de son objet.

Lettre XVIII
De Julie

Je viens, mon bon ami, de jouir d'un des plus doux spectacles qui puissent jamais charmer mes yeux. La plus sage la plus aimable des filles est enfin devenue la plus digne et la meilleure des femmes. L'honnête homme dont elle a comblé les vœux, plein d'estime et d'amour pour elle, ne respire que pour la chérir, l'adorer, la rendre heureuse, et je goûte le charme inexprimable d'être témoin du bonheur de mon amie, c'est-à-dire de le partager. Tu n'y seras pas moins sensible, j'en suis bien sûre, toi qu'elle aima toujours si tendrement, toi qui lui fus cher presque dès son enfance, et à qui tant de bienfaits l'ont dû rendre encore plus chère. Oui, tous les sentiments qu'elle éprouve se font sentir à nos cœurs comme au sien. S'ils sont des plaisirs pour elle, ils sont pour nous des consolations, et tel est le prix de l'amitié qui nous

---

1. Extrêmement découragé. « *Consterner*, c'est frapper d'étonnement et abattre le courage » (*Féraud*). **2.** Illusions. Voir *supra*, I, 37, n. 2, p. 147.

joint, que la félicité d'un des trois suffit pour adoucir les maux des deux autres.

Ne nous dissimulons pas, pourtant, que cette amie incomparable va nous échapper en partie. La voilà dans un nouvel ordre de choses, la voilà sujette à de nouveaux engagements, à de nouveaux devoirs, et son cœur qui n'était qu'à nous se doit maintenant à d'autres affections auxquelles il faut que l'amitié cède le premier rang. Il y a plus, mon ami ; nous devons de notre part devenir plus scrupuleux sur les témoignages de son zèle ; nous ne devons pas seulement consulter son attachement pour nous, et le besoin que nous avons d'elle, mais ce qui convient à son nouvel état, et ce qui peut agréer ou déplaire à son mari. Nous n'avons pas besoin de chercher ce qu'exigerait en pareil cas la vertu ; les lois seules de l'amitié suffisent. Celui qui pour son intérêt particulier pourrait compromettre un ami mériterait-il d'en avoir ? Quand elle était fille, elle était libre, elle n'avait à répondre de ses démarches qu'à elle-même, et l'honnêteté de ses intentions suffisait pour la justifier à ses propres yeux. Elle nous regardait comme deux époux destinés l'un à l'autre, et son cœur sensible et pur alliant la plus chaste pudeur pour elle-même à la plus tendre compassion pour sa coupable amie, elle couvrait ma faute sans la partager : Mais à présent tout est changé ; elle doit compte de sa conduite à un autre ; elle n'a pas seulement engagé sa foi, elle a aliéné sa liberté [1]. Dépositaire en même temps de l'honneur de deux personnes, il ne lui suffit pas d'être honnête, il faut encore qu'elle soit honorée ; il ne lui suffit pas de ne rien faire que de bien, il faut encore qu'elle ne fasse rien qui ne soit approuvé. Une femme vertueuse ne doit pas seulement mériter l'estime de son mari, mais l'obtenir ; s'il la blâme, elle est blâmable ; et fût-elle innocente, elle a tort sitôt qu'elle est soupçonnée ; car les apparences mêmes sont au nombre de ses devoirs [2].[a]

1. Le concept d'*aliénation* est capital dans la pensée politique de Rousseau. « Aliéner c'est donner ou vendre. [...] Quand chacun pourrait s'aliéner lui-même, il ne peut aliéner ses enfants ; ils naissent hommes et libres ; leur liberté leur appartient, nul n'a le droit d'en disposer qu'eux » (*Du contrat social*, I, 4, p. 50-51). **2.** Développement similaire dans l'*Émile* (*OC*, livre V, p. 731 *sq.*).

Je ne vois pas clairement si toutes ces raisons sont bonnes ; tu en seras le juge ; mais un certain sentiment intérieur m'avertit qu'il n'est pas bien que ma Cousine continue d'être ma confidente, ni qu'elle me le dise la première. Je me suis souvent trouvée en faute sur mes raisonnements, jamais sur les mouvements secrets qui me les inspirent, et cela fait que j'ai plus de confiance à mon instinct qu'à ma raison [1].

Sur ce principe j'ai déjà pris un prétexte pour retirer tes lettres, que la crainte d'une surprise me faisait tenir chez elle. Elle me les a rendues avec un serrement de cœur que le mien m'a fait apercevoir, et qui m'a trop confirmé que j'avais fait ce qu'il fallait faire. Nous n'avons point eu d'explication, mais nos regards en tenaient lieu, elle m'a embrassée en pleurant ; nous sentions sans nous rien dire combien le tendre langage de l'amitié a peu besoin du secours des paroles.

À l'égard de l'adresse à substituer à la sienne, j'avais songé d'abord à celle de Fanchon Anet, et c'est bien la voie la plus sûre que nous pourrions choisir ; mais si cette jeune femme est dans un rang plus bas que ma cousine, est-ce une raison d'avoir moins d'égards pour elle en ce qui concerne l'honnêteté ? N'est-il pas à craindre au contraire, que des sentiments moins élevés ne lui rendent mon exemple plus dangereux, que ce qui n'était pour l'une que l'effort d'une amitié sublime ne soit pour l'autre un commencement de corruption, et qu'en abusant de sa reconnaissance je ne force la vertu même à servir d'instrument au vice ? Ah n'est-ce pas assez pour moi d'être coupable sans me donner des complices, et sans aggraver mes fautes du poids de celles d'autrui ? N'y pensons point, mon ami ; j'ai imaginé un autre expédient beaucoup moins sûr, à la vérité, mais aussi moins répréhensible, en ce qu'il ne compromet personne et ne nous donne aucun confident ; c'est de m'écrire sous un nom en l'air, comme, par exemple, M. du Bosquet [2], et de

---

1. Dans l'anthropologie rousseauiste, le développement des affects prime celui de l'intellect. Toutefois, les arguments exposés par Julie dans cette lettre prouvent qu'elle fut longuement *méditée*. Le vicaire savoyard, au livre IV de l'*Émile*, invoque, lui aussi, le « sentiment intérieur » comme instinct moral signalant la conscience en nous. **2.** Le choix de ce pseudonyme renvoie le lecteur aux brûlantes lettres I, 13-14.

mettre une enveloppe adressée à Regianino, que j'aurai soin
de prévenir. Ainsi Regianino lui-même ne saura rien ; il
n'aura tout au plus que des soupçons qu'il n'oserait vérifier,
car Milord Édouard de qui dépend sa fortune m'a répondu
de lui. Tandis que notre correspondance continuera par
cette voie, je verrai si l'on peut reprendre celle qui nous
servit durant le voyage de Valais [1], ou quelque autre qui soit
permanente et sûre.

Quand je ne connaîtrais pas l'état de ton cœur, je m'aper-
cevrais, par l'humeur qui règne dans tes relations, que la vie
que tu mènes n'est pas de ton goût. Les lettres de
M. de Muralt dont on s'est plaint en France étaient moins
sévères que les tiennes ; comme un enfant qui se dépite
contre ses maîtres, tu te venges d'être obligé d'étudier le
monde, sur les premiers qui te l'apprennent. Ce qui me surprend le plus est que la chose qui commence par te révolter
est celle qui prévient [2] tous les étrangers, savoir l'accueil des
Français et le ton général de leur société, quoique de ton
propre aveu tu doives personnellement t'en louer. Je n'ai pas
oublié la distinction de Paris en particulier et d'une grande
ville en général ; mais je vois qu'ignorant ce qui convient à
l'un ou à l'autre, tu fais ta critique à bon compte, avant de
savoir si c'est une médisance ou une observation. Quoi qu'il
en soit, j'aime la nation française, et ce n'est pas m'obliger
que d'en mal parler. Je dois aux bons livres qui nous
viennent d'elle la plupart des instructions que nous avons
prises ensemble. Si notre pays n'est plus barbare, à qui en
avons-nous l'obligation ? Les deux plus grands, les deux plus
vertueux des modernes, Catinat, Fénelon, étaient tous deux
Français. Henri IV, le Roi que j'aime, le bon Roi, l'était [3].

---

1. Voir *supra*, I, 15. **2.** Qui rend favorable. **3.** Fénelon et Nicolas Catinat
(maréchal de France, 1637-1712) sont cités ailleurs comme modèles de
grands hommes vertueux (*Confessions*, l. X et XII, t. II, p. 253 et 389 ;
Dialogues, p. 284). Henri IV est un mythe national, célébré comme tel dans
le genre épique par Voltaire dans sa *Henriade* (1728). Disgracié, Catinat se
retira philosophiquement dans son château de Saint-Gratien où, tel Cincin-
natus, il oublia la cour et ses intrigues. Cette francophilie de Julie fait écho
à celle de Rousseau (*Confessions*, l. V, t. I, p. 225). Rousseau dessine ici un
« panthéon » qui comprend certaines des figures destinées, dans les années
1760 et 1770, à la célébration institutionnelle de l'éloge académique (voir
sur cette question J.-C. Bonnet, *Naissance du Panthéon. Essai sur le culte
des grands hommes*, Fayard, 1998).

Si la France n'est pas le pays des hommes libres, elle est celui des hommes vrais, et cette liberté vaut bien l'autre aux yeux du sage. Hospitaliers, protecteurs de l'étranger, les Français lui passent même la vérité qui les blesse, et l'on se ferait lapider à Londres si l'on y osait dire des Anglais la moitié du mal que les Français laissent dire d'eux à Paris. Mon Père, qui a passé sa vie en France ne parle qu'avec transport de ce bon et aimable peuple. S'il y a versé son sang au service du Prince [1], le Prince ne l'a point oublié dans sa retraite, et l'honore encore de ses bienfaits ; ainsi je me regarde comme intéressée à la gloire d'un pays où mon Père a trouvé la sienne. Mon ami, si chaque peuple a ses bonnes et mauvaises qualités, honore au moins la vérité qui loue, aussi bien que la vérité qui blâme.

Je te dirai plus ; pourquoi perdrais-tu en visites oisives le temps qui te reste à passer aux lieux où tu es ? Paris est-il moins que Londres le théâtre des talents, et les étrangers y font-ils moins aisément leur chemin ? Crois-moi, tous les Anglais ne sont pas des lords Édouards, et tous les Français ne ressemblent pas à ces beaux diseurs qui te déplaisent si fort. Tente, essaye, fais quelques épreuves [2], ne fût-ce que pour approfondir les mœurs, et juger à l'œuvre ces gens qui parlent si bien. Le père de ma Cousine dit que tu connais la constitution de l'empire et les intérêts des Princes [3]. Milord Édouard trouve aussi que tu n'as pas mal étudié les principes de la politique et les divers systèmes de gouvernement. J'ai dans la tête que le pays du monde où le mérite est le plus honoré est celui qui te convient le mieux, et que tu n'as besoin que d'être connu pour être employé. Quant à la Religion, pourquoi la tienne te nuirait-elle plus qu'à un autre ? La raison n'est-elle pas le préservatif de l'intolérance et du fanatisme ? Est-on plus bigot en France qu'en Allemagne ? et qui t'empêcherait de pouvoir faire à Paris le même chemin que M. de St. Saphorin a fait à Vienne [4] ? Si tu considères le but, les plus prompts essais ne

---

1. Du roi de France. L'influence française était très grande en Suisse : la monarchie entretenait un ambassadeur permanent à Soleure. **2.** « Essai, expérience qu'on fait de quelque chose » (*Acad.* 1762). **3.** L'empire d'Allemagne (sens du mot « empire » quand il est employé absolument) et ses princes électeurs. **4.** François Louis de Pesmes de Saint-Saphorin (1668-1737), natif du pays de Vaud, fit une carrière d'officier et de diplomate au service de la Hollande, de l'Autriche, de l'Angleterre et de la Prusse.

doivent-ils pas accélérer les succès ? Si tu compares les moyens, n'est-il pas plus honnête encore de s'avancer par ses talents que par ses amis ? Si tu songes… ah cette mer !….. un plus long trajet….. j'aimerais mieux l'Angleterre, si Paris était au-delà.

[b] À propos de cette grande Ville, oserais-je relever une affectation que je remarque dans tes lettres ? Toi qui me parlais des Valaisanes avec tant de plaisir, pourquoi ne me dis-tu rien des Parisiennes ? Ces femmes galantes [1] et célèbres valent-elles moins la peine d'être dépeintes que quelques montagnardes simples et grossières ? Crains-tu peut-être de me donner de l'inquiétude par le tableau des plus séduisantes personnes de l'univers ? Désabuse-toi, mon ami ; ce que tu peux faire de pis pour mon repos est de ne me point parler d'elles, et quoi que tu m'en puisses dire, ton silence à leur égard m'est beaucoup plus suspect que tes éloges.

Je serais bien aise aussi d'avoir un petit mot sur l'Opéra de Paris, dont on dit ici des merveilles * ; car enfin la musique peut être mauvaise, et le spectacle avoir ses beautés ; s'il n'en a pas, c'est un sujet pour ta médisance, et du moins tu n'offenseras personne.

Je ne sais si c'est la peine de te dire qu'à l'occasion de la noce il m'est encore venu ces jours passés deux épouseurs comme par rendez-vous. L'un d'Yverdun [2], gîtant, chassant, de Château en château ; l'autre du pays allemand par le coche de Berne. Le premier est une manière de petit-maître, parlant assez résolument pour faire trouver ses réparties spirituelles à ceux qui n'en écoutent que le ton. L'autre est un grand nigaud timide, non de cette aimable timidité qui vient de la crainte de déplaire, mais de l'embarras d'un sot qui ne sait que dire, et du malaise d'un libertin qui ne se sent pas

---

* J'aurais bien mauvaise opinion de ceux qui, connaissant le caractère et la situation de Julie, ne devineraient pas à l'instant que cette curiosité ne vient point d'elle. On verra bientôt que son amant n'y a pas été trompé. S'il l'eût été, il ne l'aurait plus aimée.

L'apologie de cette carrière de mercenaire concorde mal avec la lettre I, 57 de Julie. **1.** Voir préface, n. 1, p. 50, pour un sens péjoratif. Ici, Julie désigne plutôt la culture polie et raffinée des Parisiennes (par antonymie avec la *grossièreté* valaisane). **2.** Graphie d'époque pour Yverdon.

à sa place auprès d'une honnête fille. Sachant très positivement les intentions de mon père au sujet de ces deux Messieurs, j'use avec plaisir de la liberté qu'il me laisse de les traiter à ma fantaisie, et je ne crois pas que cette fantaisie laisse durer longtemps celle qui les amène. Je les hais d'oser attaquer un cœur où tu règnes, sans armes pour te le disputer ; s'ils en avaient, je les haïrais davantage encore, mais où les prendraient-ils, eux, et d'autres, et tout l'univers ? Non, non, sois tranquille, mon aimable ami. Quand je retrouverais un mérite égal au tien, quand il se présenterait un autre toi-même, encore le premier venu serait-il le seul écouté. Ne t'inquiète donc point de ces deux espèces [1] dont je daigne à peine te parler. Quel plaisir j'aurais à leur mesurer deux doses de dégoût si parfaitement égales qu'ils prissent la résolution de partir ensemble comme ils sont venus, et que je pusse t'apprendre à la fois le départ de tous deux !

M. de Crouzas vient de nous donner une réfutation des épîtres de Pope que j'ai lue avec ennui [2]. Je ne sais pas, au vrai, lequel des deux auteurs a raison ; mais je sais bien que le livre de M. de Crouzas ne fera jamais faire une bonne action, et qu'il n'y a rien de bon qu'on ne soit tenté de faire en quittant celui de Pope. Je n'ai point, pour moi d'autre manière de juger de mes Lectures que de sonder les dispositions où elles laissent mon âme, et j'imagine à peine [3] quelle sorte de bonté peut avoir un livre qui ne porte point ses lecteurs au bien *.

---

* Si le lecteur approuve cette règle, et qu'il s'en serve pour juger ce recueil, l'éditeur n'appellera pas de son jugement.

---

1. Ce mot appartient au jargon mondain : il exprime le superlatif du mépris sous la plume de la marquise de Merteuil (*Les Liaisons dangereuses*, lettres 5 et 141). Ce sens particulier n'est pas enregistré dans les dictionnaires de l'époque ; il apparaît à l'époque de la correspondance. Duclos le définit en 1751 comme « l'opposé de l'homme de considération. [...] L'espèce est celui qui, n'ayant pas le mérite de son état, se prête encore de lui-même à son avilissement personnel » (*Considérations sur les mœurs de ce siècle*, éd. C. Dornier, Honoré Champion, 2000, p. 150). **2.** Crousaz enseigna à Lausanne. Il y publia en 1737 un *Examen de l'Essai de M. Pope sur l'Homme*. Le traité de Pope, considéré comme le parangon de l'optimisme philosophique, est attaqué par Voltaire dans la préface de son *Poème sur le désastre de Lisbonne*, auquel répond la longue lettre de Rousseau du 18 août 1756. La lettre de Julie fait écho à la correspondance réelle de l'auteur. **3.** Avec peine. Voir *supra*, I, 1, n. 1, p. 58.

Adieu, mon trop cher Ami, je ne voudrais pas finir sitôt ; mais on m'attend, on m'appelle. Je te quitte à regret, car je suis gaie et j'aime à partager avec toi mes plaisirs ; ce qui les anime et les redouble est que ma mère se trouve mieux depuis quelques jours ; elle s'est senti assez de force pour assister au mariage, et servir de mère à sa Nièce, ou plutôt à sa seconde fille. La pauvre Claire en a pleuré de joie. Juge de moi, qui méritant si peu de la conserver tremble toujours de la perdre. En vérité elle fait les honneurs de la fête avec autant de grâce que dans sa plus parfaite santé ; il semble même qu'un reste de langueur rende sa naïve politesse encore plus touchante. Non, jamais cette incomparable mère ne fut si bonne, si charmante, si digne d'être adorée !.... Sais-tu qu'elle a demandé plusieurs fois de tes nouvelles à M. d'Orbe ? Quoiqu'elle ne me parle point de toi, je n'ignore pas qu'elle t'aime, et que si jamais elle était écoutée, ton bonheur et le mien seraient son premier ouvrage. Ah ! si ton cœur sait être sensible, qu'il a besoin de l'être, et qu'il a de dettes à payer !

Lettre XIX
À Julie

Tiens, ma Julie, gronde-moi, querelle-moi, bats-moi ; je souffrirai tout, mais je n'en continuerai pas moins à te dire ce que je pense. Qui sera le dépositaire de tous mes sentiments, si ce n'est toi qui les éclaires, et avec qui mon cœur se permettrait-il de parler, si tu refusais de l'entendre ? Quand je te rends compte de mes observations et de mes jugements, c'est pour que tu les corriges, non pour que tu les approuves, et plus je puis commettre d'erreurs, plus je dois me presser de [a] t'en instruire. Si je blâme les abus qui me frappent dans cette grande ville, je ne m'en excuserai point sur ce que je t'en parle en confidence ; car je ne dis jamais rien d'un tiers que je ne sois prêt à lui dire en face, et dans tout ce que je t'écris des Parisiens, je ne fais que répéter ce que je leur dis tous les jours à eux-mêmes. Ils ne m'en savent point mauvais gré ; ils conviennent de beaucoup

de choses. Ils se plaignaient de notre Muralt [1], je le crois
bien ; on voit, on sent combien il les hait, jusque dans les
éloges qu'il leur donne, et je suis bien trompé si même dans
ma critique on n'aperçoit le contraire. L'estime et la reconnaissance que m'inspirent leurs bontés ne font qu'augmenter ma franchise, elle peut n'être pas inutile à quelques-uns,
et, à la manière dont tous supportent la vérité dans ma
bouche, j'ose croire que nous sommes dignes, eux de
l'entendre et moi de la dire. C'est en cela, ma Julie, que la
vérité qui blâme est plus honorable que la vérité qui loue ;
car la louange ne sert qu'à corrompre ceux qui la goûtent
et les plus indignes en sont toujours les plus affamés ; mais
la censure est utile et le mérite seul sait la supporter [2]. Je te
le dis du fond de mon cœur, j'honore le français comme le
seul peuple qui aime véritablement les hommes et qui soit
bienfaisant par caractère ; mais c'est pour cela même que je
suis moins disposé à lui accorder cette admiration générale
à laquelle il prétend même pour les défauts qu'il avoue. Si
les Français n'avaient point de vertus, je n'en dirais rien ;
s'ils n'avaient point de vices ils ne seraient pas hommes : Ils
ont trop de côtés louables pour être toujours loués.

Quant aux tentatives dont tu me parles, elles me sont
impraticables, parce qu'il faudrait employer pour les faire
des moyens qui ne me conviennent pas et que tu m'as inter-
dits toi-même [3]. L'austérité républicaine n'est pas de mise en
ce pays ; il y faut des vertus plus flexibles, et qui sachent
mieux se plier aux intérêts des amis et des protecteurs. Le
mérite est honoré, j'en conviens ; mais ici les talents qui
mènent à la réputation ne sont point ceux qui mènent à la
fortune, et quand j'aurais le malheur de posséder ces derniers, Julie se résoudrait-elle à devenir la femme d'un parvenu [4] ? En Angleterre c'est tout autre chose, et quoique les
mœurs y vaillent peut-être encore moins qu'en France, cela

---

1. Voir *supra*, lettre 14, n. 4, p. 283. **2.** Rousseau place ici dans la bouche
de Saint-Preux un éloge de sa propre « franchise ordinaire » assumant
ouvertement, dans la *Lettre sur la musique française*, la rupture avec les
codes de la civilité mondaine au nom de l'utilité de la *parrhesia*, le franc-
parler (*OC*, V, p. 289). **3.** Voir *supra*, lettre 11. **4.** « Un homme qui a fait
une fortune subite » (*Acad.* 1762). Le mot est connoté du côté des métiers
de la finance.

n'empêche pas qu'on n'y puisse parvenir par des chemins plus honnêtes, parce que le peuple ayant plus de part au gouvernement, l'estime publique y est un plus grand moyen de crédit. Tu n'ignores pas que le projet de Milord Édouard est d'employer cette voie en ma faveur, et le mien de justifier son zèle. Le lieu de la terre où je suis le plus loin de toi est celui où je ne puis rien faire qui m'en rapproche. Ô Julie ! s'il est difficile d'obtenir ta main, il l'est bien plus de la mériter, et voilà la noble tâche que l'amour m'impose.

[b] Tu m'ôtes d'une grande peine en me donnant de meilleures nouvelles de ta mère. Je t'en voyais déjà si inquiète avant mon départ que je n'osai te dire ce que j'en pensais ; mais je la trouvais maigrie, changée, et je redoutais quelque maladie dangereuse. Conserve-la-moi, parce qu'elle m'est chère, parce que mon cœur l'honore, parce que ses bontés font mon unique espérance, et surtout parce qu'elle est mère de ma Julie.

Je te dirai sur les deux épouseurs que je n'aime point ce mot, même par plaisanterie. Du reste le ton dont tu me parles d'eux m'empêche de les craindre, et je ne hais plus ces infortunés, puisque tu crois les haïr. Mais j'admire ta simplicité [1] de penser connaître la haine. Ne vois-tu pas que c'est l'amour dépité que tu prends pour elle ? Ainsi murmure la blanche colombe dont on poursuit le bien-aimé. Va Julie, va fille incomparable, quand tu pourras haïr quelque chose, je pourrai cesser de t'aimer.

P. S. Que je te plains d'être obsédée par ces deux importuns ! Pour l'amour de toi-même, hâte-toi de les renvoyer.

Lettre XX
De Julie

Mon ami, j'ai remis à M. d'Orbe un paquet qu'il s'est chargé de t'envoyer à l'adresse de M. Silvestre chez qui tu pourras le retirer ; mais je t'avertis d'attendre pour l'ouvrir

---

1. Entendre : je souris de ta naïveté.

que tu sois seul et dans ta chambre. Tu trouveras dans ce paquet un petit meuble [1] à ton usage.

C'est une espèce d'amulette que les amants portent volontiers. La manière de s'en servir est bizarre. Il faut la contempler tous les matins un quart d'heure jusqu'à ce qu'on se sente pénétré d'un certain attendrissement. Alors on l'applique sur ses yeux, sur sa bouche, et sur son cœur ; cela sert, dit-on, de préservatif durant la journée contre le mauvais air du pays galant. On attribue encore à ces sortes de talismans une vertu électrique [2] très singulière, mais qui n'agit qu'entre les amants fidèles. C'est de communiquer à l'un l'impression des baisers de l'autre à plus de cent lieues de là. Je ne garantis pas le succès de l'expérience ; je sais seulement qu'il ne tient qu'à toi de la faire.

Tranquillise-toi sur les deux Galants ou prétendants, ou comme tu voudras les appeler, car désormais le nom ne fait plus rien à la chose. Ils sont partis : qu'ils aillent en paix ; depuis que je ne les vois plus, je ne les hais plus.

Lettre XXI
À Julie

Tu l'as voulu, Julie, il faut donc te les dépeindre,[a] ces aimables Parisiennes ? Orgueilleuse ! cet hommage manquait à tes charmes. Avec toute ta feinte jalousie, avec ta modestie et ton amour, je vois plus de vanité que de crainte cachée sous cette curiosité. Quoi qu'il en soit, je serai vrai ; je puis l'être ; je le serais de meilleur cœur si j'avais davantage à louer. Que ne sont-elles cent fois plus charmantes ! que n'ont-elles assez d'attraits pour rendre un nouvel honneur aux tiens !

Tu te plaignais de mon silence ? Eh mon Dieu, que t'aurais-je dit ? En lisant cette lettre tu sentiras pourquoi j'aimais à te parler des Valaisanes tes voisines, et pourquoi je ne te parlais point des femmes de ce pays. C'est que les unes me rappelaient à toi sans cesse, et que les autres... Lis, et puis tu me jugeras. Au reste peu de gens pensent comme

---

1. Tout bien qui se peut transporter. **2.** Qui attire par frottement. L'adjectif est d'usage relativement récent (fin du XVIIe siècle).

moi des Dames françaises, si même je ne suis sur leur compte tout à fait seul de mon avis. C'est sur quoi l'équité m'oblige à te prévenir, afin que tu saches que je te les représente, non peut-être comme elles sont, mais comme je les vois. Malgré cela, si je suis injuste envers elles, tu ne manqueras pas de me censurer encore, et tu seras plus injuste que moi ; car tout le tort en est à toi seule.

Commençons par l'extérieur. C'est à quoi s'en tiennent la plupart des observateurs. Si je les imitais en cela, les femmes de ce pays auraient trop à s'en plaindre ; elles ont un extérieur de caractère [1] aussi bien que de visage, et comme l'un ne leur est guère plus favorable que l'autre, on leur fait tort en ne les jugeant que par là. Elles sont tout au plus passables de figure et généralement plutôt mal que bien ; je laisse à part les exceptions. Menues plutôt que bien faites, elles n'ont pas la taille fine, aussi s'attachent-elles volontiers aux modes qui la déguisent ; en quoi je trouve assez simples les femmes des autres pays, de vouloir bien imiter des modes faites pour cacher les défauts qu'elles n'ont pas.

Leur démarche est aisée et commune. Leur port n'a rien d'affecté parce qu'elles n'aiment point à se gêner : Mais elles ont naturellement une certaine *disinvoltura* [2] qui n'est pas dépourvue de grâces, et qu'elles se piquent souvent de pousser jusqu'à l'étourderie. Elles ont le teint médiocrement

---

1. Cette expression toute marivaldienne évoque d'une part l'« habit de caractère » qui dans *Le Jeu de l'amour et du hasard* (III, 1) désigne l'habit correspondant au rôle qu'on doit jouer (le valet se réjouit de représenter son maître Dorante), d'autre part les « grâces de hasard » que Marivaux attribue à la Femme de qualité dans ses *Caractères des habitants de Paris* : « ces grâces-là, la nature ne les a point faites ; ce ne sont pas de ces grâces qui font partie nécessaire de la figure, que l'on a sans y penser, qui nous suivent partout, qui sont en nous, qui sont nous-mêmes : ce sont des grâces de hasard, d'après coup, que la vanité des Parents a commencées, que l'exemple et le commerce aisé des autres Femmes ont avancées, et qu'une étude de vanité personnelle a finies. [...] Et voilà, Madame, ce que l'on appelle air du monde » (*Journaux*, t. I, p. 337-338). **2.** Le substantif *désinvolture* n'est introduit dans la langue qu'au XIXe siècle, de même que l'adjectif *désinvolte*, même si Littré cite quelques emplois chez Saint-Simon et Voltaire. Le mot italien renvoie à son usage dans les traités de civilité, en particulier *Le Livre du courtisan* (1528) de Baldassare Castiglione, qui théorise l'art de la *sprezzatura* et de la *sprezzata disinvoltura*, comme nonchalance étudiée de façon à donner toutes les apparences d'un parfait naturel. Cette aisance extérieure apparaît comme marque des manières aristocratiques.

blanc, et sont communément un peu maigres, ce qui ne contribue pas à leur embellir la peau. À l'égard de la gorge ; c'est l'autre extrémité des Valaisanes. Avec des corps [1] fortement serrés elles tâchent d'en imposer sur la consistance ; il y a d'autres moyens d'en imposer sur la couleur. Quoique je n'aie aperçu ces objets que de fort loin, l'inspection en est si libre qu'il reste peu de chose à deviner. Ces Dames paraissent mal entendre en cela leurs intérêts ; car pour peu que le visage soit agréable, l'imagination du spectateur les servirait au surplus beaucoup mieux que ses yeux, et suivant le Philosophe gascon, la faim entière est bien plus âpre que celle qu'on a déjà rassasiée, au moins par un sens [2].

Leurs traits sont peu réguliers, mais si elles ne sont pas belles, elles ont de la physionomie [3] qui supplée à la beauté, et l'éclipse quelquefois. Leurs yeux vifs et brillants ne sont pourtant ni pénétrants ni doux : quoiqu'elles prétendent les animer à force de rouge, l'expression qu'elles leur donnent par ce moyen tient plus du feu de la colère que de celui de l'amour ; naturellement ils n'ont que de la gaieté, ou s'ils semblent quelquefois demander un sentiment tendre, ils ne le promettent jamais *.

Elles se mettent si bien, ou du moins elles en ont tellement la réputation, qu'elles servent en cela comme en tout de modèle au reste de l'Europe. En effet, on ne peut employer avec plus de goût un habillement plus bizarre. Elles sont de toutes les femmes les moins asservies à leurs propres modes. La mode domine les provinciales ; mais les Parisiennes dominent la mode, et la savent plier chacune à son avantage.

_____

* Parlons pour nous, mon cher philosophe : pourquoi d'autres ne seraient-ils pas plus heureux ? Il n'y a qu'une coquette qui promette à tout le monde ce qu'elle ne doit tenir qu'à un seul.

_____

1. Voir n. 3, p. 184. **2.** Citation quasi textuelle de Montaigne, qui dit à propos des femmes du royaume du Pegu qu'elles ne sont revêtues au-dessous de la ceinture que « d'un drap fendu par le devant » qui découvre tout : « il se pourrait dire, qu'elles y perdent plus qu'elles n'avancent [n'y gagnent] : et qu'une faim entière, est plus âpre, que celle qu'on a rassasiée, au moins par les yeux » (*Essais*, III, 5, « Sur des vers de Virgile », p. 1346.) **3.** « L'air, les traits du visage » (*Acad.* 1762). Comme chez Marivaux, la « physionomie » relève ici d'une mobilité expressive qui s'oppose à la fixité d'un canon du « beau ».

Les premières sont comme des copistes ignorants et serviles qui copient jusqu'aux fautes d'orthographe ; les autres sont des auteurs qui copient en maîtres, et savent rétablir les mauvaises leçons [1].

Leur parure est plus recherchée que magnifique [2] ; il y règne plus d'élégance que de richesse. La rapidité des modes qui vieillit tout d'une année à l'autre, la propreté [3] qui leur fait aimer à changer souvent d'ajustement les préservent d'une somptuosité ridicule ; elles n'en dépensent pas moins, mais leur dépense est mieux entendue ; au lieu d'habits râpés et superbes comme en Italie, on voit ici des habits plus simples et toujours frais. Les deux sexes ont à cet égard la même modération, la même délicatesse, et ce goût me fait grand plaisir : j'aime fort à ne voir ni galons [4] ni taches. Il n'y a point de peuple excepté le nôtre où les femmes surtout portent moins de dorure. On voit les mêmes étoffes dans tous les états, et l'on aurait peine à distinguer une Duchesse d'une bourgeoise si la première n'avait l'art de trouver des distinctions que l'autre n'oserait imiter. Or ceci semble avoir sa difficulté ; car quelque mode qu'on prenne à la Cour, cette mode est suivie à l'instant à la ville, et il n'en est pas des Bourgeoises de Paris comme des provinciales et des étrangères, qui ne sont jamais qu'à la mode qui n'est plus. Il n'en est pas, encore, comme dans les autres pays où les plus grands étant aussi les plus riches, leurs femmes se distinguent par un luxe que les autres ne peuvent égaler. Si les femmes de la Cour prenaient ici cette voie, elles seraient bientôt effacées par celles des Financiers [5].

---

1. Rousseau file la métaphore de la correction de manuscrit : les Parisiennes corrigent les mauvaises « leçons » du texte fourni par les provinciales. La *leçon* est en ce sens « la manière dont le texte d'un Auteur est écrit. *Il y a deux diverses leçons dans ce texte. Voilà la bonne leçon* » (*Acad.* 1762). **2.** « Qui se plaît à faire de grandes et éclatantes dépenses, principalement dans les choses publiques » (*Acad.* 1762). **3.** Façon convenable, bienséante de se vêtir. **4.** « Tissu d'or, d'argent, de soie, de fil, de laine, etc. qui a plus de corps qu'un simple ruban, et que l'on met au bord ou sur les coutures des habits, soit pour les empêcher de s'effiler, soit pour servir d'ornement » (*Acad.* 1762). **5.** Rousseau connaît très bien ce milieu pour avoir été pendant plusieurs années secrétaire des Dupin, famille de fermiers généraux, c'est-à-dire des « financiers » dont la charge, créée sous Louis XIV, consistait à recueillir et à gérer certains des impôts royaux. Leur enrichissement est l'objet de satires et de protestations nombreuses au XVIIIᵉ siècle.

Qu'ont-elles donc fait ? Elles ont choisi des moyens plus sûrs, plus adroits, et qui marquent plus de réflexion. Elles savent que des idées de pudeur et de modestie sont profondément gravées dans l'esprit du peuple. C'est là ce qui leur a suggéré des modes inimitables. Elles ont vu que le peuple avait en horreur le rouge, qu'il s'obstine à nommer grossièrement du fard [1] ; elles se sont appliqué quatre doigts, non de fard, mais de rouge ; car le mot changé, la chose n'est plus la même. Elles ont vu qu'une gorge découverte est en scandale au public ; elles ont largement échancré leur corps. Elles ont vu.... oh bien des choses, que ma Julie, toute Demoiselle [2] qu'elle est ne verra sûrement jamais ! Elles ont mis dans leurs manières le même esprit qui dirige leur ajustement. Cette pudeur charmante qui distingue, honore, et embellit ton sexe leur a paru vile et roturière ; elles ont animé leur geste et leur propos d'une noble impudence, et il n'y a point d'honnête homme à qui leur regard assuré ne fasse baisser les yeux. C'est ainsi que cessant d'être femmes, de peur d'être confondues avec les autres femmes, elles préfèrent leur rang à leur sexe, et imitent les filles de joie, afin de n'être pas imitées.

J'ignore jusqu'où va cette imitation de leur part [3], mais je sais qu'elles n'ont pu tout à fait éviter celle qu'elles voulaient prévenir. Quant au rouge et aux corps échancrés, ils ont fait tout le progrès qu'ils pouvaient faire. Les femmes de la ville ont mieux aimé renoncer à leurs couleurs naturelles et aux charmes que pouvait leur prêter l'*amoroso pensier* des amants [4], que de rester mises comme des Bourgeoises, et si cet exemple n'a point gagné les moindres états, c'est qu'une femme à pied dans un pareil équipage n'est pas trop en sûreté contre les insultes de la populace.

---

1. « Composition qu'on met sur le visage pour l'embellir, et faire paraître le teint plus beau. Le *fard* ne se dit guère que du blanc. Elle met *du fard*, je ne mets que *du rouge* » (*Féraud*). **2.** Ici, jeune fille « honnête », de bon milieu et de bonne éducation. Le terme désigne aussi plus précisément l'appartenance noble, et ne distingue alors pas nécessairement entre jeune fille et femme mariée. **3.** Cette relation entre « effronterie » féminine et prostitution est développée dans la *Lettre à d'Alembert*, à propos du « désordre des actrices » (p. 134-138). **4.** Autre référence à Pétrarque chantant son amour pour Laure.

Ces insultes sont le cri de la pudeur révoltée, et dans cette occasion comme en beaucoup d'autres, la brutalité du peuple, plus honnête que la bienséance des gens polis [1], retient peut-être ici cent mille femmes dans les bornes de la modestie ; c'est précisément ce qu'ont prétendu les adroites inventrices de ces modes.

Quant au maintien soldatesque et au ton grenadier [2], il frappe moins, attendu qu'il est plus universel, et il n'est guère sensible qu'aux nouveaux débarqués. Depuis le faubourg St. Germain jusqu'aux halles, il y a peu de femmes à Paris dont l'abord, le regard, ne soit d'une hardiesse à déconcerter quiconque n'a rien vu de semblable en son pays ; et de la surprise où jettent ces nouvelles manières naît cet air gauche qu'on reproche aux étrangers. C'est encore pis sitôt qu'elles ouvrent la bouche. Ce n'est point la voix douce et mignarde de nos Vaudoises. C'est un certain accent dur, aigre, interrogatif, impérieux, moqueur, et plus fort que celui d'un homme. S'il reste dans leur ton quelque grâce de leur sexe, leur manière intrépide et curieuse de fixer les gens achève de l'éclipser. Il semble qu'elles se plaisent à jouir de l'embarras qu'elles donnent à ceux qui les voient pour la première fois ; mais il est à croire que cet embarras leur plairait moins si elles en démêlaient mieux la cause [3].

Cependant, soit prévention de ma part en faveur de la beauté, soit instinct de la sienne à se faire valoir, les belles femmes me paraissent en général un peu plus modestes, et je trouve plus de décence dans leur maintien. Cette réserve ne leur coûte guère, elles sentent bien leurs avantages, elles savent qu'elles n'ont pas besoin d'agaceries pour nous attirer. Peut-être aussi que l'impudence est plus sensible et choquante jointe à la laideur, et il est sûr qu'on couvrirait

---

1. De même lors des querelles en public, « c'est la Canaille, ce sont les femmes des Halles, qui séparent les combattants, et qui empêchent les honnêtes gens de s'entr'égorger » (*Discours sur l'inégalité*, p. 98). **2.** Le *grenadier* est un soldat chargé de lancer les grenades à la main. Dans cet emploi adjectival, le terme est péjoratif et signale la femme trop masculine, qui singe les façons des hommes. Ce sens spécifique devient courant au XIXe siècle. **3.** La même remarque figurait dans la *Lettre à d'Alembert* : « C'est ainsi que la modestie naturelle au sexe peu à peu disparue et que les mœurs des vivandières se sont transmises aux femmes de qualité » (p. 143).

plutôt de soufflets que de baisers un laid visage effronté, au lieu qu'avec la modestie il peut exciter une tendre compassion qui mène quelquefois à l'amour. Mais quoique en général on remarque ici quelque chose de plus doux dans le maintien des jolies personnes, il y a encore tant de minauderies dans leur manières, et elles sont toujours si visiblement occupées d'elles-mêmes, qu'on n'est jamais exposé dans ce pays à la tentation qu'avait quelquefois M. de Muralt auprès des Anglaises, de dire à une femme qu'elle est belle pour avoir le plaisir de le lui apprendre [1].

La gaieté naturelle à la nation, ni le désir d'imiter les grands airs ne sont pas [2] les seules causes de cette liberté de propos et de maintien qu'on remarque ici dans les femmes. Elle paraît avoir une racine plus profonde dans les mœurs, par le mélange indiscret et continuel des deux sexes, qui fait contracter à chacun d'eux l'air, le langage, et les manières de l'autre [3]. Nos Suissesses aiment assez à se rassembler entre elles * ; elles y vivent dans une douce familiarité, et quoique apparemment elles ne haïssent pas le commerce des hommes, il est certain que la présence de ceux-ci jette une espèce de contrainte dans cette petite gynécocratie [4]. À Paris, c'est tout le contraire ; les femmes n'aiment à vivre qu'avec les hommes, elles ne sont à leur aise qu'avec eux. Dans chaque société la maîtresse de la maison est presque toujours seule au milieu d'un cercle d'hommes [5]. On a peine à concevoir d'où tant d'hommes peuvent se répandre partout ; mais Paris est plein d'aventuriers et de célibataires qui passent leur vie à courir de maison en maison, et les

---

* Tout cela est fort changé. Par les circonstances, ces lettres ne semblent écrites que depuis quelque vingtaine d'années. Aux mœurs, au style, on les croirait de l'autre siècle.

---

1. Rousseau prend ce détail galant dans la troisième des *Lettres sur les Anglais*, déjà beaucoup sollicitées dans ces lettres parisiennes. **2.** La double négation est d'usage dans la langue classique. **3.** Le livre V de l'*Émile* blâme de même « cette promiscuité civile qui confond partout les deux sexes dans les mêmes emplois » (*OC*, p. 700). **4.** « État où les femmes peuvent gouverner » (*Acad.* 1762). Julie établira un gynécée à Clarens. **5.** Cette posture maternante qui infantilise les hommes fait l'objet d'une virulente satire dans la *Lettre à d'Alembert* : « chaque femme de Paris rassemble dans son appartement un sérail d'hommes plus femmes qu'elle… » (p. 156).

hommes semblent comme les espèces se multiplier par la circulation [1]. C'est donc là qu'une femme apprend à parler, agir et penser comme eux, et eux comme elle. C'est là qu'unique objet de leurs petites galanteries, elle jouit paisiblement de ces insultants hommages auxquels on ne daigne pas même donner un air de bonne foi. Qu'importe ? sérieusement ou par plaisanterie, on s'occupe d'elle et c'est tout ce qu'elle veut. Qu'une autre femme survienne, à l'instant le ton de cérémonie succède à la familiarité, les grands airs commencent, l'attention des hommes se partage, et l'on se tient mutuellement dans une secrète gêne dont on ne sort plus qu'en se séparant.

Les femmes de Paris aiment à voir les spectacles, c'est-à-dire à y être vues ; mais leur embarras chaque fois qu'elles y veulent aller est de trouver une compagne ; car l'usage ne permet à aucune femme d'y aller seule en grande loge, pas même avec son mari, pas même avec un autre homme. On ne saurait dire combien dans ce pays si sociable ces parties sont difficiles à former ; de dix qu'on en projette, il en manque neuf ; le désir d'aller au spectacle les fait lier, l'ennui d'y aller ensemble les fait rompre. Je crois que les femmes pourraient abroger aisément cet usage inepte ; car où est la raison de ne pouvoir se montrer seule en public ? Mais c'est peut-être ce défaut de raison qui le conserve. Il est bon de tourner autant qu'on peut les bienséances sur des choses où il serait inutile d'en manquer. Que gagnerait une femme au droit d'aller sans compagne à l'Opéra ? Ne vaut-il pas mieux réserver ce droit pour recevoir en particulier ses amis ?

Il est sûr que mille liaisons secrètes doivent être le fruit de leur manière de vivre éparses et isolées parmi tant d'hommes. Tout le monde en convient aujourd'hui, et l'expérience a détruit l'absurde maxime de vaincre les tentations en les multipliant. On ne dit donc plus que cet usage est plus honnête, mais qu'il est plus agréable, et c'est ce que je ne crois pas plus vrai ; car quel amour peut régner où la pudeur est en dérision, et quel charme peut avoir une vie privée à la fois

---

1. Mot d'esprit hardi sur le double sens d'*espèces* désignant à la fois le numéraire et les hommes aussi vils que le métal en circulation. Voir II, 18, n. 1, p. 315.

d'amour et d'honnêteté ? Aussi comme le grand fléau de tous ces gens si dissipés [1] est l'ennui, les femmes se soucient-elles moins d'être aimées qu'amusées, la galanterie et les soins valent mieux que l'amour auprès d'elles, et pourvu qu'on soit assidu, peu leur importe qu'on soit passionné. Les mots même d'amour et d'amant sont bannis de l'intime société des deux sexes et relégués avec ceux de *chaîne* et de *flamme* dans les Romans qu'on ne lit plus [2].

Il semble que tout l'ordre des sentiments naturels soit ici renversé. Le cœur n'y forme aucune chaîne, il n'est point permis aux filles d'en avoir un. Ce droit est réservé aux seules femmes mariées, et n'exclut du choix personne que leurs maris. Il vaudrait mieux qu'une mère eût vingt amants que sa fille un seul. L'adultère n'y révolte point, on n'y trouve rien de contraire à la bienséance ; les Romans les plus décents, ceux que tout le monde lit pour s'instruire en sont pleins, et le désordre n'est plus blâmable, sitôt qu'il est joint à l'infidélité. Ô Julie ! Telle femme qui n'a pas craint de souiller cent fois le lit conjugal oserait d'une bouche impure accuser nos chastes amours, et condamner l'union de deux cœurs sincères qui ne surent jamais manquer de foi. On dirait que le mariage n'est pas à Paris de la même nature que partout ailleurs. C'est un sacrement, à ce qu'ils prétendent, et ce sacrement n'a pas la force des moindres contrats civils : il semble n'être que l'accord de deux personnes libres qui conviennent de demeurer ensemble, de porter le même nom, de reconnaître les mêmes enfants ; mais qui n'ont, au surplus, aucune sorte de droit l'une sur l'autre ; et un mari qui s'aviserait de contrôler ici la mauvaise conduite de sa femme n'exciterait pas moins de murmures que celui qui souffrirait chez nous le désordre public de la sienne. Les femmes, de leur côté, n'usent pas de rigueur envers leurs maris, et l'on ne voit pas encore qu'elles les fassent punir d'imiter leurs infidélités. Au reste, comment

---

1. « On appelle *Un homme dissipé*, Un homme trop répandu dans le monde, et plus occupé de ses plaisirs que de ses devoirs » (*Acad.* 1762). **2.** Les grands romans pastoraux et baroques du XVIIe siècle (*L'Astrée, Artamène ou le Grand Cyrus*), par opposition aux romans mondains de Duclos, Crébillon fils ou même Prévost, évoqués plus loin.

attendre de part ou d'autre un effet plus honnête d'un lien
où le cœur n'a point été consulté ? Qui n'épouse que la fortune ou l'état, ne doit rien à la personne [1].

L'amour même, l'amour a perdu ses droits et n'est pas
moins dénaturé que le mariage. Si les Époux sont ici des
garçons et des filles qui demeurent ensemble pour vivre avec
plus de liberté ; les amants sont des gens indifférents qui se
voient par amusement, par air, par habitude, ou pour le
besoin du moment. Le cœur n'a que faire à ces liaisons,
on n'y consulte que la commodité et certaines convenances
extérieures. C'est, si l'on veut, se connaître, vivre ensemble,
s'arranger, se voir, moins encore s'il est possible. Une liaison
de galanterie dure un peu plus qu'une visite ; c'est un recueil
de jolis entretiens et de jolies [b] Lettres pleines de portraits,
de maximes, de philosophie, et de bel esprit. À l'égard du
physique il n'exige pas tant de mystère ; on a très sensément
trouvé qu'il fallait régler sur l'instant des désirs la facilité
de les satisfaire : la première venue, le premier venu, l'amant
ou un autre, un homme est toujours un homme, tous sont
presque également bons, et il y a du moins à cela de la
conséquence, car pourquoi serait-on plus fidèle à l'amant
qu'au mari ? Et puis à certain âge tous les hommes sont à
peu près le même homme, toutes les femmes la même
femme ; toutes ces poupées sortent de chez la même marchande de modes, et il n'y a guère d'autre choix à faire que
ce qui tombe le plus commodément sous la main.

Comme je ne sais rien de ceci par moi-même [2], on m'en
a parlé sur un ton si extraordinaire qu'il ne m'a pas été
possible de bien entendre ce qu'on m'en a dit. Tout ce que
j'en ai conçu, c'est que chez la plupart des femmes l'amant
est comme un des gens de la maison : s'il ne fait pas son
devoir, on le congédie et l'on en prend un autre ; s'il trouve
mieux ailleurs ou s'ennuie du métier, il quitte et l'on en
prend un autre. Il y a, dit-on, des femmes assez capricieuses

---

1. Ces assertions semblent s'appliquer parfaitement à Julie, contrainte par
son père à épouser Wolmar. Tout le paragraphe démarque, la 55ᵉ des *Lettres
persanes*, consacrée au mariage, qui évoque une « convention tacite » d'infidélité réciproque (p. 148). Voir *infra*, III, 16, n. 3, p. 405. **2.** Correctif en
forme d'autocensure ? Voir toutefois *infra*, lettre 26.

pour essayer même du maître de la maison [1], car enfin, c'est encore une espèce d'homme. Cette fantaisie ne dure pas ; quand elle est passée, on le chasse et l'on en prend un autre, ou s'il s'obstine, on le garde et l'on en prend un autre.

Mais, disais-je à celui qui m'expliquait ces étranges usages, comment une femme vit-elle ensuite avec tous ces autres-là, qui ont ainsi pris ou reçu leur congé ? Bon ! reprit-il, elle n'y vit point. On ne se voit plus ; on ne se connaît plus. Si jamais la fantaisie prenait de renouer, on aurait une nouvelle connaissance à faire, et ce serait beaucoup qu'on se souvînt de s'être vus [2]. Je vous entends, lui dis-je ; mais j'ai beau réduire ces exagérations ; je ne conçois pas comment après une union si tendre, on peut se voir de sang-froid ; comment le cœur ne palpite pas au nom de ce qu'on a une fois aimé ; comment on ne tressaillit [3] pas à sa rencontre ! Vous me faites rire, interrompit-il, avec vos tressaillements ! Vous voudriez donc que nos femmes ne fissent autre chose que tomber en syncope ?

Supprime une partie de ce tableau trop chargé, sans doute ; place Julie à côté du reste, et souviens-toi de mon cœur ; je n'ai rien de plus à te dire.

Il faut cependant l'avouer ; plusieurs de ces impressions désagréables s'effacent par l'habitude. Si le mal se présente avant le bien, il ne l'empêche pas de se montrer à son tour ; les charmes de l'esprit et du naturel font valoir ceux de la personne. La première répugnance vaincue devient bientôt un sentiment contraire. C'est l'autre point de vue du tableau, et la justice ne permet pas de ne l'exposer que par le côté désavantageux.

C'est le premier inconvénient des grandes villes que les hommes y deviennent autres que ce qu'ils sont, et que la

---

1. Le mari, « chassé » comme amant. Variation sur *Le Préjugé à la mode* (1735), comédie de Nivelle de La Chaussée montrant un mari qui a la fantaisie d'être amoureux de sa femme. **2.** Ces trois derniers paragraphes font écho à la célèbre tirade du libertin Clitandre dans *La Nuit et le Moment* (1755) de Crébillon fils : « On se plaît, on se prend. S'ennuie-t-on avec l'autre ? On se quitte avec aussi peu de cérémonie que l'on s'est pris. Revient-on à se plaire ? on se reprend avec autant de vivacité que si c'était la première fois qu'on s'engageât ensemble » (*OC*, Classiques Garnier, t. II, p. 541-542). **3.** Forme archaïque de *tressaillir* au présent de l'indicatif.

société leur donne, pour ainsi dire, un être différent du leur. Cela est vrai, surtout à Paris, et surtout à l'égard des femmes, qui tirent des regards d'autrui la seule existence dont elles se soucient. En abordant une Dame dans une assemblée, au lieu d'une Parisienne que vous croyez voir, vous ne voyez qu'un simulacre de la mode. Sa hauteur, son ampleur, sa démarche, sa taille, sa gorge, ses couleurs, son air, son regard, ses propos, ses manières, rien de tout cela n'est à elle, et si vous la voyiez dans son état naturel, vous ne pourriez la reconnaître. Or cet échange est rarement favorable à celles qui le font, et en général il n'y a guère à gagner à tout ce qu'on substitue à la nature. Mais on ne l'efface jamais entièrement ; elle s'échappe toujours par quelque endroit, et c'est dans une certaine adresse à la saisir que consiste l'art d'observer. Cet art n'est pas difficile vis-à-vis des femmes de ce pays ; car comme elles ont plus de naturel qu'elles ne croient en avoir, pour peu qu'on les fréquente assidûment, pour peu qu'on les détache de cette éternelle représentation qui leur plaît si fort, on les voit bientôt comme elles sont, et c'est alors que toute l'aversion qu'elles ont d'abord inspirée se change en estime et en amitié.

Voilà ce que j'eus occasion d'observer la semaine dernière dans une partie de campagne où quelques femmes nous avaient assez étourdiment invités, moi et quelques autres nouveaux débarqués [1], sans trop s'assurer que nous leur convenions, ou peut-être pour avoir le plaisir d'y rire de nous à leur aise. Cela ne manqua pas d'arriver le premier jour. Elles nous accablèrent d'abord de traits plaisants et fins qui tombant toujours sans rejaillir épuisèrent bientôt leur carquois. Alors elles s'exécutèrent de bonne grâce, et ne pouvant nous amener à leur ton, elles furent réduites à prendre le nôtre. Je ne sais si elles se trouvèrent bien de cet échange, pour moi je m'en trouvai à merveilles [2] ; je vis avec surprise que je m'éclairais plus avec elles que je n'aurais fait avec beaucoup d'hommes. Leur esprit ornait si bien le bon sens que je regrettais ce qu'elles en avaient mis à le défigurer,

---

1. « *Un nouveau débarqué* se dit d'Un homme nouvellement arrivé de la Province » (*Acad.* 1762). Voir aussi p. 295 et 324. **2.** Parfaitement. Orthographe personnelle de Rousseau.

et je déplorais, en jugeant mieux des femmes de ce pays, que tant d'aimables personnes ne manquassent de raison que parce qu'elles ne voulaient pas en avoir. Je vis aussi que les grâces familières et naturelles effaçaient insensiblement les airs apprêtés de la ville ; car sans y songer on prend des manières assortissantes aux [1] choses qu'on dit, et il n'y a pas moyen de mettre à des discours sensés les grimaces de la coquetterie. Je les trouvai plus jolies depuis qu'elles ne cherchaient plus tant à l'être, et je sentis qu'elles n'avaient besoin pour plaire que de ne se pas déguiser. J'osai soupçonner sur ce fondement que Paris, ce prétendu siège du goût, est peut-être le lieu du monde où il y en a le moins, puisque tous les soins qu'on y prend pour plaire défigurent la véritable beauté[c].

Nous restâmes ainsi quatre ou cinq jours ensemble, contents les uns des autres et de nous-mêmes. Au lieu de passer en revue Paris et ses folies, nous l'oubliâmes. Tout notre soin se bornait à jouir entre nous d'une société agréable et douce. Nous n'eûmes besoin ni de satires ni de plaisanteries pour nous mettre de bonne humeur, et nos ris n'étaient pas de raillerie mais de gaieté, comme ceux de ta Cousine[2].

Une autre chose acheva de me faire changer d'avis sur leur compte. Souvent au milieu de nos entretiens les plus animés, on venait dire un mot à l'oreille de la maîtresse de la maison. Elle sortait, allait s'enfermer pour écrire, et ne rentrait de longtemps. Il était aisé d'attribuer ces éclipses à quelque correspondance de cœur, ou de celles qu'on appelle ainsi. Une autre femme en glissa légèrement un mot qui fut assez mal reçu ; ce qui me fit juger que si l'absente[d] manquait d'amants, elle avait au moins des amis. Cependant la curiosité m'ayant donné quelque attention, quelle fut ma surprise en apprenant que ces prétendus grisons[3] de Paris

---

1. Qui conviennent, qui vont bien avec. Usage vieilli. **2.** Cette « partie » qui tourne à l'unisson des cœurs vertueux (et fraternels : voir la variante c) prend le contrepied de celle que raconte Rica dans la 110e des *Lettres persanes*, exemplaire de réunions composées uniquement pour donner aux yeux du monde l'apparence du plaisir, alors que chacun s'y ennuie. **3.** « Homme de livrée qu'on fait habiller de gris pour l'employer à des commissions secrètes » (*Acad.* 1762).

étaient des paysans de la paroisse, qui venaient dans leurs
calamités implorer la protection de leur Dame. L'un surchargé de tailles à la décharge d'un plus riche [1] ; l'autre
enrôlé dans la milice sans égard pour son âge et pour ses
enfants * ; l'autre écrasé d'un puissant voisin par un procès
injuste ; l'autre ruiné par la grêle, et dont on exigeait le bail
à la rigueur [2]. Enfin tous avaient quelque grâce à demander,
tous étaient patiemment écoutés, on n'en rebutait aucun, et
le temps attribué aux billets doux était employé à écrire en
faveur de ces malheureux. Je ne saurais te dire avec quel
étonnement j'appris, et le plaisir que prenait une femme si
jeune et si dissipée à remplir ces aimables devoirs, et combien peu elle y mettait d'ostentation. Comment ? disais-je
tout attendri ; quand ce serait Julie, elle ne ferait pas autrement ! Dès cet instant je ne l'ai plus regardée qu'avec respect, et tous ses défauts sont effacés à mes yeux.

Sitôt que mes recherches se sont tournées de ce côté, j'ai
appris mille choses à l'avantage de ces mêmes femmes que
j'avais d'abord trouvées si insupportables. Tous les étrangers
conviennent unanimement qu'en écartant les propos à la
mode, il n'y a point de pays au monde où les femmes soient
plus éclairées, parlent en général plus sensément, plus judicieusement, et sachent donner au besoin de meilleurs
conseils. Ôtons le jargon de la galanterie et du bel esprit,
quel parti tirerons-nous de la conversation d'une Espagnole,
d'une Italienne, d'une Allemande ? Aucun, et tu sais, Julie,
ce qu'il en est communément de nos Suissesses. Mais qu'on
ose passer pour peu galant et tirer les Françaises de cette
forteresse, dont à la vérité, elles n'aiment guère à sortir, on
trouve encore à qui parler en rase campagne, et l'on croit
combattre avec un homme, tant elle sait [3] s'armer de raison

---

* On a vu cela dans l'autre guerre ; mais non dans celle-ci, que je sache. On
épargne les hommes mariés, et l'on en fait ainsi marier beaucoup. [NdE :
« l'autre guerre » est celle de Succession d'Autriche (1741-1748), « celle-ci »
est la guerre de Sept Ans (1755-1762).]

---

1. Surchargé d'impôts (sur les terres) pour soulager un propriétaire plus
riche : cas typique d'iniquité due à la corruption du système fisco-financier.
Voir *infra*, II, 27, n. 5, p. 366. **2.** En toute rigueur. **3.** On attendrait « elles
savent ». Tour elliptique, où le singulier répond à celui de « un homme ».

et faire de nécessité vertu. Quant au bon caractère, je ne citerai point le zèle avec lequel elles servent leurs amis ; car il peut régner en cela une certaine chaleur d'amour-propre qui soit de tous les pays : mais quoique ordinairement elles n'aiment qu'elles-mêmes, une longue habitude, quand elles ont assez de constance pour l'acquérir, leur tient lieu d'un sentiment assez vif : Celles qui peuvent supporter un attachement de dix ans, le gardent ordinairement toute leur vie, et elles aiment leurs vieux amis plus tendrement, plus sûrement au moins que leurs jeunes amants.

Une remarque assez commune qui semble être à la charge des femmes est qu'elles font tout en ce pays, et par conséquent plus de mal que de bien ; mais ce qui les justifie est qu'elles font le mal poussées par les hommes, et le bien de leur propre mouvement. Ceci ne contredit point ce que je disais ci-devant que [1] le cœur n'entre pour rien dans le commerce des deux sexes : car la galanterie française a donné aux femmes un pouvoir universel qui n'a besoin d'aucun tendre sentiment pour se soutenir. Tout dépend d'elles ; rien ne se fait que par elles ou pour elles ; l'Olympe et le Parnasse, la gloire et la fortune sont également sous leurs lois. Les livres n'ont de prix, les auteurs n'ont d'estime qu'autant qu'il plaît aux femmes de leur en accorder [2] ; elles décident souverainement des plus hautes connaissances, ainsi que des plus agréables. Poésie, Littérature,[e] histoire, philosophie, politique même, on voit d'abord au style de tous les livres qu'ils sont écrits pour amuser de jolies femmes, et l'on vient de mettre la bible en histoires galantes [3]. Dans les affaires, elles ont pour obtenir ce qu'elles demandent un ascendant naturel jusque sur leurs maris, non parce qu'ils sont leurs maris, mais parce qu'ils sont hommes et qu'il est convenu

---

1. Je disais plus haut, à savoir que. **2.** Certaines femmes, comme Mme d'Épinay, très liée au milieu encyclopédiste et qui protégea Rousseau avant leur brouille, étaient réputées pour préparer ou décider les élections académiques. Dans la *Lettre à d'Alembert*, Rousseau déplore cette influence féminine sur le goût et les carrières, comme un symptôme de corruption sociale et un facteur d'asservissement masculin (p. 155 *sq.*). **3.** Sans doute une allusion à l'*Histoire du peuple de Dieu* (1727) du jésuite Berruyer, maintes fois rééditée.

qu'un homme ne refusera rien à aucune femme, fût-ce même
la sienne.

Au reste cette autorité ne suppose ni attachement ni
estime, mais seulement de la politesse et de l'usage du
monde ; car d'ailleurs, il n'est pas moins essentiel à la galanterie française de mépriser les femmes que de les servir. Ce
mépris est une sorte de titre qui leur en impose ; c'est un
témoignage qu'on a vécu assez avec elles pour les connaître.
Quiconque les respecterait passerait à leurs yeux pour un
novice, un paladin [1], un homme qui n'a connu les femmes
que dans les Romans. Elles se jugent avec tant d'équité que
les honorer serait être indigne de leur plaire, et la première
qualité de l'homme à bonnes fortunes est d'être souverainement impertinent.

Quoi qu'il en soit, elles ont beau se piquer de méchanceté ; elles sont bonnes en dépit d'elles, et voici à quoi surtout leur bonté de cœur est utile. En tout pays les gens
chargés de beaucoup d'affaires sont toujours repoussants et
sans commisération, et Paris étant le centre des affaires du
plus grand peuple de l'Europe, ceux qui les font sont aussi
les plus durs des hommes. C'est donc aux femmes qu'on
s'adresse pour avoir des grâces ; elles sont le recours des
malheureux ; elles ne ferment point l'oreille à leurs plaintes ;
elles les écoutent, les consolent et les servent. Au milieu de
la vie frivole qu'elles mènent, elles savent dérober des
moments à leurs plaisirs pour les donner à leur bon naturel,
et si quelques-unes font un infâme commerce des services
qu'elles rendent, des milliers d'autres s'occupent tous les
jours gratuitement à secourir le pauvre de leur bourse et
l'opprimé de leur crédit. Il est vrai que leurs soins sont souvent indiscrets, et qu'elles nuisent sans scrupule au malheureux qu'elles ne connaissent pas, pour servir le malheureux
qu'elles connaissent : Mais comment connaître tout le
monde dans un si grand pays, et que peut faire de plus la

---

1. « Terme des vieux Romans. Il se dit des principaux Seigneurs, qui suivaient Charlemagne à la guerre » (*Féraud*). Rousseau assume ailleurs avec
vigueur ce modèle chevaleresque de l'amour contre le libertinage : « Nous
nous moquons des Paladins ! c'est qu'ils connaissaient l'amour et que nous
ne connaissons plus que la débauche » (*Émile*, livre V, in *OC*, p. 743).

bonté d'âme séparée de la véritable vertu, dont le plus sublime effort n'est pas tant de faire le bien que de ne jamais mal faire[1]? À cela près, il est certain qu'elles ont du penchant au bien, qu'elles en font beaucoup, qu'elles le font de bon cœur, que ce sont elles seules qui conservent dans Paris le peu d'humanité qu'on y voit régner encore, et que sans elles on verrait les hommes avides et insatiables s'y dévorer comme des loups.

Voilà ce que je n'aurais point appris, si je m'en étais tenu aux peintures des faiseurs de Romans et de Comédies, lesquels voient plutôt dans les femmes des ridicules qu'ils partagent que les bonnes qualités qu'ils n'ont pas, ou qui peignent des chefs-d'œuvre de vertu qu'elles se dispensent d'imiter en les traitant de chimères, au lieu de les encourager au bien en louant celui qu'elles font réellement. Les Romans sont peut-être la dernière instruction qu'il reste à donner à un peuple assez corrompu pour que tout autre lui soit inutile[2] ; je voudrais qu'alors la composition de ces sortes de livres ne fût permise qu'à des gens honnêtes mais sensibles dont le cœur se peignît dans leurs écrits, à des auteurs qui ne fussent pas au-dessus des faiblesses de l'humanité, qui ne montrassent pas tout d'un coup la vertu dans le Ciel hors de la portée des hommes, mais qui la leur fissent aimer en la peignant d'abord moins austère, et puis du sein du vice les y sussent conduire insensiblement.

Je t'en ai prévenue, je ne suis en rien de l'opinion commune sur le compte des femmes de ce pays. On leur trouve unanimement l'abord le plus enchanteur, les grâces les plus séduisantes, la coquetterie la plus raffinée, le sublime de la galanterie, et l'art de plaire au souverain degré. Moi, je trouve leur abord choquant, leur coquetterie repoussante, leurs manières sans modestie[f]. J'imagine que le cœur doit se fermer à toutes leurs avances, et l'on ne me persuadera jamais qu'elles puissent un moment parler de l'amour, sans se montrer également incapables d'en inspirer et d'en ressentir.

---

1. Comme le relève Henri Coulet, ce principe est affirmé par Rousseau au livre II de l'*Émile* (*OC*, p. 340). **2.** Voir la Préface et notre Présentation, p. 16.

D'un autre côté, la renommée [1] apprend à se défier de
leur caractère, elle les peint frivoles, rusées, artificieuses,
étourdies, volages, parlant bien, mais ne pensant point, sentant encore moins, et dépensant ainsi tout leur mérite en
vain babil. Tout cela me paraît à moi leur être extérieur
comme leurs paniers et leur rouge. Ce sont des vices de
parade qu'il faut avoir à Paris, et qui dans le fond couvrent
en elles du sens, de la raison, de l'humanité, du bon naturel ;
elles sont moins indiscrètes, moins tracassières que chez
nous, moins peut-être que partout ailleurs. Elles sont plus
solidement instruites et leur instruction profite mieux à leur
jugement. En un mot, si elles me déplaisent par tout ce qui
caractérise leur sexe qu'elles ont défiguré, je les estime par
des rapports avec le nôtre, qui nous font honneur, et je
trouve qu'elles seraient cent fois plutôt des hommes de
mérite que d'aimables femmes.

Conclusion : si Julie n'eût point existé ; si mon cœur eût
pu souffrir quelque autre attachement que celui pour lequel
il était né, je n'aurais jamais pris à Paris ma femme, encore
moins ma maîtresse ; mais je m'y serais fait volontiers une
amie, et ce trésor m'eût consolé, peut-être, de n'y pas trouver les deux autres *.

Lettre XXII
À *Julie*

Depuis ta lettre reçue, je suis allé tous les jours chez
M. Silvestre demander le petit paquet. Il n'était toujours
point venu, et dévoré d'une mortelle impatience, j'ai fait le
voyage sept fois inutilement. Enfin la huitième, j'ai reçu le
paquet. À peine l'ai-je eu dans les mains que sans payer le
port, sans m'en informer, sans rien dire à personne, je suis
sorti comme un étourdi, et ne voyant le moment de rentrer

---

* Je me garderai de prononcer sur cette lettre ; mais je doute qu'un jugement qui donne libéralement à celles qu'il regarde des qualités qu'elles
méprisent, et qui leur refuse les seules dont elles font cas, soit fort propre à
être bien reçu d'elles.

---

1. La voix publique.

chez moi [1], j'enfilais avec tant de précipitation des rues que je ne connaissais point, qu'au bout d'une demi-heure, cherchant la rue de Tournon où je loge, je me suis trouvé dans le Marais à l'autre extrémité de Paris. J'ai été obligé de prendre un fiacre pour revenir plus promptement ; c'est la première fois que cela m'est arrivé le matin pour mes affaires ; je ne m'en sers même qu'à regret l'après-midi pour quelques visites ; car j'ai deux jambes fort bonnes, dont je serais bien fâché qu'un peu plus d'aisance dans ma fortune me fît négliger l'usage.

J'étais fort embarrassé dans mon fiacre avec mon paquet ; je ne voulais l'ouvrir que chez moi, c'était ton ordre. D'ailleurs une sorte de volupté qui me laisse oublier la commodité dans les choses communes, me la fait rechercher avec soin dans les vrais plaisirs. Je n'y puis souffrir aucune sorte de distraction, et je veux avoir du temps et mes aises pour savourer tout ce qui me vient de toi. Je tenais donc ce paquet avec une inquiète curiosité dont je n'étais pas le maître : je m'efforçais de palper à travers les enveloppes ce qu'il pouvait contenir, et l'on eût dit qu'il me brûlait les mains, à voir les mouvements continuels qu'il faisait de l'une à l'autre. Ce n'est pas qu'à son volume, à son poids, au ton de ta lettre, je n'eusse quelque soupçon de la vérité ; mais le moyen de concevoir comment tu pouvais avoir trouvé l'artiste et l'occasion ? Voilà ce que je ne conçois pas encore ; c'est un miracle de l'amour ; plus il passe ma raison, plus il enchante mon cœur, et l'un des plaisirs qu'il me donne est celui de n'y rien comprendre.

J'arrive enfin, je vole, je m'enferme dans ma chambre, je m'asseye hors d'haleine, je porte une main tremblante sur le cachet. Ô première influence du talisman ! j'ai senti palpiter mon cœur à chaque papier que j'ôtais, et je me suis bientôt trouvé tellement oppressé, que j'ai été forcé de respirer un moment sur la dernière enveloppe.... Julie !.... Ô ma Julie !.... le voile est déchiré [2]... je te vois... je vois tes divins attraits ! Ma bouche et mon cœur leur rendent le premier

---

1. Il faut sans doute comprendre : « ne pensant plus qu'au moment de rentrer chez moi » (n'ayant dans l'esprit que la hâte de rentrer chez moi).
2. Formule proleptique : voir III, 6, V, 9 et VI, 11, p. 860.

hommage, mes genoux fléchissent.... charmes adorés,
encore une fois vous aurez enchanté mes yeux. Qu'il est
prompt, qu'il est puissant, le magique effet de ces traits
chéris ! Non, il ne faut point comme tu prétends un quart
d'heure pour le sentir ; une minute, un instant suffit pour
arracher de mon sein mille ardents soupirs, et me rappeler
avec ton image celle de mon bonheur passé. Pourquoi faut-il
que la joie de posséder un si précieux trésor soit mêlée d'une
si cruelle amertume ? Avec quelle violence il me rappelle des
temps qui ne sont plus ! Je crois en le voyant te revoir
encore ; je crois me retrouver à ces moments délicieux dont
le souvenir fait maintenant le malheur de ma vie, et que le
Ciel m'a donnés et ravis dans sa colère ! Hélas, un instant
me désabuse ; toute la douleur de l'absence se ranime et
s'aigrit en m'ôtant l'erreur qui l'a suspendue, et je suis
comme ces malheureux dont on n'interrompt les tourments
que pour les leur rendre plus sensibles. Dieux ! quels torrents de flammes mes avides regards puisent dans cet objet
inattendu ! ô comme il ranime au fond de mon cœur tous
les mouvements impétueux que ta présence y faisait naître !
ô Julie, s'il était vrai qu'il pût transmettre à tes sens le délire
et l'illusion des miens.... Mais pourquoi ne le serait-il pas [1] ?
Pourquoi des impressions que l'âme porte avec tant d'activité n'iraient-elles pas aussi loin qu'elle ? Ah, chère amante !
où que tu sois, quoi que tu fasses au moment où j'écris cette
lettre, au moment où ton portrait reçoit tout ce que ton
idolâtre Amant adresse à ta personne, ne sens-tu pas ton
charmant visage inondé des pleurs de l'amour et de la tristesse ? Ne sens-tu pas tes yeux, tes joues, ta bouche, ton
sein, pressés, comprimés, accablés de mes ardents baisers ?
Ne te sens-tu pas embraser toute entière du feu de mes
lèvres brûlantes !..... Ciel, qu'entends-je ? Quelqu'un
vient..... Ah serrons, cachons mon trésor..... un importun !..... Maudit soit le cruel qui vient troubler des transports si doux !..... Puisse-t-il ne jamais aimer..... ou vivre
loin de ce qu'il aime !

---

1. Comprendre : « pourquoi ne serait-il pas vrai qu'il pût transmettre... »

Lettre XXIII
À Mad^e d'Orbe

C'est à vous, charmante Cousine, qu'il faut rendre compte de l'Opéra[1] ; car bien que vous ne m'en parliez point dans vos lettres, et que Julie vous ait gardé le secret, je vois d'où lui vient cette curiosité. J'y fus une fois pour contenter la mienne ; j'y suis retourné pour vous deux autres fois. Tenez-m'en quitte, je vous prie, après cette lettre. J'y puis retourner encore, y bâiller, y souffrir, y périr pour votre service ; mais y rester éveillé et attentif, cela ne m'est pas possible.

Avant de vous dire ce que je pense de ce fameux Théâtre, que je vous rende compte de ce qu'on en dit ici ; le jugement des connaisseurs pourra redresser le mien si je m'abuse.

L'Opéra de Paris passe à Paris pour le spectacle le plus pompeux, le plus voluptueux, le plus admirable qu'inventa jamais l'art humain. C'est, dit-on, le plus superbe monument de la magnificence de Louis quatorze. Il n'est pas si libre à chacun que vous le pensez de dire son avis sur ce grave sujet. Ici l'on peut disputer de tout hors de la Musique et de l'Opéra, il y a du danger à manquer de dissimulation sur ce seul point ; la musique française se maintient par une inquisition très sévère, et la première chose qu'on insinue par forme de leçon à tous les étrangers qui viennent dans ce pays, c'est que tous les étrangers conviennent qu'il n'y a rien de si beau dans le reste du monde que l'Opéra de Paris[2]. En effet, la vérité est que les plus discrets s'en taisent, et n'osent en rire qu'entre eux.

Il faut convenir pourtant qu'on y représente à grands frais, non seulement toutes les merveilles de la nature, mais beaucoup d'autres merveilles bien plus grandes, que personne n'a jamais vues, et sûrement Pope a voulu désigner ce

---

1. L'Opéra était alors situé dans la salle du Palais-Royal, à l'emplacement de l'actuelle Comédie-Française. Dans la suite de la lettre, nous unifions la graphie en maintenant systématiquement la majuscule. **2.** Rousseau parle d'expérience : sa *Lettre sur la musique française* lui a valu des menaces de mort et une suspension de ses entrées à l'Opéra (en tant qu'auteur du *Devin de village*). Voir sa note ci-après, p. 340.

bizarre théâtre par celui où il dit qu'on voit pêle-mêle des
Dieux, des lutins, des monstres, des Rois, des bergers, des
fées, de la fureur, de la joie, un feu, une gigue, une bataille,
et un bal [1].

Cet assemblage si magnifique et si bien ordonné est
regardé comme s'il contenait en effet toutes les choses qu'il
représente. En voyant paraître un temple on est saisi d'un
saint respect, et pour peu que la Déesse en soit jolie, le parterre est à moitié païen. On n'est pas si difficile ici qu'à la
Comédie-française [2]. Ces mêmes spectateurs qui ne peuvent
revêtir un Comédien de son personnage [3], ne peuvent à
l'Opéra séparer un Acteur du sien. Il semble que les esprits
se roidissent contre une illusion raisonnable, et ne s'y
prêtent qu'autant qu'elle est absurde et grossière ; ou peut-
être que des Dieux leur coûtent moins à concevoir que des
Héros. Jupiter étant d'une autre nature que nous, on en peut
penser ce qu'on veut ; mais Caton était un homme, et combien d'hommes ont le droit de croire que Caton ait pu
exister ?

L'Opéra n'est donc point ici comme ailleurs une troupe
de gens payés pour se donner en spectacle au public ; ce
sont, il est vrai, des gens que le public paye et qui se donnent
en spectacle ; mais tout cela change de nature attendu que
c'est une Académie Royale de musique, une espèce de Cour
souveraine qui juge sans appel dans sa propre cause et ne
se pique[a] pas autrement de justice ni de fidélité *. Voilà,
Cousine, comment dans certains pays l'essence des choses
tient aux mots, et comment des noms honnêtes suffisent
pour honorer ce qui l'est le moins.

Les membres de cette noble Académie ne dérogent
point [4]. En revanche, ils sont excommuniés, ce qui est

---

* Dit en mots plus ouverts, cela n'en serait que plus vrai ; mais ici je suis
partie, et je dois me taire. Partout où l'on est moins soumis aux lois qu'aux
hommes, on doit savoir endurer l'injustice.

---

1. Vers de la *Dunciade ou l'Angleterre démasquée* de Pope (chant III, v. 235-
240). Citation quasi textuelle de la traduction française publiée à La Haye
en 1742. **2.** Le théâtre se trouvait rue des Fossés-Saint-Germain, actuelle rue
de l'Ancienne-Comédie. **3.** Voir *supra*, lettre 17, p. 307. **4.** *Déroger* employé
absolument signifie « faire quelque chose qui par les Lois du pays, fait
déchoir de la noblesse » (*Acad.* 1762).

précisément le contraire de l'usage des autres pays ; mais peut-être, ayant eu le choix, aiment-ils mieux être nobles et damnés, que roturiers et bénis. J'ai vu sur le théâtre un chevalier moderne [1] aussi fier de son métier qu'autrefois l'infortuné Labérius fut humilié du sien *, quoiqu'il le fît par force et ne récitât que ses propres ouvrages. Aussi l'ancien Labérius ne put-il reprendre sa place au cirque parmi les chevaliers romains, tandis que le nouveau en trouve tous les jours une sur les bancs de la Comédie-française parmi la première noblesse du pays, et jamais on n'entendit parler à Rome avec tant de respect de la majesté du peuple romain qu'on parle à Paris de la majesté de l'Opéra [b].

Voilà ce que j'ai pu recueillir des discours d'autrui sur ce brillant spectacle ; que je vous dise à présent ce que j'y ai vu moi-même.

Figurez-vous une gaine large d'une quinzaine de pieds, et longue à proportion [2] ; cette gaine est le théâtre. Aux deux côtés, on place par intervalles des feuilles de paravent, sur lesquelles sont grossièrement peints les objets que la scène doit représenter. Le fond est un grand rideau peint de même, et presque toujours percé ou déchiré, ce qui représente des

---

* Forcé par le Tyran de monter sur le théâtre, il déplora son sort par des vers très touchants, et très capables d'allumer l'indignation de tout honnête homme contre ce César si vanté. *Après avoir,* dit-il, *vécu soixante ans avec honneur, j'ai quitté ce matin mon foyer chevalier Romain, j'y rentrerai ce soir vil Histrion. Hélas, j'ai vécu trop d'un jour. Ô fortune ! s'il fallait me déshonorer une fois, que ne m'y forçais-tu quand la jeunesse et la vigueur me laissaient au moins une figure agréable : mais maintenant quel triste objet viens-je exposer aux rebuts du peuple Romain ? Une voix éteinte, un corps infirme, un cadavre, un sépulcre animé, qui n'a plus rien de moi que mon nom.* Le prologue entier qu'il récita dans cette occasion, l'injustice que lui fit César piqué de la noble liberté avec laquelle il vengeait son honneur flétri, l'affront qu'il reçut au cirque, la bassesse qu'eut Cicéron d'insulter à son opprobre, la réponse fine et piquante que lui fit Labérius ; tout cela nous a été conservé par Aulu-Gelle, et c'est à mon gré le morceau le plus curieux et le plus intéressant de son fade recueil. [NdE : l'anecdote figure en réalité dans Macrobe (*Saturnales*, II, 3-7). Rousseau introduit ce correctif dans Rey 63 : « Tout cela nous a été conservé par Macrobe ; et c'est à mon gré le morceau le plus curieux et le plus intéressant de toute sa compilation. »]

---

1. Allusion à Chassé du Ponceau, d'après D. Mornet : entré à l'Opéra en 1721, il prit sa retraite en 1757. **2.** Soit environ 5 mètres sur 5.

gouffres dans la terre ou des trous dans le Ciel, selon la
perspective. Chaque personne qui passe derrière le théâtre
et touche le rideau, produit en l'ébranlant une sorte de tremblement de terre assez plaisant à voir. Le Ciel est représenté
par certaines guenilles bleuâtres, suspendues à des bâtons
ou à des cordes, comme l'étendage d'une blanchisseuse. Le
soleil, car on l'y voit quelquefois, est un flambeau dans une
lanterne. Les chars des Dieux et des Déesses sont composés
de quatre solives encadrées et suspendues à une grosse corde
en forme d'escarpolette ; entre ces solives est une planche
en travers sur laquelle le dieu s'asseye, et sur le devant pend
un morceau de grosse toile barbouillée, qui sert de nuage
à ce magnifique char. On voit vers le bas de la machine
l'illumination de deux ou trois chandelles puantes et mal
mouchées [1], qui, tandis que le personnage se démène et crie
en branlant dans son escarpolette, l'enfument tout à son
aise. Encens digne de la divinité.

Comme les chars sont la partie la plus considérable des
machines de l'Opéra, sur celle-là vous pouvez juger des
autres. La mer agitée est composée de longues lanternes
angulaires de toile ou de carton bleu, qu'on enfile à des
broches parallèles, et qu'on fait tourner par des polissons.
Le tonnerre est une lourde charrette qu'on promène sur le
cintre, et qui n'est pas le moins touchant instrument de cette
agréable musique[c]. Les éclairs se font avec des pincées de
poix-résine [2] qu'on projette sur un flambeau ; la foudre est
un pétard au bout d'une fusée.

Le théâtre est garni de petites trappes carrées qui
s'ouvrant au besoin annoncent que les Démons vont sortir
de la cave. Quand ils doivent s'élever dans les airs, on leur
substitue adroitement de petits Démons de toile brune
empaillée, ou quelquefois de vrais ramoneurs qui branlent
en l'air suspendus à des cordes, jusqu'à ce qu'ils se perdent
majestueusement dans les guenilles dont j'ai parlé. Mais ce
qu'il y a de réellement tragique, c'est quand les cordes sont

---

1. *Moucher une chandelle*, c'est « ôter le bout du lumignon, lorsqu'il
empêche la chandelle de bien éclairer » (*Acad.* 1762). **2.** « On appelle *Poix
résine*, Une gomme jaunâtre qui sort des arbres résineux, après qu'on les a
incisés » (*Acad.* 1762).

mal conduites ou viennent à rompre ; car alors les esprits infernaux et les Dieux immortels tombent, s'estropient, se tuent quelquefois. Ajoutez à tout cela les monstres qui rendent certaines scènes fort pathétiques, tels que des dragons, des lézards, des tortues, des crocodiles, de gros crapauds qui se promènent d'un air menaçant sur le théâtre, et font voir à l'Opéra les tentations de St. Antoine [1]. Chacune de ces figures est animée par un lourdaud de Savoyard, qui n'a pas l'esprit de faire la bête.

Voilà, ma Cousine, en quoi consiste à peu près l'auguste appareil de l'Opéra, autant que j'ai pu l'observer du parterre à l'aide de ma lorgnette ; car il ne faut pas vous imaginer que ces moyens soient fort cachés et produisent un effet imposant ; je ne vous dis en ceci que ce que j'ai aperçu de moi-même, et ce que peut apercevoir comme moi tout spectateur non préoccupé [2]. On assure pourtant qu'il y a une prodigieuse quantité de machines employées à faire mouvoir tout cela ; on m'a offert plusieurs fois de me les montrer ; mais je n'ai jamais été curieux de voir comment on fait de petites choses avec de grands efforts.

Le nombre des gens occupés au service de l'Opéra est inconcevable. L'Orchestre et les chœurs composent ensemble près de cent personnes ; il y a des multitudes de danseurs, tous les rôles sont doubles et triples *, c'est-à-dire qu'il y a toujours[d] un ou deux acteurs subalternes, prêts à remplacer l'acteur principal, et payés pour ne rien faire jusqu'à ce qu'il lui plaise de ne rien faire à son tour, ce qui ne tarde jamais beaucoup d'arriver. Après quelques représentations, les premiers acteurs, qui sont d'importants personnages,

---

* On ne sait ce que c'est que des doubles en Italie ; le public ne les souffrirait pas ; aussi le spectacle est-il à beaucoup meilleur marché : Il en coûterait trop pour être mal servi.

---

1. Père des anachorètes en Égypte, saint Antoine vécut au IVe siècle et passa toute sa vie dans le désert, d'après la mythologie chrétienne. Flaubert a donné des versions très personnelles des tentations charnelles et des visions de l'ermite, dans les trois états de sa *Tentation de saint Antoine* (1849, 1856 et 1874). **2.** Tout spectateur sans idée préconçue. La lettre de Saint-Preux s'inscrit dans le sillage de Scarron et de Montesquieu, mais aussi dans celui de Marivaux (*Lettres sur les habitants de Paris, Le Spectateur français*).

n'honorent plus le public de leur présence ; ils abandonnent la place à leurs substituts, et aux substituts de leurs substituts. On reçoit toujours le même argent à la porte, mais on ne donne plus le même spectacle. Chacun prend son billet comme à une loterie, sans savoir quel lot il aura, et quel qu'il soit personne n'oserait se plaindre ; car, afin que vous le sachiez, les nobles membres de cette Académie ne doivent aucun respect au public, c'est le public qui leur en doit.

Je ne vous parlerai point de cette Musique ; vous la connaissez. Mais ce dont vous ne sauriez avoir d'idée, ce sont les cris affreux, les longs mugissements dont retentit le théâtre durant la représentation. On voit les Actrices presque en convulsion, arracher avec violence ces glapissements de leurs poumons, les poings fermés contre la poitrine, la tête en arrière, le visage enflammé, les vaisseaux gonflés, l'estomac pantelant [1] ; on ne sait lequel est le plus désagréablement affecté de l'œil ou de l'oreille ; leurs efforts font autant souffrir ceux qui les regardent, que leurs chants ceux qui les écoutent, et ce qu'il y a de plus inconcevable est que ces hurlements sont presque la seule chose qu'applaudissent les spectateurs. À leurs battements de mains on les prendrait pour des sourds charmés de saisir par-ci par-là quelques sons perçants, et qui veulent engager les Acteurs à les redoubler. Pour moi, je suis persuadé qu'on applaudit les cris d'une Actrice à l'Opéra comme les tours de force d'un bateleur à la foire : la sensation en est déplaisante et pénible ; on souffre tandis qu'ils durent, mais on est si aise de les voir finir sans accident qu'on en marque volontiers sa joie. Concevez que cette manière de chanter est employée pour exprimer ce que Quinault a jamais dit de plus galant et de plus tendre [2]. Imaginez les Muses, les grâces, les amours, Vénus même s'exprimant avec cette délicatesse, et jugez de l'effet ! Pour les Diables, passe encore, cette musique a quelque chose d'infernal qui ne leur messied pas.

---

1. La poitrine haletante. « Pantelant » est un adjectif d'emploi archaïque à l'époque. **2.** Philippe Quinault (1635-1688), inventeur avec Lully de la tragédie lyrique. Sur l'évolution de ce genre musical, voir Sarah Nancy, *La Voix féminine et le plaisir de l'écoute* (Classiques Garnier, 2012).

Aussi les magies,[1] les évocations, et toutes les fêtes du Sabbat sont-elles toujours ce qu'on admire le plus à l'Opéra français.

À ces beaux sons, aussi justes qu'ils sont doux, se marient très dignement ceux de l'Orchestre. Figurez-vous un charivari sans fin d'instruments sans mélodie, un ronron traînant et perpétuel de Basses ; chose la plus lugubre, la plus assommante que j'aie entendue de ma vie, et que je n'ai jamais pu supporter une demi-heure sans gagner un violent mal de tête. Tout cela forme une espèce de psalmodie à laquelle il n'y a pour l'ordinaire ni chant ni mesure. Mais quand par hasard il se trouve quelque air un peu sautillant, c'est un trépignement universel ; vous entendez tout le parterre en mouvement suivre à grand-peine et à grand bruit un certain homme de l'Orchestre *. Charmés de sentir un moment cette cadence qu'ils sentent si peu, ils se tourmentent l'oreille, la voix, les bras, les pieds et tout le corps pour courir après la mesure ** toujours prête à leur échapper, au lieu que l'Allemand et l'Italien qui en sont intimement affectés la sentent et la suivent sans aucun effort, et n'ont jamais besoin de la battre. Du moins Regianino m'a-t-il souvent dit que dans les Opéras d'Italie où elle est si sensible et si vive on n'entend,[2] on ne voit jamais dans l'Orchestre ni parmi les spectateurs le moindre mouvement qui la marque. Mais tout annonce en ce pays la dureté de l'organe musical ; les voix y sont rudes et sans douceur, les inflexions âpres et fortes, les sons forcés et traînants ; nulle cadence, nul accent mélodieux dans les airs du peuple : les instruments militaires, les fifres de l'infanterie, les trompettes de la cavalerie, tous les Cors, tous les hautbois, les chanteurs des rues, les violons des guinguettes, tout cela est d'un faux à choquer l'oreille la moins délicate. Tous les talents ne sont pas donnés aux mêmes hommes, et en général le français paraît être de tous les peuples de l'Europe celui qui a le moins

---

* Le bûcheron. [NdE : celui qui bat la mesure.]
** Je trouve qu'on n'a pas mal comparé les airs légers de la musique Française à la course d'une vache qui galope, ou d'une Oie grasse qui veut voler.

---

1. Nous ajoutons une virgule. **2.** Nous ajoutons une virgule.

d'aptitude à la musique ; Milord Édouard prétend que les
Anglais en ont aussi peu ; mais la différence est que ceux-ci
le savent et ne s'en soucient guère, au lieu que les Français
renonceraient à mille justes droits, et passeraient condamnation sur toute autre chose, plutôt que de convenir qu'ils ne
sont pas les premiers musiciens du monde[e]. Il y en a même
qui regarderaient volontiers la Musique à Paris comme une
affaire d'État, peut-être parce que c'en fut une à Sparte de
couper deux cordes à la lyre de Timothée[1] : à cela vous
sentez qu'on n'a rien à dire. Quoi qu'il en soit, l'Opéra de
Paris pourrait être une fort belle institution politique, qu'il
n'en plairait pas davantage aux gens de goût. Revenons à
ma description.

Les Ballets, dont il me reste à vous parler, sont la partie
la plus brillante de cet Opéra, et considérés séparément, ils
font un spectacle agréable, magnifique et vraiment théâtral ;
mais ils servent comme partie constitutive de la pièce, et
c'est en cette qualité qu'il les faut considérer. Vous connaissez les Opéras de Quinault ; vous savez comment les diver-
tissements y sont employés ; c'est à peu près de même, ou
encore pis, chez ses successeurs. Dans chaque acte l'action
est ordinairement coupée au moment le plus intéressant par
une fête qu'on donne aux Acteurs assis, et que le parterre
voit debout. Il arrive de là que les personnages de la pièce
sont absolument oubliés, ou bien que les spectateurs
regardent les Acteurs qui regardent autre chose. La manière
d'amener ces fêtes est simple. Si le Prince est joyeux, on
prend part à sa joie, et l'on danse ;[2] s'il est triste, on veut
l'égayer, et l'on danse. J'ignore si c'est la mode à la Cour de
donner le bal aux Rois quand ils sont de mauvaise humeur :
Ce que je sais par rapport à ceux-ci, c'est qu'on ne peut
trop admirer leur constance stoïque à voir des Gavottes[3]

---

1. Timothée, poète de Milet du IVe siècle, ajouta deux cordes à sa lyre lors
d'un concours de chant à Sparte : les éphores (magistrats) l'obligèrent à
briser les cordes non réglementaires. Montaigne attribue à Phrynis de Myti-
lène ce châtiment, le trait étant rapporté par Plutarque (*Essais*, I, 23, « De
la coutume », p. 182). **2.** Nous remplaçons le deux-points par le point-virgule, plus conforme à nos usages. **3.** « Air de danse qui se bat à deux temps
[...] dont le mouvement est quelquefois vif et gai, quelquefois tendre et lent »
(*Acad.* 1762).

ou écouter des chansons, tandis qu'on décide quelquefois derrière le théâtre de leur couronne ou de leur sort. Mais il y a bien d'autres sujets de danse ; les plus graves actions de la vie se font en dansant. Les Prêtres dansent, les soldats dansent, les Dieux dansent, les Diables dansent, on danse jusque dans les enterrements, et tout danse [1] à propos de tout.

La danse est donc le quatrième des beaux-arts employés dans la constitution de la scène lyrique : mais les trois autres concourent à l'imitation [2] ; et celui-là, qu'imite-t-il ? Rien. Il est donc hors d'œuvre [3] quand il n'est employé que comme danse ; car que font des menuets, des rigodons, des chaconnes, dans une tragédie [4] ? Je dis plus, il n'y serait pas moins déplacé s'il imitait quelque chose ; parce que de toutes les unités, il n'y en a point de plus indispensable que celle du langage ; et un Opéra où l'action se passerait moitié en chant, moitié en danse, serait plus ridicule encore que celui où l'on parlerait moitié français, moitié italien.

Non contents d'introduire la danse comme partie essentielle de la scène lyrique, ils se sont même efforcés d'en faire quelquefois le sujet principal, et ils ont des Opéras appelés Ballets qui remplissent si mal leur titre, que la danse n'y est pas moins déplacée que dans tous les autres. La plupart de ces Ballets forment autant de sujets séparés que d'actes, et ces sujets sont liés entre eux par de certaines relations métaphysiques [5] dont le spectateur ne se douterait jamais si l'auteur n'avait soin de l'en avertir dans un prologue. Les saisons, les âges, les sens, les éléments ; je demande quel rapport ont tous ces titres à la danse, et ce qu'ils peuvent offrir de ce genre à l'imagination ? Quelques-uns même sont purement allégoriques, comme le Carnaval et la folie [6], et ce sont

---

1. Tout le monde danse. **2.** Tout jugement esthétique reste soumis au dogme aristotélicien de l'imitation de la nature. Rousseau a cette image hardie pour qualifier le pouvoir de la musique : « Par un prestige presque inconcevable, elle semble mettre l'œil dans l'oreille » (*DM*, art. « Imitation », p. 860). **3.** Dont on peut se passer (sens figuré vieilli). **4.** Une tragédie lyrique ou tragédie en musique. Le rigodon (orthographié *rigaudon* dans le *DM*) est une danse gaie, la chaconne est généralement plus grave. **5.** Abstraites. **6.** Plusieurs opéras portent ces titres : *Le Carnaval de Venise* (1699) de Campra, *Le Carnaval et la Folie* (1704) de Destouches, *Les Caractères de la Folie* (1734) de Bury et Duclos, *Le Carnaval du Parnasse* (1749) de Mondonville.

les plus insupportables de tous ; parce que avec beaucoup d'esprit et de finesse, ils n'ont ni sentiments, ni tableaux, ni situations, ni chaleur, ni intérêt, ni rien de tout ce qui peut donner prise à la musique, flatter le cœur, et nourrir l'illusion. Dans ces prétendus Ballets l'action se passe toujours en chant, la danse interrompt toujours l'action ou ne s'y trouve que par occasion et n'imite rien. Tout ce qu'il arrive, c'est que ces Ballets ayant encore moins d'intérêt que les Tragédies, cette interruption y est moins remarquée : s'ils étaient moins froids, on en serait plus choqué ; mais un défaut couvre l'autre, et l'art des Auteurs pour empêcher que la danse ne lasse, c'est de faire en sorte que la pièce ennuie.

Ceci me mène insensiblement à des recherches sur la véritable constitution du drame lyrique, trop étendues pour entrer dans cette lettre et qui me jetteraient loin de mon sujet ; j'en ai fait une petite dissertation à part que vous trouverez ci-jointe [1], et dont vous pourrez causer avec Regianino. Il me reste à vous dire sur l'Opéra français que le plus grand défaut que j'y crois remarquer est un faux goût de magnificence, par lequel on a voulu mettre en représentation le merveilleux, qui, n'étant fait que pour être imaginé, est aussi bien placé dans un poème épique que ridiculement sur un théâtre. J'aurais eu peine à croire, si je ne l'avais vu, qu'il se trouvât des artistes [2] assez imbéciles pour vouloir imiter le char du Soleil, et des spectateurs assez enfants pour aller

---

1. Autre « petit traité » inséré dans la correspondance des amants, mais soustrait au lecteur, comme la relation du Valais, le récit du voyage autour du monde ou le traité d'éducation. **2.** Au sens d'artisans. Diderot distingue très bien l'emploi des deux termes dans l'*Encyclopédie* : « ARTISTE : nom que l'on donne aux ouvriers qui excellent dans ceux d'entre les arts mécaniques qui supposent l'intelligence ; et même à ceux, qui, dans certaines Sciences, moitié pratiques, moitié spéculatives, en entendent très bien la partie pratique, ainsi on dit d'un Chimiste, qui sait exécuter adroitement les procédés que d'autres ont inventés, que c'est un bon artiste ; avec cette différence que le mot artiste est toujours un éloge dans le premier cas, et que dans le second, c'est presque un reproche de ne posséder que la partie subalterne de sa profession. » « ARTISAN : nom par lequel on désigne les ouvriers qui professent ceux d'entre les arts mécaniques, qui supposent le moins d'intelligence. On dit d'un bon Cordonnier, que c'est un bon artisan ; et d'un habile Horloger, que c'est un grand artiste. »

voir cette imitation. La Bruyère ne concevait pas comment un spectacle aussi superbe que l'Opéra pouvait l'ennuyer à si grands frais [1]. Je le conçois bien moi qui ne suis pas un La Bruyère, et je soutiens que pour tout homme qui n'est pas dépourvu du goût des beaux-arts, la musique française, la danse et le merveilleux mêlés ensemble feront toujours de l'Opéra de Paris le plus ennuyeux spectacle qui puisse exister. Après tout, peut-être n'en faut-il pas aux Français de plus parfaits, au moins quant à l'exécution ; non qu'ils ne soient très en état de connaître la bonne, mais parce qu'en ceci le mal les amuse plus que le bien. Ils aiment mieux railler qu'applaudir ; le plaisir de la critique les dédommage de l'ennui du spectacle, et il leur est plus agréable de s'en moquer quand ils n'y sont plus, que de s'y plaire tandis qu'ils y sont [2].

Lettre XXIV
De Julie

Oui, oui, je le vois bien ; l'heureuse Julie t'est toujours chère. Ce même feu qui brillait jadis dans tes yeux, se fait sentir dans ta dernière lettre ; j'y retrouve toute l'ardeur qui m'anime, et la mienne s'en irrite encore. Oui, mon ami, le sort a beau nous séparer, pressons nos cœurs l'un contre l'autre, conservons par la communication leur chaleur naturelle contre le froid de l'absence et du désespoir, et que tout ce qui devrait relâcher notre attachement ne serve qu'à le resserrer sans cesse.

Mais admire ma simplicité ; depuis que j'ai reçu cette Lettre, j'éprouve quelque chose des charmants effets dont elle parle, et ce badinage du Talisman, quoique inventé par moi-même, ne laisse pas de me séduire et de me paraître une vérité. Cent fois le jour quand je suis seule un tressaillement

---

1. « Je ne sais pas comment l'*Opéra* avec une musique si parfaite et une dépense toute royale a pu réussir à m'ennuyer » (*Les Caractères*, « Des ouvrages de l'esprit », n° 47). L'opéra était un genre généralement peu apprécié par les partisans des Anciens. **2.** Cette lettre prolonge la polémique ouverte par la *Lettre sur la musique française* et recoupe plusieurs articles du *DM* (« Ballet », « Battre la mesure », « Imitation », etc.).

me saisit comme si je te sentais près de moi. Je m'imagine que tu tiens mon portrait, et je suis si folle que je crois sentir l'impression des caresses que tu lui fais et des baisers que tu lui donnes : ma bouche croit les recevoir, mon tendre cœur croit les goûter. Ô douces illusions ! ô chimères, dernières ressources des malheureux ! Ah, s'il se peut, tenez-nous lieu de réalité [1] ! Vous êtes quelque chose encore à ceux pour qui le bonheur n'est plus rien.

Quant à la manière dont je m'y suis prise pour avoir ce portrait, c'est bien un soin de l'amour ; mais crois que s'il était vrai qu'il fît des miracles, ce n'est pas celui-là qu'il aurait choisi. Voici le mot de l'énigme. Nous eûmes il y a quelque temps ici un peintre en miniature venant d'Italie ; il avait des lettres de Milord Édouard, qui peut-être en les lui donnant avait en vue ce qui est arrivé. M. d'Orbe voulut profiter de cette occasion pour avoir le portrait de ma Cousine ; je voulus l'avoir aussi. Elle et ma Mère voulurent avoir le mien, et à ma prière le peintre en fit secrètement une seconde copie. Ensuite sans m'embarrasser de copie ni d'original, je choisis subtilement le plus ressemblant des trois pour te l'envoyer. C'est une friponnerie dont je ne me suis pas fait un grand scrupule ; car un peu de ressemblance de plus ou de moins n'importe guère à ma Mère et à ma Cousine ; mais les hommages que tu rendrais à une autre figure que la mienne seraient une espèce d'infidélité d'autant plus dangereuse que mon portrait serait mieux que moi, et je ne veux point, comme que ce soit [2] que tu prennes du goût pour des charmes que je n'ai pas. Au reste, il n'a pas dépendu de moi d'être un peu plus soigneusement vêtue ; mais on ne m'a pas écoutée, et mon père lui-même a voulu que le portrait demeurât tel qu'il est. Je te prie, au moins, de croire qu'excepté la coiffure, cet ajustement n'a point été pris sur le mien, que le peintre a tout fait de sa grâce, et qu'il a orné ma personne des ouvrages de son imagination.

---

1. Sur cet emploi de « chimère », voir I, 23, n. 1, p. 114. **2.** De quelque façon que ce soit (tour archaïque).

Lettre XXV
À Julie

Il faut, chère Julie, que je te parle encore de ton portrait ; non plus dans ce premier enchantement auquel tu fus si sensible ; mais au contraire avec le regret d'un homme abusé par un faux espoir, et que rien ne peut dédommager de ce qu'il a perdu. Ton portrait a de la grâce et de la beauté, même de la tienne ; il est assez ressemblant et peint par un habile homme, mais pour en être content, il faudrait ne te pas connaître.

La première chose que je lui reproche est de te ressembler et de n'être pas toi, d'avoir ta figure et d'être insensible. Vainement le peintre a cru rendre exactement tes yeux et tes traits ; il n'a point rendu ce doux sentiment qui les vivifie, et sans lequel, tout charmants qu'ils sont, ils ne seraient rien. C'est dans ton cœur, ma Julie, qu'est le fard de ton visage et celui-là ne s'imite point. Ceci tient, je l'avoue, à l'insuffisance de l'art ; mais c'est au moins la faute de l'artiste de n'avoir pas été exact en tout ce qui dépendait de lui. Par exemple, il a placé la racine des cheveux trop loin des tempes, ce qui donne au front un contour moins agréable et moins de finesse au regard. Il a oublié les rameaux de pourpre que font à cet endroit deux ou trois petites veines sous la peau, à peu près comme dans ces fleurs d'iris que nous considérions un jour au jardin de Clarens. Le coloris des joues est trop près des yeux, et ne se fond pas délicieusement en couleur de rose vers le bas du visage comme sur le modèle. On dirait que c'est du rouge artificiel plaqué comme le carmin des femmes de ce pays. Ce défaut n'est pas peu de chose, car il te rend l'œil moins doux et l'air plus hardi.

Mais, dis-moi, qu'a-t-il fait de ces nichées d'amours qui se cachent aux deux coins de ta bouche, et que dans mes jours fortunés j'osais réchauffer quelquefois de la mienne ? Il n'a point donné leur grâce à ces coins, il n'a pas mis à cette bouche ce tour agréable et sérieux qui change tout à coup à ton moindre sourire, et porte au cœur je ne sais quel enchantement inconnu, je ne sais quel soudain ravissement que rien ne peut exprimer. Il est vrai que ton portrait ne peut passer du sérieux au sourire. Ah ! c'est précisément de quoi je me plains : pour pouvoir exprimer tous tes charmes, il faudrait te peindre dans tous les instants de ta vie.

Passons au Peintre d'avoir omis quelques beautés ; mais en quoi il n'a pas fait moins de tort à ton visage, c'est d'avoir omis les défauts. Il n'a point fait cette tache presque imperceptible que tu as sous l'œil droit, ni celle qui est au cou du côté gauche. Il n'a point mis…. ô dieux, cet homme était-il de bronze ?…. Il a oublié la petite cicatrice [1] qui t'est restée sous la lèvre[a]. Il t'a fait les cheveux et les sourcils de la même couleur, ce qui n'est pas : les sourcils sont plus châtains, et les cheveux plus cendrés.

> *Bionda testa, occhi azurri, e bruno ciglio.*
>
> [Blonde chevelure, yeux bleus et sourcils bruns [2].]

Il a fait le bas du visage exactement ovale. Il n'a pas remarqué cette légère sinuosité qui séparant le menton des joues, rend leur contour moins régulier et plus gracieux. Voilà les défauts les plus sensibles, il en a omis beaucoup d'autres, et je lui en sais fort mauvais gré ; car ce n'est pas seulement de tes beautés que je suis amoureux, mais de toi toute entière telle que tu es. Si tu ne veux pas que le pinceau te prête rien, moi, je ne veux pas qu'il t'ôte rien, et mon cœur se soucie aussi peu des attraits que tu n'as pas, qu'il est jaloux de ce qui tient leur place.

Quant à l'ajustement, je le passerai d'autant moins que, parée ou négligée, je t'ai toujours vue mise avec beaucoup plus de goût que tu ne l'es dans ton portrait. La coiffure est trop chargée ; on me dira qu'il n'y a que des fleurs : Hé bien ces fleurs sont de trop. Te souviens-tu de ce bal où tu portais

---

1. On rapprochera ce détail de la réflexion de Diderot sur une exigence de *mimesis* expressive contraire aux canons de beauté traditionnels : « Que l'artiste me fasse apercevoir au front de cette tête une cicatrice légère, une verrue à l'une de ses tempes, une coupure imperceptible à la lèvre inférieure, et d'idéale qu'elle était, à l'instant la tête devient un portrait […] » (*Les Deux Amis de Bourbonne*, in *Contes et romans*, éd. M. Delon, Gallimard, « Bibliothèque de la Pléiade », p. 449). **2.** Marini, *Adone*, III, v. 23. Trad. de Rousseau dans DC. Saint-Preux cite et critique la poésie de Marini dans la même lettre.

ton habit à la Valaisane, et où ta Cousine dit que je dansais en philosophe[1] ? Tu n'avais pour toute coiffure qu'une longue tresse de tes cheveux roulée autour de ta tête et rattachée avec une aiguille d'or, à la manière des Villageoises de Berne. Non, le Soleil orné de tous ses rayons n'a pas l'éclat dont tu frappais les yeux et les cœurs, et sûrement quiconque te vit ce jour-là ne t'oubliera de sa vie. C'est ainsi, ma Julie, que tu dois être coiffée ; c'est l'or de tes cheveux qui doit parer ton visage, et non cette rose qui les cache et que ton teint flétrit. Dis à la Cousine, car je reconnais ses soins et son choix, que ces fleurs dont elle a couvert et profané ta chevelure, ne sont pas de meilleur goût que celles[2] qu'elle recueille dans l'*Adone*, et qu'on peut leur passer de suppléer à la beauté, mais non de la cacher.

À l'égard du buste, il est singulier qu'un amant soit là-dessus plus sévère qu'un père, mais en effet je ne t'y trouve pas vêtue avec assez de soin. Le portrait de Julie doit être modeste comme elle. Amour ! ces secrets n'appartiennent qu'à toi. Tu dis que le peintre a tout tiré de son imagination. Je le crois, je le crois ! Ah, s'il eût aperçu le moindre de ces charmes voilés, ses yeux l'eussent dévoré, mais sa main n'eût point tenté de les peindre ; pourquoi faut-il que son art téméraire ait tenté de les imaginer ? Ce n'est pas seulement un défaut de bienséance, je soutiens que c'est encore un défaut de goût. Oui, ton visage est trop chaste pour supporter le désordre de ton sein ; on voit que l'un de ces deux objets doit empêcher l'autre de paraître ; il n'y a que le délire de l'amour qui puisse les accorder, et quand sa main ardente ose dévoiler celui que la pudeur couvre, l'ivresse et le trouble de tes yeux dit alors que tu l'oublies et non que tu l'exposes.

Voilà la critique qu'une attention continuelle m'a fait faire de ton portrait. J'ai conçu là-dessus le dessein de le réformer selon mes idées. Je les ai communiquées à un Peintre habile, et sur ce qu'il a déjà fait, j'espère te voir bientôt plus semblable à toi-même. De peur de gâter le portrait nous essayons les changements sur une copie que je lui

---

1. Voir I, 23, p. 113, et V, 6, n. 4, p. 707. **2.** Les fleurs de rhétorique (ornements, embellissements, images).

en ai fait faire, et il ne les transporte sur l'original que quand nous sommes bien sûrs de leur effet. Quoique je dessine assez médiocrement, cet artiste ne peut se lasser d'admirer la subtilité de mes observations ; il ne comprend pas combien celui qui me les dicte est un maître plus savant que lui[1]. Je lui parais aussi quelquefois fort bizarre : il dit que je suis le premier amant qui s'avise de cacher des objets qu'on n'expose jamais assez au gré des autres, et quand je lui réponds que c'est pour mieux te voir tout entière que je t'habille avec tant de soin, il me regarde comme un fou. Ah ! que ton portrait serait bien plus touchant, si je pouvais inventer des moyens d'y montrer ton âme avec ton visage, et d'y peindre à la fois ta modestie et tes attraits ! Je te jure, ma Julie, qu'ils gagneront beaucoup à cette réforme. On n'y voyait que ceux qu'avait supposés le peintre, et le spectateur ému les supposera tels qu'ils sont. Je ne sais quel enchantement secret règne dans ta personne ; mais tout ce qui la touche semble y participer ; il ne faut qu'apercevoir un coin de ta robe pour adorer celle qui la porte. On sent, en regardant ton ajustement, que c'est partout le voile des grâces qui couvre la beauté : et le goût de ta modeste parure semble annoncer au cœur tous les charmes qu'elle recèle.

Lettre XXVI
À Julie

Julie ! ô Julie ! ô toi qu'un temps j'osais appeler mienne, et dont je profane aujourd'hui le nom ! la plume échappe à ma main tremblante ; mes larmes inondent le papier ; j'ai peine à former les premiers traits d'une lettre qu'il ne fallait jamais écrire[2] ; je ne puis ni me taire ni parler ! Viens, honorable et chère image, viens épurer et raffermir un cœur avili par la honte et brisé par le repentir. Soutiens mon courage qui s'éteint ; donne à mes remords la force d'avouer le crime involontaire que ton absence m'a laissé commettre.

---

1. « Il le faut avouer, l'amour est un grand maître » (Molière, *L'École des femmes*, III, 4). **2.** Qu'il n'aurait jamais fallu avoir à écrire.

Que tu vas avoir de mépris pour un coupable, mais bien moins que je n'en ai moi-même ! Quelque abject que j'aille être à tes yeux, je le suis cent fois plus aux miens propres ; car en me voyant tel que je suis, ce qui m'humilie le plus encore, c'est de te voir, de te sentir au fond de mon cœur, dans un lieu désormais si peu digne de toi, et de songer que le souvenir des plus vrais plaisirs de l'amour n'a pu garantir mes sens d'un piège sans appas, et d'un crime sans charmes.

Tel est l'excès de ma confusion qu'en recourant à ta clémence, je crains même de souiller tes regards sur ces lignes par l'aveu de mon forfait. Pardonne, âme pure et chaste un récit que j'épargnerais à ta modestie s'il n'était un moyen d'expier mes égarements ; je suis indigne de tes bontés, je le sais ; je suis vil, bas, méprisable ; mais au moins je ne serai ni faux ni trompeur, et j'aime mieux que tu m'ôtes ton cœur et la vie que de t'abuser un seul moment. De peur d'être tenté de chercher des excuses qui ne me rendraient que plus criminel, je me bornerai à te faire un détail exact de ce qui m'est arrivé. Il sera aussi sincère que mon regret ; c'est tout ce que je me permettrai de dire en ma faveur.

J'avais fait connaissance avec quelques Officiers aux gardes [1] et autres jeunes gens de nos compatriotes, auxquels je trouvais un mérite naturel, que j'avais regret de voir gâter par l'imitation de je ne sais quels faux airs qui ne sont pas faits pour eux. Ils se moquaient à leur tour de me voir conserver dans Paris la simplicité des antiques mœurs helvétiques. Ils prirent mes maximes et mes manières pour des leçons indirectes dont ils furent choqués, et résolurent de me faire changer de ton à quelque prix que ce fût. Après plusieurs tentatives qui ne réussirent point, ils en firent une mieux concertée qui n'eut que trop de succès. Hier matin, ils vinrent me proposer d'aller souper chez la femme d'un Colonel qu'ils me nommèrent, et qui sur le bruit de ma sagesse, avait, disaient-ils, envie de faire connaissance avec moi. Assez sot pour donner dans ce persiflage [2], je leur

---

1. Les gardes suisses employés par la monarchie pour la protection de la cour. **2.** Mot nouveau (Prévost le relève comme un néologisme dans ses *Mémoires d'un honnête homme* parus en 1745), le *persiflage* « exprime l'action de rendre quelqu'un victime de la plaisanterie, par les choses qu'on lui fait dire ingénument » (*Féraud*).

représentai qu'il serait mieux d'aller premièrement lui faire visite, mais ils se moquèrent de mon scrupule, me disant que la franchise suisse ne comportait pas tant de façons [1] et que ces manières cérémonieuses ne serviraient qu'à lui donner mauvaise opinion de moi. À neuf heures nous nous rendîmes donc chez la Dame. Elle vint nous recevoir sur l'escalier ; ce que je n'avais encore observé nulle part. En entrant je vis à des bras de cheminées de vieilles bougies qu'on venait d'allumer, et partout un certain air d'apprêt qui ne me plut point. La maîtresse de la maison me parut jolie, quoique un peu passée ; d'autres femmes à peu près du même âge et d'une semblable figure étaient avec elle ; leur parure assez brillante, avait plus d'éclat que de goût ; mais j'ai déjà remarqué que c'est un point sur lequel on ne peut guère juger en ce pays de l'état d'une femme [2].

Les premiers compliments se passèrent à peu près comme partout ; l'usage du monde apprend à les abréger, ou à les tourner vers l'enjouement avant qu'ils ennuient. Il n'en fut pas tout à fait de même sitôt que la conversation devint générale et sérieuse. Je crus trouver à ces Dames un air contraint et gêné, comme si ce ton ne leur eût pas été familier, et pour la première fois depuis que j'étais à Paris, je vis des femmes embarrassées à soutenir un entretien raisonnable. Pour trouver une matière aisée, elles se jetèrent sur leurs affaires de famille, et comme je n'en connaissais pas une, chacune dit de la sienne ce qu'elle voulut. Jamais je n'avais tant ouï parler de M. le Colonel ; ce qui m'étonnait dans un pays où l'usage est d'appeler les gens par leur nom plus que par leurs titres, et où ceux qui ont celui-là en portent ordinairement d'autres [3].

Cette fausse dignité fit bientôt place à des manières plus naturelles. On se mit à causer tout bas, et reprenant sans y penser un ton de familiarité peu décente, on chuchetait, [4]

---

1. Rey 61 porte *façon* au singulier. **2.** Voir *supra*, II, 21, p. 322. **3.** Les officiers supérieurs sont pris dans la noblesse. Probable souvenir de la Sinclair, maquerelle soi-disant veuve d'un « colonel », chez qui est « hébergée » Clarissa à Londres. Dans le roman de Richardson, l'héroïne éprouve la même répugnance que Saint-Preux, et se rend compte trop tard qu'elle est séquestrée dans un mauvais lieu (*Clarissa Harlove*, t. I, p. 741 *sq.*). **4.** Nous ajoutons ici une virgule.

on souriait en me regardant, tandis que la Dame de la maison me questionnait sur l'état de mon cœur d'un certain ton résolu qui n'était guère propre à le gagner. On servit, et la liberté de la table qui semble confondre tous les états, mais qui met chacun à sa place sans qu'il y songe, acheva de m'apprendre en quel lieu j'étais. Il était trop tard pour m'en dédire. Tirant donc ma sûreté de ma répugnance, je consacrai cette soirée à ma fonction d'observateur, et résolus d'employer à connaître cet ordre de femmes, la seule occasion que j'en aurais de ma vie. Je tirai peu de fruit de mes remarques ; elles avaient si peu d'idée de leur état présent, si peu de prévoyance pour l'avenir, et hors du jargon de leur métier, elles étaient si stupides à tous égards, que le mépris effaça bientôt la pitié que j'avais d'abord d'elles. En parlant du plaisir même, je vis qu'elles étaient incapables d'en ressentir. Elles me parurent d'une violente avidité pour tout ce qui pouvait tenter leur avarice [1] : à cela près, je n'entendis sortir de leur bouche aucun mot qui partît du cœur [2]. J'admirai comment d'honnêtes gens pouvaient supporter une société si dégoûtante. C'eût été leur imposer une peine cruelle à mon avis, que de les condamner au genre de vie qu'ils choisissaient eux-mêmes.

Cependant le souper se prolongeait et devenait bruyant. Au défaut de l'amour, le vin échauffait les convives. Les discours n'étaient pas tendres, mais déshonnêtes, et les femmes tâchaient d'exciter par le désordre de leur ajustement les désirs qui l'auraient dû causer. D'abord, tout cela ne fit sur moi qu'un effet contraire, et tous leurs efforts pour me séduire ne servaient qu'à me rebuter. Douce pudeur ! disais-je en moi-même, suprême volupté de l'amour ; que de charmes perd une femme, au moment qu'elle renonce à toi ! combien, si elles connaissaient ton empire elles mettraient

---

1. C'est aussi la désillusion que connaît « l'honnête homme » du roman de Prévost, dupé en croyant sortir une prostituée de son « infâme état » (*Mémoires d'un honnête homme*, *Œuvres*, Presses universitaires de Grenoble, 1986, p. 223 *sq.*). **2.** La formule est un probable souvenir du *Misanthrope* de Molière, pièce importante pour Rousseau, qui en livre une critique politique dans la *Lettre à d'Alembert*, mais ne peut que souscrire à cette exigence d'Alceste : « Je veux qu'on soit sincère, et qu'en homme d'honneur,/ On ne lâche aucun mot qui ne parte du cœur » (I, 1).

de soin à te conserver, sinon par honnêteté, du moins par coquetterie ! Mais on ne joue point la pudeur. Il n'y a pas d'artifice plus ridicule que celui qui la veut imiter. Quelle différence, pensais-je encore, de la grossière impudence de ces créatures et de leurs équivoques licencieuses à ces regards timides et passionnés, à ces propos pleins de modestie, de grâce, et de sentiments, dont…. Je n'osais achever ; je rougissais de ces indignes comparaisons…. je me reprochais comme autant de crimes les charmants souvenirs qui me poursuivaient malgré moi…. En quels lieux osais-je penser à celle…. Hélas ! ne pouvant écarter de mon cœur une trop chère image, je m'efforçais de la voiler.

Le bruit, les propos que j'entendais, les objets qui frappaient mes yeux m'échauffèrent insensiblement ; mes deux voisines ne cessaient de me faire des agaceries qui furent enfin poussées trop loin pour me laisser de sang-froid. Je sentis que ma tête s'embarrassait ; j'avais toujours bu mon vin fort trempé, j'y mis plus d'eau encore, et enfin je m'avisai de la boire pure. Alors seulement je m'aperçus que cette eau prétendue était du vin blanc, et que j'avais été trompé tout le long du repas [1]. Je ne fis point des plaintes qui ne m'auraient attiré que des railleries ; je cessai de boire. Il n'était plus temps ; le mal était fait. L'ivresse ne tarda pas à m'ôter le peu de connaissance qui me restait. Je fus surpris, en revenant à moi, de me trouver dans un cabinet reculé, entre les bras d'une de ces créatures, et j'eus au même instant le désespoir de me sentir aussi coupable que je pouvais l'être….

J'ai fini ce récit affreux ; qu'il ne souille plus tes regards ni ma mémoire. Ô toi dont j'attends mon jugement, j'implore ta rigueur, je la mérite. Quel que soit mon châtiment, il me sera moins cruel que le souvenir de mon crime [2].

---

1. Multiplication de détails insolites et sans vraisemblance excessive, depuis la maîtresse de maison qui reçoit ses hôtes au bas de l'escalier (contre tous les usages) au vin non reconnu pour tel. **2.** Racontant son infidélité avec la maîtresse de son ami Kluffel, et le prompt aveu qu'il en fit à Thérèse, Rousseau écrit dans ses *Confessions* : « Je sortis de la rue des Moineaux, où logeait cette fille, aussi honteux que Saint-Preux sortit de la maison où on l'avait enivré, et je me rappelai bien mon histoire en écrivant la sienne » (livre VIII, t. II, p. 96).

H. Gravelot invenit.   A. de St Aubin Sculp.

La honte et les remords vengent l'amour outragé.

Lettre XXVII
Réponse

Rassurez-vous sur la crainte de m'avoir irritée. Votre lettre m'a donné plus de douleur que de colère. Ce n'est pas moi, c'est vous que vous avez offensé par un désordre auquel le cœur n'eut point de part. Je n'en suis que plus affligée. J'aimerais mieux vous voir m'outrager que vous avilir, et le mal que vous vous faites est le seul que je ne puis vous pardonner.

À ne regarder que la faute dont vous rougissez, vous vous trouvez bien plus coupable que vous ne l'êtes ; et je ne vois guère en cette occasion que de l'imprudence à vous reprocher. Mais ceci vient de plus loin et tient à une plus profonde racine que vous n'apercevez pas, et qu'il faut que l'amitié vous découvre.

Votre première erreur est d'avoir pris une mauvaise route en entrant dans le monde ; plus vous avancez, plus vous vous égarez, et je vois en frémissant que vous êtes perdu si vous ne revenez sur vos pas. Vous vous laissez conduire insensiblement dans le piège que j'avais craint. Les grossières amorces du vice ne pouvaient d'abord vous séduire, mais la mauvaise compagnie a commencé par abuser votre raison pour corrompre votre vertu, et fait déjà sur vos mœurs le premier essai de ses maximes.

Quoique vous ne m'ayez rien dit en particulier des habitudes que vous vous êtes faites à Paris ; il est aisé de juger de vos sociétés par vos lettres, et de ceux qui vous montrent les objets par votre manière de les voir. Je ne vous ai point caché combien j'étais peu contente de vos relations ; vous avez continué sur le même ton, et mon déplaisir n'a fait qu'augmenter. En vérité l'on prendrait ces lettres pour les sarcasmes d'un petit-maître * plutôt que pour les relations

* Douce Julie, à combien de titres vous allez vous faire siffler ! Eh quoi ! vous n'avez pas même le ton du jour. Vous ne savez pas qu'il y a des *petites-maîtresses*, mais qu'il n'y a plus de *petits-maîtres*. Bon dieu, que savez-vous donc ? [NdE : un *petit-maître* est un « jeune homme, qui se distingue par un air avantageux, par des manières libres et étourdies ». Une *petite-maîtresse* est une « femme qui affecte les manières d'un petit-maître. Celui-ci est plus nouveau, parce que le ridicule qu'il représente est devenu depuis quelques années plus outré et plus commun » (*Féraud*).]

d'un philosophe, et l'on a peine à les croire de la même main que celles que vous m'écriviez autrefois. Quoi ! vous pensez étudier les hommes dans les petites manières de quelques coteries de précieuses ou de gens désœuvrés, et ce vernis extérieur et changeant qui devait à peine frapper vos yeux, fait le fond de toutes vos remarques ! Était-ce la peine de recueillir avec tant de soin des usages et des bienséances qui n'existeront plus dans dix ans d'ici, tandis que les ressorts éternels du cœur humain, le jeu secret et durable des passions échappent à vos recherches ? Prenons votre lettre sur les femmes, qu'y trouverai-je qui puisse m'apprendre à les connaître ? Quelque description de leur parure, dont tout le monde est instruit ; quelques observations malignes sur leurs manières de se mettre et de se présenter, quelque idée du désordre d'un petit nombre, injustement généralisée ; comme si tous les sentiments honnêtes étaient éteints à Paris, et que toutes les femmes y allassent en carrosse et aux premières loges. M'avez-vous rien dit qui m'instruise solidement de leurs goûts, de leurs maximes, de leur vrai caractère, et n'est-il pas bien étrange qu'en parlant des femmes d'un pays, un homme sage ait oublié ce qui regarde les soins domestiques et l'éducation des enfants * ? La seule chose qui semble être de vous dans toute cette Lettre, c'est le plaisir avec lequel vous louez leur bon naturel et qui fait honneur au vôtre. Encore n'avez-vous fait en cela que rendre justice au sexe en général ; et dans quel pays du monde la douceur et la commisération ne sont-elles pas l'aimable partage des femmes ?

Quelle différence de tableau si vous m'eussiez peint ce que vous aviez vu plutôt que ce qu'on vous avait dit, ou du moins, que vous n'eussiez consulté que des gens sensés ! Faut-il que vous, qui avez tant pris de soins à conserver votre jugement, alliez le perdre, comme de propos délibéré dans le commerce d'une jeunesse inconsidérée, qui ne cherche dans la société des sages qu'à les séduire et non pas

* Et pourquoi ne l'aurait-il pas oublié ? Est-ce que ces soins les regardent ? Eh que deviendraient le monde et l'État, Auteurs illustres, brillants Académiciens, que deviendriez-vous tous, si les femmes allaient quitter le gouvernement de la littérature et des affaires, pour prendre celui de leur ménage ?

à les imiter ? [1] Vous regardez à de fausses convenances d'âge qui ne vous vont point, et vous oubliez celles de lumières et de raison qui vous sont essentielles. Malgré tout votre emportement vous êtes le plus facile des hommes, et malgré la maturité de votre esprit, vous vous laissez tellement conduire par ceux avec qui vous vivez, que vous ne sauriez fréquenter des gens de votre âge sans en descendre et redevenir enfant. Ainsi vous vous dégradez en pensant vous assortir, et c'est vous mettre au-dessous de vous-même, que de ne pas choisir des amis plus sages que vous.

Je ne vous reproche point d'avoir été conduit sans le savoir dans une maison déshonnête ; mais je vous reproche d'y avoir été conduit par de jeunes Officiers que vous ne deviez pas connaître, ou du moins auxquels vous ne deviez pas laisser diriger vos amusements. Quant au projet de les ramener à vos principes, j'y trouve plus de zèle que de prudence ; si vous êtes trop sérieux pour être leur camarade, vous êtes trop jeune pour être leur Mentor [2], et vous ne devez vous mêler de réformer autrui que quand vous n'aurez plus rien à faire en vous-même.

Une seconde faute plus grave encore et beaucoup moins pardonnable, est d'avoir pu passer volontairement la soirée dans un lieu si peu digne de vous, et de n'avoir pas fui dès le premier instant où vous avez connu dans quelle maison vous étiez. Vos excuses là-dessus sont pitoyables. *Il était trop tard pour s'en dédire !* comme s'il y avait quelque espèce de bienséance en de pareils lieux, ou que la bienséance dût jamais l'emporter sur la vertu, et qu'il fût jamais trop tard pour s'empêcher de mal faire ! Quant à la sécurité que vous tiriez de votre répugnance, je n'en dirai rien, l'événement vous a montré combien elle était fondée. Parlez plus franchement à celle qui sait lire dans votre cœur ; c'est la honte qui vous retint. Vous craignîtes qu'on ne se moquât de vous en sortant : un moment de huée vous fit peur, et vous aimâtes mieux vous exposer aux remords qu'à la raillerie.

---

1. Nous remplaçons le point par un point d'interrogation. **2.** Voir pourtant *supra*, lettre 11, p. 269. Par antonomase, *mentor* « se dit de celui qui sert de conseil, de guide, et comme de gouverneur à quelqu'un » (*Acad.* 1762).

Savez-vous bien quelle maxime vous suivîtes en cette occasion ? Celle qui la première introduit le vice dans une âme bien née, étouffe la voix de la conscience par la clameur publique, et réprime l'audace de bien faire par la crainte du blâme. Tel vaincrait les tentations qui succombe aux mauvais exemples ; tel rougit d'être modeste et devient effronté par honte, et cette mauvaise honte corrompt plus de cœurs honnêtes que les mauvaises inclinations [1]. Voilà surtout de quoi vous avez à préserver le vôtre ; car quoi que vous fassiez, la crainte du ridicule que vous méprisez vous domine pourtant malgré vous. Vous braveriez plutôt cent périls qu'une raillerie, et l'on ne vit jamais tant de timidité jointe à une âme aussi intrépide.

Sans vous étaler contre ce défaut des préceptes de morale que vous savez mieux que moi, je me contenterai de vous proposer un moyen pour vous en garantir, plus facile et plus sûr, peut-être, que tous les raisonnements de la philosophie. C'est de faire dans votre esprit une légère transposition de temps, et d'anticiper sur l'avenir de quelques minutes. Si dans ce malheureux souper vous vous fussiez fortifié contre un instant de moquerie de la part des convives, par l'idée de l'état où votre âme allait être sitôt que vous seriez dans la rue ; si vous vous fussiez représenté le contentement intérieur d'échapper aux pièges du vice ; l'avantage de prendre d'abord cette habitude de vaincre qui en facilite le pouvoir, le plaisir que vous eût donné la conscience de votre victoire, celui de me la décrire, celui que j'en aurais reçu moi-même ; est-il croyable que tout cela ne l'eût pas emporté sur une répugnance d'un instant, à laquelle vous n'eussiez jamais cédé si vous en aviez envisagé les suites ? Encore, qu'est-ce que cette répugnance, qui met un prix aux railleries de gens dont l'estime n'en peut avoir aucun ? Infailliblement cette réflexion vous eût sauvé pour un moment de mauvaise honte une honte beaucoup plus juste, plus durable, les regrets, le danger, et pour ne vous rien dissimuler, votre amie eût versé quelques larmes de moins.

Vous voulûtes, dites-vous, mettre à profit cette soirée pour votre fonction d'observateur ? Quel soin ! Quel emploi ! Que

---

1. Exemple concret de ce que Rousseau appelle aussi « fausse honte ».

vos excuses me font rougir de vous ! Ne serez-vous point aussi curieux d'observer un jour les voleurs dans leurs Cavernes, et de voir comment ils s'y prennent pour dévaliser les passants ? Ignorez-vous qu'il y a des objets si odieux qu'il n'est pas même permis à l'homme d'honneur de les voir, et que l'indignation de la vertu ne peut supporter le spectacle du vice ? Le sage observe le désordre public qu'il ne peut arrêter ; il l'observe, et montre sur son visage attristé la douleur qu'il lui cause ; mais quant aux désordres parti-culiers, il s'y oppose ou détourne les yeux, de peur qu'ils ne s'autorisent de sa présence. D'ailleurs, était-il besoin de voir de pareilles sociétés pour juger de ce qui s'y passe et des discours qu'on y tient ? Pour moi, sur leur seul objet plus que sur le peu que vous m'en avez dit, je devine aisément tout le reste, et l'idée des plaisirs qu'on y trouve, me fait connaître assez les gens qui les cherchent.

Je ne sais si votre commode philosophie [1] adopte déjà les maximes qu'on dit établies dans les grandes villes pour tolé-rer de semblables lieux ; mais j'espère au moins que vous n'êtes pas de ceux qui se méprisent assez pour s'en per-mettre l'usage, sous prétexte de je ne sais quelle chimérique nécessité qui n'est connue que des gens de mauvaise vie ; comme si les deux sexes étaient sur ce point de natures diffé-rentes, et que dans l'absence ou le célibat, il fallût à l'hon-nête homme des ressources dont l'honnête femme n'a pas besoin. Si cette erreur ne vous mène pas chez des prosti-tuées, j'ai bien peur qu'elle ne continue à vous égarer vous-même. Ah ! si vous voulez être méprisable, soyez-le au moins sans prétexte, et n'ajoutez point le mensonge à la crapule. Tous ces prétendus besoins n'ont point leur source dans la nature, mais dans la volontaire dépravation des sens. Les illusions même de l'amour se purifient dans un cœur chaste, et ne corrompent jamais qu'un cœur déjà corrompu. Au

---

1. Écho malicieux de la « commode métaphysique » par laquelle Meilcour, le narrateur des *Égarements du cœur et de l'esprit* (1736) de Crébillon fils, qualifie ses propres arrangements intimes de jeune homme, lorsqu'il se voit céder à l'attrait physique de Mme de Lursay, qu'il n'aime pas, alors qu'il aime la jeune Hortense, opportunément oubliée (dernière page du roman, p. 248).

contraire la pureté se soutient par elle-même ; les désirs toujours réprimés s'accoutument à ne plus renaître, et les tentations ne se multiplient que par l'habitude d'y succomber [1]. L'amitié m'a fait surmonter deux fois ma répugnance à traiter un pareil sujet [2], celle-ci sera la dernière ; car à quel titre espérerais-je obtenir de vous ce que vous aurez refusé à l'honnêteté, à l'amour, et à la raison ?

Je reviens au point important par lequel j'ai commencé cette lettre. À vingt-un ans vous m'écriviez du Valais des descriptions graves et judicieuses ; à vingt-cinq vous m'envoyez de Paris des colifichets [3] de lettres, où le sens et la raison sont partout sacrifiés à un certain tour plaisant, fort éloigné de votre caractère. Je ne sais comment vous avez fait ; mais depuis que vous vivez dans le séjour des talents, les vôtres paraissent diminués ; vous aviez gagné chez les paysans, et vous perdez parmi les beaux esprits. Ce n'est pas la faute du pays où vous vivez, mais des connaissances que vous y avez faites ; car il n'y a rien qui demande tant de choix que le mélange de l'excellent et du pire[a]. Si vous voulez étudier le monde, fréquentez les gens sensés qui le connaissent par une longue expérience et de paisibles observations, non de jeunes étourdis qui n'en voient que la superficie, et des ridicules qu'ils font eux-mêmes. Paris est plein de savants accoutumés à réfléchir, et à qui ce grand théâtre en offre tous les jours le sujet. Vous ne me ferez point croire que ces hommes graves et studieux vont courant comme vous de maison en maison, de coterie en coterie, pour amuser les femmes et les jeunes gens, et mettre toute la philosophie en babil. Ils ont trop de dignité pour avilir ainsi leur état, prostituer [4] leurs talents et soutenir par leur exemple des mœurs qu'ils devraient corriger. Quand la plupart le feraient, sûrement plusieurs ne le font point, et c'est ceux-là que vous devez rechercher.

---

1. Cette théorie de l'épuration des désirs par l'habitude est invalidée par toutes les tentatives de Julie de Wolmar pour éloigner les tentations et démentie par sa lettre posthume (VI, 12). **2.** Voir *supra*, II, 15, p. 285, où Julie use des mêmes termes pour qualifier la masturbation (« goût dépravé »), et I, 9, p. 76-77. **3.** « Se dit figurément De certains petits ornements mis mal-à-propos dans des Ouvrages d'esprit » (*Acad.* 1762). **4.** Déshonorer.

N'est-il pas singulier encore que vous donniez vous-même dans le défaut que vous reprochez aux modernes auteurs comiques, que Paris ne soit plein pour vous que de gens de condition ; que ceux de votre état soient les seuls dont vous ne parliez point ; comme si les vains préjugés de la noblesse ne vous coûtaient pas assez cher pour les haïr, et que vous crussiez vous dégrader en fréquentant d'honnêtes bourgeois, qui sont peut-être l'ordre le plus respectable du Pays où vous êtes ? Vous avez beau vous excuser sur les connaissances de Milord Édouard : avec celles-là vous en eussiez bientôt fait d'autres dans un ordre inférieur. Tant de gens veulent monter, qu'il est toujours aisé de descendre, et de votre propre aveu c'est le seul moyen de connaître les véritables mœurs d'un peuple que d'étudier sa vie privée dans les états les plus nombreux ; car s'arrêter aux gens qui représentent [1] toujours, c'est ne voir que des Comédiens.

Je voudrais que votre curiosité allât plus loin encore. Pourquoi dans une Ville si riche le bas peuple est-il si misérable, tandis que la misère extrême est si rare parmi nous où l'on ne voit point de millionnaires [2] ? Cette question, ce me semble, [3] est bien digne de vos recherches ; mais ce n'est pas chez les gens avec qui vous vivez que vous devez vous attendre à la résoudre. C'est dans les appartements dorés qu'un écolier [4] va prendre les airs du monde ; mais le sage en apprend les mystères dans la chaumière du pauvre [5]. C'est là qu'on voit sensiblement les obscures manœuvres du vice, qu'il couvre de paroles fardées au milieu d'un cercle : c'est là qu'on s'instruit par quelles iniquités secrètes le puissant et le riche arrachent un reste de pain noir à l'opprimé qu'ils feignent de plaindre en public. Ah, si j'en crois nos vieux

---

1. *Représenter* employé absolument se dit « d'Un homme de qualité, qui a un grand air, et qui fait une grande dépense, quoiqu'il n'ait pas de fonction particulière » (*Acad.* 1762). **2.** « Se dit des personnes extrêmement riches » (*Acad.* 1762). Le mot est de création récente. **3.** Nous ajoutons une virgule. **4.** Un novice. « Se dit de ceux qui sortent du Collège, et qui en ont retenu les manières, et le mauvais air. Vous avez dans le monde l'embarras et la contenance d'un *écolier* » (*Trévoux*). **5.** On rapprochera cette déclaration de la découverte de la misère paysanne : en 1730, avant d'arriver à Lyon, Rousseau se restaure chez un paysan obligé de cacher « son pain à cause de la taille [les impôts] » (*Confessions*, livre IV, t. I, p. 203).

militaires, que de choses vous apprendriez dans les greniers d'un cinquième étage, qu'on ensevelit sous un profond secret dans les hôtels du faubourg St. Germain, et que tant de beaux parleurs seraient confus avec leurs feintes maximes d'humanité, si tous les malheureux qu'ils ont faits se présentaient pour les démentir [1] !

Je sais qu'on n'aime pas le spectacle de la misère qu'on ne peut soulager, et que le riche même détourne les yeux du pauvre qu'il refuse de secourir ; mais ce n'est pas d'argent seulement qu'ont besoin les infortunés, et il n'y a que les paresseux de bien faire qui ne sachent faire du bien que la bourse à la main. Les consolations, les conseils, les soins, les amis, la protection sont autant de ressources que la commisération vous laisse au défaut des richesses, pour le soulagement de l'indigent. Souvent les opprimés ne le sont que parce qu'ils manquent d'organe pour faire entendre leurs plaintes. Il ne s'agit quelquefois que d'un mot qu'ils ne peuvent dire, d'une raison qu'ils ne savent point exposer, de la porte d'un Grand qu'ils ne peuvent franchir [2]. L'intrépide appui de la vertu désintéressée suffit pour lever une infinité d'obstacles, et l'éloquence d'un homme de bien peut effrayer la Tyrannie au milieu de toute sa puissance.

Si vous voulez donc être homme en effet, apprenez à redescendre. L'humanité coule comme une eau pure et salutaire, et va fertiliser les lieux bas ; elle cherche toujours le niveau, elle laisse à sec ces roches arides qui menacent la campagne et ne donnent qu'une ombre nuisible ou des éclats pour écraser leurs voisins.

Voilà, mon ami, comment on tire parti du présent en s'instruisant pour l'avenir, et comment la bonté met d'avance à profit les leçons de la sagesse, afin que quand les lumières acquises nous resteraient inutiles, on n'ait pas pour cela perdu le temps employé à les acquérir. Qui doit vivre parmi des gens en place ne saurait prendre trop de préservatifs contre leurs maximes empoisonnées, et il n'y a que

---

1. Cette phrase pourrait résumer chacune des *Scènes de la vie parisienne* : on sait combien Balzac fut un lecteur attentif du roman de Rousseau.
2. Julie joint la *praxis* aux discours : elle appliquera elle-même ce programme à Clarens (voir V, 2, p. 628).

l'exercice continuel de la bienfaisance qui garantisse les
meilleurs cœurs de la contagion des ambitieux. Essayez,
croyez-moi, de ce nouveau genre d'études ; il est plus digne
de vous que ceux que vous avez embrassés, et comme l'esprit
s'étrécit à mesure que l'âme se corrompt, vous sentirez bientôt, au contraire, combien l'exercice des sublimes vertus
élève et nourrit le génie ; combien un tendre intérêt aux malheurs d'autrui sert mieux à en trouver la source, et à nous
éloigner en tous sens des vices qui les ont produits.

Je vous devais toute la franchise de l'amitié dans la situation critique où vous me paraissez être ; de peur qu'un
second pas vers le désordre ne vous y plongeât enfin sans
retour, avant que vous eussiez le temps de vous reconnaître.
Maintenant je ne puis vous cacher, mon ami, combien votre
prompte et sincère confession m'a touchée ; car je sens combien vous a coûté la honte de cet aveu, et par conséquent
combien celle de votre faute vous pesait sur le cœur. Une
erreur involontaire se pardonne et s'oublie aisément. Quant
à l'avenir, retenez bien cette maxime dont je ne me départi-
rai point. Qui peut s'abuser deux fois en pareil cas, ne s'est
pas même abusé la première [1].

Adieu, mon ami ; veille avec soin sur ta santé, je t'en
conjure, et songe qu'il ne doit rester aucune trace d'un crime
que j'ai pardonné [2].

P. S. Je viens de voir entre les mains de M. d'Orbe des
copies de plusieurs de vos lettres à Milord Édouard, qui
m'obligent à rétracter une partie de mes censures sur les
matières et le style de vos observations. Celles-ci traitent,
j'en conviens, de sujets importants, et me paraissent pleines
de réflexions graves et judicieuses. Mais en revanche,[b] il est
clair que vous nous dédaignez beaucoup, ma Cousine et
moi, ou que vous faites bien peu de cas de notre estime, en
ne nous envoyant que des relations si propres à l'altérer,
tandis que vous en faites pour votre ami de beaucoup

---

1. Comprendre que celui qui *retourne* dans une maison de prostitution ne
peut prétendre s'y tromper : sa mauvaise foi laisse alors même à conclure
qu'il ne s'y est pas plus trompé la première fois. **2.** Allusion aux maladies
vénériennes.

meilleures [1]. C'est ce me semble assez mal honorer vos leçons que de juger vos écolières indignes d'admirer vos talents ; et vous devriez feindre, au moins par vanité, de nous croire capables de vous entendre.

J'avoue que la politique n'est guère du ressort des femmes, et mon Oncle nous en a tant ennuyées que je comprends comment vous avez pu craindre d'en faire autant. Ce n'est pas, non plus, à vous parler franchement, l'étude à laquelle je donnerais la préférence ; son utilité est trop loin de moi pour me toucher beaucoup, et ses lumières sont trop sublimes pour frapper vivement mes yeux [2]. Obligée d'aimer le gouvernement sous lequel le ciel m'a fait naître, je me soucie peu de savoir s'il en est de meilleurs. De quoi me servirait de les connaître, avec si peu de pouvoir pour les établir, et pourquoi contristerais-je mon âme à considérer de si grands maux où je ne peux rien, tant que j'en vois d'autres autour de moi qu'il m'est permis de soulager ? Mais je vous aime ; et l'intérêt que je ne prends pas aux sujets, je le prends à l'Auteur qui les traite. Je recueille avec une tendre admiration toutes les preuves de votre génie, et fière d'un mérite si digne de mon cœur, je ne demande à l'amour qu'autant d'esprit qu'il m'en faut pour sentir le vôtre. Ne me refusez donc pas le plaisir de connaître et d'aimer tout ce que vous faites de bien. Voulez-vous me donner l'humiliation de croire que si le Ciel unissait nos destinées, vous ne jugeriez pas votre compagne digne de penser avec vous ?

Lettre XXVIII
De Julie

Tout est perdu ! Tout est découvert ! Je ne trouve plus tes lettres dans le lieu où je les avais cachées. Elles y étaient encore hier au soir. Elles n'ont pu être enlevées que d'aujourd'hui. Ma mère seule peut les avoir surprises. Si mon père les voit, c'est fait de ma vie ! Eh, que servirait qu'il ne les vît pas, s'il faut renoncer…. Ah Dieu ! ma mère

---

1. De bien meilleures (tour archaïsant). **2.** Trop élevées pour moi.

m'envoie appeler. Où fuir ? Comment soutenir ses regards ?
Que ne puis-je me cacher au sein de la terre !.... Tout mon
corps tremble, et je suis hors d'état de faire un pas.... la
honte, l'humiliation, les cuisants reproches.... j'ai tout
mérité, je supporterai tout. Mais la douleur, les larmes
d'une mère éplorée.... ô mon cœur, quels déchirements !....
Elle m'attend ; je ne puis tarder davantage.... elle voudra
savoir.... il faudra tout dire..... Regianino sera congédié. Ne
m'écris plus jusqu'à nouvel avis.... qui sait si jamais.... je
pourrais... quoi, mentir ?.... mentir à ma mère.... Ah, s'il
faut nous sauver par le mensonge, adieu, nous sommes
perdus [1] !

Fin de la seconde partie

---

1. La seconde partie se clôt sur ce véritable monologue de tragédie soigneusement ponctué par un auteur plus que jamais attentif à l'oralité et aux
« quantités » des phrases de ses personnages.

TROISIÈME PARTIE

Lettre I
De Mad^e d'Orbe

Que de maux vous causez à ceux qui vous aiment ! Que de pleurs vous avez déjà fait couler dans une famille infortunée dont vous seul troublez le repos ! Craignez d'ajouter le deuil à nos larmes : craignez que la mort d'une mère affligée ne soit le dernier effet du poison que vous versez dans le cœur de sa fille, et qu'un amour désordonné ne devienne enfin pour vous-même la source d'un remords éternel. L'amitié m'a fait supporter vos erreurs tant qu'une ombre d'espoir pouvait les nourrir ; mais comment tolérer une vaine constance que l'honneur et la raison condamnent, et qui ne pouvant plus causer que des malheurs et des peines ne mérite que le nom d'obstination ?

Vous savez de quelle manière le secret de vos feux, dérobé si longtemps aux soupçons de ma tante, lui fut dévoilé par vos lettres. Quelque sensible que soit un tel coup à cette mère tendre et vertueuse, [1] moins irritée contre vous que contre elle-même, elle ne s'en prend qu'à son aveugle négligence [2] ; elle déplore sa fatale illusion ; sa plus cruelle peine est d'avoir pu trop estimer sa fille, et sa douleur est pour Julie un châtiment cent fois pire que ses reproches.

L'accablement de cette pauvre Cousine ne saurait s'imaginer. Il faut le voir pour le comprendre. Son cœur semble étouffé par l'affliction, et l'excès des sentiments qui l'oppressent lui donne un air de stupidité plus effrayante que des cris aigus. Elle se tient jour et nuit à genoux au chevet de sa mère, l'air morne, l'œil fixé en terre, gardant un profond silence ; la servant avec plus d'attention et de vivacité que jamais ; puis retombant à l'instant dans un état d'anéantissement qui la ferait prendre pour une autre personne. Il est très clair que c'est la maladie de la mère qui

---

1. Nous remplaçons le point-virgule par une virgule. **2.** Voir la note lapidaire de l'éditeur en I, 24, p. 116.

soutient les forces de la fille, et si l'ardeur de la servir n'animait son zèle, [1] ses yeux éteints, sa pâleur, son extrême abattement me feraient craindre qu'elle n'eût grand besoin pour elle-même de tous les soins qu'elle lui rend. Ma tante s'en aperçoit aussi, et je vois à l'inquiétude avec laquelle elle me recommande en particulier la santé de sa fille combien le cœur combat de part et d'autre contre la gêne qu'elles s'imposent, et combien on doit vous haïr de troubler une union si charmante.

Cette contrainte augmente encore par le soin de la dérober aux yeux d'un père emporté auquel une mère tremblante pour les jours de sa fille veut cacher ce dangereux secret. On se fait une loi de garder en sa présence l'ancienne familiarité ; mais si la tendresse maternelle profite avec plaisir de ce prétexte, une fille confuse n'ose livrer son cœur à des caresses qu'elle croit feintes et qui lui sont d'autant plus cruelles qu'elles lui seraient douces si elle osait y compter. En recevant celles de son père, elle regarde sa mère d'un air si tendre et si humilié qu'on voit son cœur lui dire par ses yeux : Ah que ne suis-je digne encore d'en recevoir autant de vous !

Mad^e d'Étange m'a prise plusieurs fois à part, et j'ai connu facilement à la douceur de ses réprimandes et au ton dont elle m'a parlé de vous que Julie a fait de grands efforts pour calmer envers nous sa trop juste indignation, et qu'elle n'a rien épargné pour nous justifier l'un et l'autre à ses dépens. Vos lettres mêmes portent avec le caractère d'un amour excessif une sorte d'excuse qui ne lui a pas échappé ; elle vous reproche moins l'abus de sa confiance qu'à elle-même sa simplicité à vous l'accorder. Elle vous estime assez pour croire qu'aucun autre homme à votre place n'eût mieux résisté que vous ; elle s'en prend de vos fautes à la vertu même. Elle conçoit maintenant, dit-elle, ce que c'est qu'une probité trop vantée qui n'empêche point un honnête homme amoureux de corrompre, s'il peut, une fille sage, et de déshonorer sans scrupule toute une famille pour satisfaire un moment de fureur. Mais que sert de revenir sur le passé ? Il s'agit de cacher sous un voile éternel cet odieux

---

1. Nous remplaçons le point-virgule par une virgule.

mystère, d'en effacer, s'il se peut, jusqu'au moindre vestige, et de seconder la bonté du ciel qui n'en a point laissé de témoignage sensible [1]. Le secret est concentré entre six personnes sûres [2]. Le repos de tout ce que vous avez aimé, les jours d'une mère au désespoir, l'honneur d'une maison respectable, votre propre vertu, tout dépend de vous encore ; tout vous prescrit votre devoir ; vous pouvez réparer le mal que vous avez fait ; vous pouvez vous rendre digne de Julie et justifier sa faute en renonçant à elle ; et si votre cœur ne m'a point trompée il n'y a plus que la grandeur d'un tel sacrifice qui puisse répondre à celle de l'amour qui l'exige. Fondée sur l'estime que j'eus toujours pour vos sentiments, et sur ce que la plus tendre union qui fût jamais lui doit ajouter de force, j'ai promis en votre nom tout ce que vous devez tenir ; osez me démentir si j'ai trop présumé de vous, ou soyez aujourd'hui ce que vous devez être. Il faut immoler votre maîtresse ou votre amour l'un à l'autre, et vous montrer le plus lâche ou le plus vertueux des hommes.

Cette mère infortunée a voulu vous écrire ; elle avait même commencé. Ô Dieu, que de coups de poignard vous eussent portés ses plaintes amères ! Que ses touchants reproches vous eussent déchiré le cœur ! Que ses humbles prières vous eussent pénétré de honte ! J'ai mis en pièces cette lettre accablante que vous n'eussiez jamais supportée : je n'ai pu souffrir ce comble d'horreur de voir une mère humiliée devant le séducteur de sa fille : vous êtes digne au moins qu'on n'emploie pas avec vous de pareils moyens, faits pour fléchir des monstres et pour faire mourir de douleur un homme sensible.

Si c'était ici le premier effort que l'amour vous eût demandé, je pourrais douter du succès et balancer [3] sur l'estime qui vous est due : mais le sacrifice que vous avez fait à l'honneur de Julie en quittant ce pays m'est garant de celui que vous allez faire à son repos en rompant un commerce inutile. Les premiers actes de vertu sont toujours les

---

1. Allusion à la fausse couche sur laquelle reviendra Julie (III, 18, p. 415).
2. Claire et M. d'Orbe, Édouard et Regianino, Mme d'Étange et Babi, confidente de la fausse couche (III, 18) mais peu sûre par ses indiscrétions.
3. Hésiter, mesurer le pour et le contre.

plus pénibles, et vous ne perdez point le prix d'un effort qui vous a tant coûté, en vous obstinant à soutenir une vaine correspondance dont les risques sont terribles pour votre amante, les dédommagements nuls pour tous les deux, et qui ne fait que prolonger sans fruit les tourments de l'un et de l'autre. N'en doutez plus, cette Julie qui vous fut si chère ne doit rien être à celui qu'elle a tant aimé ; vous vous dissimulez en vain vos malheurs : vous la perdîtes au moment que vous vous séparâtes d'elle. Ou plutôt le Ciel vous l'avait ôtée, même avant qu'elle se donnât à vous ; car son père la promit dès son retour, et vous savez trop que la parole de cet homme inflexible est irrévocable. De quelque manière que vous vous comportiez, l'invincible sort s'oppose à vos vœux, et vous ne la posséderez jamais. L'unique choix qui vous reste à faire est de la précipiter dans un abîme de malheurs et d'opprobres, ou d'honorer en elle ce que vous avez adoré, et de lui rendre, au lieu du bonheur perdu, la sagesse, la paix, la sûreté du moins, dont vos fatales liaisons la privent.

Que vous seriez attristé, que vous vous consumeriez en regrets, si vous pouviez contempler l'état actuel de cette malheureuse amie, et l'avilissement où la réduit le remords et la honte ! Que son lustre [1] est terni ! que ses grâces sont languissantes ! que tous ses sentiments si charmants et si doux se fondent tristement dans le seul qui les absorbe ! L'amitié même en est attiédie ; à peine partage-t-elle encore le plaisir que je goûte à la voir, et son cœur malade ne sait plus rien sentir que l'amour et la douleur. Hélas, qu'est devenu ce caractère aimant et sensible, ce goût si pur des choses honnêtes, cet intérêt si tendre aux peines et aux plaisirs d'autrui ? Elle est encore, je l'avoue, douce, généreuse, compatissante ; l'aimable habitude de bien faire ne saurait s'effacer en elle ; mais ce n'est plus qu'une habitude aveugle, un goût sans réflexion. Elle fait toutes les mêmes choses, mais elle ne les fait plus avec le même zèle ; ces sentiments sublimes se sont affaiblis, cette flamme divine s'est amortie,

---

1. « Se dit figurément, pour signifier l'éclat que donne la parure, la beauté, le mérite, la dignité » (*Acad.* 1762).

cet ange n'est plus qu'une femme ordinaire. Ah quelle âme vous avez ôtée à la vertu !

Lettre II
À Mad^e d'Étange

Pénétré d'une douleur qui doit durer autant que moi, je me jette à vos pieds, Madame, non pour vous marquer un repentir qui ne dépend pas de mon cœur, mais pour expier un crime involontaire en renonçant à tout ce qui pouvait faire la douceur de ma vie. Comme jamais sentiments humains n'approchèrent de ceux que m'inspira votre adorable fille, il n'y eut jamais de sacrifice égal à celui que je viens faire à la plus respectable des mères ; mais Julie m'a trop appris comment il faut immoler le bonheur au devoir ; elle m'en a trop courageusement donné l'exemple, pour qu'au moins une fois je ne sache pas l'imiter. Si mon sang suffisait pour guérir vos peines, je le verserais en silence et me plaindrais de ne vous donner qu'une si faible preuve de mon zèle : mais briser le plus doux, le plus pur, le plus sacré lien qui jamais ait uni deux cœurs, ah c'est un effort que l'univers entier ne m'eût pas fait faire, et qu'il n'appartenait qu'à vous d'obtenir !

Oui, je promets de vivre loin d'elle aussi longtemps que vous l'exigerez ; je m'abstiendrai de la voir et de lui écrire ; j'en jure par vos jours précieux, si nécessaires à la conservation des siens. Je me soumets, non sans effroi, mais sans murmure à tout ce que vous daignerez ordonner d'elle et de moi. Je dirai beaucoup plus encore : son bonheur peut me consoler de ma misère, et je mourrai content si vous lui donnez un époux digne d'elle. Ah qu'on le trouve ! et qu'il m'ose dire : Je saurai mieux l'aimer que toi [1] ! Madame, il aura vainement tout ce qui me manque ; s'il n'a mon cœur il n'aura rien pour Julie : mais je n'ai que ce cœur honnête et tendre. Hélas ! je n'ai rien non plus. L'amour qui rapproche tout, n'élève point la personne ; il n'élève que les

---

1. Sur ces formules superlatives de l'amour, voir F. Lotterie, « *Amabam amare* », *AJJR*, 2002.

sentiments. Ah ! si j'eusse osé n'écouter que les miens pour vous, combien de fois, en vous parlant ma bouche eût prononcé le doux nom de mère ?

Daignez vous confier à des serments qui ne seront point vains, et à un homme qui n'est point trompeur. Si je pus un jour abuser de votre estime, je m'abusai le premier moi-même. Mon cœur sans expérience ne connut le danger que quand il n'était plus temps de fuir, et je n'avais point encore appris de votre fille cet art cruel de vaincre l'amour par lui-même, qu'elle m'a depuis si bien enseigné. Bannissez vos craintes je vous en conjure. Y a-t-il quelqu'un au monde à qui son repos, sa félicité, son honneur soient plus chers qu'à moi ? Non, ma parole et mon cœur vous sont garants de l'engagement que je prends au nom de mon illustre ami [1] comme au mien. Nulle indiscrétion ne sera commise, soyez-en sûre, et je rendrai le dernier soupir sans qu'on sache quelle douleur termina mes jours. Calmez donc celle qui vous consume et dont la mienne s'aigrit encore : essuyez des pleurs qui m'arrachent l'âme ; rétablissez votre santé ; rendez à la plus tendre fille qui fut jamais le bonheur auquel elle a renoncé pour vous ; soyez vous-même heureuse par elle ; vivez, enfin, pour lui faire aimer la vie. Ah malgré les erreurs de l'amour, être mère de Julie est encore un sort assez beau pour se féliciter de vivre !

Lettre III
À Mad^e d'Orbe
En lui envoyant la précédente

Tenez, cruelle, voilà ma réponse. En la lisant, fondez en larmes si vous connaissez mon cœur et si le vôtre est sensible encore ; mais surtout, ne m'accablez plus de cette estime impitoyable que vous me vendez si cher et dont vous faites le tourment de ma vie.

Votre main barbare a donc osé les rompre, ces doux nœuds formés sous vos yeux presque dès l'enfance, et que votre amitié semblait partager avec tant de plaisir ? Je suis

---

1. Milord Bomston.

donc aussi malheureux que vous le voulez et que je puis l'être. Ah ! connaissez-vous tout le mal que vous faites ? Sentez-vous bien que vous m'arrachez l'âme, que ce que vous m'ôtez est sans dédommagement, et qu'il vaut mieux cent fois mourir que ne plus vivre l'un pour l'autre ? Que me parlez-vous du bonheur de Julie ? En peut-il être sans le contentement du cœur ? Que me parlez-vous du danger de sa mère ? Ah qu'est-ce que la vie d'une mère, la mienne, la vôtre, la sienne même, qu'est-ce que l'existence du monde entier auprès du sentiment délicieux qui nous unissait ? Insensée et farouche vertu ! j'obéis à ta voix sans mérite ; je t'abhorre en faisant tout pour toi [1]. Que sont tes vaines consolations contre les vives douleurs de l'âme ? Va, triste idole des malheureux, tu ne fais qu'augmenter leur misère, en leur ôtant les ressources que la fortune leur laisse. J'obéirai pourtant, oui cruelle, j'obéirai : je deviendrai, s'il se peut, insensible et féroce comme vous. J'oublierai tout ce qui me fut cher au monde. Je ne veux plus entendre ni prononcer le nom de Julie ni le vôtre. Je ne veux plus m'en rappeler l'insupportable souvenir. Un dépit, une rage inflexible m'aigrit contre tant de revers. Une dure opiniâtreté me tiendra lieu de courage : il m'en a trop coûté d'être sensible ; il vaut mieux renoncer à l'humanité.

Lettre IV
De Mad^e d'Orbe

Vous m'avez écrit une lettre désolante ; mais il y a tant d'amour et de vertu dans votre conduite, qu'elle efface l'amertume de vos plaintes : vous êtes trop généreux [2] pour qu'on ait le courage de vous quereller. Quelque emportement qu'on laisse paraître, quand on sait ainsi s'immoler à ce qu'on aime on mérite plus de louanges que de reproches, et malgré vos injures, vous ne me fûtes jamais si cher que depuis que je connais si bien tout ce que vous valez.

---

1. Sur ce paradoxe, voir aussi *supra*, I, 42. **2.** Vous avez l'âme trop grande. *Généreux* : « Magnanime, de naturel noble » (*Acad.* 1762).

Rendez grâce à cette vertu que vous croyez haïr, et qui fait plus pour vous que votre amour même. Il n'y a pas jusqu'à ma tante que vous n'ayez séduite par un sacrifice dont elle sent tout le prix. Elle n'a pu lire votre lettre sans attendrissement ; elle a même eu la faiblesse de la laisser voir à sa fille, et l'effort qu'a fait la pauvre Julie pour contenir à cette lecture ses soupirs et ses pleurs l'a fait tomber évanouie.

Cette tendre mère, que vos lettres avaient déjà puissamment émue, commence à connaître par tout ce qu'elle voit combien vos deux cœurs sont hors de la règle commune, et combien votre amour porte un caractère naturel de sympathie que le temps ni les efforts humains ne sauraient effacer [1]. Elle qui a si grand besoin de consolation consolerait volontiers sa fille si la bienséance ne la retenait, et je la vois trop près d'en devenir la confidente pour qu'elle ne me pardonne pas de l'avoir été. Elle s'échappa hier jusqu'à dire en sa présence, un peu indiscrètement *, peut-être : Ah ! s'il ne dépendait que de moi...... Quoiqu'elle se retînt et n'achevât pas, je vis au baiser ardent que Julie imprimait sur sa main qu'elle ne l'avait que trop entendue. Je sais même qu'elle a voulu plusieurs fois parler à son inflexible époux ; mais, soit danger d'exposer sa fille aux fureurs d'un père irrité, soit crainte pour elle-même, sa timidité l'a toujours retenue, et son affaiblissement, ses maux, augmentent si sensiblement, que j'ai peur de la voir hors d'état d'exécuter sa résolution avant qu'elle l'ait bien formée.

Quoi qu'il en soit, malgré les fautes dont vous êtes cause, cette honnêteté de cœur qui se fait sentir dans votre amour mutuel lui a donné une telle opinion de vous qu'elle se fie à la parole de tous deux sur l'interruption de votre correspondance et qu'elle n'a pris aucune précaution pour veiller de plus près sur sa fille ; effectivement, si Julie ne répondait pas

* Claire, êtes-vous ici moins indiscrète ? Est-ce la dernière fois que vous le serez ?

1. Même réaction chez Bomston (voir I, 60). Le mot *sympathie* désigne ici une correspondance de qualité entre les âmes, renvoyant à l'inspiration néoplatonicienne du roman (voir Présentation, p. 18-19).

à sa confiance, elle ne serait plus digne de ses soins, et il faudrait vous étouffer l'un et l'autre si vous étiez capables de tromper encore la meilleure des mères, et d'abuser de l'estime qu'elle a pour vous.

Je ne cherche point à rallumer dans votre cœur une espérance que je n'ai pas moi-même ; mais je veux vous montrer, comme il est vrai, que le parti le plus honnête est aussi le plus sage, et que s'il peut rester quelque ressource à votre amour, elle est dans le sacrifice que l'honneur et la raison vous imposent. Mère, parents, amis, tout est maintenant pour vous, hors un père qu'on gagnera par cette voie, ou que rien ne saurait gagner [1]. Quelque imprécation qu'ait pu vous dicter un moment de désespoir, vous nous avez prouvé cent fois qu'il n'est point de route plus sûre pour aller au bonheur que celle de la vertu. Si l'on y parvient, il est plus pur, plus solide et plus doux par elle ; si on le manque, elle seule peut en dédommager. Reprenez donc courage, soyez homme et soyez encore vous-même. Si j'ai bien connu votre cœur, la manière la plus cruelle pour vous de perdre Julie serait d'être indigne de l'obtenir.

Lettre V
De Julie

Elle n'est plus. Mes yeux ont vu fermer les siens pour jamais ; ma bouche a reçu son dernier soupir ; mon nom fut le dernier mot, qu'elle prononça ; son dernier regard fut tourné vers moi. Non, ce n'était pas la vie qu'elle semblait quitter ; j'avais trop peu su la lui rendre chère. C'était à moi seule qu'elle s'arrachait. Elle me voyait sans guide et sans espérance, accablée de mes malheurs et de mes fautes : mourir ne fut rien pour elle [2], et son cœur n'a gémi que d'abandonner sa fille dans cet état. Elle n'eut que trop de raison. Qu'avait-elle à regretter sur la terre ? Qu'est-ce qui pouvait ici-bas valoir à ses yeux le prix immortel de sa

---

1. Espoir chimérique : Claire connaît trop bien le caractère du Baron (voir *infra*, III, 7). **2.** Écho de la célèbre formule d'Épicure : « accoutume-toi à considérer que la mort n'est rien pour nous » (*Lettre à Ménécée*, p. 45).

patience et de ses vertus qui l'attendait dans le Ciel ? Que lui restait-il à faire au monde sinon d'y pleurer mon opprobre ? Âme pure et chaste, digne épouse, et mère incomparable, tu vis maintenant au séjour de la gloire et de la félicité ; tu vis ; et moi, livrée au repentir et au désespoir, privée à jamais de tes soins, de tes conseils, de tes douces caresses, je suis morte au bonheur, à la paix, à l'innocence : je ne sens plus que ta perte ; je ne vois plus que ma honte ; ma vie n'est plus que peine et douleur. Ma mère, ma tendre mère, hélas je suis bien plus morte que toi !

Mon Dieu ! quel transport égare une infortunée et lui fait oublier ses résolutions ? Où viens-je verser mes pleurs et pousser mes gémissements ? C'est le cruel qui les a causés que j'en rends le dépositaire ! C'est avec celui qui fait les malheurs de ma vie que j'ose les déplorer ! Oui, oui, barbare, partagez les tourments que vous me faites souffrir. Vous par qui je plongeai le couteau dans le sein maternel, gémissez des maux qui me viennent de vous, et sentez avec moi l'horreur d'un parricide [1] qui fut votre ouvrage. À quels yeux oserais-je paraître aussi méprisable que je le suis ? Devant qui m'avilirais-je au gré de mes remords ? Quel autre que le complice de mon crime pourrait assez les connaître ? C'est mon plus insupportable supplice de n'être accusée que par mon cœur, et de voir attribuer au bon naturel les larmes impures qu'un cuisant repentir m'arrache. Je vis, je vis en frémissant la douleur empoisonner, hâter les derniers jours de ma triste mère. En vain sa pitié pour moi l'empêcha d'en convenir ; en vain elle affectait d'attribuer le progrès de son mal à la cause qui l'avait produit [2] ; en vain ma Cousine gagnée a tenu le même langage. Rien n'a pu tromper mon cœur déchiré de regret, et pour mon tourment éternel je garderai jusqu'au tombeau l'affreuse idée d'avoir abrégé la vie de celle à qui je la dois.

Ô vous que le Ciel suscita dans sa colère pour me rendre malheureuse et coupable, pour la dernière fois recevez dans votre sein des larmes dont vous êtes l'auteur. Je ne viens plus, comme autrefois, partager avec vous des peines qui

---

1. « Se dit par extension d'un homme qui tue sa mère, ou son frère, ou sa sœur, ou ses enfants » (*Acad.* 1762). **2.** Voir *infra*, lettre 7.

devaient nous être communes. Ce sont les soupirs d'un dernier adieu qui s'échappent malgré moi. C'en est fait ; l'empire de l'amour est éteint dans une âme livrée au seul désespoir. Je consacre le reste de mes jours à pleurer la meilleure des mères ; je saurai lui sacrifier des sentiments qui lui ont coûté la vie ; je serais trop heureuse qu'il m'en coûtât assez de les vaincre, pour expier tout ce qu'ils lui ont fait souffrir. Ah, si son esprit immortel pénètre au fond de mon cœur, il sait bien que la victime que je lui sacrifie n'est pas tout à fait indigne d'elle ! Partagez un effort que vous m'avez rendu nécessaire. S'il vous reste quelque respect pour la mémoire d'un nœud si cher et si funeste, c'est par lui que je vous conjure de me fuir à jamais, de ne plus m'écrire, de ne plus aigrir mes remords, de me laisser oublier, s'il se peut, ce que nous fûmes l'un à l'autre. Que mes yeux ne vous voient plus ; que je n'entende plus prononcer votre nom ; que votre souvenir ne vienne plus agiter mon cœur. J'ose parler encore au nom d'un amour qui ne doit plus être ; à tant de sujets de douleur n'ajoutez pas celui de voir son dernier vœu méprisé. Adieu donc pour la dernière fois, unique et cher…. Ah fille insensée… adieu pour jamais [1].

Lettre VI
À Mad^e d'Orbe

Enfin le voile est déchiré ; cette longue illusion s'est évanouie ; cet espoir si doux s'est éteint ; il ne me reste pour aliment d'une flamme éternelle qu'un souvenir amer et délicieux [2] qui soutient ma vie et nourrit mes tourments du vain sentiment d'un bonheur qui n'est plus.

Est-il donc vrai que j'ai goûté la félicité suprême ? Suis-je bien le même être qui fut heureux un jour ? Qui peut

---

1. Cette fin de lettre convoque un *topos* épistolaire propre à l'héroïde. C'est sur ces mots que se termine le roman de Crébillon fils, *Lettres de la marquise de M*** au comte de R**** (1732). Ils sont un écho de plus à la fameuse scène de séparation de *Bérénice* (IV, 5) : « Je n'écoute plus rien, et pour jamais : adieu…/ Pour jamais ! Ah, Seigneur ! songez-vous en vous-même/ Combien ce mot cruel est affreux quand on aime ? » **2.** Souvenir probable de l'« Éros doux amer » chanté dans les poésies élégiaques de Sappho. Voir aussi IV, 6, n. 2, p. 506.

sentir ce que je souffre n'est-il pas né pour toujours souffrir ? Qui put jouir des biens que j'ai perdus, peut-il les perdre et vivre encore, et des sentiments si contraires peuvent-ils germer dans un même cœur ? Jours de plaisir et de gloire, non, vous n'étiez pas d'un mortel ! vous étiez trop beaux pour devoir être périssables. Une douce extase absorbait toute votre durée, et la rassemblait en un point comme celle de l'éternité. Il n'y avait pour moi ni passé ni avenir, et je goûtais à la fois les délices de mille siècles. Hélas ! vous avez disparu comme un éclair ! Cette éternité de bonheur ne fut qu'un instant de ma vie. Le temps a repris sa lenteur dans les moments de mon désespoir, et l'ennui mesure par longues années le reste infortuné de mes jours.

Pour achever de me les rendre insupportables, plus les afflictions m'accablent, plus tout ce qui m'était cher semble se détacher de moi. Madame, il se peut que vous m'aimiez encore ; mais d'autres soins vous appellent, d'autres devoirs vous occupent. Mes plaintes que vous écoutiez avec intérêt sont maintenant indiscrètes [1]. Julie ! Julie elle-même se décourage et m'abandonne. Les tristes remords ont chassé l'amour. Tout est changé pour moi ; mon cœur seul est toujours le même, et mon sort en est plus affreux.

Mais qu'importe ce que je suis et ce que je dois être ? Julie souffre, est-il temps de songer à moi ? Ah, ce sont ses peines qui rendent les miennes plus amères. Oui, j'aimerais mieux qu'elle cessât de m'aimer et qu'elle fût heureuse.... Cesser de m'aimer !.... l'espère-t-elle ?.... Jamais, jamais. Elle a beau me défendre de la voir et de lui écrire. Ce n'est pas le tourment qu'elle s'ôte ; hélas, c'est le consolateur ! La perte d'une tendre mère la doit-elle priver d'un plus tendre ami ? Croit-elle soulager ses maux en les multipliant ? Ô amour ! est-ce à tes dépens qu'on peut venger la nature ?

Non, non ; c'est en vain qu'elle prétend m'oublier. Son tendre cœur pourra-t-il se séparer du mien ? Ne le retiens-je pas en dépit d'elle ? Oublie-t-on des sentiments tels que nous les avons éprouvés, et peut-on s'en souvenir sans les éprouver encore ? L'amour vainqueur fit le malheur de sa vie ; l'amour vaincu ne la rendra que plus à plaindre. Elle

---

1. Imprudentes et importunes.

passera ses jours dans la douleur, tourmentée à la fois de vains regrets et de vains désirs, sans pouvoir jamais contenter ni l'amour ni la vertu.

Ne croyez pas pourtant qu'en plaignant ses erreurs je me dispense de les respecter. Après tant de sacrifices, il est trop tard pour apprendre à désobéir. Puisqu'elle commande, il suffit ; elle n'entendra plus parler de moi. Jugez si mon sort est affreux ? Mon plus grand désespoir n'est pas de renoncer à elle. Ah ! c'est dans son cœur que sont mes douleurs les plus vives, et je suis plus malheureux de son infortune que de la mienne. Vous qu'elle aime[a] plus que toute chose, et qui seule, après moi, la savez dignement aimer ; Claire, aimable Claire, vous êtes l'unique bien qui lui reste. Il est assez précieux pour lui rendre supportable la perte de tous les autres. Dédommagez-la des consolations qui lui sont ôtées et de celles qu'elle refuse ; qu'une sainte amitié supplée à la fois auprès d'elle à la tendresse d'une mère, à celle d'un amant, aux charmes de tous les sentiments qui devaient la rendre heureuse. Qu'elle le soit s'il est possible, à quelque prix que ce puisse être. Qu'elle recouvre la paix et le repos dont je l'ai privée ; je sentirai moins les tourments qu'elle m'a laissés. Puisque je ne suis plus rien à mes propres yeux, puisque c'est mon sort de passer ma vie à mourir pour elle ; qu'elle me regarde comme n'étant plus, j'y consens, si cette idée la rend plus tranquille. Puisse-t-elle retrouver près de vous ses premières vertus, son premier bonheur ! Puisse-t-elle être encore par vos soins tout ce qu'elle eût été sans moi !

Hélas ! elle était fille, et n'a plus de mère ! Voilà la perte qui ne se répare point et dont on ne se console jamais quand on a pu se la reprocher. Sa conscience agitée lui redemande cette mère tendre et chérie, et dans une douleur si cruelle l'horrible remords se joint à son affliction. Ô Julie, ce sentiment affreux devait-il être connu de toi ? Vous qui fûtes témoin de la maladie et des derniers moments de cette mère infortunée ; je vous supplie, je vous conjure, dites-moi ce que j'en dois croire. Déchirez-moi le cœur si je suis coupable. Si la douleur de nos fautes l'a fait descendre au tombeau, nous sommes deux monstres indignes de vivre ; c'est un crime de songer à des liens si funestes, c'en est un de voir le jour [1]. Non, j'ose le croire, un feu si pur n'a point produit de si noirs effets. L'amour nous inspira des sentiments trop nobles pour en tirer les forfaits des âmes dénaturées. Le ciel, le ciel serait-il injuste, et celle qui sut immoler son bonheur aux auteurs de ses jours [2] méritait-elle de leur coûter la vie ?

Lettre VII
Réponse

Comment pourrait-on vous aimer moins en vous estimant chaque jour davantage ? Comment perdrais-je mes anciens sentiments pour vous tandis que vous en méritez chaque jour de nouveaux ? Non, mon cher et digne ami ; tout ce que nous fûmes les uns aux autres dès notre première jeunesse, nous le serons le reste de nos jours, et si notre mutuel attachement n'augmente plus, c'est qu'il ne peut plus augmenter. Toute la différence est que je vous aimais comme mon frère, et qu'à présent je vous aime comme mon enfant ; car quoique nous soyons toutes deux plus jeunes que vous et même vos disciples, je vous regarde un peu comme le nôtre. En nous apprenant à penser, vous avez appris de nous à être sensible, et quoi qu'en dise votre Philosophe anglais [3], cette éducation vaut bien l'autre ; si c'est la raison qui fait l'homme, c'est le sentiment qui le conduit.

Savez-vous pourquoi je parais avoir changé de conduite envers vous ? Ce n'est pas, croyez-moi, que mon cœur ne soit toujours le même ; c'est que votre état est changé. Je favorisai vos feux tant qu'il leur restait un rayon d'espérance. Depuis qu'en vous obstinant d'aspirer à Julie [4], vous ne pouvez plus que la rendre malheureuse, ce serait vous nuire que de vous complaire. J'aime mieux vous savoir moins à plaindre, et vous rendre plus mécontent. Quand le bonheur commun devient impossible, chercher le sien dans celui de ce qu'on aime, n'est-ce pas tout ce qui reste à faire à l'amour sans espoir ?

---

1. De vivre encore (en étant criminel). **2.** Voir *supra*, II, 6. **3.** Voir I, 47, n. 3, p. 164. **4.** D'espérer épouser Julie. *S'obstiner de* : tour vieilli.

Vous faites plus que sentir cela, mon généreux ami ; vous l'exécutez dans le plus douloureux sacrifice qu'ait jamais fait un amant fidèle. En renonçant à Julie, vous achetez son repos aux dépens du vôtre, et c'est à vous que vous renoncez pour elle.

J'ose à peine vous dire les bizarres idées qui me viennent là-dessus ; mais elles sont consolantes, et cela m'enhardit. Premièrement, je crois que le véritable amour a cet avantage aussi bien que la vertu, qu'il dédommage de tout ce qu'on lui sacrifie, et qu'on jouit en quelque sorte des privations qu'on s'impose par le sentiment même de ce qu'il en coûte et du motif qui nous y porte. Vous vous témoignerez que Julie a été aimée de vous comme elle méritait de l'être, et vous l'en aimerez davantage, et vous en serez plus heureux. Cet amour-propre exquis [1] qui sait payer toutes les vertus pénibles mêlera son charme à celui de l'amour. Vous vous direz : Je sais aimer, avec un plaisir plus durable et plus délicat que vous n'en goûteriez à dire : Je possède ce que j'aime. Car celui-ci s'use à force d'en jouir ; mais l'autre demeure toujours, et vous en jouiriez encore, quand même vous n'aimeriez plus.

Outre cela, s'il est vrai, comme Julie et vous me l'avez tant dit, que l'amour soit le plus délicieux sentiment qui puisse entrer dans le cœur humain, tout ce qui le prolonge et le fixe, même au prix de mille douleurs, est encore un bien. Si l'amour est un désir qui s'irrite par les obstacles comme vous le disiez encore, il n'est pas bon qu'il soit content ; il vaut mieux qu'il dure et soit malheureux que de s'éteindre au sein des plaisirs. Vos feux, je l'avoue, ont soutenu l'épreuve de la possession, celle du temps, celle de l'absence et des peines de toute espèce ; ils ont vaincu tous les obstacles hors le plus puissant de tous, qui est de n'en avoir plus à vaincre, et de se nourrir uniquement d'eux-mêmes. L'univers n'a jamais vu de[a] passion soutenir cette épreuve, quel droit avez-vous d'espérer que la vôtre l'eût soutenue ? Le temps eût joint au dégoût d'une longue possession le progrès de l'âge et le déclin de la beauté ; il semble

---

1. L'expression désigne ici l'estime de soi.

se fixer en votre faveur par votre séparation ; vous serez toujours l'un pour l'autre à la fleur des ans ; vous vous verrez sans cesse tels que vous vous vîtes en vous quittant, et vos cœurs unis jusqu'au tombeau prolongeront dans une illusion charmante votre jeunesse avec vos amours.

Si vous n'eussiez point été heureux [1], une insurmontable inquiétude pourrait vous tourmenter ; votre cœur regretterait en soupirant les biens dont il était digne ; votre ardente imagination vous demanderait sans cesse ceux que vous n'auriez pas obtenus. Mais l'amour n'a point de délices dont il ne vous ait comblé, et pour parler comme vous, vous avez épuisé durant une année les plaisirs d'une vie entière. Souvenez-vous de cette Lettre si passionnée, écrite le lendemain d'un rendez-vous téméraire [2]. Je l'ai lue avec une émotion qui m'était inconnue : on n'y voit pas l'état permanent d'une âme attendrie ; mais le dernier délire d'un cœur brûlant d'amour et ivre de volupté. Vous jugeâtes vous-même qu'on n'éprouvait point de pareils transports deux fois en la vie, et qu'il fallait mourir après les avoir sentis. Mon ami, ce fut là le comble, et quoi que la fortune et l'amour eussent fait pour vous, vos feux et votre bonheur ne pouvaient plus que décliner. Cet instant fut aussi le commencement de vos disgrâces, et votre amante vous fut ôtée au moment que vous n'aviez plus de sentiments nouveaux à goûter auprès d'elle ; comme si le sort eût voulu garantir votre cœur d'un épuisement inévitable, et vous laisser dans le souvenir de vos plaisirs passés un plaisir plus doux que tous ceux dont vous pourriez jouir encore.

Consolez-vous donc de la perte d'un bien qui vous eût toujours échappé et vous eût ravi de plus celui qui vous reste. Le bonheur et l'amour se seraient évanouis à la fois ; vous avez au moins conservé le sentiment ; on n'est point sans plaisirs quand on aime encore. L'image de l'amour éteint effraye plus un cœur tendre que celle de l'amour malheureux, et le dégoût de ce qu'on possède est un état cent fois pire que le regret de ce qu'on a perdu.

---

1. « Heureux » prend dans cette phrase un sens sexuel, de même que « possession » plus haut. **2.** Voir I, 55.

Si les reproches que ma désolée Cousine se fait sur la mort de sa mère étaient fondés, ce cruel souvenir empoisonnerait, je l'avoue, celui de vos amours, et une si funeste idée devrait à jamais les éteindre ; mais n'en croyez pas à [1] ses douleurs, elles la trompent ; ou plutôt le chimérique motif dont elle aime à les aggraver n'est qu'un prétexte pour en justifier l'excès. Cette âme tendre craint toujours de ne pas s'affliger assez, et c'est une sorte de plaisir pour elle d'ajouter au sentiment de ses peines tout ce qui peut les aigrir. Elle s'en impose, soyez-en sûr ; elle n'est pas sincère avec elle-même. Ah ! si elle croyait bien sincèrement avoir abrégé les jours de sa mère, son cœur en pourrait-il supporter l'affreux remords ? Non, non, mon ami ; elle ne la pleurerait pas, elle l'aurait suivie. La maladie de Mad^e d'Étange est bien connue ; c'était une hydropisie [2] de poitrine dont elle ne pouvait revenir, et l'on désespérait de sa vie avant même qu'elle eût découvert votre correspondance. Ce fut un violent chagrin pour elle ; mais que de plaisirs réparèrent le mal qu'il pouvait lui faire ? Qu'il fut consolant pour cette tendre mère de voir, en gémissant des fautes de sa fille, par combien de vertus elles étaient rachetées, et d'être forcée d'admirer son âme en pleurant sa faiblesse ! Qu'il lui fut doux de sentir combien elle en était chérie ! Quel zèle infatigable ! Quels soins continuels ! Quelle assiduité sans relâche ! Quel désespoir de l'avoir affligée ! Que de regrets, que de larmes, que de touchantes caresses, quelle inépuisable sensibilité ! C'était dans les yeux de la fille qu'on lisait tout ce que souffrait la mère ; c'était elle qui la servait les jours, qui la veillait les nuits ; c'était de sa main qu'elle recevait tous les secours : vous eussiez cru voir une autre Julie ; sa délicatesse naturelle avait disparu, elle était forte et robuste, les soins les plus pénibles ne lui coûtaient rien, et son âme semblait lui donner un nouveau corps. Elle faisait tout et paraissait ne rien faire ; elle était partout et ne bougeait d'auprès d'elle. On la trouvait sans cesse à genoux devant son lit, la bouche collée sur sa main, gémissant ou de sa

---

1. Ne vous fiez pas à. Claire propose une fine analyse psychologique du deuil spectaculaire de Julie. **2.** « Enflure causée en quelque partie du corps par les eaux qui se forment et qui s'épanchent » (*Acad.* 1762).

faute ou du mal de sa mère, et confondant ces deux sentiments pour s'en affliger davantage. Je n'ai vu personne
entrer les derniers jours dans la chambre de ma tante sans
être ému jusqu'aux larmes du plus attendrissant de tous les
spectacles. On voyait l'effort que faisaient ces deux cœurs
pour se réunir plus étroitement au moment d'une funeste
séparation. On voyait que le seul regret de se quitter occupait la mère et la fille, et que vivre ou mourir n'eût été rien
pour elles si elles avaient pu rester ou partir ensemble.

Bien loin d'adopter les noires idées de Julie, soyez sûr
que tout ce qu'on peut espérer des secours humains et des
consolations du cœur a concouru de sa part à retarder le
progrès de la maladie de sa mère, et qu'infailliblement sa
tendresse et ses soins nous l'ont conservée plus longtemps
que nous n'eussions pu faire sans elle. Ma tante elle-même
m'a dit cent fois que ses derniers jours étaient les plus doux
moments de sa vie, et que le bonheur de sa fille était la seule
chose qui manquait au sien.

S'il faut attribuer sa perte au chagrin, ce chagrin vient de
plus loin, et c'est à son époux seul qu'il faut s'en prendre.
Longtemps inconstant et volage il prodigua les feux de sa
jeunesse à mille objets [1] moins dignes de plaire que sa vertueuse compagne ; et quand l'âge le lui eut ramené, il
conserva près d'elle cette rudesse inflexible dont les maris
infidèles ont accoutumé d'aggraver leurs torts. Ma pauvre
Cousine s'en est ressentie. Un vain entêtement de noblesse
et cette roideur de caractère que rien n'amollit ont fait vos
malheurs et les siens. Sa mère qui eut toujours du penchant
pour vous, et qui pénétra son amour quand il était trop tard
pour l'éteindre, porta longtemps en secret la douleur de ne
pouvoir vaincre le goût de sa fille ni l'obstination de son
époux, et d'être la première cause d'un mal qu'elle ne pouvait plus guérir. Quand vos lettres surprises lui eurent appris
jusqu'où [b] vous aviez abusé de sa confiance, elle craignit de
tout perdre en voulant tout sauver, et d'exposer les jours de
sa fille pour rétablir son honneur. Elle sonda plusieurs fois
son mari sans succès. Elle voulut plusieurs fois hasarder une

---

1. Objet « se dit poétiquement des belles personnes qui donnent de
l'amour » (*Trévoux*).

confidence entière et lui montrer toute l'étendue de son devoir, la frayeur et sa timidité la retinrent toujours. Elle hésita tant qu'elle put parler ; lorsqu'elle le voulut il n'était plus temps ; les forces lui manquèrent ; elle mourut avec le fatal secret, et moi qui connais l'humeur de cet homme sévère sans savoir jusqu'où les sentiments de la nature auraient pu la tempérer, je respire, en voyant au moins les jours de Julie en sûreté.

Elle n'ignore rien de tout cela ; mais vous dirai-je ce que je pense de ses remords apparents ? L'amour est plus ingénieux qu'elle. Pénétrée du regret de sa mère, elle voudrait vous oublier, et malgré qu'elle en ait[1] il trouble sa conscience pour la forcer de penser à vous. Il veut que ses pleurs aient du rapport à ce qu'elle aime. Elle n'oserait plus s'en occuper directement, il la force de s'en occuper encore, au moins par son repentir. Il l'abuse avec tant d'art qu'elle aime mieux souffrir davantage et que vous entriez dans le sujet de ses peines. Votre cœur n'entend pas, peut-être, ces détours du sien ; mais ils n'en sont pas moins naturels ; car votre amour à tous deux quoique égal en force n'est pas semblable en effets. Le vôtre est bouillant et vif, le sien est doux et tendre : vos sentiments s'exhalent au dehors avec véhémence, les siens retournent sur elle-même, et pénétrant la substance de son âme l'altèrent et la changent insensiblement. L'amour anime et soutient votre cœur, il affaisse et abat le sien ; tous les ressorts en sont relâchés, sa force est nulle, son courage est éteint, sa vertu n'est plus rien. Tant d'héroïques facultés ne sont pas anéanties mais suspendues : un moment de crise peut leur rendre toute leur vigueur ou les effacer sans retour. Si elle fait encore un pas vers le découragement, elle est perdue ; mais si cette âme excellente se relève un instant, elle sera plus grande, plus forte, plus vertueuse que jamais, et il ne sera plus question de rechute. Croyez-moi, mon aimable ami, dans cet état périlleux sachez respecter ce que vous aimâtes. Tout ce qui lui vient de vous, fût-ce contre vous-même, ne lui peut être que mortel. Si vous vous obstinez auprès d'elle, vous pourrez triompher

---

1. Contre son gré.

aisément ; mais vous croirez en vain posséder la même Julie, vous ne la retrouverez plus.

[a] Lettre VIII
De Milord Édouard

J'avais acquis des droits sur ton cœur ; tu m'étais nécessaire, et j'étais prêt à t'aller joindre. Que t'importent mes droits, mes besoins, mon empressement ? Je suis oublié de toi ; tu ne daignes plus m'écrire. J'apprends ta vie solitaire et farouche ; je pénètre tes desseins secrets. Tu t'ennuies de vivre.

Meurs donc, jeune insensé ; meurs, homme à la fois féroce et lâche : mais sache en mourant que tu laisses dans l'âme d'un honnête homme à qui tu fus cher, la douleur de n'avoir servi qu'un ingrat.

Lettre IX
Réponse

Venez, Milord ; je croyais ne pouvoir plus goûter de plaisir sur la terre : mais nous nous reverrons. Il n'est pas vrai que vous puissiez me confondre avec les ingrats : votre cœur n'est pas fait pour en trouver, ni le mien pour l'être[a].

Billet
De Julie

Il est temps de renoncer aux erreurs de la jeunesse et d'abandonner un trompeur espoir. Je ne serai jamais à vous. Rendez-moi donc la liberté que je vous ai engagée, et dont mon père veut disposer ; ou mettez le comble à mes malheurs, par un refus qui nous perdra tous deux sans vous être d'aucun usage.

Julie d'Étange.

Lettre X
Du Baron d'Étange
Dans laquelle était le précédent Billet

S'il peut rester dans l'âme d'un suborneur [1] quelque sentiment d'honneur et d'humanité, répondez à ce billet d'une malheureuse dont vous avez corrompu le cœur, et qui ne serait plus, si j'osais soupçonner qu'elle eût porté plus loin l'oubli d'elle-même. Je m'étonnerai peu que la même philosophie qui lui apprit à se jeter à la tête du premier venu, lui apprenne encore à désobéir à son père. Pensez-y cependant. J'aime à prendre en toute occasion les voies de la douceur et de l'honnêteté quand j'espère qu'elles peuvent suffire ; mais si j'en veux bien user avec vous, ne croyez pas que j'ignore comment se venge l'honneur d'un Gentilhomme, offensé par un homme qui ne l'est pas.

Lettre XI
Réponse

Épargnez-vous, Monsieur, des menaces vaines qui ne m'effraient point, et d'injustes reproches qui ne peuvent m'humilier. Sachez qu'entre deux personnes de même âge il n'y a d'autre suborneur que l'amour, et qu'il ne vous appartiendra jamais d'avilir un homme que votre fille honora de son estime.

Quel sacrifice osez-vous m'imposer et à quel titre l'exigez-vous ? Est-ce à l'auteur de tous mes maux qu'il faut immoler mon dernier espoir ? Je veux respecter le père de Julie ; mais qu'il daigne être le mien s'il faut que j'apprenne à lui obéir. Non, non, Monsieur, quelque opinion que vous ayez de vos procédés, ils ne m'obligent point à renoncer pour vous à des droits si chers et si bien mérités de mon cœur. Vous faites le malheur de ma vie : je ne vous dois que la haine, et vous n'avez rien à prétendre de moi. Julie a parlé ; voilà mon

---

1. « Qui suborne, qui corrompt, qui débauche » (*Trévoux*). Le mot a un sens juridique et peut servir comme chef d'inculpation pour une prise de corps : telle est la menace contenue dans la dernière phrase.

consentement. Ah ! qu'elle soit toujours obéie ! Un autre la
possédera, mais j'en serai plus digne d'elle.

Si votre fille eût daigné me consulter sur les bornes de
votre autorité, ne doutez pas que je ne lui eusse appris à
résister à vos prétentions injustes. Quel que soit l'empire
dont vous abusez, mes droits sont plus sacrés que les vôtres ;
la chaîne qui nous lie est la borne du pouvoir paternel,
même devant les tribunaux humains, et quand vous osez
réclamer la nature, c'est vous seul qui bravez ses lois.

N'alléguez pas, non plus, cet honneur si bizarre et si délicat que vous parlez de venger ; nul ne l'offense que vous-
même. Respectez le choix de Julie et votre honneur est en
sûreté ; car mon cœur vous honore malgré vos outrages, et
malgré les maximes gothiques [1] l'alliance d'un honnête
homme n'en déshonora jamais un autre. Si ma présomption
vous offense, attaquez ma vie, je ne la défendrai jamais
contre vous ; au surplus, je me soucie fort peu de savoir en
quoi consiste l'honneur d'un gentilhomme ; mais quant à
celui d'un homme de bien, il m'appartient, je sais le
défendre, et le conserverai pur et sans tache jusqu'au dernier
soupir.

Allez, père barbare et peu digne d'un nom si doux [2],
méditez d'affreux parricides, tandis qu'une fille tendre et
soumise immole son bonheur à vos préjugés. Vos regrets me
vengeront un jour des maux que vous me faites, et vous
sentirez trop tard que votre haine aveugle et dénaturée ne
vous fut pas moins funeste qu'à moi. Je serai malheureux,
sans doute ; mais si jamais la voix du sang s'élève au fond
de votre cœur, combien vous le serez plus encore d'avoir
sacrifié à des chimères l'unique fruit de vos entrailles ;
unique au monde en beautés, en mérite, en vertus, et pour

---

1. Sur le terme « gothique », voir Préface, n. 4, p. 50. **2.** Saint-Preux
retrouve l'accent du chevalier des Grieux bravant son propre père qui lui
refuse la liberté de vivre avec Manon : « Adieu, lui dis-je dans mon transport, adieu, père barbare et dénaturé » (*Manon Lescaut*, p. 192). Le défi à
l'autorité paternelle est un lieu commun du roman du temps. Les limites
nécessaires de ce « pouvoir » sont aussi théorisées, dans le sillage de Locke,
par les Lumières, à commencer par Rousseau lui-même (*Du contrat social*,
I, 2). Les variantes, nombreuses, de cette lettre dans Br, insistaient beaucoup
plus sur ce conflit des droits de la nature et de la « tyrannie » du père.

qui le Ciel prodigue de ses dons, n'oublia rien qu'un meilleur père !

Billet
Inclus dans la précédente lettre

Je rends à Julie[a] d'Étange le droit de disposer d'elle-même, et de donner sa main sans consulter son cœur.

S. G.[1]

Lettre XII
De Julie

Je voulais vous décrire la scène qui vient de se passer, et qui a produit le billet que vous avez dû recevoir ; mais mon père a pris ses mesures si justes qu'elle n'a fini qu'un moment avant le départ du courrier. Sa lettre est sans doute arrivée à temps à la poste ; il n'en peut être de même de celle-ci ; votre résolution sera prise et votre réponse partie avant qu'elle vous parvienne ; ainsi tout détail serait désormais inutile. J'ai fait mon devoir ; vous ferez le vôtre : mais le sort nous accable, l'honneur nous trahit ; nous serons séparés à jamais, et pour comble d'horreur, je vais passer dans les...... Hélas ! j'ai pu[2] vivre dans les tiens ! Ô devoir, à quoi sers-tu ? Ô providence !.... il faut gémir et se taire.

La plume échappe de ma main. J'étais incommodée depuis quelques jours ; l'entretien de ce matin m'a prodigieusement agitée... la tête et le cœur me font mal.... je me sens défaillir.... le Ciel aurait-il pitié de mes peines ?.... Je ne puis me soutenir.... je suis forcée à me mettre au lit, et me console dans l'espoir de n'en point relever. Adieu, mes uniques amours. Adieu, pour la dernière fois, cher et tendre ami de Julie. Ah ! si je ne dois plus vivre pour toi, n'ai-je pas déjà cessé de vivre ?

---

1. Dans CL, le billet est signé C. G. (pour « Citoyen de Genève » ?). Saint-Preux est un nom d'emprunt (voir *infra*, lettre 14, note de Rousseau).
2. J'aurais pu (tour classique).

Lettre XIII
De Julie à Mad^e d'Orbe

Il est donc vrai, chère et cruelle amie, que tu me rappelles à la vie et à mes douleurs ? J'ai vu l'instant heureux où j'allais rejoindre la plus tendre des mères ; tes soins inhumains m'ont enchaînée pour la pleurer plus longtemps, et quand le désir de la suivre m'arrache à la terre, le regret de te quitter m'y retient. Si je me console de vivre, c'est par l'espoir de n'avoir pas échappé tout entière à la mort. Ils ne sont plus, ces agréments de mon visage que mon cœur a payés si cher : la maladie dont je sors m'en a délivrée. Cette heureuse perte ralentira l'ardeur grossière d'un homme assez dépourvu de délicatesse pour m'oser épouser sans mon aveu. Ne trouvant plus en moi ce qui lui plut, il se souciera peu du reste. Sans manquer de parole à mon père, sans offenser l'ami dont il tient la vie, je saurai rebuter cet importun : ma bouche gardera le silence, mais mon aspect parlera pour moi. Son dégoût me garantira de sa tyrannie, et il me trouvera trop laide pour daigner me rendre malheureuse.

Ah, chère Cousine ! Tu connus un cœur plus constant et plus tendre, qui ne se fût pas ainsi rebuté. Son goût ne se bornait pas aux traits et à la figure ; c'était moi qu'il aimait et non pas mon visage : C'était par tout notre être que nous étions unis l'un à l'autre, et tant que Julie eût été la même, la beauté pouvait fuir, l'amour fût toujours demeuré [1]. Cependant il a pu consentir... L'ingrat !... il l'a dû, puisque j'ai pu l'exiger. Qui est-ce qui retient par leur parole ceux qui veulent retirer leur cœur ? Ai-je donc voulu retirer le mien ?... l'ai-je fait ?... Ô Dieu ! faut-il que tout me rappelle incessamment un temps qui n'est plus, et des feux qui ne doivent plus être ? J'ai beau vouloir arracher de mon cœur

---

1. La fidélité de Saint-Preux se mesure ici à l'aune du souvenir d'un fragment célèbre de Pascal : « Mais celui qui aime quelqu'un à cause de sa beauté, l'aime-t-il ? Non, car la petite vérole, qui tuera la beauté sans tuer la personne, fera qu'il ne l'aimera plus » (*Pensées*, Sellier 567, p. 377). Ce sombre scénario est retenu par Prévost, en revanche, dans *La Jeunesse du commandeur* (1741), où le héros se détache de sa maîtresse Héléna, après la maladie qui la défigure.

cette image chérie ; je l'y sens trop fortement attachée ; je le déchire sans le dégager, et mes efforts pour en effacer un si doux souvenir ne font que l'y graver davantage.

Oserai-je te dire un délire de ma fièvre, qui, loin de s'éteindre avec elle me tourmente encore plus depuis ma guérison ? Oui, connais et plains l'égarement d'esprit de ta malheureuse amie, et rends grâce au Ciel d'avoir préservé ton cœur de l'horrible passion qui le donne. Dans un des moments où j'étais le plus mal, je crus durant l'ardeur du redoublement [1], voir à côté de mon lit cet infortuné ; non tel qu'il charmait jadis mes regards durant le court bonheur de ma vie ; mais pâle, défait, mal en ordre, et le désespoir dans les yeux. Il était à genoux ; il prit une de mes mains, et sans se dégoûter de l'état où elle était, sans craindre la communication d'un venin si terrible, il la couvrait de baisers et de larmes. À son aspect j'éprouvai cette vive et délicieuse émotion que me donnait quelquefois sa présence inattendue. Je voulus m'élancer vers lui ; on me retint ; tu l'arrachas de ma présence, et ce qui me toucha le plus vivement, ce furent ses gémissements que je crus entendre à mesure qu'il s'éloignait.

Je ne puis te représenter l'effet étonnant [2] que ce rêve a produit sur moi. Ma fièvre a été longue et violente ; j'ai perdu la connaissance durant plusieurs jours ; j'ai souvent rêvé à lui dans mes transports ; mais aucun de ces rêves n'a laissé dans mon imagination des impressions aussi profondes que celle de ce dernier. Elle est telle qu'il m'est impossible de l'effacer de ma mémoire et de mes sens. À chaque minute, à chaque instant[a] il me semble de le voir dans la même attitude ; son air, son habillement, son geste, son triste regard frappent encore mes yeux : je crois sentir ses lèvres se presser sur ma main ; je la sens mouiller [3] de ses larmes ; les sons de sa voix plaintive me font tressaillir ; je le vois entraîner loin de moi ; je fais effort pour le retenir

---

1. Terme médical : *redoublement* « se dit de ce qui arrive dans la fièvre, lorsqu'après avoir duré quelque temps dans un certain état, elle vient à augmenter » (*Acad.* 1762). **2.** Au sens fort du verbe *étonner* : qui cause un ébranlement moral et psychologique. **3.** Se mouiller.

encore : tout me retrace une scène imaginaire avec plus de
force que les événements qui me sont réellement arrivés.

J'ai longtemps hésité à te faire cette confidence ; la honte
m'empêche de te la faire de bouche ; mais mon agitation
loin de se calmer, ne fait qu'augmenter de jour en jour, et je
ne puis plus résister au besoin de t'avouer ma folie. Ah !
qu'elle s'empare de moi tout entière. Que ne puis-je achever
de perdre ainsi la raison ; puisque le peu qui m'en reste ne
sert plus qu'à me tourmenter !

Je reviens à mon rêve. Ma Cousine, raille-moi, si tu veux,
de ma simplicité ; mais il y a dans cette vision je ne sais quoi
de mystérieux qui la distingue du délire ordinaire. Est-ce un
pressentiment de la mort du meilleur des hommes ? Est-ce
un avertissement qu'il n'est déjà plus ? Le Ciel daigne-t-il
me guider au moins une fois, et m'invite-t-il à suivre celui
qu'il me fit aimer ? Hélas ! l'ordre de mourir sera pour moi
le premier de ses bienfaits.

J'ai beau me rappeler tous ces vains discours dont la philosophie amuse [1] les gens qui ne sentent rien ; ils ne m'en
imposent plus, et je sens que je les méprise. On ne voit point
les esprits, je le veux croire : Mais deux âmes si étroitement
unies ne sauraient-elles avoir entre elles une communication
immédiate, indépendante du corps et des sens ? L'impression directe que l'une reçoit de l'autre ne peut-elle pas la
transmettre au cerveau, et recevoir de lui par contrecoup
les sensations qu'elle lui a données ?..... Pauvre Julie, que
d'extravagances ! Que les passions nous rendent crédules ;
et qu'un cœur vivement touché se détache avec peine des
erreurs même qu'il aperçoit !

Lettre XIV
Réponse

Ah, fille trop malheureuse et trop sensible, n'es-tu donc
née que pour souffrir ? Je voudrais en vain t'épargner des
douleurs ; tu sembles les chercher sans cesse, et ton ascendant [2] est plus fort que tous mes soins. À tant de vrais sujets

---

1. Trompe. **2.** Effet de syllepse sur *ascendant* : l'étoile (sens romanesque)
mais aussi le génie dominant de Julie sur son entourage.

de peine n'ajoute pas au moins des chimères ; et puisque ma discrétion t'est plus nuisible qu'utile, sors d'une erreur qui te tourmente ; peut-être la triste vérité te sera-t-elle encore moins cruelle. Apprends donc que ton rêve n'est point un rêve ; que ce n'est point l'ombre [1] de ton ami que tu as vue, mais sa personne ; et que cette touchante scène incessamment présente à ton imagination s'est passée réellement dans ta chambre le surlendemain du jour où tu fus le plus mal.

La veille, je t'avais quittée assez tard, et M. d'Orbe qui voulut me relever auprès de toi cette nuit-là était prêt à sortir, quand tout à coup nous vîmes entrer brusquement et se précipiter à nos pieds ce pauvre malheureux dans un état à faire pitié. Il avait pris la poste à la réception de ta dernière Lettre. Courant jour et nuit il fit la route en trois jours, et ne s'arrêta qu'à la dernière poste en attendant la nuit pour entrer en ville. Je te l'avoue à ma honte, je fus moins prompte que M. d'Orbe à lui sauter au cou : sans savoir encore la raison de son voyage, [2] j'en prévoyais la conséquence. Tant de souvenirs amers, ton danger, le sien, le désordre où je le voyais, tout empoisonnait une si douce surprise, et j'étais trop saisie pour lui faire beaucoup de caresses. Je l'embrassai pourtant avec un serrement de cœur qu'il partageait, et qui se fit sentir réciproquement par de muettes étreintes, plus éloquentes que les cris et les pleurs. Son premier mot fut : *Que fait-elle ? Ah que fait-elle ? donnez-moi la vie ou la mort.* Je compris alors qu'il était instruit de ta maladie, et croyant qu'il n'en ignorait pas non plus l'espèce, j'en parlai sans autre précaution que d'exténuer [3] le danger. Sitôt qu'il sut que c'était la petite vérole [4] il fit un cri et se trouva mal. La fatigue et l'insomnie jointe à l'inquiétude d'esprit l'avaient jeté dans un tel abattement

---

1. L'apparence. *Ombre* « en termes de Poésie, et dans le langage des anciens Païens, se prend pour l'âme séparée du corps » (*Acad.* 1762). **2.** Nous remplaçons le point-virgule par une virgule. **3.** Atténuer. **4.** « Maladie qui fait pousser des boutons au visage et par tout le corps, lesquels laissent ordinairement de petits creux dans la peau après la guérison » (*Acad.* 1762). Elle pouvait être mortelle chez le sujet adulte, d'où les campagnes d'inoculation menées au XVIIIe siècle.

qu'on fut longtemps à le faire revenir. À peine pouvait-il parler ; on le fit coucher.

Vaincu par la nature, il dormit douze heures de suite, mais avec tant d'agitation qu'un pareil sommeil devait plus épuiser que réparer ses forces. Le lendemain, nouvel embarras ; il voulait te voir absolument. Je lui opposai le danger de te causer une révolution [1] ; il offrit d'attendre qu'il n'y eût plus de risque ; mais son séjour même en était un terrible ; j'essayai de le lui faire sentir. Il me coupa durement la parole. Gardez votre barbare éloquence, me dit-il d'un ton d'indignation : c'est trop l'exercer à ma ruine. N'espérez pas me chasser encore comme vous fîtes à mon exil [2]. Je viendrais cent fois du bout du monde pour la voir un seul instant : Mais je jure par l'auteur de mon être, ajouta-t-il impétueusement, que je ne partirai point d'ici sans l'avoir vue. Éprouvons une fois si je vous rendrai pitoyable [3], ou si vous me rendrez parjure.

Son parti était pris. M. d'Orbe fut d'avis de chercher les moyens de le satisfaire pour le pouvoir renvoyer avant que son retour fût découvert : car il n'était connu dans la maison que du seul Hanz dont j'étais sûre, et nous l'avions appelé devant nos gens d'un autre nom que le sien *. Je lui promis qu'il te verrait la nuit suivante ; à condition qu'il ne resterait qu'un instant, qu'il ne te parlerait point, et qu'il repartirait le lendemain avant le jour. J'en exigeai sa parole ; alors, je fus tranquille, je laissai mon mari avec lui, et je retournai près de toi.

Je te trouvai sensiblement mieux, l'éruption [4] était achevée ; le médecin me rendit le courage et l'espoir. Je me concertai d'avance avec Babi, et le redoublement, quoique moindre, t'ayant encore embarrassé la tête, je pris ce temps pour écarter tout le monde et faire dire à mon mari

---

* On voit dans la quatrième partie que ce nom substitué était celui de *St. Preux*.

---

1. « On appelle *Révolution d'humeurs*, Un mouvement extraordinaire dans les humeurs, qui altère la santé » (*Acad.* 1762). **2.** Voir I, 65. **3.** Enclin à la pitié. **4.** « Sortie des taches, pustules, boutons ou autres exanthèmes à la peau. L'éruption de la petite vérole a fait cesser la fièvre » (*Acad.* 1762).

d'amener son hôte, jugeant qu'avant la fin de l'accès tu serais moins en état de le reconnaître. Nous eûmes toutes les peines du monde à renvoyer ton désolé père qui chaque nuit s'obstinait à vouloir rester. Enfin je lui dis en colère qu'il n'épargnerait la peine de personne, que j'étais également résolue à veiller, et qu'il savait bien, tout père qu'il était, que sa tendresse n'était pas plus vigilante que la mienne. Il partit à regret ; nous restâmes seules. M. d'Orbe arriva sur les onze heures, et me dit qu'il avait laissé ton ami dans la rue ; je l'allai chercher. Je le pris par la main ; il tremblait comme la feuille. En passant dans l'antichambre les forces lui manquèrent ; il respirait avec peine, et fut contraint de s'asseoir.

Alors, démêlant quelques objets à la faible lueur d'une lumière éloignée : Oui, dit-il avec un profond soupir, je reconnais les mêmes lieux. Une fois en ma vie je les ai traversés.... à la même heure,.... avec le même mystère.... j'étais tremblant comme aujourd'hui... le cœur me palpitait de même... ô téméraire ! j'étais mortel, et j'osais goûter.... Que vais-je voir maintenant dans ce même asile où tout respirait la volupté dont mon âme était enivrée ? dans ce même objet qui faisait et partageait mes transports ? L'image du trépas, un appareil de douleur, la vertu malheureuse, et la beauté mourante !

Chère Cousine, [1] j'épargne à ton pauvre cœur le détail de cette attendrissante scène. Il te vit, et se tut : Il l'avait promis ; mais quel silence ? Il se jeta à genoux ; il baisait tes rideaux en sanglotant ; il élevait les mains et les yeux ; il poussait de sourds gémissements ; il avait peine à contenir sa douleur et ses cris. Sans le voir, tu sortis machinalement une de tes mains ; il s'en saisit avec une espèce de fureur ; les baisers de feu qu'il appliquait sur cette main malade t'éveillèrent mieux que le bruit et la voix de tout ce qui t'environnait : je vis que tu l'avais reconnu, et malgré sa résistance et ses plaintes, je l'arrachai de la chambre à l'instant, espérant éluder l'idée d'une si courte apparition par le prétexte du délire. Mais voyant ensuite que tu n'en disais rien, je crus que tu l'avais oubliée, je défendis à Babi

---

1. Nous remplaçons le point-virgule par une virgule.

H. Gravelot inv.   N. Le Mire Sc. 1760.

L'inoculation de l'amour.

de t'en parler et je sais qu'elle m'a tenu parole. Vaine prudence que l'amour a déconcertée, et qui n'a fait que laisser fermenter un souvenir qu'il n'est plus temps d'effacer !

Il partit comme il l'avait promis, et je lui fis jurer qu'il ne s'arrêterait pas au voisinage. Mais, ma chère, ce n'est pas tout ; il faut achever de te dire ce qu'aussi bien tu ne pourrais ignorer longtemps. Milord Édouard passa deux jours après ; il se pressa pour l'atteindre ; il le joignit à Dijon, et le trouva malade. L'infortuné avait gagné la petite vérole. Il m'avait caché qu'il ne l'avait point eue, et je te l'avais mené sans précaution. Ne pouvant guérir ton mal, il le voulut partager. En me rappelant la manière dont il baisait ta main, je ne puis douter qu'il ne se soit inoculé [1] volontairement. On ne pouvait être plus mal préparé ; mais c'était l'inoculation de l'amour, elle fut heureuse. Ce père de la vie l'a conservée au plus tendre amant qui fut jamais ; il est guéri, et suivant la dernière lettre de Milord Édouard ils doivent être actuellement repartis pour Paris [2].

Voilà, trop aimable cousine, de quoi bannir les terreurs funèbres qui t'alarmaient sans sujet. Depuis longtemps tu as renoncé à la personne de ton ami, et sa vie est en sûreté. Ne songe donc qu'à conserver la tienne et à t'acquitter de bonne grâce du sacrifice que ton cœur a promis à l'amour paternel. Cesse enfin d'être le jouet d'un vain espoir et de te repaître de chimères. Tu te presses beaucoup d'être fière de ta laideur ; sois plus humble, crois-moi, tu n'as encore que trop de sujet de l'être. Tu as essuyé une cruelle atteinte, mais ton visage a été épargné. Ce que tu prends pour des cicatrices ne sont que des rougeurs qui seront bientôt effacées. Je fus plus maltraitée que cela, et cependant tu vois que je ne suis pas trop mal encore. Mon ange, tu resteras jolie en dépit de toi, et l'indifférent Wolmar que trois ans d'absence n'ont pu guérir d'un amour conçu dans [3] huit jours, s'en guérira-t-il en te voyant à toute heure ? Ô si ta seule ressource est de déplaire, que ton sort est désespéré !

---

1. *Inoculer* employé absolument signifie « communiquer la petite vérole ».
2. H. Coulet a rapproché cette scène de « l'inoculation de l'amour » d'un des derniers épisodes de *La Paysanne parvenue* de Mouhy (12ᵉ partie, Desjonquères, 2008, p. 448) et d'une histoire insérée de *L'Astrée* (« Histoire de Tircis et Laonice », I, 7). **3.** En.

Lettre XV
De Julie

C'en est trop, c'en est trop. Ami, tu as vaincu. Je ne suis
point à l'épreuve de tant d'amour ; ma résistance est épuisée. J'ai fait usage de toutes mes forces, ma conscience m'en
rend le consolant témoignage. Que le Ciel ne me demande
point compte de plus qu'il ne m'a donné. Ce triste cœur que
tu achetas tant de fois et qui coûta si cher au tien t'appartient sans réserve ; il fut à toi du premier moment où mes
yeux te virent ; il te restera jusqu'à mon dernier soupir. Tu
l'as trop bien mérité pour le perdre, et je suis lasse de servir
aux dépens de la justice une chimérique vertu.

Oui, tendre et généreux amant, ta Julie sera toujours
tienne, elle t'aimera toujours : il le faut, je le veux, je le dois.
Je te rends l'empire que l'amour t'a donné ; il ne te sera plus
ôté. C'est en vain qu'une voix mensongère murmure au fond
de mon âme ; elle ne m'abusera plus. Que sont les vains
devoirs qu'elle m'oppose contre ceux d'aimer à jamais ce
que le Ciel m'a fait aimer ? Le plus sacré de tous n'est-il pas
envers toi ? N'est-ce pas à toi seul que j'ai tout promis ? Le
premier vœu de mon cœur ne fut-il pas de ne t'oublier
jamais, et ton inviolable fidélité n'est-elle pas un nouveau
lien pour la mienne ? Ah ! dans le transport d'amour qui
me rend à toi, mon seul regret est d'avoir combattu des sentiments si chers et si légitimes. Nature, ô douce nature,
reprends tous tes droits ! j'abjure les barbares vertus qui
t'anéantissent. Les penchants que tu m'as donnés seront-ils
plus trompeurs qu'une raison qui m'égara tant de fois ?

Respecte ces tendres penchants, mon aimable ami ; tu leur
dois trop pour les haïr ; mais souffres-en le cher et doux
partage ; souffre que les droits du sang et de l'amitié ne
soient pas éteints par ceux de l'amour. Ne pense point que
pour te suivre j'abandonne jamais la maison paternelle.
N'espère point que je me refuse aux liens que m'impose une
autorité sacrée. La cruelle perte de l'un des auteurs de mes
jours m'a trop appris à craindre d'affliger l'autre. Non, celle
dont il attend désormais toute sa consolation ne contristera
pas son âme accablée d'ennuis ; je n'aurai point donné la

mort à tout ce qui me donna la vie [1]. Non, non, je connais mon crime et ne puis le haïr. Devoir, honneur, vertu, tout cela ne me dit plus rien ; mais pourtant je ne suis point un monstre ; je suis faible et non dénaturée. Mon parti est pris, je ne veux désoler aucun de ceux que j'aime. Qu'un père esclave de sa parole et jaloux d'un vain titre dispose de ma main qu'il a promise ; que l'amour seul dispose de mon cœur ; que mes pleurs ne cessent de couler dans le sein d'une tendre amie. Que je sois vile et malheureuse ; mais que tout ce qui m'est cher soit heureux et content s'il est possible. Formez tous trois ma seule existence, et que votre bonheur me fasse oublier ma misère et mon désespoir.

Lettre XVI
Réponse

Nous renaissons, ma Julie ; tous les vrais sentiments de nos âmes reprennent leurs cours. La nature nous a conservé l'être, et l'amour nous rend à la vie. En doutais-tu ? L'osas-tu croire, de pouvoir m'ôter ton cœur ? Va, je le connais mieux que toi, ce cœur que le ciel a fait pour le mien. Je les sens joints par une existence commune qu'ils ne peuvent perdre qu'à la mort [2]. Dépend-il de nous de les séparer, ni même de le vouloir ? Tiennent-ils l'un à l'autre par des nœuds que les hommes aient formés et qu'ils puissent rompre ? Non, non, Julie, si le sort cruel nous refuse le doux nom d'époux, rien ne peut nous ôter celui d'amants fidèles ; il fera la consolation de nos tristes jours, et nous l'emporterons au tombeau.

Ainsi nous recommençons de vivre pour recommencer de souffrir, et le sentiment de notre existence n'est pour nous qu'un sentiment de douleur. Infortunés ! Que sommes-nous devenus ? Comment avons-nous cessé d'être ce que nous fûmes ? Où est cet enchantement de bonheur suprême ? Où sont ces ravissements exquis dont les vertus animaient nos feux ? Il ne reste de nous que notre amour ; l'amour seul

---

1. Telle sera la nature du chantage exercé par le Baron sur sa fille : voir III, 18, p. 418. **2.** Ce n'est pas ce que pensera Julie : voir VI, 12.

reste, et ses charmes se sont éclipsés. Fille trop soumise, amante sans courage ; tous nos maux nous viennent de tes erreurs. Hélas, un cœur moins pur t'aurait bien moins égarée ! Oui, c'est l'honnêteté du tien qui nous perd ; les sentiments droits qui le remplissent en ont chassé la sagesse. Tu as voulu concilier la tendresse filiale avec l'indomptable amour ; en te livrant à la fois à tous tes penchants, tu les confonds au lieu de les accorder et deviens coupable à force de vertu. Ô Julie, quel est ton inconcevable empire ! Par quel étrange pouvoir tu fascines ma raison ! Même en me faisant rougir de nos feux, tu te fais encore estimer par tes fautes ; tu me forces de t'admirer en partageant tes remords... Des remords !.... était-ce à toi d'en sentir ?.... toi que j'aimais.... toi que je ne puis cesser d'adorer.... le crime pourrait-il approcher de ton cœur.... Cruelle ! en me le rendant, ce cœur qui m'appartient, rends-le-moi tel qu'il me fut donné.

Que m'as-tu dit ?.... qu'oses-tu me faire entendre ?.... toi, passer dans les bras d'un autre ?.... un autre te posséder ?.... N'être plus à moi ?.... ou pour comble d'horreur n'être pas à moi seul ! Moi ? j'éprouverais cet affreux supplice ?.... je te verrais survivre à toi-même ?... Non. J'aime mieux te perdre que te partager.... Que le Ciel ne me donna-t-il un courage digne des transports qui m'agitent !.... avant que ta main se fût avilie dans ce nœud funeste abhorré par l'amour et réprouvé par l'honneur, j'irais de la mienne te plonger un poignard dans le sein : j'épuiserais ton chaste cœur d'un sang que n'aurait point souillé l'infidélité : à ce pur sang je mêlerais celui qui brûle dans mes veines d'un feu que rien ne peut éteindre ; je tomberais dans tes bras ; je rendrais sur tes lèvres mon dernier soupir.... je recevrais le tien.... Julie expirante !.... ces yeux si doux éteints par les horreurs de la mort !.... ce sein, ce trône de l'amour, déchiré par ma main, versant à gros bouillons le sang et la vie... Non vis et souffre, porte la peine de ma lâcheté. Non, je voudrais que tu ne fusses plus ; mais je ne puis t'aimer assez pour te poignarder [1].

---

1. Cet effet d'hypotypose d'une union des deux amants dans la mort sera transposé sur Bomston à la fin de la lettre sur le suicide (III, 21). Ce motif parcourt le roman, depuis l'inoculation de l'amour jusqu'à « l'horrible tentation » de la promenade sur le lac (IV, 17).

Ô si tu connaissais l'état de ce cœur serré de détresse ! Jamais il ne brûla d'un feu si sacré. Jamais ton innocence et ta vertu ne lui fut si chère. Je suis amant, je sais aimer, je le sens : mais je ne suis qu'un homme, et il est au-dessus de la force humaine de renoncer à la suprême félicité. Une nuit, une seule nuit a changé pour jamais toute mon âme. Ôte-moi ce dangereux souvenir, et je suis vertueux [1]. Mais cette nuit fatale règne au fond de mon cœur et va couvrir de son ombre le reste de ma vie. Ah Julie ! objet adoré ! S'il faut être à jamais misérables, encore une heure de bonheur, et des regrets éternels !

Écoute celui qui t'aime. Pourquoi voudrions-nous être plus sages nous seuls que tout le reste des hommes, et suivre avec une simplicité d'enfants de chimériques vertus dont tout le monde parle et que personne ne pratique ? Quoi ! serons-nous meilleurs moralistes que ces foules de Savants dont Londres et Paris sont peuplés, qui tous se raillent de la fidélité conjugale, et regardent l'adultère comme un jeu ? [2] Les exemples n'en sont point scandaleux ; il n'est pas même permis d'y trouver à redire, et tous les honnêtes gens se riraient ici de celui qui par respect pour le mariage résiste-rait au penchant de son cœur. En effet, disent-ils, un tort qui n'est que dans l'opinion n'est-il pas nul quand il est secret ? Quel mal reçoit un mari d'une infidélité qu'il ignore ? De quelle complaisance une femme ne rachète-t-elle pas ses fautes * ? Quelle douceur n'emploie-t-elle pas à prévenir ou guérir ses soupçons ? Privé d'un bien imaginaire, il vit réellement plus heureux, et ce prétendu crime dont on fait tant de bruit n'est qu'un lien de plus dans la société [3].

---

* Et où le bon Suisse avait-il vu cela ? Il y a longtemps que les femmes galantes l'ont pris sur un plus haut ton. Elles commencent par établir fiè-rement leurs amants dans la maison, et si l'on daigne y souffrir le mari, c'est autant qu'il se comporte envers eux avec le respect qu'il leur doit. Une femme qui se cacherait d'un mauvais commerce ferait croire qu'elle en a honte et serait déshonorée ; pas une honnête femme ne voudrait la voir.

---

1. C'est ce qu'aura compris Wolmar : voir IV, 14, p. 603. **2.** Nous rempla-çons le point par un point d'interrogation. **3.** Autre réminiscence possible des *Lettres persanes* : « Un mari, qui voudrait seul posséder sa femme, serait regardé comme un perturbateur de la joie publique, et comme un insensé qui voudrait jouir de la lumière du soleil à l'exclusion des autres hommes » (lettre 55, p. 148). Voir II, 21, n. 1, p. 328.

À Dieu ne plaise, ô chère amie de mon cœur, que je veuille rassurer le tien par ces honteuses maximes. Je les abhorre sans savoir les combattre, et ma conscience y répond mieux que ma raison. Non que je me fasse fort d'un courage que je hais, ni que je voulusse d'une vertu si coûteuse : mais je me crois moins coupable en me reprochant mes fautes qu'en m'efforçant de les justifier, et je regarde comme le comble du crime d'en vouloir ôter les remords.

Je ne sais ce que j'écris ; je me sens l'âme dans un état affreux, pire que celui même où j'étais avant d'avoir reçu ta lettre. L'espoir que tu me rends est triste et sombre ; il éteint cette lueur si pure qui nous guida tant de fois ; tes attraits s'en ternissent et n'en deviennent que plus touchants ; je te vois tendre et malheureuse ; mon cœur est inondé des pleurs qui coulent de tes yeux, et je me reproche avec amertume un bonheur que je ne puis plus goûter qu'aux dépens du tien.

Je sens pourtant qu'une ardeur secrète m'anime encore et me rend le courage que veulent m'ôter les remords. Chère amie, ah sais-tu de combien de pertes un amour pareil au mien peut te dédommager ? Sais-tu jusqu'à quel point un amant qui ne respire que pour toi peut te faire aimer la vie ? Conçois-tu bien que c'est pour toi seule que je veux vivre, agir, penser, sentir désormais ? Non, source délicieuse de mon être, je n'aurai plus d'âme que ton âme, je ne serai plus rien qu'une partie de toi-même, et tu trouveras au fond de mon cœur une si douce existence que tu ne sentiras point ce que la tienne aura perdu de ses charmes. Hé bien, nous serons coupables, mais nous ne serons point méchants ; nous serons coupables, mais nous aimerons toujours la vertu : loin d'oser excuser nos fautes, nous en gémirons ; nous les pleurerons ensemble ; nous les rachèterons s'il est possible, à force d'être bienfaisants et bons. Julie ! ô Julie ! que ferais-tu, que peux-tu faire ? Tu ne peux échapper à mon cœur : n'a-t-il pas épousé le tien ?

Ces vains projets de fortune qui m'ont si grossièrement abusé sont oubliés depuis longtemps. Je vais m'occuper uniquement des soins que je dois à Milord Édouard ; il veut m'entraîner en Angleterre ; il prétend que je puis l'y servir. Hé bien, je l'y suivrai. Mais je me déroberai tous les ans ; je me rendrai secrètement près de toi. Si je ne puis te parler, au moins je t'aurai vue ; j'aurai du moins baisé tes pas ; un regard de tes yeux m'aura donné dix mois de vie. Forcé de repartir, en m'éloignant de celle que j'aime, je compterai pour me consoler les pas qui doivent m'en rapprocher. Ces fréquents voyages donneront le change[1] à ton malheureux amant ; il croira déjà jouir de ta vue en partant pour t'aller voir ; le souvenir de ses transports l'enchantera durant son retour ; malgré le sort cruel, ses tristes ans ne seront pas tout à fait perdus ; il n'y en aura point qui ne soient marqués par des plaisirs, et les courts moments qu'il passera près de toi se multiplieront sur sa vie entière.

Lettre XVII
De Madᵉ d'Orbe

Votre amante n'est plus, mais j'ai retrouvé mon amie, et vous en avez acquis une dont le cœur peut vous rendre beaucoup plus que vous n'avez perdu. Julie est mariée, et digne de rendre heureux l'honnête homme qui vient d'unir son sort au sien. Après tant d'imprudences, rendez grâce au Ciel qui vous a sauvés tous deux, elle de l'ignominie, et vous du regret de l'avoir déshonorée. Respectez son nouvel état ; ne lui écrivez point, elle vous en prie. Attendez qu'elle vous écrive ; c'est ce qu'elle fera dans peu. Voici le temps où je vais connaître si vous méritez l'estime que j'eus pour vous, et si votre cœur est sensible à une amitié pure et sans intérêt[2].

Lettre XVIII
De Julie

Vous êtes depuis si longtemps le dépositaire de tous les secrets de mon cœur, qu'il ne saurait plus perdre une si douce habitude. Dans la plus importante occasion de ma vie il veut s'épancher avec vous. Ouvrez-lui le vôtre, mon

---

1. Détourneront l'esprit. Voir Préface, n. 1, p. 49. **2.** Désintéressée.

aimable ami ; recueillez dans votre sein les longs discours de l'amitié ; si quelquefois elle rend diffus [1] l'ami qui parle, elle rend toujours patient l'ami qui écoute.

Liée au sort d'un époux, ou plutôt aux volontés d'un père par une chaîne indissoluble, j'entre dans une nouvelle carrière qui ne doit finir qu'à la mort. En la commençant, jetons un moment les yeux sur celle que je quitte ; il ne nous sera pas pénible de rappeler un temps si cher. Peut-être y trouverai-je des leçons pour bien user de celui qui me reste ; peut-être y trouverez-vous des lumières pour expliquer ce que ma conduite eut toujours d'obscur à vos yeux. Au moins en considérant ce que nous fûmes l'un à l'autre, nos cœurs n'en sentiront que mieux ce qu'ils se doivent jusqu'à la fin de nos jours.

Il y a six ans à peu près que je vous vis pour la première fois [2]. Vous étiez jeune, bien fait, aimable ; d'autres jeunes gens m'ont paru plus beaux et mieux faits que vous ; aucun ne m'a donné la moindre émotion, et mon cœur fut à vous dès la première vue *. Je crus voir sur votre visage les traits de l'âme qu'il fallait à la mienne. Il me sembla que mes sens ne servaient que d'organe à des sentiments plus nobles ; et j'aimai dans vous, moins ce que j'y voyais que ce que je

---

* M. Richardson se moque beaucoup de ces attachements nés de la première vue et fondés sur des conformités indéfinissables. C'est fort bien de s'en moquer ; mais comme il n'en existe pourtant que trop de cette espèce, au lieu de s'amuser à les nier, ne ferait-on pas mieux de nous apprendre à les vaincre ? [NdE : référence aux propos de Grandison sur l'amour qui naît de la première vue, que Rousseau a pu lire dans la traduction intégrale du pasteur genevois Monod parue en 1755, comme l'a démontré S. Charles qui a retrouvé cette source (« Rappeler, varier, combiner. La mémoire romanesque de *La Nouvelle Héloïse* », 2013) : « L'amour qu'on conçoit à une première vue indique nécessairement une disposition à prendre des impressions, et à une passion de la moins noble espèce ; puisqu'on n'a pas encore eu le temps de connaître le mérite de l'objet » (Richardson, *Histoire de Grandison*, t. IV, p. 190). Ce débat est amorcé dès le début du roman sur un mode comique avec une phrase de sir Rowland adressée à Harriet Byron : *None but the* giddy *love at first sight* (*The History of Sir Charles Grandison*, trad. Monod : « Il n'y a que les *écervelés* qui aiment à la première vue », lettre 9, t. I, 1755, p. 50).]

---

1. Prolixe. « Qui est long, qui est trop étendu dans ses discours » (*Acad.* 1762). **2.** Voir la Chronologie interne du roman, p. 950.

croyais sentir en moi-même. Il n'y a pas[a] deux mois que je
pensais encore ne m'être pas trompée ; l'aveugle amour, me
disais-je, avait raison ; nous étions faits l'un pour l'autre ; je
serais à lui si l'ordre humain n'eût troublé les rapports de la
nature, et s'il était permis à quelqu'un d'être heureux, nous
aurions dû l'être ensemble.

Mes sentiments nous furent communs ; ils m'auraient
abusée si je les eusse éprouvés seule. L'amour que j'ai connu
ne peut naître que d'une convenance réciproque et d'un
accord des âmes. On n'aime point si l'on n'est aimé ; du
moins on n'aime pas longtemps. Ces passions sans retour
qui font, dit-on, tant de malheureux ne sont fondées que sur
les sens, si quelques-unes pénètrent jusqu'à l'âme c'est par
des rapports faux dont on est bientôt détrompé. L'amour
sensuel ne peut se passer de la possession, et s'éteint par
elle. Le véritable amour ne peut se passer du cœur, et dure
autant que les rapports qui l'ont fait naître *. Tel fut le nôtre
en commençant ; tel il sera, j'espère, jusqu'à la fin de nos
jours, quand nous l'aurons mieux ordonné. Je vis, je sentis
que j'étais aimée et que je devais l'être. La bouche était
muette ; le regard était contraint ; mais le cœur se faisait
entendre : Nous éprouvâmes bientôt entre nous ce je ne sais
quoi qui rend le silence éloquent, qui fait parler des yeux
baissés, qui donne une timidité téméraire, qui montre les
désirs par la crainte, et dit tout ce qu'il n'ose exprimer.

Je sentis mon cœur et me jugeai perdue à votre premier
mot. J'aperçus la gêne de votre réserve ; j'approuvai ce respect, je vous en aimai davantage ; je cherchais à vous
dédommager d'un silence pénible et nécessaire, sans qu'il en
coutât à mon innocence ; je forçai mon naturel, j'imitai ma
Cousine ; je devins badine et folâtre comme elle, pour prévenir des explications trop graves et faire passer mille tendres
caresses à la faveur de ce feint enjouement. Je voulais vous
rendre si doux votre état présent que la crainte d'en changer
augmentât votre retenue. Tout cela me réussit mal ; on ne
sort point de son naturel impunément. Insensée que j'étais,
j'accélérai ma perte au lieu de la prévenir, j'employai du

---

* Quand ces rapports sont chimériques, il dure autant que l'illusion qui
nous les fait imaginer.

poison pour palliatif, et ce qui devait vous faire taire fut
précisément ce qui vous fit parler. J'eus beau par une froideur affectée vous tenir éloigné dans le tête-à-tête ; cette
contrainte même me trahit : vous écrivîtes. Au lieu de jeter
au feu votre première lettre, ou de la porter à ma mère, j'osai
l'ouvrir. Ce fut là mon crime, et tout le reste fut forcé [1]. Je
voulus m'empêcher de répondre à ces lettres funestes que je
ne pouvais m'empêcher de lire. Cet affreux combat altéra
ma santé. Je vis l'abîme où j'allais me précipiter. J'eus horreur de moi-même, et ne pus me résoudre à vous laisser
partir. Je tombai dans une sorte de désespoir ; j'aurais
mieux aimé que vous ne fussiez plus que de n'être point à
moi : j'en vins jusqu'à souhaiter votre mort, jusqu'à vous la
demander [2]. Le Ciel a vu mon cœur ; cet effort doit racheter
quelques fautes.

Vous voyant prêt à m'obéir, il fallut parler. J'avais reçu
de la Chaillot des leçons qui ne me firent que mieux
connaître les dangers de cet aveu [3]. L'amour qui me l'arrachait m'apprit à en éluder l'effet. Vous fûtes mon dernier
refuge ; j'eus assez de confiance en vous pour vous armer
contre ma faiblesse, je vous crus digne de me sauver de moi-
même et je vous rendis justice. En vous voyant respecter un
dépôt si cher, je connus que ma passion ne m'aveuglait point
sur les vertus qu'elle me faisait trouver en vous. Je m'y
livrais avec d'autant plus de sécurité qu'il me sembla que

---

1. Entendre : détourné de la direction naturelle des choses, une fois la première digue rompue. La conception rousseauiste du temps, à l'échelle du
développement des sociétés comme des individus, repose sur la dramatisa-
tion des ruptures qui éloignent d'un état « originaire », entendu comme état
de nature. Le verbe « forcer » illustre ainsi la façon dont Rousseau envisage
les premiers progrès de l'humanité, comme autant de seuils qui pouvaient
n'être pas franchis et qui l'éloignent de sa vocation première, en *corrompant*
ainsi la nature. Voir, par exemple, l'explication du passage à l'agriculture,
donc à la sédentarité, dans le *Discours sur l'inégalité*, en 1755, sous l'angle
d'un enchaînement relevant plus de la fatalité extérieure que de la nécessité
intérieure : « L'invention des autres arts fut donc nécessaire pour *forcer* le
genre humain de s'appliquer à celui de l'agriculture. Dès qu'il *fallut* des
hommes pour fondre et forger le fer, il *fallut* d'autres hommes pour nourrir
ceux-là » (p. 121 ; nous soulignons). **2.** Ce vœu de mort fait directement
écho à celui qu'énonce la lettre III, 16 de Saint-Preux, p. 404. **3.** Sur ce
savoir *fatal*, voir le premier jugement de Julie en I, 6, p. 68.

nos cœurs se suffisaient l'un à l'autre. Sûre de ne trouver au fond du mien que des sentiments honnêtes, je goûtais sans précaution les charmes d'une douce familiarité. Hélas ! je ne voyais pas que le mal s'invétérait [1] par ma négligence, et que l'habitude était plus dangereuse que l'amour. Touchée de votre retenue, je crus pouvoir sans risque modérer la mienne ; dans l'innocence de mes désirs je pensais encourager en vous la vertu même, par les tendres caresses de l'amitié. J'appris dans le bosquet de Clarens que j'avais trop compté sur moi, et qu'il ne faut rien accorder aux sens quand on veut leur refuser quelque chose. Un instant, un seul instant embrasa les miens d'un feu que rien ne put éteindre, et si ma volonté résistait encore, dès lors mon cœur fut corrompu.

Vous partagiez mon égarement ; votre lettre [2] me fit trembler. Le péril était double : pour me garantir de vous et de moi, il fallut vous éloigner. Ce fut le dernier effort d'une vertu mourante ; en fuyant vous achevâtes de vaincre ; et sitôt que je ne vous vis plus, ma langueur m'ôta le peu de force qui me restait pour vous résister.

Mon père en quittant le service avait amené chez lui M. de Wolmar ; la vie qu'il lui devait et une liaison de [b] vingt ans lui rendaient cet ami si cher qu'il ne pouvait se séparer de lui. M. de Wolmar avançait en âge et quoique riche et de grande naissance, il ne trouvait point de femme qui lui convînt. Mon père lui avait parlé de sa fille en homme qui souhaitait se faire un gendre de son ami ; il fut question de la voir, et c'est dans ce dessein qu'ils firent le voyage ensemble. Mon destin voulut que je plusse à M. de Wolmar qui n'avait jamais rien aimé [3]. Ils se donnèrent secrètement leur parole, et M. de Wolmar ayant beaucoup d'affaires à régler dans une cour du Nord où étaient sa famille et sa fortune [4], il en demanda le temps, et partit sur cet engagement mutuel. Après son départ, mon père nous déclara à ma mère et à moi qu'il me l'avait destiné pour époux, et

---

1. « Devenir vieux, et difficile à guérir. Il se dit au propre, des maladies, et au figuré, des mauvaises habitudes » (*Féraud*). **2.** Lettre I, 14. **3.** Voir le point de vue rétropectif de Wolmar (IV, 12, p. 585). **4.** Désignation courante à l'époque de la cour de Russie, établie par Pierre Ier à Saint-Pétersbourg.

m'ordonna d'un ton qui ne laissait point de réplique à ma timidité de me disposer à recevoir sa main [1]. Ma mère, qui n'avait que trop remarqué le penchant de mon cœur, et qui se sentait pour vous une inclination naturelle, essaya plusieurs fois d'ébranler cette résolution ; sans oser vous proposer, elle parlait de manière à donner à mon père de la considération pour vous et le désir de vous connaître ; mais la qualité qui vous manquait le rendit insensible à toutes celles que vous possédiez, et s'il convenait que la naissance ne les pouvait remplacer, il prétendait qu'elle seule pouvait les faire valoir.

L'impossibilité d'être heureuse irrita des feux qu'elle eût dû éteindre. Une flatteuse illusion me soutenait dans mes peines ; je perdis avec elle la force de les supporter. Tant qu'il me fût resté quelque espoir d'être à vous, peut-être aurais-je triomphé de moi ; il m'en eût moins coûté de vous résister toute ma vie que de renoncer à vous pour jamais, et la seule idée d'un combat éternel m'ôta le courage de vaincre.

La tristesse et l'amour consumaient mon cœur ; je tombai dans un abattement dont mes lettres se sentirent. Celle que vous m'écrivîtes de Meillerie y mit le comble ; à mes propres douleurs se joignit le sentiment de votre désespoir. Hélas ! c'est toujours l'âme la plus faible qui porte les peines de toutes deux. Le parti que vous m'osiez proposer mit le comble à mes perplexités [2]. L'infortune de mes jours était assurée, l'inévitable choix qui me restait à faire était d'y joindre celle de mes parents ou la vôtre. Je ne pus supporter cette horrible alternative ; les forces de la nature ont un terme ; tant d'agitations épuisèrent les miennes. Je souhaitai d'être délivrée de la vie. Le Ciel parut avoir pitié de moi ; mais la cruelle mort m'épargna pour me perdre. Je vous vis, je fus guérie, et je péris.

Si je ne trouvai point le bonheur dans mes fautes, je n'avais jamais espéré [3] l'y trouver. Je sentais que mon cœur était fait pour la vertu et qu'il ne pouvait être heureux sans elle ; je succombai par faiblesse et non par erreur ; je n'eus

---

1. Voir la lettre I, 28 de Julie. **2.** Voir I, 26. **3.** C'est parce que je n'avais jamais espéré (tour elliptique).

pas même l'excuse de l'aveuglement. Il ne me restait aucun espoir ; je ne pouvais plus qu'être infortunée. L'innocence et l'amour m'étaient également nécessaires, ne pouvant les conserver ensemble et voyant votre égarement, je ne consultai que vous dans mon choix et me perdis pour vous sauver.

Mais il n'est pas si facile qu'on pense de renoncer à la vertu. Elle tourmente longtemps ceux qui l'abandonnent, et ses charmes, qui font les délices des âmes pures, font le premier supplice du méchant, qui les aime encore et n'en saurait plus jouir [1]. Coupable et non dépravée [2], je ne pus échapper aux remords qui m'attendaient ; l'honnêteté me fut chère, même après l'avoir perdue ; ma honte pour être secrète ne m'en fut pas moins amère, et quand tout l'univers en eût été témoin je ne l'aurais pas mieux sentie. Je me consolais dans ma douleur comme un blessé qui craint la cangrène [3], et en qui le sentiment de son mal soutient l'espoir d'en guérir.

Cependant cet état d'opprobre m'était odieux. À force de vouloir étouffer le reproche sans renoncer au crime, il m'arriva ce qu'il arrive à toute âme honnête qui s'égare et qui se plaît dans son égarement. Une illusion nouvelle vint adoucir l'amertume du repentir ; j'espérai tirer de ma faute un moyen de la réparer [4], et j'osai former le projet de contraindre mon Père à nous unir. Le premier fruit de notre amour devait serrer ce doux lien. Je le demandais au Ciel comme le gage de mon retour à la vertu et de notre bonheur commun : Je le désirais comme un autre [5] à ma place aurait pu le craindre, le tendre amour tempérant par son prestige [6] le murmure de la conscience, me consolait de ma faiblesse

---

1. Pour Rousseau, les hommes ne naissent pas « méchants », ils le deviennent à la faveur du développement des relations sociales fondées sur l'intérêt et le pouvoir. Leur nature *s'altère* ainsi, mais ne saurait tout à fait disparaître. Sur cette question capitale, liée à l'épreuve du temps sur l'identité, voir *infra*, n. 1, p. 424. **2.** Autre écho à la lettre précédente de Saint-Preux : voir III, 16, p. 404. **3.** La gangrène. « Quelques Auteurs écrivent comme on prononce *cangrène* » (*Féraud*). **4.** Sur cette figure de la guérison paradoxale, voir J. Starobinski, « Le remède dans le mal : la pensée de Rousseau », in *Le Remède dans le mal*, Gallimard, 1989, p. 165-232. **5.** Comme une autre (tour classique encore usuel au XVIIIᵉ siècle). **6.** Voir I, 37, n. 2, p. 147.

par l'effet que j'en attendais, et faisait d'une si chère attente le charme et l'espoir de ma vie.

Sitôt que j'aurais porté des marques sensibles de mon état, j'avais résolu d'en faire en présence de toute ma famille une déclaration publique à M. Perret *. Je suis timide il est vrai ; je sentais tout ce qu'il m'en devait coûter, mais l'honneur même animait mon courage, et j'aimais mieux supporter une fois la confusion que j'avais méritée, que de nourrir une honte éternelle au fond de mon cœur. Je savais que mon père me donnerait la mort ou mon amant ; cette alternative n'avait rien d'effrayant pour moi, et, de manière ou d'autre, j'envisageais dans cette démarche la fin de tous mes malheurs [1].

Tel était, mon bon ami, le mystère que je voulus vous dérober et que vous cherchiez à pénétrer avec une si curieuse [2] inquiétude. Mille raisons me forçaient à cette réserve avec un homme aussi emporté que vous ; sans compter qu'il ne fallait pas armer d'un nouveau prétexte votre indiscrète importunité. Il était à propos surtout de vous éloigner durant une si périlleuse scène, et je savais bien que vous n'auriez jamais consenti à m'abandonner dans un danger pareil, s'il vous eût été connu.

Hélas, je fus encore abusée par une si douce espérance ! Le Ciel rejeta des projets conçus dans le crime ; je ne méritais pas l'honneur d'être mère ; mon attente resta toujours vaine, et il me fut refusé d'expier ma faute aux dépens de ma réputation. Dans le désespoir que j'en conçus, l'imprudent rendez-vous qui mettait votre vie en danger fut une témérité que mon fol amour me voilait d'une si douce excuse : je m'en prenais à moi du mauvais succès de mes vœux, et mon cœur abusé par ses désirs ne voyait dans l'ardeur de les contenter, que le soin de les rendre un jour légitimes.

* Pasteur du lieu.

---

1. C'est une démarche semblable que Bridge (frère de Cleveland) et le Français Gelin font adopter à leurs compagnons pour éviter des mariages imposés par le despotique ministre de la Colonie Rocheloise, dans le grand roman de Prévost (p. 244-248). **2.** Probable syllepse sur « curieuse » : attentive et étrange.

Je les crus un instant accomplis ; cette erreur fut la source du plus cuisant de mes regrets, et l'amour exaucé par la nature, n'en fut que plus cruellement trahi par la destinée. Vous avez su * quel accident détruisit, avec le germe que je portais dans mon sein le dernier fondement de mes espérances [1]. Ce malheur m'arriva précisément dans le temps de notre séparation ; comme si le Ciel eût voulu m'accabler alors de tous les maux que j'avais mérités, et couper à la fois tous les liens qui pouvaient nous unir.

Votre départ fut la fin de mes erreurs ainsi que de mes plaisirs ; je reconnus, mais trop tard, les chimères qui m'avaient abusée. Je me vis aussi méprisable que je l'étais devenue, et aussi malheureuse que je devais toujours l'être avec un amour sans innocence et des désirs sans espoir, qu'il m'était impossible d'éteindre. Tourmentée de mille vains regrets je renonçai à des réflexions aussi douloureuses qu'inutiles ; je ne valais plus la peine que je songeasse à moi-même, je consacrai ma vie à m'occuper de vous. Je n'avais plus d'honneur que le vôtre, plus d'espérance qu'en votre bonheur, et les sentiments qui me venaient de vous étaient les seuls dont je crusse pouvoir être encore émue.

L'amour ne m'aveuglait point sur vos défauts mais il me les rendait chers, et telle était son illusion que je vous aurais moins aimé si vous aviez été plus parfait. Je connaissais votre cœur, vos emportements ; je savais qu'avec plus de courage que moi vous aviez moins de patience, et que les maux dont mon âme était accablée mettraient la vôtre au désespoir. C'est par cette raison que je vous cachai toujours avec soin les engagements de mon père, et à notre séparation, voulant profiter du zèle de Milord Édouard pour votre fortune, et vous en inspirer un pareil à vous-même, je vous flattais d'un espoir que je n'avais pas. Je fis plus ; connaissant le danger qui nous menaçait, je pris la seule précaution qui pouvait nous en garantir, et vous engageant avec ma parole ma liberté autant qu'il m'était possible, je tâchai d'inspirer à vous de la confiance, à moi de la fermeté, par

---

* Ceci suppose d'autres lettres que nous n'avons pas.

---

1. Voir I, 63, p. 220.

une promesse que je n'osasse enfreindre et qui pût vous tranquilliser. C'était un devoir puéril, j'en conviens, et cependant je ne m'en serais jamais départie. La vertu est si nécessaire à nos cœurs, que quand on a une fois abandonné la véritable, on s'en fait ensuite une à sa mode, et l'on y tient plus fortement, peut-être parce qu'elle est de notre choix [1].

Je ne vous dirai point combien j'éprouvai d'agitations depuis votre éloignement. La pire de toutes était la crainte d'être oubliée. Le séjour où vous étiez me faisait trembler ; votre manière d'y vivre augmentait mon effroi : Je croyais déjà vous voir avilir jusqu'à n'être plus qu'un homme à bonnes fortunes [2]. Cette ignominie m'était plus cruelle que tous mes maux ; j'aurais mieux aimé vous savoir malheureux que méprisable ; après tant de peines auxquelles j'étais accoutumée, votre déshonneur était la seule que je ne pouvais supporter.

Je fus rassurée sur des craintes que le ton de vos lettres commençait à confirmer ; et je le fus par un moyen qui eût pu mettre le comble aux alarmes d'une autre. Je parle du désordre où vous vous laissâtes entraîner et dont le prompt et libre aveu fut de toutes les preuves de votre franchise celle qui m'a le plus touchée. Je vous connaissais trop pour ignorer ce qu'un pareil aveu devait vous coûter, quand même j'aurais cessé de vous être chère ; je vis que l'amour vainqueur de la honte avait pu seul vous l'arracher. Je jugeai qu'un cœur si sincère était incapable d'une infidélité cachée ; je trouvai moins de tort dans votre faute que de mérite à la confesser, et me rappelant vos anciens engagements, je me guéris pour jamais de la jalousie [3].

_____

1. Phrase capitale : la vertu (entendue comme une manifestation de l'idéal du moi) est le fruit d'un travail intérieur de soi sur soi, et non le respect formel de principes extérieurs, et encore moins l'obéissance à un chimérique « honneur ». Voir la Présentation, p. 33-34. **2.** La formule, consacrée au XVIIIᵉ siècle par le roman libertin, désigne le séducteur dont la réputation mondaine est acquise par le nombre de ses conquêtes. Associée au séjour parisien de Saint-Preux, elle peut aussi être une réminiscence des _Lettres persanes_ : Usbek, observant les mœurs d'un salon, s'indigne vigoureusement devant cette insolente figure de libertin toujours prêt à « faire enrager un mari, ou désespérer un père » (lettre 48, p. 135). **3.** Julie avait déjà abordé la question de la jalousie en I, 35.

Mon ami, je n'en fus pas plus heureuse ; pour un tourment de moins, sans cesse il en renaissait mille autres, et je ne connus jamais mieux combien il est insensé de chercher dans l'égarement de son cœur un repos qu'on ne trouve que dans la sagesse. Depuis longtemps je pleurais en secret la meilleure des mères qu'une langueur mortelle consumait insensiblement. Babi à qui le fatal effet de ma chute m'avait forcée à me confier, me trahit et lui découvrit nos amours et mes fautes. À peine eus-je retiré vos lettres de chez ma Cousine, qu'elles furent surprises [1]. Le témoignage était convaincant ; la tristesse acheva d'ôter à ma mère le peu de forces que son mal lui avait laissées. Je faillis expirer de regret à ses pieds. Loin de m'exposer à la mort que je méritais, elle voila ma honte, et se contenta d'en gémir : vous-même qui l'aviez si cruellement abusée, ne pûtes lui devenir odieux. Je fus témoin de l'effet que produisit votre lettre sur son cœur tendre et compatissant. Hélas ! elle désirait votre bonheur et le mien. Elle tenta plus d'une fois.... Que sert de rappeler une espérance à jamais éteinte ? Le Ciel en avait autrement ordonné. Elle finit ses tristes jours dans la douleur de n'avoir pu fléchir un époux sévère, et de laisser une fille si peu digne d'elle.

Accablée d'une si cruelle perte, mon âme n'eut plus de force que pour la sentir ; la voix de la nature gémissante étouffa les murmures de l'amour. Je pris dans une espèce d'horreur la cause de tant de maux ; je voulus étouffer enfin l'odieuse passion qui me les avait attirés et renoncer à vous pour jamais. Il le fallait, sans doute ; n'avais-je assez de quoi pleurer le reste de ma vie, sans chercher incessamment de nouveaux sujets de larmes ? Tout semblait favoriser ma résolution. Si la tristesse attendrit l'âme, une profonde affliction l'endurcit. Le souvenir de ma mère mourante effaçait le vôtre ; nous étions éloignés ; l'espoir m'avait abandonnée ; jamais mon incomparable amie ne fut si sublime ni si digne d'occuper seule tout mon cœur. Sa vertu, sa raison, son amitié, ses tendres caresses semblaient l'avoir purifié ; je vous crus oublié, je me crus guérie. Il était trop

---

1. Découvertes. Voir II, 28.

tard : ce que j'avais pris pour la froideur d'un amour éteint, n'était que l'abattement du désespoir.

Comme un malade qui cesse de souffrir en tombant en faiblesse se ranime à de plus vives douleurs, je sentis bientôt renaître toutes les miennes quand mon père m'eut annoncé le prochain retour de M. de Wolmar. Ce fut alors que l'invincible amour me rendit des forces que je croyais n'avoir plus. Pour la première fois de ma vie j'osai résister en face à mon père. Je lui protestai nettement que jamais M. de Wolmar ne me serait rien ; que j'étais déterminée à mourir fille ; qu'il était maître de ma vie, mais non pas de mon cœur, et que rien ne me ferait changer de volonté. Je ne vous parlerai ni de sa colère ni des traitements que j'eus à souffrir. Je fus inébranlable : ma timidité surmontée m'avait portée à l'autre extrémité, et si j'avais le ton moins impérieux que mon père, je l'avais tout aussi résolu.

Il vit que j'avais pris mon parti, et qu'il ne gagnerait rien sur moi par autorité. Un instant je me crus délivrée de ses persécutions. Mais que devins-je quand tout à coup je vis à mes pieds le plus sévère des pères attendri et fondant en larmes ? Sans me permettre de me lever il me serrait les genoux, et fixant ses yeux mouillés sur les miens, il me dit d'une voix touchante que j'entends encore au dedans de moi : [1] Ma fille ! respecte les cheveux blancs de ton malheureux père ; ne le fais pas descendre avec douleur au tombeau, comme celle qui te porta dans son sein. Ah ! veux-tu donner la mort à toute ta famille ?

Concevez mon saisissement. Cette attitude, ce ton, ce geste, ce discours, cette affreuse idée me bouleversèrent au point que je me laissai aller demi-morte entre ses bras, et ce ne fut qu'après bien des sanglots dont j'étais oppressée, que je pus lui répondre d'une voix altérée et faible : Ô mon père ! j'avais des armes contre vos menaces, je n'en ai point contre vos pleurs. C'est vous qui ferez mourir votre fille [2].

---

1. Nous remplaçons le point de Rey 61 par un deux-points ; de même aux paragraphes suivants, après « d'une voix altérée et faible » et « me parla ainsi ». **2.** Déclaration proleptique. H. Coulet signale l'influence d'une scène de l'*Histoire de Grandison* de Richardson : lorsque l'Italienne Clémentine, éprise de Grandison, veut prendre le voile, son père s'agenouille pour la supplier et elle lui demande de se relever, s'il ne veut la voir mourir à ses pieds. Rousseau a fait allusion à ce roman au début de cette lettre (voir *supra*, p. 408).

H. Gravelot inv.   Alamet Sculp.

La force Paternelle.

Nous étions tous deux tellement agités que nous ne pûmes de longtemps nous remettre. Cependant en repassant en moi-même ses derniers mots, je conçus qu'il était plus instruit que je n'avais cru, et résolue de me prévaloir contre lui de ses propres connaissances, je me préparais à lui faire au péril de ma vie un aveu trop longtemps différé, quand m'arrêtant avec vivacité, comme s'il eût prévu et craint ce que j'allais lui dire, il me parla ainsi :

« Je sais quelle fantaisie indigne d'une fille bien née [1] vous nourrissez au fond de votre cœur. Il est temps de sacrifier au devoir et à l'honnêteté une passion honteuse qui vous déshonore et que vous ne satisferez jamais qu'aux dépens de ma vie. Écoutez une fois ce que l'honneur d'un père et le vôtre exigent de vous, et jugez-vous vous-même.

« M. de Wolmar est un homme d'une grande naissance, distingué par toutes les qualités qui peuvent la soutenir ; qui jouit de la considération publique et qui la mérite. Je lui dois la vie ; vous savez les engagements que j'ai pris avec lui. Ce qu'il faut vous apprendre encore, c'est qu'étant allé dans son pays pour mettre ordre à ses affaires, il s'est trouvé enveloppé dans la dernière révolution [2], qu'il y a perdu ses biens, qu'il n'a lui-même échappé à l'exil en Sibérie que par un bonheur singulier, et qu'il revient avec le triste débris [3] de sa fortune, sur la parole de son ami qui n'en manqua jamais à personne. Prescrivez-moi maintenant la réception qu'il faut lui faire à son retour. Lui dirai-je : [4] Monsieur, je vous ai promis ma fille tandis que vous étiez riche, mais à présent que vous n'avez plus rien je me rétracte, et ma fille ne veut point de vous ? Si ce n'est pas ainsi que j'énonce mon refus, c'est ainsi qu'on l'interprétera : vos amours allégués seront pris pour un prétexte, ou ne seront pour moi qu'un affront de plus, et nous passerons, vous pour une fille

---

1. De naissance aristocratique. **2.** Compromis dans la révolution de palais qui a renversé l'infant Ivan VI. Allusion probable au coup d'État de 1741 (même si Wolmar se marie avant cette date : voir la Chronologie interne du roman, p. 950), lorsque Élisabeth, fille de Pierre Ier, se fait proclamer tsarine. Sur le personnage de Wolmar, voir l'article de W. Acher (*RHLF*, 1980). **3.** « Se dit figurément du bien qui reste à un homme après un grand revers de fortune » (*Acad.* 1762). **4.** Nous remplaçons ici un point d'interrogation (déplacé en fin de phrase à la place du point) par un deux-points.

perdue, moi pour un malhonnête homme qui sacrifie son devoir et sa foi à un vil intérêt, et joint l'ingratitude à l'infidélité. Ma fille ! il est trop tard pour finir dans l'opprobre une vie sans tache, et soixante ans d'honneur ne s'abandonnent pas en un quart d'heure.

« Voyez donc », continua-t-il, « combien tout ce que vous pouvez me dire est à présent hors de propos. Voyez si des préférences que la pudeur désavoue et quelque feu passager de jeunesse peuvent jamais être mis en balance avec le devoir d'une fille et l'honneur compromis d'un père. S'il n'était question pour l'un des deux que d'immoler son bonheur à l'autre, ma tendresse vous disputerait un si doux sacrifice ; mais mon enfant, l'honneur a parlé et dans le sang dont tu sors, c'est toujours lui qui décide. »

Je ne manquais pas de bonne réponse à ce discours ; mais les préjugés de mon père lui donnent des principes si différents des miens [1], que des raisons qui me semblaient sans réplique ne l'auraient pas même ébranlé. D'ailleurs, ne sachant ni d'où lui venaient les lumières qu'il paraissait avoir acquises sur ma conduite, ni jusqu'où elles pouvaient aller ; craignant à son affectation de m'interrompre [2] qu'il n'eût déjà pris son parti sur ce que j'avais à lui dire, et, plus que tout cela, retenue par une honte que je n'ai jamais pu vaincre, j'aimai mieux employer une excuse qui me parut plus sûre, parce qu'elle était plus selon sa manière de penser. Je lui déclarai sans détour l'engagement que j'avais pris avec vous ; je protestai que je ne vous manquerais point de parole, et que, quoi qu'il pût arriver, je ne me marierais jamais sans votre consentement.

En effet, je m'aperçus avec joie que mon scrupule ne lui déplaisait pas ; il me fit de vifs reproches sur ma promesse, mais il n'y objecta rien ; tant un Gentilhomme plein d'honneur a naturellement une haute idée de la foi des engagements, et regarde la parole comme une chose toujours sacrée ! Au lieu donc de s'amuser [3] à disputer sur la nullité de cette promesse, dont je ne serais jamais convenue, il

---

1. Dès I, 4-5, les deux amants évoquent une tout autre définition de « l'honneur ». **2.** Entendre : sa disposition manifeste à m'interrompre. **3.** Perdre son temps.

m'obligea d'écrire un billet auquel il joignit une lettre qu'il
fit partir sur-le-champ. Avec quelle agitation n'attendis-je
point votre réponse ! combien je fis de vœux pour vous trouver moins de délicatesse que vous ne deviez en avoir ! Mais
je vous connaissais trop pour douter de votre obéissance, et
je savais que plus le sacrifice exigé vous serait pénible, plus
vous seriez prompt à vous l'imposer. La réponse vint ; elle
me fut cachée durant ma maladie ; après mon rétablisse-
ment mes craintes furent confirmées et il ne me resta plus
d'excuses. Au moins mon père me déclara qu'il n'en rece-
vrait plus, et avec l'ascendant que le terrible mot qu'il
m'avait dit lui donnait sur mes volontés, il me fit jurer que
je ne dirais rien à M. de Wolmar qui pût le détourner de
m'épouser : car, ajouta-t-il, cela lui paraîtrait un jeu
concerté entre nous, et à quelque prix que ce soit, il faut
que ce mariage s'achève ou que je meure de douleur.

Vous le savez, mon ami ; ma santé, si robuste contre la
fatigue et les injures de l'air, ne peut résister aux intempé-
ries [1] des passions, et c'est dans mon trop sensible cœur
qu'est la source de tous les maux et de mon corps et de mon
âme [2]. Soit que de longs chagrins eussent corrompu mon
sang ; soit que la nature eût pris ce temps pour l'épurer d'un
levain funeste, je me sentis fort incommodée à la fin de cet
entretien. En sortant de la chambre de mon père, je m'effor-
çai pour vous écrire un mot [3], et me trouvai si mal qu'en
me mettant au lit j'espérai ne m'en plus relever. Tout le reste
vous est trop connu ; mon imprudence attira la vôtre. Vous
vîntes, je vous vis, et crus n'avoir fait qu'un de ces rêves qui
vous offraient si souvent à moi durant mon délire. Mais
quand j'appris que vous étiez venu, que je vous avais vu
réellement, et que voulant partager le mal dont vous ne pouviez me guérir, vous l'aviez pris à dessein ; je ne pus supporter cette dernière épreuve, et voyant un si tendre amour
survivre à l'espérance, le mien que j'avais pris tant de peine
à contenir ne connut plus de frein, et se ranima bientôt avec

---

1. « Dérèglement. Il ne se dit guère que de l'air et des humeurs du corps
humain » (*Acad.* 1762). **2.** On ne saurait mieux définir le caractère psycho-
somatique des affections de Julie dans tout le roman. **3.** J'employai toute
ma force pour vous écrire un mot (la lettre III, 12).

plus d'ardeur que jamais. Je vis qu'il fallait aimer malgré moi ; je sentis qu'il fallait être coupable ; que je ne pouvais résister ni à mon père ni à mon amant, et que je n'accorderais jamais les droits de l'amour et du sang qu'aux dépens de l'honnêteté. Ainsi tous mes bons sentiments achevèrent de s'éteindre ; toutes mes facultés s'altérèrent ; le crime perdit son horreur à mes yeux ; je me sentis tout autre au dedans de moi ; enfin, les transports effrénés d'une passion rendue furieuse par les obstacles, me jetèrent dans le plus affreux désespoir qui puisse accabler une âme ; j'osai désespérer de la vertu. Votre lettre plus propre à réveiller les remords qu'à les prévenir, acheva de m'égarer. Mon cœur était si corrompu que ma raison ne put résister aux discours de vos philosophes [1]. Des horreurs dont l'idée n'avait jamais souillé mon esprit osèrent s'y présenter. La volonté les combattait encore, mais l'imagination s'accoutumait à les voir, et si je ne portais pas d'avance le crime au fond de mon cœur, je n'y portais plus ces résolutions généreuses qui seules peuvent lui résister.

J'ai peine à poursuivre. Arrêtons un moment [2]. Rappelez-vous ces temps de bonheur et d'innocence où ce feu si vif et si doux dont nous étions animés épurait tous nos sentiments, où sa sainte ardeur * nous rendait la pudeur plus chère et l'honnêteté plus aimable, où les désirs mêmes ne semblaient naître que pour nous donner l'honneur de les vaincre et d'en être plus dignes l'un de l'autre. Relisez nos premières lettres ; songez à ces moments si courts et trop peu goûtés où l'amour se parait à nos yeux de tous les charmes de la vertu, et où nous nous aimions trop pour former entre nous des liens désavoués par elle.

Qu'étions-nous, et que sommes-nous devenus ? Deux tendres amants passèrent ensemble une année entière dans

---

* Sainte ardeur ! Julie, ah Julie ! quel mot pour une femme aussi bien guérie que vous croyez l'être ?

---

1. Julie blâme les philosophes mondains, ces précepteurs immoraux invoqués par Saint-Preux (III, 16, p. 405), tout au long du roman, depuis I, 46 (p. 162) jusqu'à VI, 8 (p. 811). **2.** Pause en forme de digression introduisant cette puissante *aria* de l'amour perdu, au milieu du récit rétrospectif des noces de l'héroïne.

le plus rigoureux silence, leurs soupirs n'osaient s'exhaler ;
mais leurs cœurs s'entendaient ; ils croyaient souffrir, et ils
étaient heureux. À force de s'entendre, ils se parlèrent ; mais
contents de savoir triompher d'eux-mêmes et de s'en rendre
mutuellement l'honorable témoignage, ils passèrent une
autre année dans une réserve non moins sévère ; ils se
disaient leurs peines, et ils étaient heureux. Ces longs combats furent mal soutenus ; un instant de faiblesse les égara ;
ils s'oublièrent dans les plaisirs ; mais s'ils cessèrent d'être
chastes, au moins ils étaient fidèles ; au moins le ciel et la
nature autorisaient les nœuds qu'ils avaient formés ; au
moins la vertu leur était toujours chère ; ils l'aimaient
encore et la savaient encore honorer ; ils s'étaient moins corrompus qu'avilis [1]. Moins dignes d'être heureux, ils l'étaient
pourtant encore.

Que font maintenant ces amants si tendres qui brûlaient
d'une flamme si pure, qui sentaient si bien le prix de l'honnêteté ? Qui l'apprendra sans gémir sur eux ? Les voilà livrés
au crime. L'idée même de souiller le lit conjugal ne leur fait
plus d'horreur.... ils méditent des adultères ! Quoi, sont-ils
bien les mêmes ? Leurs âmes n'ont-elles point changé ?
Comment cette ravissante image que le méchant n'aperçut
jamais [2] peut-elle s'effacer des cœurs où elle a brillé ?
Comment l'attrait de la vertu ne dégoûte-t-il pas pour toujours du vice ceux qui l'ont une fois connue ? Combien de
siècles ont pu produire ce changement étrange ? Quelle longueur de temps put détruire un si charmant souvenir, et
faire perdre le vrai sentiment du bonheur à qui l'a pu savourer une fois ? Ah, si le premier désordre est pénible et lent,
que tous les autres sont prompts et faciles ! Prestige des passions ! tu fascines ainsi la raison, tu trompes la sagesse et
changes la nature avant qu'on s'en aperçoive. On s'égare un

---

1. Distinction capitale. Si *avilir* signifie « rendre abject, méprisable », *corrompre* consiste à « changer d'un bon état en un mauvais » (*Acad.* 1762). Il
ne s'agit pas seulement d'opposer un état extérieur (jugé par le monde) à
un état intérieur, mais de faire la distinction dans l'individu entre deux
modalités de « chute » morale : la seconde *altère* l'être, déforme ce qu'on
est selon la loi morale dont on doit avoir le sentiment intérieur, sentiment
qui permet précisément de *se* reconnaître. Il y a une différence entre s'abaisser et se *défigurer*. **2.** Nouvel écho de III, 16, p. 403.

seul moment de la vie ; on se détourne d'un seul pas de la droite route. Aussitôt une pente inévitable nous entraîne et nous perd. On tombe enfin dans le gouffre, et l'on se réveille épouvanté de se trouver couvert de crimes, avec un cœur né pour la vertu. Mon bon ami, laissons retomber ce voile. Avons-nous besoin de voir le précipice affreux qu'il nous cache pour éviter d'en approcher [1] ? Je reprends mon récit.

M. de Wolmar arriva et ne se rebuta pas du changement de mon visage [2]. Mon père ne me laissa pas respirer. Le deuil de ma mère allait finir, et ma douleur était à l'épreuve du temps [3]. Je ne pouvais alléguer ni l'un ni l'autre pour éluder ma promesse : il fallut l'accomplir. Le jour qui devait m'ôter pour jamais à vous et à moi me parut le dernier de ma vie. J'aurais vu les apprêts de ma sépulture avec moins d'effroi que ceux de mon mariage. Plus j'approchais du moment fatal, moins je pouvais déraciner de mon cœur mes premières affections ; elles s'irritaient par mes efforts pour les éteindre. Enfin, je me lassai de combattre inutilement. Dans l'instant même où j'étais prête à jurer à un autre une éternelle fidélité, mon cœur vous jurait encore un amour éternel, et je fus menée au Temple comme une victime impure, qui souille le sacrifice où l'on va l'immoler.

Arrivée à l'Église, je sentis en entrant une sorte d'émotion que je n'avais jamais éprouvée. Je ne sais quelle terreur vint saisir mon âme dans ce lieu simple et auguste, tout rempli de la majesté de celui qu'on y sert. Une frayeur soudaine me fit frissonner ; tremblante et prête à tomber en défaillance, j'eus peine à me traîner jusqu'au pied de la chaire. Loin de me remettre je sentis mon trouble augmenter durant la cérémonie, et s'il me laissait apercevoir les objets, c'était pour en être épouvantée. Le jour sombre de l'édifice, le profond silence des Spectateurs, leur maintien modeste et recueilli, le cortège de tous mes parents, l'imposant aspect de mon vénéré père, tout donnait à ce qui s'allait passer un

---

1. L'image du « gouffre » où l'on tombe définitivement sitôt la première faute consommée est un *topos* romanesque du siècle. Julie avait déjà évoqué le « précipice » *supra*, I, 4. **2.** Comparer à III, 13, p. 394 : « Son goût ne se bornait pas aux traits et à la figure ; c'était moi qu'il aimait et non pas mon visage. » **3.** Ma douleur était éternelle.

air de solennité qui m'excitait à l'attention et au respect, et qui m'eût fait frémir à la seule idée d'un parjure. Je crus voir l'organe de la providence et entendre la voix de Dieu dans le ministre prononçant gravement la sainte liturgie. La pureté, la dignité, la sainteté du mariage, si vivement exposées dans les paroles de l'écriture [1], ses chastes et sublimes devoirs si importants au bonheur, à l'ordre, à la paix, à la durée du genre humain, si doux à remplir pour eux-mêmes ; tout cela me fit une telle impression que je crus sentir intérieurement une révolution [2] subite. Une puissance inconnue sembla corriger tout à coup le désordre de mes affections et les rétablir selon la loi du devoir et de la nature. L'œil éternel qui voit tout, disais-je en moi-même, lit maintenant au fond de mon cœur ; il compare ma volonté cachée à la réponse de ma bouche : le Ciel et la terre sont témoins de l'engagement sacré que je prends ; ils le seront encore de ma fidélité à l'observer. Quel droit peut respecter parmi les hommes quiconque ose violer le premier de tous ?

Un coup d'œil jeté par hasard sur M. et Mad^e d'Orbe, que je vis à côté l'un de l'autre et fixant sur moi des yeux attendris, m'émut plus puissamment encore que n'avaient fait tous les autres objets. Aimable et vertueux couple, pour moins connaître l'amour en êtes-vous moins unis ? Le devoir et l'honnêteté vous lient ; tendres amis, époux fidèles, sans brûler de ce feu dévorant qui consume l'âme, vous vous aimez d'un sentiment pur et doux qui la nourrit, que la sagesse autorise et que la raison dirige ; vous n'en êtes que plus solidement heureux. Ah ! puissé-je dans un lien pareil recouvrer la même innocence et jouir du même bonheur ; si je ne l'ai pas mérité comme vous, je m'en rendrai digne à votre exemple. Ces sentiments réveillèrent mon espérance et mon courage. J'envisageai le saint nœud que j'allais former comme un nouvel état qui devait purifier mon âme et la rendre à tous ses devoirs. Quand le Pasteur me demanda si je promettais obéissance et fidélité parfaite à celui que

---

1. Voir Genèse 2, 24 ; et Matthieu 19, 3-6. Rousseau ne met pas de majuscule à « écriture » ni à « évangile ». **2.** Voir III, 14, n. 1, p. 398. Mais ici le mot évoque, selon son premier sens astronomique, le « retour » à la normale qui suit l'altération.

j'acceptais pour époux, ma bouche et mon cœur le pro-
mirent. Je le tiendrai jusqu'à la mort.

De retour au logis je soupirais après une heure de solitude
et de recueillement. Je l'obtins, non sans peine, et quelque
empressement que j'eusse d'en profiter, je ne m'examinai
d'abord qu'avec répugnance, craignant de n'avoir éprouvé[c] qu'une fermentation [1] passagère en changeant de condition, et de me retrouver aussi peu digne épouse que j'avais
été fille peu sage. L'épreuve était sûre mais dangereuse, je
commençai par songer à vous. Je me rendais le témoignage
que nul tendre souvenir n'avait profané l'engagement solennel que je venais de prendre. Je ne pouvais concevoir par
quel prodige votre opiniâtre image m'avait pu laisser si longtemps en paix avec tant de sujet [2] de me la rappeler ; je me
serais défiée de l'indifférence et de l'oubli, comme d'un état
trompeur, qui m'était trop peu naturel pour être durable.
Cette illusion n'était guère à craindre : je sentis que je vous
aimais autant et plus, peut-être, que je n'avais jamais fait ;
mais je le sentis sans rougir. Je vis que je n'avais pas besoin
pour penser à vous d'oublier que j'étais la femme d'un
autre. En me disant combien vous m'étiez cher, mon cœur
était ému, mais ma conscience et mes sens étaient tranquilles, et je connus dès ce moment que j'étais réellement changée. Quel torrent de pure joie vint alors inonder mon âme !
Quel sentiment de paix effacé depuis si longtemps vint ranimer ce cœur flétri par l'ignominie, et répandre dans tout
mon être une sérénité nouvelle[d] ! Je crus me sentir renaître ;
je crus recommencer une autre vie. Douce et consolante
vertu, je la recommence pour toi ; c'est toi qui me la rendras
chère ; c'est à toi que je la veux consacrer. Ah, j'ai trop
appris ce qu'il en coûte à te perdre pour t'abandonner une
seconde fois !

Dans le ravissement d'un changement si grand, si prompt,
si inespéré, j'osai considérer l'état où j'étais la veille ; je
frémis de l'indigne abaissement où m'avait réduite l'oubli de
moi-même, et de tous les dangers que j'avais courus depuis

---

1. « Se dit au figuré, en parlant de la division des partis, des esprits »
(*Acad.* 1762). **2.** On attendrait le pluriel, mais tous les manuscrits portent
sujet.

mon premier égarement. Quelle heureuse révolution me venait de montrer l'horreur du crime qui m'avait tentée, et réveillait en moi le goût de la sagesse ? Par quel rare bonheur avais-je été plus fidèle à l'amour qu'à l'honneur qui me fut si cher ? Par quelle faveur du sort votre inconstance ou la mienne ne m'avait-elle point livrée à de nouvelles inclinations ? Comment eussé-je opposé à un autre amant une résistance que le premier avait déjà vaincue, et une honte accoutumée à céder aux désirs ? Aurais-je plus respecté les droits d'un amour éteint que je n'avais respecté ceux de la vertu, jouissant encore de tout leur empire ? Quelle sûreté avais-je eue de n'aimer que vous seul au monde, si ce n'est un sentiment intérieur que croient avoir tous les amants qui se jurent une constance éternelle, et se parjurent innocemment toutes les fois qu'il plaît au Ciel de changer leur cœur [1] ? Chaque défaite eût ainsi préparé la suivante ; l'habitude du vice en eût effacé l'horreur à mes yeux. Entraînée du déshonneur à l'infamie sans trouver de prise pour m'arrêter ; d'une amante abusée je devenais une fille perdue, l'opprobre de mon sexe, et le désespoir de ma famille. Qui m'a garantie d'un effet si naturel de ma première faute ? Qui m'a retenue après le premier pas ? Qui m'a conservé ma réputation et l'estime de ceux qui me sont chers ? Qui m'a mise sous la sauvegarde d'un époux vertueux, sage, aimable par son caractère, et même par sa personne, et rempli pour moi d'un respect et d'un attachement si peu mérités ? Qui me permet, enfin, d'aspirer encore au titre d'honnête femme et me rend le courage d'en être digne ? Je le vois, je le sens ; la main secourable qui m'a conduite à travers les ténèbres est celle qui lève à mes yeux le voile de l'erreur et me rend à moi malgré moi-même. La voix secrète qui ne cessait de murmurer au fond de mon cœur s'élève et tonne avec plus de force au moment où j'étais prête à périr.[c] L'auteur de

---

1. Comparer avec le Diderot matérialiste de *Jacques le Fataliste* : « Le premier serment que se firent deux êtres de chair, ce fut au pied d'un rocher qui tombait en poussière ; ils attestèrent de leur constance un ciel qui n'est pas un instant le même ; tout passait en eux et autour d'eux, et ils croyaient leurs cœurs affranchis de vicissitudes. Ô enfants toujours enfants !... » (*Jacques le Fataliste*, éd. B. K.-Toumarkine, GF-Flammarion, 1997, p. 143-144). Julie admet-elle la possibilité de l'inconstance ?

toute vérité n'a point souffert que je sortisse de sa présence coupable d'un vil parjure, et prévenant mon crime par mes remords il m'a montré l'abîme où j'allais me précipiter. Providence éternelle, qui fais ramper l'insecte et rouler les cieux, tu veilles sur la moindre de tes œuvres ! Tu me rappelles au bien que tu m'as fait aimer ; daigne accepter d'un cœur épuré par tes soins l'hommage que toi seule rends digne de t'être offert [1] !

À l'instant, pénétrée d'un vif sentiment du danger dont j'étais délivrée et de l'état d'honneur et de sûreté où je me sentais rétablie, je me prosternai contre terre, j'élevai vers le ciel mes mains suppliantes, j'invoquai l'Être dont il est le trône et qui soutient ou détruit quand il lui plaît par nos propres forces la liberté qu'il nous donne. Je veux, lui dis-je, le bien que tu veux, et dont toi seul es la source. Je veux aimer l'époux que tu m'as donné. Je veux être fidèle, parce que c'est le premier devoir qui lie la famille et toute la société. Je veux être chaste, parce que c'est la première vertu qui nourrit toutes les autres. Je veux tout ce qui se rapporte à l'ordre de la nature que tu as établi, et aux règles de la raison que je tiens de toi. Je remets mon cœur sous ta garde et mes désirs en ta main. Rends toutes mes actions conformes à ma volonté constante qui est la tienne, et ne permets plus que l'erreur d'un moment l'emporte sur le choix de toute ma vie.

Après cette courte prière, la première que j'eusse faite avec un vrai zèle, je me sentis tellement affermie dans mes résolutions ; il me parut si facile et si doux de les suivre que je vis clairement où je devais chercher désormais la force dont j'avais besoin pour résister à mon propre cœur et que je ne pouvais trouver en moi-même. Je tirai de cette seule découverte une confiance nouvelle, et je déplorai le triste aveuglement qui me l'avait fait manquer si longtemps. Je n'avais jamais été tout à fait sans religion ; mais peut-être vaudrait-il mieux n'en point avoir du tout, que d'en avoir

---

1. La restauration de l'idéal du moi (sous la forme de l'intégrité morale) est articulée *dans un second temps* au culte déiste, au moyen d'une dramaturgie en forme de psychomachie.

une extérieure et maniérée [1], qui sans toucher le cœur
rassure la conscience ; de se borner à des formules ; et de
croire exactement en Dieu à certaines heures pour n'y
plus penser le reste du temps. Scrupuleusement attachée
au culte public, je n'en savais rien tirer pour la pratique
de ma vie. Je me sentais bien née [2] et me livrais à mes
penchants ; j'aimais à réfléchir, et me fiais à ma raison ;
ne pouvant accorder l'esprit de l'évangile avec celui du
monde, ni la foi avec les œuvres [3], j'avais pris un milieu
qui contentait ma vaine sagesse ; j'avais des maximes
pour croire et d'autres pour agir ; j'oubliais dans un
lieu ce que j'avais pensé dans l'autre, j'étais dévote à
l'Église et philosophe au logis. Hélas ! je n'étais rien nulle
part ; mes prières n'étaient que des mots, mes raisonnements des sophismes, et je suivais pour toute lumière la
fausse lueur des feux errants qui me guidaient pour me
perdre.

Je ne puis vous dire combien ce principe intérieur qui
m'avait manqué jusqu'ici m'a donné de mépris pour ceux
qui m'ont si mal conduite [4]. Quelle était, je vous prie, leur
raison première, et sur quelle base étaient-ils fondés ? Un
heureux instinct me porte au bien, une violente passion
s'élève ; elle a sa racine dans le même instinct, que ferai-je

---

1. Affectée, faite de pratiques extérieures marquées. Voir aussi I, 48, p. 167,
et II, 17, p. 306. Julie avoue une division proche de la dissimulation théorisée
dans le « libertinage » de pensée de l'âge classique, entre extérieur (qui
respecte publiquement les formes d'une religion) et intérieur (qui préserve
sa conviction, éventuellement faite d'indifférence religieuse, dans le secret
du for intime). La devise libertine, dans cette perspective, est empruntée
au philosophe padouan Cremonini (1550-1631) : *Intus ut libet, foris ut
moris est* (« dans le for intérieur, comme tu l'entends, mais à l'extérieur,
en suivant les mœurs »). L'image des « feux errants » fait ainsi écho aux
droits de la « conscience errante » théorisés notamment par Pierre Bayle
et John Locke. **2.** Je sentais que j'avais de bonnes inclinations. **3.** *Œuvre*
« se dit de toute sorte d'action morale, et principalement par rapport au
salut » (*Acad.* 1762). Le conflit de la « foi » et des « œuvres » renvoie à un
débat théologique classique entre catholicisme et protestantisme (mais aussi
jansénisme) sur les fondements du Salut. **4.** « J'ai donc laissé là la raison,
et j'ai consulté la nature, c'est-à-dire le *sentiment intérieur* qui dirige
ma croyance indépendamment de ma raison », écrit Rousseau au ministre
Jacob Vernes le 18 février 1758 (Rousseau, choix de *Lettres philosophiques*,
éd. J.-F. Perrin, Le Livre de Poche, p. 185).

pour la détruire ? De la considération de l'ordre je tire la beauté de la vertu, et sa bonté de l'utilité commune ; mais que fait tout cela contre mon intérêt particulier, et lequel au fond m'importe le plus, de mon bonheur aux dépens du reste des hommes, ou du bonheur des autres aux dépens du mien ? Si la crainte de la honte ou du châtiment m'empêche de mal faire pour mon profit, je n'ai qu'à mal faire en secret, la vertu n'a plus rien à me dire, et si je suis surprise en faute, on punira comme à Sparte non le délit, mais la maladresse [1]. Enfin que le caractère et l'amour du beau soit empreint par la nature au fond de mon âme, j'aurai ma règle aussi longtemps qu'il ne sera point défiguré ; mais comment m'assurer de conserver toujours dans sa pureté cette effigie intérieure qui n'a point parmi les êtres sensibles de modèle auquel on puisse la comparer ? Ne sait-on pas que les affections désordonnées corrompent le jugement ainsi que la volonté, et que la conscience s'altère et se modifie insensiblement dans chaque siècle, dans chaque peuple, dans chaque individu selon l'inconstance et la variété des préjugés ?

Adorez l'Être Éternel, mon digne et sage ami ; d'un souffle vous détruirez ces fantômes de raison, qui n'ont qu'une vaine apparence et fuient comme une ombre devant l'immuable vérité. Rien n'existe que par celui qui est. C'est lui qui donne un but à la justice, une base à la vertu, un prix à cette courte vie employée à lui plaire ; c'est lui qui ne cesse de crier aux coupables que leurs crimes secrets ont été vus, et qui sait dire au juste oublié : Tes vertus ont un témoin ; c'est lui, c'est sa substance inaltérable qui est le vrai modèle des perfections dont nous portons tous une image en nous-mêmes. Nos passions ont beau la défigurer ; tous ses traits liés à l'essence infinie se représentent toujours à la raison et lui servent à rétablir ce que l'imposture et l'erreur

---

1. Pour Julie, il n'est donc pas possible d'imaginer une base purement profane à la morale et il n'est pas de loi sans transcendance : elles ont besoin de l'idée (et de la garantie) de la divinité. Rousseau prête ici à son héroïne la riposte au « paradoxe de l'athée vertueux » développé par Pierre Bayle, selon lequel on peut au contraire imaginer une société d'athées respectueuse des devoirs privés, civils et politiques (*Pensées diverses sur la comète* [1680], § 172 *sq.*, p. 359). La discussion est très importante au XVIIIe siècle et divise profondément les Lumières.

en ont altéré. Ces distinctions me semblent faciles ; le sens commun suffit pour les faire. Tout ce qu'on ne peut séparer de l'idée de cette essence est Dieu ; tout le reste est l'ouvrage des hommes. C'est à la contemplation de ce divin modèle que l'âme s'épure et s'élève, qu'elle apprend à mépriser ses inclinations basses et à surmonter ses vils penchants [1]. Un cœur pénétré de ces sublimes vérités se refuse aux petites passions des hommes ; cette grandeur infinie le dégoûte de leur orgueil ; le charme de la méditation l'arrache aux désirs terrestres ; et quand l'Être immense dont il s'occupe n'existerait pas, il serait encore bon qu'il s'en occupât sans cesse pour être plus maître de lui-même, plus fort, plus heureux et plus sage [2].

Cherchez-vous un exemple sensible des vains sophismes d'une raison qui ne s'appuie que sur elle-même ? Considérons de sens froid [3] les discours de vos philosophes, dignes apologistes du crime, qui ne séduisirent jamais que des cœurs déjà corrompus. Ne dirait-on pas qu'en s'attaquant directement au plus saint et au plus solennel des engagements, ces dangereux raisonneurs ont résolu d'anéantir d'un seul coup toute la société humaine, qui n'est fondée que sur la foi des conventions ? Mais voyez, je vous prie, comme ils disculpent un adultère secret ! C'est, disent-ils, qu'il n'en résulte aucun mal, pas même pour l'époux qui l'ignore. Comme s'ils pouvaient être sûrs qu'il l'ignorera toujours ? comme s'il suffisait pour autoriser le parjure et l'infidélité qu'ils ne nuisissent pas à autrui ? comme si ce n'était pas assez pour abhorrer le crime, du mal qu'il fait à ceux qui le commettent ? Quoi donc ! ce n'est pas un mal de manquer de foi, d'anéantir autant qu'il est en soi la force du serment et des contrats les plus inviolables ? Ce n'est pas un mal de

---

1. Référence à Platon (*La République*, VII et le discours de Diotime dans *Le Banquet*). **2.** Réminiscence probable des *Lettres persanes* : « Ainsi, quand il n'y aurait pas de Dieu, nous devrions toujours aimer la justice ; c'est-à-dire faire nos efforts pour ressembler à cet être dont nous avons une si belle idée, et qui, s'il existait, serait nécessairement juste. Libres que nous serions du joug de la religion, nous ne devrions pas l'être de celui de l'équité » (lettre 83, p. 2034). L'intertexte maintient une ambiguïté sur cette lettre, car il énonce bien, chez Usbek, la *possibilité* de penser la substitution d'une morale laïque à une morale religieuse. **3.** Voir I, 9, n. 1, p. 75.

se forcer soi-même à devenir fourbe et menteur ? Ce n'est pas un mal de former des liens qui vous font désirer le mal et la mort d'autrui ? la mort de celui même qu'on doit le plus aimer et avec qui l'on a juré de vivre ? Ce n'est pas un mal qu'un état dont mille autres crimes sont toujours le fruit ? Un bien qui produirait tant de maux serait par cela seul un mal lui-même.

L'un des deux penserait-il être innocent, parce qu'il est libre peut-être de son côté, et ne manque de foi à personne ? Il se trompe grossièrement. Ce n'est pas seulement l'intérêt des Époux, mais la cause commune de tous les hommes que la pureté du mariage ne soit point altérée. Chaque fois que deux époux s'unissent par un nœud solennel, il intervient un engagement tacite de tout le genre humain de respecter ce lien sacré, d'honorer en eux l'union conjugale ; et c'est, ce me semble, une raison très forte contre les mariages clandestins, qui, n'offrant nul signe de cette union, exposent des cœurs innocents à brûler d'une flamme adultère. Le public est en quelque sorte garant d'une convention passée en sa présence, et l'on peut dire que l'honneur d'une femme pudique, est sous la protection spéciale de tous les gens de bien [1]. Ainsi quiconque ose la corrompre pèche, premièrement parce qu'il la fait pécher, et qu'on partage toujours les crimes qu'on fait commettre ; il pèche encore directement lui-même, parce qu'il viole la foi publique et sacrée du mariage sans lequel rien ne peut subsister dans l'ordre légitime des choses humaines.

Le crime est secret, disent-ils, et il n'en résulte aucun mal pour personne. Si ces philosophes croient l'existence de Dieu et l'immortalité de l'âme, peuvent-ils appeler un crime secret celui qui a pour témoin le premier offensé et le seul vrai Juge ? Étrange secret que celui qu'on dérobe à tous les yeux hors ceux à qui l'on a le plus d'intérêt à le cacher ! Quand même ils ne reconnaîtraient pas la présence de la divinité, comment osent-ils soutenir qu'ils ne font de mal à personne ? Comment prouvent-ils qu'il est indifférent à un père d'avoir

---

1. L'importance du regard du public des honnêtes gens, garant de l'estime de soi, sera reprise par Julie à propos des mariages des domestiques et des dangers du tête-à-tête (IV, 10, p. 545).

des héritiers qui ne soient pas de son sang ; d'être chargé, peut-être de plus d'enfants qu'il n'en aurait eu, et forcé de partager ses biens aux gages de son déshonneur sans sentir pour eux des entrailles de père [1] ? Supposons ces raisonneurs matérialistes [2], on n'en est que mieux fondé à leur opposer la douce voix de la nature, qui réclame au fond de tous les cœurs contre une orgueilleuse philosophie, et qu'on n'attaqua jamais par de bonnes raisons. En effet, si le corps seul produit la pensée, et que le sentiment dépende uniquement des organes, deux Êtres formés d'un même sang ne doivent-ils pas avoir entre eux une plus étroite analogie, un attachement plus fort l'un pour l'autre, et se ressembler d'âme comme de visage, ce qui est une grande raison de s'aimer [3] ?

N'est-ce donc faire aucun mal, à votre avis, que d'anéantir ou troubler par un sang étranger cette union naturelle, et d'altérer dans son principe l'affection mutuelle qui doit lier entre eux tous les membres d'une famille ? Y a-t-il au monde un honnête homme qui n'eût horreur de changer l'enfant d'un autre en nourrice, et le crime est-il moindre de le changer dans le sein de la mère [4] ?

Si je considère mon sexe en particulier, que de maux j'aperçois dans ce désordre qu'ils prétendent ne faire aucun mal ! Ne fût-ce que l'avilissement d'une femme coupable à qui la perte de l'honneur ôte bientôt toutes les autres vertus. [5] Que d'indices trop sûrs pour un tendre époux d'une

---

1. Toute cette diatribe se retrouve dans le livre V de l'*Émile* (*OC*, p. 697-698) : il est capital de comprendre que chez Rousseau, c'est la défaillance de l'épouse et de la mère, en tant qu'il s'agit de fonctions sociales, donc inscrites dans l'ordre politique, qui est susceptible de corrompre toute la société, en commençant par son unité de base, qui est la famille. **2.** Syllepse de sens sur *matérialiste*, employé déjà au sens moderne (qui est attaché aux biens matériels – d'où l'argument des bâtards qui coûtent) et au sens d'adepte du matérialisme athée, condamné par la *doxa* monarchique. On peut rappeler la tendancieuse définition des jésuites : « Matérialisme : Dogme très dangereux, suivant lequel certains Philosophes, indignes de ce nom, prétendent que tout est matière, et nient l'immortalité de l'âme » (*Trévoux*). **3.** Double objection aux philosophes athées, menée par Julie sur leur propre terrain : le préjudice économique des paternités imputées, trop nombreuses, et la thèse de l'hérédité. **4.** C'est-à-dire : introduire un enfant étranger dans la famille en commettant un adultère. **5.** Nous remplaçons ici le point d'interrogation par un point.

intelligence qu'ils pensent justifier par le secret ! Ne fût-ce que de n'être plus aimé de sa femme. Que fera-t-elle avec ses soins artificieux que mieux prouver son indifférence ? Est-ce l'œil de l'amour qu'on abuse par de feintes caresses ? et quel supplice auprès d'un objet chéri, de sentir que la main nous embrasse et que le cœur nous repousse [1] ? Je veux que la fortune [2] seconde une prudence qu'elle a si souvent trompée ; je compte un moment pour rien la témérité de confier sa prétendue innocence et le repos d'autrui à des précautions que le Ciel se plaît à confondre : Que de faussetés, que de mensonges, que de fourberies pour couvrir un mauvais commerce, pour tromper un mari, pour corrompre des domestiques, pour en imposer au public ! Quel scandale pour des complices ! quel exemple pour des enfants ! Que devient leur éducation parmi tant de soins pour satisfaire impunément de coupables feux ? Que devient la paix de la maison et l'union des chefs ? Quoi ! dans tout cela l'époux n'est point lésé ? Mais qui le dédommagera donc d'un cœur qui lui était dû ? Qui lui pourra rendre une femme estimable ? Qui lui donnera le repos et la sûreté ? Qui le guérira de ses justes soupçons ? Qui fera confier un père au sentiment de la nature en embrassant son propre enfant ?

À l'égard des liaisons prétendues que l'adultère et l'infidélité peuvent former entre les familles, c'est moins une raison sérieuse qu'une plaisanterie absurde et brutale qui ne mérite pour toute réponse que le mépris et l'indignation. Les trahisons, les querelles, les combats, les meurtres, les empoisonnements dont ce désordre a couvert la terre dans tous les temps, montrent assez ce qu'on doit attendre pour le repos et l'union des hommes, d'un attachement formé par le crime. S'il résulte quelque sorte de société de ce vil et méprisable commerce, elle est semblable à celle des brigands qu'il faut détruire et anéantir pour assurer les sociétés légitimes [3].

---

1. Rousseau expose ici, du point de vue de l'épouse, une anticipation des affres d'Émile après la révélation de l'infidélité de sa chère Sophie, séduite par un libertin (dans *Émile et Sophie, ou les Solitaires*, suite esquissée du livre V de l'*Émile*). **2.** Admettons que le hasard. **3.** Sur ce point, voir la Présentation, p. 24-27.

J'ai tâché de suspendre l'indignation que m'inspirent ces
maximes pour les discuter paisiblement avec vous. Plus je
les trouve insensées, moins je dois dédaigner de les réfuter
pour me faire honte à moi-même de les avoir peut-être écoutées avec trop peu d'éloignement. Vous voyez combien elles
supportent mal l'examen de la saine raison ; mais où chercher la saine raison sinon dans celui qui en est la source, et
que penser de ceux qui consacrent à perdre les hommes ce
flambeau divin qu'il leur donna pour les guider ? Défions-
nous d'une philosophie en paroles ; défions-nous d'une
fausse vertu qui sape toutes les vertus, et s'applique à justifier tous les vices pour s'autoriser à les avoir tous. Le
meilleur moyen de trouver ce qui est bien est de le chercher
sincèrement, et l'on ne peut longtemps le chercher ainsi sans
remonter à l'auteur de tout bien. C'est ce qu'il me semble
avoir fait depuis que je m'occupe à rectifier mes sentiments
et ma raison ; c'est ce que vous ferez mieux que moi quand
vous voudrez suivre la même route. Il m'est consolant de
songer que vous avez souvent nourri mon esprit des grandes
idées de la religion, et vous dont le cœur n'eut rien de caché
pour moi ne m'en eussiez pas ainsi parlé si vous aviez eu
d'autres sentiments. Il me semble même que ces conversations avaient pour nous des charmes. La présence de l'Être
Suprême ne nous fut jamais importune ; elle nous donnait
plus d'espoir que d'épouvante ; elle n'effraya jamais que
l'âme du méchant ; nous aimions à l'avoir pour témoin de
nos entretiens, à nous élever conjointement jusqu'à lui. Si
quelquefois nous étions humiliés par la honte, nous nous
disions en déplorant nos faiblesses : au moins il voit le fond
de nos cœurs, et nous en étions plus tranquilles.

Si cette sécurité nous égara, c'est au principe sur lequel
elle était fondée à nous ramener. N'est-il pas bien indigne
d'un homme de ne pouvoir jamais s'accorder avec lui-même,
d'avoir une règle pour ses actions, une autre pour ses sentiments, de penser comme s'il était sans corps, d'agir comme
s'il était sans âme, et de ne jamais approprier à soi tout
entier, rien de ce qu'il fait en toute sa vie ? Pour moi, je
trouve qu'on est bien fort avec nos anciennes maximes,
quand on ne les borne pas à de vaines spéculations. La faiblesse est de l'homme, et le Dieu clément qui le fit la lui

pardonnera sans doute ; mais le crime est du méchant, et ne restera point impuni devant l'auteur de toute justice. Un incrédule, d'ailleurs heureusement né [1] se livre aux vertus qu'il aime ; il fait le bien par goût et non par choix. Si tous ses désirs sont droits, il les suit sans contrainte ; il les suivrait de même s'ils ne l'étaient pas ; car pourquoi se gênerait-il ? Mais celui qui reconnaît et sert[f] le père commun des hommes se croit une plus haute destination ; l'ardeur de la remplir anime son zèle, et suivant une règle plus sûre que ses penchants, il sait faire le bien qui lui coûte, et sacrifier les désirs de son cœur à la loi du devoir. Tel est, mon ami, le sacrifice héroïque auquel nous sommes tous deux appelés [2]. L'amour qui nous unissait eût fait le charme de notre vie. Il survéquit à l'espérance ; il brava le temps et l'éloignement ; il supporta toutes les épreuves. Un sentiment si parfait ne devait point périr de lui-même ; il était digne de n'être immolé qu'à la vertu.

Je vous dirai plus. Tout est changé entre nous ; il faut nécessairement que votre cœur change. Julie de Wolmar n'est plus votre ancienne Julie ; la révolution [3] de vos sentiments pour elle est inévitable, et il ne vous reste que le choix de faire honneur de ce changement au vice ou à la vertu. J'ai dans la mémoire un passage [4] d'un Auteur que vous ne récuserez pas : « L'amour » dit-il « est privé de son plus grand charme quand l'honnêteté l'abandonne. Pour en sentir tout le prix, il faut que le cœur s'y complaise et qu'il nous élève en élevant l'objet aimé. Ôtez l'idée de la perfection vous ôtez l'enthousiasme ; ôtez l'estime et l'amour n'est plus rien. Comment une femme honorera-t-elle un homme

---

1. Par ailleurs d'un bon naturel. Julie retourne dans ce paragraphe l'argumentation matérialiste athée contre elle-même : l'« incrédule » peut faire le bien en raison de son « organisation » physique (il est né ainsi bâti) mais ce n'est pas une décision éthique, puisqu'il est intégralement *déterminé* par cette organisation. Le nécessitarisme matérialiste va à l'encontre de l'idée de liberté, que défend Julie en opposant le « choix » au « goût » (c'est-à-dire au règne de la sensation contre le principe spirituel). **2.** Julie inscrit le renoncement dans la continuité des actes de vertu accomplis par les deux amants (voir I, 39 et 42). **3.** Cette fois, Julie privilégie le sens de *changement radical*. Dans sa réponse, Saint-Preux interprétera plutôt cette exigence en termes de renaissance, de confirmation d'une origine (voir aussi *supra*, le début de la lettre 16). **4.** Nous supprimons ici une virgule.

qu'elle doit mépriser ? Comment pourra-t-il honorer lui-même celle qui n'a pas craint de s'abandonner à un vil corrupteur ? Ainsi bientôt ils se mépriseront mutuellement. L'amour, ce sentiment céleste ne sera plus pour eux qu'un honteux commerce. Ils auront perdu l'honneur et n'auront point trouvé la félicité *. » Voilà notre leçon, mon ami, c'est vous qui l'avez dictée. Jamais nos cœurs s'aimèrent-ils plus délicieusement, et jamais l'honnêteté leur fut-elle aussi chère que dans les temps heureux où cette lettre fut écrite ? Voyez donc à quoi nous mèneraient aujourd'hui de coupables feux nourris aux dépens des plus doux transports qui ravissent l'âme. L'horreur du vice qui nous est si naturelle à tous deux s'étendrait bientôt sur le complice de nos fautes ; nous nous haïrions pour nous être trop aimés, et l'amour s'éteindrait dans les remords. Ne vaut-il pas mieux épurer un sentiment si cher pour le rendre durable ? Ne vaut-il pas mieux en conserver au moins ce qui peut s'accorder avec l'innocence ? N'est-ce pas conserver tout ce qu'il eut de plus charmant ? Oui, mon bon et digne ami, pour nous aimer toujours il faut renoncer l'un à l'autre [1]. Oublions tout le reste et soyez l'amant de mon âme. Cette idée est si douce qu'elle console de tout.

Voilà le fidèle tableau de ma vie, et l'histoire naïve de tout ce qui s'est passé dans mon cœur. Je vous aime toujours, n'en doutez pas. Le sentiment qui m'attache à vous est si tendre et si vif encore, qu'une autre en serait peut-être alarmée ; pour moi j'en connus un trop différent pour me défier de celui-ci. Je sens qu'il a changé de nature, et du moins en cela, mes fautes passées fondent ma sécurité présente. Je sais que l'exacte bienséance et la vertu de parade exigeraient davantage encore et ne seraient pas contentes que vous ne fussiez tout à fait oublié [2]. Je crois avoir une règle plus sûre et je m'y tiens. J'écoute en secret ma conscience ; elle ne me reproche rien, et jamais elle ne trompe une âme qui la

---

* Voyez la première partie. Lettre XXIV.

---

1. Sur cette base, Wolmar fondera sa méthode de conversion des amants à Clarens. **2.** Entendre : ne seraient contentes que lorsque vous seriez tout à fait oublié.

consulte sincèrement. Si cela ne suffit pas pour me justifier dans le monde, cela suffit pour ma propre tranquillité. Comment s'est fait cet heureux changement ? Je l'ignore. Ce que je sais, c'est que je l'ai vivement désiré. Dieu seul a fait le reste. Je penserais qu'une âme une fois corrompue l'est pour toujours, et ne revient plus au bien d'elle-même ; à moins que quelque révolution subite, quelque brusque changement de fortune et de situation ne change tout à coup ses rapports, et par un violent ébranlement ne l'aide à retrouver une bonne assiette. Toutes ses habitudes étant rompues et toutes ses passions modifiées, dans ce bouleversement général on reprend quelquefois son caractère primitif et l'on devient comme un nouvel être sorti récemment des mains de la nature. Alors le souvenir de sa précédente bassesse peut servir de préservatif contre une rechute. Hier on était abject et faible ; aujourd'hui l'on est fort et magnanime [1]. En se contemplant de si près dans deux états si différents, on en sent mieux le prix de celui où l'on est remonté, et l'on en devient plus attentif à s'y soutenir. Mon mariage m'a fait éprouver quelque chose de semblable à ce que je tâche de vous expliquer. Ce lien si redouté me délivre d'une servitude beaucoup plus redoutable, et mon époux m'en devient plus cher pour m'avoir rendue à moi-même.

Nous étions trop unis vous et moi,[g] pour qu'en changeant d'espèce notre union se détruise. Si vous perdez une tendre amante, vous gagnez une fidèle amie, et quoi que nous en ayons pu dire durant nos illusions, je doute que ce changement vous soit désavantageux. Tirez-en le même parti que moi, je vous en conjure, pour devenir meilleur et plus sage, et pour épurer par des mœurs chrétiennes les leçons de la philosophie. Je ne serai jamais heureuse que vous ne soyez heureux aussi, et je sens plus que jamais qu'il n'y a point de bonheur sans la vertu. Si vous m'aimez véritablement, donnez-moi la douce consolation de voir que nos cœurs ne s'accordent pas moins dans leur retour au bien qu'ils s'accordèrent dans leur égarement.

Je ne crois pas avoir besoin d'apologie [2] pour cette longue Lettre. Si vous m'étiez moins cher, elle serait plus courte.

---

1. Ce lexique « cornélien » rouvre le roman à l'héroïsme des « belles âmes ».
2. D'excuse.

Avant de la finir il me reste une grâce à vous demander. Un cruel fardeau me pèse sur le cœur. Ma conduite passée est ignorée de M. de Wolmar ; mais une sincérité sans réserve fait partie de la fidélité que je lui dois. J'aurais déjà cent fois tout avoué ; vous seul m'avez retenue. Quoique je connaisse la sagesse et la modération de M. de Wolmar, c'est toujours vous compromettre que de vous nommer, et je n'ai point voulu le faire sans votre consentement. Serait-ce vous déplaire que de vous le demander, et aurais-je trop présumé de vous ou de moi en me flattant de l'obtenir ? Songez, je vous supplie, que cette réserve ne saurait être innocente, qu'elle m'est chaque jour plus cruelle, et que jusqu'à la réception de votre réponse je n'aurai pas un instant de tranquillité [1].

Lettre XIX
Réponse

Et vous ne seriez plus ma Julie ? Ah ! ne dites pas cela, digne et respectable femme. Vous l'êtes plus que jamais. Vous êtes celle qui mérite les hommages de tout l'univers. Vous êtes celle que j'adorai en commençant d'être sensible à la véritable beauté ; vous êtes celle que je ne cesserai d'adorer, même après ma mort, s'il reste encore en mon âme quelque souvenir des attraits vraiment célestes qui l'enchantèrent durant ma vie [2]. Cet effort de courage qui vous ramène à toute votre vertu ne vous rend que plus semblable à vous-même. Non, non, quelque supplice que j'éprouve à le sentir et le dire, jamais vous ne fûtes mieux ma Julie qu'au moment que vous renoncez à moi. Hélas ! c'est en vous perdant que je vous ai retrouvée. Mais moi dont le cœur frémit au seul projet de vous imiter, moi tourmenté d'une passion criminelle que je ne puis ni supporter ni vaincre, suis-je celui que je pensais être ? Étais-je digne de vous plaire ? Quel

---

1. Ce problème de l'aveu en régime conjugal constitue une variation sur le célèbre dilemme de l'héroïne dans *La Princesse de Clèves* (1678). Julie en reste longtemps tourmentée : voir IV, 1. **2.** Ce vœu anticipe la conviction formulée par Julie avant de mourir sur la rencontre des âmes dans l'audelà : voir VI, 11, p. 850-852, et VI, 12, p. 867.

droit avais-je de vous importuner de mes plaintes et de mon désespoir ? C'était bien à moi d'oser soupirer pour vous ! Eh ! qu'étais-je pour vous aimer ?

Insensé ! comme si je n'éprouvais pas assez d'humiliations sans en rechercher de nouvelles ! Pourquoi compter des différences que l'amour fit disparaître ? Il m'élevait, il m'égalait à vous, sa flamme me soutenait ; nos cœurs s'étaient confondus, tous leurs sentiments nous étaient communs et les miens partageaient la grandeur des vôtres. Me voilà donc retombé dans toute ma bassesse ! Doux espoir qui nourrissais mon âme et m'abusas si longtemps, te voilà donc éteint sans retour ? Elle ne sera point à moi ? Je la perds pour toujours ? Elle fait le bonheur d'un autre ?... ô rage ! ô tourment de l'enfer !.... Infidèle ! ah ! devais-tu jamais.... Pardon, pardon, Madame, ayez pitié de mes fureurs. Ô Dieu ! vous l'avez trop bien dit, elle n'est plus.... elle n'est plus, cette tendre Julie à qui je pouvais montrer tous les mouvements de mon cœur. Quoi, je me trouvais malheureux, et je pouvais me plaindre ?... elle pouvait m'écouter ? J'étais malheureux ?.... que suis-je donc aujourd'hui ?.... Non, je ne vous ferai plus rougir de vous ni de moi. C'en est fait, il faut renoncer l'un à l'autre ; il faut nous quitter. La vertu même en a dicté l'arrêt ; votre main l'a pu tracer. Oublions-nous.... oubliez-moi, du moins. Je l'ai résolu, je le jure ; je ne vous parlerai plus de moi.

Oserai-je vous parler de vous encore, et conserver le seul intérêt qui me reste au monde : [1] celui de votre bonheur ? En m'exposant l'état de votre âme, vous ne m'avez rien dit de votre sort. Ah ! pour prix d'un sacrifice qui doit être senti de vous, daignez me tirer de ce doute insupportable. Julie, êtes-vous heureuse ? Si vous l'êtes donnez-moi dans mon désespoir la seule consolation dont je sois susceptible ; si vous ne l'êtes pas, par pitié daignez me le dire, j'en serai moins longtemps malheureux.

Plus je réfléchis sur l'aveu que vous méditez, moins j'y puis consentir, et le même motif qui m'ôta toujours le courage de vous faire un refus me doit rendre inexorable sur celui-ci. Le

---

1. Nous remplaçons le point-virgule par un deux-points, plus conforme à nos usages.

sujet est de la dernière importance, et je vous exhorte à bien peser mes raisons. Premièrement, il me semble que votre extrême délicatesse vous jette à cet égard dans l'erreur, et je ne vois point sur quel fondement la plus austère vertu pourrait exiger une pareille confession [1]. Nul engagement au monde ne peut avoir un effet rétroactif. On ne saurait s'obliger pour le passé ni promettre ce qu'on n'a plus le pouvoir de tenir ; pourquoi devrait-on compte à celui à qui l'on s'engage, de l'usage antérieur qu'on a fait de sa liberté et d'une fidélité qu'on ne lui a point promise ? Ne vous y trompez pas, Julie, ce n'est pas à votre époux, c'est à votre ami que vous avez manqué de foi. Avant la tyrannie de votre père, le Ciel et la nature nous avaient unis l'un à l'autre. Vous avez fait en formant d'autres nœuds un crime que l'amour ni l'honneur peut-être ne pardonne point, et c'est à moi seul de réclamer le bien que M. de Wolmar m'a ravi [2].

S'il est des cas où le devoir puisse exiger un pareil aveu, c'est quand le danger d'une rechute oblige une femme prudente à prendre des précautions pour s'en garantir. Mais votre lettre m'a plus éclairé que vous ne pensez sur vos vrais sentiments. En la lisant, j'ai senti dans mon propre cœur, combien le vôtre eût abhorré de près, même au sein de l'amour, un engagement criminel dont l'éloignement nous ôtait l'horreur.

Dès là [3] que le devoir et l'honnêteté n'exigent pas cette confidence, la sagesse et la raison la défendent ; car c'est risquer sans nécessité ce qu'il y a de plus précieux dans le mariage, l'attachement d'un époux, la mutuelle confiance, la paix de la maison. Avez-vous assez réfléchi sur une pareille démarche ? Connaissez-vous assez votre mari pour être sûre de l'effet qu'elle produira sur lui ? Savez-vous combien il y a d'hommes au monde auxquels il n'en faudrait pas davantage pour concevoir une jalousie effrénée, un mépris invincible, et peut-être attenter aux jours d'une femme ? Il faut pour ce

---

1. Le mot a aussi un sens juridique (on parle de la confession d'un criminel) : Saint-Preux commence par répondre sur le terrain de la légalité du mariage. **2.** C'est toute la justification de Julie sur le mariage-contrat (droits, devoirs), idéalisation religieuse comprise – en le reconduisant à la « tyrannie » paternelle –, que Saint-Preux démonte ici. Voir III, 18, p. 426-427. **3.** Dès lors (archaïsme).

délicat examen avoir égard au temps, aux lieux, aux caractères. Dans le pays où je suis, de pareilles confidences sont sans aucun danger, et ceux qui traitent si légèrement la foi conjugale ne sont pas gens à faire une si grande affaire des fautes qui précédèrent l'engagement. Sans parler des raisons qui rendent quelquefois ces aveux indispensables et qui n'ont pas eu lieu pour vous [1], je connais des femmes assez médiocrement estimables, qui se sont fait à peu de risques un mérite de cette sincérité, peut-être pour obtenir à ce prix une confiance dont elles pussent abuser au besoin. Mais dans des lieux où la sainteté du mariage est plus respectée, dans des lieux où ce lien sacré forme une union solide et où les maris ont un véritable attachement pour leurs femmes, ils leur demandent un compte plus sévère d'elles-mêmes ; ils veulent que leurs cœurs n'aient connu que pour eux un sentiment tendre ; usurpant un droit qu'ils n'ont pas, ils exigent qu'elles soient à eux seuls avant de leur appartenir, et ne pardonnent pas plus l'abus de la liberté qu'une infidélité réelle.

Croyez-moi, vertueuse Julie, défiez-vous d'un zèle sans fruit et sans nécessité. Gardez un secret dangereux que rien ne vous oblige à révéler, dont la communication peut vous perdre et n'est d'aucun usage à votre époux. S'il est digne de cet aveu, son âme en sera contristée, et vous l'aurez affligé sans raison ; s'il n'en est pas digne, pourquoi voulez-vous donner un prétexte à ses torts envers vous ? Que savez-vous si votre vertu qui vous a soutenue contre les attaques de votre cœur, vous soutiendrait encore contre des chagrins domestiques toujours renaissants ? N'empirez point volontairement vos maux, de peur qu'ils ne deviennent plus forts que votre courage, et que vous ne retombiez à force de scrupules dans un état pire que celui dont vous avez eu peine à sortir. La sagesse est la base de toute vertu ; consultez-la, je vous en conjure, dans la plus importante occasion de votre vie, et si ce fatal secret vous pèse si cruellement, attendez du moins, pour vous en décharger, que le temps, les années, vous donnent une connaissance plus parfaite de votre époux, et ajoutent dans son cœur à l'effet de votre beauté, l'effet plus

---

1. Les grossesses avant mariage.

sûr encore des charmes de votre caractère, et la douce habitude de les sentir. Enfin quand ces raisons toutes solides qu'elles sont ne vous persuaderaient pas, ne fermez point l'oreille à la voix qui vous les expose.[a] Ô Julie, écoutez un homme capable de quelque vertu, et qui mérite au moins de vous quelque sacrifice par celui qu'il vous fait aujourd'hui.

Il faut finir cette Lettre. Je ne pourrais, je le sens, m'empêcher d'y reprendre un ton que vous ne devez plus entendre. Julie, il faut vous quitter ! si jeune encore, il faut déjà renoncer au bonheur ? Ô temps, qui ne dois plus revenir ! temps passé pour toujours, source de regrets éternels ! plaisirs, transports, douces extases, moments délicieux, ravissements célestes ! mes amours, mes uniques amours, honneur et charme de ma vie ! adieu pour jamais [1].

Lettre XX
De Julie

Vous me demandez si je suis heureuse. Cette question me touche, et en la faisant vous m'aidez à y répondre ; car bien loin de chercher l'oubli dont vous parlez, j'avoue que je ne saurais être heureuse si vous cessiez de m'aimer : mais je le suis à tous égards, et rien ne manque à mon bonheur que le vôtre. Si j'ai évité dans ma Lettre précédente de parler de M. de Wolmar, je l'ai fait par ménagement pour vous. Je connaissais trop votre sensibilité pour ne pas craindre d'aigrir vos peines : mais votre inquiétude sur mon sort m'obligeant à vous parler de celui dont il dépend, je ne puis vous en parler que d'une manière digne de lui, comme il convient à son épouse et à une amie de la vérité.

M. de Wolmar a[a] près de cinquante ans ; sa vie unie, réglée, et le calme des passions lui ont conservé une constitution si saine et un air si frais qu'il paraît à peine en avoir quarante, et il n'a rien d'un âge avancé que l'expérience et la sagesse. Sa physionomie est noble et prévenante, son abord simple et ouvert, ses manières sont plus honnêtes qu'empressées, il parle peu et d'un grand sens [2], mais sans affecter

---

1. Écho direct à la fin de III, 5. **2.** De manière très sensée.

ni précision, ni sentences. Il est le même pour tout le monde, ne cherche et ne fuit personne, et n'a jamais d'autres préférences que celles de la raison.

Malgré sa froideur naturelle, son cœur secondant les intentions de mon père crut sentir que je lui convenais, et pour la première fois de sa vie il prit un attachement. Ce goût modéré mais durable s'est si bien réglé sur les bienséances et s'est maintenu dans une telle égalité, qu'il n'a pas eu besoin de changer de ton en changeant d'état, et que sans blesser la gravité conjugale il conserve avec moi depuis son mariage les mêmes manières qu'il avait auparavant. Je ne l'ai jamais vu ni gai ni triste, mais toujours content ; jamais il ne me parle de lui, rarement de moi ; il ne me cherche pas, mais il n'est pas fâché que je le cherche, et me quitte peu volontiers. Il ne rit point ; il est sérieux sans donner envie de l'être ; au contraire, son abord serein semble m'inviter à l'enjouement, et comme les plaisirs que je goûte sont les seuls auxquels il paraît sensible, une des attentions que je lui dois est de chercher à m'amuser. En un mot, il veut que je sois heureuse ; il ne me le dit pas, mais je le vois ; et vouloir le bonheur de sa femme n'est-ce pas l'avoir obtenu ?

Avec quelque soin que j'aie pu l'observer, je n'ai su lui trouver de passion d'aucune espèce que celle qu'il a pour moi. Encore cette passion est-elle si égale et si tempérée qu'on dirait qu'il n'aime qu'autant qu'il veut aimer et qu'il ne le veut qu'autant que la raison le permet. Il est réellement ce que Milord Édouard croit être ; en quoi je le trouve bien supérieur à tous nous autres gens à sentiment qui nous admirons tant nous-mêmes ; car le cœur nous trompe en mille manières et n'agit que par un principe toujours suspect [1] ; mais la raison n'a d'autre fin que ce qui est bien ; ses règles sont sûres, claires, faciles dans la conduite de la vie, et jamais elle ne s'égare que dans d'inutiles spéculations qui ne sont pas faites pour elle.

Le plus grand goût de M. de Wolmar est d'observer. Il aime à juger des caractères des hommes et des actions qu'il

---

1. On notera le jansénisme latent de cette phrase, chez cette lectrice de La Rochefoucauld (comme le souligne ironiquement la note de Rousseau ci-après) qui semble bel et bien se souvenir de l'anthropologie pessimiste des *Maximes et réflexions diverses* (1664).

voit faire. Il en juge avec une profonde sagesse et la plus parfaite impartialité. Si un ennemi lui faisait du mal, il en discuterait les motifs et les moyens aussi paisiblement que s'il s'agissait d'une chose indifférente. Je ne sais comment il a entendu parler de vous, mais il m'en a parlé plusieurs fois lui-même avec beaucoup d'estime, et je le connais incapable de déguisement. J'ai cru remarquer quelquefois qu'il m'observait durant ces entretiens, mais il y a grande apparence que cette prétendue remarque n'est que le secret reproche d'une conscience alarmée. Quoi qu'il en soit, j'ai fait en cela mon devoir ; la crainte ni la honte ne m'ont point inspiré de réserve injuste, et je vous ai rendu justice auprès de lui, comme je la lui rends auprès de vous.

J'oubliais de vous parler de nos revenus et de leur administration. Le débris des biens de M. de Wolmar joint à celui de mon père qui ne s'est réservé qu'une pension [1], lui fait une fortune honnête et modérée, dont il use noblement et sagement, en maintenant chez lui, non l'incommode et vain appareil du luxe, mais l'abondance, les véritables commodités de la vie *, et le nécessaire chez ses voisins indigents.

* Il n'y a pas d'association plus commune que celle du faste et de la lésine. On prend sur la nature, sur les vrais plaisirs, sur le besoin même, tout ce qu'on donne à l'opinion. Tel homme orne son palais aux dépens de sa cuisine ; tel autre aime mieux une belle vaisselle qu'un bon dîner ; tel autre fait un repas d'appareil, et meurt de faim tout le reste de l'année. Quand je vois un buffet de vermeil, je m'attends à du vin qui m'empoisonne. Combien de fois dans des maisons de campagne en respirant le frais au matin l'aspect d'un beau jardin vous tente ? On se lève de bonne heure, on se promène, on gagne de l'appétit, on veut déjeuner. L'Officier est sorti, ou les provisions manquent, ou Madame n'a pas donné ses ordres, ou l'on vous fait ennuyer d'attendre. Quelquefois on vous prévient, on vient magnifiquement vous offrir de tout, à condition que vous n'accepterez rien. Il faut rester à jeun jusqu'à trois heures, ou déjeuner avec des tulipes. Je me souviens de m'être promené dans un très beau parc dont on disait que la Maîtresse aimait beaucoup le café et n'en prenait jamais, attendu qu'il coûtait quatre sols la tasse : mais elle donnait de grand cœur mille écus à son jardinier. Je crois que j'aimerais mieux avoir des charmilles moins bien taillées, et prendre du café plus souvent. [NdE : repas d'appareil : repas somptueux, avec beaucoup de pompe et de magnificence. Buffet de vermeil : vaisselle d'argent doré. Officier : domestique chargé de l'office.]

1. Le père de Julie est un petit noble en procès (situation typique dans le roman du temps, de Courtilz à Prévost) et le service n'enrichit pas. L'union de Julie et de Wolmar n'était pas, à cet égard, totalement désintéressée.

L'ordre qu'il a mis dans sa maison est l'image de celui qui règne au fond de son âme, et semble imiter dans un petit ménage[b] l'ordre établi dans le gouvernement du monde. On n'y voit ni cette inflexible régularité qui donne plus de gêne que d'avantage et n'est supportable qu'à celui qui l'impose, ni cette confusion mal entendue qui pour trop avoir ôte l'usage de tout. On y reconnaît toujours la main du maître et l'on ne la sent jamais ; il a si bien ordonné le premier arrangement qu'à présent tout va tout seul [1], et qu'on jouit à la fois de la règle et de la liberté.

Voilà, mon bon ami, une idée abrégée mais fidèle du caractère de M. de Wolmar, autant que je l'ai pu connaître depuis que je vis avec lui. Tel il m'a paru le premier jour, tel il me paraît le dernier sans aucune altération ; ce qui me fait espérer que je l'ai bien vu, et qu'il ne me reste plus rien à découvrir ; car je n'imagine pas qu'il pût se montrer autrement sans y perdre.

Sur ce tableau vous pouvez d'avance vous répondre à vous-même, et il faudrait me mépriser beaucoup pour ne pas me croire heureuse avec tant de sujet de l'être *. Ce qui m'a longtemps abusée et qui peut-être vous abuse encore, c'est la pensée que l'amour est nécessaire pour former un heureux mariage. Mon ami, c'est une erreur ; l'honnêteté, la vertu, de certaines convenances, moins de conditions et d'âges que de caractères et d'humeurs suffisent entre deux époux ; ce qui n'empêche point qu'il ne résulte de cette union un attachement très tendre qui, pour n'être pas précisément de l'amour, n'en est pas moins doux et n'en est que plus durable. L'amour est accompagné d'une inquiétude continuelle de jalousie ou de privation, peu convenable au mariage, qui est un état de jouissance et de paix. On ne

---

* Apparemment qu'elle n'avait pas découvert encore le fatal secret qui la tourmenta si fort dans la suite, ou qu'elle ne voulait pas alors le confier à son ami.

---

1. H. Coulet remarque que Wolmar est semblable au Dieu qu'imagine Descartes dans la 5ᵉ partie du *Discours de la méthode*, qui d'abord agite la matière pour l'organiser avant de simplement « prêter son concours ordinaire à la nature, et la laisser agir *suivant les lois qu'il a établies* » (p. 79 ; nous soulignons).

s'épouse point pour penser uniquement l'un à l'autre, mais
pour remplir conjointement les devoirs de la vie civile, gouverner prudemment la maison, bien élever ses enfants. Les
amants ne voient jamais qu'eux, ne s'occupent incessamment que d'eux, et la seule chose qu'ils sachent faire est de
s'aimer. Ce n'est pas assez pour des Époux qui ont tant
d'autres soins à remplir [1]. Il n'y a point de passion qui nous
fasse une si forte illusion que l'amour : on prend sa violence
pour un signe de sa durée ; le cœur surchargé d'un sentiment
si doux, l'étend, pour ainsi dire, sur l'avenir, et tant que cet
amour dure on croit qu'il ne finira point. Mais au contraire,
c'est son ardeur même qui le consume ; il s'use avec la jeunesse, il s'efface avec la beauté, il s'éteint sous les glaces de
l'âge, et depuis que le monde existe on n'a jamais vu deux
amants en cheveux blancs soupirer l'un pour l'autre [2]. On
doit donc compter qu'on cessera de s'adorer tôt ou tard ;
alors l'idole qu'on servait détruite, on se voit réciproquement tels qu'on est. On cherche avec étonnement l'objet
qu'on aima ; ne le trouvant plus on se dépite contre celui
qui reste, et souvent l'imagination le défigure autant qu'elle
l'avait paré ; il y a peu de gens, dit La Rochefoucauld, qui
ne soient honteux de s'être aimés, quand ils ne s'aiment
plus * [3]. Combien alors il est à craindre que l'ennui ne succède à des sentiments trop vifs, que leur déclin sans s'arrêter

---

* Je serais bien surpris que Julie eût lu et cité La Rochefoucauld en toute
autre occasion. Jamais son triste livre ne sera goûté des bonnes gens.

---

1. Nouvelle formulation du mariage comme socle de la société (voir III, 18,
n. 1, p. 434) : c'est un *régulateur* de la pulsion érotique, dangereuse à
l'économie sociale et politique. L'ordre de Clarens s'annonce ici. **2.** « Décidément Rousseau en veut au mythe de Philémon et Baucis », remarque
A. Philonenko (*Jean-Jacques Rousseau et la pensée du malheur*, Vrin, 1984,
II, p. 60). Julie contredit apparemment totalement la foi de Saint-Preux
énoncée en I, 60 contre l'imputation de Bomston (« l'amour passera »).
Mais le refus de croire en *cette* durée (purement chronologique) inscrit
l'expérience de la passion du côté de l'Unique indépassable : de même chez
Saint-Preux, « une nuit, une seule nuit a changé pour jamais toute [son]
âme » (*supra*, lettre 16, p. 405). C'est pourquoi la note de Rousseau sur le
cynisme de La Rochefoucauld ne doit pas égarer : fondamentalement, les
amants seront d'accord. **3.** Julie cite la maxime 71 de l'édition de 1678.
Le texte original dit : « Il n'y a *guère* de gens... » (*Moralistes du XVIIᵉ siècle*,
éd. citée, p. 141 ; nous soulignons).

à l'indifférence ne passe jusqu'au dégoût, qu'on ne se trouve enfin tout à fait rassasiés l'un de l'autre, et que pour s'être trop aimés amants on n'en vienne à se haïr époux ! Mon cher ami, vous m'avez toujours paru bien aimable, beaucoup trop pour mon innocence et pour mon repos ; mais je ne vous ai jamais vu qu'amoureux, que sais-je ce que vous seriez devenu cessant de l'être ? L'amour éteint vous eût toujours laissé la vertu, je l'avoue ; mais en est-ce assez pour être heureux dans un lien que le cœur doit serrer, et combien d'hommes vertueux ne laissent pas d'être des maris insupportables ? Sur tout cela vous en pouvez dire autant de moi.

Pour M. de Wolmar, nulle illusion ne nous prévient l'un pour l'autre [1] ; nous nous voyons tels que nous sommes ; le sentiment qui nous joint n'est point l'aveugle transport des cœurs passionnés, mais l'immuable et constant attachement de deux personnes honnêtes et raisonnables qui destinées à passer ensemble le reste de leurs jours sont contentes de leur sort, et tâchent de se le rendre doux l'une à l'autre. Il semble que quand on nous eût formés exprès pour nous unir on n'aurait pu réussir mieux. S'il avait le cœur aussi tendre que moi, il serait impossible que tant de sensibilité de part et d'autre ne se heurtât quelquefois, et qu'il n'en résultât des querelles. Si j'étais aussi tranquille que lui, trop de froideur régnerait entre nous, et rendrait la société moins agréable et moins douce. S'il ne m'aimait point, nous vivrions mal ensemble ; s'il m'eût trop aimée, il m'eût été importun. Chacun des deux est précisément ce qu'il faut à l'autre ; il m'éclaire et je l'anime ; nous en valons mieux réunis [2], et il semble que nous soyons destinés à ne faire entre nous qu'une seule âme, dont il est l'entendement et moi la volonté [3]. Il n'y a pas jusqu'à son âge un peu avancé qui ne tourne au commun avantage : car avec la passion dont j'étais tourmentée, il est certain que s'il eût été plus jeune, je l'aurais épousé avec plus de peine encore, et cet excès de

---

1. Ne nous préoccupe au sujet l'un de l'autre. **2.** Comparer la formule à celle de lord Bomston à propos des deux amants en I, 60, p. 206. **3.** Cette complémentarité traduit idéalement la conception du rapport des sexes théorisée par Rousseau au livre V de l'*Émile*. On peut aussi la mettre en rapport avec l'organisation domestique de Clarens : voir IV, 10 et V, 2.

répugnance eût peut-être empêché l'heureuse révolution qui s'est faite en moi.

Mon ami ; le Ciel éclaire la bonne intention des pères, et récompense la docilité des enfants. À Dieu ne plaise que je veuille insulter à vos déplaisirs [1]. Le seul désir de vous rassurer pleinement sur mon sort me fait ajouter ce que je vais vous dire. Quand avec les sentiments que j'eus ci-devant [2] pour vous et les connaissances que j'ai maintenant, je serais libre encore, et maîtresse de me choisir un mari, je prends à témoin de ma sincérité ce Dieu qui daigne m'éclairer et qui lit au fond de mon cœur, ce n'est pas vous que je choisirais, c'est M. de Wolmar.

Il importe peut-être à votre entière guérison que j'achève de vous dire ce qui me reste sur le cœur. M. de Wolmar est plus âgé que moi. Si pour me punir de mes fautes, le Ciel m'ôtait le digne époux que j'ai si peu mérité, ma ferme résolution est de n'en prendre jamais un autre. S'il n'a pas eu le bonheur de trouver une fille chaste, il laissera du moins une chaste veuve. Vous me connaissez trop bien pour croire qu'après vous avoir fait cette déclaration, je sois femme à m'en rétracter jamais [c].

Ce que j'ai dit pour lever vos doutes peut servir encore à résoudre en partie vos objections contre l'aveu que je crois devoir faire à mon mari. Il est trop sage pour me punir d'une démarche humiliante que le repentir seul peut m'arracher, et je ne suis pas [d] plus incapable d'user de la ruse des Dames dont vous parlez [3], qu'il l'est de m'en soupçonner. Quant à la raison sur laquelle vous prétendez que cet aveu n'est pas nécessaire, elle est certainement un sophisme : car quoiqu'on ne soit tenue à rien envers un époux qu'on n'a pas encore, cela n'autorise point à se donner à lui pour autre chose que ce qu'on est. Je l'avais senti, même avant de me marier, et si le serment extorqué par mon père m'empêcha de faire à cet égard mon devoir, je n'en fus que plus coupable, puisque c'est un crime de faire un serment injuste, et un second de le tenir. Mais j'avais une autre raison que mon

---

1. Comprendre : que je veuille prendre avantage de votre douleur pour vous offenser. **2.** Avant mon mariage. **3.** Voir *supra*, lettre 19, p. 443.

cœur n'osait s'avouer, et qui me rendait beaucoup plus coupable encore [1]. Grâce au Ciel elle ne subsiste plus.

Une considération plus légitime et d'un plus grand poids est le danger de troubler inutilement le repos d'un honnête homme qui tire son bonheur de l'estime qu'il a pour sa femme. Il est sûr qu'il ne dépend plus de lui de rompre le nœud qui nous unit, ni de moi d'en avoir été plus digne. Ainsi je risque par une confidence indiscrète de l'affliger à pure perte, sans tirer d'autre avantage de ma sincérité que de décharger mon cœur d'un secret funeste qui me pèse cruellement. J'en serai plus tranquille, je le sens, après le lui avoir déclaré ; mais lui, peut-être le sera-t-il moins, et ce serait bien mal réparer mes torts que de préférer mon repos au sien.

Que ferais-je donc dans le doute où je suis ? En attendant que le Ciel m'éclaire mieux sur mes devoirs [2], je suivrai le conseil de votre amitié ; je garderai le silence ; je tairai mes fautes à mon époux, et je tâcherai de les effacer par une conduite qui puisse un jour en mériter le pardon.

Pour commencer une réforme aussi nécessaire, trouvez bon, mon ami, que nous cessions désormais tout commerce entre nous. Si M. de Wolmar avait reçu ma confession, il déciderait jusqu'à quel point nous pouvons nourrir les sentiments de l'amitié qui nous lie et nous en donner les innocents témoignages ; mais puisque je n'ose le consulter là-dessus, j'ai trop appris à mes dépens combien nous peuvent égarer les habitudes les plus légitimes en apparence. Il est temps de devenir sage. Malgré la sécurité de mon cœur, je ne veux plus être juge en ma propre cause, ni me livrer étant femme à la même présomption qui me perdit étant fille.

---

1. La tentation de l'adultère, en représailles du mariage forcé. C'est en ce sens que Julie n'était pas « chaste » (voir Préface, n. 5, p. 50). **2.** Expression revisitée de la morale provisoire selon Descartes, qui la définissait dans la Lettre-préface des *Principes de la philosophie* comme « morale imparfaite qu'on peut suivre par provision pendant qu'on n'en sait point encore de meilleure » (p. 75). Le *Discours de la méthode* la fonde sur trois « maximes » : obéir aux « lois et coutumes » du pays où l'on vit, rester « ferme et résolu » en toute action, « changer [s]es désirs [plutôt] que l'ordre du monde » (III, p. 55-58). L'objet de cette « morale » est de suspendre temporairement les objets du doute de façon à chercher sereinement la vérité.

Voici la dernière lettre que vous recevrez de moi. Je vous supplie aussi de ne plus m'écrire. Cependant comme je ne cesserai jamais de prendre à vous le plus tendre intérêt et que ce sentiment est aussi pur que le jour qui m'éclaire [1], je serai bien aise de savoir quelquefois de vos nouvelles, et de vous voir parvenir au bonheur que vous méritez. Vous pourrez de temps à autre écrire à Made d'Orbe dans les occasions où vous aurez quelque événement intéressant à nous apprendre. J'espère que l'honnêteté de votre âme se peindra toujours dans vos lettres. D'ailleurs ma Cousine est vertueuse et sage, pour [2] ne me communiquer que ce qu'il me conviendra de voir, et pour supprimer cette correspondance si vous étiez capable d'en abuser.

Adieu, mon cher et bon ami ; si je croyais que la fortune pût vous rendre heureux, je vous dirais : Courez à la fortune ; mais peut-être avez-vous raison de la dédaigner avec tant de trésors pour vous passer d'elle. J'aime mieux vous dire : Courez à la félicité, c'est la fortune du sage ; nous avons toujours senti qu'il n'y en avait point sans la vertu ; mais prenez garde que ce mot de vertu trop abstrait n'ait plus d'éclat que de solidité, et ne soit un nom de parade qui sert plus à éblouir les autres qu'à nous contenter nous-mêmes. Je frémis, quand je songe que des gens qui portaient l'adultère au fond de leur cœur osaient parler de vertu ! savez-vous bien ce que signifiait pour nous un terme si respectable et si profané, tandis que nous étions engagés dans un commerce criminel ? c'était cet amour forcené dont nous étions embrasés l'un et l'autre qui déguisait ses transports sous ce saint enthousiasme pour nous les rendre encore plus chers et nous abuser plus longtemps. Nous étions faits, j'ose le croire, pour suivre et chérir la véritable vertu, mais nous nous trompions en la cherchant et ne suivions qu'un vain fantôme. Il est temps que l'illusion cesse ; il est temps de

---

1. Réminiscence racinienne probable, dont on pourra apprécier l'ironie dans le contexte de cette lettre plus tourmentée qu'elle ne le dit : « Le jour n'est pas plus pur que le fond de mon cœur », affirme Hippolyte à un Thésée fort peu satisfait qui l'accuse d'inceste (*Phèdre*, IV, 2, v. 1112). **2.** Comprendre : elle est *assez* vertueuse et sage pour juger de la bienséance de la correspondance.

revenir d'un trop long égarement [1]. Mon ami, ce retour [2] ne vous sera pas difficile. Vous avez votre guide en vous-même, vous l'avez pu négliger, mais vous ne l'avez jamais rebuté. Votre âme est saine, elle s'attache à tout ce qui est bien, et si quelquefois il lui échappe, c'est qu'elle n'a pas usé de toute sa force pour s'y tenir. Rentrez au fond de votre conscience, et cherchez si vous n'y retrouveriez point quelque principe oublié qui servirait à mieux ordonner toutes vos actions, à les lier plus solidement entre elles, et avec un objet commun. Ce n'est pas assez, croyez-moi, que la vertu soit la base de votre conduite, si vous n'établissez cette base même sur un fondement inébranlable. Souvenez-vous de ces Indiens qui font porter le monde sur un grand éléphant, et puis l'éléphant sur une tortue, et quand on leur demande sur quoi porte la tortue, ils ne savent plus que dire [3].

Je vous conjure de faire quelque attention aux discours de votre amie, et de choisir pour aller au bonheur une route plus sûre que celle qui nous a si longtemps égarés. Je ne cesserai de demander au Ciel pour vous et pour moi cette félicité pure, et ne serai contente qu'après l'avoir obtenue pour tous les deux. Ah ! si jamais nos cœurs se rappellent malgré nous les erreurs de notre jeunesse, faisons au moins que le retour qu'elles auront produit en autorise le souvenir, et que nous puissions dire avec cet ancien : Hélas nous périssions si nous n'eussions péri [4] !

Ici finissent les sermons de la prêcheuse. Elle aura désormais assez à faire à se prêcher elle-même. Adieu, mon aimable ami, adieu pour toujours ; ainsi l'ordonne l'inflexible devoir : Mais croyez que le cœur de Julie ne sait point oublier ce qui lui fut cher…. mon Dieu ! que fais-je ?…. vous le verrez trop à l'état de ce papier. Ah ! n'est-il pas permis de s'attendrir en disant à son ami le dernier adieu ?

---

1. Le motif revient en VI, 12, p. 864. **2.** Ce ressaisissement. Voir II, 10, n. 1, p. 264. **3.** Exemple emprunté à Locke (*Essai philosophique*, II, 13, § 19 et II, 23, § 2), mis par Diderot dans la bouche du mathématicien aveugle Saunderson (*Lettre sur les aveugles*, p. 60). **4.** Plutarque, *Vie de Thémistocle*, XXIX, 10. Il s'agit d'un mot prononcé lors du bannissement du général grec à la cour du roi des Perses : « On rapporte que Thémistocle lui-même, devenu puissant et objet des attentions de beaucoup de gens, un jour qu'il vit sa table magnifiquement servie, dit à ses enfants : Quelle perte pour nous, mes enfants, si nous n'avions été perdus ! » (*Vies parallèles*, t. I, p. 180).

Lettre XXI
À Milord Édouard [1]

Oui, Milord, il est vrai ; mon âme est oppressée du poids de la vie. Depuis longtemps elle m'est à charge : j'ai perdu tout ce qui pouvait me la rendre chère, il ne m'en reste que les ennuis [2]. Mais on dit qu'il ne m'est pas permis d'en disposer sans l'ordre de celui qui me l'a donnée. Je sais aussi qu'elle vous appartient à plus d'un titre. Vos soins me l'ont sauvée deux fois, et vos bienfaits me la conservent sans cesse. Je n'en disposerai jamais que je ne sois sûr de le pouvoir faire sans crime, ni tant qu'il me restera la moindre espérance de la pouvoir employer pour vous.

Vous disiez que je vous étais nécessaire ; pourquoi me trompiez-vous ? Depuis que nous sommes à Londres, loin que vous songiez à m'occuper de vous, vous ne vous occupez que de moi. Que vous prenez de soins superflus ! Milord, vous le savez, je hais le crime encore plus que la vie ; j'adore l'Être éternel ; je vous dois tout, je vous aime, je ne tiens qu'à vous sur la terre ; l'amitié, le devoir y peuvent enchaîner un infortuné : des prétextes et des sophismes ne l'y retiendront point. Éclairez ma raison, parlez à mon cœur ; je suis prêt à vous entendre : mais souvenez-vous que ce n'est point le désespoir qu'on abuse.

Vous voulez qu'on raisonne : Hé bien raisonnons. Vous voulez qu'on proportionne la délibération à l'importance de la question qu'on agite, j'y consens. Cherchons la vérité paisiblement, tranquillement. Discutons la proposition générale comme s'il s'agissait d'un autre. Robeck fit l'apologie de la mort volontaire avant de se la donner [3]. Je ne veux pas faire un livre à son exemple et je ne suis pas fort content du sien ; mais j'espère imiter son sang-froid dans cette discussion.

[a] J'ai longtemps médité sur ce grave sujet. Vous devez le savoir, car vous connaissez mon sort et je vis encore. Plus

---

1. Ellipse temporelle : deux ans environ séparent cette lettre de la précédente. **2.** Les chagrins. **3.** Le Suédois Robeck, auteur d'une *Exercitario philosophica* sur le suicide (1734), est donné pour un « professeur allemand » par la vieille dans *Candide*, qui elle aussi fut tentée par le suicide (*Candide*, chap. XII, p. 71). Voir *infra* la note de Rousseau sur Robeck (p. 464).

j'y réfléchis, plus je trouve que la question se réduit à cette proposition fondamentale. Chercher son bien et fuir son mal en ce qui n'offense point autrui, c'est le droit de la nature. Quand notre vie est un mal pour nous et n'est un bien pour personne il est donc permis de s'en délivrer [1]. S'il y a dans le monde une maxime évidente et certaine, je pense que c'est celle-là, et si l'on venait à bout de la renverser, il n'y a point d'action humaine dont on ne pût faire un crime.

Que disent là-dessus nos Sophistes ? Premièrement ils regardent la vie comme une chose qui n'est pas à nous, parce qu'elle nous a été donnée ; mais c'est précisément parce qu'elle nous a été donnée qu'elle est à nous. Dieu ne leur a-t-il pas donné deux bras ? Cependant quand ils craignent la cangrène [2] ils s'en font couper un, et tous les deux, s'il le faut. La parité [3] est exacte pour qui croit l'immortalité de l'âme ; car si je sacrifie mon bras à la conservation d'une chose plus précieuse qui est mon corps, je sacrifie mon corps à la conservation d'une chose plus précieuse qui est mon bien-être. Si tous les dons que le Ciel nous a faits sont naturellement des biens pour nous, ils ne sont que trop sujets à changer de nature, et il y ajouta la raison pour nous apprendre à les discerner. Si cette règle ne nous autorisait pas à choisir les uns et rejeter les autres, quel serait son usage parmi les hommes ?

Cette objection si peu solide, ils la retournent de mille manières. Ils regardent l'homme vivant sur la terre comme un soldat mis en faction. Dieu, disent-ils, t'a placé dans ce monde, pourquoi en sors-tu sans son congé ? Mais toi-même, il t'a placé dans ta ville, pourquoi en sors-tu sans son congé ? Le congé n'est-il pas dans le mal-être ? En quelque lieu qu'il me place, soit dans un corps, soit sur la terre, c'est

---

1. Écho à la 76ᵉ des *Lettres persanes* : « Quand je suis accablé de douleur, de misère, de mépris, pourquoi veut-on m'empêcher de mettre fin à mes peines, et me priver cruellement d'un remède qui est en mes mains ? Pourquoi veut-on que je travaille pour une société, dont je consens de n'être plus ? que je tienne, malgré moi, une convention qui s'est faite sans moi ? La société est fondée sur un avantage mutuel. Mais lorsqu'elle me devient onéreuse, qui m'empêche d'y renoncer ? » (p. 191). **2.** Voir *supra*, III, 18, n. 3, p. 413. La même métaphore médicale est employée par Julie. **3.** La comparaison.

pour y rester autant que j'y suis bien, et pour en sortir dès que j'y suis mal. Voilà la voix de la nature et la voix de Dieu. Il faut attendre l'ordre, j'en conviens ; mais quand je meurs naturellement Dieu ne m'ordonne pas de quitter la vie, il me l'ôte : c'est en me la rendant insupportable qu'il m'ordonne de la quitter. Dans le premier cas, je résiste de toute ma force, dans le second j'ai le mérite d'obéir.

Concevez-vous qu'il y ait des gens assez injustes [1] pour taxer la mort volontaire de rébellion contre la providence, comme si l'on voulait se soustraire à ses lois ? Ce n'est point pour s'y soustraire qu'on cesse de vivre, c'est pour les exécuter. Quoi ! Dieu n'a-t-il de pouvoir que sur mon corps ? Est-il quelque lieu dans l'univers où quelque être existant ne soit pas sous sa main, et agira-t-il moins immédiatement sur moi, quand ma substance épurée sera plus une, et plus semblable à la sienne ? Non, sa justice et sa bonté font mon espoir, et si je croyais que la mort pût me soustraire à sa puissance, je ne voudrais plus mourir.

C'est un des Sophismes du *Phédon*, rempli d'ailleurs de vérités sublimes. Si ton esclave se tuait, dit Socrate à Cebès, ne le punirais-tu pas, s'il t'était possible, pour t'avoir injustement privé de ton bien [2] ? Bon Socrate, que nous dites-vous ? N'appartient-on plus à Dieu quand on est mort ? Ce n'est point cela du tout, mais il fallait dire : Si tu charges ton esclave d'un vêtement qui le gêne dans le service qu'il te doit, le puniras-tu d'avoir quitté cet habit pour mieux faire son service ? La grande erreur est de donner trop d'importance à la vie ; comme si notre être en dépendait, et qu'après la mort on ne fût plus rien. Notre vie n'est rien aux yeux de Dieu ; elle n'est rien aux yeux de la raison, elle ne doit rien être aux nôtres, et quand nous laissons notre corps, nous ne faisons que poser un vêtement incommode [3].

---

1. L'Église et la doctrine des Pères, depuis saint Augustin, mais aussi, un peu plus tard, Thomas d'Aquin. **2.** Référence au dialogue sur l'âme de Platon, où Socrate et ses disciples sont conduits à débattre du suicide (*Phédon*, VI). **3.** La métaphore du corps comme « vêtement » de l'âme est un *topos* platonisant pour exprimer la distinction des deux substances (dualisme) et l'immortalité de l'âme, même si Cébès la met malignement au service de l'antidualisme dans le *Phédon*, XXVII. Mais on songera également ici à la reprise chrétienne du motif chez Lactance (rhéteur africain du IVᵉ siècle) et les Pères de l'Église Grégoire et Augustin, dont Saint-Preux détourne l'esprit (car il n'est pas question de faute chez lui, alors que les

Est-ce la peine d'en faire un si grand bruit ? Milord, ces déclamateurs ne sont point de bonne foi. Absurdes et cruels dans leurs raisonnements, ils aggravent le prétendu crime comme si l'on s'ôtait l'existence, et le punissent, comme si l'on existait toujours.

Quant au *Phédon* qui leur a fourni le seul argument spécieux [1] qu'ils aient jamais employé, cette question n'y est traitée que très légèrement et comme en passant. Socrate condamné par un jugement inique à perdre la vie dans quelques heures, n'avait pas besoin d'examiner bien attentivement s'il lui était permis d'en disposer. En supposant qu'il ait tenu réellement les discours que Platon lui fait tenir, croyez-moi, Milord, il les eût médités avec plus de soin dans l'occasion de les mettre en pratique ; et la preuve qu'on ne peut tirer de cet immortel ouvrage aucune bonne objection contre le droit de disposer de sa propre vie, c'est que Caton le lut par deux fois tout entier, la nuit même qu'il quitta la terre [2].

Ces mêmes Sophistes demandent si jamais la vie peut être un mal ? En considérant cette foule d'erreurs de tourments et de vices dont elle est remplie, on serait bien plus tenté de demander si jamais elle fut un bien ? Le crime assiège sans cesse l'homme le plus vertueux, chaque instant qu'il vit, il est prêt à devenir la proie du méchant ou méchant lui-même. Combattre et souffrir, voilà son sort dans ce monde : mal faire et souffrir, voilà celui du malhonnête homme. Dans tout le reste ils diffèrent entre eux, ils n'ont rien en commun que les misères de la vie. S'il vous fallait des autorités et des faits, je vous citerais des oracles, des réponses de sages, des actes de vertu récompensés par la mort. Laissons tout cela, Milord ; c'est à vous que je parle, et je vous demande quelle est ici-bas la principale occupation du sage, si ce n'est de se concentrer, pour ainsi dire, au fond de son

---

Pères condamnent le suicide) : comme condition charnelle, fruit de la chute liée au péché originel, le corps est bien un « abominable » vêtement qu'il faut quitter pour retrouver « le vêtement d'innocence ». Cette interprétation du rachat s'appuie sur Paul, Colossiens 3, 9-10 : « vous vous êtes dépouillés du vieil homme avec ses pratiques et vous avez revêtu l'homme nouveau ». **1.** « Qui a apparence de vérité et de justice » (*Acad.* 1762). **2.** Plutarque, *Vie de Caton le Jeune*, 68, 2-4 (*Vies parallèles*, t. II, p. 261).

âme, et de s'efforcer d'être mort durant sa vie ? Le seul moyen qu'ait trouvé la raison pour nous soustraire aux maux de l'humanité, n'est-il pas de nous détacher des objets terrestres et de tout ce qu'il y a de mortel en nous, de nous recueillir au dedans de nous-mêmes, de nous élever aux sublimes contemplations ; et si nos passions et nos erreurs font nos infortunes, avec quelle ardeur devons-nous soupirer après un état qui nous délivre des unes et des autres ? Que font ces hommes sensuels qui multiplient si indiscrètement [1] leurs douleurs par leurs voluptés ? Ils anéantissent pour ainsi dire leur existence à force de l'étendre sur la terre ; ils aggravent le poids de leurs chaînes par le nombre de leurs attachements ; ils n'ont point de jouissances qui ne leur préparent mille amères privations : plus ils sentent et plus ils souffrent : plus ils s'enfoncent dans la vie, et plus ils sont malheureux [2].

Mais qu'en général, ce soit si l'on veut un bien pour l'homme de ramper tristement sur la terre, j'y consens : je ne prétends pas que tout le genre humain doive s'immoler d'un commun accord, ni faire un vaste tombeau du monde. Il est, il est des infortunés trop privilégiés pour suivre la route commune, et pour qui le désespoir et les amères douleurs sont le passeport de la nature [3]. C'est à ceux-là qu'il serait aussi insensé de croire que leur vie est un bien, qu'il l'était au sophiste Possidonius tourmenté de la goutte de nier qu'elle fût un mal [4]. Tant qu'il nous est bon de vivre nous le désirons fortement, et il n'y a que le sentiment des maux extrêmes qui puisse vaincre en nous ce désir : car nous avons tous reçu de la nature une très grande horreur de la mort, et cette horreur déguise à nos yeux les misères de la condition humaine. On supporte longtemps une vie pénible et douloureuse avant de se résoudre à la quitter ; mais quand une fois l'ennui de vivre l'emporte sur l'horreur de mourir, alors la vie est évidemment un grand mal, et l'on

---

1. Imprudemment. **2.** Écho à I, 55, p. 187. **3.** Cette figure de l'illustre malheureux qui décide de s'exempter lui-même du nombre des mortels rappelle celle de Cleveland tenté par le suicide à Saumur (livre VI, p. 477-503). **4.** Exemple cité par Cicéron, *Tusculanes*, II, 25 (Les Belles Lettres, 1970, p. 111-112).

ne peut s'en délivrer trop tôt. Ainsi, quoiqu'on ne puisse exactement assigner le point où elle cesse d'être un bien, on sait très certainement au moins qu'elle est un mal longtemps avant de nous le paraître, et chez tout homme sensé le droit d'y renoncer en précède toujours de beaucoup la tentation.

Ce n'est pas tout : après avoir nié que la vie puisse être un mal, pour nous ôter le droit de nous en défaire ; ils disent ensuite qu'elle est un mal, pour nous reprocher de ne la pouvoir endurer. Selon eux c'est une lâcheté de se soustraire à ses douleurs et à ses peines, et il n'y a jamais que des poltrons qui se donnent la mort. Ô Rome, conquérante du monde, quelle troupe de poltrons t'en donna l'empire ! Qu'Arrie, Éponine, Lucrèce soient dans le nombre, elles étaient femmes [1]. Mais Brutus, mais Cassius [2], et toi qui partageais avec les Dieux les respects de la terre étonnée, grand et divin Caton, toi dont l'image auguste et sacrée animait les Romains d'un saint zèle et faisait frémir les Tyrans, tes fiers admirateurs ne pensaient pas qu'un jour dans le coin poudreux d'un collège, de vils Rhéteurs [3] prouveraient que tu ne fus qu'un lâche, pour avoir refusé au crime heureux l'hommage de la vertu dans les fers [4]. Force et grandeur des

---

1. Arria, femme de Cecina Paetus condamné à mort par Claude, se transperça avec un poignard qu'elle tendit à son époux en disant : *Paete, non dolet* (« Paetus, cela ne fait pas mal ») ; le mot est rapporté par Pline le Jeune (*Lettres*, III, 16). Éponine, femme du Gaulois Sabinus condamné à mort par Vespasien, demanda de partager son sort. Rousseau a esquissé une tragédie sur le viol de Lucrèce, femme de Collatin, par Tarquin (voir *supra*, II, 17, n. 1, p. 303). **2.** Brutus et Cassius faisaient partie des conjurés républicains ayant participé à l'assassinat de César dans le Sénat. Défaits par Antoine et Octave à Philippes, ils se donnèrent la mort. Le sens politique de leur geste est précisé par Bomston dans sa réponse (III, 22, p. 471-472). **3.** « Aujourd'hui, *Rhéteur* ne se dit guère qu'en mauvaise part, en parlant d'un homme dont toute l'éloquence consiste dans une sèche pratique de l'art » (*Acad.* 1762). **4.** Caton d'Utique, ennemi de César au nom du parti républicain, se suicida après sa défaite plutôt que d'être emprisonné. Les mots « rhéteurs » et « écrivains modernes » visent probablement Antoine Houdar de La Motte, auteur d'une ode intitulée « L'Amour-propre », dédiée à l'évêque de Soissons. On y lit à la strophe 10 : « Caton, d'une âme plus égale,/ Sous l'heureux vainqueur de Pharsale/ Eût souffert que Rome pliât ;/ Mais, incapable de se rendre,/ Il n'eut pas la force d'attendre/ Un pardon qui l'humiliât » (*Œuvres*, Prault, 1754, t. I, p. 367). Ces vers font l'objet d'un commentaire caustique de Voltaire dans son article « De Caton, du suicide » des *Questions sur l'Encyclopédie*.

écrivains modernes, que vous êtes sublimes, et qu'ils sont intrépides la plume à la main ! Mais dites-moi, brave et vaillant héros qui vous sauvez si courageusement d'un combat pour supporter plus longtemps la peine de vivre ; quand un tison brûlant vient à tomber sur cette éloquente main, pourquoi la retirez-vous si vite ? Quoi ! vous avez la lâcheté de n'oser soutenir l'ardeur du feu ! Rien, dites-vous, ne m'oblige à supporter le tison ; et moi, qui m'oblige à supporter la vie ? La génération d'un homme a-t-elle coûté plus à la providence que celle d'un fétu, et l'une et l'autre n'est-elle pas également son ouvrage ?

Sans doute, il y a du courage à souffrir avec constance les maux qu'on ne peut éviter ; mais il n'y a qu'un insensé qui souffre volontairement ceux dont il peut s'exempter sans mal faire, et c'est souvent un très grand mal d'endurer un mal sans nécessité. Celui qui ne sait pas se délivrer d'une vie douloureuse par une prompte mort ressemble à celui qui aime mieux laisser envenimer une plaie que de la livrer au fer salutaire d'un chirurgien. Viens, respectable Parisot *, coupe-moi cette jambe qui me ferait périr. Je te verrai faire sans sourciller, et me laisserai traiter de lâche par le brave qui voit tomber la sienne en pourriture faute d'oser soutenir la même opération.

J'avoue qu'il est des devoirs envers autrui, qui ne permettent pas à tout homme de disposer de lui-même mais en revanche combien en est-il qui l'ordonnent ? Qu'un Magistrat à qui tient le salut de la patrie, qu'un père de famille qui doit la subsistance à ses enfants, qu'un débiteur insolvable qui ruinerait ses créanciers, se dévouent à leur devoir quoi qu'il arrive ; que mille autres relations civiles et domestiques forcent un honnête homme infortuné de supporter le malheur de vivre, pour éviter le malheur plus grand d'être injuste, est-il permis, pour cela, dans des cas tout différents, de conserver aux dépens d'une foule de misérables une vie qui n'est utile qu'à celui qui n'ose mourir ? Tue-moi, mon

* Chirurgien de Lyon, homme d'honneur, bon Citoyen, ami tendre et généreux, négligé, mais non pas oublié de tel qui fut honoré de ses bienfaits. [NdE : CH ajoutait : « Ô qu'il est doux de louer un homme de bien ! Je crois que j'aurais loué les Grands mêmes, si quelqu'un d'eux l'avait mérité. »]

enfant, dit le sauvage décrépit à son fils qui le porte et fléchit sous le poids ; les ennemis sont là ; va combattre avec tes frères, va sauver tes enfants, et n'expose pas ton père à tomber vif entre les mains de ceux dont il mangea les parents. Quand la faim, les maux, la misère, ennemis domestiques pires que les sauvages, permettraient à un malheureux estropié de consommer dans son lit le pain d'une famille qui peut à peine en gagner pour elle ; celui qui ne tient à rien, celui que le Ciel réduit à vivre seul sur la terre, celui dont la malheureuse existence ne peut produire aucun bien, pourquoi n'aurait-il pas au moins le droit de quitter un séjour où ses plaintes sont importunes et ses maux sans utilité ?

Pesez ces considérations, Milord ; rassemblez toutes ces raisons et vous trouverez qu'elles se réduisent au plus simple des droits de la nature qu'un homme sensé ne mit jamais en question. En effet, pourquoi serait-il permis de se guérir de la goutte et non de la vie ? L'une et l'autre ne nous vient-elle pas de la même main ? S'il est pénible de mourir, qu'est-ce à dire ? Les drogues font-elles plaisir à prendre ? Combien de gens préfèrent la mort à la médecine ? Preuve que la nature répugne à l'une et à l'autre [1]. Qu'on me montre donc comment il est plus permis de se délivrer d'un mal passager en faisant des remèdes, que d'un mal incurable en s'ôtant la vie, et comment on est moins coupable d'user de quinquina pour la fièvre que d'opium pour la pierre [2] ? Si nous regardons à l'objet, l'un et l'autre est de nous délivrer du mal-être ; si nous regardons au moyen, l'un et l'autre est également naturel ; si nous regardons à la répugnance, il y en a

---

1. On rapprochera ces lignes de celles du *Discours sur l'inégalité* : « je voudrais bien qu'on m'expliquât quel peut être le genre de misère d'un être libre, dont le cœur est en paix, et le corps en santé. Je demande laquelle, de la vie Civile ou naturelle, est la plus sujette à devenir insupportable à ceux qui en jouissent ? Nous ne voyons presque autour de nous que des Gens qui se plaignent de leur existence ; plusieurs même qui s'en privent autant qu'il est en eux, et la réunion des Lois divine et humaine suffit à peine pour arrêter ce désordre : Je demande si jamais on a ouï dire qu'un Sauvage en liberté ait seulement songé à se plaindre de la vie et à se donner la mort ? » (p. 92). **2.** L'opium était utilisé comme antalgique contre la gravelle ou maladie de la pierre. L'exemple de cette maladie n'est pas pris au hasard : c'est celle dont est mort le philosophe Épicure, qui écrivit, si l'on en croit Diogène Laërce (*Vies*, X, 22), une lettre à son ami Idoménée au moment de mourir,

également des deux côtés ; si nous regardons à la volonté
du maître, quel mal veut-on combattre qu'il ne nous ait pas
envoyé ? À quelle douleur veut-on se soustraire qui ne nous
vienne pas de sa main ? Quelle est la borne où finit sa puissance, et où l'on peut légitimement résister ? Ne nous est-il
donc permis de changer l'état d'aucune chose, parce que
tout ce qui est est comme il l'a voulu ? Faut-il ne rien faire
en ce monde de peur d'enfreindre ses lois, et quoi que nous
fassions pouvons-nous jamais les enfreindre ? Non Milord,
la vocation de l'homme est plus grande et plus noble. Dieu
ne l'a point animé pour rester immobile dans un quiétisme
éternel. Mais il lui a donné la liberté pour faire le bien, la
conscience pour le vouloir, et la raison pour le choisir. Il l'a
constitué seul juge de ses propres actions. Il a écrit dans son
cœur : Fais ce qui t'est salutaire et n'est nuisible à personne.
Si je sens qu'il m'est bon de mourir, je résiste à son ordre
en m'opiniâtrant à vivre ; car en me rendant la mort désirable, il me prescrit de la chercher.

Bomston, j'en appelle à votre sagesse et à votre candeur [1] ; quelles maximes plus certaines la raison peut-elle
déduire de la Religion sur la mort volontaire ? Si les Chrétiens en ont établi d'opposées, ils ne les ont tirées ni des
principes de leur Religion, ni de sa règle unique, qui est
l'Écriture, mais seulement des philosophes païens. Lactance
et Augustin, qui les premiers avancèrent cette nouvelle doctrine dont Jésus-Christ ni les Apôtres n'avaient pas dit un
mot, ne s'appuyèrent que sur le raisonnement du *Phédon*
que j'ai déjà combattu ; de sorte que les fidèles, qui croient
suivre en cela l'autorité de l'Évangile, ne suivent que celle
de Platon. En effet, où verra-t-on dans la Bible entière une
loi contre le suicide, ou même une simple improbation ; et
n'est-il pas bien étrange que dans les exemples de gens qui
se sont donné la mort, on n'y trouve pas un seul mot de
blâme contre aucun de ces exemples ? Il y a plus ; celui de
Samson est autorisé par un prodige qui le venge de ses ennemis [2]. Ce miracle se serait-il fait pour justifier un crime, et

----

où il l'assure que la joie toute intellectuelle de se souvenir de leurs échanges
domine sur la douleur physique pourtant permanente. **1.** « Bonté, sincérité,
franchise d'âme » (*Trévoux*). **2.** Samson, héros de la mythologie biblique, fit
périr les Philistins en ébranlant les colonnes du temple de Dagon où il était
enchaîné (Juges 16, 22-31). Son suicide fait partie des rares cas de mort

cet homme qui perdit sa force pour s'être laissé séduire par une femme, l'eût-il recouvrée pour commettre un forfait authentique, comme si Dieu lui-même eût voulu tromper les hommes ?

Tu ne tueras point, dit le Décalogue. Que s'ensuit-il de là ? Si ce commandement doit être pris à la lettre, il ne faut tuer ni les malfaiteurs ni les ennemis ; et Moïse, qui fit tant mourir de gens entendait fort mal son propre précepte [1]. S'il y a quelques exceptions, la première est certainement en faveur de la mort volontaire, parce qu'elle est exempte de violence et d'injustice, [2] les deux seules considérations qui puissent rendre l'homicide criminel, et que la nature y a mis, d'ailleurs, un suffisant obstacle.

Mais, disent-ils encore, souffrez patiemment les maux que Dieu vous envoie ; faites-vous un mérite de vos peines. Appliquer ainsi les maximes du Christianisme, que c'est mal en saisir l'esprit ! L'homme est sujet à mille maux, sa vie est un tissu de misères, et il ne semble naître que pour souffrir. De ces maux, ceux qu'il peut éviter, la raison veut qu'il les évite, et la Religion, qui n'est jamais contraire à la raison, l'approuve. Mais que leur somme est petite auprès de ceux qu'il est forcé de souffrir malgré lui ! C'est de ceux-ci qu'un Dieu clément permet aux hommes de se faire un mérite ; il accepte en hommage volontaire le tribut forcé qu'il nous impose, et marque au profit de l'autre vie la résignation dans celle-ci. La véritable pénitence de l'homme lui est imposée par la nature ; s'il endure patiemment tout ce qu'il

---

volontaire répertoriés dans le *corpus* biblique qui, en outre, n'y associe pas de jugement de valeur explicite, comme Saint-Preux lui-même s'est fait un malin plaisir de le remarquer. **1.** De même, Montaigne rappelle que des exemples de suicides héroïques sont rapportés dans la Bible (*Essais*, II, 3, « Coutume de l'île de Cea », p. 570). Saint-Preux, dont l'argumentation sent de plus en plus le soufre, discute ici l'interdit augustinien, qui fonde, au IVe siècle, l'interdit du suicide sur ce commandement du Décalogue (*De la Cité de Dieu*, I, 20). La mort volontaire est, du point de vue religieux, meurtre de soi-même. Elle l'est aussi du point de vue de la justice d'Ancien Régime, qui la traite comme un *crime* et autorise à faire le procès du cadavre, qui se retrouve alors « emprisonné » jusqu'au verdict. Cette pratique tend toutefois à disparaître dans la seconde moitié du siècle, sous l'influence de Montesquieu, Hume et Beccaria. **2.** Nos remplaçons le point-virgule par une virgule pour la compréhension de l'apposition.

est contraint d'endurer, il a fait à cet égard tout ce que Dieu lui demande, et si quelqu'un montre assez d'orgueil pour vouloir faire davantage, c'est un fou qu'il faut enfermer, ou un fourbe qu'il faut punir. Fuyons donc sans scrupule tous les maux que nous pouvons fuir, il ne nous en restera que trop à souffrir encore. Délivrons-nous sans remords de la vie même, aussitôt qu'elle est un mal pour nous ; puisqu'il dépend de nous de le faire, et qu'en cela nous n'offensons ni Dieu ni les hommes. S'il faut un sacrifice à l'Être Suprême, n'est-ce rien que de mourir ? Offrons à Dieu la mort qu'il nous impose par la voix de la raison, et versons paisiblement dans son sein notre âme qu'il redemande.

Tels sont les préceptes généraux que le bon sens dicte à tous les hommes et que la Religion autorise *. Revenons à nous. Vous avez daigné m'ouvrir votre cœur ; je connais vos peines ; vous ne souffrez pas moins que moi ; vos maux sont sans remède ainsi que les miens, et d'autant plus sans remède que les lois de l'honneur sont plus immuables que celles de la fortune [1]. Vous les supportez, je l'avoue, avec fermeté. La vertu vous soutient ; un pas de plus, elle vous dégage [2]. Vous me pressez de souffrir : Milord, j'ose vous presser de terminer vos souffrances, et je vous laisse à juger qui de nous est le plus cher à l'autre.

---

* L'étrange lettre pour la délibération dont il s'agit ! Raisonne-t-on si paisiblement sur une question pareille, quand on l'examine pour soi ? La lettre est-elle fabriquée, ou l'Auteur ne veut-il qu'être réfuté ? Ce qui peut tenir en doute, c'est l'exemple de Robeck qu'il cite, et qui semble autoriser le sien. Robeck délibéra si posément qu'il eut la patience de faire un livre, un gros livre, bien long, bien pesant, bien froid, et quand il eut établi, selon lui, qu'il était permis de se donner la mort, il se la donna avec la même tranquillité. Défions-nous des préjugés de siècle et de nation. Quand ce n'est pas la mode de se tuer, on n'imagine que des enragés qui se tuent ; tous les actes de courage sont autant de chimères pour les âmes faibles ; chacun ne juge des autres que par soi. Cependant combien n'avons-nous pas d'exemples attestés d'hommes sages en tout autre point, qui, sans remords, sans fureur, sans désespoir, renoncent à la vie uniquement parce qu'elle leur est à charge, et meurent plus tranquillement qu'ils n'ont vécu ?

---

1. Pilotis pour le « roman » amoureux italien de l'Anglais qui hésite entre deux femmes. Voir V, 12 et VI, 3, et *Les Amours de Milord Bomston*.
2. Métaphore agonistique. Le verbe a le même sens que dans la phrase : « *Il l'a dégagé du milieu de ses ennemis* » (*Acad.* 1762, art. « dégager »).

Que tardons-nous à faire un pas qu'il faut toujours faire ? Attendrons-nous que la vieillesse et les ans nous attachent bassement à la vie après nous en avoir ôté les charmes, et que nous traînions avec effort ignominie et douleur un corps infirme et cassé ? Nous sommes dans l'âge où la vigueur de l'âme la dégage aisément de ses entraves, et où l'homme sait encore mourir ; plus tard il se laisse en gémissant arracher la vie. Profitons d'un temps où l'ennui de vivre nous rend la mort désirable ; craignons qu'elle ne vienne avec ses horreurs au moment où nous n'en voudrons plus. Je m'en souviens, il fut un instant où je ne demandais qu'une heure au Ciel, et où je serais mort désespéré si je ne l'eusse obtenue [1]. Ah qu'on a de peine à briser les nœuds qui lient nos cœurs à la terre, et qu'il est sage de la quitter aussitôt qu'ils sont rompus ! Je le sens, Milord, nous sommes dignes tous deux d'une habitation plus pure : la vertu nous la montre, et le sort nous invite à la chercher. Que l'amitié qui nous joint nous unisse encore à notre dernière heure. Ô quelle volupté pour deux vrais amis de finir leurs jours volontairement dans les bras l'un de l'autre, de confondre leurs derniers soupirs, d'exhaler à la fois les deux moitiés de leur âme [2] ! Quelle douleur, quel regret peut empoisonner leurs derniers instants ? Que quittent-ils en sortant du monde ? Ils s'en vont ensemble ; ils ne quittent rien.

Lettre XXII
Réponse

Jeune homme, un aveugle transport t'égare ; sois plus discret [3] ; ne conseille point en demandant conseil. J'ai connu d'autres maux que les tiens. J'ai l'âme ferme ; je suis Anglais, je sais mourir ; car je sais vivre, souffrir en homme. J'ai vu la mort de près, et la regarde avec trop d'indifférence pour l'aller chercher. Parlons de toi.

---

1. Voir lettre I, 54. **2.** Autre écho du *Phédon* de Platon, avec une connotation érotique assez transparente dans cette étreinte voluptueuse et mortelle entre deux hommes. Comparer avec IV, 1 et l'appel à une réunion heureuse de Julie à Claire. **3.** Avisé, décent.

Il est vrai, tu m'étais nécessaire ; mon âme avait besoin de la tienne ; tes soins pouvaient m'être utiles ; ta raison pouvait m'éclairer dans la plus importante affaire de ma vie ; si je ne m'en sers point, à qui t'en prends-tu ? Où est-elle ? Qu'est-elle devenue ? Que peux-tu faire ? À quoi es-tu bon dans l'état où te voilà ? Quels services puis-je espérer de toi ? Une douleur insensée te rend stupide et impitoyable. Tu n'es pas un homme ; tu n'es rien [1] ; et si je ne regardais à ce que tu peux être, tel que tu es, je ne vois rien dans le monde au-dessous de toi.

Je n'en veux pour preuve que ta Lettre même. Autrefois je trouvais en toi du sens, de la vérité. Tes sentiments étaient droits, tu pensais juste, et je ne t'aimais pas seulement par goût mais par choix, comme un moyen de plus pour moi de cultiver la sagesse. Qu'ai-je trouvé maintenant dans les raisonnements de cette Lettre dont tu parais si content ? Un misérable et perpétuel sophisme qui dans l'égarement de ta raison marque celui de ton cœur, et que je ne daignerais pas même relever si je n'avais pitié de ton délire.

Pour renverser tout cela d'un mot, je ne veux te demander qu'une seule chose. Toi qui crois Dieu existant, l'âme immortelle, et la liberté de l'homme, tu ne penses pas, sans doute, qu'un être intelligent reçoive un corps et soit placé sur la terre au hasard, seulement pour vivre, souffrir et mourir ? Il y a bien, peut-être, à la vie humaine un but, une fin, un objet moral ? Je te prie de me répondre clairement sur ce point ; après quoi nous reprendrons pied à pied ta Lettre, et tu rougiras de l'avoir écrite.

Mais laissons les maximes générales, dont on fait souvent beaucoup de bruit sans jamais en suivre aucune ; car il se trouve toujours dans l'application quelque condition particulière, qui change tellement l'état des choses que chacun se croit dispensé d'obéir à la règle qu'il prescrit aux autres, et l'on sait bien que tout homme qui pose des maximes générales, entend qu'elles obligent tout le monde, excepté lui. Encore un coup parlons de toi.

---

1. Adepte des thérapies de choc, Bomston redira la même chose à Saint-Preux après le songe de Villeneuve : voir V, 9, p. 726.

Il t'est donc permis, selon toi, de cesser de vivre ? La preuve en est singulière ; c'est que tu as envie de mourir. Voilà certes un argument fort commode pour les scélérats : Ils doivent t'être bien obligés des armes que tu leur fournis ; il n'y aura plus de forfaits qu'ils ne justifient par la tentation de les commettre, et dès que la violence de la passion l'emportera sur l'horreur du crime, dans le désir de mal faire ils en trouveront aussi le droit.

Il t'est donc permis de cesser de vivre ? Je voudrais bien savoir si tu as commencé ? Quoi ! fus-tu placé sur la terre pour n'y rien faire ? Le Ciel ne t'imposa-t-il point avec la vie une tâche pour la remplir ? Si tu as fait ta journée avant le soir, repose-toi le reste du jour, tu le peux ; mais voyons ton ouvrage. Quelle réponse tiens-tu prête au Juge Suprême qui te demandera compte de ton temps ? Parle, que lui diras-tu ? J'ai séduit une fille honnête. J'abandonne un ami dans ses chagrins. Malheureux ! trouve-moi ce juste qui se vante d'avoir assez vécu ; que j'apprenne de lui comment il faut avoir porté [1] la vie pour être en droit de la quitter.

Tu comptes les maux de l'humanité. Tu ne rougis pas d'épuiser des lieux communs cent fois rebattus, et tu dis : La vie est un mal. Mais, regarde, [2] cherche dans l'ordre des choses, si tu y trouves quelques biens qui ne soient point mêlés de maux. Est-ce donc à dire qu'il n'y ait aucun bien dans l'univers, et peux-tu confondre ce qui est mal par sa nature avec ce qui ne souffre le mal que par accident ? Tu l'as dit toi-même, la vie passive de l'homme n'est rien, et ne regarde qu'un corps dont il sera bientôt délivré ; mais sa vie active et morale qui doit influer sur tout son être, consiste dans l'exercice de sa volonté. La vie est un mal pour le méchant qui prospère, et un bien pour l'honnête homme infortuné : car ce n'est pas une modification passagère, mais son rapport avec son objet qui la rend bonne ou mauvaise. Quelles sont enfin ces douleurs si cruelles qui te forcent de la quitter ? Penses-tu que je n'aie pas démêlé sous ta feinte impartialité dans le dénombrement des maux de cette vie la honte de parler des tiens ? Crois-moi, n'abandonne pas à la

---

1. Supporté. **2.** Nous ajoutons une virgule.

fois toutes tes vertus. Garde au moins ton ancienne franchise, et dis ouvertement à ton ami : J'ai perdu l'espoir de corrompre une honnête femme, me voilà forcé d'être homme de bien ; j'aime mieux mourir.

Tu t'ennuies de vivre, et tu dis : La vie est un mal. Tôt ou tard tu seras consolé, et tu diras : La vie est un bien. Tu diras plus vrai sans mieux raisonner : car rien n'aura changé que toi. Change donc dès aujourd'hui, et puisque c'est dans la mauvaise disposition de ton âme qu'est tout le mal, corrige tes affections déréglées, et ne brûle pas ta maison pour n'avoir pas la peine de la ranger [1].

Je souffre, me dis-tu ; dépend-il de moi de ne pas souffrir ? D'abord, c'est changer l'état de la question ; car il ne s'agit pas de savoir si tu souffres, mais si c'est un mal pour toi de vivre. Passons. Tu souffres, tu dois chercher à ne plus souffrir. Voyons s'il est besoin de mourir pour cela.

Considère un moment le progrès naturel des maux de l'âme directement opposé au progrès des maux du corps, comme les deux substances sont opposées par leur nature. Ceux-ci s'invétèrent, s'empirent en vieillissant et détruisent enfin cette machine mortelle. Les autres, au contraire, altérations externes et passagères d'un être immortel et simple, s'effacent insensiblement et le laissent dans sa forme originelle que rien ne saurait changer. La tristesse, l'ennui, les regrets, le désespoir sont des douleurs peu durables, qui ne s'enracinent jamais dans l'âme, et l'expérience dément toujours ce sentiment d'amertume qui nous fait regarder nos peines comme éternelles. Je dirai plus ; je ne puis croire que les vices qui nous corrompent nous soient plus inhérents [2] que nos chagrins ; non seulement je pense qu'ils périssent avec le corps qui les occasionne ; mais je ne doute pas qu'une plus longue vie ne pût suffire pour corriger les hommes, et que plusieurs siècles de jeunesse ne nous apprissent qu'il n'y a rien de meilleur que la vertu.

Quoi qu'il en soit ; puisque la plupart de nos maux physiques ne font qu'augmenter sans cesse, de violentes douleurs du corps, quand elles sont incurables, peuvent

---

1. Bomston reprend ici l'argumentation stoïcienne, que Saint-Preux avait tenté de réfuter. **2.** « Terme de Philosophie qui exprime la jonction des choses » (*Féraud*).

autoriser un homme à disposer de lui : car toutes ses facultés étant aliénées par la douleur, et le mal étant sans remède, il n'a plus l'usage ni de sa volonté ni de sa raison ; il cesse d'être homme avant de mourir, et ne fait en s'ôtant la vie qu'achever de quitter un corps qui l'embarrasse et où son âme n'est déjà plus.

Mais il n'en est pas ainsi des douleurs de l'âme, qui, pour vives qu'elles soient, portent toujours leur remède avec elles. En effet, qu'est-ce qui rend un mal quelconque intolérable ? c'est sa durée. Les opérations de la chirurgie sont communément beaucoup plus cruelles que les souffrances qu'elles guérissent ; mais la douleur du mal est permanente, celle de l'opération passagère, et l'on préfère celle-ci. Qu'est-il donc besoin d'opération pour des douleurs qu'éteint leur propre durée, qui seule les rendrait insupportables ? Est-il raisonnable d'appliquer d'aussi violents remèdes aux maux qui s'effacent d'eux-mêmes ? Pour qui fait cas de la constance et n'estime les ans que le peu qu'ils valent, de deux moyens de se délivrer des mêmes souffrances, lequel doit être préféré de la mort ou du temps ? Attends et tu seras guéri [1]. Que demandes-tu davantage ?

Ah ! c'est ce qui redouble mes peines de songer qu'elles finiront ! Vain sophisme de la douleur ! Bon mot sans raison, sans justesse, et peut-être sans bonne foi. Quel absurde motif de désespoir que l'espoir de terminer sa misère * ! Même en supposant ce bizarre sentiment, qui n'aimerait mieux aigrir un moment la douleur présente par l'assurance de la voir finir, comme on scarifie une plaie pour

---

* Non, Milord, on ne termine pas ainsi sa misère, on y met le comble ; on rompt les derniers nœuds qui nous attachaient au bonheur. En regrettant ce qui nous fut cher, on tient encore à l'objet de sa douleur par sa douleur même, et cet état est moins affreux que de ne tenir plus à rien.

---

1. Bomston s'adresse à Saint-Preux comme Jésus au paralytique (Matthieu 8) dans un moment où la guérison est la métaphore de l'accès à la foi nouvelle : l'intertexte évangélique est, dans le contexte, sans doute à prendre avec précaution (Bomston n'a guère l'autorité du Christ !) mais permet peut-être d'indiquer discrètement que la « guérison » s'assortit ici d'un appel à y *croire*, à changer de foi, alors que la religion à laquelle Saint-Preux entend rester fidèle est le culte de Julie. La *guérison* de la passion sera tout l'enjeu du roman à partir de la partie IV.

la faire cicatriser ? et quand la douleur aurait un charme qui nous ferait aimer à souffrir, s'en priver en s'ôtant la vie, n'est-ce pas faire à l'instant même tout ce qu'on craint de l'avenir [a] ?

Penses-y bien, jeune homme ; que sont dix, vingt, trente ans pour un être immortel ? La peine et le plaisir passent comme une ombre ; la vie s'écoule en un instant ; elle n'est rien par elle-même, son prix dépend de son emploi. Le bien seul qu'on a fait demeure, et c'est par lui qu'elle est quelque chose.

Ne dis donc plus que c'est un mal pour toi de vivre, puisqu'il dépend de toi seul que ce soit un bien, et que si c'est un mal d'avoir vécu, c'est une raison de plus pour vivre encore. Ne dis pas, non plus, qu'il t'est permis de mourir ; car autant vaudrait dire qu'il t'est permis de n'être pas homme, qu'il t'est permis de te révolter contre l'auteur de ton être, et de tromper ta destination. Mais en ajoutant que ta mort ne fait de mal à personne, songes-tu que c'est à ton ami que tu l'oses dire ?

Ta mort ne fait de mal à personne ? J'entends ! mourir à nos dépens ne t'importe guère, tu comptes pour rien nos regrets. Je ne te parle plus des droits de l'amitié que tu méprises ; n'en est-il point de plus chers encore * qui t'obligent à te conserver ? S'il est une personne au monde qui t'ait assez aimé pour ne vouloir pas te survivre, et à qui ton bonheur manque pour être heureuse, penses-tu ne lui rien devoir ? Tes funestes projets exécutés ne troubleront-ils point la paix d'une âme rendue avec tant de peine à sa première innocence ? Ne crains-tu point de rouvrir dans ce cœur trop tendre des blessures mal refermées ? Ne crains-tu point que ta perte n'en entraîne une autre encore plus cruelle, en ôtant au monde et à la vertu leur plus digne ornement ? et si elle [1] te survit, ne crains-tu point d'exciter dans son sein le remords, plus pesant à supporter que la vie ? Ingrat ami, amant sans délicatesse, seras-tu toujours

---

* Des droits plus chers que ceux de l'amitié ? Et c'est un sage qui le dit ! Mais ce prétendu sage était amoureux lui-même.

---

1. Julie, bien sûr, qu'il s'agit de ne pas nommer.

occupé de toi-même[1] ? Ne songeras-tu jamais qu'à tes peines ? N'es-tu point sensible au bonheur de ce qui te fut cher ? et ne saurais-tu vivre pour celle qui voulut mourir avec toi[2] ?

Tu parles des devoirs du magistrat et du père de famille, et parce qu'ils ne te sont pas imposés, tu te crois affranchi de tout. Et la société à qui tu dois ta conservation, tes talents, tes lumières ; la patrie à qui tu appartiens, les malheureux qui ont besoin de toi, ne leur dois-tu rien ? Ô l'exact dénombrement que tu fais ! parmi les devoirs que tu comptes, tu n'oublies que ceux d'homme et de Citoyen. Où est ce vertueux patriote qui refuse de vendre son sang à un prince étranger, parce qu'il ne doit le verser que pour son pays, et qui veut maintenant le répandre en désespéré contre l'expresse défense des lois[3] ? Les lois, les lois, jeune homme ! le sage les méprise-t-il ? Socrate innocent, par respect pour elles ne voulut pas sortir de prison[4]. Tu ne balances point à les violer pour sortir injustement de la vie, et tu demandes : Quel mal fais-je ?

Tu veux t'autoriser par des exemples. Tu m'oses nommer des Romains ! Toi, des Romains ! Il t'appartient bien d'oser prononcer ces noms illustres ! Dis-moi, Brutus mourut-il en amant désespéré, et Caton déchira-t-il ses entrailles pour sa maîtresse[5] ? Homme petit et faible, qu'y a-t-il entre Caton et toi ? Montre-moi la mesure commune de cette âme sublime et de la tienne. Téméraire, ah tais-toi ! Je crains de profaner son nom par son apologie. À ce nom saint et auguste, tout ami de la vertu doit mettre le front dans la poussière, et honorer en silence la mémoire du plus grand des hommes[6].

---

1. À rapprocher de II, 7-8. **2.** Allusion à I, 53. **3.** Allusion à I, 34. Julie, développant à propos du duel une argumentation analogue à celle de Bomston ici, relativement au droit de disposer de soi-même, renvoyait également Saint-Preux à cette lettre (voir I, 57, n. 2, p. 195). **4.** Les amis de Socrate se proposaient de le faire évader : le sage préféra se soumettre aux lois de la cité (Platon, *Criton*, XII). **5.** Saint-Preux est donc un homme efféminé et sentimental, non un héros tragique. Voir II, 7, n. 1, p. 256. On pourrait y lire une réfutation des *Amours des grands hommes* de Mme de Villedieu : la romancière y peint malicieusement un « Caton galant » (éd. N. Grande, STFM, 2015). **6.** Cet enthousiasme pour Caton d'Utique est à l'image de celui de Rousseau : « Pourquoi voudrais-je être Caton qui déchire ses entrailles, plutôt que César triomphant ? » (*Émile*, livre IV, in *OC*, p. 596).

Que tes exemples sont mal choisis, et que tu juges bassement des Romains, si tu penses qu'ils se crussent en droit
de s'ôter la vie aussitôt qu'elle leur était à charge ! [1] Regarde
les beaux temps de la République, et cherche si tu y verras
un seul Citoyen vertueux se délivrer ainsi du poids de ses
devoirs, même après les plus cruelles infortunes. Régulus
retournant à Carthage, prévint-il par sa mort les tourments
qui l'attendaient [2] ? Que n'eût point donné Posthumius pour
que cette ressource lui fût permise aux Fourches Caudines [3] ?
Quel effort de courage le Sénat même n'admira-t-il pas dans
le Consul Varron pour avoir pu survivre à sa défaite [4] ? Par
quelle raison tant de Généraux se laissèrent-ils volontairement livrer aux ennemis, eux à qui l'ignominie était si
cruelle, et à qui il en coûtait si peu de mourir ? C'est qu'ils
devaient à la patrie leur sang leur vie et leurs derniers soupirs, et que la honte ni les revers ne les pouvaient détourner
de ce devoir sacré. Mais quand les Lois furent anéanties, et
que l'État fut en proie à des Tyrans, les Citoyens reprirent
leur liberté naturelle et leurs droits sur eux-mêmes. Quand
Rome ne fut plus, il fut permis à des Romains de cesser
d'être ; ils avaient rempli leurs fonctions sur la terre, ils
n'avaient plus de patrie, ils étaient en droit de disposer
d'eux, et de se rendre à eux-mêmes la liberté qu'ils ne pouvaient plus rendre à leur pays. Après avoir employé leur vie
à servir Rome expirante et à combattre pour les Lois, ils
moururent vertueux et grands comme ils avaient vécu, et
leur mort fut encore un tribut à la gloire du nom Romain,
afin qu'on ne vît dans aucun d'eux le spectacle indigne, des
vrais Citoyens servant un usurpateur.

---

1. Nous remplaçons le point par un point d'exclamation. **2.** Fait prisonnier
par les Carthaginois, le général Regulus fut envoyé à Rome pour négocier
la paix. Il dissuada le Sénat d'accepter les clauses de la cité ennemie mais,
fidèle à sa parole, il revint à Carthage où il savait que l'attendait une mort
horrible (il fut enfermé et roulé dans un tonneau hérissé de pointes). **3.** Le
consul Posthumius, vaincu en − 433 dans ce défilé étroit, dut se rendre en
faisant passer son armée sous le joug des Samnites. L'anecdote a donné
l'expression lexicalisée « passer sous les fourches caudines » : subir des
conditions humiliantes. **4.** Défait par Annibal à Cannes, le consul Varron
reforma une armée à Venuse et reçut les honneurs du Sénat pour avoir
défendu la République.

Mais toi, qui es-tu ? Qu'as-tu fait ? Crois-tu t'excuser sur ton obscurité ? Ta faiblesse t'exempte-t-elle de tes devoirs, et pour n'avoir ni nom [1] ni rang dans ta Patrie, en es-tu moins soumis à ses lois ? Il te sied bien d'oser parler de mourir tandis que tu dois l'usage de ta vie à tes semblables ! Apprends qu'une mort telle que tu la médites est honteuse et furtive [2]. C'est un vol fait au genre humain. Avant de le quitter, rends-lui ce qu'il a fait pour toi. Mais je ne tiens à rien ? Je suis inutile au monde ? Philosophe d'un jour ! Ignores-tu que tu ne saurais faire un pas sur la terre sans y trouver quelque devoir à remplir, et que tout homme est utile à l'humanité, par cela seul qu'il existe ?

Écoute-moi, jeune insensé ; tu m'es cher ; j'ai pitié de tes erreurs. S'il te reste au fond du cœur le moindre sentiment de vertu, viens, que je t'apprenne à aimer la vie. Chaque fois que tu seras tenté d'en sortir, dis en toi-même : « Que je fasse encore une bonne action avant que de mourir. » Puis va chercher quelque indigent à secourir, quelque infortuné à consoler, quelque opprimé à défendre. Rapproche de moi les malheureux que mon abord intimide ; ne crains d'abuser ni de ma bourse ni de mon crédit : prends ; épuise mes biens, fais-moi riche. Si cette considération te retient aujourd'hui, elle te retiendra encore demain, après-demain, toute ta vie. Si elle ne te retient pas ; meurs, tu n'es qu'un méchant [b].

Lettre XXIII
De Milord Édouard

Je ne pourrai, mon cher, vous embrasser aujourd'hui, comme je l'avais espéré, et l'on me retient encore pour deux jours à Kensington. Le train de la Cour est qu'on y travaille beaucoup sans rien faire, et que toutes les affaires s'y succèdent sans s'achever. Celle qui m'arrête ici depuis [a] huit jours ne demandait pas deux heures ; mais comme la plus importante affaire des Ministres est d'avoir toujours l'air affairé, ils perdent plus de temps à me remettre [3] qu'ils n'en

---

1. Le *nom* « signifie aussi réputation » (*Acad.* 1762). **2.** Cachée, secrète. **3.** À différer ma requête.

auraient mis à m'expédier. Mon impatience un peu trop
visible n'abrège pas ces délais. Vous savez que la Cour ne
me convient guère ; elle m'est encore plus insupportable
depuis que nous vivons ensemble, et j'aime cent fois mieux
partager votre mélancolie que l'ennui des valets qui peu-
plent ce pays.

Cependant, en causant avec ces empressés fainéants, il
m'est venu une idée qui vous regarde, et sur laquelle je
n'attends que votre aveu pour disposer de vous. Je vois
qu'en combattant vos peines vous souffrez à la fois du mal
et de la résistance. Si vous voulez vivre et guérir, [1] c'est
moins parce que l'honneur et la raison l'exigent que pour
complaire à vos amis. Mon cher, ce n'est pas assez. Il faut
reprendre le goût de la vie pour en bien remplir les devoirs,
et avec tant d'indifférence pour toute chose, on ne réussit
jamais à rien. Nous avons beau faire l'un et l'autre ; la
raison seule ne vous rendra pas la raison [2]. Il faut qu'une
multitude d'objets nouveaux et frappants vous arrachent
une partie de l'attention que votre cœur ne donne qu'à celui
qui l'occupe. Il faut pour vous rendre à vous-même que vous
sortiez d'au-dedans de vous, et ce n'est que dans l'agitation
d'une vie active que vous pouvez retrouver le repos [3].

Il se présente pour cette épreuve une occasion qui n'est
pas à dédaigner ; il est question d'une entreprise grande,
belle, et telle que bien des âges n'en voient pas de semblables. Il dépend de vous d'en être témoin et d'y concourir.
Vous verrez le plus grand spectacle qui puisse frapper les
yeux des hommes ; votre goût pour l'observation trouvera
de quoi se contenter. Vos fonctions seront honorables, elles
n'exigeront, avec des talents que vous possédez, que du courage et de la santé. Vous y trouverez plus de péril que de

---

1. Nous remplaçons le point-virgule par une virgule. **2.** Ce polyptote en
rappelle un autre, fameux, dans les *Pensées* de Pascal : « Le cœur a ses
raisons que la raison ne connaît pas » (Sellier 680, p. 467). **3.** Nouvelle illustration du principe du « remède dans le mal », déclinée à travers une série
de paradoxes. La solution, guère pascalienne pour le coup, consiste à
« divertir » Saint-Preux. Mais elle autorise, dans la dernière lettre de cette
troisième partie, la variation autour d'un *topos* : le motif, venu des *Tristes*
d'Ovide, du voyage comme exil.

gêne[1] ; elles ne vous en conviendront que mieux ; enfin votre engagement ne sera pas fort long. Je ne puis vous en dire aujourd'hui davantage ; parce que ce projet sur le point d'éclore est pourtant encore un secret dont je ne suis pas le maître. J'ajouterai seulement que si vous négligez cette heureuse et rare occasion, vous ne la retrouverez probablement jamais, et la regretterez, peut-être, toute votre vie.

J'ai donné ordre à mon Coureur[2], qui vous porte cette Lettre, de vous chercher où que vous soyez, et de ne point revenir sans votre réponse ; car elle presse, et je dois donner la mienne avant de partir d'ici.

Lettre XXIV
Réponse

Faites, Milord ; ordonnez de moi ; vous ne serez désavoué sur rien. En attendant que je mérite de vous servir, au moins que je vous obéisse.

Lettre XXV
De Milord Édouard

Puisque vous approuvez l'idée qui m'est venue, je ne veux pas tarder un moment à vous marquer que tout vient d'être conclu, et à vous expliquer de quoi il s'agit, selon la permission que j'en ai reçue en répondant de vous.

Vous savez qu'on vient d'armer à Plymouth une Escadre de cinq Vaisseaux de guerre, et qu'elle est prête à mettre à la voile. Celui qui doit la commander est M. George Anson, habile et vaillant Officier, mon ancien ami. Elle est destinée pour la mer du Sud où elle doit se rendre par le détroit de Le Maire, et en revenir par les Indes orientales[3]. Ainsi vous

---

1. Au sens fort d'une contrainte violente, qui peut être ressentie comme injuste par celui qui la subit. **2.** « Domestique qui court à pied, et dont on se sert pour faire des messages avec grande diligence » (*Acad.* 1762). **3.** La flotte commandée par George Anson (nommé amiral en 1761, un an avant sa mort) a quitté l'Angleterre en septembre 1740 pour gagner l'océan Pacifique (la mer du Sud), en passant par le détroit de Le Maire (au sud de la Terre de Feu). L'expédition, liée à la guerre contre l'Espagne, n'avait que secondairement un objet scientifique et se caractérisait essentiellement par voyez qu'il n'est pas question de moins que du tour du monde ; expédition qu'on estime devoir durer environ trois ans. J'aurais pu vous faire inscrire comme volontaire ; mais pour vous donner plus de considération dans l'équipage j'y ai fait ajouter un titre, et vous êtes couché sur l'état [1] en qualité d'Ingénieur des troupes de débarquement ; ce qui vous convient d'autant mieux que le génie [2] étant votre première destination, je sais que vous l'avez appris dès votre enfance.

Je compte retourner demain à Londres * et vous présenter à M. Anson dans deux jours. En attendant, songez à votre équipage [3], et à vous pourvoir d'Instruments et de Livres ; car l'embarquement est prêt, et l'on n'attend plus que l'ordre du départ. Mon cher ami, j'espère que Dieu vous ramènera sain de corps et de cœur de ce long voyage, et qu'à votre retour nous nous rejoindrons pour ne nous séparer jamais.

Lettre XXVI
À Mad^e d'Orbe

Je pars, chère et charmante Cousine, pour faire le tour du globe ; je vais chercher dans un autre hémisphère la paix dont je n'ai pu jouir dans celui-ci. Insensé que je suis ! Je vais errer dans l'univers sans trouver un lieu pour y reposer mon cœur ; je vais chercher un asile au monde où je puisse être loin de vous ! Mais il faut respecter les volontés d'un ami, d'un bienfaiteur, d'un père. Sans espérer de guérir, il faut au moins le vouloir, puisque Julie et la vertu l'ordonnent. Dans trois heures je vais être à la merci des

* Je n'entends pas trop bien ceci. Kensington n'étant qu'à un quart de lieue de Londres, les Seigneurs qui vont à la Cour n'y couchent pas ; cependant voilà Milord Édouard forcé d'y passer je ne sais combien de jours. [NdE : note absente de CL, CP et CH.]

l'activité « corsaire », surtout dans sa dernière année ; elle dura jusqu'en 1744. Richard Walter, qui fut le chapelain anglican de l'expédition, en publia en 1748 la relation, qui fut très lue en ce siècle friand de récits de voyages. **1.** Enregistré sur la liste du personnel de l'équipage. **2.** « On appelle *Génie* l'art de fortifier, d'attaquer, de défendre une place, un camp, un poste » (*Acad.* 1762). **3.** Vos bagages et votre équipement.

flots ; dans trois jours, je ne verrai plus l'Europe ; dans trois mois je serai dans des mers inconnues où règnent d'éternels orages ; dans trois ans peut-être [1].... Qu'il serait affreux de ne vous plus voir ! Hélas ! le plus grand péril est au fond de mon cœur : car quoi qu'il en soit de mon sort, [2] je l'ai résolu, je le jure, vous me verrez digne de paraître à vos yeux, ou vous ne me reverrez jamais.

Milord Édouard qui retourne à Rome vous remettra cette Lettre en passant, et vous fera le détail de ce qui me regarde. Vous connaissez son âme, et vous devinerez aisément ce qu'il ne vous dira pas. Vous connûtes la mienne ; jugez aussi de ce que je ne vous dis pas moi-même. Ah ! Milord ! vos yeux les reverront !

Votre amie a donc ainsi que vous le bonheur d'être mère ? Elle devait donc l'être ?.... Ciel inexorable !.... ô ma mère, pourquoi vous donna-t-il un fils dans sa colère ?....

Il faut finir, je le sens. Adieu, charmantes Cousines. Adieu, Beautés incomparables. Adieu, pures et célestes âmes. Adieu, tendres et inséparables amies, femmes uniques sur la terre. Chacune de vous est le seul objet digne du cœur de l'autre. Faites mutuellement votre bonheur. Daignez vous rappeler quelquefois la mémoire d'un infortuné qui n'existait que pour partager entre vous, tous les sentiments de son âme, et qui cessa de vivre au moment qu'il s'éloigna de vous. Si jamais..... J'entends le signal et les cris des Matelots ; je vois fraîchir [3] le vent et déployer les voiles. Il faut monter à bord, il faut partir. Mer vaste, mer immense, qui dois peut-être m'engloutir dans ton sein ; puissé-je retrouver sur tes flots le calme qui fuit mon cœur agité !

Fin de la troisième partie

---

1. L'anaphore fait songer aux vers de *Bérénice*, IV, 5 (décidément très sollicités) : « Dans un mois, dans un an, comment souffrirons-nous,/ Seigneur, que tant de mers me séparent de vous ? » **2.** Nous remplaçons le point-virgule par une virgule. **3.** « Terme de Marine. Il se dit du vent qui devient fort » (*Acad.* 1762).

QUATRIÈME PARTIE

Lettre I
De Mad^e de Wolmar à Mad^e d'Orbe

Que tu tardes longtemps à revenir ! Toutes ces allées et venues ne m'accommodent point. Que d'heures se perdent à te rendre où tu devrais toujours être, et qui pis est à t'en éloigner ! L'idée de se voir pour si peu de temps gâte tout le plaisir d'être ensemble. Ne sens-tu pas qu'être ainsi alternativement chez toi et chez moi, c'est n'être bien nulle part, et n'imagines-tu point quelque moyen de faire que tu sois en même temps chez l'une et chez l'autre ?

Que faisons-nous, chère Cousine ? Que d'instants précieux nous laissons perdre, quand il ne nous en reste plus à prodiguer ! Les années se multiplient ; la jeunesse commence à fuir ; la vie s'écoule ; le bonheur passager qu'elle offre est entre nos mains, et nous négligeons d'en jouir ! Te souvient-il du temps où nous étions encore filles, de ces premiers temps si charmants et si doux qu'on ne retrouve plus dans un autre âge, et que le cœur oublie avec tant de peine ? Combien de fois, forcées de nous séparer pour peu de jours et même pour peu d'heures, nous disions en nous embrassant tristement : Ah ! si jamais nous disposons de nous, on ne nous verra plus séparées ? Nous en disposons maintenant, et nous passons la moitié de l'année éloignées l'une de l'autre. Quoi ! nous aimerions-nous moins ? chère et tendre amie, nous le sentons toutes deux, combien le temps, l'habitude, et tes bienfaits ont rendu notre attachement plus fort et plus indissoluble. Pour moi, ton absence me paraît de jour en jour plus insupportable, et je ne puis plus vivre un instant sans toi. Ce progrès de notre amitié est plus naturel qu'il ne semble : il a sa raison dans notre situation ainsi que dans nos caractères. À mesure qu'on avance en âge tous les sentiments se concentrent. On perd tous les jours quelque chose de ce qui nous fut cher, et l'on ne le remplace plus. On meurt ainsi par degrés, jusqu'à ce que n'aimant enfin que soi-même, on ait cessé de sentir et de vivre avant de cesser d'exister. Mais un cœur sensible se défend de toute sa force contre cette mort anticipée ; quand le froid commence aux extrémités, il rassemble autour de lui toute sa chaleur naturelle ; plus il perd, plus il s'attache à ce qui lui reste ; et il tient, pour ainsi dire, au dernier objet par les liens de tous les autres.

Voilà ce qu'il me semble éprouver déjà, quoique jeune encore. Ah ! ma chère, mon pauvre cœur a tant aimé ! Il s'est épuisé de si bonne heure qu'il vieillit avant le temps, et tant d'affections diverses l'ont tellement absorbé qu'il n'y reste plus de place pour des attachements nouveaux. Tu m'as vue successivement fille, amie, amante, épouse, et mère. Tu sais si tous ces titres m'ont été chers ! Quelques-uns de ces liens sont détruits, d'autres sont relâchés. Ma mère, ma tendre mère n'est plus ; il ne me reste que des pleurs à donner à sa mémoire, et je ne goûte qu'à moitié le plus doux sentiment de la nature. L'amour est éteint, il l'est pour jamais, et c'est encore une place qui ne sera point remplie. Nous avons perdu ton digne et bon mari que j'aimais comme la chère moitié de toi-même, et qui méritait si bien ta tendresse et mon amitié. Si mes fils étaient plus grands, l'amour maternel remplirait tous ces vides : Mais cet amour, ainsi que tous les autres a besoin de communication, et quel retour peut attendre une mère d'un enfant de quatre ou cinq ans ? Nos enfants nous sont chers longtemps avant qu'ils puissent le sentir et nous aimer à leur tour ; et cependant, on a si grand besoin de dire combien on les aime à quelqu'un qui nous entende ! Mon mari m'entend ; mais il ne me répond pas assez à ma fantaisie ; la tête ne lui en tourne pas comme à moi : sa tendresse pour eux est trop raisonnable ; j'en veux une plus vive et qui ressemble mieux à la mienne. Il me faut une amie, une mère qui soit aussi folle que moi de mes enfants et des siens. En un mot, la maternité me rend l'amitié plus nécessaire encore, par le plaisir de parler sans cesse de mes enfants, sans donner de l'ennui. Je sens que je jouis doublement des caresses de mon petit Marcellin quand je te les vois partager. Quand j'embrasse ta fille, je crois te presser contre mon sein. Nous l'avons dit cent fois ; en voyant tous nos petits Bambins jouer ensemble, nos cœurs unis les confondent, et nous ne savons plus à laquelle appartient chacun des trois.

Ce n'est pas tout, j'ai de fortes raisons pour te souhaiter sans cesse auprès de moi, et ton absence m'est cruelle à plus d'un égard. Songe à mon éloignement pour toute dissimulation et à cette continuelle réserve où je vis depuis près de six ans avec l'homme du monde qui m'est le plus cher. Mon odieux secret me pèse de plus en plus, et semble chaque jour devenir plus indispensable. Plus l'honnêteté veut que je le révèle, plus la prudence m'oblige à le garder. Conçois-tu quel état affreux c'est pour une femme de porter la défiance le mensonge et la crainte jusque dans les bras d'un époux, de n'oser ouvrir son cœur à celui qui le possède, et de lui cacher la moitié de sa vie pour assurer le repos de l'autre ? À qui, grand Dieu ! faut-il déguiser mes plus secrètes pensées et celer l'intérieur d'une âme dont il aurait lieu d'être si content ? À M. de Wolmar, à mon mari, au plus digne époux dont le ciel eût pu récompenser la vertu d'une fille chaste. Pour l'avoir trompé une fois, il faut le tromper tous les jours, et me sentir sans cesse indigne de toutes ses bontés pour moi. Mon cœur n'ose accepter aucun témoignage de son estime ; ses plus tendres caresses me font rougir, et toutes les marques de respect et de considération qu'il me donne se changent dans ma conscience en opprobres et en signes de mépris. Il est bien dur d'avoir à se dire sans cesse : C'est une autre que moi qu'il honore. Ah s'il me connaissait, il ne me traiterait pas ainsi ! Non, je ne puis supporter cet état affreux ; je ne suis jamais seule avec cet homme respectable que je ne sois prête à tomber à genoux devant lui, à lui confesser ma faute et à mourir de douleur et de honte à ses pieds.

Cependant les raisons qui m'ont retenue dès le commencement prennent chaque jour de nouvelles forces, et je n'ai pas un motif de parler qui ne soit une raison de me taire. En considérant l'état paisible et doux de ma famille, je ne pense point sans effroi qu'un seul mot y peut causer un désordre irréparable. Après six ans passés dans une si parfaite union, irai-je troubler le repos d'un mari si sage et si bon, qui n'a d'autre volonté que celle de son heureuse épouse, ni d'autre plaisir que de voir régner dans sa maison l'ordre et la paix ? Contristerai-je par des troubles domestiques les vieux jours d'un père que je vois si content, si charmé du bonheur de sa fille et de son ami ? Exposerai-je ces chers enfants, ces enfants aimables et qui promettent tant, à n'avoir qu'une éducation négligée ou scandaleuse, à se voir les tristes victimes de la discorde de leurs parents, entre un père enflammé d'une juste indignation, agité par la jalousie, et une mère infortunée et coupable, toujours noyée dans les pleurs ? Je connais M. de Wolmar estimant sa femme ; que sais-je ce qu'il sera ne l'estimant plus ? Peut-être n'est-il si modéré que parce que la passion qui dominerait dans son caractère n'a pas encore eu lieu de se développer. Peut-être sera-t-il aussi violent dans l'emportement de la colère qu'il est doux et tranquille tant qu'il n'a nul sujet de s'irriter.

Si je dois tant d'égards à tout ce qui m'environne, ne m'en dois-je point aussi quelques-uns à moi-même ? Six ans d'une vie honnête et régulière n'effacent-ils rien des erreurs de la jeunesse, et faut-il m'exposer encore à la peine d'une faute que je pleure depuis si longtemps ? Je te l'avoue, ma Cousine, je ne tourne point sans répugnance les yeux sur le passé ; il m'humilie jusqu'au découragement, et je suis trop sensible à la honte pour en supporter l'idée sans retomber dans une sorte de désespoir. Le temps qui s'est écoulé depuis mon mariage est celui qu'il faut que j'envisage pour me rassurer. Mon état présent m'inspire une confiance que d'importuns souvenirs voudraient m'ôter. J'aime à nourrir mon cœur des sentiments d'honneur que je crois retrouver en moi. Le rang d'épouse et de mère m'élève l'âme et me soutient contre les remords d'un autre état. Quand je vois mes enfants et leur père autour de moi, [1] il me semble que tout y respire la vertu ; ils chassent de mon esprit l'idée même de mes anciennes fautes. Leur innocence est la sauvegarde de la mienne ; ils m'en deviennent plus chers en me rendant meilleure, et j'ai tant d'horreur pour tout ce qui blesse l'honnêteté que j'ai peine à me croire la même qui put l'oublier autrefois. Je me sens si loin de ce que j'étais, si sûre de ce que je suis, qu'il s'en faut peu que je ne regarde

---

1. Nous remplaçons le point-virgule par une virgule.

ce que j'aurais à dire comme un aveu qui m'est étranger et que je ne suis plus obligée de faire.

Voilà l'état d'incertitude et d'anxiété dans lequel je flotte sans cesse en ton absence. Sais-tu ce qui arrivera de tout cela quelque jour ? Mon père va bientôt partir pour Berne, résolu de n'en revenir qu'après avoir vu la fin de ce long procès, dont il ne veut pas nous laisser l'embarras, et ne se fiant pas trop non plus, je pense, à notre zèle à le poursuivre. Dans l'intervalle de son départ à son retour, je resterai seule avec mon mari, et je sens qu'il sera presque impossible que mon fatal secret ne m'échappe [1]. Quand nous avons du monde, tu sais que M. de Wolmar quitte souvent la compagnie et fait volontiers seul des promenades aux environs ; il cause avec les paysans ; il s'informe de leur situation ; il examine l'état de leurs terres ; il les aide au besoin de sa bourse et de ses conseils. Mais quand nous sommes seuls, il ne se promène qu'avec moi ; il quitte peu sa femme et ses enfants, et se prête à leurs petits jeux avec une simplicité si charmante qu'alors je sens pour lui quelque chose de plus tendre encore qu'à l'ordinaire. Ces moments d'attendrissement sont d'autant plus périlleux pour la réserve, qu'il me fournit lui-même les occasions d'en manquer, et qu'il m'a cent fois tenu des propos qui semblaient m'exciter à la confiance. Tôt ou tard il faudra que je lui ouvre mon cœur, je le sens ; mais puisque tu veux que ce soit de concert entre nous, et avec toutes les précautions que la prudence autorise, reviens et fais de moins longues absences ; ou je ne réponds plus de rien.

Ma douce amie, il faut achever, et ce qui reste importe assez pour me coûter le plus à dire. Tu ne m'es pas seulement nécessaire quand je suis avec mes enfants ou avec mon mari, mais surtout quand je suis seule avec ta pauvre Julie, et la solitude m'est dangereuse précisément parce qu'elle m'est douce, et que souvent je la cherche sans y songer. Ce n'est pas, tu le sais, que mon cœur se ressente encore de ses

---

1. Sur ce problème de l'aveu, voir III, 18-20. Contrairement à la princesse de Clèves, Julie n'entend pas ici *prévenir* une tentation, mais correspondre à la haute idée qu'elle se fait de la loyauté conjugale en confessant une faute passée.

anciennes blessures ; non, il est guéri, je le sens, j'en suis très sûre, j'ose me croire vertueuse. Ce n'est point le présent que je crains ; c'est le passé qui me tourmente. Il est des souvenirs aussi redoutables que le sentiment actuel ; on s'attendrit par réminiscence ; on a honte de se sentir pleurer, et l'on n'en pleure que davantage. Ces larmes sont de pitié, de regret, de repentir ; l'amour n'y a plus de part ; il ne m'est plus rien ; mais je pleure les maux qu'il a causés ; je pleure le sort d'un homme estimable que des feux indiscrètement nourris ont privé du repos et peut-être de la vie. Hélas ! sans doute il a péri dans ce long et périlleux voyage que le désespoir lui a fait entreprendre. S'il vivait, du bout du monde il nous eût donné de ses nouvelles ; près de quatre ans se sont écoulés depuis son départ [1]. On dit que l'escadre sur laquelle il est a souffert mille désastres, qu'elle a perdu les trois quarts de ses équipages, que plusieurs vaisseaux sont sumergés [2], qu'on ne sait ce qu'est devenu le reste. Il n'est plus, il n'est plus. Un secret pressentiment me l'annonce. L'infortuné n'aura pas été plus épargné que tant d'autres. La mer, les maladies, la tristesse bien plus cruelle auront abrégé ses jours. Ainsi s'éteint tout ce qui brille un moment sur la terre. Il manquait aux tourments de ma conscience d'avoir à me reprocher la mort d'un honnête homme. Ah ma chère ! Quelle âme c'était que la sienne !.... comme il savait aimer !.... il méritait de vivre.... il aura présenté devant le souverain juge une âme faible, mais saine et aimant la vertu... Je m'efforce en vain de chasser ces tristes idées ; à chaque instant elles reviennent malgré moi. Pour les bannir, ou pour les régler, ton amie a besoin de tes soins ; et puisque je ne puis oublier cet infortuné, j'aime mieux en causer avec toi que d'y penser toute seule.

Regarde que de raisons augmentent le besoin continuel que j'ai de t'avoir avec moi ! Plus sage et plus heureuse, si les mêmes raisons te manquent, ton cœur sent-il moins le même besoin ? S'il est bien vrai que tu ne veuilles point te remarier, ayant si peu de contentement de ta famille, quelle

---

1. Plus haut, Julie s'est dite mariée depuis six ans. Voir la Chronologie interne du roman, p. 949. 2. Orthographe personnelle de Rousseau pour *submergé*, non répertoriée dans les dictionnaires.

maison te peut mieux convenir que celle-ci ? Pour moi, je souffre à te savoir dans la tienne ; car, malgré ta dissimulation, je connais ta manière d'y vivre, et ne suis point dupe de l'air folâtre que tu viens nous étaler à Clarens. Tu m'a bien reproché des défauts en ma vie ; mais j'en ai un très grand à te reprocher à ton tour ; c'est que ta douleur est toujours concentrée et solitaire. Tu te caches pour t'affliger, comme si tu rougissais de pleurer devant ton amie [1]. Claire, je n'aime pas cela. Je ne suis point injuste comme toi ; je ne blâme point tes regrets ; je ne veux pas qu'au bout de deux ans, de dix, ni de toute ta vie, tu cesses d'honorer la mémoire d'un si tendre époux, mais je te blâme, après avoir passé tes plus beaux jours à pleurer avec ta Julie, de lui dérober la douceur de pleurer à son tour avec toi, et de laver par de plus dignes larmes la honte de celles qu'elle versa dans ton sein. Si tu es fâchée de t'affliger, ah ! tu ne connais pas la véritable affliction ! si tu y prends une sorte de plaisir, pourquoi ne veux-tu pas que je le partage ? Ignores-tu que la communication des cœurs imprime à la tristesse je ne sais quoi de doux et de touchant que n'a pas le contentement ? et l'amitié n'a-t-elle pas été spécialement donnée aux malheureux pour le soulagement de leurs maux et la consolation de leurs peines ?

Voilà, ma chère, des considérations que tu devrais faire, et auxquelles il faut ajouter qu'en te proposant de venir demeurer avec moi, je ne te parle pas moins au nom de mon mari qu'au mien. Il m'a paru plusieurs fois surpris, presque scandalisé, que deux amies telles que nous n'habitassent pas ensemble ; il assure te l'avoir dit à toi-même, et il n'est pas homme à parler inconsidérément. Je ne sais quel parti tu prendras sur mes représentations ; j'ai lieu d'espérer qu'il sera tel que je le désire. Quoi qu'il en soit, le mien est pris et je n'en changerai pas. Je n'ai point oublié le temps où tu voulais me suivre en Angleterre [2]. Amie incomparable, c'est à présent mon tour. Tu connais mon aversion pour la ville, mon goût pour la campagne, pour les travaux rustiques, et l'attachement que trois ans de séjour m'ont donné pour ma

---

1. Voir II, 15, p. 289, et V, 13, p. 744. **2.** Voir II, 5.

maison de Clarens. Tu n'ignores pas, non plus, quel embarras c'est de déménager avec toute une famille, et combien ce serait abuser de la complaisance de mon père de le transplanter si souvent. Hé bien, si tu ne veux pas quitter ton ménage et venir gouverner le mien, je suis résolue à prendre une maison à Lausanne où nous irons tous demeurer avec toi. Arrange-toi là-dessus ; tout le veut ; mon cœur, mon devoir, mon bonheur, mon honneur conservé, ma raison recouvrée, mon état, mon mari, mes enfants, moi-même, je te dois tout ; tout ce que j'ai de bien me vient de toi, je ne vois rien qui ne m'y rappelle, et sans toi je ne suis rien. Viens donc, ma bien-aimée, mon ange tutélaire ; viens conserver ton ouvrage, viens jouir de tes bienfaits. N'ayons plus qu'une famille, comme nous n'avons qu'une âme pour la chérir ; tu veilleras sur l'éducation de mes fils, je veillerai sur celle de ta fille : nous nous partagerons les devoirs de mère, et nous en doublerons les plaisirs. Nous élèverons nos cœurs ensemble à celui qui purifia le mien par tes soins, et n'ayant plus rien à désirer en ce monde nous attendrons en paix l'autre vie dans le sein de l'innocence et de l'amitié.

Lettre II
Réponse

Mon Dieu ! Cousine, que ta lettre m'a donné de plaisir ! Charmante prêcheuse !…. charmante, en vérité. Mais prêcheuse pourtant. Pérorant à ravir : des œuvres, [1] peu de nouvelles. L'architecte athénien…. ce beau diseur…. tu sais bien…. dans ton vieux Plutarque…. Pompeuses descriptions, superbe temple !…. Quand il a tout dit, l'autre vient ; un homme uni ; l'air simple, grave et posé…. comme qui dirait, ta Cousine Claire…. D'une voix creuse, lente, et même un peu nasale…. *Ce qu'il a dit, je le ferai* [2]. Il se tait,

---

1. Nous ajoutons une virgule. **2.** L'anecdote est dans Plutarque, *Instructions pour ceux qui manient affaires d'état*, XV. Deux architectes sont en concurrence pour bâtir un édifice public ; l'un, habile harangueur, développe son projet en un discours qui touche le public ; le second se contente de la phrase laconique citée par Claire. Rousseau a pu aussi trouver ce récit repris par Montaigne (*Essais*, I, 25, « De l'institution des enfants », p. 262).

et les mains de battre ! Adieu l'homme aux phrases. Mon enfant, nous sommes ces deux Architectes ; le temple dont il s'agit est celui de l'amitié.

Résumons un peu les belles choses que tu m'as dites. Premièrement, que nous nous aimions ; et puis que je t'étais nécessaire ; et puis, que tu me l'étais aussi ; et puis, qu'étant libres de passer nos jours ensemble, il les y fallait passer. Et tu as trouvé tout cela toute seule ? Sans mentir tu es une éloquente personne ! Oh bien, que je t'apprenne à quoi je m'occupais de mon côté, tandis que tu méditais cette sublime lettre. Après cela, tu jugeras toi-même lequel vaut le mieux de ce que tu dis, ou de ce que je fais.

À peine eus-je perdu mon mari que tu remplis le vide qu'il avait laissé dans mon cœur. De son vivant il en partageait avec toi les affections ; dès qu'il ne fut plus, je ne fus qu'à toi seule, et selon ta remarque sur l'accord de la tendresse maternelle et de l'amitié, ma fille même n'était pour nous qu'un lien de plus. Non seulement je résolus dès lors de passer le reste de ma vie avec toi ; mais je formai un projet plus étendu. Pour que nos deux familles n'en fissent qu'une, je me proposai, supposant tous les rapports convenables, d'unir un jour ma fille à ton fils aîné, et ce nom de mari trouvé par plaisanterie me parut d'heureux augure pour le lui donner un jour tout de bon.

Dans ce dessein, je cherchai d'abord à lever les embarras d'une succession embrouillée, et me trouvant assez de bien pour sacrifier quelque chose à la liquidation du reste, je ne songeai qu'à mettre le partage de ma fille en effets assurés et à l'abri de tout procès. Tu sais que j'ai des fantaisies sur bien des choses : ma folie dans celle-ci était de te surprendre. Je m'étais mise en tête d'entrer un beau matin dans ta chambre, tenant d'une main mon enfant, de l'autre un portefeuille, et de te présenter l'un et l'autre avec un beau compliment pour déposer en tes mains la mère, la fille, et leur bien, c'est-à-dire, la dot de celle-ci. Gouverne-là [1], voulais-je te dire, comme il convient aux intérêts de ton fils ; car c'est désormais son affaire et la tienne ; pour moi je ne m'en mêle plus.

---

1. Administre maintenant (son bien).

Remplie de cette charmante idée, il fallut m'en ouvrir à quelqu'un qui m'aidât à l'exécuter. Or devine qui j'ai choisi pour cette confidence ? Un certain M. de Wolmar : ne le connaîtrais-tu point ? Mon mari, Cousine ? Oui, ton mari, Cousine. Ce même homme à qui tu as tant de peine à cacher un secret qu'il lui importe de ne pas savoir, est celui qui t'en a su taire un qu'il t'eût été si doux d'apprendre. C'était là le vrai sujet de tous ces entretiens mystérieux dont tu nous faisais si comiquement la guerre. Tu vois comme ils sont dissimulés, ces maris. N'est-il pas bien plaisant que ce soient eux qui nous accusent de dissimulation ? J'exigeais du tien davantage encore. Je voyais fort bien que tu méditais le même projet que moi, mais plus en dedans, et comme celle qui n'exhale ses sentiments[a] qu'à mesure qu'on s'y livre. Cherchant donc à te ménager une surprise plus agréable, je voulais que quand tu lui proposerais notre réunion, il ne parût pas fort approuver cet empressement, et se montrât un peu froid à consentir. Il me fit là-dessus une réponse que j'ai retenue, et que tu dois bien retenir ; car je doute que depuis qu'il y a des maris au monde aucun d'eux en ait fait une pareille. La voici : « Petite Cousine, je connais Julie…, je la connais bien…, mieux qu'elle ne croit, peut-être. Son cœur est trop honnête pour qu'on doive résister à rien de ce qu'elle désire, et trop sensible pour qu'on le puisse sans l'affliger. Depuis cinq ans que nous sommes unis, je ne crois pas qu'elle ait reçu de moi le moindre chagrin ; j'espère mourir sans lui en avoir jamais fait aucun. » Cousine, songes-y bien : voilà quel est le mari dont tu médites sans cesse de troubler indiscrètement le repos.

Pour moi, j'eus moins de délicatesse, ou plus de confiance en ta douceur, et j'éloignai si naturellement les discours auxquels ton cœur te ramenait souvent, que ne pouvant taxer le mien de s'attiédir pour toi, tu t'allas mettre dans la tête que j'attendais de secondes noces, et que je t'aimais mieux que toute autre chose, hormis un mari. Car, vois-tu, ma pauvre enfant, tu n'as pas un secret mouvement qui m'échappe. Je te devine, je te pénètre ; je perce jusqu'au plus profond de ton âme, et c'est pour cela que je t'ai toujours adorée. Ce soupçon, qui te faisait si heureusement prendre le change, m'a paru excellent à nourrir. Je me suis mise à faire la veuve coquette assez bien pour t'y tromper toi-même. C'est un rôle pour lequel le talent me manque moins que l'inclination. J'ai adroitement employé cet air agaçant que je ne sais pas mal prendre, et avec lequel je me suis quelquefois amusée à persifler plus d'un jeune fat. Tu en as été tout à fait la dupe, et m'as crue prête à chercher un successeur à l'homme du monde auquel il était le moins aisé d'en trouver. Mais je suis trop franche pour pouvoir me contrefaire longtemps, et tu t'es bientôt rassurée. Cependant, je veux te rassurer encore mieux en t'expliquant mes vrais sentiments sur ce point.

Je te l'ai dit cent fois étant fille : Je n'étais point faite pour être femme [1]. S'il eût dépendu de moi, je ne me serais point mariée. Mais dans notre sexe, on n'achète la liberté que par l'esclavage, et il faut commencer par être servante pour devenir sa maîtresse un jour [2]. Quoique mon père ne me gênât pas, j'avais des chagrins dans ma famille. Pour m'en délivrer, j'épousai donc M. d'Orbe. Il était si honnête homme et m'aimait si tendrement que je l'aimai sincèrement à mon tour. L'expérience me donna du mariage une idée plus avantageuse que celle que j'en avais conçue et détruisit les impressions que m'en avait laissées la Chaillot. M. d'Orbe me rendit heureuse et ne s'en repentit pas. Avec un autre j'aurais toujours rempli mes devoirs, mais je l'aurais désolé, et je sens qu'il fallait un aussi bon mari pour faire de moi une bonne femme [3]. Imaginerais-tu que c'est de cela même que j'avais à me plaindre ? Mon enfant, nous nous aimions trop, nous n'étions point gais. Une amitié plus légère eût été plus folâtre ; je l'aurais préférée, et je crois que j'aurais mieux aimé vivre moins contente et pouvoir rire plus souvent.

À cela se joignirent les sujets particuliers d'inquiétude que me donnait ta situation. Je n'ai pas besoin de te rappeler les dangers que t'a fait courir une passion mal réglée. Je les vis en frémissant. Si tu n'avais risqué que ta vie, peut-être un

---

1. Voir I, 64. **2.** Le seul statut qui peut donner l'indépendance juridique aux femmes est le veuvage. La marquise de Merteuil, dans *Les Liaisons dange-reuses* (1782), en profitera ainsi – encore faut-il disposer d'une aisance maté-rielle. **3.** Voir aussi, sur cette conception du mariage, VI, 2.

reste de gaieté ne m'eût-il pas tout à fait abandonnée : mais la tristesse et l'effroi pénétrèrent mon âme, et jusqu'à ce que je t'aie vu mariée, je n'ai pas eu un moment de pure joie. Tu connus ma douleur, tu la sentis. Elle a beaucoup fait sur ton bon cœur, et je ne cesserai de bénir ces heureuses larmes qui sont peut-être la cause de ton retour au bien.

Voilà comment s'est passé tout le temps que j'ai vécu avec mon mari. Juge si depuis que Dieu me l'a ôté, je pourrais espérer d'en retrouver un autre qui fût autant selon mon cœur, et si je suis tentée de le chercher ? Non, Cousine, le mariage est un état trop grave ; sa dignité ne va point avec mon humeur ; elle m'attriste et me sied mal ; sans compter que toute gêne m'est insupportable. Pense, toi qui me connais, ce que peut être à mes yeux un lien dans lequel je n'ai pas ri durant sept ans sept petites fois à mon aise ! Je ne veux pas faire comme toi la matrone à vingt-huit ans. Je me trouve une petite veuve assez piquante, assez mariable encore, et je crois que si j'étais homme, je m'accommoderais assez de moi. Mais me remarier, Cousine ! Écoute : Je pleure bien sincèrement mon pauvre mari, j'aurais donné la moitié de ma vie pour passer l'autre avec lui ; et pourtant, s'il pouvait revenir, je ne le reprendrais, je crois, lui-même que parce que je l'avais déjà pris.

Je viens de t'exposer mes véritables intentions. Si je n'ai pu les exécuter encore malgré les soins de M. de Wolmar, c'est que les difficultés semblent croître avec mon zèle à les surmonter. Mais mon zèle sera le plus fort, et avant que l'été se passe, j'espère me réunir à toi pour le reste de nos jours.

Il reste à me justifier du reproche de te cacher mes peines, et d'aimer à pleurer loin de toi ; je ne le nie pas, c'est à quoi j'emploie ici le meilleur temps que j'y passe. Je n'entre jamais dans ma maison sans y retrouver des vestiges de celui qui me la rendait chère. Je n'y fais pas un pas, je n'y fixe pas un objet sans apercevoir quelque signe de sa tendresse et de la bonté de son cœur ; voudrais-tu que le mien n'en fût pas ému ? Quand je suis ici, je ne sens que la perte que j'ai faite. Quand je suis près de toi, je ne vois que ce qui m'est resté. Peux-tu me faire un crime de ton pouvoir sur mon humeur ? Si je pleure en ton absence, et si je ris près de toi, d'où vient cette différence ? Petite ingrate, c'est que tu me consoles de tout, et que je ne sais plus m'affliger de rien quand je te possède [1].

Tu as dit bien des choses en faveur de notre ancienne amitié : mais je ne te pardonne pas d'oublier celle qui me fait le plus d'honneur ; c'est de te chérir quoique tu m'éclipses. Ma Julie, tu es faite pour régner. Ton empire est le plus absolu que je connaisse. Il s'étend jusque sur les volontés, et je l'éprouve plus que personne. Comment cela se fait-il, Cousine ? Nous aimons toutes deux la vertu ; l'honnêteté nous est également chère, nos talents sont les mêmes ; j'ai presque autant d'esprit que toi, et ne suis guère moins jolie. Je sais fort bien tout cela, et malgré tout cela tu m'en imposes, tu me subjugues, tu m'atterres, ton génie écrase le mien, et je ne suis rien devant toi. Lors même que tu vivais dans des liaisons que tu te reprochais, et que n'ayant point imité ta faute j'aurais dû prendre l'ascendant à mon tour, il ne te demeurait pas moins. Ta faiblesse que je blâmais me semblait presque une vertu ; je ne pouvais m'empêcher d'admirer en toi ce que j'aurais repris dans un autre [2]. Enfin dans ce temps-là même, je ne t'abordais point sans un certain mouvement de respect involontaire, et il est sûr que toute ta douceur, toute la familiarité de ton commerce était nécessaire pour me rendre ton amie : naturellement [3], je devais être ta servante. Explique si tu peux cette énigme ; quant à moi, je n'y entends rien.

Mais si fait [4] pourtant, je l'entends un peu, et je crois même l'avoir autrefois expliquée [5]. C'est que ton cœur vivifie tous ceux qui l'environnent et leur donne pour ainsi dire un nouvel être dont ils sont forcés de lui faire hommage, puisqu'ils ne l'auraient point eu sans lui. Je t'ai rendu d'importants services, j'en conviens ; tu m'en fais souvenir si souvent qu'il n'y a pas moyen de l'oublier. Je ne le nie

---

1. Le verbe vaut d'être relevé pour la connotation sexuelle qu'il peut prendre. La langue de Rousseau en porte ailleurs le témoignage : « J'ai donc fort peu possédé, mais je n'ai pas laissé de jouir beaucoup à ma manière, c'est-à-dire par l'imagination » (*Confessions*, livre I, GF, p. 43). **2.** Reproché à une autre. Tour classique, où prédomine le masculin. **3.** Entendre : par nature. **4.** *Si fait* signifie « oui ». C'est une « façon de parler familière et qui n'est pas du bel usage, dont on se sert pour affirmer le contraire de ce qu'un autre a dit » (*Acad.* 1762). **5.** Voir II, 5.

point ; sans moi tu étais perdue. Mais qu'ai-je fait que te
rendre ce que j'avais reçu de toi ? Est-il possible de te voir
longtemps sans se sentir pénétrer l'âme des charmes de la
vertu et des douceurs de l'amitié ? Ne sais-tu pas que tout
ce qui t'approche est par toi-même armé pour ta défense, et
que je n'ai par-dessus les autres que l'avantage des gardes
de Sésostris [1], d'être de ton âge et de ton sexe, et d'avoir été
élevée avec toi ? Quoi qu'il en soit, Claire se console de
valoir moins que Julie, en ce que sans Julie elle vaudrait
bien moins encore ; et puis à te dire la vérité, je crois que
nous avions grand besoin l'une de l'autre, et que chacune
des deux y perdrait beaucoup si le sort nous eût séparées.

Ce qui me fâche le plus dans les affaires qui me retiennent
encore ici, c'est le risque de ton secret, toujours prêt à s'échapper de ta bouche. Considère je t'en conjure que ce qui te porte
à le garder est une raison forte et solide, et que ce qui te porte à
le révéler n'est qu'un sentiment aveugle. Nos soupçons mêmes
que ce secret n'en est plus un pour celui qu'il intéresse, nous sont
une raison de plus pour ne le lui déclarer qu'avec la plus grande
circonspection. Peut-être la réserve de ton mari est-elle un
exemple et une leçon pour nous : car en de pareilles matières il
y a souvent une grande différence entre ce qu'on feint d'ignorer
et ce qu'on est forcé de savoir. Attends donc, je l'exige, que nous
en délibérions encore une fois. Si tes pressentiments étaient
fondés et que ton déplorable ami ne fût plus, le meilleur parti
qui resterait à prendre serait de laisser son histoire et tes malheurs ensevelis avec lui. S'il vit, comme je l'espère, le cas peut
devenir différent ; mais encore faut-il que ce cas se présente. En
tout état de cause crois-tu ne devoir aucun égard aux derniers
conseils d'un infortuné [2] dont tous les maux sont ton ouvrage ?

À l'égard des dangers de la solitude, je conçois et
j'approuve tes alarmes, quoique je les sache très mal fondées. Tes fautes passées te rendent craintive ; j'en augure
d'autant mieux du présent, et tu le serais bien moins s'il te
restait plus de sujet de l'être. Mais je ne puis te passer ton

---

1. La source est dans l'*Histoire universelle* de Diodore de Sicile, livre I, sec-
tion II, chap. LIII, que Rousseau a pu lire dans la traduction de l'abbé
Terrasson (1737), mais aussi chez Rollin : à la suite d'un songe, le père de
Sésostris fit élever avec lui les enfants mâles nés le même jour. **2.** Voir III, 19.

effroi sur le sort de notre pauvre ami. À présent que tes affections ont changé d'espèce, crois qu'il ne m'est pas moins cher qu'à toi. Cependant j'ai des pressentiments tout contraires aux tiens, et mieux d'accord avec la raison. Milord Édouard a reçu deux fois de ses nouvelles, et m'a écrit à la seconde qu'il était dans la mer du Sud, ayant déjà passé les dangers dont tu parles. Tu sais cela aussi bien que moi et tu t'affliges comme si tu n'en savais rien. Mais ce que tu ne sais pas et qu'il faut t'apprendre, c'est que le vaisseau sur lequel il est a été vu il y a deux mois à la hauteur des Canaries, faisant voile en Europe. Voilà ce qu'on écrit de Hollande à mon père, et dont il n'a pas manqué de me faire part, selon sa coutume de m'instruire des affaires publiques beaucoup plus exactement que des siennes. Le cœur me dit, à moi, que nous ne serons pas longtemps sans recevoir des nouvelles de notre philosophe, et que tu en seras pour tes larmes, à moins qu'après l'avoir pleuré mort, tu ne pleures de ce qu'il est en vie. Mais, Dieu merci, tu n'en es plus là.

> *Deh ! fosse or qui quel miser pur un poco,*
> *Ch'è già di piangere e di viver lasso !*

[Eh ! que n'est-il un moment ici ce pauvre malheureux déjà las de souffrir et de vivre [1] !]

Voilà ce que j'avais à te répondre. Celle qui t'aime t'offre et partage la douce espérance d'une éternelle réunion. Tu vois que tu n'en as formé le projet ni seule ni la première, et que l'exécution en est plus avancée que tu ne pensais. Prends donc patience encore cet été, ma douce amie : il vaut mieux tarder à se rejoindre que d'avoir encore à se séparer.

Hé bien, belle Madame, ai-je tenu parole, et mon triomphe est-il complet ? Allons, qu'on se mette à genoux, qu'on baise avec respect cette lettre, et qu'on reconnaisse humblement qu'au moins une fois en la vie Julie de Wolmar a été vaincue en amitié *.

---

* Que cette bonne Suissesse est heureuse d'être gaie quand elle est gaie, sans esprit, sans naïveté, sans finesse ! Elle ne se doute pas des apprêts qu'il faut parmi nous pour faire passer la bonne humeur. Elle ne sait pas qu'on n'a point cette bonne humeur pour soi mais pour les autres, et qu'on ne rit pas pour rire, mais pour applaudi.

---

1. Pétrarque, *Canzoniere*, n° 243, v. 10-11, p. 339. Trad. de Rousseau dans DC. Le texte italien porte *Dè fusse*.

Lettre III
À Mad^e d'Orbe

Ma Cousine, ma Bienfaitrice, mon amie ; j'arrive des extrémités de la terre, et j'en rapporte un cœur tout plein de vous. J'ai passé quatre fois la ligne [1] ; j'ai parcouru les deux hémisphères ; j'ai vu les quatre parties du monde ; j'en ai mis le diamètre entre nous ; j'ai fait le tour entier du globe et n'ai pu vous échapper un moment. On a beau fuir ce qui nous est cher, son image plus vite que la mer et les vents nous suit au bout de l'univers, et partout où l'on se porte avec soi l'on y porte ce qui nous fait vivre. J'ai beaucoup souffert ; j'ai vu souffrir davantage. Que d'infortunés j'ai vus mourir ! Hélas, ils mettaient un si grand prix à la vie ! et moi je leur ai survécu… Peut-être étais-je en effet moins à plaindre ; les misères de mes compagnons m'étaient plus sensibles que les miennes ; je les voyais tout entiers à leurs peines ; ils devaient souffrir plus que moi. Je me disais : Je suis mal ici, mais il est un coin sur la terre où je suis heureux et paisible, et je me dédommageais au bord du lac de Genève de ce que j'endurais sur l'Océan. J'ai le bonheur en arrivant de voir confirmer mes espérances, Milord Édouard m'apprend que vous jouissez toutes deux de la paix et de la santé, et que si vous, en particulier, avez perdu le doux titre d'épouse, il vous reste ceux d'amie et de mère, qui doivent suffire à votre bonheur.

Je suis trop pressé de vous envoyer cette Lettre pour vous faire à présent un détail de mon voyage. J'ose espérer d'en avoir bientôt une occasion plus commode. Je me contente ici de vous en donner une légère idée, plus pour exciter que pour satisfaire votre curiosité. J'ai mis près de quatre ans au trajet immense dont je viens de vous parler, et suis revenu dans le même vaisseau sur lequel j'étais parti, le seul que le Commandant ait ramené de son escadre.

J'ai vu d'abord l'Amérique méridionale, ce vaste continent que le manque de fer a soumis aux Européens, et dont ils ont fait un désert pour s'en assurer l'empire [2]. J'ai vu les

---

1. Saint-Preux a traversé quatre fois la ligne de l'Équateur. **2.** Allusion aux effets destructeurs de la conquête espagnole sur les populations amérindiennes.

côtes du Brésil où Lisbonne et Londres puisent leurs trésors, et dont les peuples misérables foulent aux pieds l'or et les diamants sans oser y porter la main. J'ai traversé paisiblement les mers orageuses qui sont sous le cercle antarctique ; j'ai trouvé dans la mer Pacifique les plus effroyables tempêtes :

> *E in mar dubbioso sotto ignoto polo*
> *Provai l'onde fallaci, e'l vento infido.*

[Et sur des mers suspectes, sous un pôle inconnu, j'éprouvai la trahison de l'onde et l'infidélité des vents [1].]

J'ai vu de loin le séjour de ces prétendus géants * qui ne sont grands qu'en courage, et dont l'indépendance est plus assurée par une vie simple et frugale que par une haute stature. J'ai séjourné trois mois dans une Île déserte et délicieuse, douce et touchante image de l'antique beauté de la nature, et qui semble être confinée au bout du monde pour y servir d'asile à l'innocence et à l'amour persécutés : mais l'avide Européen suit son humeur farouche en empêchant l'Indien paisible de l'habiter, et se rend justice en ne l'habitant pas lui-même [2].

J'ai vu sur les rives du Mexique et du Pérou le même spectacle que dans le Brésil : j'en ai vu les rares et infortunés habitants, tristes restes de deux puissants peuples, accablés de fers d'opprobres et de misères au milieu de leurs riches métaux, reprocher au Ciel en pleurant les trésors qu'il leur a prodigués. J'ai vu l'incendie affreux d'une ville entière sans

---

* Les Patagons. [NdE : le récit du voyage de Magellan, au XVIᵉ siècle, avait répandu la légende de la tribu d'Amérindiens des « Patagons », prétendument deux fois plus grands qu'un homme normalement constitué. Le XVIIIᵉ siècle détruit cette légende, que Diderot moque aussi dans son *Supplément au voyage de Bougainville* (publié en 1796).]

---

1. Le Tasse, *La Jérusalem délivrée*, III, 4, v. 3-4, Les Belles Lettres, t. I, p. 50. Trad. de Rousseau dans DC. **2.** *Rendre justice* signifie « reconnaître le mérite de quelqu'un » (*Acad.* 1762) : l'expression est appliquée ironiquement aux colonisateurs. Cette île est celle de Juan Fernandez (voir IV, 11, note de Rousseau, p. 562), longuement décrite comme un lieu paradisiaque dans le *Voyage de l'amiral Anson* de Richard Walter. Traduit en français en 1750, l'ouvrage est la source principale de cette lettre.

résistance et sans défenseurs [1]. Tel est le droit de la guerre
parmi les Peuples savants, humains et polis de l'Europe. On
ne se borne pas à faire à son ennemi tout le mal dont on
peut tirer du profit ; mais on compte pour un profit tout le
mal qu'on peut lui faire à pure perte. J'ai côtoyé presque
toute la partie occidentale de l'Amérique, [2] non sans être
frappé d'admiration en voyant quinze cents lieues de côte
et la plus grande mer du monde sous l'empire d'une seule
puissance, qui tient pour ainsi dire en sa main les clefs d'un
Hémisphère du globe [3].

Après avoir traversé la grande mer [4], j'ai trouvé dans
l'autre continent un nouveau spectacle. J'ai vu la plus nombreuse et la plus illustre nation de l'Univers soumise à une
poignée de brigands ; j'ai vu de près ce peuple célèbre, et
n'ai plus été surpris de le trouver esclave. Autant de fois
conquis qu'attaqué, il fut toujours en proie au premier venu,
et le sera jusqu'à la fin des siècles. Je l'ai trouvé digne de
son sort, n'ayant pas même le courage d'en gémir. Lettré,
lâche, hypocrite et charlatan ; parlant beaucoup sans rien
dire, plein d'esprit sans aucun génie, abondant en signes et
stérile en idées ; poli, complimenteur, adroit, fourbe et
fripon ; qui met tous les devoirs en étiquettes, toute la
morale en simagrées, et ne connaît d'autre humanité que les
salutations et les révérences [5]. J'ai surgi dans une seconde
Île déserte plus inconnue, plus charmante encore que la première, et où le plus cruel accident faillit à [6] nous confiner

---

1. La ville de Paita, au Pérou, dans le district de Quito. « L'amiral Anson
prit cette ville en 1741, avec cinquante soldats, la brûla, et partit avec un
butin considérable qu'il enleva aux Espagnols » (Jaucourt, article « Paita »
de l'*Encyclopédie*). **2.** Nous remplaçons le point-virgule par une virgule.
3. Les deux « clefs » de l'hémisphère allant des Amériques à l'Extrême-
Orient, tenues par la puissance espagnole, sont Manille, aux Philippines, et
Panamá (elles figurent dans Br). **4.** L'océan Pacifique. **5.** Ce jugement sur
la caste des mandarins (les « lettrés » chinois) est à l'opposé de la vision
élogieuse de Voltaire qui loue la politesse et la « sagesse » des dirigeants :
« cet esprit de la nation chinoise est le plus ancien monument de la raison
qui soit sur la terre » (*Essai sur les mœurs*, chap. CLV, éd. Pomeau, Classiques
Garnier, 1990, t. II, p. 399). **6.** « On dit, qu'*une chose a failli à arriver, d'arriver*, pour dire, qu'elle a été sur le point d'arriver, qu'il a tenu à peu qu'elle
n'arrivât » (*Acad.* 1762). L'amiral Anson dut faire escale à Tinian, une des
îles Marianes, à cause d'une épidémie de scorbut dans son équipage.

pour jamais. Je fus le seul peut-être qu'un exil si doux n'épouvanta point ; ne suis-je pas désormais partout en exil ? J'ai vu dans ce lieu de délices et d'effroi ce que peut tenter l'industrie [1] humaine pour tirer l'homme civilisé d'une solitude où rien ne lui manque, et le replonger dans un gouffre de nouveaux besoins [2].

J'ai vu dans le vaste Océan où il devrait être si doux à des hommes d'en rencontrer d'autres deux grands vaisseaux se chercher, se trouver, s'attaquer, se battre avec fureur, comme si cet espace immense eût été trop petit pour chacun d'eux [3]. Je les ai vus vomir l'un contre l'autre le fer et les flammes. Dans un combat assez court j'ai vu l'image de l'enfer. J'ai entendu les cris de joie des vainqueurs couvrir les plaintes des blessés et les gémissements des mourants. J'ai reçu en rougissant ma part d'un immense butin ; je l'ai reçu, mais en dépôt, et s'il fut pris sur des malheureux, c'est à des malheureux qu'il sera rendu.

J'ai vu l'Europe transportée à l'extrémité de l'Afrique, par les soins de ce peuple avare patient et laborieux qui a vaincu par le temps et la constance des difficultés que tout l'héroïsme des autres peuples n'a jamais pu surmonter [4]. J'ai vu ces vastes et malheureuses contrées qui ne semblent destinées qu'à couvrir la terre de troupeaux d'esclaves. À leur vil aspect j'ai détourné les yeux de dédain d'horreur et de pitié, et voyant la quatrième partie de mes semblables changée en bêtes pour le service des autres, j'ai gémi d'être homme.

Enfin j'ai vu dans mes compagnons de voyage un peuple intrépide et fier dont l'exemple et la liberté rétablissaient à mes yeux l'honneur de mon espèce, pour lesquels la douleur et la mort ne sont rien, et qui ne craint au monde que la

---

1. Activité et habileté. Désigne ici le travail, le commerce et le savoir-faire. **2.** Le raffinement de la civilisation des Chinois, associé ici (contre toutes les « relations » des jésuites qui avaient contribué à faire connaître l'Empire) à la corruption morale, ainsi que la mentalité capitaliste des colonisateurs permettent à Rousseau de renouveler la thèse de ses deux *Discours* : le progrès des arts, des sciences et de l'organisation sociale s'accompagne de maux funestes pour l'humanité, en transformant ses besoins « naturels » en besoins « factices ». **3.** L'Angleterre et l'Espagne se disputent alors l'influence coloniale. **4.** Allusion à la colonie hollandaise du Cap et aux travaux d'assèchement du Zuyderzee aux Pays-Bas.

faim et l'ennui [1]. J'ai vu dans leur chef un capitaine, un soldat, un pilote, un sage, un grand homme, et pour dire encore plus peut-être, le digne ami d'Édouard Bomston : Mais ce que je n'ai point vu dans le monde entier, [2] c'est quelqu'un qui ressemble à Claire d'Orbe, à Julie d'Étange, et qui puisse consoler de leur perte un cœur qui sut les aimer.

Comment vous parler de ma guérison ? C'est de vous que je dois apprendre à la connaître. Reviens-je plus libre et plus sage que je ne suis parti ? J'ose le croire et ne puis l'affirmer. La même image règne toujours dans mon cœur ; vous savez s'il est possible qu'elle s'en efface ; mais son empire est plus digne d'elle, et si je ne me fais pas illusion elle règne dans ce cœur infortuné comme dans le vôtre. Oui, ma Cousine, il me semble que sa vertu m'a subjugué, que je ne suis pour elle que le meilleur et le plus tendre ami qui fût jamais, que je ne fais plus que l'adorer comme vous l'adorez vous-même ; ou plutôt, il me semble que mes sentiments ne se sont pas affaiblis mais rectifiés, et avec quelque soin que je m'examine, je les trouve aussi purs que l'objet qui les inspire. Que puis-je vous dire de plus jusqu'à l'épreuve qui peut m'apprendre à juger de moi ? Je suis sincère et vrai ; je veux être ce que je dois être ; mais comment répondre de mon cœur avec tant de raisons de m'en défier ? Suis-je le maître du passé ? Peux-je empêcher que mille feux ne m'aient autrefois dévoré ? Comment distinguerai-je par la seule imagination ce qui est de ce qui fut ? et comment me représenterai-je amie celle que je ne vis jamais qu'amante ? Quoi que vous pensiez, peut-être, du motif secret de mon empressement, il est honnête et raisonnable, il mérite que vous l'approuviez. Je réponds d'avance, au moins de mes intentions. Souffrez que je vous voie et m'examinez vous-même, ou laissez-moi voir Julie et je saurai ce que je suis.

Je dois accompagner Milord Édouard en Italie. Je passerai près de vous, et je ne vous verrais point ! Pensez-vous que cela se puisse ? Eh ! si vous aviez la barbarie de l'exiger

---

1. Retour d'un discours sur le caractère national des Anglais, auxquels sont prêtés à la fois un *ethos* stoïcien et une tendance à la mélancolie. **2.** Nous remplaçons le point-virgule par une virgule.

vous mériteriez de n'être pas obéie ! Mais pourquoi l'exige-riez-vous ? N'êtes-vous pas cette même Claire, aussi bonne et compatissante que vertueuse et sage, qui daigna m'aimer dès sa plus tendre jeunesse, et qui doit m'aimer bien plus encore, aujourd'hui que je lui dois tout * ? [1] Non, non chère et charmante amie, un si cruel refus ne serait ni de vous ni fait pour moi, il ne mettra point le comble à ma misère. Encore une fois, encore une fois en ma vie, je déposerai mon cœur à vos pieds. Je vous verrai, vous y consentirez. Je la verrai, elle y consentira. Vous connaissez trop bien toutes deux mon respect pour elle. Vous savez si je suis homme à m'offrir à ses yeux en me sentant indigne d'y paraître. Elle a déploré si longtemps l'ouvrage de ses charmes, ah qu'elle voie une fois l'ouvrage de sa vertu !

P. S. Milord Édouard est retenu pour quelques temps encore ici par des affaires ; s'il m'est permis de vous voir, pourquoi ne prendrais-je pas les devants pour être plus tôt auprès de vous ?

Lettre IV
De M. de Wolmar

Quoique nous ne nous connaissions pas encore, je suis chargé de vous écrire. La plus sage et la plus chérie des femmes vient d'ouvrir son cœur à son heureux époux. Il vous croit digne d'avoir été aimé d'elle, et il vous offre sa maison. L'innocence et la paix y règnent ; vous y trouverez l'amitié, l'hospitalité, l'estime, la confiance. Consultez votre cœur, et s'il n'y a rien là qui vous effraye, venez sans crainte. Vous ne partirez point d'ici sans y laisser un ami.

Wolmar.

---

* Que lui doit-il donc tant, à elle qui a fait les malheurs de sa vie ? Malheureux questionneur ! Il lui doit l'honneur la vertu le repos de celle qu'il aime ; il lui doit tout.

---

1. Nous insérons un point d'interrogation à la place du point.

P. S. Venez, mon ami ; nous vous attendons avec empressement. Je n'aurai pas la douleur que vous nous deviez un refus.

Julie

Lettre V
De Mad^e d'Orbe
Et dans laquelle était incluse la précédente.

Bien arrivé ! cent fois le bien arrivé, cher St. Preux ; car je prétends que ce nom * vous demeure, au moins dans notre société. C'est, je crois, vous dire assez qu'on n'entend pas vous en exclure, à moins que cette exclusion ne vienne de vous. En voyant par la Lettre ci-jointe que j'ai fait plus que vous ne me demandiez apprenez à prendre un peu plus de confiance en vos amis, et à ne plus reprocher à leur cœur des chagrins qu'ils partagent quand la raison les force à vous en donner. M. de Wolmar veut vous voir, il vous offre sa maison, son amitié, ses conseils ; il n'en fallait pas tant pour calmer toutes mes craintes sur votre voyage, et je m'offenserais moi-même si je pouvais un moment me défier de vous. Il fait plus, il prétend vous guérir, et dit que ni Julie ni lui ni vous ni moi, ne pouvons être parfaitement heureux sans cela. Quoique j'attende beaucoup de sa sagesse et plus de votre vertu, j'ignore quel sera le succès de cette entreprise. Ce que je sais bien, c'est qu'avec la femme qu'il a, le soin qu'il veut prendre est une pure générosité pour vous.

Venez donc, mon aimable ami, dans la sécurité d'un cœur honnête satisfaire l'empressement que nous avons tous de vous embrasser et de vous voir paisible et content ; venez dans votre pays et parmi vos amis vous délasser de vos voyages et oublier tous les maux que vous avez soufferts. La dernière fois que vous me vîtes j'étais une grave matrone, et mon amie était à l'extrémité ; mais à présent qu'elle se porte bien et que je suis redevenue fille, me voilà tout aussi folle

* C'est celui qu'elle lui avait donné devant ses gens à son précédent voyage. Voyez 3e partie, Lettre XIV.

et presque aussi jolie qu'avant mon mariage. Ce qu'il y a du moins de bien sûr, c'est que je n'ai point changé pour vous, et que vous feriez bien des fois le tour du monde avant d'y trouver quelqu'un qui vous aimât comme moi.

Lettre VI
À Milord Édouard

Je me lève au milieu de la nuit pour vous écrire. Je ne saurais trouver un moment de repos. Mon cœur agité, transporté, ne peut se contenir au dedans de moi ; il a besoin de s'épancher. Vous qui l'avez si souvent garanti du désespoir, soyez le cher dépositaire des premiers plaisirs qu'il ait goûtés depuis si longtemps.

Je l'ai vue, Milord ! mes yeux l'ont vue ! J'ai entendu sa voix ; ses mains ont touché les miennes ; elle m'a reconnu ; elle a marqué de la joie à me voir ; elle m'a appelé son ami, son cher ami ; elle m'a reçu dans sa maison ; plus heureux que je ne fus de ma vie je loge avec elle sous un même toit, et maintenant que je vous écris, je suis à trente pas d'elle !

Mes idées sont trop vives pour se succéder ; elles se présentent toutes ensemble ; elles se nuisent mutuellement. Je vais m'arrêter et reprendre haleine, pour tâcher de mettre quelque ordre dans mon récit.

À peine après une si longue absence m'étais-je livré près de vous aux premiers transports de mon cœur en embrassant mon ami mon libérateur et mon père, que vous songeâtes au voyage d'Italie. Vous me le fîtes désirer dans l'espoir de m'y soulager enfin du fardeau de mon inutilité pour vous. Ne pouvant terminer sitôt les affaires qui vous retenaient à Londres, vous me proposâtes de partir le premier pour avoir plus de temps à vous attendre ici. Je demandai la permission d'y venir ; je l'obtins, je partis, et quoique Julie s'offrît d'avance à mes regards, en songeant que j'allais m'approcher d'elle je sentis du regret à m'éloigner de vous. Milord, nous sommes quittes, ce seul sentiment vous a tout payé.

Il ne faut pas vous dire que durant toute la route je n'étais occupé que de l'objet de mon voyage ; mais une chose à

remarquer, c'est que je commençai de voir sous un autre
point de vue ce même objet qui n'était jamais sorti de mon
cœur. Jusque-là je m'étais toujours rappelé Julie brillante
comme autrefois des charmes de sa première jeunesse.
J'avais toujours vu ses beaux yeux animés du feu qu'elle
m'inspirait. Ses traits chéris n'offraient à mes regards que
des garants de mon bonheur ; son amour et le mien se
mêlaient tellement avec sa figure que je ne pouvais les en
séparer. Maintenant j'allais voir Julie mariée, Julie mère,
Julie indifférente ! Je m'inquiétais des changements que huit
ans d'intervalle avaient pu faire à sa beauté. Elle avait eu
la petite vérole ; elle s'en trouvait changée ; à quel point le
pouvait-elle être ? Mon imagination me refusait opiniâtrement des taches sur ce charmant visage, et sitôt que j'en
voyais un marqué de petite vérole, ce n'était plus celui de
Julie. Je pensais encore à l'entrevue que nous allions avoir,
à la réception qu'elle m'allait faire. Ce premier abord se présentait à mon esprit sous mille tableaux différents, et ce
moment qui devait passer si vite, revenait pour moi mille
fois le jour.

Quand j'aperçus la cime des monts le cœur me battit fortement, en me disant : Elle est là. La même chose venait de
m'arriver en mer à la vue des côtes d'Europe. La même
chose m'était arrivée autrefois à Meillerie en découvrant la
maison du Baron d'Étange. Le monde n'est jamais divisé
pour moi qu'en deux régions, celle où elle est, et celle où
elle n'est pas. La première s'étend quand je m'éloigne, et se
resserre à mesure que j'approche, comme un lieu où je ne
dois jamais arriver. Elle est à présent bornée aux murs de
sa chambre. Hélas ! ce lieu seul est habité ; tout le reste de
l'univers est vide.

Plus j'approchais de la Suisse, plus je me sentais ému.
L'instant où, des hauteurs du Jura je découvris le lac de
Genève fut un instant d'extase et de ravissement. La vue de
mon pays, de ce pays si chéri où des torrents de plaisirs
avaient inondé mon cœur ; l'air des Alpes si salutaire et si
pur ; le doux air de la patrie, plus suave que les parfums de
l'Orient ; cette terre riche et fertile, ce paysage unique, le
plus beau dont l'œil humain fut jamais frappé ; ce séjour
charmant auquel je n'avais rien trouvé d'égal dans le tour

du monde ; l'aspect d'un peuple heureux et libre ; la douceur de la saison, la sérénité du Climat ; mille souvenirs délicieux qui réveillaient tous les sentiments que j'avais goûtés ; tout cela me jetait dans des transports que je ne puis décrire, et semblait me rendre à la fois la jouissance de ma vie entière [1].

En descendant vers la côte, je sentis une impression nouvelle dont je n'avais aucune idée. C'était un certain mouvement d'effroi qui me resserrait le cœur et me troublait malgré moi. Cet effroi, dont je ne pouvais démêler la cause, croissait à mesure que j'approchais de la ville ; il ralentissait mon empressement d'arriver, et fit enfin de tels progrès que je m'inquiétais autant de ma diligence que j'avais fait jusque-là de ma lenteur. En entrant à Vevey la sensation que j'éprouvai ne fut rien moins qu'agréable. Je fus saisi d'une violente palpitation qui m'empêchait de respirer ; je parlais d'une voix altérée et tremblante. J'eus peine à me faire entendre en demandant M. de Wolmar ; car je n'osai jamais nommer sa femme. On me dit qu'il demeurait à Clarens. Cette nouvelle m'ôta de dessus la poitrine un poids de cinq cents livres, et prenant les deux lieues qui me restaient à faire pour un répit, je me réjouis de ce qui m'eût désolé dans un autre temps ; mais j'appris avec un vrai chagrin que Mad^e d'Orbe était à Lausanne. J'entrai dans une auberge pour reprendre les forces qui me manquaient : il me fut impossible d'avaler un seul morceau ; je suffoquais en buvant et ne pouvais vider un verre qu'à plusieurs reprises. Ma terreur redoubla quand je vis mettre les chevaux pour repartir. Je crois que j'aurais donné tout au monde pour voir briser une roue en chemin. Je ne voyais plus Julie ; mon imagination troublée ne me présentait que des objets confus ; mon âme était dans un tumulte universel. Je connaissais la douleur et le désespoir ; je les aurais préférés à cet horrible état. Enfin, je puis dire n'avoir de ma vie éprouvé d'agitation plus cruelle que celle où je me trouvai durant ce court trajet, et je suis convaincu que je ne l'aurais pu supporter une journée entière.

---

1. Cette lettre fait écho à I, 23.

En arrivant, je fis arrêter à la grille, et me sentant hors
d'état de faire un pas, j'envoyai le postillon dire qu'un étranger demandait à parler à M. de Wolmar. Il était à la promenade avec sa femme. On les avertit, et ils vinrent par un
autre côté, tandis que, les yeux fichés sur l'avenue [1], j'attendais dans des transes mortelles d'y voir paraître quelqu'un.

À peine Julie m'eut-elle aperçu qu'elle me reconnut. À
l'instant, me voir, s'écrier, courir, s'élancer dans mes bras ne
fut pour elle qu'une même chose. À ce son de voix je me
sens tressaillir ; je me retourne, je la vois, je la sens. Ô
Milord ! ô mon ami !.... je ne puis parler.... ! Adieu crainte,
adieu terreur, effroi, respect humain. Son regard, son cri,
son geste, me rendent en un moment la confiance le courage
et les forces. Je puise dans ses bras la chaleur et la vie ; je
pétille de joie en la serrant dans les miens. Un transport
sacré nous tient dans un long silence étroitement embrassés,
et ce n'est qu'après un si doux saisissement que nos voix
commencent à se confondre, et nos yeux à mêler leurs
pleurs. M. de Wolmar était là ; je le savais, je le voyais ; mais
qu'aurais-je pu voir ? Non, quand l'univers entier se fût
réuni contre moi, quand l'appareil des tourments [2] m'eût
environné, je n'aurais pas dérobé mon cœur à la moindre de
ces caresses, tendres prémices d'une amitié pure et sainte
que nous emporterons dans le Ciel !

Cette première impétuosité suspendue, Made de Wolmar
me prit par la main, et se retournant vers son mari, lui dit
avec une certaine grâce d'innocence et de candeur dont je
me sentis pénétré : Quoiqu'il soit mon ancien ami, je ne
vous le présente pas, je le reçois de vous, et ce n'est qu'honoré de votre amitié qu'il aura désormais la mienne. Si les
nouveaux amis ont moins d'ardeur que les anciens, me dit-il
en m'embrassant, ils seront anciens à leur tour, et ne céde-
ront point aux autres. Je reçus ses embrassements ; mais
mon cœur venait de s'épuiser, et je ne fis que les recevoir.

---

1. Avenue « se dit aussi d'une allée plantée d'arbres au-devant d'une
maison ». « On dit figurément et familièrement *Avoir les yeux fichés sur
quelque chose*, pour dire : Avoir les yeux fixement arrêtés » (*Acad.* 1762).
2. Les instruments de torture.

La confiance des belles ames.

H. Gravelot inv.　　　　　　　　　　FP. Choffard Sculp.

Après cette courte scène, j'observai du coin de l'œil qu'on avait détaché ma malle et remisé ma chaise. Julie me prit sous le bras, et je m'avançai avec eux vers la maison, presque oppressé d'aise de voir qu'on y prenait possession de moi [1].

Ce fut alors qu'en contemplant plus paisiblement ce visage adoré que j'avais cru trouver enlaidi, je vis avec une surprise amère et douce [2] qu'elle était réellement plus belle et plus brillante que jamais. Ses traits charmants se sont mieux formés encore ; elle a pris un peu plus d'embonpoint [3], qui ne fait qu'ajouter à son éblouissante blancheur. La petite vérole n'a laissé sur ses joues que quelques légères traces presque imperceptibles. Au lieu de cette pudeur souffrante qui lui faisait autrefois sans cesse baisser les yeux, on voit la sécurité de la vertu s'allier dans son chaste regard à la douceur et à la sensibilité ; sa contenance, non moins modeste est moins timide ; un air plus libre et des grâces plus franches ont succédé à ces manières contraintes mêlées de tendresse et de honte ; et si le sentiment de sa faute la rendait alors plus touchante, celui de sa pureté la rend aujourd'hui plus céleste.

À peine étions-nous dans le salon qu'elle disparut, et rentra le moment d'après. Elle n'était pas seule. Qui pensez-vous qu'elle amenait avec elle ? Milord, c'étaient ses enfants ! ses deux enfants plus beaux que le jour, et portant déjà sur leur physionomie enfantine le charme et l'attrait de leur mère. Que devins-je à cet aspect ? Cela ne peut ni se dire ni se comprendre ; il faut le sentir. Mille mouvements contraires m'assaillirent à la fois. Mille cruels et délicieux souvenirs vinrent partager mon cœur. Ô spectacle ! ô regrets ! Je me sentais déchirer de douleur et transporter de joie. Je voyais, pour ainsi dire, multiplier celle qui me fut si chère. Hélas ! je voyais au même instant la trop vive preuve

---

1. Même émotion lorsque Jean-Jacques revient vivre à Annecy chez « Maman » : « je vis porter mon petit paquet dans la chambre qui m'était destinée, à peu près comme St. Preux vit remiser sa chaise chez Mad^e de Wolmar » (*Confessions*, livre III, GF, p. 137). **2.** Autre souvenir de l'« Éros doux amer » chanté par Sappho ? Voir III, 6, n. 2, p. 381. **3.** « Embonpoint » est un terme positif : « Bon état, ou bonne habitude du corps » (*Acad.* 1762).

qu'elle ne m'était plus rien, et mes pertes semblaient se multiplier avec elle.

Elle me les amena par la main. Tenez, me dit-elle d'un ton qui me perça l'âme, voilà les enfants de votre amie ; ils seront vos amis un jour. Soyez le leur dès aujourd'hui. Aussitôt ces deux petites créatures s'empressèrent autour de moi, me prirent les mains, et m'accablant de leurs innocentes caresses tournèrent vers l'attendrissement toute mon émotion. Je les pris dans mes bras l'un et l'autre, et les pressant contre ce cœur agité : Chers et aimables enfants, dis-je avec un soupir, vous avez à remplir une grande tâche. Puissiez-vous ressembler à ceux de qui vous tenez la vie ; puissiez-vous imiter leurs vertus, et faire un jour par les vôtres la consolation de leurs amis infortunés. Mad^e de Wolmar enchantée me sauta au cou une seconde fois et semblait me vouloir payer par ses caresses de celles que je faisais à ses deux fils. Mais quelle différence du premier embrassement à celui-là ! Je l'éprouvai avec surprise. C'était une mère de famille que j'embrassais ; je la voyais environnée de son Époux et de ses enfants ; ce cortège m'en imposait. Je trouvais sur son visage un air de dignité qui ne m'avait pas frappé d'abord ; je me sentais forcé de lui porter une nouvelle sorte de respect ; sa familiarité m'était presque à charge ; quelque belle qu'elle me parût j'aurais baisé le bord de sa robe de meilleur cœur que sa joue : Dès cet instant,[a] en un mot, je connus qu'elle ou moi n'étions plus les mêmes, et je commençai tout de bon à bien augurer de moi.

M. de Wolmar me prenant par la main me conduisit ensuite au logement qui m'était destiné. Voilà, me dit-il en y entrant, votre appartement ; il n'est point celui d'un étranger, il ne sera plus celui d'un autre, et désormais il restera vide ou occupé par vous. Jugez si ce compliment me fut agréable ! Mais je ne le méritais pas encore assez pour l'écouter sans confusion. M. de Wolmar me sauva l'embarras d'une réponse. Il m'invita à faire un tour de jardin. Là il fit si bien que je me trouvai plus à mon aise, et prenant le ton d'un homme instruit de mes anciennes erreurs, mais plein de confiance dans ma droiture, il me parla comme un père à son enfant, et me mit à force d'estime dans l'impossibilité de la démentir. Non, Milord, il ne s'est pas trompé ; je n'oublierai point que j'ai la sienne et la vôtre à justifier. Mais pourquoi faut-il que mon cœur se resserre à ses bienfaits ? Pourquoi faut-il qu'un homme que je dois aimer soit le mari de Julie ?

Cette journée semblait destinée à tous les genres d'épreuves que je pouvais subir. Revenus auprès de Mad^e de Wolmar, son mari fut appelé pour quelque ordre à donner, et je restai seul avec elle.

Je me trouvai alors dans un nouvel embarras, le plus pénible et le moins prévu de tous. Que lui dire ? comment débuter ? Oserais-je rappeler nos anciennes liaisons, et des temps si présents à ma mémoire ? Laisserais-je penser que je les eusse oubliés ou que je ne m'en souciasse plus ? Quel supplice de traiter en étrangère celle qu'on porte au fond de son cœur ! Quelle infamie d'abuser de l'hospitalité pour lui tenir des discours qu'elle ne doit plus entendre ! Dans ces perplexités je perdais toute contenance ; le feu me montait au visage ; je n'osais ni parler, ni lever les yeux, ni faire le moindre geste, et je crois que je serais resté dans cet état violent jusqu'au retour de son mari, si elle ne m'en eût tiré. Pour elle, il ne parut pas que ce tête-à-tête l'eût gênée en rien. Elle conserva le même maintien et les mêmes manières qu'elle avait auparavant ; elle continua de me parler sur le même ton ; seulement, je crus voir qu'elle essayait d'y mettre encore plus de gaieté et de liberté, jointe à un regard, non timide ni tendre, mais doux et affectueux, comme pour m'encourager à me rassurer et à sortir d'une contrainte qu'elle ne pouvait manquer d'apercevoir.

Elle me parla de mes longs voyages : elle voulait en savoir les détails ; ceux, surtout, des dangers que j'avais courus, des maux que j'avais endurés ; car elle n'ignorait pas, disait-elle que son amitié m'en devait le dédommagement. Ah Julie ! lui dis-je avec tristesse, il n'y a qu'un moment que je suis avec vous ; voulez-vous déjà me renvoyer aux Indes [1] ? Non pas, dit-elle en riant, mais j'y veux aller à mon tour.

—————————

1. Au XVIIIe siècle, les « deux Indes » désignent l'Amérique et l'Asie.

Je lui dis que je vous avais donné une relation de mon voyage, dont je lui apportais une copie. Alors elle me demanda de vos nouvelles avec empressement. Je lui parlai de vous, et ne pus le faire sans lui retracer les peines que j'avais souffertes et celles que je vous avais données. Elle en fut touchée ; elle commença d'un ton plus sérieux à entrer dans sa propre justification, et à me montrer qu'elle avait dû faire tout ce qu'elle avait fait. M. de Wolmar rentra au milieu de son discours, et ce qui me confondit, c'est qu'elle le continua en sa présence exactement comme s'il n'y eût pas été. Il ne put s'empêcher de sourire en démêlant mon étonnement. Après qu'elle eut fini, il me dit : Vous voyez un exemple de la franchise qui règne ici. Si vous voulez sincèrement être vertueux, apprenez à l'imiter : c'est la seule prière et la seule leçon que j'aie à vous faire. Le premier pas vers le vice est de mettre du mystère aux actions innocentes, et quiconque aime à se cacher a tôt ou tard raison de se cacher. Un seul précepte de morale peut tenir lieu de tous les autres ; c'est celui-ci : Ne fais ni ne dis jamais rien que tu ne veuilles que tout le monde voie et entende ; et pour moi, j'ai toujours regardé comme le plus estimable des hommes ce Romain qui voulait que sa maison fût construite de manière qu'on vît tout ce qui s'y faisait [1].

J'ai, continua-t-il, deux partis à vous proposer. Choisissez librement celui qui vous conviendra le mieux ; mais choisissez l'un ou l'autre. Alors, prenant la main de sa femme et la mienne, il me dit en la serrant : Notre amitié commence, en voici le cher lien, qu'elle soit indissoluble. Embrassez votre sœur et votre amie ; traitez-la toujours comme telle ; plus vous serez familier avec elle, mieux je penserai de vous. Mais vivez dans le tête-à-tête, comme si j'étais présent, ou devant moi comme si je n'y étais pas ; voilà tout ce que je vous demande. Si vous préférez le dernier parti, vous le pouvez sans inquiétude ; car comme je me réserve le droit de vous avertir de tout ce qui me déplaira, tant que je ne dirai rien, vous serez sûr de ne m'avoir point déplu.

1. Julius Drusus, tribun de la plèbe. Le trait est rapporté dans les mêmes termes par Montaigne (*Essais*, III, « Du repentir », p. 1262). La source se trouve dans Plutarque (*Instructions*, IV, 800E-F, f. 162).

Il y avait deux heures que ce discours m'aurait fort embarrassé ; mais M. de Wolmar commençait à prendre une si grande autorité sur moi que j'y étais déjà presque accoutumé. Nous recommençâmes à causer paisiblement tous trois, et chaque fois que je parlais à Julie, je ne manquais point de l'appeler *Madame.* Parlez-moi franchement, dit enfin son mari en m'interrompant ; dans l'entretien de tout à l'heure disiez-vous *Madame* ? Non, dis-je un peu déconcerté ; mais la bienséance… La bienséance, reprit-il, n'est que le masque du vice ; où la vertu règne, elle est inutile ; je n'en veux point. Appelez ma femme *Julie* en ma présence, ou *Madame* en particulier ; cela m'est indifférent. Je commençai de connaître alors à quel homme j'avais affaire, et je résolus bien de tenir toujours mon cœur en état d'être vu de lui.

Mon corps épuisé de fatigue avait grand besoin de nourriture, et mon esprit de repos ; je trouvai l'un et l'autre à table. Après tant d'années d'absence et de douleurs, après de si longues courses, je me disais dans une sorte de ravissement : Je suis avec Julie, je la vois, je lui parle ; je suis à table avec elle, elle me voit sans inquiétude, elle me reçoit sans crainte ; rien ne trouble le plaisir que nous avons d'être ensemble. Douce et précieuse innocence, je n'avais point goûté tes charmes, et ce n'est que d'aujourd'hui que je commence d'exister sans souffrir !

Le soir en me retirant je passai devant la chambre des maîtres de la maison ; je les y vis entrer ensemble ; je gagnai tristement la mienne, et ce moment ne fut pas pour moi le plus agréable de la journée.

Voilà, Milord, comment s'est passée cette première entrevue, désirée si passionnément, et si cruellement redoutée. J'ai tâché de me recueillir depuis que je suis seul ; je me suis efforcé de sonder mon cœur ; mais l'agitation de la journée précédente s'y prolonge encore, et il m'est impossible de juger si tôt de mon véritable état. Tout ce que je sais très certainement c'est que si mes sentiments pour elle n'ont pas changé d'espèce, ils ont au moins bien changé de forme,[b] que j'aspire toujours à voir un tiers entre nous, et que je crains autant le tête-à-tête que je le désirais autrefois.

Je compte aller dans deux ou trois jours à Lausanne. Je n'ai vu Julie encore qu'à demi quand je n'ai pas vu sa cousine ; cette aimable et chère amie à qui je dois tant, qui partagera sans cesse avec vous mon amitié, mes soins, ma reconnaissance, et tous les sentiments dont mon cœur est resté le maître. À mon retour je ne tarderai pas à vous en dire davantage. J'ai besoin de vos avis et je veux m'observer de près. Je sais mon devoir et le remplirai. Quelque doux qu'il me soit d'habiter cette maison ; je l'ai résolu, je le jure ; si je m'aperçois jamais que je m'y plais trop, j'en sortirai dans l'instant.

Lettre VII
De Mad^e de Wolmar à Mad^e d'Orbe

Si tu nous avais accordé le délai que nous te demandions, tu aurais eu le plaisir avant ton départ d'embrasser ton protégé. Il arriva avant-hier et voulait t'aller voir aujourd'hui ; mais une espèce de courbature, fruit de la fatigue et du voyage, le retient dans sa chambre, et il a été saigné * ce matin. D'ailleurs, j'avais bien résolu, pour te punir, de ne le pas laisser partir sitôt, et tu n'as qu'à le venir voir ici, ou je promets que tu ne le verras de longtemps. Vraiment cela serait bien imaginé qu'il vît séparément les inséparables !

En vérité, ma Cousine, je ne sais quelles vaines terreurs m'avaient fasciné l'esprit sur ce voyage, et j'ai honte de m'y être opposée avec tant d'obstination. Plus je craignais de le revoir, plus je serais fâchée aujourd'hui de ne l'avoir pas vu ; car sa présence a détruit des craintes qui m'inquiétaient encore, et qui pouvaient devenir légitimes à force de m'occuper de lui. Loin que l'attachement que je sens pour lui m'effraye, je crois que s'il m'était moins cher je me défierais plus de moi ; mais je l'aime aussi tendrement que jamais, sans l'aimer de la même manière. C'est de la comparaison

---

* Pourquoi saigné ? Est-ce aussi la mode en Suisse ? [NdE : CP et Ms Rey ajoutent : « Je passe aux étrangers d'adopter la mode française en chose indifférente, mais la médecine !......... Je ne sache pas qu'ils en soient encore là. »]

de ce que j'éprouve à sa vue et de ce que j'éprouvais jadis
que je tire la sécurité de mon état présent, et dans des sentiments si divers la différence se fait sentir à proportion de
leur vivacité.

Quant à lui, quoique je l'aie reconnu du premier instant,
je l'ai trouvé fort changé, et, ce qu'autrefois je n'aurais guère
imaginé possible, à bien des égards il me paraît changé en
mieux. Le premier jour, il donna quelques signes d'embarras, et j'eus moi-même bien de la peine à lui cacher le mien.
Mais il ne tarda pas à prendre le ton ferme et l'air ouvert
qui convient à son caractère. Je l'avais toujours vu timide et
craintif ; la frayeur de me déplaire et peut-être la secrète
honte d'un rôle peu digne d'un honnête homme, lui donnaient devant moi je ne sais quelle contenance servile et
basse dont tu t'es plus d'une fois moquée avec raison. Au
lieu de la soumission d'un esclave, il a maintenant le respect
d'un ami qui honore ce qu'il estime, il tient avec assurance
des propos honnêtes ; il n'a pas peur que ses maximes de
vertu contrarient ses intérêts ; il ne craint ni de se faire tort
ni de me faire affront en louant les choses louables, et l'on
sent dans tout ce qu'il dit la confiance d'un homme droit et
sûr de lui-même, qui tire de son propre cœur l'approbation
qu'il ne cherchait autrefois que dans mes regards. Je trouve
aussi que l'usage du monde et l'expérience lui ont ôté ce ton
dogmatique et tranchant qu'on prend dans le cabinet, qu'il
est moins prompt à juger les hommes depuis qu'il en a beaucoup observé, moins pressé d'établir des propositions uni-
verselles depuis qu'il a tant vu d'exceptions, et qu'en général
l'amour de la vérité l'a guéri de l'esprit de systèmes [1] ; de
sorte qu'il est devenu moins brillant et plus raisonnable, et

---

1. La seconde moitié du siècle vilipende volontiers « l'esprit de système » (le
pluriel est inhabituel), sous l'influence de la philosophie empiriste, qui, avec
Bacon et Locke, a fondé la démarche philosophique sur l'observation et la
vérification. Le *Traité des systèmes* (1749) de Condillac, bien connu de
Rousseau, développe ainsi une opposition vouée à devenir canonique entre
« esprit systématique » (capacité d'expliquer le plus de phénomènes possibles en réduisant les principes à la plus grande simplicité possible) et
« esprit de système » (qui s'impose lorsque le défaut de principes vérifiés
conduit à les remplacer par des suppositions abstraites afin que le « système » soit préservé dans sa globalité).

qu'on s'instruit beaucoup mieux avec lui depuis qu'il n'est plus si savant [1].

Sa figure [2] est changée aussi et n'est pas moins bien ; sa démarche est plus assurée ; sa contenance est plus libre ; son port est plus fier, il a rapporté de ses campagnes un certain air martial qui lui sied d'autant mieux, que son geste, vif et prompt quand il s'anime, est d'ailleurs plus grave et plus posé qu'autrefois. C'est un marin dont l'attitude est flegmatique et froide, et le parler bouillant et impétueux. À trente ans passés, son visage est celui de l'homme dans sa perfection et joint au feu de la jeunesse la majesté de l'âge mûr. Son teint n'est pas reconnaissable ; il est noir comme un More, et de plus fort marqué de la petite vérole. Ma chère, il te faut tout dire : ces marques me font quelque peine à regarder, et je me surprends souvent à les regarder malgré moi.

Je crois m'apercevoir que si je l'examine, il n'est pas moins attentif à m'examiner. Après une si longue absence, il est naturel de se considérer mutuellement avec une sorte de curiosité ; mais si cette curiosité semble tenir de l'ancien empressement, quelle différence dans la manière aussi bien que dans le motif ! Si nos regards se rencontrent moins souvent, nous nous regardons avec plus de liberté. Il semble que nous ayons une convention tacite pour nous considérer alternativement. Chacun sent, pour ainsi dire, quand c'est le tour de l'autre et détourne les yeux à son tour. Peut-on revoir sans plaisir quoique l'émotion n'y soit plus, ce qu'on aima si tendrement autrefois, et qu'on aime si purement aujourd'hui ? Qui sait si l'amour-propre ne cherche point à justifier les erreurs passées ? Qui sait si chacun des deux quand la passion cesse de l'aveugler n'aime point encore à se dire : Je n'avais pas trop mal choisi ? Quoi qu'il en soit, je te le répète sans honte, je conserve pour lui des sentiments très doux qui dureront autant que ma vie. Loin de me reprocher ces sentiments je m'en applaudis ; je rougirais de ne les avoir pas, comme d'un vice de caractère et de la marque

---

1. La formule paradoxale renvoie implicitement aux lettres parisiennes de Saint-Preux, dont Julie lui avait reproché le ton (II, 27). **2.** Son aspect extérieur.

d'un mauvais cœur. Quant à lui, j'ose croire qu'après la vertu, je suis ce qu'il aime le mieux au monde. Je sens qu'il s'honore de mon estime ; je m'honore à mon tour de la sienne et mériterai de la conserver. Ah ! si tu voyais avec quelle tendresse il caresse mes enfants, si tu savais quel plaisir il prend à parler de toi ; Cousine, tu connaîtrais que je lui suis encore chère !

Ce qui redouble ma confiance dans l'opinion que nous avons toutes deux de lui, c'est que M. de Wolmar la partage, et qu'il en pense par lui-même depuis qu'il l'a vu tout le bien que nous lui en avions dit. Il m'en a beaucoup parlé ces deux soirs, en se félicitant du parti qu'il a pris et me faisant la guerre de ma résistance. Non, me disait-il hier, nous ne laisserons point un si honnête homme en doute sur lui-même ; nous lui apprendrons à mieux compter sur sa vertu, et peut-être un jour jouirons-nous avec plus d'avantage que vous ne pensez du fruit des soins que nous allons prendre. Quant à présent, je commence déjà par vous dire que son caractère me plaît, et que je l'estime surtout par un côté dont il ne se doute guère, savoir la froideur qu'il a vis-à-vis de moi. Moins il me témoigne d'amitié, plus il m'en inspire ; je ne saurais vous dire combien je craignais d'en être caressé. C'était la première épreuve que je lui destinais ; il doit s'en présenter une seconde * sur laquelle je l'observerai ; après quoi je ne l'observerai plus. Pour celle-ci, lui dis-je, elle ne prouve autre chose que la franchise de son caractère : car jamais il ne put se résoudre autrefois à prendre un air soumis et complaisant avec mon père, quoiqu'il y eût un si grand intérêt et que je l'en eusse instamment prié. Je vis avec douleur qu'il s'ôtait cette unique ressource et ne pus lui savoir mauvais gré de ne pouvoir être faux en rien. Le cas est bien différent, reprit mon mari ; il y a entre votre père et lui une antipathie naturelle fondée sur l'opposition de leurs maximes. Quant à moi qui n'ai ni systèmes ni préjugés, je suis sûr qu'il ne me hait point naturellement. Aucun homme ne me hait ; un homme sans passion ne peut inspirer d'aversion à personne : Mais je lui ai ravi son bien, il ne me

---

* La lettre où il était question de cette seconde épreuve a été supprimée ; mais j'aurai soin d'en parler dans l'occasion. [NdE : voir p. 713.]

le pardonnera pas sitôt. Il ne m'en aimera que plus tendrement, quand il sera parfaitement convaincu que le mal que je lui ai fait ne m'empêche pas de le voir de bon œil. S'il me caressait à présent il serait un fourbe ; s'il ne me caressait jamais il serait un monstre.

Voilà, ma Claire, à quoi nous en sommes, et je commence à croire que le ciel bénira la droiture de nos cœurs et les intentions bienfaisantes de mon mari. Mais je suis bien bonne d'entrer dans tous ces détails : tu ne mérites pas que j'aie tant de plaisir à m'entretenir avec toi ; j'ai résolu de ne te plus rien dire, et si tu veux en savoir davantage, viens l'apprendre.

P. S. Il faut pourtant que je te dise encore ce qui vient de se passer au sujet de cette Lettre. Tu sais avec quelle indulgence M. de Wolmar reçut l'aveu tardif que ce retour imprévu me força de lui faire. Tu vis avec quelle douceur il sut essuyer mes pleurs et dissiper ma honte. Soit que je ne lui eusse rien appris, comme tu l'as assez raisonnablement conjecturé, soit qu'en effet il fût touché d'une démarche qui ne pouvait être dictée que par le repentir ; non seulement il a continué de vivre avec moi comme auparavant, mais il semble avoir redoublé de soins, de confiance, d'estime, et vouloir me dédommager à force d'égards de la confusion que cet aveu m'a coûtée. Ma Cousine, tu connais mon cœur ; juge de l'impression qu'y fait une pareille conduite !

Sitôt que je le vis résolu à laisser venir notre ancien maître, je résolus de mon côté de prendre contre moi la meilleure précaution que je pusse employer ; ce fut de choisir mon Mari même pour mon confident, de n'avoir aucun entretien particulier qui ne lui fût rapporté, et de n'écrire aucune lettre qui ne lui fût montrée. Je m'imposai même d'écrire chaque Lettre comme s'il ne la devait point voir, et de la lui montrer ensuite. Tu trouveras un article dans celle-ci qui m'est venu de cette manière, et si je n'ai pu m'empêcher en l'écrivant, de songer qu'il le verrait, je me rends le témoignage que cela ne m'y a pas fait changer un mot ; mais quand j'ai voulu lui porter ma Lettre il s'est moqué de moi, et n'a pas eu la complaisance de la lire.

Je t'avoue que j'ai été un peu piquée de ce refus, comme s'il s'était défié de ma bonne foi. Ce mouvement ne lui a pas échappé : le plus franc et le plus généreux des hommes m'a bientôt rassurée. Avouez, m'a-t-il dit, que dans cette Lettre vous avez moins parlé de moi qu'à l'ordinaire. J'en suis convenue ; était-il séant d'en beaucoup parler pour lui montrer ce que j'en aurais dit ? Hé bien, a-t-il repris en souriant, j'aime mieux que vous parliez de moi davantage et ne point savoir ce que vous en direz. Puis il a poursuivi d'un ton plus sérieux : Le mariage est un état trop austère et trop grave pour supporter toutes les petites ouvertures de cœur qu'admet la tendre amitié. Ce dernier lien tempère quelquefois à propos [1] l'extrême sévérité de l'autre, et il est bon qu'une femme honnête et sage puisse chercher auprès d'une fidèle amie les consolations, les lumières, et les conseils qu'elle n'oserait demander à son mari sur certaines matières. Quoique vous ne disiez jamais rien entre vous dont vous n'aimassiez à m'instruire, gardez-vous de vous en faire une loi, de peur que ce devoir ne devienne une gêne, et que vos confidences n'en soient moins douces en devenant plus étendues. Croyez-moi, les épanchements de l'amitié se retiennent devant un témoin quel qu'il soit. Il y a mille secrets que trois amis doivent savoir et qu'ils ne peuvent se dire que deux à deux. Vous communiquez bien les mêmes choses à votre amie et à votre époux, mais non pas de la même manière ; et si vous voulez tout confondre, il arrivera que vos Lettres seront écrites plus à moi qu'à elle, et que vous ne serez à votre aise ni avec l'un ni avec l'autre. C'est pour mon intérêt autant que pour le vôtre que je vous parle ainsi. Ne voyez-vous pas que vous craignez déjà la juste honte de me louer en ma présence ? Pourquoi voulez-vous nous ôter, à vous, le plaisir de dire à votre amie combien votre mari vous est cher, à moi, celui de penser que dans vos plus secrets entretiens vous aimez à parler bien de lui ? [2] Julie ! Julie ! a-t-il ajouté en me serrant la main, et me regardant avec bonté ; vous abaisserez-vous à des précautions si peu

---

1. Convenablement, judicieusement. **2.** Nous rétablissons ici un point d'interrogation.

dignes de ce que vous êtes, et n'apprendrez-vous jamais à vous estimer votre prix ?

Ma chère amie, j'aurais peine à dire comment s'y prend cet homme incomparable ; mais je ne sais plus rougir de moi devant lui. Malgré que j'en aie il m'élève au-dessus de moi-même, et je sens qu'à force de confiance il m'apprend à la mériter.

Lettre VIII
Réponse

Comment, Cousine ! notre voyageur est arrivé, et je ne l'ai pas vu encore à mes pieds chargé des dépouilles de l'Amérique ? Ce n'est pas lui, je t'en avertis, que j'accuse de ce délai ; car je sais qu'il lui dure autant qu'à moi : mais je vois qu'il n'a pas aussi bien oublié que tu dis son ancien métier d'esclave, et je me plains moins de sa négligence que de ta tyrannie. Je te trouve aussi fort bonne de vouloir qu'une prude grave et formaliste [1] comme moi fasse les avances, et que toute affaire cessante, je coure baiser un visage noir et crotu *, qui a passé quatre fois sous le soleil et vu le pays des épices ! Mais tu me fais rire surtout quand tu te presses de gronder de peur que je ne gronde la première. Je voudrais bien savoir de quoi tu te mêles ? C'est mon métier de quereller ; j'y prends plaisir, je m'en acquitte à merveilles, et cela me va très bien : mais toi, tu y es gauche on ne peut davantage, et ce n'est point du tout ton fait. En revanche, si tu savais combien tu as de grâce à avoir tort, combien ton air confus et ton œil suppliant te rendent charmante, au lieu de gronder tu passerais ta vie à demander pardon, sinon par devoir, au moins par coquetterie.

Quant à présent demande-moi pardon de toutes manières. Le beau projet que celui de prendre son mari pour son confident, et l'obligeante précaution pour une aussi

---

* Marqué de petite vérole. Terme du pays.

---

1. Attachée à des vétilles, incommode.

sainte amitié que la nôtre ! Amie injuste, et femme pusilla-
nime ! à qui te fieras-tu de ta vertu sur la terre, si tu te défies
de tes sentiments et des miens ? Peux-tu, sans nous offenser
toutes deux, craindre ton cœur et mon indulgence dans les
nœuds sacrés où tu vis ? J'ai peine à comprendre comment
la seule idée d'admettre un tiers dans les secrets caquetages
de deux femmes ne t'a pas révoltée ! Pour moi, j'aime fort
à babiller à mon aise avec toi ; mais si je savais que l'œil
d'un homme eût jamais fureté[1] mes lettres, je n'aurais plus
de plaisir à t'écrire ; insensiblement la froideur s'introduirait
entre nous avec la réserve, et nous ne nous aimerions plus
que comme deux autres femmes[2]. Regarde à quoi nous
exposait ta sotte défiance, si ton mari n'eût été plus sage que
toi.

Il a très prudemment fait de ne vouloir point lire ta
Lettre. Il en eût, peut-être, été moins content que tu n'espérais, et moins que je ne le suis moi-même à qui l'état où je
t'ai vue apprend à mieux juger de celui où je te vois. Tous
ces sages contemplatifs qui ont passé leur vie à l'étude du
cœur humain, en savent moins sur les vrais signes de
l'amour que la plus bornée des femmes sensibles.
M. de Wolmar aurait d'abord remarqué que ta Lettre
entière est employée à parler de notre ami, et n'aurait point
vu l'apostille[3] où tu n'en dis pas un mot. Si tu avais écrit
cette apostille, il y a dix ans, mon enfant, je ne sais comment
tu aurais fait, mais l'ami y serait toujours rentré par quelque
coin, d'autant plus que le mari ne la devait point voir.

M. de Wolmar aurait encore observé l'attention que tu as
mise à examiner son hôte, et le plaisir que tu prends à le
décrire ; mais il mangerait Aristote et Platon avant de savoir
qu'on regarde son amant et qu'on ne l'examine pas. Tout
examen exige un sang-froid qu'on n'a jamais en voyant ce
qu'on aime.

Enfin il s'imaginerait que tous ces changements que tu as
observés seraient échappés à une autre, et moi j'ai bien peur
au contraire d'en trouver qui te seront échappés. Quelque
différent que ton hôte soit de ce qu'il était, il changerait

---

1. « Fouiller, chercher partout avec soin » (*Acad.* 1762). **2.** Deux femmes
ordinaires. **3.** Le *post-scriptum*.

davantage encore que si ton cœur n'avait point changé tu le verrais toujours le même [1]. Quoi qu'il en soit, tu détournes les yeux quand il te regarde ; c'est encore un fort bon signe. Tu les détournes, Cousine ? Tu ne les baisses donc plus ? car sûrement tu n'as pas pris un mot pour l'autre. Crois-tu que notre sage eût aussi remarqué cela ?

Une autre chose très capable d'inquiéter un Mari, c'est je ne sais quoi de touchant et d'affectueux qui reste dans ton langage au sujet de ce qui te fut cher. En te lisant, en t'entendant parler on a besoin de te bien connaître pour ne pas se tromper à tes sentiments ; on a besoin de savoir que c'est seulement d'un ami que tu parles, ou que tu parles ainsi de tous tes amis ; mais quant à cela, c'est un effet naturel de ton caractère, que ton mari connaît trop bien pour s'en alarmer. Le moyen que dans un cœur si tendre la pure amitié n'ait pas encore un peu l'air de l'amour ? Écoute, Cousine, tout ce que je te dis là doit bien te donner du courage, mais non pas de la témérité [2]. Tes progrès sont sensibles et c'est beaucoup. Je ne comptais que sur ta vertu, et je commence à compter aussi[a] sur ta raison : je regarde à présent ta guérison sinon comme parfaite, au moins comme facile, et tu en as précisément assez fait pour te rendre inexcusable si tu n'achèves pas.

Avant d'être à ton apostille j'avais déjà remarqué le petit article que tu as eu la franchise de ne pas supprimer ou modifier en songeant qu'il serait vu de ton mari. Je suis sûre qu'en le lisant il eût s'il se pouvait redoublé pour toi d'estime ; mais il n'en eût pas été plus content de l'article. En général, ta Lettre était très propre à lui donner beaucoup de confiance en ta conduite et beaucoup d'inquiétude sur ton penchant. Je t'avoue que ces marques de petite vérole, que tu regardes tant, me font peur, et jamais l'amour ne s'avisa d'un plus dangereux fard [3]. Je sais que ceci ne serait rien pour une autre ; mais, Cousine, souviens-t'en toujours,

---

1. Syllepse sur « changer » dans une construction complexe : même s'il changeait encore davantage (physiquement), tu le verrais toujours le même, même si ton cœur n'avait point changé (moralement). **2.** La distinction est ici fidèle à celle du latin : *audentia* (capacité d'entreprendre, assurance) n'est pas *audacia* (hardiesse excessive). **3.** Voir III, 14 et 15.

celle que la jeunesse et la figure d'un amant n'avaient pu séduire se perdit en pensant aux maux qu'il avait soufferts pour elle. Sans doute le Ciel a voulu qu'il lui restât des marques de cette maladie pour exercer ta vertu, et qu'il ne t'en restât pas, pour exercer la sienne.

Je reviens au principal sujet de ta lettre ; tu sais qu'à celle de notre ami, j'ai volé ; le cas était grave. Mais à présent si tu savais dans quel embarras m'a mis cette courte absence et combien j'ai d'affaires à la fois, tu sentirais l'impossibilité où je suis de quitter derechef ma maison sans m'y donner de nouvelles entraves et me mettre dans la nécessité d'y passer encore cet hiver ; ce qui n'est pas mon compte ni le tien. Ne vaut-il pas mieux nous priver de nous voir deux ou trois jours à la hâte, et nous rejoindre six mois plus tôt ? Je pense aussi qu'il ne sera pas inutile que je cause en particulier et un peu à loisir avec notre philosophe ; soit pour sonder et raffermir son cœur ; soit pour lui donner quelques avis utiles sur la manière dont il doit se conduire avec ton mari et même avec toi ; car je n'imagine pas que tu puisses lui parler bien librement là-dessus, et je vois par ta lettre même qu'il a besoin de conseil. Nous avons pris une si grande habitude de le gouverner, que nous sommes un peu responsables de lui à [1] notre propre conscience, et jusqu'à ce que sa raison soit entièrement libre, nous y devons suppléer. Pour moi, c'est un soin que je prendrai toujours avec plaisir ; car il a eu pour mes avis des déférences coûteuses que je n'oublierai jamais, et il n'y a point d'homme au monde depuis que le mien n'est plus, que j'estime et que j'aime autant que lui. Je lui réserve aussi pour son compte le plaisir de me rendre ici quelques services. J'ai beaucoup de papiers mal en ordre qu'il m'aidera à débrouiller, et quelques affaires épineuses où j'aurai besoin à mon tour de ses lumières et de ses soins. Au reste, je compte ne le garder que cinq ou six jours tout au plus, et peut-être te le renverrai-je dès le lendemain ; car j'ai trop de vanité pour attendre que l'impatience de s'en retourner le prenne, et l'œil trop bon pour m'y tromper.

---

1. Devant.

Ne manque donc pas, sitôt qu'il sera remis, de me l'envoyer, c'est-à-dire, de le laisser venir, ou je n'entendrai pas raillerie. Tu sais bien que si je ris quand je pleure et n'en suis pas moins affligée, je ris aussi quand je gronde et n'en suis pas moins en colère. Si tu es bien sage et que tu fasses les choses de bonne grâce, je te promets de t'envoyer avec lui un joli petit présent qui te fera plaisir et très grand plaisir ; mais si tu me fais languir, je t'avertis que tu n'auras rien.

P. S. À propos, dis-moi : Notre marin fume-t-il ? jure-t-il ? boit-il de l'eau-de-vie ? Porte- t-il un grand sabre ? a-t-il bien la mine d'un flibustier ? Mon Dieu que je suis curieuse de voir l'air qu'on a quand on revient des Antipodes ![b]

Lettre IX
De Claire à Julie

Tiens, Cousine, voilà ton Esclave que je te renvoie. J'en ai fait le mien durant ces huit jours, et il a porté ses fers de si bon cœur qu'on voit qu'il est tout fait pour servir. Rends-moi grâce de ne l'avoir pas gardé huit autres jours encore ; car, ne t'en déplaise, si j'avais attendu qu'il fût prêt à s'ennuyer avec moi, j'aurais pu ne pas le renvoyer si tôt. Je l'ai donc gardé sans scrupule ; mais j'ai eu celui de n'oser le loger dans ma maison. Je me suis senti quelquefois cette fierté d'âme qui dédaigne les serviles bienséances et sied si bien à la vertu. J'ai été plus timide en cette occasion sans savoir pourquoi ; et tout ce qu'il y a de sûr, c'est que je serais plus portée à me reprocher cette réserve qu'à m'en applaudir.

Mais toi, sais-tu bien pourquoi notre ami s'endurait [1] si paisiblement ici ? Premièrement il était avec moi, et je prétends que c'est déjà beaucoup pour prendre patience. Il m'épargnait des tracas et me rendait service dans mes affaires ; un ami ne s'ennuie point à cela. Une troisième

---

1. Cet emploi pronominal du verbe « endurer » (« Supporter avec patience, fermeté, constance », *Acad.* 1762) est absent des dictionnaires.

chose que tu as déjà devinée, quoique tu n'en fasses pas
semblant [1], c'est qu'il me parlait de toi, et si nous ôtions le
temps qu'a duré cette causerie de celui qu'il a passé ici, tu
verrais qu'il m'en est fort peu resté pour mon compte. Mais
quelle bizarre fantaisie de s'éloigner de toi pour avoir le
plaisir d'en parler ? Pas si bizarre qu'on dirait bien. Il est
contraint en ta présence ; il faut qu'il s'observe incessamment ; la moindre indiscrétion deviendrait un crime, et dans
ces moments dangereux le seul devoir se laisse entendre aux
cœurs honnêtes : mais loin de ce qui nous fut cher on se
permet d'y songer encore. Si l'on étouffe un sentiment
devenu coupable, pourquoi se reprocherait-on de l'avoir eu
tandis qu'il ne l'était point ? Le doux souvenir d'un bonheur
qui fut légitime, peut-il jamais être criminel ? Voilà, je pense,
un raisonnement qui t'irait mal, mais qu'après tout il peut
se permettre. Il a recommencé pour ainsi dire, la carrière de
ses anciennes amours. Sa première jeunesse s'est écoulée une
seconde fois dans nos entretiens. Il me renouvelait toutes
ses confidences ; il rappelait ces temps heureux où il lui était
permis de t'aimer ; il peignait à mon cœur les charmes d'une
flamme innocente…..[a] sans doute il les embellissait !

Il m'a peu parlé de son état présent par rapport à toi, et
ce qu'il m'en a dit tient plus du respect et de l'admiration
que de l'amour ; en sorte que je le vois retourner, beaucoup
plus rassurée sur son cœur que quand il est arrivé. Ce n'est
pas qu'aussitôt qu'il est question de toi, l'on n'aperçoive au
fond de ce cœur trop sensible un certain attendrissement que
l'amitié seule, non moins touchante, marque pourtant d'un
autre ton ; mais j'ai remarqué depuis longtemps que personne ne peut ni te voir ni penser à toi de sang-froid, et si
l'on joint au sentiment universel que ta vue inspire le sentiment plus doux qu'un souvenir ineffaçable a dû lui laisser,
on trouvera qu'il est difficile et peut-être impossible qu'avec
la vertu la plus austère il soit autre chose que ce qu'il est. Je
l'ai bien questionné, bien observé, bien suivi ; je l'ai examiné
autant qu'il m'a été possible ; je ne puis bien lire dans son
âme, il n'y lit pas mieux lui-même : mais je puis te répondre
au moins qu'il est pénétré de la force de ses devoirs et des

---

1. Quoique tu n'en montres rien, ou même : quoique tu feignes de l'ignorer.

tiens, et que l'idée de Julie méprisable et corrompue [1] lui ferait plus d'horreur à concevoir que celle de son propre anéantissement. Cousine, je n'ai qu'un conseil à te donner, et je te prie d'y faire attention ; évite les détails sur le passé et je te réponds de l'avenir.

Quant à la restitution dont tu me parles, il n'y faut plus songer. Après avoir épuisé toutes les raisons imaginables, je l'ai prié, pressé, conjuré, boudé, baisé, je lui ai pris les deux mains, je me serais mise à genoux s'il m'eût laissée faire ; il ne m'a pas même écoutée ; il a poussé l'humeur et l'opiniâtreté jusqu'à jurer qu'il consentirait plutôt à ne te plus voir qu'à se dessaisir de ton portrait. Enfin dans un transport d'indignation me le faisant toucher attaché sur son cœur : Le voilà, m'a-t-il dit d'un ton si ému qu'il en respirait à peine, le voilà ce portrait, le seul bien qui me reste, et qu'on m'envie encore : Soyez sûre qu'il ne me sera jamais arraché qu'avec la vie. Crois-moi, Cousine, soyons sages et laissons-lui le portrait. Que t'importe au fond qu'il lui demeure ? Tant pis pour lui s'il s'obstine à le garder.

Après avoir bien épanché et soulagé son cœur, il m'a paru assez tranquille pour que je pusse lui parler de ses affaires. J'ai trouvé que le temps et la raison ne l'avaient point fait changer de système, et qu'il bornait toute son ambition à passer sa vie attaché à Milord Édouard. Je n'ai pu qu'approuver un projet si honnête, si convenable à son caractère, et si digne de la reconnaissance qu'il doit à des bienfaits sans exemple. Il m'a dit que tu avais été du même avis ; mais que M. de Wolmar avait gardé le silence. Il me vient dans la tête une idée. À la conduite assez singulière de ton mari, et à d'autres indices, je soupçonne qu'il a sur notre ami quelque vue secrète qu'il ne dit pas. Laissons-le faire et fions-nous à sa sagesse. La manière dont il s'y prend prouve assez que si ma conjecture est juste, il ne médite rien que d'avantageux à celui pour lequel il prend tant de soins.

Tu n'as pas mal décrit sa figure et ses manières, et c'est un signe assez favorable que tu l'aies observé plus exactement que je n'aurais cru : mais ne trouves-tu pas que ses

---

1. Julie adultère. Le mot « anéantissement » sera repris dans VI, 7, p. 798.

longues peines et l'habitude de les sentir ont rendu sa physionomie encore plus intéressante qu'elle n'était autrefois ?
Malgré ce que tu m'en avais écrit je craignais de lui voir
cette politesse maniérée, ces façons singeresses [1] qu'on ne
manque jamais de contracter à Paris, et qui dans la foule
des riens dont on y remplit une journée oisive se piquent
d'avoir une forme plutôt qu'une autre. Soit que ce vernis ne
prenne pas sur certaines âmes, soit que l'air de la mer l'ait
entièrement effacé, je n'en ai pas aperçu la moindre trace ;
et dans tout l'empressement qu'il m'a témoigné, je n'ai vu
que le désir de contenter son cœur. Il m'a parlé de mon
pauvre mari ; mais il aimait mieux le pleurer avec moi que
me consoler, et ne m'a point débité là-dessus de maximes
galantes [2]. Il a caressé ma fille, mais au lieu de partager mon
admiration pour elle, il m'a reproché comme toi ses défauts
et s'est plaint que je la gâtais ; il s'est livré avec zèle à mes
affaires et n'a presque été de mon avis sur rien. Au surplus
le grand air m'aurait arraché les yeux qu'il ne se serait pas
avisé d'aller fermer un rideau ; je me serais fatiguée à passer
d'une chambre [3] à l'autre qu'un pan de son habit galam-
ment étendu sur sa main ne serait pas venu à mon secours ;
mon éventail resta hier une grande seconde à terre sans qu'il
s'élançât du bout de la chambre comme pour le retirer du
feu. Les matins avant de me venir voir, il n'a pas envoyé une
seule fois savoir de mes nouvelles. À la promenade il
n'affecte point d'avoir son chapeau cloué sur sa tête, pour
montrer qu'il sait les bons airs *. À table, je lui ai demandé

* À Paris on se pique surtout de rendre la société commode et facile, et
c'est dans une foule de règles de cette importance qu'on y fait consister cette
facilité. Tout est usages et lois dans la bonne compagnie. Tous ces usages
naissent et passent comme un éclair. Le savoir-vivre consiste à se tenir toujours au guet, à les saisir au passage, à les affecter, à montrer qu'on sait
celui du jour. Le tout pour être simple.

1. Le mot, absent des dictionnaires de l'époque, est emprunté à Montaigne :
« Or j'ai une condition singeresse et imitatrice » (*Essais*, III, 5, « Sur des
vers de Virgile », p. 1371). **2.** Allusion humoristique probable de Claire au
conte de la Matrone d'Éphèse (jeune veuve « consolée », et même séduite
devant le tombeau du défunt), rendu célèbre par La Fontaine : l'adjectif
« galant » renvoie à l'agrément de la conversation, mais il a aussi une connotation érotique. **3.** Une pièce.

souvent sa tabatière qu'il n'appelle pas sa boîte ; toujours il
me l'a présentée avec la main, jamais sur une assiette comme
un laquais ; il n'a pas manqué de boire à ma santé deux fois
au moins par repas, et je parie que s'il nous restait cet hiver,
nous le verrions, assis avec nous autour du feu, se chauffer
en vieux bourgeois. Tu ris, Cousine ; mais montre-moi un
des nôtres fraîchement venu de Paris qui ait conservé cette
bonhomie. Au reste, il me semble que tu dois trouver notre
philosophe empiré dans un seul point ; c'est qu'il s'occupe
un peu plus des gens qui lui parlent ; ce qui ne peut se faire
qu'à ton préjudice ; sans aller pourtant, je pense, jusqu'à le
raccommoder avec Madame Belon [1]. Pour moi, je le trouve
mieux en ce qu'il est plus grave et plus sérieux que jamais.
Ma mignonne, garde-le-moi bien soigneusement jusqu'à
mon arrivée. Il est précisément comme il me le faut, pour
avoir le plaisir de le désoler tout le long du jour.

Admire ma discrétion ; je ne t'ai rien dit encore du présent que je t'envoie, et qui t'en promet bientôt un autre :
mais tu l'as reçu avant que d'ouvrir ma Lettre, et toi qui
sais combien j'en suis idolâtre et combien j'ai raison de
l'être ; toi dont l'avarice était si en peine de ce présent, tu
conviendras que je tiens plus que je n'avais promis. Ah, la
pauvre petite ! au moment où tu lis ceci, elle est déjà dans
tes bras ; elle est plus heureuse que sa mère ; mais dans deux
mois je serai plus heureuse qu'elle ; car je sentirai mieux
mon bonheur. Hélas ! chère Cousine, ne m'as-tu pas déjà
toute entière ? où tu es, où est ma fille, que manque-t-il
encore de moi ? La voilà, cette aimable enfant ; reçois-la
comme tienne ; je te la cède, je te la donne ; je résigne en tes
mains le pouvoir maternel ; corrige mes fautes, charge-toi
des soins dont je m'acquitte si mal à ton gré ; sois dès
aujourd'hui la mère de celle qui doit être ta Bru, et pour me
la rendre plus chère encore, fais-en s'il se peut une autre
Julie. Elle te ressemble déjà de visage ; à son humeur,
j'augure qu'elle sera grave et prêcheuse ; quand tu auras corrigé les caprices qu'on m'accuse d'avoir fomentés, tu verras
que ma fille se donnera les airs d'être ma Cousine ; mais
plus heureuse elle aura moins de pleurs à verser et moins de

---

1. Voir I, 33-35.

combats à rendre. Si le Ciel lui eût conservé le meilleur des
pères ; qu'il eût été loin de gêner ses inclinations, et que
nous serons loin de les gêner nous-mêmes ! Avec quel
charme je les vois déjà s'accorder avec nos projets ! Sais-tu
bien qu'elle ne peut déjà plus se passer de son petit mali, et
que c'est en partie pour cela que je te la renvoie ? J'eus hier
avec elle une conversation dont notre ami se mourait de rire.
Premièrement, elle n'a pas le moindre regret de me quitter,
moi qui suis toute la journée sa très humble servante, et ne
puis résister à rien de ce qu'elle veut ; et toi qu'elle craint et
qui lui dis : Non, vingt fois le jour, tu es la petite Maman
par excellence, qu'on va chercher avec joie, et dont on aime
mieux les refus que tous mes bonbons. Quand je lui annon-
çai que j'allais te l'envoyer, elle eut les transports que tu
peux penser ; mais pour l'embarrasser, j'ajoutai que tu
m'enverrais à sa place le petit mali, et ce ne fut plus son
compte. Elle me demanda toute interdite ce que j'en voulais
faire. Je répondis que je voulais le prendre pour moi ; elle
fit la mine. Henriette, ne veux-tu pas bien me le céder, ton
petit mali ? Non, dit-elle assez sèchement. Non ? Mais si je
ne veux pas te le céder non plus, qui nous accordera ?
Maman, ce sera la petite Maman. J'aurai donc la préférence, car tu sais qu'elle veut tout ce que je veux. Oh la
petite Maman ne veut jamais que la raison ! Comment,
Mademoiselle, n'est-ce pas la même chose ? La rusée se mit
à sourire. Mais encore, continuai-je, par quelle raison ne me
donnerait-elle pas le petit mali ? Parce qu'il ne vous convient
pas. Et pourquoi ne me conviendrait-il pas ? Autre sourire
aussi malin que le premier. Parle franchement, est-ce que tu
me trouves trop vieille pour lui ? Non, Maman ; mais il est
trop jeune pour vous.... Cousine, un enfant de sept ans !.....
En vérité, si la tête ne m'en tournait pas, il faudrait qu'elle
m'eût déjà tourné.

Je m'amusai à la provoquer encore. Ma chère Henriette,
lui dis-je en prenant mon sérieux, je t'assure qu'il ne te
convient pas non plus. Pourquoi donc ? s'écria-t-elle d'un
air alarmé. C'est qu'il est trop étourdi pour toi. Oh Maman,
n'est-ce que cela ? Je le rendrai sage. Et si par malheur il te
rendait folle ? Ah, ma bonne Maman, que j'aimerais à vous
ressembler ! Me ressembler ! impertinente ? Oui, Maman :

vous dites toute la journée que vous êtes folle de moi ; Hé bien, moi, je serai folle de lui : voilà tout.

Je sais que tu n'approuves pas ce joli caquet, et que tu sauras bientôt le modérer. Je ne veux pas, non plus, le justifier quoiqu'il m'enchante, mais te montrer seulement que ta fille aime déjà bien son petit mali, et que, s'il a deux ans de moins qu'elle, elle ne sera pas indigne de l'autorité que lui donne le droit d'aînesse. Aussi bien je vois, par l'opposition de ton exemple et du mien à celui de ta pauvre mère, que quand la femme gouverne, la maison n'en va pas plus mal. Adieu, ma bien-aimée ; adieu ma chère inséparable ; compte que le temps approche, et que les vendanges ne se feront pas sans moi.

Lettre X
À Milord Édouard

Que de plaisirs trop tard connus je goûte depuis trois semaines ! La douce chose de couler ses jours dans le sein d'une tranquille amitié, à l'abri de l'orage des passions impétueuses ! Milord que c'est un spectacle agréable et touchant que celui d'une maison simple et bien réglée ou règnent l'ordre, la paix, l'innocence ; où l'on voit réuni sans appareil, sans éclat, tout ce qui répond à la véritable destination de l'homme ! La campagne, la retraite, le repos, la saison, la vaste plaine d'eau qui s'offre à mes yeux, le sauvage aspect des montagnes, tout me rappelle ici ma délicieuse Île de Tinian. Je crois voir accomplir les vœux ardents que j'y formai tant de fois. J'y mène une vie de mon goût, j'y trouve une société selon mon cœur. Il ne manque en ce lieu que deux personnes pour que tout mon bonheur y soit rassemblé, et j'ai l'espoir de les y voir bientôt.

En attendant que vous et Mad^e d'Orbe veniez mettre le comble aux plaisirs si doux et si purs que j'apprends à goûter où je suis, je veux vous en donner idée par le détail d'une économie domestique qui annonce la félicité des maîtres de la maison et la fait partager à ceux qui l'habitent. J'espère, sur le projet qui vous occupe, que mes réflexions

pourront un jour avoir leur usage, et cet espoir sert encore
à les exciter.

Je ne vous décrirai point la maison de Clarens. Vous la
connaissez. Vous savez si elle est charmante, si elle m'offre
des souvenirs intéressants, si elle doit m'être chère, et par ce
qu'elle me montre, et par ce qu'elle me rappelle.
Made de Wolmar en préfère avec raison le séjour à celui
d'Étange, château magnifique et grand ; mais vieux, triste,
incommode, et qui n'offre dans ses environs rien de comparable à ce qu'on voit autour de Clarens.

Depuis que les maîtres de cette maison y ont fixé leur
demeure, ils en ont mis à leur usage tout ce qui ne servait
qu'à l'ornement ; ce n'est plus une maison faite pour être
vue, mais pour être habitée. Ils ont bouché de longues enfi-
lades pour changer des portes mal situées, ils ont coupé de
trop grandes pièces pour avoir des logements mieux distribués. À des meubles anciens et riches ils en ont substitué de
simples et de commodes. Tout y est agréable et riant ; tout
y respire l'abondance et la propreté, rien n'y sent la richesse
et le luxe. Il n'y a pas une chambre où l'on ne se reconnaisse
à la campagne, et où l'on ne retrouve toutes les commodités
de la ville. Les mêmes changements se font remarquer au
dehors. La basse-cour [1] a été agrandie aux dépens des
remises. À la place d'un vieux billard [2] délabré l'on a fait un
beau pressoir, et une laiterie où logeaient des Paons criards
dont on s'est défait. Le potager était trop petit pour la cuisine ; on en a fait du parterre un second, mais si propre et
si bien entendu, que ce parterre ainsi travesti plaît à l'œil
plus qu'auparavant. Aux tristes Ifs qui couvraient les murs
ont été substitués de bons espaliers. Au lieu de l'inutile mar-
ronnier d'Inde, de jeunes mûriers noirs commencent à
ombrager la cour, et l'on a planté deux rangs de noyers jusqu'au chemin à la place des vieux tilleuls qui bordaient
l'avenue. Partout on a substitué l'utile à l'agréable, et
l'agréable y a presque toujours gagné. Quant à moi, du

---

1. « On appelle *Basse-cour* la cour d'un château ou d'une grande maison,
et qui est destinée, soit au logement des bas Officiers, soit à y mettre les
équipages ; on y nourrit à la campagne de la volaille et des bestiaux »
(*Acad.* 1762). **2.** Une salle pour jouer au billard.

moins, je trouve que le bruit de la basse-cour, le chant des coqs, le mugissement du bétail, l'attelage des chariots, les repas des champs, le retour des ouvriers, et tout l'appareil de l'économie rustique donne à cette maison un air plus champêtre, plus vivant, plus animé, plus gai, je ne sais quoi qui sent la joie et le bien-être, qu'elle n'avait pas dans sa morne dignité.

Leurs terres ne sont pas affermées [1] mais cultivées par leurs soins, et cette culture fait une grande partie de leurs occupations, de leurs biens et de leurs plaisirs. [a] La Baronnie d'Étange n'a que des prés, des champs, et du bois ; mais le produit de Clarens est en vignes, qui font un objet considérable [2], et comme la différence de la culture y produit un effet [3] plus sensible que dans les blés, [4] c'est encore une raison d'économie pour avoir préféré ce dernier séjour. Cependant ils vont presque tous les ans faire les moissons à leur terre, et M. de Wolmar y va seul assez fréquemment. Ils ont pour maxime de tirer de la culture tout ce qu'elle peut donner, non pour faire un plus grand gain, mais pour nourrir plus d'hommes. M. de Wolmar prétend que la terre produit à proportion du nombre des bras qui la cultivent ; mieux cultivée elle rend davantage ; cette surabondance de production donne de quoi la cultiver mieux encore ; plus on y met d'hommes et de bétail, plus elle fournit d'excédent à leur entretien. On ne sait, dit-il, où peut s'arrêter cette augmentation continuelle et réciproque de produit et de cultivateurs. Au contraire, les terrains négligés perdent leur fertilité : moins un pays produit d'hommes, moins il produit de denrées : c'est le défaut d'habitants qui l'empêche de nourrir le peu qu'il en a, et dans toute contrée qui se dépeuple on doit tôt ou tard mourir de faim [b].

Ayant donc beaucoup de terres et les cultivant toutes avec beaucoup de soin, il leur faut, outre les domestiques de la

---

1. *Affermer* signifie « donner à ferme » une terre à cultiver à des paysans qui doivent payer chaque année une somme forfaitaire au propriétaire. Voir V, 2, p. 648. **2.** Qui occupe une grosse partie de l'année (voir V, 7). **3.** Un revenu. Le mot « effet » au sens économique signale le bénéfice non négligeable des vendanges à Clarens (un des grands non-dits de la lettre V, 7) : la région fournit en vins la majorité des autres cantons suisses. **4.** Nous remplaçons le point-virgule par une virgule.

basse-cour, un grand nombre d'ouvriers à la journée ; ce qui leur procure le plaisir de faire subsister beaucoup de gens sans s'incommoder. Dans le choix de ces journaliers, ils préfèrent toujours ceux du pays et les voisins aux étrangers et aux inconnus. Si l'on perd quelque chose à ne pas prendre toujours les plus robustes, on le regagne bien par l'affection que cette préférence inspire à ceux qu'on choisit, par l'avantage de les avoir sans cesse autour de soi, et de pouvoir compter sur eux dans tous les temps, quoiqu'on ne les paye qu'une partie de l'année.

Avec tous ces ouvriers on fait toujours deux prix. L'un est le prix de rigueur et de droit, le prix courant du pays, qu'on s'oblige à leur payer pour les avoir employés. L'autre, un peu plus fort, est un prix de bénéficence [1], qu'on ne leur paye qu'autant qu'on est content d'eux, et il arrive presque toujours que ce qu'ils font pour qu'on le soit vaut mieux que le surplus qu'on leur donne. Car M. de Wolmar est intègre et sévère, et ne laisse jamais dégénérer en coutume et en abus les institutions de faveur et de grâce. Ces ouvriers ont des surveillants qui les animent et les observent. Ces surveillants sont les gens de la basse-cour qui travaillent eux-mêmes et sont intéressés au travail des autres par un petit denier [2] qu'on leur accorde outre leurs gages, sur tout ce qu'on recueille par leurs soins. De plus, M. de Wolmar les visite lui-même presque tous les jours, souvent plusieurs fois le jour, et sa femme aime à être de ces promenades. Enfin dans le temps des grands travaux, Julie donne toutes les semaines vingt batz * de gratification à celui de tous les travailleurs, journaliers ou valets indifféremment qui durant ces huit jours a été le plus diligent au jugement du maître. Tous ces moyens d'émulation qui paraissent dispendieux, employés avec prudence et justice rendent insensiblement

---

* Petite monnaie du pays. [NdE : 20 batz valent environ 3 euros.]

---

1. Archaïsme volontaire de Rousseau ; Féraud indique qu'on ne trouve pas ce terme « étranger » dans les dictionnaires, et qu'on lui a préféré « bienfaisance ». **2.** Somme d'or ou d'argent, mais aussi : intérêt d'une somme principale. Les surveillants touchent sans doute un supplément qui correspond à un pourcentage de leurs gages, pour prix de leurs rapports sur la conduite des ouvriers.

tout le monde laborieux, diligent, et rapportent enfin plus qu'ils ne coûtent ; mais comme on n'en voit le profit qu'avec de la constance et du temps, peu de gens savent et veulent s'en servir.

Cependant un moyen plus efficace encore, le seul auquel des vues économiques ne font point songer et qui est plus propre à Mad^e de Wolmar, c'est de gagner l'affection de ces bonnes gens en leur accordant la sienne. Elle ne croit point s'acquitter avec de l'argent des peines que l'on prend pour elle, et pense devoir des services à quiconque lui en a rendu. Ouvriers, domestiques, tous ceux qui l'ont servie ne fût-ce que pour un seul jour deviennent tous ses enfants ; elle prend part à leurs plaisirs, à leurs chagrins, à leur sort ; elle s'informe de leurs affaires, leurs intérêts sont les siens ; elle se charge de mille soins pour eux, elle leur donne des conseils, elle accommode leurs différends, et ne leur marque pas l'affabilité de son caractère par des paroles emmiellées et sans effet, mais par des services véritables et par de continuels actes de bonté. Eux, de leur côté quittent tout à son moindre signe ; ils volent quand elle parle ; son seul regard anime leur zèle, en sa présence ils sont contents, en son absence ils parlent d'elle et s'animent à la servir. Ses charmes et ses discours font beaucoup, sa douceur ses vertus font davantage. Ah Milord ! l'adorable et puissant empire que celui de la beauté bienfaisante !

Quant au service personnel des maîtres, ils ont dans la maison huit domestiques, trois femmes et cinq hommes, sans compter le valet de chambre du Baron ni les gens de la Basse-cour. Il n'arrive guère qu'on soit mal servi par peu de Domestiques ; mais on dirait au zèle de ceux-ci, que chacun, outre son service, se croit chargé de celui des sept autres, et à leur accord, que tout se fait par un seul. On ne les voit jamais oisifs et désœuvrés jouer dans une antichambre ou polissonner dans la cour, mais toujours occupés à quelque travail utile ; ils aident à la basse-cour, au Cellier, à la Cuisine ; le jardinier n'a point d'autres garçons qu'eux, et ce qu'il y a de plus agréable, c'est qu'on leur voit faire tout cela gaiement et avec plaisir.

On s'y prend de bonne heure pour les avoir tels qu'on les veut. On n'a point ici la maxime que j'ai vu régner à Paris et à Londres, de choisir des Domestiques tout formés, c'est-à-dire des Coquins déjà tout faits, de ces coureurs de conditions qui dans chaque maison qu'ils parcourent prennent à la fois les défauts des valets et des maîtres, et se font un métier de servir tout le monde, sans jamais s'attacher à personne. Il ne peut régner ni honnêteté ni fidélité ni zèle au milieu de pareilles gens, et ce ramassis de canaille ruine le maître et corrompt les enfants dans toutes les maisons opulentes [1]. Ici c'est une affaire importante que le choix des Domestiques. On ne les regarde point seulement comme des mercenaires dont on n'exige qu'un service exact ; mais comme des membres de la famille, dont le mauvais choix est capable de la désoler. La première chose qu'on leur demande est d'être honnêtes gens, la seconde d'aimer leur maître, la troisième de le servir à son gré ; mais pour peu qu'un maître soit raisonnable et un domestique intelligent, la troisième suit toujours les deux autres. On ne les tire donc point de la ville mais de la campagne. C'est ici leur premier service, et ce sera sûrement le dernier pour tous ceux qui vaudront quelque chose. On les prend dans quelque famille nombreuse et surchargée d'enfants, dont les pères et mères viennent les offrir eux-mêmes. On les choisit jeunes, bien faits, de bonne santé et d'une physionomie agréable. M. de Wolmar les interroge, les examine, puis les présente à sa femme. S'ils agréent à tous deux, ils sont reçus, d'abord à l'épreuve, ensuite au nombre des gens, c'est-à-dire, des enfants de la maison, et l'on passe quelques jours à leur apprendre avec beaucoup de patience et de soin ce qu'ils ont à faire. Le service est si simple, si égal, si uniforme, les maîtres ont si peu de fantaisie et d'humeur, et leurs domestiques les affectionnent si promptement, que cela est bientôt appris. Leur condition est douce ; ils sentent un bien-être qu'ils n'avaient pas chez eux ; mais on ne les laisse point amollir par l'oisiveté mère des vices. On ne souffre point qu'ils deviennent des Messieurs et s'enorgueillissent de la

---

1. Ce tableau de la domesticité citadine relève d'une mémoire douloureuse de Rousseau lui-même, qui fut un temps laquais dans sa jeunesse chez Mme de Vercellis. Voir son témoignage sur la maison de Solar dans le livre III des *Confessions*, lié à l'épisode fameux du ruban volé.

servitude. Ils continuent de travailler comme ils faisaient dans la maison paternelle ; ils n'ont fait, pour ainsi dire, que changer de père et de mère, et en gagner de plus opulents. De cette sorte ils ne prennent point en dédain leur ancienne vie rustique. Si jamais ils sortaient d'ici, il n'y en a pas un qui ne reprît plus volontiers son état de paysan que de supporter une autre condition.[c] Enfin, je n'ai jamais vu de maison où chacun fît mieux son service, et s'imaginât moins de servir.

C'est ainsi qu'en formant et dressant ses propres Domestiques on n'a point à se faire cette objection si commune et si peu sensée : Je les aurai formés pour d'autres. Formez-les comme il faut, pourrait-on répondre, et jamais ils ne serviront à d'autres. Si vous ne songez qu'à vous en les formant, en vous quittant ils font fort bien de ne songer qu'à eux ; mais occupez-vous d'eux un peu davantage et ils vous demeureront attachés. Il n'y a que l'intention qui oblige, et celui qui profite d'un bien que je ne veux faire qu'à moi ne me doit aucune reconnaissance.

Pour prévenir doublement le même inconvénient, M. et Mad^e de Wolmar emploient encore un autre moyen qui me paraît fort bien entendu. En commençant leur établissement ils ont cherché quel nombre de domestiques ils pouvaient entretenir dans une maison montée à peu près selon leur état, et ils ont trouvé que ce nombre allait à quinze ou seize ; pour être mieux servis ils l'ont réduit à la moitié ; de sorte qu'avec moins d'appareil leur service est beaucoup plus exact. Pour être mieux servis encore, ils ont intéressé les mêmes gens à les servir longtemps. Un domestique en entrant chez eux reçoit le gage ordinaire ; mais ce gage augmente tous les ans d'un vingtième ; au bout de vingt ans il serait ainsi plus que doublé et l'entretien des domestiques serait à peu près alors en raison du moyen des maîtres : mais il ne faut pas être un grand algébriste pour voir que les frais de cette augmentation sont plus apparents que réels, qu'ils auront peu de doubles gages à payer, et que quand ils les paieraient à tous, l'avantage d'avoir été bien servis durant vingt ans compenserait et au-delà ce surcroît de dépense. Vous sentez bien, Milord, que c'est un expédient sûr pour augmenter incessamment le soin des domestiques et se les attacher à mesure qu'on s'attache à eux. Il n'y a pas seulement de la prudence, il y a même de l'équité dans un pareil établissement. Est-il juste qu'un nouveau venu sans affection, et qui n'est peut-être qu'un mauvais sujet, reçoive en entrant le même salaire qu'on donne à un ancien serviteur, dont le zèle et la fidélité sont éprouvés par de longs services, et qui d'ailleurs approche en vieillissant du temps où il sera hors d'état de gagner sa vie ? Au reste, cette dernière raison n'est pas ici de mise, et vous pouvez bien croire que des maîtres aussi humains ne négligent pas des devoirs que remplissent par ostentation beaucoup de maîtres sans charité, et n'abandonnent pas ceux de leurs gens à qui les infirmités ou la vieillesse ôtent les moyens de servir.

J'ai dans l'instant même un exemple assez frappant de cette attention. Le Baron d'Étange, voulant récompenser les longs services de son Valet de chambre par une retraite honorable, a eu le crédit d'obtenir pour lui de L. L. E. E. [1] un emploi lucratif et sans peine. Julie vient de recevoir là-dessus de ce vieux domestique une lettre à tirer des larmes, dans laquelle il la supplie de le faire dispenser d'accepter cet emploi. « Je suis âgé, lui dit-il ; j'ai perdu toute ma famille ; je n'ai plus d'autres parents que mes maîtres ; tout mon espoir est de finir paisiblement mes jours dans la maison où je les ai passés…. Madame, en vous tenant dans mes bras à votre naissance, je demandais à Dieu de tenir de même un jour vos enfants ; il m'en a fait la grâce ; ne me refusez pas celle de les voir croître et prospérer comme vous…. moi qui suis accoutumé à vivre dans une maison de paix, où en retrouverai-je une semblable pour y reposer ma vieillesse ?… Ayez la charité d'écrire en ma faveur à Monsieur le Baron. S'il est mécontent de moi, qu'il me chasse et ne me donne point d'emploi : mais si je l'ai fidèlement servi durant quarante ans, qu'il me laisse achever mes jours à son service et au vôtre ; il ne saurait mieux me récompenser. » Il ne faut pas demander si Julie a écrit. Je vois qu'elle serait aussi fâchée de perdre ce bon homme [2] qu'il le serait de la quitter.

---

1. Leurs Excellences, titre des magistrats de Berne. **2.** Orthographié *bonhomme* p. 655 : mot signifiant aussi bien « homme respectable » que, dans un emploi familier, « homme d'un âge avancé ». On reverra ce vieux domestique à la fin de VI, 11, p. 858.

Ai-je tort, Milord, de comparer des maîtres si chéris à des pères et leurs domestiques à leurs enfants ? Vous voyez que c'est ainsi qu'ils se regardent eux-mêmes.

Il n'y a pas d'exemple dans cette maison qu'un domestique ait demandé son congé. Il est même rare qu'on menace quelqu'un de le lui donner. Cette menace effraie à proportion de ce que le service est agréable et doux. Les meilleurs sujets en sont toujours les plus alarmés, et l'on n'a jamais besoin d'en venir à l'exécution qu'avec ceux qui sont peu regrettables. Il y a encore une règle à cela. Quand M. de Wolmar a dit : *Je vous chasse*, on peut implorer l'intercession de Madame, l'obtenir quelquefois et rentrer en grâce à sa prière ; mais un congé qu'elle donne est irrévocable, et il n'y a plus de grâce à espérer. Cet accord est très bien entendu pour tempérer à la fois l'excès de confiance qu'on pourrait prendre en la douceur de la femme, et la crainte extrême que causerait l'inflexibilité du mari. Ce mot ne laisse pas pourtant d'être extrêmement redouté de la part d'un maître équitable et sans colère [1] ; car outre qu'on n'est pas sûr d'obtenir grâce, et qu'elle n'est jamais accordée deux fois au même ; on perd par ce mot seul son droit d'ancienneté, et l'on recommence, en rentrant, un nouveau service : ce qui prévient l'insolence des vieux domestiques et augmente leur circonspection, à mesure qu'ils ont plus à perdre.

Les trois femmes sont : la femme de chambre, la gouvernante des enfants, et la cuisinière. Celle-ci est une paysanne fort propre et fort entendue [2] à qui Mad^e de Wolmar a appris la cuisine ; car dans ce pays simple encore * les jeunes personnes de tout état apprennent à faire elles-mêmes tous les travaux que feront un jour dans leur maison ^d les femmes qui seront à leur service, afin de savoir les conduire au besoin et de ne s'en pas laisser imposer par elles. La femme

---

* Simple ! Il a donc beaucoup changé.

---

1. La crainte, enseignait Montesquieu dans *De l'esprit des lois* (III, 9), est le « principe » du gouvernement despotique, ce que n'entend pas être celui de Clarens où les maîtres sont sans caprice, sans « humeur », contrairement au despote décrit par Montesquieu. **2.** Intelligente. Pour d'autres acceptions, voir I, 11, n. 3, p. 80 et I, 47, n. 1, p. 166.

de chambre n'est plus Babi ; on l'a renvoyée à Étange où
elle est née ; on lui a remis le soin du château et une inspection sur la recette, qui la rend en quelque manière le contrô-
leur de l'Économe [1]. Il y avait longtemps que M. de Wolmar
pressait sa femme de faire cet arrangement, sans pouvoir la
résoudre à éloigner d'elle un ancien domestique [2] de sa
mère, quoiqu'elle eût plus d'un sujet de s'en plaindre. Enfin
depuis les dernières explications elle y a consenti, et Babi est
partie. Cette femme est intelligente et fidèle, mais indiscrète
et babillarde. Je soupçonne qu'elle a trahi plus d'une fois les
secrets de sa maîtresse, que M. de Wolmar ne l'ignore pas, et
que pour prévenir la même indiscrétion vis-à-vis de quelque
étranger, cet homme sage a su l'employer de manière à profiter de ses bonnes qualités sans s'exposer aux mauvaises.
Celle qui l'a remplacée est cette même Fanchon Regard
dont vous m'entendiez parler autrefois avec tant de plaisir.
Malgré l'augure de Julie, ses bienfaits, ceux de son père, et
les vôtres, cette jeune femme si honnête et si sage n'a pas
été heureuse dans son établissement. Claude Anet, qui avait
si bien supporté sa misère, n'a pu soutenir un état plus doux.
En se voyant dans l'aisance il a négligé son métier, et s'étant
tout à fait dérangé [3] il s'est enfui du pays, laissant sa femme
avec un enfant qu'elle a perdu depuis ce temps-là. Julie
après l'avoir retirée chez elle lui a appris tous les petits
ouvrages d'une femme de chambre, et je ne fus jamais plus
agréablement surpris que de la trouver en fonction le jour
de mon arrivée. M. de Wolmar en fait un très grand cas, et
tous deux lui ont confié le soin de veiller tant sur leurs
enfants que sur celle qui les gouverne. Celle-ci est aussi une
villageoise simple et crédule, mais attentive, patiente et
docile ; de sorte qu'on n'a rien oublié pour que les vices des
villes ne pénétrassent point dans une maison dont les
maîtres ne les ont ni ne les souffrent.

Quoique tous les domestiques n'aient qu'une même table,
il y a d'ailleurs peu de communication entre les deux sexes :
on regarde ici cet article comme très important. On n'y est

---

1. L'*économe* est « celui ou celle qui a soin de la conduite d'un ménage, de
la dépense d'une maison » (*Acad.* 1762). **2.** Une ancienne domestique (tour
classique). **3.** Sens moral : déréglé dans sa conduite, débauché.

point de l'avis de ces maîtres indifférents à tout hors à leur intérêt, qui ne veulent qu'être bien servis, sans s'embarrasser au surplus de ce que font leurs gens. On pense au contraire, que ceux qui ne veulent qu'être bien servis ne sauraient l'être longtemps. Les liaisons trop intimes entre les deux sexes ne produisent jamais que du mal. C'est des conciliabules qui se tiennent chez les femmes de chambre que sortent la plupart des désordres d'un ménage. S'il s'en trouve une qui plaise au maître d'hôtel, il ne manque pas de la séduire aux dépens du maître. L'accord des hommes entre eux ni des femmes entre elles n'est pas assez sûr pour tirer à conséquence. Mais c'est toujours entre hommes et femmes que s'établissent ces secrets monopoles [1] qui ruinent à la longue les familles les plus opulentes. On veille donc à la sagesse et à la modestie des femmes, non seulement par des raisons de bonnes mœurs et d'honnêteté, mais encore par un intérêt très bien entendu ; car quoi qu'on en dise, nul ne remplit bien son devoir s'il ne l'aime, et il n'y eut jamais que des gens d'honneur qui sussent aimer leur devoir.

Pour prévenir entre les deux sexes une familiarité dangereuse, on ne les gêne point ici par des lois positives qu'ils seraient tentés d'enfreindre en secret ; mais sans paraître y songer on établit des usages plus puissants que l'autorité même. On ne leur défend pas de se voir, mais on fait en sorte qu'ils n'en aient ni l'occasion ni la volonté. On y parvient en leur donnant des occupations, des habitudes, des goûts, des plaisirs entièrement différents. Sur l'ordre admirable qui règne ici, ils sentent que dans une maison bien réglée les hommes et les femmes doivent avoir peu de commerce entre eux. Tel qui taxerait en cela de caprice les volontés d'un maître, se soumet sans répugnance à une manière de vivre qu'on ne lui prescrit pas formellement, mais qu'il juge lui-même être la meilleure et la plus naturelle. Julie prétend qu'elle l'est en effet ; elle soutient que de l'amour ni de l'union conjugale ne résulte point le commerce continuel des deux sexes. Selon elle la femme et le mari sont bien destinés à vivre ensemble, mais non pas de la même manière ; ils

---

1. Sens vieilli de *monopole* : « Cabale, pratique sourde et secrète contre une autorité légitime » (*Acad.* 1694).

doivent agir de concert sans faire les mêmes choses. La vie qui charmerait l'un serait, dit-elle, insupportable à l'autre ; les inclinations que leur donne la nature sont aussi diverses que les fonctions qu'elle leur impose ; leurs amusements ne diffèrent pas moins que leurs devoirs ; en un mot, tous deux concourent au bonheur commun par des chemins différents et ce partage de travaux et de soins est le plus fort lien de leur union [1].

Pour moi, j'avoue que mes propres observations sont assez favorables à cette maxime. En effet, n'est-ce pas un usage constant de tous les peuples du monde, hors le français et ceux qui l'imitent, que les hommes vivent entre eux, les femmes entre elles ? S'ils se voient les uns les autres, c'est plutôt par entrevues et presque à la dérobée comme les Époux de Lacédémone, que par un mélange indiscret [2] et perpétuel, capable de confondre et défigurer en eux les plus sages distinctions de la nature. On ne voit point les sauvages mêmes indistinctement mêlés, hommes et femmes. Le soir la famille se rassemble ; chacun passe la nuit auprès de sa femme ; la séparation recommence avec le jour, et les deux sexes n'ont plus rien de commun que les repas tout au plus. Tel est l'ordre que son universalité montre être le plus naturel, et dans les pays mêmes où il est perverti l'on en voit encore des vestiges. En France où les hommes se sont soumis à vivre à la manière des femmes et à rester sans cesse enfermés dans la chambre [3] avec elles, l'involontaire agitation qu'ils y conservent montre que ce n'est point à cela qu'ils étaient destinés. Tandis que les femmes restent tranquillement assises ou couchées sur leur chaise longue, vous voyez les hommes se lever, aller, venir, se rasseoir avec une inquiétude continuelle ; un instinct machinal combattant sans cesse la contrainte où ils se mettent, et les poussant malgré eux à cette vie active et laborieuse que leur imposa la nature. C'est le seul peuple du monde où les hommes se tiennent debout au spectacle, comme s'ils allaient se délasser

1. Rousseau a théorisé ce partage de la vie domestique articulé à une rigoureuse complémentarité « naturelle » des sexes au livre V de l'*Émile*. **2.** Voir I, 1, n. 3, p. 58. **3.** Dans une pièce.

au parterre d'avoir resté tout le jour assis au salon. Enfin ils sentent si bien l'ennui de cette indolence efféminée et casanière, que pour y mêler au moins quelque sorte d'activité ils cèdent chez eux la place aux étrangers, et vont auprès des femmes d'autrui chercher à tempérer ce dégoût [1].

La maxime de Mad[e] de Wolmar se soutient très bien par l'exemple de sa maison. Chacun étant pour ainsi dire tout à son sexe, les femmes y vivent très séparées des hommes. Pour prévenir entre eux des liaisons suspectes, son grand secret est d'occuper incessamment les uns et les autres ; car leurs travaux sont si différents qu'il n'y a que l'oisiveté qui les rassemble. Le matin chacun vaque à ses fonctions, et il ne reste du loisir à personne pour aller troubler celles d'un autre. L'après-dînée les hommes ont pour département le jardin, la basse-Cour, ou d'autres soins de la campagne ; les femmes s'occupent dans la chambre des enfants jusqu'à l'heure de la promenade qu'elles font avec eux, souvent même avec leur maîtresse, et qui leur est agréable comme le seul moment où elles prennent l'air. Les hommes, assez exercés par le travail de la journée, n'ont guère envie de s'aller promener et se reposent en gardant la maison.

Tous les Dimanches après le prêche du soir les femmes se rassemblent encore dans la chambre des enfants avec quelque parente ou amie qu'elles invitent tour à tour du consentement de Madame. Là en attendant un petit régal donné par elle, on cause, on chante, on joue au volant, aux onchets [2], ou à quelque autre jeu d'adresse propre à plaire aux yeux des enfants, jusqu'à ce qu'ils s'en puissent amuser eux-mêmes. La collation vient, composée de quelques

---

1. On trouve dans la *Lettre à d'Alembert* une condamnation violente de la culture des salons parisiens, comme espace de la confusion des sexes et d'une domination mondaine des femmes sur les hommes qui constitue, pour Rousseau, le symptôme d'une corruption de l'ordre politique autant qu'un scandale moral. Ce tableau des hommes enfermés dans la « chambre » est une reprise presque textuelle d'un passage de la *Lettre* (« chaque femme de Paris rassemble dans son appartement un sérail d'hommes plus femmes qu'elle », p. 156). **2.** Jeu avec des bâtonnets sur le principe du mikado. *Onchets* ou *jonchets* : « Certains petits bâtons fort menus en forme de joncs, avec lesquels on joue » (*Acad.* 1762). Rousseau nomme ce jeu en V, 3.

laitages, de gaufres, d'échaudés [1], de merveilles *, ou
d'autres mets du goût des enfants et des femmes. Le vin en
est toujours exclu, et les hommes qui dans tous les temps
entrent peu dans ce petit Gynécée ** ne sont jamais de cette
collation, où Julie manque assez rarement. J'ai été jusqu'ici
le seul privilégié. Dimanche dernier j'obtins à force d'importunités de l'y accompagner. Elle eut grand soin de me faire
valoir cette faveur. Elle me dit tout haut qu'elle me l'accordait pour cette seule fois, et qu'elle l'avait refusée à
M. de Wolmar lui-même. Imaginez si la petite vanité féminine était flattée, et si un laquais eût été bien venu à vouloir
être admis à l'exclusion du maître ?

[e] Je fis un goûter délicieux. Est-il quelques mets au monde
comparables aux laitages de ce pays ? Pensez ce que doivent
être ceux d'une laiterie où Julie préside, et mangés à côté
d'elle. La Fanchon me servit des grus, de la céracée ***, des
gaufres, des écrelets [2]. Tout disparaissait à l'instant. Julie
riait de mon appétit. Je vois, dit-elle en me donnant encore
une assiette de crème, que votre estomac se fait honneur
partout, [f] et que vous ne vous tirez pas moins bien de l'écot [3]
des femmes que de celui des Valaisans ; pas plus impunément, repris-je ; on s'enivre quelquefois à l'un comme à
l'autre, et la raison peut s'égarer dans un chalet tout aussi
bien que dans un cellier [4]. Elle baissa les yeux sans répondre,
rougit, et se mit à caresser ses enfants. C'en fut assez pour
éveiller mes remords. Milord, ce fut là ma première indiscrétion, et j'espère que ce sera la dernière.

---

* Sorte de gâteaux du pays.
** Appartement des femmes.
*** Laitages excellents qui se font sur la montagne de Salève. Je doute qu'ils
soient connus sous ce nom au Jura ; surtout vers l'autre extrémité du lac.
[NdE : le gru (ancien nom du gruau) est de la bouillie de farine d'orge ou
d'avoine. La séracée est un bloc de lait caillé dont on a ôté le petit-lait (c'est
un peu l'ancêtre du yaourt appelé « petit suisse »). Situé au sud de Genève,
le mont Salève se trouve assez éloigné du Jura suisse qui ceinture Clarens
au nord.]

---

1. « Gâteau en forme de triangle ou de cœur, fait avec de la pâte échaudée,
de l'eau, du sel, et quelquefois avec du beurre et des œufs » (*Trévoux*).
2. Spécialité suisse de pain d'épices. **3.** Compagnie qui mange ensemble.
4. Voir I, 36.

Il régnait dans cette petite assemblée un certain air d'antique simplicité qui me touchait le cœur ; je voyais sur tous les visages la même gaieté et plus de franchise, peut-être, que s'il s'y fût trouvé des hommes. Fondée sur la confiance et l'attachement, la familiarité qui régnait entre les servantes et la maîtresse ne faisait qu'affermir le respect et l'autorité, et les services rendus et reçus ne semblaient être que des témoignages d'amitié réciproque. Il n'y avait pas jusqu'au choix du régal qui ne contribuât à le rendre intéressant. Le laitage et le sucre sont un des goûts naturels du sexe et comme le symbole de l'innocence et de la douceur qui font son plus aimable ornement. Les hommes, au contraire, recherchent en général les saveurs fortes et les liqueurs spiritueuses ; aliments plus convenables à la vie active et laborieuse que la nature leur demande ; et quand ces divers goûts viennent à s'altérer et se confondre, c'est une marque presque infaillible du mélange désordonné des sexes. En effet j'ai remarqué qu'en France, où les femmes vivent sans cesse avec les hommes, elles ont tout à fait perdu le goût du laitage, les hommes beaucoup celui du vin, et qu'en Angleterre où les deux sexes sont moins confondus, leur goût propre s'est mieux conservé. En général, je pense qu'on pourrait souvent trouver quelque indice du caractère des gens dans le choix des aliments qu'ils préfèrent. Les Italiens qui vivent beaucoup d'herbages sont efféminés et mous. Vous autres Anglais, grands mangeurs de viande, avez dans vos inflexibles vertus quelque chose de dur et qui tient de la barbarie. Le Suisse, naturellement froid paisible et simple, mais violent et emporté dans la colère, aime à la fois l'un et l'autre aliment, et boit du laitage et du vin. Le Français, souple et changeant, vit de tous les mets et se plie à tous les caractères. Julie elle-même pourrait me servir d'exemple : car quoique sensuelle et gourmande dans ses repas, elle n'aime ni la viande, ni les ragoûts, ni le sel, et n'a jamais goûté de vin pur. D'excellents légumes, les œufs, la crème, les fruits ; voilà sa nourriture ordinaire, et sans le poisson qu'elle aime aussi beaucoup, elle serait une véritable pythagoricienne [1].

---

1. Allusion aux principes végétariens de Pythagore.

Ce n'est rien de contenir les femmes si l'on ne contient aussi les hommes, et cette partie de la règle, non moins importante que l'autre, est plus difficile encore ; car l'attaque est en général plus vive que la défense : c'est l'intention du conservateur de la nature [1]. Dans la République on retient les citoyens par des mœurs, des principes, de la vertu [2] : mais comment contenir des domestiques, des mercenaires, autrement que par la contrainte et la gêne ? Tout l'art du maître est de cacher cette gêne sous le voile du plaisir ou de l'intérêt, en sorte qu'ils pensent vouloir tout ce qu'on les oblige de faire. L'oisiveté du dimanche, le droit qu'on ne peut guère leur ôter d'aller où bon leur semble quand leurs fonctions ne les retiennent point au logis, détruisent souvent en un seul jour l'exemple et les leçons des six autres. L'habitude du cabaret, le commerce et les maximes de leurs camarades, la fréquentation des femmes débauchées, les perdant bientôt pour leurs maîtres et pour eux-mêmes, les rendent par mille défauts incapables du service, et indignes de la liberté [3].

On remédie à cet inconvénient en les retenant par les mêmes motifs qui les portaient à sortir. Qu'allaient-ils faire ailleurs ? Boire et jouer au cabaret. Ils boivent et jouent au logis. Toute la différence est que le vin ne leur coûte rien, qu'ils ne s'enivrent pas, et qu'il y a des gagnants au jeu sans que jamais personne perde. Voici comment on s'y prend pour cela.

Derrière la maison est une allée couverte, dans laquelle on a établi la lice des jeux. C'est là que les gens de livrée, et ceux de la basse-cour se rassemblent en été le dimanche après le prêche, pour y jouer en plusieurs parties liées, non

---

1. Au livre V de l'*Émile*, Rousseau analyse le rapport amoureux des sexes comme polarisé entre l'attaque (masculine) et la défense (féminine). Il ne s'agit pas, chez lui, d'un conflit mais, au contraire, d'une structure harmonieuse, où le fait de fuir modestement devant l'homme permet à la femme d'assurer le triomphe de ce dernier sans manquer à la règle de sa « pudeur », mais aussi d'échapper à la violence érotique, dont on voit ici qu'elle est fondamentalement un potentiel masculin. **2.** La « vertu » est chez Montesquieu le « principe » de la république, mais il s'agit bien de vertu au sens politique, comme amour de la patrie supérieur à l'intérêt individuel. **3.** Ils ne sont pas dignes, par leur conduite, de la liberté qu'on leur accorde.

de l'argent, on ne le souffre pas, ni du vin, on leur en donne ; mais une mise fournie par la libéralité des maîtres. Cette mise est toujours quelque petit meuble ou quelque nippe [1] à leur usage. Le nombre des jeux est proportionné à la valeur de la mise, en sorte que quand cette mise est un peu considérable comme des boucles d'argent, un porte-col [2], des bas de soie, un chapeau fin, ou autre chose semblable, on emploie ordinairement plusieurs séances à la disputer. On ne s'en tient point à une seule espèce de jeu, on les varie, afin que le plus habile dans un n'emporte pas toutes les mises, et pour les rendre tous plus adroits et plus forts par des exercices multipliés. Tantôt c'est à qui enlèvera à la course un but placé à l'autre bout de l'avenue ; tantôt à qui lancera le plus loin la même pierre ; tantôt à qui portera le plus longtemps le même fardeau ; tantôt on dispute un prix en tirant au blanc [3]. On joint à la plupart de ces jeux un petit appareil [4] qui les prolonge et les rend amusants. Le maître et la maîtresse les honorent souvent de leur présence ; on y amène quelquefois les enfants, les étrangers même y viennent attirés par la curiosité, et plusieurs ne demanderaient pas mieux que d'y concourir ; mais nul n'est jamais admis qu'avec l'agrément des maîtres et du consentement des joueurs, qui ne trouveraient pas leur compte à l'accorder aisément. Insensiblement il s'est fait de cet usage une espèce de spectacle où les acteurs animés par les regards du public préfèrent la gloire des applaudissements à l'intérêt du prix. Devenus plus vigoureux et plus agiles, ils s'en estiment davantage, et s'accoutumant à tirer leur valeur d'eux-mêmes plutôt que de ce qu'ils possèdent, tout valets qu'ils sont, l'honneur leur devient plus cher que l'argent [5].

---

1. « Se dit tant des habits que des meubles, et de tout ce qui sert à l'ajustement et à la parure » (*Acad.* 1762), sans nuance péjorative. Le mot *meuble* désigne « les ustensiles et tout ce qui sert à garnir, à orner une maison, et qui n'en fait point partie » (*Acad.* 1762). **2.** Pièce de vêtement qui soutient le « collet », sorte de rabat placé autour du cou. Les boucles servent à orner les souliers ou les ceintures. **3.** Au but, à la cible. **4.** Préparatifs pour donner une solennité au spectacle. Voir I, 46, n. 2, p. 161. **5.** Exemple de « remède dans le mal » typique de la pensée politique de Rousseau : l'émulation, qui marque la dégénérescence de l'espèce (l'inégalité civile apparaît dès que « l'estime publique eut un prix », *Discours sur l'inégalité*, p. 116), devient ici un facteur de restauration de l'être moral de l'individu qui retrouve ainsi une dignité au sein de sa condition servile. Toute

Il serait long de vous détailler tous les biens qu'on retire ici d'un soin si puéril en apparence et toujours dédaigné des esprits vulgaires, tandis que c'est le propre du vrai génie de produire de grands effets par de petits moyens. M. de Wolmar m'a dit qu'il lui en coûtait à peine cinquante écus par an [1] pour ces petits établissements que sa femme a la première imaginés. Mais, dit-il, combien de fois croyez-vous que je regagne cette somme dans mon ménage et dans mes affaires par la vigilance et l'attention que donnent à leur service des domestiques attachés qui tiennent tous leurs plaisirs de leurs maîtres ; par l'intérêt qu'ils prennent à celui d'une maison qu'ils regardent comme la leur ; par l'avantage de profiter dans leurs travaux de la vigueur qu'ils acquièrent dans leurs jeux ; par celui de les conserver toujours sains en les garantissant des excès ordinaires à leurs pareils, et des maladies qui sont la suite ordinaire de ces excès ; par celui de prévenir en eux les friponneries que le désordre amène infailliblement, et de les conserver toujours honnêtes gens ; enfin par le plaisir d'avoir chez nous à peu de frais des récréations agréables pour nous-mêmes ? Que s'il se trouve parmi nos gens quelqu'un soit homme soit femme qui ne s'accommode pas de nos règles et leur préfère la liberté d'aller sous divers prétextes courir où bon lui semble ; on ne lui en refuse jamais la permission ; mais nous regardons ce goût de licence comme un indice très suspect, et nous ne tardons pas à nous défaire de ceux qui l'ont. Ainsi ces mêmes amusements qui nous conservent de bons sujets, nous servent encore d'épreuve pour les choisir. Milord, j'avoue que je n'ai jamais vu qu'ici des maîtres former à la fois dans les mêmes hommes de bons domestiques pour le service de leurs personnes, de bons paysans pour cultiver leurs terres, de bons soldats pour la défense de la patrie, et des gens de bien pour tous les états où la fortune peut les appeler.

L'hiver les plaisirs changent d'espèce ainsi que les travaux. Les dimanches, tous les gens de la maison et même les voisins, hommes et femmes indifféremment se rassemblent après

---

cette économie domestique qui peut nous sembler paternaliste vise à retrouver l'« humanité naturelle » au sein de la servitude (voir *infra*, p. 548). **1.** Soit plus de 1500 euros, si l'on considère qu'il s'agit d'écus français de 3 livres.

le service dans une salle basse où ils trouvent du feu, du vin, des fruits, des gâteaux, et un violon qui les fait danser. Mad[e] de Wolmar ne manque jamais de s'y rendre au moins pour quelques instants, afin d'y maintenir par sa présence l'ordre et la modestie, et il n'est pas rare qu'elle y danse elle-même, fût-ce avec ses propres gens. Cette règle quand je l'appris me parut d'abord moins conforme à la sévérité des mœurs protestantes. Je le dis à Julie ; et voici à peu près ce qu'elle me répondit.

La pure morale est si chargée de devoirs sévères que si on la surcharge encore de formes indifférentes, c'est presque toujours aux dépens de l'essentiel. On dit que c'est le cas de la plupart des Moines, qui, soumis à mille règles inutiles, ne savent ce que c'est qu'honneur et vertu. Ce défaut règne moins parmi nous, mais nous n'en sommes pas tout à fait exempts. Nos Gens d'Église, aussi supérieurs en sagesse à toutes les sortes de Prêtres que notre Religion est supérieure à toutes les autres en sainteté, ont pourtant encore quelques maximes qui paraissent plus fondées sur le préjugé que sur la raison. Telle est celle qui blâme la danse et les assemblées [1], comme s'il y avait plus de mal à danser qu'à chanter, que chacun de ces amusements ne fût pas également une inspiration de la nature, et que ce fût un crime de s'égayer en commun par une récréation innocente et honnête. Pour moi, je pense au contraire que toutes les fois qu'il y a concours des deux sexes tout divertissement public devient innocent par cela même qu'il est public, au lieu que l'occupation la plus louable est suspecte dans le tête-à-tête *.

---

* Dans ma Lettre à M. d'Alembert sur les spectacles j'ai transcrit de celle-ci le morceau suivant, et quelques autres ; mais comme alors je ne faisais que préparer cette édition, j'ai cru devoir attendre qu'elle parût pour citer ce que j'en avais tiré. [NdE : le passage auquel Rousseau fait allusion concerne spécifiquement « les bals entre de jeunes personnes à marier » (*Lettre à d'Alembert*, p. 184) : telle doit donc être une fonction essentielle des assemblées orchestrées à Clarens.]

---

1. Sur cet interdit, que la Réforme avait imposé à Genève puis dans le pays de Vaud au XVIe siècle, Rousseau prend parti dans la *Lettre à d'Alembert* (voir note de Rousseau ci-dessus). Il écrit par ailleurs au livre V de son *Émile* : « À force d'outrer tous les devoirs le christianisme les rend impraticables et vains ; à force d'interdire aux femmes le chant, la danse et tous les amusements du monde il les rend maussades, grondeuses, insupportables dans leur maison » (*OC*, IV, p. 716).

L'homme et la femme sont destinés l'un pour l'autre, la fin de la nature est qu'ils soient unis par le mariage. Toute fausse Religion combat la nature, la nôtre seule qui la suit et la rectifie annonce une institution divine et convenable à l'homme. Elle ne doit donc point ajouter sur le mariage aux embarras de l'ordre civil des difficultés que l'Évangile ne prescrit pas, et qui sont contraires à l'esprit du Christianisme. Mais qu'on me dise où de jeunes personnes à marier auront occasion de prendre du goût l'une pour l'autre, et de se voir avec plus de décence et de circonspection que dans une assemblée où les yeux du public incessamment tournés sur elles les forcent à s'observer avec le plus grand soin ? En quoi Dieu est-il offensé par un exercice agréable et salutaire, convenable à la vivacité de la jeunesse, qui consiste à se présenter l'un à l'autre avec grâce et bienséance, et auquel le spectateur impose une gravité dont personne n'oserait sortir ? Peut-on imaginer un moyen plus honnête de ne tromper personne, au moins quant à la figure, et de se montrer avec les agréments et les défauts qu'on peut avoir aux gens qui ont intérêt de nous bien connaître avant de s'obliger à nous aimer ? Le devoir de se chérir réciproquement n'emporte-t-il pas celui de se plaire, et n'est-ce pas un soin digne de deux personnes vertueuses et chrétiennes qui songent à s'unir, de préparer ainsi leurs cœurs à l'amour mutuel que Dieu leur impose ?

Qu'arrive-t-il dans ces lieux où règne une éternelle contrainte, où l'on punit comme un crime la plus innocente gaieté, où les jeunes gens des deux sexes n'osent jamais s'assembler en public, et où l'indiscrète sévérité d'un Pasteur ne sait prêcher au nom de Dieu qu'une gêne servile, et la tristesse et l'ennui ? On élude [1] une tyrannie insupportable que la nature et la raison désavouent. Aux plaisirs permis dont on prive une jeunesse enjouée et folâtre, elle en substitue de plus dangereux. Les tête-à-tête adroitement concertés prennent la place des assemblées publiques. À force de se

---

1. On évite « avec adresse » (*Acad.* 1762). Comprendre que là où la contrainte est trop gênante, on cherche forcément à s'en détourner, mais aussi que les passions tyrannisées finissent par se libérer de manière excessive.

cacher comme si l'on était coupable, on est tenté de le deve-nir. L'innocente joie aime à s'évaporer au grand jour, mais le vice est ami des ténèbres, et jamais l'innocence et le mystère n'habitèrent longtemps ensemble. Mon cher ami, me dit-elle en me serrant la main comme pour me communiquer son repentir et faire passer dans mon cœur la pureté du sien ; qui doit mieux sentir que nous toute l'importance de cette maxime ? Que de douleurs et de peines, que de remords et de pleurs nous nous serions épargnés durant tant d'années, si tous deux aimant la vertu comme nous avons toujours fait, nous avions su prévoir de plus loin les dangers qu'elle court dans le tête-à-tête !

Encore un coup, continua Mad^e de Wolmar d'un ton plus tranquille, ce n'est point dans les assemblées nombreuses où tout le monde nous voit et nous écoute, mais dans des entre-tiens particuliers où règnent le secret et la liberté, que les mœurs peuvent courir des risques. C'est sur ce principe, que quand mes domestiques des deux sexes se rassemblent, je suis bien aise qu'ils y soient tous. J'approuve même qu'ils invitent parmi les jeunes gens du voisinage ceux dont le commerce n'est point capable de leur nuire, et j'apprends avec grand plaisir que, pour louer les mœurs de quelqu'un de nos jeunes voisins, on dit : Il est reçu chez M. de Wolmar. En ceci nous avons encore une autre vue. Les hommes qui nous servent sont tous garçons, et parmi les femmes la gou-vernante des enfants est encore à marier ; il n'est pas juste que la réserve où vivent ici les uns et les autres ôte l'occasion d'un honnête établissement. Nous tâchons dans ces petites assemblées de leur procurer cette occasion sous nos yeux pour les aider à mieux choisir, et en travaillant ainsi à former d'heureux ménages nous augmentons le bon-heur du nôtre.

Il resterait à me justifier moi-même de danser avec ces bonnes gens ; mais j'aime mieux passer condamnation sur ce point, et j'avoue franchement que mon plus grand motif en cela est le plaisir que j'y trouve. Vous savez que j'ai tou-jours partagé la passion que ma Cousine a pour la danse ; mais après la perte de ma mère je renonçai pour ma vie au bal et à toute assemblée publique ; j'ai tenu parole, même à mon mariage, et la tiendrai, sans croire y déroger en dansant

quelquefois chez moi avec mes hôtes et mes domestiques.
C'est un exercice utile à ma santé durant la vie sédentaire
qu'on est forcé de mener ici l'hiver. Il m'amuse innocemment ; car quand j'ai bien dansé mon cœur ne me reproche
rien. Il amuse aussi M. de Wolmar, toute ma coquetterie en
cela se borne à lui plaire. Je suis cause qu'il vient au lieu où
l'on danse ; ses gens en sont plus contents d'être honorés
des regards de leur maître ; ils témoignent aussi de la joie à
me voir parmi eux. Enfin je trouve que cette familiarité
modérée forme entre nous un lien de douceur et d'attachement qui ramène un peu l'humanité naturelle, en tempérant
la bassesse de la servitude et la rigueur de l'autorité.

Voilà, Milord, ce que me dit Julie au sujet de la danse, et
j'admirai comment avec tant d'affabilité pouvait régner tant
de subordination, et comment elle et son mari pouvaient
descendre et s'égaler si souvent à leurs domestiques, sans
que ceux-ci fussent tentés de les prendre au mot et de
s'égaler à eux à leur tour. Je ne crois pas qu'il y ait de Souve-
rains en Asie servis dans leurs Palais avec plus de respect
que ces bons maîtres le sont dans leur maison. Je ne connais
rien de moins impérieux que leurs ordres et rien de si
promptement exécuté : Ils prient, et l'on vole ; ils excusent
et l'on sent son tort. Je n'ai jamais mieux compris combien
la force des choses qu'on dit dépend peu des mots qu'on
emploie.

Ceci m'a fait faire une autre réflexion sur la vaine gravité
des maîtres. C'est que ce sont moins leurs familiarités que
leurs défauts qui les font mépriser chez eux, et que l'insolence des Domestiques annonce plutôt un maître vicieux
que faible : car rien ne leur donne autant d'audace que la
connaissance de ses vices, et tous ceux qu'ils découvrent en
lui sont à leurs yeux autant de dispenses d'obéir à un
homme qu'ils ne sauraient plus respecter.

Les valets imitent les maîtres, et les imitant grossièrement
ils rendent sensibles dans leur conduite les défauts que le
vernis de l'éducation cache mieux dans les autres. À Paris
je jugeais des mœurs des femmes de ma connaissance par
l'air et le ton de leurs femmes de chambre, et cette règle ne
m'a jamais trompé. Outre que la femme de chambre une
fois dépositaire du secret de sa maîtresse lui fait payer cher

sa discrétion, elle agit comme l'autre pense et décèle toutes ses maximes en les pratiquant maladroitement. En toute chose l'exemple des maîtres est plus fort que leur autorité, et il n'est pas naturel que leurs domestiques veuillent être plus honnêtes gens qu'eux. On a beau crier, jurer, maltraiter, chasser, faire maison nouvelle ; tout cela ne produit point le bon service. Quand celui qui ne s'embarrasse pas d'être méprisé et haï de ses gens s'en croit pourtant bien servi, c'est qu'il se contente de ce qu'il voit et d'une exactitude apparente, sans tenir compte de mille maux secrets qu'on lui fait incessamment et dont il n'aperçoit jamais la source. Mais où est l'homme assez dépourvu d'honneur pour pouvoir supporter les dédains de tout ce qui l'environne ? Où est la femme assez perdue pour n'être plus sensible aux outrages ? Combien, dans Paris et dans Londres, de Dames se croient fort honorées, qui fondraient en larmes si elles entendaient ce qu'on dit d'elles dans leur antichambre ? Heureusement pour leur repos elles se rassurent en prenant ces Argus pour des imbéciles, et se flattant qu'ils ne voient rien de ce qu'elles ne daignent pas leur cacher. Aussi dans leur mutine obéissance ne leur cachent-ils guère à leur tour tout le mépris qu'ils ont pour elles. Maîtres et Valets sentent mutuellement que ce n'est pas la peine de se faire estimer les uns des autres.

Le jugement des Domestiques me paraît être l'épreuve la plus sûre et la plus difficile de la vertu des maîtres, et je me souviens, Milord, d'avoir bien pensé de la vôtre en Valais sans vous connaître, simplement sur ce que parlant assez rudement à vos gens, ils ne vous en étaient pas moins attachés, et qu'ils témoignaient entre eux autant de respect pour vous en votre absence que si vous les eussiez entendus. On a dit qu'il n'y avait point de héros pour son valet de chambre [1] ; cela peut être ; mais l'homme juste a l'estime de son valet ; ce qui montre assez que l'héroïsme n'a qu'une vaine apparence, et qu'il n'y a rien de solide que la vertu. C'est surtout dans cette maison qu'on reconnaît la force

---

1. L'expression était devenue proverbiale au XVIIIe siècle. « Peu d'hommes ont été admirés par leurs domestiques », écrit Montaigne dans « Du repentir » (*Essais*, III, 2, p. 1262-1263).

de son empire dans le suffrage des domestiques. Suffrage d'autant plus sûr, qu'il ne consiste point en de vains éloges, mais dans l'expression naturelle de ce qu'ils sentent. N'entendant jamais rien ici qui leur fasse croire que les autres maîtres ne ressemblent pas aux leurs, ils ne les louent point des vertus qu'ils estiment communes à tous ; mais ils louent Dieu dans leur simplicité d'avoir mis des riches sur la terre pour le bonheur de ceux qui les servent, et pour le soulagement des pauvres [1].

La servitude est si peu naturelle à l'homme qu'elle ne saurait exister sans quelque mécontentement. Cependant on respecte le maître et l'on n'en dit rien. Que s'il échappe quelques murmures contre la maîtresse, ils valent mieux que des éloges. Nul ne se plaint qu'elle manque pour lui de bienveuillance [2], mais qu'elle en accorde autant aux autres ; nul ne peut souffrir qu'elle fasse comparaison de son zèle avec celui de ses camarades, et chacun voudrait être le premier en faveur comme il croit l'être en attachement. C'est là leur unique plainte et leur plus grande injustice.

À la subordination des inférieurs se joint la concorde entre les égaux, et cette partie de l'administration domestique n'est pas la moins difficile. Dans les concurrences de jalousie et d'intérêt qui divisent sans cesse les gens d'une maison, même aussi peu nombreuse que celle-ci, ils ne demeurent presque jamais unis qu'aux dépens du maître. S'ils s'accordent, c'est pour voler de concert ; s'ils sont fidèles chacun se fait valoir aux dépens des autres ; il faut qu'ils soient ennemis ou complices, et l'on voit à peine le moyen d'éviter à la fois leur friponnerie et leurs dissensions. La plupart des pères de famille [3] ne connaissent que l'alternative entre ces deux inconvénients. Les uns, préférant

---

1. La structure de la phrase inviterait à y lire une dénonciation par l'ironie (les Wolmar sont l'exception plus que la règle) d'un des arguments émis par les physiocrates, comme Mirabeau père : la justification des grosses fortunes par l'habile théorie du « ruissellement » des richesses (voir, pour une lecture critique, Y. Citton, *Portrait de l'économiste en physiocrate*, L'Harmattan, 2000, chap. IV). **2.** Féraud signale l'archaïsme de cette graphie : « Quelques-uns écrivent et prononcent *bienveuillance*, *bienveuillant*, et l'étymologie favorise cette manière d'écrire et de prononcer ; mais l'usage lui est contraire. » **3.** Au sens latin (*pater familias*) : chef de famille.

l'intérêt à l'honnêteté, fomentent cette disposition des Valets aux secrets rapports et croient faire un chef-d'œuvre de prudence en les rendant espions ou surveillants les uns des autres. Les autres plus indolents aiment qu'on les vole et qu'on vive en paix ; ils se font une sorte d'honneur de recevoir toujours mal des avis qu'un pur zèle arrache quelquefois à un Serviteur fidèle. Tous s'abusent également. Les premiers en excitant chez eux des troubles continuels, incompatibles avec la règle et le bon ordre n'assemblent qu'un tas de fourbes et de délateurs qui s'exercent en trahissant leurs camarades à trahir peut-être un jour leurs maîtres. Les seconds, en refusant d'apprendre ce qui se fait dans leur maison autorisent les ligues contre eux-mêmes, encouragent les méchants, rebutent les bons, et n'entretiennent à grands frais que des fripons arrogants et paresseux, qui, s'accordant aux dépens du maître, regardent leurs services comme des grâces, et leurs vols comme des droits *.

C'est une grande erreur dans l'économie domestique ainsi que dans la civile de vouloir combattre un vice par un autre ou former entre eux une sorte d'équilibre, comme si ce qui sape les fondements de l'ordre pouvait jamais servir à l'établir ! On ne fait par cette mauvaise police que réunir enfin tous les inconvénients [1]. Les vices tolérés dans une maison n'y règnent pas seuls ; laissez-en germer un, mille viendront à sa suite. Bientôt ils perdent les valets qui les ont, ruinent le maître qui les souffre, corrompent ou scandalisent les enfants attentifs à les observer. Quel indigne père oserait mettre quelque avantage en balance avec ce dernier mal ? Quel honnête homme voudrait être chef de famille, s'il lui

---

* J'ai examiné d'assez près la police des grandes maisons, et j'ai vu clairement qu'il est impossible à un maître qui a vingt domestiques de venir jamais à bout de savoir s'il y a parmi eux un honnête homme, et de ne pas prendre pour tel le plus méchant fripon de tous. Cela seul me dégoûterait d'être au nombre des riches. Un des plus doux plaisirs de la vie, le plaisir de la confiance et de l'estime est perdu pour ces malheureux : Ils achètent bien cher tout leur or.

---

1. Rousseau avait dénoncé la morale cynique de la *Fable des abeilles* de Mandeville, « le détracteur le plus outré des vertus humaines » (*Discours sur l'inégalité*, p. 95).

était impossible de réunir dans sa maison la paix et la fidélité, et qu'il fallût acheter le zèle de ses domestiques aux dépens de leur bienveuillance mutuelle ?

Qui n'aurait vu que cette maison n'imaginerait pas même qu'une pareille difficulté pût exister, tant l'union des membres y paraît venir de leur attachement aux chefs. C'est ici qu'on trouve le sensible exemple qu'on ne saurait aimer sincèrement le maître sans aimer tout ce qui lui appartient ; vérité qui sert de fondement à la charité chrétienne. N'est-il pas bien simple que les enfants du même père se traitent en frères entre eux [1] ? C'est ce qu'on nous dit tous les jours au Temple sans nous le faire sentir ; c'est ce que les habitants de cette maison sentent sans qu'on le leur dise.

Cette disposition à la concorde commence par le choix des Sujets. M. de Wolmar n'examine pas seulement en les recevant s'ils conviennent à sa femme et à lui, mais s'ils se conviennent l'un à l'autre, et l'antipathie bien reconnue entre deux excellents domestiques suffirait pour faire à l'instant congédier l'un des deux : Car, dit Julie, une maison si peu nombreuse, une maison dont ils ne sortent jamais et où ils sont toujours vis-à-vis les uns des autres, doit leur convenir également à tous, et serait un enfer pour eux si elle n'était une maison de paix. Ils doivent la regarder comme leur maison paternelle où tout n'est qu'une même famille. Un seul qui déplairait aux autres pourrait la leur rendre odieuse, et cet objet désagréable y frappant incessamment leurs regards, ils ne seraient bien ici ni pour eux ni pour nous.

Après les avoir assortis le mieux qu'il est possible, on les unit pour ainsi dire malgré eux par les services qu'on les force en quelque sorte à se rendre, et l'on fait que chacun ait un sensible intérêt d'être aimé de tous ses camarades. Nul n'est si bien venu à demander des grâces pour lui-même que pour un autre ; ainsi celui qui désire en obtenir tâche d'engager un autre à parler pour lui, et cela est d'autant plus facile que soit qu'on accorde ou qu'on refuse une faveur ainsi demandée, on en fait toujours un mérite à celui

---

[1]. On pourrait voir ici une nouvelle formulation de la loi paulinienne de l'amour (1 Corinthiens 13 ; Romains 13).

qui s'en est rendu l'intercesseur. Au contraire, on rebute ceux qui ne sont bons que pour eux. Pourquoi, leur dit-on, accorderais-je ce qu'on me demande pour vous qui n'avez jamais rien demandé pour personne ? Est-il juste que vous soyez plus heureux que vos camarades, parce qu'ils sont plus obligeants que vous ? On fait plus ; on les engage à se servir mutuellement en secret, sans ostentation, sans se faire valoir. Ce qui est d'autant moins difficile à obtenir qu'ils savent fort bien que le maître, témoin de cette discrétion, les en estime davantage ; ainsi l'intérêt y gagne et l'amour-propre n'y perd rien. Ils sont si convaincus de cette disposition générale, et il règne une telle confiance entre eux, que quand quelqu'un a quelque grâce à demander, il en parle à leur table par forme de conversation ; souvent sans avoir rien fait de plus il trouve la chose demandée et obtenue, et ne sachant qui remercier, il en a l'obligation à tous.

C'est par ce moyen et d'autres semblables qu'on fait régner entre eux un attachement né de celui qu'ils ont tous pour leur maître, et qui lui est subordonné. Ainsi, loin de se liguer à son préjudice, ils ne sont tous unis que pour le mieux servir. Quelque intérêt qu'ils aient à s'aimer, ils en ont encore un plus grand à lui plaire ; le zèle pour son service l'emporte sur leur bienveillance mutuelle, et tous se regardant comme lésés par des pertes qui le laisseraient moins en état de récompenser un bon serviteur, sont également incapables de souffrir en silence le tort que l'un d'eux voudrait lui faire. Cette partie de la police établie dans cette maison me paraît avoir quelque chose de sublime, et je ne puis assez admirer comment M. et Made de Wolmar ont su transformer le vil métier d'accusateur en une fonction de zèle, d'intégrité, de courage, aussi noble, ou du moins aussi louable qu'elle l'était chez les Romains [1].

On a commencé par détruire ou prévenir clairement, simplement, et par des exemples sensibles cette morale criminelle et servile, cette mutuelle tolérance aux dépens du

---

1. Ce paradoxe du « délateur vertueux » introduit la partie juridique de cette « police domestique » exposée en trois volets (devoirs, peines, jugements). Si le contexte est différent, il annonce ce que Rousseau dit du rôle des censeurs, garants des mœurs de la république, dans *Du contrat social* (IV, 7).

maître qu'un méchant valet ne manque point de prêcher aux bons sous l'air d'une maxime de charité. On leur a bien fait comprendre que le précepte de couvrir les fautes de son prochain ne se rapporte qu'à celles qui ne font de tort à personne, qu'une injustice qu'on voit qu'on tait et qui blesse un tiers on la commet soi-même, et que comme ce n'est que le sentiment de nos propres défauts qui nous oblige à pardonner ceux d'autrui, nul n'aime à tolérer les fripons s'il n'est un fripon comme eux. Sur ces principes, vrais en général d'homme à homme, et bien plus rigoureux encore dans la relation plus étroite du serviteur au maître, on tient ici pour incontestable que qui voit faire un tort à ses maîtres sans le dénoncer est plus coupable encore que celui qui l'a commis ; car celui-ci se laisse abuser dans son action par le profit qu'il envisage, mais l'autre de sang-froid et sans intérêt n'a pour motif de son silence qu'une profonde indifférence pour la justice, pour le bien de la maison qu'il sert, et un désir secret d'imiter l'exemple qu'il cache. De sorte que quand la faute est considérable, celui qui l'a commise peut encore quelquefois espérer son pardon, mais le témoin qui l'a tue est infailliblement congédié comme un homme enclin au mal.

En revanche on ne souffre aucune accusation qui puisse être suspecte d'injustice et de calomnie ; c'est-à-dire qu'on n'en reçoit aucune en l'absence de l'accusé. Si quelqu'un vient en particulier faire quelque rapport contre son camarade, ou se plaindre personnellement de lui, on lui demande s'il est suffisamment instruit, c'est-à-dire, s'il a commencé par s'éclaircir avec celui dont il vient se plaindre ? S'il dit que non, on lui demande encore comment il peut juger une action dont il ne connaît pas assez les motifs ? Cette action, lui dit-on, tient peut-être à quelque autre qui vous est inconnue ; elle a peut-être quelque circonstance qui sert à la justifier ou à l'excuser, et que vous ignorez. Comment osez-vous condamner cette conduite avant de savoir les raisons de celui qui l'a tenue ? Un mot d'explication l'eût peut-être justifiée à vos yeux ? Pourquoi risquer de la blâmer injustement et m'exposer à partager votre injustice ? S'il assure s'être éclairci auparavant avec l'accusé : Pourquoi donc, lui réplique-t-on, venez-vous sans lui, comme si vous aviez peur qu'il ne démentît ce que vous avez à dire ? De quel droit négligez-vous pour moi la précaution que vous avez cru devoir prendre pour vous-même ? Est-il bien de vouloir que je juge sur votre rapport d'une action dont vous n'avez pas voulu juger sur le témoignage de vos yeux, et ne seriez-vous pas responsable du jugement partial que j'en pourrais porter, si je me contentais de votre seule déposition ? Ensuite on lui propose de faire venir celui qu'il accuse ; s'il y consent, c'est une affaire bientôt réglée ; s'il s'y oppose, on le renvoie après une forte réprimande, mais on lui garde le secret, et l'on observe si bien l'un et l'autre qu'on ne tarde pas à savoir lequel des deux avait tort.

Cette règle est si connue et si bien établie qu'on n'entend jamais un domestique de cette maison parler mal d'un de ses camarades absent, car ils savent tous que c'est le moyen de passer pour lâche ou menteur. Lorsqu'un d'entre eux en accuse un autre, c'est ouvertement, franchement, et non seulement en sa présence, mais en celle de tous leurs camarades, afin d'avoir dans les témoins de ses discours des garants de sa bonne foi. Quand il est question de querelles personnelles, elles s'accommodent presque toujours par médiateurs sans importuner Monsieur ni Madame ; mais quand il s'agit de l'intérêt sacré du maître, l'affaire ne saurait demeurer secrète ; il faut que le coupable s'accuse ou qu'il ait un accusateur. Ces petits plaidoyers sont très rares et ne se font qu'à table dans les tournées que Julie va faire journellement au dîner ou au souper de ses gens et que M. de Wolmar appelle en riant ses grands jours [1]. Alors après avoir écouté paisiblement la plainte et la réponse, si l'affaire intéresse son service, elle remercie l'accusateur de son zèle. Je sais, lui dit-elle, que vous aimez votre camarade, vous m'en avez toujours dit du bien, et je vous loue de ce que l'amour du devoir et de la justice l'emporte en vous sur les affections particulières : c'est ainsi qu'en use un serviteur fidèle et un honnête homme. Ensuite, si l'accusé n'a pas tort, elle ajoute toujours

---

1. « On appelle *Grands Jours*, une Assemblée ou Compagnie extraordinaire de Juges tirés ordinairement des Cours Supérieures, qui ont commission d'aller dans les Provinces éloignées, pour écouter les plaintes des peuples, et faire justice » (*Acad.* 1762).

quelque éloge à sa justification. Mais s'il est réellement coupable, elle lui épargne devant les autres une partie de la honte. Elle suppose qu'il a quelque chose à dire pour sa défense, qu'il ne veut pas déclarer devant tant de monde ; elle lui assigne une heure pour l'entendre en particulier, et c'est là qu'elle ou son mari lui parlent comme il convient. Ce qu'il y a de singulier en ceci, c'est que le plus sévère des deux n'est pas le plus redouté, et qu'on craint moins les graves réprimandes de M. de Wolmar que les reproches touchants de Julie. L'un, faisant parler la justice et la vérité, humilie et confond les coupables ; l'autre leur donne un regret mortel de l'être, en leur montrant celui qu'elle a d'être forcée à leur ôter sa bienveuillance. Souvent elle leur arrache des larmes de douleur et de honte, et il ne lui est pas rare de s'attendrir elle-même en voyant leur repentir, dans l'espoir de n'être pas obligée à tenir parole.

Tel qui jugerait de tous ces soins sur ce qui se passe chez lui ou chez ses voisins, les estimerait peut-être inutiles ou pénibles. Mais vous, Milord, qui avez de si grandes idées des devoirs et des plaisirs du père de famille, et qui connaissez l'empire naturel que le génie et la vertu ont sur le cœur humain, vous voyez l'importance de ces détails, et vous sentez à quoi tient leur succès. Richesse ne fait pas riche, dit le Roman de la rose [1]. Les biens d'un homme ne sont point dans ses coffres, mais dans l'usage de ce qu'il en tire ; car on ne s'approprie les choses qu'on possède que par leur emploi, et les abus sont toujours plus inépuisables que les richesses ; ce qui fait qu'on ne jouit pas à proportion de sa dépense, mais à proportion qu'on la sait mieux ordonner. Un fou peut jeter des lingots dans la mer et dire qu'il en a joui : mais quelle comparaison entre cette extravagante jouissance, et celle qu'un homme sage eût su tirer d'une moindre somme ? L'ordre et la règle qui multiplient et perpétuent l'usage des biens peuvent seuls transformer le plaisir

---

1. Lenglet du Fresnoy avait publié une édition du *Roman de la rose* en 1735. Les vers sur la thésaurisation sont les suivants : « Si [aussi] ne fait pas richece riche/ Celui qui en tresor la fiche/ Car souffisance seulement/ Fait homme vivre richement » (v. 4971-4974, éd. A. Strubel, LGF, « Lettres gothiques », 1992, p. 288-290).

en bonheur. Que si c'est du rapport des choses à nous que naît la véritable propriété ; si c'est plutôt l'emploi des richesses que leur acquisition qui nous les donne, quels soins importent plus au père de famille que l'économie domestique et le bon régime de sa maison, où les rapports les plus parfaits vont le plus directement à lui, et où le bien de chaque membre ajoute alors à celui du chef ?

Les plus riches sont-ils les plus heureux ? Que sert donc l'opulence à la félicité ? Mais toute maison bien ordonnée est l'image de l'âme du maître. Les lambris dorés, le luxe et la magnificence n'annoncent que la vanité de celui qui les étale, au lieu que partout où vous verrez régner la règle sans tristesse, la paix sans esclavage, l'abondance sans profusion, dites avec confiance : C'est un être heureux qui commande ici.

Pour moi, je pense que le signe le plus assuré du vrai contentement d'esprit est la vie retirée et domestique, et que ceux qui vont sans cesse chercher leur bonheur chez autrui ne l'ont point chez eux-mêmes. Un père de famille qui se plaît dans sa maison a pour prix des soins continuels qu'il s'y donne la continuelle jouissance des plus doux sentiments de la nature. Seul entre tous les mortels, il est maître de sa propre félicité, parce qu'il est heureux comme Dieu même, sans rien désirer de plus que ce dont il jouit : comme cet Être immense il ne songe pas à amplifier ses possessions mais à les rendre véritablement siennes par les relations les plus parfaites et la direction la mieux entendue : s'il ne s'enrichit pas par de nouvelles acquisitions, il s'enrichit en possédant mieux ce qu'il a. Il ne jouissait que du revenu de ses terres, il jouit encore de ses terres mêmes en présidant à leur culture et les parcourant sans cesse. Son Domestique lui était étranger ; il en fait son bien, son enfant, il se l'approprie. Il n'avait droit que sur les actions, il s'en donne encore sur les volontés. Il n'était maître qu'à prix d'argent, il le devient par l'empire sacré de l'estime et des bienfaits. Que la fortune le dépouille de ses richesses, elle ne saurait lui ôter les cœurs qu'il s'est attachés, elle n'ôtera point des enfants à leur père ; toute la différence est qu'il les nourrissait hier, et qu'il sera demain nourri par eux. C'est ainsi qu'on apprend à jouir véritablement de ses biens, de sa famille et de soi-même ; c'est ainsi que les détails d'une maison deviennent délicieux pour l'honnête homme qui sait en connaître le prix ; c'est ainsi que loin de regarder ses devoirs comme une charge, il en fait son bonheur, et qu'il tire de ses touchantes et nobles fonctions la gloire et le plaisir d'être homme.

Que si ces précieux avantages sont méprisés ou peu connus, et si le petit nombre même qui les recherche les obtient si rarement, tout cela vient de la même cause. Il est des devoirs simples et sublimes qu'il n'appartient qu'à peu de gens d'aimer et de remplir. Tels sont ceux du père de famille, pour lesquels l'air et le bruit du monde n'inspirent que du dégoût, et dont on s'acquitte mal encore quand on n'y est porté que par des raisons d'avarice et d'intérêt. Tel croit être un bon père de famille et n'est qu'un vigilant économe ; le bien peut prospérer et la maison aller fort mal. Il faut des vues plus élevées pour éclairer, diriger cette importante administration et lui donner un heureux succès. Le premier soin par lequel doit commencer l'ordre d'une maison, c'est de n'y souffrir que d'honnêtes gens qui n'y portent pas le désir secret de troubler cet ordre. Mais la servitude et l'honnêteté sont-elles si compatibles qu'on doive espérer de trouver des domestiques honnêtes gens ? Non, Milord, pour les avoir il ne faut pas les chercher, il faut les faire, et il n'y a qu'un homme de bien qui sache l'art d'en former d'autres. Un hypocrite a beau vouloir prendre le ton de la vertu, il n'en peut inspirer le goût à personne, et s'il savait la rendre aimable il l'aimerait lui-même. Que servent de froides leçons démenties par un exemple continuel, si ce n'est à faire penser que celui qui les donne se joue de la crédulité d'autrui ? Que ceux qui nous exhortent à faire ce qu'ils disent et non ce qu'ils font, disent une grande absurdité ! Qui ne fait pas ce qu'il dit ne le dit jamais bien ; car le langage du cœur qui touche et persuade y manque [1]. J'ai quelquefois entendu de ces conversations grossièrement apprêtées, qu'on tient devant les domestiques comme devant les enfants pour leur faire des leçons indirectes. Loin de

---

1. Pour Rousseau, le langage du cœur se manifeste par l'énergie de la mélodie qui seule peut imiter les passions (*Essai sur l'origine des langues*, chap. XIV).

juger qu'ils en fussent un instant les dupes, je les ai toujours vus sourire en secret de l'ineptie du maître qui les prenait pour des sots, en débitant lourdement devant eux des maximes qu'ils savaient bien n'être pas les siennes.

Toutes ces vaines subtilités sont ignorées dans cette maison, et le grand art des maîtres pour rendre leurs domestiques tels qu'ils les veulent est de se montrer à eux tels qu'ils sont. Leur conduite est toujours franche et ouverte, parce qu'ils n'ont pas peur que leurs actions démentent leurs discours. Comme ils n'ont point par eux-mêmes une morale différente de celle qu'ils veulent donner aux autres, ils n'ont pas besoin de circonspection dans leurs propos ; un mot étourdiment échappé ne renverse point les principes qu'ils se sont efforcés d'établir. Ils ne disent point indiscrètement toutes leurs affaires, mais ils disent librement toutes leurs maximes. À table, à la promenade, tête à tête ou devant tout le monde, on tient toujours le même langage ; on dit naïvement ce qu'on pense sur chaque chose et sans qu'on songe à personne, chacun y trouve toujours quelque instruction. Comme les domestiques ne voient jamais rien faire à leur maître qui ne soit droit, juste, équitable, ils ne regardent point la justice comme le tribut du pauvre, comme le joug du malheureux, comme une des misères de leur état. L'attention qu'on a de ne pas faire courir en vain les ouvriers, et perdre des journées pour venir solliciter le paiement de leurs journées, les accoutume à sentir le prix du temps. En voyant le soin des maîtres à ménager celui d'autrui, chacun en conclut que le sien leur est précieux et se fait un plus grand crime de l'oisiveté. La confiance qu'on a dans leur intégrité donne à leurs institutions une force qui les fait valoir et prévient les abus. On n'a pas peur que dans la gratification de chaque semaine, la maîtresse trouve toujours que c'est le plus jeune ou le mieux fait qui a été le plus diligent. Un ancien domestique ne craint pas qu'on lui cherche quelque chicane pour épargner l'augmentation de gages qu'on lui donne. On n'espère pas profiter de leur discorde pour se faire valoir et obtenir de l'un ce qu'aura refusé l'autre. Ceux qui sont à marier ne craignent pas qu'on nuise à leur établissement pour les garder plus longtemps, et qu'ainsi leur bon service leur fasse tort. Si quelque Valet

étranger venait dire aux gens de cette maison qu'un maître
et ses domestiques sont entre eux dans un véritable état de
guerre, que ceux-ci faisant au premier tout du pis qu'il
peuvent usent en cela d'une juste représaille, que les maîtres
étant usurpateurs menteurs et fripons il n'y a pas de mal à
les traiter comme ils traitent le Prince ou le Peuple ou les
particuliers, et à leur rendre adroitement le mal qu'ils font
à force ouverte ; celui qui parlerait ainsi ne serait entendu
de personne ; on ne s'avise pas même ici de combattre ou
prévenir de pareils discours ; il n'appartient qu'à ceux qui
les font naître d'être obligés de les réfuter.

Il n'y a jamais ni mauvaise humeur ni mutinerie dans
l'obéissance, parce qu'il n'y a ni hauteur ni caprice dans le
commandement, qu'on n'exige rien qui ne soit raisonnable
et utile, et qu'on respecte assez la dignité de l'homme
quoique dans la servitude pour ne l'occuper qu'à des choses
qui ne l'avilissent point. Au surplus, rien n'est bas ici que le
vice, et tout ce qui est utile et juste est honnête et bienséant.

Si l'on ne souffre aucune intrigue au dehors, personne
n'est tenté d'en avoir. Ils savent bien que leur fortune la plus
assurée est attachée à celle du maître, et qu'ils ne manqueront jamais de rien tant qu'on verra prospérer la maison.
En la servant ils soignent donc leur patrimoine, et l'augmentent en rendant leur service agréable ; c'est là leur plus
grand intérêt. Mais ce mot n'est guère à sa place en cette
occasion, car je n'ai jamais vu de police où l'intérêt fût si
sagement dirigé et où pourtant il influât moins que dans
celle-ci. Tout se fait par attachement : l'on dirait que ces
âmes vénales se purifient en entrant dans ce séjour de
sagesse et d'union. L'on dirait qu'une partie des lumières du
maître et des sentiments de la maîtresse ont passé dans
chacun de leurs gens ; tant on les trouve judicieux, bienfaisants, honnêtes et supérieurs à leur état. Se faire estimer,
considérer, bien vouloir, est leur plus grande ambition, et ils
comptent les mots obligeants qu'on leur dit, comme ailleurs
les étrennes qu'on leur donne.

Voilà, Milord, mes principales observations sur la partie
de l'économie de cette maison qui regarde les domestiques
et mercenaires. Quant à la manière de vivre des maîtres et
au gouvernement des enfants, chacun de ces articles mérite

bien une lettre à part. Vous savez à quelle intention j'ai commencé ces remarques ; mais en vérité, tout cela forme un tableau si ravissant qu'il ne faut pour aimer à le contempler, d'autre intérêt que le plaisir qu'on y trouve.

Lettre XI
À Milord Édouard

[a] Non, Milord, je ne m'en dédis point ; on ne voit rien dans cette maison qui n'associe l'agréable à l'utile ; mais les occupations utiles ne se bornent pas aux soins qui donnent du profit ; elles comprennent encore tout amusement innocent et simple qui nourrit le goût de la retraite, du travail, de la modération, et conserve à celui qui s'y livre une âme saine, un cœur libre du trouble des passions. Si l'indolente oisiveté n'engendre que la tristesse et l'ennui, le charme des doux loisirs est le fruit d'une vie laborieuse. On ne travaille que pour jouir ; cette alternative de peine et de jouissance est notre véritable vocation. Le repos qui sert de délassement aux travaux passés et d'encouragement à d'autres n'est pas moins nécessaire à l'homme que le travail même.

Après avoir admiré l'effet de la vigilance et des soins de la plus respectable mère de famille dans l'ordre de sa maison, j'ai vu celui de ses récréations dans un lieu retiré dont elle fait sa promenade favorite et qu'elle appelle son Élysée.

Il y avait plusieurs jours que j'entendais parler de cet Élysée dont on me faisait une espèce de mystère. Enfin hier après dîner, l'extrême chaleur rendant le dehors et le dedans de la maison presque également insupportables, M. de Wolmar proposa à sa femme de se donner congé cet après-midi, et au lieu de se retirer comme à l'ordinaire dans la chambre de ses enfants jusque vers le soir, de venir avec nous respirer dans le verger ; elle y consentit et nous nous y rendîmes ensemble.

Ce lieu, quoique tout proche de la maison est tellement caché par l'allée couverte qui l'en sépare qu'on ne l'aperçoit de nulle part. L'épais feuillage qui l'environne ne permet point à l'œil d'y pénétrer [1], et il est toujours soigneusement

---

1. La même formule est employée par Wolmar plus loin (IV, 14).

fermé à la clef. À peine fus-je au dedans que la porte étant masquée par des aulnes et des coudriers qui ne laissent que deux étroits passages sur les côtés, je ne vis plus en me retournant par où j'étais entré, et n'apercevant point de porte, je me trouvai là comme tombé des nues.

En entrant dans ce prétendu verger, je fus frappé d'une agréable sensation de fraîcheur que d'obscurs ombrages, une verdure animée et vive, des fleurs éparses de tous côtés, un gazouillement d'eau courante et le chant de mille oiseaux portèrent à mon imagination du moins autant qu'à mes sens ; mais en même temps je crus voir le lieu le plus sauvage, le plus solitaire de la nature, et il me semblait d'être le premier mortel qui jamais eût pénétré dans ce désert. Surpris, saisi, transporté d'un spectacle si peu prévu, je restai un moment immobile, et m'écriai dans un enthousiasme involontaire : Ô Tinian ! ô Juan-Fernandez * ! Julie, le bout du monde est à votre porte ! Beaucoup de gens le trouvent ici comme vous, dit-elle avec un sourire ; mais vingt pas de plus les ramènent bien vite à Clarens : voyons si le charme tiendra plus longtemps chez vous. C'est ici le même verger où vous vous êtes promené autrefois, et où vous vous battiez avec ma Cousine à coups de pêches. Vous savez que l'herbe y était assez aride, les arbres assez clairsemés, donnant assez peu d'ombre, et qu'il n'y avait point d'eau. Le voilà maintenant frais, vert, habillé, paré, fleuri, arrosé : que pensez-vous qu'il m'en a coûté pour le mettre dans l'état où il est ? Car il est bon de vous dire que j'en suis la surintendante et que mon mari m'en laisse l'entière disposition. Ma foi, lui dis-je, il ne vous en a coûté que de la négligence. Ce lieu est charmant, il est vrai, mais agreste et abandonné ; je n'y vois point de travail humain. Vous avez fermé la porte ; l'eau est venue je ne sais comment ; la nature seule a fait tout le reste et vous-même n'eussiez jamais su faire aussi bien qu'elle. Il est vrai, dit-elle, que la nature a tout fait, mais sous ma direction, et il n'y a rien là que je n'aie ordonné. Encore un coup, devinez. Premièrement, repris-je, je ne comprends point comment avec de la peine et de l'argent on a pu suppléer au temps. Les arbres.... Quant à cela, dit

---

* Îles désertes de la mer du Sud, célèbres dans le voyage de l'Amiral Anson.

M. de Wolmar, vous remarquerez qu'il n'y en a pas beaucoup de fort grands et ceux-là y étaient déjà. De plus, Julie
a commencé ceci longtemps avant son mariage et presque
d'abord après la mort de sa mère, qu'elle vint [1] avec son
père chercher ici la solitude. Hé bien, dis-je, puisque vous
voulez que tous ces massifs, ces grands berceaux, ces touffes
pendantes, ces bosquets si bien ombragés soient venus en
sept ou huit ans et que l'art s'en soit mêlé, j'estime que si
dans une enceinte aussi vaste vous avez fait tout cela pour
deux mille écus, vous avez bien économisé [2]. Vous ne sur-
faites que de deux mille écus, dit-elle, il ne m'en a rien coûté.
Comment, rien ? Non, rien : à moins que vous ne comptiez
une douzaine de journées par an de mon jardinier, autant
de deux ou trois de mes gens, et quelques-unes de
M. de Wolmar lui-même qui n'a pas dédaigné d'être quelquefois mon garçon jardinier. Je ne comprenais rien à cette
énigme ; mais Julie qui jusque-là m'avait retenu, me dit en
me laissant aller : Avancez, et vous comprendrez. Adieu
Tinian, adieu Juan-Fernandez, adieu tout l'enchantement !
Dans un moment vous allez être de retour du bout du
monde.

Je me mis à parcourir avec extase ce verger ainsi méta-
morphosé ; et si je ne trouvai point de plantes exotiques et
de productions des Indes, je trouvai celles du pays disposées
et réunies de manière à produire un effet plus riant et plus
agréable. Le gazon verdoyant, épais, mais court et serré était
mêlé de serpolet, de baume [3], de thym, de marjolaine, et
d'autres herbes odorantes. On y voyait briller mille fleurs
des champs, parmi lesquelles l'œil en démêlait avec surprise
quelques-unes de jardin, qui semblaient croître naturellement avec les autres. Je rencontrais de temps en temps des
touffes obscures, impénétrables aux rayons du soleil comme
dans la plus épaisse forêt ; ces touffes étaient formées des

---

1. Aussitôt après la mort de sa mère, lorsqu'elle vint. *D'abord après* est un
provincialisme genevois relevé par A. François. **2.** Plus de 60 000 euros. Il
est logique que Saint-Preux pose la question du coût : il a étudié le génie
(les fortifications), mais aussi les machines de l'ère pré-industrielle comme
les « bâtiments de gradations » (V, 9), soit l'art de transformer la nature à
moindres frais. **3.** « Plante très odoriférante qui entre dans les fournitures
des salades. C'est une espèce de Menthe » (*Acad.* 1762).

arbres du bois le plus flexible, dont on avait fait recourber les branches, pendre en terre, et prendre racine, par un art semblable à ce que font naturellement les mangles en Amérique [1]. Dans les lieux plus découverts, je voyais çà et là sans ordre et sans symétrie des broussailles de roses, de framboisiers, de groseilles, des fourrés de lilac [2], de noisetier, de sureau, de seringa, de genêt, de trifolium [3], qui paraient la terre en lui donnant l'air d'être en friche. Je suivis des allées tortueuses et irrégulières bordées de ces bocages fleuris, et couvertes de mille guirlandes de vigne de Judée [4], de vigne vierge, de houblon, de liseron, de couleuvrée, de clématite, et d'autres plantes de cette espèce, parmi lesquelles le chèvrefeuille et le jasmin daignaient se confondre. Ces guirlandes semblaient jetées négligemment d'un arbre à l'autre, comme j'en avais remarqué quelquefois dans les forêts, et formaient sur nous des espèces de draperies qui nous garantissaient du soleil, tandis que nous avions sous nos pieds un marcher [5] doux, commode, et sec sur une mousse fine sans sable, sans herbe, et sans rejetons raboteux. Alors seulement je découvris, non sans surprise que ces ombrages verts et touffus qui m'en avaient tant imposé de loin, n'étaient formés que de ces plantes rampantes et parasites qui, guidées le long des arbres, environnaient leurs têtes du plus épais feuillage et leurs pieds d'ombre et de fraîcheur. J'observai même qu'au moyen d'une industrie assez simple on avait fait prendre racine sur les troncs des arbres à plusieurs de ces plantes, de sorte qu'elles s'étendaient davantage en faisant moins de chemin. Vous concevez bien que les fruits ne s'en trouvent pas mieux de toutes ces additions ; mais dans ce lieu seul on a sacrifié l'utile à l'agréable, et dans le reste des terres on a pris un tel soin des plants et des arbres qu'avec ce verger de moins la récolte en fruits ne

---

1. *Manglé* ou *manglier*, autre nom du palétuvier. « La manière dont le *mangle* croît est admirable ; car ses rameaux, après s'être élevés et étendus, se courbent jusqu'à terre, où ils prennent racine, et croissent de nouveau en arbres aussi gros qu'est celui d'où ils sortent » (*Trévoux*). **2.** Graphie ancienne pour *lilas*. Furetière donne aussi la forme *lilaq*. **3.** Le mot signifie « trèfle » en latin, mais il s'agit ici du cytise (d'après le *Dictionnaire Larousse* cité par H. Coulet). **4.** Autre nom de la vigne sauvage. **5.** « La manière dont on marche » (*Acad.* 1762).

laisse pas d'être plus forte qu'auparavant. Si vous songez combien au fond d'un bois on est charmé quelquefois de voir un fruit sauvage et même de s'en rafraîchir, vous comprendrez le plaisir qu'on a de trouver dans ce désert artificiel des fruits excellents et mûrs quoique clairsemés et de mauvaise mine ; ce qui donne encore le plaisir de la recherche et du choix.

Toutes ces petites routes étaient bordées et traversées d'une eau limpide et claire, tantôt circulant parmi l'herbe et les fleurs en filets presque imperceptibles ; tantôt en plus grands ruisseaux courant sur un gravier pur et marqueté qui rendait l'eau plus brillante. On voyait des sources bouillonner et sortir de la terre, et quelquefois des canaux plus profonds dans lesquels l'eau calme et paisible réfléchissait à l'œil les objets. Je comprends à présent tout le reste, dis-je à Julie : mais ces eaux que je vois de toutes parts.... Elles viennent de là, reprit-elle, en me montrant le côté où était la terrasse de son jardin. C'est ce même ruisseau qui fournit à grands frais dans le parterre un jet d'eau dont personne ne se soucie. M. de Wolmar ne veut pas le détruire, par respect pour mon père qui l'a fait faire : mais avec quel plaisir nous venons tous les jours voir courir dans ce verger cette eau dont nous n'approchons guère au jardin [1] ! Le jet d'eau joue pour les étrangers, le ruisseau coule ici pour nous. Il est vrai que j'y ai réuni l'eau de la fontaine publique qui se rendait dans le lac par le grand chemin qu'elle dégradait au préjudice des passants et à pure perte pour tout le monde. Elle faisait un coude au pied du verger entre deux rangs de saules ; je les ai renfermés dans mon enceinte et j'y conduis la même eau par d'autres routes.

Je vis alors qu'il n'avait été question que de faire serpenter ces eaux avec économie, en les divisant et réunissant à propos, en épargnant la pente le plus qu'il était possible, pour prolonger le circuit et se ménager le murmure de quelques petites chutes. Une couche de glaise, couverte d'un pouce de gravier du lac et parsemée de coquillages formait

---

1. Ce jardin qui ressuscite les souvenirs de jeunesse des personnages (les batailles de pêches avec Claire) fait aussi écho à des épisodes personnels de la vie de Rousseau chez les Lambercier (voir *Confessions*, livre I, p. 50).

le lit des ruisseaux. Ces mêmes ruisseaux courant par intervalles sous quelques larges tuiles recouvertes de terre et de
gazon au niveau du sol formaient à leur issue autant de
sources artificielles. Quelques filets s'en élevaient par des
siphons sur des lieux raboteux [1] et bouillonnaient en retombant. Enfin la terre ainsi rafraîchie et humectée donnait sans
cesse de nouvelles fleurs et entretenait l'herbe toujours ver-
doyante et belle.

Plus je parcourais cet agréable asile, plus je sentais augmenter la sensation délicieuse que j'avais éprouvée en y
entrant ; cependant la curiosité me tenait en haleine : J'étais
plus empressé de voir les objets que d'examiner leurs
impressions, et j'aimais à me livrer à cette charmante
contemplation sans prendre la peine de penser ; mais
Mad^e de Wolmar me tirant de ma rêverie me dit en me
prenant sous le bras : Tout ce que vous voyez n'est que la
nature végétale et inanimée, et quoi qu'on puisse faire, elle
laisse toujours une idée de solitude qui attriste. Venez la voir
animée et sensible. C'est là qu'à chaque instant du jour vous
lui trouverez un attrait nouveau. Vous me prévenez [2], lui
dis-je, j'entends un ramage bruyant et confus, et j'aperçois
assez peu d'oiseaux ; je comprends que vous avez une
volière. Il est vrai, dit-elle, approchons-en. Je n'osai dire
encore ce que je pensais de la volière ; mais cette idée avait
quelque chose qui me déplaisait, et ne me semblait point
assortie au reste.

Nous descendîmes par mille détours au bas du verger,
où je trouvai toute l'eau réunie en un joli ruisseau coulant
doucement entre deux rangs de vieux saules qu'on avait souvent ébranchés. Leurs têtes creuses et demi-chauves formaient des espèces de vases d'où sortaient par l'adresse dont
j'ai parlé, des touffes de chèvrefeuille dont une partie
s'entrelaçait autour des branches, et l'autre tombait avec
grâce le long du ruisseau. Presque à l'extrémité de l'enceinte
était un petit bassin bordé d'herbes, de joncs, de roseaux,
servant d'abruvoir [3] à la volière, et dernière station de cette
eau si précieuse et si bien ménagée.

---

1. De surfaces inégales. **2.** Vous me devancez. **3.** Graphie conforme à la
prononciation populaire ou provinciale d'*abreuvoir*.

Au-delà de ce bassin était un terre-plein terminé dans l'angle de l'enclos par une monticule [1] garnie d'une multitude d'arbrisseaux de toute espèce ; les plus petits vers le haut, et toujours croissant en grandeur à mesure que le sol s'abaissait ; ce qui rendait le plan des têtes presque horizontal, ou montrait au moins qu'un jour il le devait être. Sur le devant étaient une douzaine d'arbres jeunes encore mais faits pour devenir fort grands, tels que le hêtre, l'orme, le frêne, l'acacia. C'étaient les bocages de ce coteau qui servaient d'asile à cette multitude d'oiseaux dont j'avais entendu de loin le ramage, et c'était à l'ombre de ce feuillage comme sous un grand parasol qu'on les voyait voltiger, courir, chanter, s'agacer, se battre comme s'ils ne nous avaient pas aperçus. Ils s'enfuirent si peu à notre approche, que selon l'idée dont j'étais prévenu [2], je les crus d'abord enfermés par un grillage : mais comme nous fûmes arrivés au bord du bassin, j'en vis plusieurs descendre et s'approcher de nous sur une espèce de courte allée qui séparait en deux le terre-plein et communiquait du bassin à la volière. Alors M. de Wolmar faisant le tour du bassin sema sur l'allée deux ou trois poignées de grains mélangés qu'il avait dans sa poche, et quand il se fut retiré, les oiseaux accoururent et se mirent à manger comme des poules, d'un air si familier que je vis bien qu'ils étaient faits à ce manège. Cela est charmant ! m'écriai-je : Ce mot de volière m'avait surpris de votre part ; mais je l'entends maintenant : je vois que vous voulez des hôtes et non pas des prisonniers. Qu'appelez-vous des hôtes, répondit Julie ? C'est nous qui sommes les leurs [b]. Ils sont ici les maîtres, et nous leur payons tribut pour en être soufferts quelquefois. Fort bien, repris-je ; mais comment ces maîtres-là se sont-ils emparés de ce lieu ? Le moyen d'y rassembler tant d'habitants volontaires ? Je n'ai pas ouï dire qu'on ait jamais rien tenté de pareil, et je n'aurais point cru qu'on y pût réussir, si je n'en avais la preuve sous mes yeux.

La patience et le temps, dit M. de Wolmar, ont fait ce miracle. Ce sont des expédients dont les gens riches ne

---

1. Le genre de *monticule*, mot récent, est flottant au XVIIIe siècle. **2.** Selon l'idée qui me préoccupait.

s'avisent guère dans leurs plaisirs. Toujours pressés de jouir, la force et l'argent sont les seuls moyens qu'ils connaissent ; ils ont des oiseaux dans des cages, et des amis à tant par mois. Si jamais des valets approchaient de ce lieu, vous en verriez bientôt les oiseaux disparaître, et s'ils y sont à présent en grand nombre, c'est qu'il y en a toujours eu. On ne les fait pas venir quand il n'y en a point, mais il est aisé quand il y en a d'en attirer davantage en prévenant tous leurs besoins, en ne les effrayant jamais, en leur laissant faire leur couvée en sûreté et ne dénichant point les petits ; car alors ceux qui s'y trouvent restent, et ceux qui surviennent restent encore. Ce bocage existait, quoiqu'il fût séparé du verger ; Julie n'a fait que l'y renfermer par une haie vive, ôter celle qui l'en séparait, l'agrandir et l'orner de nouveaux plants. Vous voyez à droite et à gauche de l'allée qui y conduit, deux espaces remplis d'un mélange confus d'herbes, de pailles, et de toutes sortes de plantes. Elle y fait semer chaque année du blé, du mil, du tournesol, du chènevis, des pesettes *, généralement de tous les grains que les oiseaux aiment, et l'on n'en moissonne rien. Outre cela presque tous les jours, été et hiver, elle ou moi leur apportons à manger, et quand nous y manquons la Fanchon y supplée d'ordinaire ; ils ont l'eau à quatre pas, comme vous le voyez. Mad^e de Wolmar pousse l'attention jusqu'à les pourvoir tous les printemps de petits tas de crin, de paille, de laine, de mousse, et d'autres matières propres à faire des nids. Avec le voisinage des matériaux, l'abondance des vivres et le grand soin qu'on prend d'écarter tous les ennemis **, l'éternelle tranquillité dont ils jouissent les porte à pondre en un lieu commode où rien ne leur manque, où personne ne les trouble. Voilà comment la patrie des pères est encore celle des enfants, et comment la peuplade [1] se soutient et se multiplie.

Ah, dit Julie, vous ne voyez plus rien ! chacun ne songe plus qu'à soi ; mais des époux inséparables, le zèle des soins

---

* De la vesce. [NdE : *vesce* ou *vesse* : « Espèce de grain rond et noirâtre, dont on nourrit les pigeons » (*Acad.* 1762).]
** Les loirs, les souris, les chouettes, et surtout les enfants.

---

1. « Multitude d'habitants, qui passent d'un pays dans un autre pour le peupler » (*Féraud*).

domestiques, la tendresse paternelle et maternelle, vous avez perdu tout cela. Il y a deux mois qu'il fallait être ici pour livrer ses yeux au plus charmant spectacle et son cœur au plus doux sentiment de la nature. Madame, repris-je assez tristement, vous êtes épouse et mère ; ce sont des plaisirs qu'il vous appartient de connaître. Aussitôt M. de Wolmar me prenant par la main, me dit en la serrant : Vous avez des amis, et ces amis ont des enfants ; comment l'affection paternelle vous serait-elle étrangère ? Je le regardai, je regardai Julie, tous deux se regardèrent et me rendirent un regard si touchant que les embrassant l'un après l'autre je leur dis avec attendrissement : Ils me sont aussi chers qu'à vous. Je ne sais par quel bizarre effet un mot peut ainsi changer une âme, mais depuis ce moment, M. de Wolmar me paraît un autre homme, et je vois moins en lui le mari de celle que j'ai tant aimée que le père de deux enfants pour lesquels je donnerais ma vie.

Je voulus faire le tour du bassin pour aller voir de plus près ce charmant asile et ses petits habitants ; mais Mad^e de Wolmar me retint. Personne, me dit-elle, ne va les troubler dans leur domicile, et vous êtes même le premier de nos hôtes que j'aie amené jusqu'ici. Il y a quatre clefs de ce verger dont mon père et nous avons chacun une ; Fanchon a la quatrième comme inspectrice et pour y mener quelquefois mes enfants ; faveur dont on augmente le prix par l'extrême circonspection qu'on exige d'eux tandis qu'ils y sont. Gustin lui-même n'y entre jamais qu'avec un des quatre ; encore passé deux mois de printemps où ses travaux sont utiles n'y entre-t-il presque plus, et tout le reste se fait entre nous. Ainsi, lui dis-je, de peur que vos oiseaux ne soient vos esclaves vous vous êtes rendus les leurs. Voilà bien, reprit-elle, le propos d'un tyran, qui ne croit jouir de sa liberté qu'autant qu'il trouble celle des autres.

Comme nous partions pour nous en retourner, M. de Wolmar jeta une poignée d'orge dans le bassin, et en y regardant j'aperçus quelques petits poissons. Ah, ah ! dis-je aussitôt, voici pourtant des prisonniers ? Oui, dit-il, ce sont des prisonniers de guerre, auxquels on a fait grâce de la vie. Sans doute, ajouta sa femme. Il y a quelque temps que Fanchon vola dans la cuisine des perchettes qu'elle apporta ici à mon insu. Je les y laisse, de peur de la mortifier si je les renvoyais au lac ; car il vaut encore mieux loger du poisson un peu à l'étroit que de fâcher une honnête personne. Vous avez raison, répondis-je, et celui-ci n'est pas trop à plaindre d'être échappé de la poêle à ce prix.

Hé bien, que vous en semble ? me dit-elle en nous en retournant. Êtes-vous encore au bout du monde ? Non, dis-je, m'en voici tout à fait dehors, et vous m'avez en effet transporté dans l'Élysée. Le nom pompeux qu'elle a donné à ce verger, dit M. de Wolmar, mérite bien cette raillerie [1]. Louez modestement des jeux d'enfant, et songez qu'ils n'ont jamais rien pris sur les soins de la mère de famille. Je le sais, repris-je, j'en suis très sûr, et les jeux d'enfant me plaisent plus en ce genre que les travaux des hommes.

Il y a pourtant ici, continuai-je, une chose que je ne puis comprendre. C'est qu'un lieu si différent de ce qu'il était ne peut être devenu ce qu'il est qu'avec de la culture et du soin ; cependant je ne vois nulle part la moindre trace de culture. Tout est verdoyant, frais, vigoureux, et la main du jardinier ne se montre point : rien ne dément l'idée d'une Île déserte qui m'est venue en entrant, et je n'aperçois aucun pas d'hommes. Ah ! dit M. de Wolmar, c'est qu'on a pris grand soin de les effacer. J'ai été souvent témoin, quelquefois complice de la friponnerie. On fait semer du foin sur tous les endroits labourés, et l'herbe cache bientôt les vestiges du travail ; on fait couvrir l'hiver de quelques couches d'engrais les lieux maigres et arides, l'engrais mange la mousse, ranime l'herbe et les plantes ; les arbres eux-mêmes ne s'en trouvent pas plus mal, et l'été il n'y paraît plus. À l'égard de la mousse qui couvre quelques allées, c'est Milord Édouard qui nous a envoyé d'Angleterre le secret pour la faire naître [2]. Ces deux côtés, continua-t-il, étaient fermés par des murs ; les murs ont été masqués, non par des espaliers, mais par d'épais arbrisseaux qui font prendre les bornes du lieu

---

1. Les Champs Élysées sont « dans la Théologie des Anciens un lieu dans les Enfers plein de campagnes, de prairies, de bois agréables, où allaient après leur mort les âmes des gens de bien » (*Trévoux*). **2.** Depuis le début de cette description, se sont multipliées les caractéristiques du « jardin à l'anglaise » dont la mode se développe en France au XVIIIᵉ siècle. Privilégiant le « naturel », il s'oppose au modèle géométrique du jardin à la française.

pour le commencement d'un bois. Des deux autres côtés règnent de fortes haies vives, bien garnies d'érable, d'aubépine, de houx, de troène, et d'autres arbrisseaux mélangés qui leur ôtent l'apparence de haies et leur donnent celle d'un taillis. Vous ne voyez rien d'aligné rien de nivelé ; jamais le cordeau n'entra dans ce lieu ; la nature ne plante rien au cordeau ; les sinuosités dans leur feinte irrégularité sont ménagées avec art pour prolonger la promenade, cacher les bords de l'Île, et en agrandir l'étendue apparente sans faire des détours incommodes et trop fréquents *.

En considérant tout cela, je trouvais assez bizarre qu'on prît tant de peine pour se cacher celle qu'on avait prise ; n'aurait-il pas mieux valu n'en point prendre ? Malgré tout ce qu'on vous a dit, me répondit Julie, vous jugez du travail par l'effet, et vous vous trompez. Tout ce que vous voyez sont des plantes sauvages ou robustes qu'il suffit de mettre en terre, et qui viennent ensuite d'elles-mêmes. D'ailleurs, la nature semble vouloir dérober aux yeux des hommes ses vrais attraits, auxquels ils sont trop peu sensibles, et qu'ils défigurent quand ils sont à leur portée : elle fuit les lieux fréquentés ; c'est au sommet des montagnes, au fond des forêts, dans des Îles désertes qu'elle étale ses charmes les plus touchants. Ceux qui l'aiment et ne peuvent l'aller chercher si loin sont réduits à lui faire violence, à la forcer en quelque sorte à venir habiter avec eux, et tout cela ne peut se faire sans un peu d'illusion.

À ces mots, il me vint une imagination qui les fit rire. Je me figure, leur dis-je, un homme riche de Paris ou de Londres, maître de cette maison et amenant avec lui un Architecte chèrement payé pour gâter la nature. Avec quel dédain il entrerait dans ce lieu simple et mesquin ! avec quel mépris il ferait arracher toutes ces guenilles ! Les beaux alignements qu'il prendrait ! Les belles allées qu'il ferait percer ! Les belles pattes-d'oie, les beaux arbres en parasol, en éventail ! Les beaux treillages bien sculptés ! Les belles charmilles bien dessinées, bien équarries, bien contournées !

---

* Ainsi ce ne sont pas de ces petits bosquets à la mode, si ridiculement contournés qu'on n'y marche qu'en zigzag, et qu'à chaque pas il faut faire une pirouette.

Les beaux boulingrins de fin gazon d'Angleterre, ronds, carrés, échancrés, ovales ! Les beaux Ifs taillés en dragons, en pagodes, en marmousets [1], en toutes sortes de monstres ! Les beaux vases de bronze, les beaux fruits de pierre dont il ornera son jardin * !... Quand tout cela sera exécuté, dit M. de Wolmar, il aura fait un très beau lieu dans lequel on n'ira guère, et dont on sortira toujours avec empressement pour aller chercher la campagne, un lieu triste où l'on ne se promènera point, mais par où l'on passera pour s'aller promener ; au lieu que dans mes courses champêtres, je me hâte souvent de rentrer pour venir me promener ici.

Je ne vois dans ces terrains si vastes et si richement ornés que la vanité du propriétaire et de l'artiste qui, toujours empressés d'étaler, l'un sa richesse et l'autre son talent, préparent à grands frais de l'ennui à quiconque voudra jouir de leur ouvrage. Un faux goût de grandeur qui n'est point fait pour l'homme empoisonne ses plaisirs. L'air grand est toujours triste ; il fait songer aux misères de celui qui l'affecte. Au milieu de ses parterres et de ses grandes allées son petit individu ne s'agrandit point ; un arbre de vingt pieds le couvre comme un de soixante ** ; il n'occupe jamais que ses trois pieds d'espace, et se perd comme un ciron [2] dans ses immenses possessions.

---

* Je suis persuadé que le temps approche où l'on ne voudra plus dans les jardins rien de ce qui se trouve dans la campagne ; on n'y souffrira plus ni plantes, ni arbrisseaux ; on n'y voudra que des fleurs de porcelaine, des magots, des treillages, du sable de toutes couleurs, et de beaux vases pleins de rien.

** Il devait bien s'étendre un peu sur le mauvais goût d'élaguer ridiculement les arbres, pour les élancer dans les nues, en leur ôtant leurs belles têtes, leurs ombrages, en épuisant leur sève, et les empêchant de profiter. Cette méthode il est vrai, donne du bois aux jardiniers : mais elle en ôte au pays, qui n'en a pas déjà trop. On croirait que la nature est faite en France autrement que dans tout le reste du monde, tant on y prend soin de la défigurer. Les parcs n'y sont plantés que de longues perches ; ce sont des forêts de mats ou de mais, et l'on s'y promène au milieu des bois sans trouver d'ombre. [NdE : *mai* désigne « un arbre qu'on a coupé et qu'on plante au premier jour de Mai devant la porte de quelqu'un, pour lui faire honneur » (*Acad.* 1762).]

---

1. « Petite figure grotesque » (*Acad.* 1762). **2.** Cet insecte aptère, qui se développe dans la farine et le fromage, est réputé pour être le plus petit animal visible à l'œil nu. Rousseau se souvient surtout qu'il a servi à une célèbre comparaison de Pascal pour exprimer de manière concrète l'idée des « deux infinis » (*Pensées*, p. 163).

Il y a un autre goût directement opposé à celui-là, et plus ridicule encore, en ce qu'il ne laisse pas même jouir de la promenade pour laquelle les jardins sont faits. J'entends, lui dis-je ; c'est celui de ces petits curieux, de ces petits fleuristes [1] qui se pâment à l'aspect d'une renoncule, et se prosternent devant des tulipes. Là-dessus, je leur racontai, Milord, ce qui m'était arrivé autrefois à Londres dans ce jardin de fleurs où nous fûmes introduits avec tant d'appareil, et où nous vîmes briller si pompeusement tous les trésors de la Hollande sur quatre couches de fumier. Je n'oubliai pas la cérémonie du parasol et de la petite baguette [2] dont on m'honora, moi indigne, ainsi que les autres spectateurs. Je leur confessai humblement comment ayant voulu m'évertuer à mon tour, et hasarder de m'extasier à la vue d'une tulipe dont la couleur me parut vive et la forme élégante, je fus moqué, hué, sifflé de tous les Savants, et comment le professeur du jardin, passant du mépris de la fleur à celui du panégyriste, ne daigna plus me regarder de toute la séance. Je pense, ajoutai-je, qu'il eut bien du regret à sa baguette et à son parasol profanés.

Ce goût, dit M. de Wolmar, quand il dégénère en manie a quelque chose de petit et de vain qui le rend puéril et ridiculement coûteux. L'autre, au moins, a de la noblesse, de la grandeur et quelque sorte de vérité ; mais qu'est-ce que la valeur d'une patte [3] ou d'un oignon qu'un insecte ronge ou détruit peut-être au moment qu'on le marchande, ou d'une fleur précieuse à midi et flétrie avant que le soleil soit couché : qu'est-ce qu'une beauté conventionnelle qui n'est sensible qu'aux yeux des curieux, et qui n'est beauté que parce qu'il leur plaît qu'elle le soit ? Le temps peut venir qu'on cherchera dans les fleurs tout le contraire de ce qu'on

---

1. Le *fleuriste* est « celui qui est curieux de fleurs, qui aime les fleurs, qui prend plaisir à les cultiver » (*Acad.* 1762). Variation actualisée sur le « fleuriste » amoureux de ses tulipes peint par La Bruyère (*Les Caractères*, « De la mode », n° 2). **2.** Noms de fleurs. « En termes de Fleuriste on appelle les *baguettes* les tulipes qui viennent de Flandre, à cause de la force et de la hauteur de leur tige » (*Trévoux*). **3.** Un bulbe. *Patte* « se dit parmi les Fleuristes, des anémones et des renoncules, et signifie l'oignon ou la racine de ces sortes de fleurs, parce qu'elle ressemble en quelque façon à la *patte* d'un petit animal » (*Trévoux*).

y cherche aujourd'hui, et avec autant de raison ; alors vous
serez le docte à votre tour et votre curieux l'ignorant. Toutes
ces petites observations qui dégénèrent en étude ne
conviennent point à l'homme raisonnable qui veut donner
à son corps un exercice modéré, ou délasser son esprit à la
promenade en s'entretenant avec ses amis. Les fleurs sont
faites pour amuser nos regards en passant, et non pour être
si curieusement anatomisées *. Voyez leur Reine [1] briller de
toutes parts dans ce verger. Elle parfume l'air ; elle enchante
les yeux, et ne coûte presque ni soin ni culture. C'est pour
cela que les fleuristes la dédaignent ; la nature l'a faite si
belle qu'ils ne lui sauraient ajouter des beautés de convention, et ne pouvant se tourmenter à la cultiver, ils n'y
trouvent rien qui les flatte. L'erreur des prétendus gens de
goût est de vouloir de l'art partout, et de n'être jamais
contents que l'art ne paraisse ; au lieu que c'est à le cacher
que consiste le véritable goût ; surtout quand il est question
des ouvrages de la nature. Que signifient ces allées si droites,
si sablées, qu'on trouve sans cesse ; et ces étoiles [2] par lesquelles bien loin d'étendre aux yeux la grandeur d'un parc,
comme on l'imagine, on ne fait qu'en montrer maladroitement les bornes ? Voit-on dans les bois du sable de rivière,
ou le pied se repose-t-il plus doucement sur ce sable que sur
la mousse ou la pelouse ? La nature emploie-t-elle sans cesse
l'équerre et la règle ? ont-ils peur qu'on ne la reconnaisse en
quelque chose malgré leurs soins pour la défigurer ? Enfin
n'est-il pas plaisant que, comme s'ils étaient déjà las de la
promenade en la commençant, ils affectent de la faire en
ligne droite pour arriver plus vite au terme ? Ne dirait-on
pas que prenant le plus court chemin ils font un voyage
plutôt qu'une promenade, et se hâtent de sortir aussitôt
qu'ils sont entrés ?

Que fera donc l'homme de goût qui vit pour vivre, qui
sait jouir de lui-même, qui cherche les plaisirs vrais et

---

* Le sage Wolmar n'y avait pas bien regardé. Lui qui savait si bien observer
les hommes, observait-il si mal la nature ? Ignorait-il que si son Auteur est
grand dans les grandes choses, il est très grand dans les petites ?

---

1. « La *Rose* est la reine des fleurs » (*Féraud*). **2.** *Étoile* désigne « le centre
où se réunissent plusieurs allées d'un parc » (*Acad.* 1762).

simples, et qui veut se faire une promenade à la porte de sa maison ? Il la fera si commode et si agréable qu'il s'y puisse plaire à toutes les heures de la journée, et pourtant si simple et si naturelle qu'il semble n'avoir rien fait. Il rassemblera l'eau, la verdure, l'ombre et la fraîcheur ; car la nature aussi rassemble toutes ces choses. Il ne donnera à rien de la symétrie ; elle est ennemie de la nature et de la variété, et toutes les allées d'un jardin ordinaire se ressemblent si fort qu'on croit être toujours dans la même. Il élaguera le terrain pour s'y promener commodément ; mais les deux côtés de ses allées ne seront point toujours exactement parallèles ; la direction n'en sera pas toujours en ligne droite ; elle aura je ne sais quoi de vague comme la démarche d'un homme oisif qui erre en se promenant : il ne s'inquiétera point de se percer au loin de belles perspectives. Le goût des points de vue et des lointains vient du penchant qu'ont la plupart des hommes à ne se plaire qu'où ils ne sont pas. Ils sont toujours avides de ce qui est loin d'eux, et l'artiste qui ne sait pas les rendre assez contents de ce qui les entoure, se donne cette ressource pour les amuser ; mais l'homme dont je parle n'a pas cette inquiétude, et quand il est bien où il est, il ne se soucie point d'être ailleurs. Ici par exemple, on n'a pas de vue hors du lieu, et l'on est très content de n'en pas avoir. On penserait volontiers que tous les charmes de la nature y sont renfermés, et je craindrais fort que la moindre échappée de vue au dehors n'ôtât beaucoup d'agrément à cette promenade *. Certainement tout homme qui n'aimera pas à

---

* Je ne sais si l'on a jamais essayé de donner aux longues allées d'une étoile une courbure légère, en sorte que l'œil ne pût suivre chaque allée tout à fait jusqu'au bout, et que l'extrémité opposée en fût cachée au spectateur. On perdrait, il est vrai, l'agrément des points de vue ; mais on gagnerait l'avantage si cher aux propriétaires d'agrandir à l'imagination le lieu où l'on est, et dans le milieu d'une étoile assez bornée on se croirait perdu dans un parc immense. Je suis persuadé que la promenade en serait aussi moins ennuyeuse quoique plus solitaire ; car tout ce qui donne prise à l'imagination excite les idées et nourrit l'esprit ; mais les faiseurs de jardins ne sont pas gens à sentir ces choses-là. Combien de fois dans un lieu rustique le crayon leur tomberait des mains, comme à Le Nôtre dans le parc de Saint-James, s'ils connaissaient comme lui ce qui donne de la vie à la nature, et de l'intérêt à son spectacle ? [NdE : Charles II avait fait venir Le Nôtre pour aménager le parc Saint-James qui jouxte le palais royal, mais le paysagiste ne voulut rien changer à sa « simplicité naturelle » (sixième des *Lettres sur les Anglais et les Français* de Muralt).]

passer les beaux jours dans un lieu si simple et si agréable n'a pas le goût pur ni l'âme saine. J'avoue qu'il n'y faut pas amener en pompe les étrangers ; mais en revanche on s'y peut plaire soi-même, sans le montrer à personne.

Monsieur, lui dis-je, ces gens si riches qui font de si beaux jardins ont de fort bonnes raisons pour n'aimer guère à se promener tout seul, ni à se trouver vis-à-vis d'eux-mêmes ; ainsi ils font très bien de ne songer en cela qu'aux autres. Au reste, j'ai vu à la Chine des jardins tels que vous les demandez, et faits avec tant d'art que l'art n'y paraissait point, mais d'une manière si dispendieuse et entretenus à si grands frais que cette idée m'ôtait tout le plaisir que j'aurais pu goûter à les voir. C'étaient des roches, des grottes, des cascades artificielles, dans des lieux plains [1] et sablonneux où l'on n'a que de l'eau de puits ; c'étaient des fleurs et des plantes rares de tous les climats de la Chine et de la Tartarie rassemblées et cultivées en un même sol. On n'y voyait à la vérité ni belles allées ni compartiments réguliers ; mais on y voyait entassées avec profusion des merveilles qu'on ne trouve qu'éparses et séparées. La nature s'y présentait sous mille aspects divers, et le tout ensemble n'était point naturel. Ici l'on n'a transporté ni terres ni pierres, on n'a fait ni pompes ni réservoirs, on n'a besoin ni de serres ni de fourneaux ni de cloches ni de paillassons. Un terrain presque uni a reçu des ornements très simples. Des herbes communes, des arbrisseaux communs, quelques filets d'eau coulant sans apprêt sans contrainte ont suffi pour l'embellir. C'est un jeu sans effort, dont la facilité donne au spectateur un nouveau plaisir. Je sens que ce séjour pourrait être encore plus agréable et me plaire infiniment moins. Tel est par exemple le parc célèbre de Milord Cobham à Staw [2]. C'est un composé de lieux très beaux et très pittoresques [3] dont les aspects ont été choisis

---

1. « Uni, plat, sans inégalités » (*Acad.* 1762). **2.** Sir Richard Temple (1675-1749), vicomte Cobham, du parti *whig*, avait aménagé ainsi son parc rendu célèbre par les *Épîtres* en vers de Pope, lues dans la société du baron d'Holbach et de Mme d'Épinay. **3.** Qui se prête à, qui est digne d'un traitement pictural expressif. Le mot est apparu en France au milieu du XVIIe siècle. Dans le discours sur l'art au XVIIIe siècle, la composition pittoresque est celle qui fait beaucoup d'effet.

en différents pays, et dont tout paraît naturel excepté l'assemblage, comme dans les jardins de la Chine dont je viens de vous parler. Le maître et le créateur de cette superbe solitude y a même fait construire des ruines, des temples, d'anciens édifices, et les temps ainsi que les lieux y sont rassemblés avec une magnificence plus qu'humaine. Voilà précisément de quoi je me plains. Je voudrais que les amusements des hommes eussent toujours un air facile qui ne fît point songer à leur faiblesse, et qu'en admirant ces merveilles on n'eût point l'imagination fatiguée des sommes et des travaux qu'elles ont coûtés. Le sort ne nous donne-t-il pas assez de peines sans en mettre jusque dans nos jeux ?

Je n'ai qu'un seul reproche à faire à votre Élysée, ajoutai-je en regardant Julie, mais qui vous paraîtra grave ; c'est d'être un amusement superflu. À quoi bon vous faire une nouvelle promenade, ayant de l'autre côté de la maison des bosquets si charmants et si négligés ? Il est vrai, dit-elle un peu embarrassée, mais j'aime mieux ceci. Si vous aviez bien songé à votre question avant que de la faire, interrompit M. de Wolmar, elle serait plus qu'indiscrète. Jamais ma femme depuis son mariage n'a mis les pieds dans les bosquets dont vous parlez. J'en sais la raison quoiqu'elle me l'ait toujours tue. Vous qui ne l'ignorez pas, apprenez à respecter les lieux où vous êtes ; ils sont plantés par les mains de la vertu.

À peine avais-je reçu cette juste réprimande, que la petite famille menée par Fanchon entra comme nous sortions. Ces trois aimables enfants se jetèrent au cou de M. et de Mad^e de Wolmar. J'eus ma part de leurs petites caresses. Nous rentrâmes Julie et moi dans l'Élysée en faisant quelques pas avec eux ; puis nous allâmes rejoindre M. de Wolmar qui parlait à des ouvriers. Chemin faisant elle me dit qu'après être devenue mère, il lui était venu sur cette promenade une idée qui avait augmenté son zèle pour l'embellir. J'ai pensé, me dit-elle, à l'amusement de mes enfants et à leur santé quand ils seront plus âgés. L'entretien de ce lieu demande plus de soin que de peine ; il s'agit plutôt de donner un certain contour aux rameaux des plantes que de bêcher et labourer la terre ; j'en veux faire un jour mes petits jardiniers : ils auront autant d'exercice qu'il leur en faut pour renforcer leur tempérament, et pas assez pour le fatiguer. D'ailleurs ils feront faire ce qui sera trop fort pour leur âge et se borneront au travail qui les amusera[c]. Je ne saurais vous dire, ajouta-t-elle, quelle douceur je goûte à me représenter mes enfants occupés à me rendre les petits soins que je prends avec tant de plaisir pour eux, et la joie de leurs tendres cœurs en voyant leur mère se promener avec délices sous des ombrages cultivés de leurs mains. En vérité, mon ami, me dit-elle d'une voix émue, des jours ainsi passés tiennent du bonheur de l'autre vie, et ce n'est pas sans raison qu'en y pensant j'ai donné d'avance à ce lieu le nom d'Élysée. Milord, cette incomparable femme est mère comme elle est épouse, comme elle est amie, comme elle est fille, et pour l'éternel supplice de mon cœur c'est encore ainsi qu'elle fut amante.

Enthousiasmé d'un séjour si charmant, je les priai le soir de trouver bon que durant mon séjour chez eux la Fanchon me confiât sa clef et le soin de nourrir les oiseaux. Aussitôt Julie envoya le sac de grain dans ma chambre et me donna sa propre clef. Je ne sais pourquoi je la reçus avec une sorte de peine : il me sembla que j'aurais mieux aimé celle de M. de Wolmar.

Ce matin je me suis levé de bonne heure, et avec l'empressement d'un enfant je suis allé m'enfermer dans l'Île déserte. Que d'agréables pensées j'espérais porter dans ce lieu solitaire où le doux aspect de la seule nature devait chasser de mon souvenir tout cet ordre social et factice qui m'a rendu si malheureux ! Tout ce qui va m'environner est l'ouvrage de celle qui me fut si chère. Je la contemplerai tout autour de moi. Je ne verrai rien que sa main n'ait touché ; je baiserai des fleurs que ses pieds auront foulées ; je respirerai avec la rosée un air qu'elle a respiré ; son goût dans ses amusements me rendra présents tous ses charmes, et je la trouverai partout comme elle est au fond de mon cœur.

En entrant dans l'Élysée avec ces dispositions, je me suis subitement rappelé le dernier mot que me dit hier M. de Wolmar à peu près dans la même place. Le souvenir de ce seul mot a changé sur-le-champ tout l'état de mon âme. J'ai cru voir l'image de la vertu où je cherchais celle du plaisir. Cette image s'est confondue dans mon esprit avec les traits de Mad^e de Wolmar, et pour la première fois depuis mon retour j'ai vu Julie en son absence, non telle qu'elle fut pour moi et que j'aime encore à me la représenter, mais telle qu'elle se montre à mes yeux tous les jours. Milord, j'ai cru voir cette femme si charmante si chaste et si vertueuse, au milieu de ce même cortège qui l'entourait hier. Je voyais autour d'elle ses trois aimables enfants, honorable et précieux gage de l'union conjugale et de la tendre amitié, lui faire et recevoir d'elle mille touchantes caresses. Je voyais à ses côtés le grave Wolmar, cet Époux si chéri, si heureux, si digne de l'être. Je croyais voir son œil pénétrant et judicieux percer au fond de mon cœur et m'en faire rougir encore ; je croyais entendre sortir de sa bouche des reproches trop mérités, et des leçons trop mal écoutées. Je voyais à sa suite cette même Fanchon Regard vivante preuve du triomphe des vertus et de l'humanité sur le plus ardent amour. Ah ! quel sentiment coupable eût pénétré jusqu'à elle à travers cette inviolable escorte ? Avec quelle indignation j'eusse étouffé les vils transports d'une passion criminelle et mal éteinte, et que je me serais méprisé de souiller d'un seul soupir un aussi ravissant tableau d'innocence et d'honnêteté ! Je repassais dans ma mémoire les discours qu'elle m'avait tenus en sortant ; puis remontant avec elle dans un avenir [1] qu'elle contemple avec tant de charmes, je voyais cette tendre mère essuyer la sueur du front de ses enfants, baiser leurs joues enflammées, et livrer ce cœur fait pour aimer au plus doux sentiment de la nature. Il n'y avait pas jusqu'à ce nom d'Élysée qui ne rectifiât en moi les écarts de l'imagination, et ne portât dans mon âme un calme préférable au trouble des passions les plus séduisantes. Il me peignait en quelque sorte l'intérieur de celle qui l'avait trouvé ; je pensais qu'avec une conscience agitée on n'aurait jamais choisi ce nom-là. Je me disais : La paix règne au fond de son cœur comme dans l'asile qu'elle a nommé.

Je m'étais promis une rêverie agréable ; j'ai rêvé plus agréablement que je ne m'y étais attendu. J'ai passé dans l'Élysée deux heures auxquelles je ne préfère aucun temps

---

1. Me remémorant l'avenir tracé par Julie la veille (au sujet des petits jardiniers).

de ma vie. En voyant avec quel charme et quelle rapidité elles s'étaient écoulées, j'ai trouvé qu'il y a dans la méditation des pensées honnêtes une sorte de bien-être que les méchants n'ont jamais connu ; c'est celui de se plaire avec soi-même. Si l'on y songeait sans prévention, je ne sais quel autre plaisir on pourrait égaler à celui-là. Je sens au moins que quiconque aime autant que moi la solitude doit craindre de s'y préparer des tourments. Peut-être tirerait-on des mêmes principes la clef des faux jugements des hommes sur les avantages du vice et sur ceux de la vertu : Car la jouissance de la vertu est toute intérieure et ne s'aperçoit que par celui qui la sent : mais tous les avantages du vice frappent les yeux d'autrui, et il n'y a que celui qui les a qui sache ce qu'ils lui coûtent.

> Se a ciascun l'interno affanno
>   Si leggesse in fronte scritto,
> Quanti mai, che invidia fanno,
>   Ci farebbero pietà * !

[Ô si les tourments secrets qui rongent les cœurs se lisaient sur les visages, combien de gens qui font envie feraient pitié [1] !]

Comme il se faisait tard sans que j'y songeasse, M. de Wolmar est venu me joindre et m'avertir que Julie et le thé m'attendaient. C'est vous, leur ai-je dit en m'excusant, qui m'empêchiez d'être avec vous : je fus si charmé de ma soirée d'hier que j'en suis retourné jouir ce matin ; heureusement il n'y a point de mal et puisque vous m'avez attendu, ma matinée n'est pas perdue. C'est fort bien dit, a répondu Mad^e de Wolmar ; il vaudrait mieux s'attendre jusqu'à midi, que de perdre le plaisir de déjeuner ensemble. Les étrangers ne sont jamais admis le matin dans ma chambre et déjeunent dans la leur. Le déjeuner est le repas des amis ;

---

* Il aurait pu ajouter la suite qui est très belle, et ne convient pas moins au sujet : *Si vedria che i lor nemici/ Anno in seno, e si riduce/ Nel parere a noi felici/ Ogni lor felicità.* [On verrait que l'ennemi qui les dévore est caché dans leur propre sein et que tout leur prétendu bonheur se réduit à paraître heureux.]

---

1. Métastase, *Giuseppe riconosciuto*, 1re partie, v. 91-99, in *Oratori sacri*, éd. S. Stroppa, Venise, Marsilio, 1996, p. 133. Trad. de Rousseau dans DC.

les valets en sont exclus, les importuns ne s'y montrent
point ; on y dit tout ce qu'on pense, on y révèle tous ses
secrets, on n'y contraint aucun de ses sentiments ; on peut
s'y livrer sans imprudence aux douceurs de la confiance et
de la familiarité. C'est presque le seul moment où il soit
permis d'être ce qu'on est ; que ne dure-t-il toute la journée !
Ah Julie ! ai-je été prêt à dire ; voilà un vœu bien intéressé !
Mais je me suis tu. La première chose que j'ai retranchée
avec l'amour a été la louange. Louer quelqu'un en face, à
moins que ce ne soit sa maîtresse, qu'est-ce faire autre chose,
sinon le taxer de vanité ? Vous savez, Milord, si c'est à
Mad^e de Wolmar qu'on peut faire ce reproche. Non, non ;
je l'honore trop pour ne pas l'honorer en silence. La voir,
l'entendre, observer sa conduite, n'est-ce pas assez la louer ?

Lettre XII
De Mad^e de Wolmar à Mad^e d'Orbe

Il est écrit, chère amie, que tu dois être dans tous les
temps ma sauvegarde contre moi-même, et qu'après m'avoir
délivrée avec tant de peine des pièges de mon cœur, tu me
garantiras encore de ceux de ma raison. Après tant
d'épreuves cruelles, j'apprends à me défier des erreurs
comme des passions dont elles sont si souvent l'ouvrage.
Que n'ai-je eu toujours la même précaution ! Si dans les
temps passés j'avais moins compté sur mes lumières, j'aurais
eu moins à rougir de mes sentiments.

Que ce préambule ne t'alarme pas. Je serais indigne de
ton amitié si j'avais encore à la consulter sur des sujets
graves. Le crime fut toujours étranger à mon cœur, et j'ose
l'en croire plus éloigné que jamais. Écoute-moi donc paisiblement, ma Cousine, et crois que je n'aurai jamais besoin
de conseil sur des doutes que la seule honnêteté peut
résoudre.

Depuis six ans que je vis avec M. de Wolmar dans la plus
parfaite union qui puisse régner entre deux époux, tu sais
qu'il ne m'a jamais parlé ni de sa famille ni de sa personne,
et que l'ayant reçu d'un père aussi jaloux du bonheur de sa
fille que de l'honneur de sa maison, je n'ai point marqué

d'empressement pour en savoir sur son compte plus qu'il ne
jugeait à propos de m'en dire. Contente de lui devoir, avec
la vie de celui qui me l'a donnée, mon honneur, mon repos,
ma raison, mes enfants, et tout ce qui peut me rendre
quelque prix à mes propres yeux, j'étais bien assurée que ce
que j'ignorais de lui ne démentait point ce qui m'était
connu, et je n'avais pas besoin d'en savoir davantage pour
l'aimer, l'estimer, l'honorer autant qu'il était possible.

Ce matin en déjeunant il nous a proposé un tour de promenade avant la chaleur ; puis sous prétexte de ne pas
courir, disait-il, la campagne en robe de chambre, il nous a
menés dans les bosquets, et précisément, ma chère, dans ce
même bosquet où commencèrent tous les malheurs de ma
vie. En approchant de ce lieu fatal, je me suis senti un
affreux battement de cœur, et j'aurais refusé d'entrer si la
honte ne m'eût retenue, et si le souvenir d'un mot qui fut
dit l'autre jour dans l'Élysée ne m'eût fait craindre les inter-
prétations. Je ne sais si le philosophe était plus tranquille ;
mais quelque temps après ayant par hasard tourné les yeux
sur lui, je l'ai trouvé pâle, changé, et je ne puis te dire quelle
peine tout cela m'a fait.

En entrant dans le bosquet j'ai vu mon mari me jeter un
coup d'œil et sourire. Il s'est assis entre nous, et après un
moment de silence, nous prenant tous deux par la main :
Mes enfants, nous a-t-il dit, je commence à voir que mes
projets ne seront point vains et que nous pouvons être unis
tous trois d'un attachement durable, propre à faire notre
bonheur commun, et ma consolation dans les ennuis d'une
vieillesse qui s'approche : mais je vous connais tous deux
mieux que vous ne me connaissez ; il est juste de rendre les
choses égales, et quoique je n'aie rien de fort intéressant à
vous apprendre, [1] puisque vous n'avez plus de secret pour
moi, je n'en veux plus avoir pour vous.

Alors il nous a révélé le mystère de sa naissance qui jusqu'ici n'avait été connu que de mon père. Quand tu le
sauras, tu concevras jusqu'où vont le sang-froid et la modération d'un homme capable de taire six ans un pareil secret

---

1. Nous remplaçons le point-virgule par une virgule.

à sa femme ; mais ce secret n'est rien pour lui, et il y pense trop peu pour se faire un grand effort de n'en pas parler.

Je ne vous arrêterai point, nous a-t-il dit, sur les événements de ma vie ; ce qui peut vous importer est moins de connaître mes aventures que mon caractère. Elles sont simples comme lui, et sachant bien ce que je suis vous comprendrez aisément ce que j'ai pu faire. J'ai naturellement l'âme tranquille et le cœur froid. Je suis de ces hommes qu'on croit bien injurier en disant qu'ils ne sentent rien ; c'est-à-dire, qu'ils n'ont point de passion qui les détourne de suivre le vrai guide de l'homme [1]. Peu sensible au plaisir et à la douleur, je n'éprouve même que très faiblement ce sentiment d'intérêt et d'humanité qui nous approprie les affections d'autrui. Si j'ai de la peine à voir souffrir les gens de bien, la pitié n'y entre pour rien, car je n'en ai point à voir souffrir les méchants. Mon seul principe actif est le goût naturel de l'ordre, et le concours bien combiné du jeu de la fortune et des actions des hommes me plaît exactement comme une belle symétrie dans un tableau, ou comme une pièce bien conduite au théâtre. Si j'ai quelque passion dominante c'est celle de l'observation : J'aime à lire dans les cœurs des hommes ; comme le mien me fait peu d'illusion, que j'observe de sang-froid et sans intérêt, et qu'une longue expérience m'a donné de la sagacité, je ne me trompe guère dans mes jugements ; aussi c'est là toute la récompense de l'amour-propre dans mes études continuelles ; car je n'aime point à faire un rôle, mais seulement à voir jouer les autres : La société m'est agréable pour la contempler, non pour en faire partie. Si je pouvais changer la nature de mon être et devenir un œil vivant, je ferais volontiers cet échange[a]. Ainsi mon indifférence pour les hommes ne me rend point indépendant d'eux, sans me soucier d'en être vu j'ai besoin de les voir, et sans m'être chers ils me sont nécessaires.

Les deux premiers états de la société que j'eus occasion d'observer furent les courtisans et les valets ; deux ordres d'hommes moins différents en effet qu'en apparence et si peu dignes d'être étudiés, si faciles à connaître, que je m'ennuyai d'eux au premier regard. En quittant la cour où

---

1. La raison, selon le système de pensée du personnage.

tout est sitôt vu, je me dérobai sans le savoir au péril qui
m'y menaçait et dont je n'aurais point échappé. Je changeai
de nom, et voulant connaître les militaires, j'allai chercher
du service chez un Prince étranger ; c'est là que j'eus le bonheur d'être utile à votre père que le désespoir d'avoir tué
son ami forçait à s'exposer témérairement et contre son
devoir. Le cœur sensible et reconnaissant de ce brave officier
commença dès lors à me donner meilleure opinion de
l'humanité. Il s'unit à moi d'une amitié à laquelle il m'était
impossible de refuser la mienne, et nous ne cessâmes
d'entretenir depuis ce temps-là des liaisons qui devinrent
plus étroites de jour en jour. J'appris dans ma nouvelle
condition que l'intérêt n'est pas, comme je l'avais cru, le
seul mobile des actions humaines et que parmi les foules de
préjugés qui combattent la vertu, il en est aussi qui la favo-
risent. Je conçus que le caractère général de l'homme est un
amour-propre indifférent par lui-même, bon ou mauvais par
les accidents qui le modifient et qui dépendent des coutumes, des lois, des rangs, de la fortune, et de toute notre
police humaine [1]. Je me livrai donc à mon penchant, et,
méprisant la vaine opinion des conditions, je me jetai successivement dans les divers états qui pouvaient m'aider à les
comparer tous et à connaître les uns par les autres. Je sentis,
comme vous l'avez remarqué dans quelque Lettre, dit-il à
St. Preux, qu'on ne voit rien quand on se contente de regarder, qu'il faut agir soi-même pour voir agir les hommes [2], et
je me fis acteur pour être spectateur. Il est toujours aisé
de descendre : j'essayai d'une multitude de conditions dont
jamais homme de la mienne ne s'était avisé. Je devins même
paysan, et quand Julie m'a fait garçon jardinier, elle ne m'a
point trouvé si novice au métier qu'elle aurait pu croire.

---

1. L'expression « amour-propre » est employée ici au sens classique et
désigne « l'amour de soi » dans la terminologie rousseauiste (voir III, 7,
n. 1, p. 385). La morale utilitariste de l'intérêt est défendue par Mandeville
et Helvétius. **2.** Cette référence à la lettre II, 17 suppose une bonne connaissance des lettres des deux amants, alors que ce « secret » n'est avoué par
Wolmar qu'à la fin de cette lettre 12. Comme le fait remarquer H. Coulet,
aucun des deux interlocuteurs ne semble manifester d'étonnement, d'après
ce que rapporte Julie.

Avec la véritable connaissance des hommes, dont l'oisive philosophie ne donne que l'apparence, je trouvai un autre avantage auquel je ne m'étais point attendu. Ce fut d'aiguiser par une vie active cet amour de l'ordre que j'ai reçu de la nature, et de prendre un nouveau goût pour le bien par le plaisir d'y contribuer. Ce sentiment me rendit un peu moins contemplatif, m'unit un peu plus à moi-même, et par une suite assez naturelle de ce progrès, je m'aperçus que j'étais seul.[b] La solitude qui m'ennuya toujours me devenait affreuse, et je ne pouvais plus espérer de l'éviter longtemps. Sans avoir perdu ma froideur j'avais besoin d'un attachement ; l'image de la caducité sans consolation m'affligeait avant le temps, et, pour la première fois de ma vie, je connus l'inquiétude et la tristesse. Je parlai de ma peine au Baron d'Étange. Il ne faut point, me dit-il, vieillir garçon. Moi-même, après avoir vécu presque indépendant dans les liens du mariage, je sens que j'ai besoin de redevenir époux et père, et je vais me retirer dans le sein de ma famille. Il ne tiendra qu'à vous d'en faire la vôtre et de me rendre le fils que j'ai perdu. J'ai une fille unique à marier ; elle n'est pas sans mérite ; elle a le cœur sensible, et l'amour de son devoir lui fait aimer tout ce qui s'y rapporte. Ce n'est ni une beauté, ni un prodige d'esprit : mais venez la voir, et croyez que si vous ne sentez rien pour elle, vous ne sentirez jamais rien pour personne au monde. Je vins, je vous vis, Julie, et je trouvai que votre père m'avait parlé modestement de vous. Vos transports, vos larmes de joie en l'embrassant me donnèrent la première ou plutôt la seule émotion que j'aie éprouvée de ma vie. Si cette impression fut légère, elle était unique, et les sentiments n'ont besoin de force pour agir qu'en proportion de ceux qui leur résistent. Trois ans d'absence ne changèrent point l'état de mon cœur. L'état du vôtre ne m'échappa pas à mon retour, et c'est ici qu'il faut que je vous venge d'un aveu qui vous a tant coûté. Juge, ma chère, avec quelle étrange surprise j'appris alors que tous mes secrets lui avaient été révélés avant mon mariage, et qu'il m'avait épousée sans ignorer que j'appartenais à un autre.

Cette conduite était inexcusable, a continué M. de Wolmar. J'offensais la délicatesse ; je péchais contre la prudence ;

j'exposais votre honneur et le mien ; je devais craindre de nous précipiter tous deux dans des malheurs sans ressource : mais je vous aimais, et n'aimais que vous. Tout le reste m'était indifférent. Comment réprimer la passion même la plus faible, quand elle est sans contrepoids ? Voilà l'inconvénient des caractères froids et tranquilles. Tout va bien tant que leur froideur les garantit des tentations ; mais s'il en survient une qui les atteigne, ils sont aussitôt vaincus qu'attaqués, et la raison, qui gouverne tandis qu'elle est seule, n'a jamais de force pour résister au moindre effort. Je n'ai été tenté qu'une fois, et j'ai succombé. Si l'ivresse de quelque autre passion m'eût fait vaciller encore, j'aurais fait autant de chutes que de faux pas : il n'y a que des âmes de feu qui sachent combattre et vaincre. Tous les grands efforts, toutes les actions sublimes sont leur ouvrage ; la froide raison n'a jamais rien fait d'illustre, et l'on ne triomphe des passions qu'en les opposant l'une à l'autre. Quand celle de la vertu vient à s'élever, elle domine seule et tient tout en équilibre ; voilà comment se forme le vrai sage, qui n'est pas plus qu'un autre à l'abri des passions, mais qui seul sait les vaincre par elles-mêmes, comme un pilote fait route par les mauvais vents.

Vous voyez que je ne prétends pas exténuer ma faute ; si c'en eût été une je l'aurais faite infailliblement ; mais, Julie, je vous connaissais, et n'en fis point en vous épousant. Je sentis que de vous seule dépendait tout le bonheur dont je pouvais jouir, et que si quelqu'un était capable de vous rendre heureuse, c'était moi. Je savais que l'innocence et la paix étaient nécessaires à votre cœur, que l'amour dont il était préoccupé ne les lui donnerait jamais, et qu'il n'y avait que l'horreur du crime qui pût en chasser l'amour. Je vis que votre âme était dans un accablement dont elle ne sortirait que par un nouveau combat, et que ce serait en sentant combien vous pouviez encore être estimable que vous apprendriez à le devenir.

Votre cœur était usé pour l'amour ; je comptai donc pour rien une disproportion d'âge qui m'ôtait le droit de prétendre à un sentiment dont celui qui en était l'objet ne pouvait jouir, et impossible à obtenir pour tout autre. Au contraire, voyant dans une vie plus d'à moitié écoulée qu'un seul goût s'était fait sentir à moi, je jugeai qu'il serait durable et je me plus à lui conserver le reste de mes jours. Dans mes longues recherches je n'avais rien trouvé qui vous valût, je pensai que ce que vous ne feriez pas, nulle autre au monde ne pourrait le faire ; j'osai croire à la vertu et vous épousai. Le mystère que vous me faisiez ne me surprit point ; j'en savais les raisons, et je vis dans votre sage conduite celle de sa durée. Par égard pour vous j'imitai votre réserve, et ne voulus point vous ôter l'honneur de me faire un jour de vous-même un aveu que je voyais à chaque instant sur le bord de vos lèvres. Je ne me suis trompé en rien ; vous avez tenu tout ce que je m'étais promis de vous. Quand je voulus me choisir une épouse, je désirai d'avoir en elle une compagne aimable, sage, heureuse. Les deux premières conditions sont remplies. Mon enfant, j'espère que la troisième ne nous manquera pas.

À ces mots, malgré tous mes efforts pour ne l'interrompre que par mes pleurs, je n'ai pu m'empêcher de lui sauter au cou en m'écriant : Mon cher mari ! ô le meilleur et le plus aimé des hommes ! apprenez-moi ce qui manque à mon bonheur, si ce n'est le vôtre, et d'être mieux mérité…. Vous êtes heureuse autant qu'il se peut, a-t-il dit en m'interrompant ; vous méritez de l'être ; mais il est temps de jouir en paix d'un bonheur qui vous a jusqu'ici coûté bien des soins. Si votre fidélité m'eût suffi, tout était fait du moment que vous me la promîtes ; j'ai voulu, de plus, qu'elle vous fût facile et douce, et c'est à la rendre telle que nous nous sommes tous deux occupés de concert sans nous en parler. Julie, nous avons réussi ; mieux que vous ne pensez, peut-être. Le seul tort que je vous trouve est de n'avoir pu reprendre en vous la confiance que vous vous devez, et de vous estimer moins que votre prix. La modestie extrême a ses dangers ainsi que l'orgueil. Comme une témérité qui nous porte au-delà de nos forces les rend impuissantes, un effroi qui nous empêche d'y compter les rend inutiles. La véritable prudence consiste à les bien connaître et à s'y tenir. Vous en avez acquis de nouvelles en changeant d'état. Vous n'êtes plus cette fille infortunée qui déplorait sa faiblesse en s'y livrant ; vous êtes la plus vertueuse des femmes, qui ne connaît d'autres lois que celles du devoir et de l'honneur, et à qui le trop vif souvenir de ses fautes est la seule faute qui reste à reprocher. Loin de prendre encore contre vous-même des précautions injurieuses, apprenez donc à compter sur vous pour pouvoir y compter davantage. Écartez d'injustes défiances capables de réveiller quelquefois les sentiments qui les ont produites. Félicitez-vous plutôt d'avoir su choisir un honnête homme dans un âge où il est si facile de s'y tromper, et d'avoir pris autrefois un amant que vous pouvez avoir aujourd'hui pour ami sous les yeux de votre mari même. À peine vos liaisons me furent-elles connues que je vous estimai l'un par l'autre. Je vis quel trompeur enthousiasme vous avait tous deux égarés ; il n'agit que sur les belles âmes ; il les perd quelquefois, mais c'est par un attrait qui ne séduit qu'elles. Je jugeai que le même goût qui avait formé votre union la relâcherait sitôt qu'elle deviendrait criminelle, et que le vice pouvait entrer dans des cœurs comme les vôtres, mais non pas y prendre racine.

Dès lors je compris qu'il régnait entre vous des liens qu'il ne fallait point rompre ; que votre mutuel attachement tenait à tant de choses louables, qu'il fallait plutôt le régler que l'anéantir ; et qu'aucun des deux ne pouvait oublier l'autre sans perdre beaucoup de son prix. Je savais que les grands combats ne font qu'irriter les grandes passions, et que si les violents efforts exercent l'âme, ils lui coûtent des tourments dont la durée est capable de l'abattre. J'employai la douceur de Julie pour tempérer sa sévérité. Je nourris son amitié pour vous, dit-il à St. Preux ; j'en ôtai ce qui pouvait y rester de trop, et je crois vous avoir conservé de son propre cœur plus peut-être qu'elle ne vous en eût laissé, si je l'eusse abandonné à lui-même.

Mes succès m'encouragèrent, et je voulus tenter votre guérison comme j'avais obtenu la sienne ; car je vous estimais, et, malgré les préjugés du vice, j'ai toujours reconnu qu'il n'y avait rien de bien qu'on n'obtînt des belles âmes avec de la confiance et de la franchise. Je vous ai vu, vous ne m'avez point trompé ; vous ne me tromperez point ; et quoique vous ne soyez pas encore ce que vous devez être, je vous vois mieux que vous ne pensez et suis plus content de vous que vous ne l'êtes vous-même. Je sais bien que ma conduite a l'air bizarre et choque toutes les maximes communes ; mais les maximes deviennent moins générales à mesure qu'on lit mieux dans les cœurs, et le mari de Julie ne doit pas se conduire comme un autre homme. Mes enfants, nous dit-il d'un ton d'autant plus touchant qu'il partait d'un homme tranquille ; soyez ce que vous êtes, et nous serons tous contents. Le danger n'est que dans l'opinion ; n'ayez pas peur de vous et vous n'aurez rien à craindre ; ne songez qu'au présent et je vous réponds de l'avenir. Je ne puis vous en dire aujourd'hui davantage ; mais si mes projets s'accomplissent et que mon espoir ne m'abuse pas, nos destinées seront mieux remplies et vous serez tous deux plus heureux que si vous aviez été l'un à l'autre.

En se levant il nous embrassa, et voulut que nous nous embrassassions aussi, dans ce lieu.... dans ce lieu même où jadis.... Claire, ô bonne Claire, combien tu m'as toujours aimée ! Je n'en fis aucune difficulté. Hélas ! que j'aurais eu tort d'en faire ! Ce baiser n'eut rien de celui qui m'avait rendu le bosquet redoutable. Je m'en félicitai tristement, et je connus que mon cœur était plus changé que jusque-là je n'avais osé le croire.

Comme nous reprenions le chemin du logis, mon mari m'arrêta par la main, et me montrant ce bosquet dont nous sortions, il me dit en riant : Julie, ne craignez plus cet asile ; il vient d'être profané. Tu ne veux pas me croire, Cousine, mais je te jure qu'il a quelque don surnaturel pour lire au fond des cœurs : Que le Ciel le lui laisse toujours ! avec tant de sujet de me mépriser, c'est sans doute à cet art que je dois son indulgence.

Tu ne vois point encore ici de conseil à donner ; patience, mon Ange, nous y voici ; mais la conversation que je viens de te rendre était nécessaire à l'éclaircissement du reste.

En nous en retournant, mon mari, qui depuis longtemps est attendu à Étange, m'a dit qu'il comptait partir demain pour s'y rendre, qu'il te verrait en passant, et qu'il y resterait cinq ou six jours. Sans dire tout ce que je pensais d'un départ aussi déplacé, j'ai représenté qu'il ne me paraissait pas assez indispensable pour obliger M. de Wolmar à quitter un hôte qu'il avait lui-même appelé dans sa maison. Voulez-vous, a-t-il répliqué, que je lui fasse mes honneurs pour l'avertir qu'il n'est pas chez lui ? Je suis pour l'hospitalité des Valaisans. J'espère qu'il trouve ici leur franchise et qu'il nous laisse leur liberté [1]. Voyant qu'il ne voulait pas m'entendre, j'ai pris un autre tour et tâché d'engager notre hôte à faire ce voyage avec lui. Vous trouverez, lui ai-je dit, un séjour qui a ses beautés et même de celles que vous aimez ; vous visiterez le patrimoine de mes pères et le mien ; l'intérêt que vous prenez à moi ne me permet pas de croire que cette vue vous soit indifférente. J'avais la bouche ouverte pour ajouter que ce château ressemblait à celui de Milord Édouard qui…. mais heureusement j'ai eu le temps de me mordre la langue [2]. Il m'a répondu tout simplement que j'avais raison et qu'il ferait ce qu'il me plairait. Mais M. de Wolmar, qui semblait vouloir me pousser à bout, a répliqué qu'il devait faire ce qui lui plaisait à lui-même. Lequel aimez-vous mieux, venir ou rester ? Rester, a-t-il dit sans balancer. Hé bien, restez, a repris mon mari en lui serrant la main : homme honnête et vrai, je suis très content de ce mot-là. Il n'y avait pas moyen d'alterquer [3] beaucoup là-dessus devant le tiers qui nous écoutait. J'ai gardé le silence, et n'ai pu cacher si bien mon chagrin que mon mari ne s'en soit aperçu. Quoi donc, a-t-il repris d'un air mécontent, dans un moment où St. Preux était loin de nous, aurais-je inutilement plaidé votre cause contre vous-même, et Madame de Wolmar se contenterait-elle d'une vertu qui eût besoin de choisir ses occasions ? Pour moi, je suis plus difficile ; je veux devoir la fidélité de ma femme à son cœur et non pas au hasard, et il ne me suffit pas qu'elle garde sa foi ; je suis offensé qu'elle en doute.

Ensuite il nous a menés dans son cabinet, où j'ai failli tomber de mon haut en lui voyant sortir d'un tiroir, avec les copies de quelques relations de notre ami que je lui avais données, les originaux mêmes de toutes les Lettres que je croyais avoir vu brûler autrefois par Babi dans la chambre

---

1. Seconde allusion à la correspondance des deux amants (I, 23), qui ne semble pas provoquer plus de réaction chez les interlocuteurs. Nous pensons avec H. Coulet que Rousseau a maintenu volontairement ces non-dits dans cette lettre chargée d'implicites. **2.** Voir la proposition de Bomston (II, 3). Cette phrase a été ajoutée sur CP. **3.** De disputer. Verbe ancien disparu de la langue au XVIIᵉ siècle.

de ma mère. Voilà, m'a-t-il dit en nous les montrant les fondements de ma sécurité ; s'ils me trompaient, ce serait une folie de compter sur rien de ce que respectent les hommes. Je remets ma femme et mon honneur en dépôt à celle qui, fille et séduite, préférait un acte de bienfaisance à un rendez-vous unique et sûr. Je confie Julie épouse et mère à celui qui maître de contenter ses désirs sut respecter Julie amante et fille. Que celui de vous deux qui se méprise assez pour penser que j'ai tort le dise, et je me rétracte à l'instant. Cousine, crois-tu qu'il fût aisé d'oser répondre à ce langage ?

J'ai pourtant cherché un moment dans l'après-midi pour prendre en particulier mon mari, et, sans entrer dans des raisonnements qu'il ne m'était pas permis de pousser fort loin, je me suis bornée à lui demander deux jours de délai. Ils m'ont été accordés sur-le-champ ; je les emploie à t'envoyer cet exprès et à attendre ta réponse, pour savoir ce que je dois faire.

Je sais bien que je n'ai qu'à prier mon mari de ne point partir du tout, et celui qui ne me refusa jamais rien ne me refusera pas une si légère grâce. Mais, ma chère, je vois qu'il prend plaisir à la confiance qu'il me témoigne, et je crains de perdre une partie de son estime, s'il croit que j'aie besoin de plus de réserve qu'il ne m'en permet. Je sais bien encore que je n'ai qu'à dire un mot à St. Preux, et qu'il n'hésitera pas à l'accompagner : mais mon mari prendra-t-il ainsi le change, et puis-je faire cette démarche sans conserver sur St. Preux un air d'autorité, qui semblerait lui laisser à son tour quelque sorte de droits ? Je crains, d'ailleurs, qu'il n'infère [1] de cette précaution que je le sens nécessaire, et ce moyen, qui semble d'abord le plus facile, est peut-être au fond le plus dangereux. Enfin je n'ignore pas que nulle considération ne peut être mise en balance avec un danger réel ; mais ce danger existe-t-il en effet [2] ? Voilà précisément le doute que tu dois résoudre.

Plus je veux sonder l'état présent de mon âme, plus j'y trouve de quoi me rassurer. Mon cœur est pur, ma conscience est tranquille, je ne sens ni trouble ni crainte, et dans tout ce qui se passe en moi, la sincérité vis-à-vis de

---

1. Ne déduise. **2.** Réellement.

mon mari ne me coûte aucun effort. Ce n'est pas que certains souvenirs involontaires ne me donnent quelquefois un attendrissement dont il vaudrait mieux être exempte ; mais bien loin que ces souvenirs soient produits par la vue de celui qui les a causés, ils me semblent plus rares depuis son retour, et quelque doux qu'il me soit de le voir, je ne sais par quelle bizarrerie il m'est plus doux de penser à lui. En un mot, je trouve que je n'ai pas même besoin du secours de la vertu pour être paisible en sa présence, et que quand l'horreur du crime n'existerait pas, les sentiments qu'elle a détruits auraient bien de la peine à renaître.

Mais, mon ange, est-ce assez que mon cœur me rassure, quand la raison doit m'alarmer ? J'ai perdu le droit de compter sur moi. Qui me répondra que ma confiance n'est pas encore une illusion du vice ? comment me fier à des sentiments qui m'ont tant de fois abusée ? Le crime ne commence-t-il pas toujours par l'orgueil qui fait mépriser la tentation, et braver des périls où l'on a succombé, n'est-ce pas vouloir succomber encore ?

Pèse toutes ces considérations, ma Cousine, tu verras que quand elles seraient vaines par elles-mêmes, elles sont assez graves par leur objet pour mériter qu'on y songe. Tire-moi donc de l'incertitude où elles m'ont mise. Marque-moi comment je dois me comporter dans cette occasion délicate ; car mes erreurs passées ont altéré mon jugement, et me rendent timide à me déterminer sur toutes choses. Quoi que tu penses de toi-même, ton âme est calme et tranquille, j'en suis sûre ; les objets s'y peignent tels qu'ils sont ; mais la mienne toujours émue comme une onde agitée les confond et les défigure. Je n'ose plus me fier à rien de ce que je vois ni de ce que je sens, et malgré de si longs repentirs, j'éprouve avec douleur que le poids d'une ancienne faute est un fardeau qu'il faut porter toute sa vie.

Lettre XIII
Réponse

Pauvre Cousine ! que de tourments tu te donnes sans cesse avec tant de sujets de vivre en paix ! Tout ton mal vient de toi, ô Israël [1] ! Si tu suivais tes propres règles ; que dans les choses de sentiment tu n'écoutasses que la voix intérieure, et que ton cœur fît taire ta raison, tu te livrerais sans scrupule à la sécurité qu'il t'inspire, et tu ne t'efforcerais point, contre son témoignage, de craindre un péril qui ne peut venir que de lui.

Je t'entends, je t'entends bien, ma Julie ; plus sûre de toi que tu ne feins de l'être, tu veux t'humilier de tes fautes passées sous prétexte d'en prévenir de nouvelles, et tes scrupules sont bien moins des précautions pour l'avenir qu'une peine imposée à la témérité qui t'a perdue autrefois. Tu compares les temps ; y penses-tu ? compare aussi les conditions, et souviens-toi que je te reprochais alors ta confiance, comme je te reproche aujourd'hui ta frayeur.

Tu t'abuses, ma chère enfant ; on ne se donne point ainsi le change à soi-même : si l'on peut s'étourdir sur son état en n'y pensant point, on le voit tel qu'il est sitôt qu'on veut s'en occuper, et l'on ne se déguise pas plus ses vertus que ses vices. Ta douceur, ta dévotion t'ont donné du penchant à l'humilité. Défie-toi de cette dangereuse vertu qui ne fait qu'animer l'amour-propre en le concentrant, et crois que la noble franchise d'une âme droite est préférable à l'orgueil des humbles. S'il faut de la tempérance dans la sagesse, il en faut aussi dans les précautions qu'elle inspire ; de peur que des soins ignominieux à la vertu n'avilissent l'âme, et n'y réalisent un danger chimérique à force de nous en alarmer. Ne vois-tu pas qu'après s'être relevé d'une chute il faut se tenir debout, et que s'incliner du côté opposé à celui où l'on est tombé, c'est le moyen de tomber encore ? Cousine, tu fus amante comme Héloïse, te voilà dévote comme elle ; plaise à Dieu que ce soit avec plus de succès ! En vérité, si je connaissais moins ta timidité naturelle, tes erreurs seraient capables de m'effrayer à mon tour, et si j'étais aussi scrupuleuse, à force de craindre pour toi tu me ferais trembler pour moi-même.

Penses-y mieux, mon aimable amie ; toi dont la morale est aussi facile et douce qu'elle est honnête et pure, ne mets-tu point une âpreté trop rude et qui sort de ton caractère

---

1. Paraphrase de malédictions des prophètes d'après l'Exil, comme Isaïe, Jérémie, Osée ou Daniel (9, 11).

dans tes maximes sur la séparation des sexes ? [1] Je conviens
avec toi qu'ils ne doivent pas vivre ensemble ni d'une même
manière ; mais regarde si cette importante règle n'aurait pas
besoin de plusieurs distinctions dans la pratique, s'il faut
l'appliquer indifféremment et sans exception aux femmes et
aux filles, à la société générale et aux entretiens particuliers,
aux affaires et aux amusements, et si la décence et l'honnêteté qui l'inspirent ne la doivent pas quelquefois tempérer ?
Tu veux qu'en un pays de bonnes mœurs où l'on cherche
dans le mariage des convenances naturelles, il y ait des
assemblées où les jeunes gens des deux sexes puissent se voir,
se connaître, et s'assortir ; mais tu leur interdis avec grande
raison toute entrevue particulière. Ne serait-ce pas tout le
contraire pour les femmes et les mères de famille qui ne
peuvent avoir aucun intérêt légitime à se montrer en public,
que les soins domestiques retiennent dans l'intérieur de leur
maison, et qui ne doivent s'y refuser à rien de convenable à
la maîtresse du logis ? Je n'aimerais pas à te voir dans tes
caves aller faire goûter les vins aux marchands, ni quitter
tes enfants pour aller régler des comptes avec un banquier ;
mais s'il survient un honnête homme qui vienne voir ton
mari, ou traiter avec lui de quelque affaire, refuseras-tu de
recevoir son hôte en son absence et de lui faire les honneurs
de ta maison, de peur de te trouver tête à tête avec lui ?
Remonte au principe et toutes les règles s'expliqueront.
Pourquoi pensons-nous que les femmes doivent vivre reti-
rées et séparées des hommes ? Ferons-nous cette injure à
notre sexe de croire que ce soit par des raisons tirées de sa
faiblesse, et seulement pour éviter le danger des tentations ?
Non, ma chère, ces indignes craintes ne conviennent point
à une femme de bien, à une mère de famille sans cesse environnée d'objets qui nourrissent en elle des sentiments d'honneur, et livrée aux plus respectables devoirs de la nature. Ce
qui nous sépare des hommes, c'est la nature elle-même qui
nous prescrit des occupations différentes ; c'est cette douce
et timide modestie qui, sans songer précisément à la chasteté, en est la plus sûre gardienne ; c'est cette réserve attentive et piquante qui, nourrissant à la fois dans les cœurs des

---

1. Nous remplaçons le point par un point d'interrogation.

hommes et les désirs et le respect, sert pour ainsi dire de coquetterie à la vertu. Voilà pourquoi les époux mêmes ne sont pas exceptés de la règle. Voilà pourquoi les femmes les plus honnêtes conservent en général le plus d'ascendant sur leurs maris ; parce qu'à l'aide de cette sage et discrète réserve, sans caprice et sans refus, elles savent au sein de l'union la plus tendre les maintenir à une certaine distance, et les empêchent de jamais se rassasier d'elles. Tu conviendras avec moi que ton précepte est trop général pour ne pas comporter des exceptions, et que n'étant point fondé sur un devoir rigoureux, la même bienséance qui l'établit peut quelquefois en dispenser.

La circonspection que tu fondes sur tes fautes passées est injurieuse à ton état présent ; je ne la pardonnerais jamais à ton cœur, et j'ai bien de la peine à la pardonner à ta raison. Comment le rempart qui défend ta personne n'a-t-il pu te garantir d'une crainte ignominieuse ? Comment se peut-il que ma Cousine, ma sœur, mon amie, ma Julie confonde les faiblesses d'une fille trop sensible avec les infidélités d'une femme coupable ? Regarde tout autour de toi, tu n'y verras rien qui ne doive élever et soutenir ton âme. Ton mari qui en présume tant et dont tu as l'estime à justifier ; tes enfants que tu veux former au bien et qui s'honoreront un jour de t'avoir eue pour mère ; ton vénérable père qui t'est si cher, qui jouit de ton bonheur et s'illustre de sa fille plus même que de ses aïeux ; ton amie dont le sort dépend du tien et à qui tu dois compte d'un retour [1] auquel elle a contribué ; sa fille à qui tu dois l'exemple des vertus que tu lui veux inspirer ; ton ami, cent fois plus idolâtre des tiennes que de ta personne, et qui te respecte encore plus que tu ne le redoutes ; toi-même, enfin, qui trouves dans ta sagesse le prix des efforts qu'elle t'a coûtés, et qui ne voudras jamais perdre en un moment le fruit de tant de peines ; combien de motifs capables d'animer ton courage te font honte de t'oser défier de toi ?[a] Mais pour répondre de ma Julie, qu'ai-je besoin de considérer ce qu'elle est ? Il me suffit de savoir ce qu'elle fut durant les erreurs qu'elle déplore. Ah ! si jamais ton cœur eût été capable d'infidélité, je te permettrais

---

1. Au sens moral de réflexion sur soi-même (voir II, 10).

de la craindre toujours : mais dans l'instant même où tu
croyais l'envisager dans l'éloignement, conçois l'horreur
qu'elle t'eût fait présente, par celle qu'elle t'inspira dès qu'y
penser eût été la commettre.

Je me souviens de l'étonnement avec lequel nous appre-
nions autrefois qu'il y a des pays où la faiblesse d'une jeune
amante est un crime irrémissible, quoique l'adultère d'une
femme y porte le doux nom de galanterie, et où l'on se
dédommage ouvertement étant mariée de la courte gêne où
l'on vivait étant fille. Je sais quelles maximes règnent là-
dessus dans le grand monde où la vertu n'est rien, où tout
n'est que vaine apparence, où les crimes s'effacent par la
difficulté de les prouver, où la preuve même en est ridicule
contre l'usage qui les autorise [1]. Mais toi, Julie, ô toi qui
brûlant d'une flamme pure et fidèle n'étais coupable qu'aux
yeux des hommes, et n'avais rien à te reprocher entre le ciel
et toi ! toi qui te faisais respecter au milieu de tes fautes ;
toi qui livrée à d'impuissants regrets nous forçais d'adorer
encore les vertus que tu n'avais plus ; toi qui t'indignais de
supporter ton propre mépris, quand tout semblait te rendre
excusable ; oses-tu redouter le crime après avoir payé si cher
ta faiblesse ? Oses-tu craindre de valoir moins aujourd'hui
que dans les temps qui t'ont tant coûté de larmes ? Non,
ma chère, loin que tes anciens égarements doivent t'alarmer
ils doivent animer ton courage ; un repentir si cuisant ne
mène point au remords, et quiconque est si sensible à la
honte ne sait point braver l'infamie.

Si jamais une âme faible eut des soutiens contre sa faiblesse, ce sont ceux qui s'offrent à toi ; si jamais une âme
forte a pu se soutenir elle-même, la tienne a-t-elle besoin
d'appui ? Dis-moi donc quels sont les raisonnables motifs
de crainte ? Toute ta vie n'a été qu'un combat continuel où,
même après ta défaite, l'honneur le devoir n'ont cessé de
résister et ont fini par vaincre. Ah Julie ! croirai-je qu'après
tant de tourments et de peines, douze ans de pleurs et six
ans de gloire te laissent redouter une épreuve de huit jours ?
En deux mots, sois sincère avec toi-même ; si le péril existe,
sauve ta personne et rougis de ton cœur ; s'il n'existe pas,

---

1. Reprise de II, 21.

c'est outrager ta raison, c'est flétrir ta vertu que de craindre un danger qui ne peut l'atteindre. Ignores-tu qu'il est des tentations déshonorantes qui n'approchèrent jamais d'une âme honnête, qu'il est même honteux de les vaincre, et que se précautionner contre elles est moins s'humilier que s'avilir ?

Je ne prétends pas te donner mes raisons pour invincibles, mais te montrer seulement qu'il y en a qui combattent les tiennes, et cela suffit pour autoriser mon avis. Ne t'en rapporte ni à toi qui ne sais pas te rendre justice, ni à moi qui dans tes défauts n'ai jamais su voir que ton cœur, et t'ai toujours adorée ; mais à ton mari qui te voit telle que tu es, et te juge exactement selon ton mérite. Prompte, comme tous les gens sensibles, à mal juger de ceux qui ne le sont pas, je me défiais de sa pénétration dans les secrets des cœurs tendres ; mais depuis l'arrivée de notre voyageur, je vois par ce qu'il m'écrit qu'il lit très bien dans les vôtres, et que pas un des mouvements qui s'y passent n'échappe à ses observations [1]. Je les trouve même si fines et si justes que j'ai rebroussé presque à l'autre extrémité de mon premier sentiment, et je croirais volontiers que les hommes froids qui consultent plus leurs yeux que leur cœur, jugent mieux des passions d'autrui, que les gens turbulents et vifs ou vains comme moi, qui commencent toujours par se mettre à la place des autres, et ne savent jamais voir que ce qu'ils sentent. Quoi qu'il en soit, M. de Wolmar te connaît bien, il t'estime, il t'aime, et son sort est lié au tien. Que lui manque-t-il pour que tu lui laisses l'entière direction de ta conduite sur laquelle tu crains de t'abuser ? Peut-être sentant approcher la vieillesse, veut-il par des épreuves propres à le rassurer prévenir les inquiétudes jalouses qu'une jeune femme inspire ordinairement à un vieux mari ; peut-être le dessein qu'il a demande-t-il que tu puisses vivre familièrement avec ton ami, sans alarmer ni ton époux ni toi-même ; peut-être veut-il seulement te donner un témoignage de confiance et d'estime digne de celle qu'il a pour toi. Il ne faut jamais se refuser à de pareils sentiments comme si l'on

---

[1]. Ceci suppose que Claire a déjà pris connaissance de la lettre 14 de Wolmar.

n'en pouvait soutenir le poids ; et pour moi, je pense en un mot que tu ne peux mieux satisfaire à la prudence et à la modestie qu'en te rapportant de tout à sa tendresse et à ses lumières.

Veux-tu, sans désobliger M. de Wolmar te punir d'un orgueil que tu n'eus jamais, et prévenir un danger qui n'existe plus ? Restée seule avec le philosophe, prends contre lui toutes les précautions superflues qui t'auraient été jadis si nécessaires ; impose-toi la même réserve que si avec ta vertu tu pouvais te défier encore de ton cœur et du sien. Évite les conversations trop affectueuses, les tendres souvenirs du passé ; interromps ou préviens les trop longs tête-à-tête ; entoure-toi sans cesse de tes enfants ; reste peu seule avec lui dans la chambre, dans l'Élysée, dans le bosquet, malgré la profanation. Surtout prends ces mesures d'une manière si naturelle qu'elles semblent un effet du hasard, et qu'il ne puisse imaginer un moment que tu le redoutes. Tu aimes les promenades en bateau ; tu t'en prives pour ton mari qui craint l'eau, pour tes enfants que tu n'y veux pas exposer. Prends le temps de cette absence pour te donner cet amusement, en laissant tes enfants sous la garde de la Fanchon. C'est le moyen de te livrer sans risque aux doux épanchements de l'amitié, et de jouir paisiblement d'un long tête-à-tête sous la protection des Bateliers, qui voient sans entendre, et dont on ne peut s'éloigner avant de penser à ce qu'on fait.

Il me vient encore une idée qui ferait rire beaucoup de gens, mais qui te plaira, j'en suis sûre ; c'est de faire en l'absence de ton mari un journal fidèle pour lui être montré à son retour, et de songer au journal dans tous les entretiens qui doivent y entrer. À la vérité, je ne crois pas qu'un pareil expédient fût utile à beaucoup de femmes ; mais une âme franche et incapable de mauvaise foi a contre le vice bien des ressources qui manqueront toujours aux autres. Rien n'est méprisable de ce qui tend à garder la pureté, et ce sont les petites précautions qui conservent les grandes vertus.

Au reste, puisque ton mari doit me voir en passant, il me dira, j'espère, les véritables raisons de son voyage, et, si je ne les trouve pas solides, ou je le détournerai de l'achever, ou quoi qu'il arrive, je ferai ce qu'il n'aura pas voulu faire :

c'est sur quoi tu peux compter. En attendant, en voilà je pense plus qu'il n'en faut pour te rassurer contre une épreuve de huit jours. Va, ma Julie, je te connais trop bien pour ne pas répondre de toi autant et plus que de moi-même. Tu seras toujours ce que tu dois et que tu veux être. Quand tu te livrerais à la seule honnêteté de ton âme, tu ne risquerais rien encore ; car je n'ai point de foi aux défaites imprévues ; on a beau couvrir du vain nom de faiblesses des fautes toujours volontaires, [1] jamais femme ne succombe qu'elle n'ait voulu succomber, et si je pensais qu'un pareil sort pût t'attendre, crois-moi, crois-en ma tendre amitié, crois-en tous les sentiments qui peuvent naître dans le cœur de ta pauvre Claire ; j'aurais un intérêt trop sensible à t'en garantir pour t'abandonner à toi seule.

Ce que M. de Wolmar t'a déclaré des connaissances qu'il avait avant ton mariage me surprend peu : tu sais que je m'en suis toujours doutée ; et je te dirai, de plus, que mes soupçons ne se sont pas bornés aux indiscrétions de Babi. Je n'ai jamais pu croire qu'un homme droit et vrai comme ton père, et qui avait tout au moins des soupçons lui-même, pût se résoudre à tromper son gendre et son ami. Que s'il t'engageait si fortement au secret, c'est que la manière de le révéler devenait fort différente de sa part ou de la tienne, et qu'il voulait sans doute y donner un tour moins propre à rebuter M. de Wolmar, que celui qu'il savait bien que tu ne manquerais pas d'y donner toi-même. Mais il faut te renvoyer ton exprès, nous causerons de tout cela plus à loisir dans un mois d'ici.

Adieu, petite Cousine, c'est assez prêcher la prêcheuse ; reprends ton ancien métier, et pour cause. Je me sens toute inquiète de n'être pas encore avec toi. Je brouille toutes mes affaires en me hâtant de les finir, et ne sais guère ce que je fais. Ah Chaillot, Chaillot !.... si j'étais moins folle.... mais j'espère de l'être toujours.

P. S. À propos ; j'oubliais de faire compliment à ton Altesse. Dis-moi, je t'en prie, Monseigneur ton mari est-il Atteman, Knès, ou Boyard ? Pour moi, je croirai jurer s'il

---

1. Nous remplaçons le point-virgule par une virgule.

faut t'appeler Madame la Boyarde *. Ô pauvre enfant ! Toi qui as tant gémi d'être née Demoiselle, te voilà bien chanceuse d'être la femme d'un Prince ! Entre nous, cependant, pour une Dame de si grande qualité, je te trouve des frayeurs un peu roturières. Ne sais-tu pas que les petits scrupules ne conviennent qu'aux petites gens, et qu'on rit d'un enfant de bonne maison qui prétend être fils de son père ?

Lettre XIV
De M. de Wolmar à Mad^e d'Orbe

Je pars pour Étange, petite Cousine, je m'étais proposé de vous voir en allant ; mais un retard dont vous êtes cause me force à plus de diligence, et j'aime mieux coucher à Lausanne en revenant, pour y passer quelques heures de plus avec vous. Aussi bien j'ai à vous consulter sur plusieurs choses dont il est bon de vous parler d'avance, afin que vous ayez le temps d'y réfléchir avant de m'en dire votre avis.

Je n'ai point voulu vous expliquer mon projet au sujet du jeune homme, avant que sa présence eût confirmé la bonne opinion que j'en avais conçue. Je crois déjà m'être assez assuré de lui pour vous confier entre nous que ce projet est de le charger de l'éducation de mes enfants. Je n'ignore pas que ces soins importants sont le principal devoir d'un père ; mais quand il sera temps de les prendre je serai trop âgé pour les remplir, et tranquille et contemplatif par tempérament, j'eus toujours trop peu d'activité pour pouvoir régler celle de la jeunesse. D'ailleurs par la raison qui vous est connue ** Julie ne me verrait point sans inquiétude prendre une fonction dont j'aurais peine à m'acquitter à son gré.

---

* Mad^e d'Orbe ignorait apparemment que les deux premiers noms sont en effet des titres distingués, mais qu'un Boyard n'est qu'un simple gentil-homme. [NdE : *boyard* signifie « seigneur » en russe. *Hetman* ou *Ateman* est un haut grade militaire dans les rangs des cosaques et des officiers polonais (où il est l'équivalent du maréchal). *Knez* désigne la haute aristocratie : « Nom de dignité en Moscovie. Les *Knez* sont en ce pays-là les premiers Seigneurs de la nation, comme les Ducs et Pairs en France, les Grands en Espagne » (*Trévoux*).]
** Cette raison n'est pas connue encore du Lecteur ; mais il est prié de ne pas s'impatienter.

Comme par mille autres raisons votre sexe n'est pas propre à ces mêmes soins, leur mère s'occupera toute entière à bien élever son Henriette ; je vous destine pour votre part le gouvernement du ménage sur le plan que vous trouverez établi et que vous avez approuvé ; la mienne sera de voir trois honnêtes gens concourir au bonheur de la maison, et de goûter dans ma vieillesse un repos qui sera leur ouvrage.

J'ai toujours vu que ma femme aurait une extrême répugnance à confier ses enfants à des mains mercenaires, et je n'ai pu blâmer ses scrupules. Le respectable état de précepteur exige tant de talents qu'on ne saurait payer, tant de vertus qui ne sont point à prix, qu'il est inutile d'en chercher un avec de l'argent. Il n'y a qu'un homme de génie en qui l'on puisse espérer de trouver les lumières d'un maître ; il n'y a qu'un ami très tendre à qui son cœur puisse inspirer le zèle d'un père ; et le génie n'est guère à vendre, encore moins l'attachement.

Votre ami m'a paru réunir en lui toutes les qualités convenables, et si j'ai bien connu son âme, je n'imagine pas pour lui de plus grande félicité que de faire dans ces enfants chéris celle de leur mère. Le seul obstacle que je puisse prévoir est dans son affection pour Milord Édouard, qui lui permettra difficilement de se détacher d'un ami si cher et auquel il a de si grandes obligations, à moins qu'Édouard ne l'exige lui-même. Nous attendons bientôt cet homme extraordinaire, et comme vous avez beaucoup d'empire sur son esprit, s'il ne dément pas l'idée que vous m'en avez donnée, je pourrais bien vous charger de cette négociation près de lui.

Vous avez à présent, petite Cousine, la clef de toute ma conduite qui ne peut que paraître fort bizarre sans cette explication, et qui, j'espère, aura désormais l'approbation de Julie et la vôtre. L'avantage d'avoir une femme comme la mienne m'a fait tenter des moyens qui seraient impraticables avec une autre. Si je la laisse en toute confiance avec son ancien amant sous la seule garde de sa vertu, je serais insensé d'établir dans ma maison cet amant avant de m'assurer qu'il eût pour jamais cessé de l'être, et comment pouvoir m'en assurer, si j'avais une épouse sur laquelle je comptasse moins ?

Je vous ai vue quelquefois sourire à mes observations sur l'amour ; mais pour le coup je tiens de quoi vous humilier [1]. J'ai fait une découverte que ni vous ni femme au monde avec toute la subtilité qu'on prête à votre sexe n'eussiez jamais faite, dont pourtant vous sentirez peut-être l'évidence au premier instant, et que vous tiendrez au moins pour démontrée quand j'aurai pu vous expliquer sur quoi je la fonde. De vous dire que mes jeunes gens sont plus amoureux que jamais, ce n'est pas, sans doute, une merveille à vous apprendre. De vous assurer au contraire qu'ils sont parfaitement guéris ; vous savez ce que peuvent la raison, la vertu, ce n'est pas là non plus leur plus grand miracle : mais que ces deux opposés soient vrais en même temps ; qu'ils brûlent plus ardemment que jamais l'un pour l'autre, et qu'il ne règne plus entre eux qu'un honnête attachement ; qu'ils soient toujours amants et ne soient plus qu'amis ; c'est, je pense, à quoi vous vous attendez moins, ce que vous aurez plus de peine à comprendre, et ce qui est pourtant selon l'exacte vérité.

Telle est l'énigme que forment les contradictions fréquentes que vous avez dû remarquer en eux, soit dans leurs discours soit dans leurs lettres. Ce que vous avez écrit à Julie au sujet du portrait a servi plus que tout le reste à m'en éclaircir le mystère, et je vois qu'ils sont toujours de bonne foi, même en se démentant sans cesse. Quand je dis eux, c'est surtout le jeune homme que j'entends ; car pour votre amie, on n'en peut parler que par conjecture : Un voile de sagesse et d'honnêteté fait tant de replis autour de son cœur, qu'il n'est plus possible à l'œil humain d'y pénétrer, pas même au sien propre. La seule chose qui me fait soupçonner qu'il lui reste quelque défiance à vaincre est qu'elle ne cesse de chercher en elle-même ce qu'elle ferait si elle était tout à fait guérie, et le fait avec tant d'exactitude, que si elle était réellement guérie elle ne le ferait pas si bien.

Pour votre ami, qui bien que vertueux s'effraye moins des sentiments qui lui restent, je lui vois encore tous ceux qu'il eut dans sa première jeunesse ; mais je les vois sans avoir droit

---

1. De quoi abaisser votre orgueil. Ton de badinage adopté par Wolmar avec Claire.

de m'en offenser. Ce n'est pas de Julie de Wolmar qu'il est amoureux, c'est de Julie d'Étange ; il ne me hait point comme le possesseur de la personne qu'il aime, mais comme le ravisseur de celle qu'il a aimée. La femme d'un autre n'est point sa maîtresse, la mère de deux enfants n'est plus son ancienne écolière. Il est vrai qu'elle lui ressemble beaucoup et qu'elle lui en rappelle souvent le souvenir. Il l'aime dans le temps passé : voilà le vrai mot de l'énigme. Ôtez-lui la mémoire, il n'aura plus d'amour.

Ceci n'est pas une vaine subtilité, petite Cousine, c'est une observation très solide qui, étendue à d'autres amours, aurait peut-être une application bien plus générale qu'il ne paraît. Je pense même qu'elle ne serait pas difficile à expliquer en cette occasion par vos propres idées. Le temps où vous séparâtes ces deux amants fut celui où leur passion était à son plus haut point de véhémence. Peut-être s'ils fussent restés plus longtemps ensemble se seraient-ils peu à peu refroidis ; mais leur imagination vivement émue les a sans cesse offerts l'un à l'autre tels qu'ils étaient à l'instant de leur séparation. Le jeune homme ne voyant point dans sa maîtresse les changements qu'y faisait le progrès du temps l'aimait telle qu'il l'avait vue, et non plus telle qu'elle était *. Pour le rendre heureux il n'était pas question seulement de la lui donner, mais de la lui rendre au même âge et dans les mêmes circonstances où elle s'était trouvée au temps de leurs premières amours ; la moindre altération à tout cela était autant d'ôté du bonheur qu'il s'était promis. Elle est devenue plus belle, mais elle a changé ; ce qu'elle a gagné tourne en ce sens à son préjudice ; car c'est de l'ancienne et non pas d'une autre qu'il est amoureux.

L'erreur qui l'abuse et le trouble est de confondre les temps et de se reprocher souvent comme un sentiment

---

* Vous êtes bien folles, vous autres femmes, de vouloir donner de la consistance à un sentiment aussi frivole et aussi passager que l'amour. Tout change dans la nature, tout est dans un flux continuel, et vous voulez inspirer des feux constants ? Et de quel droit prétendez-vous être aimées aujourd'hui parce que vous l'étiez hier ? Gardez donc le même visage, le même âge, la même humeur ; soyez toujours la même et l'on vous aimera toujours, si l'on peut. Mais changer sans cesse et vouloir toujours qu'on vous aime, c'est vouloir qu'à chaque instant on cesse de vous aimer ; ce n'est pas chercher des cœurs constants, c'est en chercher d'aussi changeants que vous.

actuel, ce qui n'est que l'effet d'un souvenir trop tendre ; mais je ne sais s'il ne vaut pas mieux achever de le guérir que le désabuser. On tirera peut-être meilleur parti pour cela de son erreur, que de ses lumières. Lui découvrir le véritable état de son cœur serait lui apprendre la mort de ce qu'il aime ; ce serait lui donner une affliction dangereuse en ce que l'état de tristesse est toujours favorable à l'amour.

Délivré des scrupules qui le gênent, il nourrirait peut-être avec plus de complaisance des souvenirs qui doivent s'éteindre ; il en parlerait avec moins de réserve, et les traits de sa Julie ne sont pas tellement effacés en Madame de Wolmar qu'à force de les y chercher il ne les y pût retrouver encore. J'ai pensé qu'au lieu de lui ôter l'opinion des progrès qu'il croit avoir faits et qui sert d'encouragement pour achever, il fallait lui faire perdre la mémoire des temps qu'il doit oublier, en substituant adroitement d'autres idées à celles qui lui sont si chères. Vous qui contribuâtes à les faire naître pouvez contribuer plus que personne à les effacer ; mais c'est seulement quand vous serez tout à fait avec nous que je veux vous dire à l'oreille ce qu'il faut faire pour cela ; charge qui, si je ne me trompe, ne vous sera pas fort onéreuse. En attendant, je cherche à le familiariser avec les objets qui l'effarouchent, en les lui présentant de manière qu'ils ne soient plus dangereux pour lui. Il est ardent, mais faible et facile à subjuguer. Je profite de cet avantage en donnant le change à son imagination. À la place de sa maîtresse je le force de voir toujours l'épouse d'un honnête homme et la mère de mes enfants : j'efface un tableau par un autre, et couvre le passé du présent. On mène un Coursier ombrageux à l'objet qui l'effraye, afin qu'il n'en soit plus effrayé. C'est ainsi qu'il en faut user avec ces jeunes gens dont l'imagination brûle encore quand leur cœur est déjà refroidi, et leur offre dans l'éloignement des monstres qui disparaissent à leur approche.

Je crois bien connaître les forces de l'un et de l'autre, je ne les expose qu'à des épreuves qu'ils peuvent soutenir ; car la sagesse ne consiste pas à prendre indifféremment toutes sortes de précautions mais à choisir celles qui sont utiles et à négliger les superflues. Les huit jours pendant lesquels je les vais laisser ensemble suffiront peut-être pour leur apprendre à démêler leurs vrais sentiments et connaître ce qu'ils sont réellement l'un à l'autre. Plus ils se verront seul à seul, plus ils comprendront aisément leur erreur en comparant ce qu'ils sentiront avec ce qu'ils auraient autrefois senti dans une situation pareille. Ajoutez qu'il leur importe de s'accoutumer sans risque à la familiarité dans laquelle ils vivront nécessairement si mes vues sont remplies. Je vois par la conduite de Julie qu'elle a reçu de vous des conseils qu'elle ne pouvait refuser de suivre sans se faire tort. Quel plaisir je prendrais à lui donner cette preuve que je sens tout ce qu'elle vaut, si c'était une femme auprès de laquelle un mari pût se faire un mérite de sa confiance ! Mais quand elle n'aurait rien gagné sur son cœur, sa vertu resterait la même ; elle lui coûterait davantage, et ne triompherait pas moins. Au lieu que s'il lui reste aujourd'hui quelque peine intérieure à souffrir, ce ne peut être que dans l'attendrissement d'une conversation de réminiscence qu'elle ne saura que trop pressentir, et qu'elle évitera toujours. Ainsi vous voyez qu'il ne faut point juger ici de ma conduite par les règles ordinaires, mais par les vues qui me l'inspirent, et par le caractère unique de celle envers qui je la tiens.

Adieu, petite Cousine, jusqu'à mon retour. Quoique je n'aie pas donné toutes ces explications à Julie, je n'exige pas que vous lui en fassiez un mystère. J'ai pour maxime de ne point interposer de secrets entre les amis : Ainsi je remets ceux-ci à votre discrétion ; faites-en l'usage que la prudence et l'amitié vous inspireront : je sais que vous ne ferez rien que pour le mieux et le plus honnête.

Lettre XV
À Milord Édouard

M. de Wolmar partit hier pour Étange, et j'ai peine à concevoir l'état de tristesse où m'a laissé son départ. Je crois que l'éloignement de sa femme m'affligerait moins que le sien. Je me sens plus contraint qu'en sa présence même ; un morne silence règne au fond de mon cœur ; un effroi secret en étouffe le murmure, et, moins troublé de désirs que de craintes, j'éprouve les terreurs du crime sans en avoir les tentations. [a]

Savez-vous, Milord, où mon âme se rassure et perd ces indignes frayeurs ? Auprès de Madame de Wolmar. Sitôt que j'approche d'elle sa vue apaise mon trouble, ses regards épurent mon cœur. Tel est l'ascendant du sien qu'il semble toujours inspirer aux autres le sentiment de son innocence, et le repos qui en est l'effet. Malheureusement pour moi sa règle de vie ne la livre pas toute la journée à la société de ses amis, et dans les moments que je suis forcé de passer sans la voir, je souffrirais moins d'être plus loin d'elle.

Ce qui contribue encore à nourrir la mélancolie dont je me sens accablé, [1] c'est un mot qu'elle me dit hier après le départ de son mari. Quoique jusqu'à cet instant elle eût fait assez bonne contenance, elle le suivit longtemps des yeux avec un air attendri que j'attribuai d'abord au seul éloignement de cet heureux époux ; mais je conçus à son discours que cet attendrissement avait encore une autre cause qui ne m'était pas connue. Vous voyez comme nous vivons, me dit-elle, et vous savez s'il m'est cher. Ne croyez pas pourtant que le sentiment qui m'unit à lui, aussi tendre et plus puissant que l'amour, en ait aussi les faiblesses. S'il nous en coûte quand la douce habitude de vivre ensemble est interrompue, l'espoir assuré de la reprendre bientôt nous console. Un état aussi permanent laisse peu de vicissitudes à craindre, et dans une absence de quelques jours, nous sentons moins la peine d'un si court intervalle que le plaisir d'en envisager la fin. L'affliction que vous lisez dans mes yeux vient d'un sujet plus grave, et quoiqu'elle soit relative à M. de Wolmar, ce n'est point son éloignement qui la cause.

Mon cher ami, ajouta-t-elle d'un ton pénétré, il n'y a point de vrai bonheur sur la terre. J'ai pour mari le plus honnête et le plus doux des hommes ; un penchant mutuel se joint au devoir qui nous lie ; il n'a point d'autres désirs que les miens ; j'ai des enfants qui ne donnent et promettent que des plaisirs à leur mère ; il n'y eut jamais d'amie plus tendre plus vertueuse plus aimable que celle dont mon

---

1. Nous remplaçons le point-virgule par une virgule.

cœur est idolâtre, et je vais passer mes jours avec elle ; vous-même contribuez à me les rendre chers en justifiant si bien mon estime et mes sentiments pour vous ; un long et fâcheux procès prêt à finir va ramener dans nos bras le meilleur des pères : tout nous prospère [1] ; l'ordre et la paix règnent dans notre maison ; nos domestiques sont zélés et fidèles, nos voisins nous marquent toutes sortes d'attachement, nous jouissons de la bienveuillance publique. Favorisée en toutes choses du ciel, de la fortune et des hommes, je vois tout concourir à mon bonheur. Un chagrin secret, un seul chagrin l'empoisonne, et je ne suis pas heureuse. Elle dit ces derniers mots avec un soupir qui me perça l'âme, et auquel je vis trop que je n'avais aucune part. Elle n'est pas heureuse, me dis-je en soupirant à mon tour, et ce n'est plus moi qui l'empêche de l'être !

Cette funeste idée bouleversa dans un instant toutes les miennes et troubla le repos dont je commençais à jouir. Impatient du doute insupportable où ce discours m'avait jeté, je la pressai tellement d'achever de m'ouvrir son cœur, qu'enfin elle versa dans le mien ce fatal secret et me permit de vous le révéler. Mais voici l'heure de la promenade, Mad[e] de Wolmar sort actuellement du gynécée pour aller se promener avec ses enfants, elle vient de me le faire dire. J'y cours, Milord, je vous quitte pour cette fois, et remets à reprendre dans une autre lettre le sujet interrompu dans celle-ci.

Lettre XVI
De Mad[e] de Wolmar à son mari

Je vous attends mardi comme vous me le marquez, et vous trouverez tout arrangé selon vos intentions. Voyez en revenant Mad[e] d'Orbe ; elle vous dira ce qui s'est passé durant votre absence ; j'aime mieux que vous l'appreniez d'elle que de moi.

Wolmar, il est vrai, je crois mériter votre estime ; mais votre conduite n'en est pas plus convenable, et vous jouissez[a] durement de la vertu de votre femme.

---

1. Tout nous est favorable (style soutenu et archaïsant).

Lettre XVII
À Milord Édouard

[a] Je veux, Milord, vous rendre compte d'un danger que nous courûmes ces jours passés, et dont heureusement nous avons été quittes pour la peur et un peu de fatigue. Ceci vaut bien une lettre à part ; en la lisant vous sentirez ce qui m'engage à vous l'écrire.

Vous savez que la maison de Mad[e] de Wolmar n'est pas loin du lac, et qu'elle aime les promenades sur l'eau. Il y a trois jours que le désœuvrement où l'absence de son mari nous laisse et la beauté de la soirée nous firent projeter une de ces promenades pour le lendemain. Au lever du soleil nous nous rendîmes au rivage ; nous prîmes un bateau avec des filets pour pêcher, trois rameurs, un domestique, et nous nous embarquâmes avec quelques provisions pour le dîner. J'avais pris un fusil pour tirer des besolets * ; mais elle me fit honte de tuer des oiseaux à pure perte et pour le seul plaisir de faire du mal. Je m'amusais donc à rappeler [1] de temps en temps des gros sifflets, des tiou-tiou, des Crenets, des sifflassons **, et je ne tirai qu'un seul coup de fort loin sur une grèbe [2] que je manquai.

Nous passâmes une heure ou deux à pêcher à cinq cents pas du rivage. La pêche fut bonne ; mais, à l'exception d'une truite qui avait reçu un coup d'aviron, Julie fit tout rejeter à l'eau. Ce sont, dit-elle, des animaux qui souffrent, délivrons-les ; jouissons du plaisir qu'ils auront d'être échappés au péril. Cette opération se fit lentement, à contre-cœur, non sans quelques représentations, et je vis aisément que nos gens auraient mieux goûté le poisson qu'ils avaient pris que la morale qui lui sauvait la vie.

Nous avançâmes ensuite en pleine eau ; puis par une vivacité de jeune homme dont il serait temps de guérir, m'étant

---

* Oiseau de passage sur le lac de Genève. Le besolet n'est pas bon à manger.
** Diverses sortes d'oiseaux du lac de Genève ; tous très bons à manger.

---

1. Dans ce contexte, imiter le cri d'amour des oiseaux. **2.** « Oiseau aquatique dont le plumage est d'un blanc argenté » (*Acad.* 1762).

mis à *nager* *, je dirigeai tellement au milieu du lac que nous nous trouvâmes bientôt à plus d'une lieue du rivage **. Là j'expliquais à Julie toutes les parties du superbe horizon qui nous entourait. Je lui montrais de loin les embouchures du Rhône dont l'impétueux cours s'arrête tout à coup au bout d'un quart de lieue, et semble craindre de souiller de ses eaux bourbeuses le cristal azuré du lac. Je lui faisais observer les redans [1] des montagnes, dont les angles correspondants et parallèles forment dans l'espace qui les sépare un lit digne du fleuve qui le remplit. En l'écartant de nos côtes j'aimais à lui faire admirer les riches et charmantes rives du pays de Vaud, où la quantité des villes, l'innombrable foule du peuple, les coteaux verdoyants et parés de toutes parts forment un tableau ravissant ; où la terre partout cultivée et partout féconde offre au laboureur, au pâtre, au vigneron le fruit assuré de leurs peines, que ne dévore point l'avide publicain [2]. Puis lui montrant le Chablais sur la côte opposée [3], pays non moins favorisé de la nature, et qui n'offre pourtant qu'un spectacle de misère, je lui faisais sensiblement distinguer les différents effets des deux gouvernements, pour la richesse le nombre et le bonheur des hommes. C'est ainsi, lui disais-je, que la terre ouvre son sein fertile et prodigue ses trésors aux heureux peuples qui la cultivent pour eux-mêmes. Elle semble sourire et s'animer au doux spectacle de la liberté ; elle aime à nourrir des hommes. Au contraire les tristes masures, la bruyère et les ronces qui couvrent une terre à demi déserte annoncent de loin qu'un maître absent y domine, et qu'elle donne à regret à des

---

* Terme des Bateliers du lac de Genève. C'est tenir la rame qui gouverne les autres.
** Comment cela ? Il s'en faut bien que vis-à-vis de Clarens le lac n'ait deux lieues de large. [NdE : l'objection ne tient pas : la distance de Vevey à Saint-Gingolph est certes inférieure à 8 km mais ce n'est pas le trajet suivi par l'embarcation qui se trouve au milieu des deux rives, en face de Meillerie (sur la côte sud).]

---

1. Métaphore de l'ingénieur en fortification qu'est Saint-Preux (III, 25). Redans : « pièce de fortification à angles saillants et rentrants, dont les faces se flanquent réciproquement » (*Acad.* 1762). **2.** « Se dit par mépris des gens d'affaires et des traitants », c'est-à-dire des collecteurs d'impôts (*Féraud*). **3.** Le Chablais, sur la côte sud du lac, fait partie du royaume de Savoie.

esclaves quelques maigres productions dont ils ne profitent pas.

Tandis que nous nous amusions agréablement à parcourir ainsi des yeux les côtes voisines, un séchard qui nous poussait de biais vers la rive opposée s'éleva, fraîchit [1] considérablement, et quand nous songeâmes à revirer, la résistance se trouva si forte qu'il ne fut plus possible à notre frêle bateau de la vaincre. Bientôt les ondes devinrent terribles ; il fallut regagner la rive de Savoie et tâcher d'y prendre terre au village de Meillerie qui était vis-à-vis de nous et qui est presque le seul lieu de cette côte où la grève offre un abord commode. Mais le vent ayant changé se renforçait, rendait inutiles les efforts de nos bateliers, et nous faisait dériver plus bas le long d'une file de rochers escarpés où l'on ne trouve plus d'asile.

Nous nous mîmes tous aux rames, et presque au même instant j'eus la douleur de voir Julie saisie du mal de cœur, faible et défaillante au bord du bateau. Heureusement elle était faite à l'eau [2] et cet état ne dura pas. Cependant nos efforts croissaient avec le danger ; le soleil, la fatigue et la sueur nous mirent tous hors d'haleine et dans un épuisement excessif. C'est alors que retrouvant tout son courage Julie animait le nôtre par ses caresses compatissantes ; elle nous essuyait indistinctement à tous le visage, et mêlant dans un vase du vin avec de l'eau de peur d'ivresse, elle en offrait alternativement aux plus épuisés. Non, jamais votre adorable amie ne brilla d'un si vif éclat que dans ce moment où la chaleur et l'agitation avaient animé son teint d'un plus grand feu, et ce qui ajoutait le plus à ses charmes était qu'on voyait si bien à son air attendri que tous ses soins venaient moins de frayeur pour elle que de compassion pour nous. Un instant seulement deux planches s'étant entr'ouvertes, dans un choc qui nous inonda tous, elle crut le bateau brisé, et dans une exclamation de cette tendre mère j'entendis distinctement ces mots : Ô mes enfants, faut-il ne vous voir

---

1. *Fraîchir* est un « terme de Marine. Il se dit du vent qui devient fort » (*Acad.* 1762). Le *séchard* est le nom genevois du vent du nord-est, précise Rousseau dans la lettre I, 26 qui sera souvent évoquée dans celle-ci. 2. Elle était résistante au mal de mer.

plus ? Pour moi dont l'imagination va toujours plus loin que le mal, quoique je connusse au vrai l'état du péril, je croyais voir de moment en moment le bateau englouti, cette beauté si touchante se débattre au milieu des flots, et la pâleur de la mort ternir les roses de son visage.

Enfin à force de travail nous remontâmes à Meillerie, et après avoir lutté plus d'une heure à dix pas du rivage, nous parvînmes à prendre terre. En abordant, toutes les fatigues furent oubliées. Julie prit sur soi la reconnaissance de tous les soins que chacun s'était donnés, et comme au fort du danger elle n'avait songé qu'à nous, à terre il lui semblait qu'on n'avait sauvé qu'elle.

Nous dînâmes avec l'appétit qu'on gagne dans un violent travail. La truite fut apprêtée : Julie qui l'aime extrêmement en mangea peu, et je compris que pour ôter aux bateliers le regret de leur sacrifice, elle ne se souciait pas que j'en mangeasse beaucoup moi-même. Milord, vous l'avez dit mille fois : dans les petites choses comme dans les grandes cette âme aimante se peint toujours.

Après le dîner, l'eau continuant d'être forte, et le bateau ayant besoin de raccommoder [1], je proposai un tour de promenade. Julie m'opposa le vent, le soleil, et songeait à ma lassitude. J'avais mes vues, ainsi je répondis à tout. Je suis, lui dis-je, accoutumé dès l'enfance aux exercices pénibles : loin de nuire à ma santé ils l'affermissent, et mon dernier voyage m'a rendu bien plus robuste encore. À l'égard du soleil et du vent, vous avez votre chapeau de paille, nous gagnerons des abris et des bois ; il n'est question que de monter entre quelques rochers, et vous qui n'aimez pas la plaine en supporterez volontiers la fatigue. Elle fit ce que je voulais, et nous partîmes pendant le dîner de nos gens.

Vous savez qu'après mon exil du Valais, je revins il y a dix ans à Meillerie attendre la permission de mon retour. C'est là que je passai des jours si tristes et si délicieux, uniquement occupé d'elle, et c'est de là que je lui écrivis une lettre dont elle fut si touchée. J'avais toujours désiré de revoir la retraite isolée qui me servit d'asile au milieu des glaces, et

---

1. D'être remis en bon état. La construction absolue s'emploie d'ordinaire dans un sens figuré.

où mon cœur se plaisait à converser en lui-même avec ce
qu'il eut de plus cher au monde. L'occasion de visiter ce lieu
si chéri, dans une saison plus agréable et avec celle dont
l'image l'habitait jadis avec moi, fut le motif secret de ma
promenade. Je me faisais un plaisir de lui montrer d'anciens
monuments [1] d'une passion si constante et si malheureuse.

Nous y parvînmes après une heure de marche par des
sentiers tortueux et frais, qui, montant insensiblement entre
les arbres et les rochers, n'avaient rien de plus incommode
que la longueur du chemin. En approchant et reconnaissant
mes anciens renseignements [2], je fus prêt à me trouver mal ;
mais je me surmontai, je cachai mon trouble, et nous arrivâmes. Ce lieu solitaire formait un réduit sauvage et désert ;
mais plein de ces sortes de beautés qui ne plaisent qu'aux
âmes sensibles et paraissent horribles aux autres [3]. Un torrent formé par la fonte des neiges roulait à vingt pas de
nous une eau bourbeuse, charriait avec bruit du limon, du
sable et des pierres. Derrière nous une chaîne de roches inaccessibles séparait l'esplanade où nous étions de cette partie
des Alpes qu'on nomme les glacières [4], parce que d'énormes
sommets de glaces qui s'accroissent incessamment les
couvrent depuis le commencement du monde *. Des forêts
de noirs sapins nous ombrageaient tristement à droite. Un
grand bois de chênes était à gauche au-delà du torrent, et
au-dessous de nous cette immense plaine d'eau que le lac
forme au sein des Alpes nous séparait des riches côtes du
pays de Vaud, dont la Cime du majestueux Jura couronnait
le tableau.

Au milieu de ces grands et superbes objets, le petit terrain
où nous étions étalait les charmes d'un séjour riant et champêtre ; quelques ruisseaux filtraient à travers les rochers, et
roulaient sur la verdure en filets de cristal. Quelques arbres

---

* Ces montagnes sont si hautes qu'une demi-heure après le soleil couché
leurs sommets sont encore éclairés de ses rayons, dont le rouge forme sur
ces cimes blanches une belle couleur de rose qu'on aperçoit de fort loin.

---

1. Souvenirs. Voir n. 3, p. 783. **2.** Marques signalant le passage. « Indice qui
sert à faire reconnaître une chose » (*Acad.* 1762). **3.** Reprise de I, 26. **4.** Le
terme moderne *glaciers* est répertorié par l'Académie en 1762 mais ne
s'impose qu'au siècle suivant.

fruitiers sauvages penchaient leurs têtes sur les nôtres ; la terre humide et fraîche était couverte d'herbe et de fleurs. En comparant un si doux séjour aux objets qui l'environnaient, il semblait que ce lieu désert dût être l'asile de deux amants échappés seuls au bouleversement de la nature [1].

Quand nous eûmes atteint ce réduit et que je l'eus quelque temps contemplé : Quoi ! dis-je à Julie en la regardant avec un œil humide, votre cœur ne vous dit-il rien ici, et ne sentez-vous point quelque émotion secrète à l'aspect d'un lieu si plein de vous ? Alors sans attendre sa réponse, je la conduisis vers le rocher et lui montrai son chiffre [2] gravé dans mille endroits, et plusieurs vers du Pétrarque ou du Tasse relatifs à la situation où j'étais en les traçant. En les revoyant moi-même après si longtemps, j'éprouvai combien la présence des objets peut ranimer puissamment les sentiments violents dont on fut agité près d'eux. Je lui dis avec un peu de véhémence : Ô Julie, éternel charme de mon cœur ! Voici les lieux où soupira jadis pour toi le plus fidèle amant du monde. Voici le séjour où ta chère image faisait son bonheur, et préparait celui qu'il reçut enfin de toi-même. On n'y voyait alors ni ces fruits ni ces ombrages : La verdure et les fleurs ne tapissaient point ces compartiments ; le cours de ces ruisseaux n'en formait point les divisions ; ces oiseaux n'y faisaient point entendre leurs ramages, le vorace épervier, le corbeau funèbre et l'aigle terrible des Alpes faisaient seuls retentir de leurs cris ces cavernes ; d'immenses glaces pendaient à tous ces rochers ; des festons de neige étaient le seul ornement de ces arbres ; tout respirait ici les rigueurs de l'hiver et l'horreur des frimas ; les feux seuls de mon cœur me rendaient ce lieu supportable, et les jours entiers s'y passaient à penser à toi. Voilà la pierre où je m'asseyais pour contempler au loin ton heureux séjour ; sur celle-ci fut écrite la Lettre qui toucha ton cœur ; ces cailloux tranchants me servaient de burin pour graver ton chiffre ; ici je passai le torrent glacé pour reprendre une de tes Lettres qu'emportait

---

1. Autre exemple de rêverie « primitiviste », après les îles désertes du Pacifique, qualifiées d'« asile à l'amour persécuté » (IV, 3). **2.** « Se dit aussi de l'arrangement de deux ou de plusieurs lettres capitales de noms, entrelacées l'une dans l'autre » (*Acad.* 1762).

un tourbillon ; là je vins relire et baiser mille fois la dernière que tu m'écrivis ; voilà le bord où d'un œil avide et sombre je mesurais la profondeur de ces abîmes ; enfin ce fut ici qu'avant mon triste départ je vins te pleurer mourante et jurer de ne te pas survivre. Fille trop constamment aimée, ô toi pour qui j'étais né ! Faut-il me retrouver avec toi dans les mêmes lieux, et regretter le temps que j'y passais à gémir de ton absence ?.... J'allais continuer ; mais Julie, qui me voyant approcher du bord s'était effrayée et m'avait saisi la main, la serra sans mot dire, en me regardant avec tendresse et retenant avec peine un soupir ; puis tout à coup détournant la vue et me tirant par le bras : Allons-nous-en, mon ami, me dit-elle d'une voix émue, l'air de ce lieu n'est pas bon pour moi. Je partis avec elle en gémissant, mais sans lui répondre, et je quittai pour jamais ce triste réduit, comme j'aurais quitté Julie elle-même.

Revenus lentement au port après quelques détours, nous nous séparâmes. Elle voulut rester seule, et je continuai de me promener sans trop savoir où j'allais ; à mon retour le bateau n'étant pas encore prêt ni l'eau tranquille, nous soupâmes tristement, les yeux baissés, l'air rêveur, mangeant peu et parlant encore moins. Après le souper, nous fûmes nous asseoir sur la grève en attendant le moment du départ. Insensiblement la lune se leva, l'eau devint plus calme, et Julie me proposa de partir. Je lui donnai la main pour entrer dans le bateau, et en m'asseyant à côté d'elle je ne songeai plus à quitter sa main. Nous gardions un profond silence. Le bruit égal et mesuré des rames m'excitait à rêver. Le chant assez gai des bécassines *, me retraçant les plaisirs d'un autre âge, au lieu de m'égayer m'attristait. Peu à peu je sentis augmenter la mélancolie dont j'étais accablé. Un ciel serein,[b] les doux rayons de la lune, le frémissement argenté dont l'eau brillait autour de nous, le concours des plus agréables sensations, la présence même de cet objet

---

* La bécassine du lac de Genève n'est point l'oiseau qu'on appelle en France du même nom. Le chant plus vif et plus animé de la nôtre donne au lac durant les nuits d'été un air de vie et de fraîcheur qui rend ses rives encore plus charmantes.

H. Gravelot del.   P. Choffard Sculp.

Les monumens des anciennes amours.

chéri, rien ne put détourner de mon cœur mille réflexions douloureuses.

Je commençai par me rappeler une promenade semblable faite autrefois avec elle durant le charme de nos premières amours [1]. Tous les sentiments délicieux qui remplissaient alors mon âme s'y retracèrent pour l'affliger ; tous les événements de notre jeunesse, nos études, nos entretiens, nos lettres, nos rendez-vous, nos plaisirs,

> *E tanta fede, e si dolci memorie,*
>   *E si lungo costume !*

> [Et cette foi si pure et ces doux souvenirs, et cette longue familiarité [2] !]

ces foules de petits objets qui m'offraient l'image de mon bonheur passé, tout revenait, pour augmenter ma misère présente, prendre place en mon souvenir. C'en est fait, disais-je en moi-même, ces temps, ces temps heureux ne sont plus ; ils ont disparu pour jamais. Hélas, ils ne reviendront plus ; et nous vivons, et nous sommes ensemble, et nos cœurs sont toujours unis ! Il me semblait que j'aurais porté plus patiemment sa mort ou son absence, et que j'avais moins souffert tout le temps que j'avais passé loin d'elle. Quand je gémissais dans l'éloignement, l'espoir de la revoir soulageait mon cœur ; je me flattais qu'un instant de sa présence effacerait toutes mes peines, j'envisageais au moins dans les possibles un état moins cruel que le mien. Mais se trouver auprès d'elle ; mais la voir, la toucher, lui parler, l'aimer,[c] l'adorer, et, presque en la possédant encore, la sentir perdue à jamais pour moi ; voilà ce qui me jetait dans des accès de fureur et de rage qui m'agitèrent par degrés jusqu'au désespoir. Bientôt je commençai de rouler dans mon esprit des projets funestes, et dans un transport dont je frémis en y pensant, je fus violemment tenté de la précipiter avec moi dans les flots, et d'y finir dans ses bras ma vie et mes longs tourments. Cette horrible tentation devint à la

---

1. Une telle promenade a été évoquée par Julie dans le *P. S.* de I, 52 (p. 182).
2. Métastase, *Demoffonte*, III, 9, v. 1359-1361, vol. 2, p. 367. Trad. de Rousseau dans DC.

fin si forte que je fus obligé de quitter brusquement sa main pour passer à la pointe du bateau.

Là mes vives agitations commencèrent à prendre un autre cours ; un sentiment plus doux s'insinua peu à peu dans mon âme, l'attendrissement surmonta le désespoir ; je me mis à verser des torrents de larmes, et cet état comparé à celui dont je sortais n'était pas sans quelques plaisirs. Je pleurai fortement, longtemps, et fus soulagé. Quand je me trouvai bien remis, je revins auprès de Julie ; je repris sa main. Elle tenait son mouchoir ; je le sentis fort mouillé. Ah, lui dis-je tout bas, je vois que nos cœurs n'ont jamais cessé de s'entendre ! Il est vrai, dit-elle d'une voix altérée ; mais que ce soit la dernière fois qu'ils auront parlé sur ce ton. Nous recommençâmes alors à causer tranquillement, et au bout d'une heure de navigation, nous arrivâmes sans autre accident. Quand nous fûmes rentrés j'aperçus à la lumière qu'elle avait les yeux rouges et fort gonflés ; elle ne dut pas trouver les miens en meilleur état. Après les fatigues de cette journée elle avait grand besoin de repos : elle se retira, et je fus me coucher.

Voilà, mon ami, le détail du jour de ma vie où sans exception j'ai senti les émotions les plus vives. J'espère qu'elles seront la crise qui me rendra tout à fait à moi. Au reste, je vous dirai que cette aventure m'a plus convaincu que tous les arguments, de la liberté de l'homme et du mérite de la vertu. Combien de gens sont faiblement tentés et succombent ? Pour Julie ; mes yeux le virent et mon cœur le sentit : Elle soutint ce jour-là le plus grand combat qu'âme humaine ait pu soutenir ; elle vainquit pourtant : mais qu'ai-je fait pour rester si loin d'elle ? Ô Édouard ! quand séduit par ta maîtresse tu sus triompher à la fois de tes désirs et des siens, n'étais-tu qu'un homme [1] ? Sans toi, j'étais perdu, peut-être. Cent fois dans ce jour périlleux le souvenir de ta vertu m'a rendu la mienne.

Fin de la quatrième partie

---

1. Comprendre : tu as montré une vertu surhumaine. Voir le détail des amours de Bomston en annexe, p. 938.

CINQUIÈME PARTIE

ª Lettre I
De Milord Édouard *

Sors de l'enfance, ami, réveille-toi. Ne livre point ta vie entière au long sommeil de la raison. L'âge s'écoule, il ne t'en reste plus que pour être sage. À trente ans passés, il est temps de songer à soi ; commence donc à rentrer en toi-même, et sois homme une fois avant la mort.

Mon cher, votre cœur vous en a longtemps imposé sur vos lumières. Vous avez voulu philosopher avant d'en être capable ; vous avez pris le sentiment pour de la raison, et content d'estimer les choses par l'impression qu'elles vous ont faite, vous avez toujours ignoré leur véritable prix. Un cœur droit est, je l'avoue, le premier organe de la vérité ; celui qui n'a rien senti ne sait rien apprendre ; il ne fait que flotter d'erreurs en erreurs, il n'acquiert qu'un vain savoir et de stériles connaissances, parce que le vrai rapport des choses à l'homme, qui est sa principale science, lui demeure toujours caché. Mais c'est se borner à la première moitié de cette science que de ne pas étudier encore les rapports qu'ont les choses entre elles, pour mieux juger de ceux qu'elles ont avec nous. C'est peu de connaître les passions humaines, si l'on n'en sait apprécier les objets ; et cette seconde étude ne peut se faire que dans le calme de la méditation.

La jeunesse du sage est le temps de ses expériences, ses passions en sont les instruments ; mais après avoir appliqué son âme aux objets extérieurs pour les sentir, il la retire au dedans de lui pour les considérer, les comparer, les connaître. Voilà le cas où vous devez être plus que personne au monde. Tout ce qu'un cœur sensible peut éprouver de plaisirs et de peines a rempli le vôtre ; tout ce qu'un homme peut voir, vos yeux l'ont vu. Dans un espace de douze ans vous avez épuisé tous les sentiments qui peuvent être épars dans une longue vie, et vous avez acquis, jeune encore, l'expérience d'un vieillard. Vos premières observations se sont portées sur des gens simples et sortant

* Cette lettre paraît avoir été écrite avant la réception de la précédente.

presque des mains de la nature, comme pour vous servir de pièce de comparaison [1]. Exilé dans la capitale du plus célèbre peuple de l'univers, vous êtes sauté, pour ainsi dire à l'autre extrémité : le génie supplée aux intermédiaires. Passé chez la seule nation d'hommes qui reste parmi les troupeaux divers dont la terre est couverte [2], si vous n'avez pas vu régner les lois, vous les avez vues du moins exister encore ; vous avez appris à quels signes on reconnaît cet organe sacré de la volonté d'un peuple, et comment l'empire de la raison publique est le vrai fondement de la liberté [3]. Vous avez parcouru tous les climats, vous avez vu toutes les régions que le soleil éclaire. Un spectacle plus rare et digne de l'œil du sage, le spectacle d'une âme sublime et pure, triomphant de ses passions et régnant sur elle-même est celui dont vous jouissez. Le premier objet qui frappa vos regards est celui qui les frappe encore, et votre admiration pour lui n'est que mieux fondée après en avoir contemplé tant d'autres. Vous n'avez plus rien à sentir ni à voir qui mérite de vous occuper. Il ne vous reste plus d'objet à regarder que vous-même, ni de jouissance à goûter que celle de la sagesse. Vous avez vécu de cette courte vie ; songez à vivre pour celle qui doit durer.

Vos passions, dont vous fûtes longtemps l'esclave, vous ont laissé vertueux. Voilà toute votre gloire ; elle est grande, sans doute, mais soyez-en moins fier. Votre force même est l'ouvrage de votre faiblesse. Savez-vous ce qui vous a fait aimer toujours la vertu ? Elle a pris à vos yeux la figure de cette femme adorable qui la représente si bien, et il serait difficile qu'une si chère image vous en laissât perdre le goût. Mais ne l'aimerez-vous jamais pour elle seule, et n'irez-vous point au bien par vos propres forces, comme Julie a fait par les siennes ? Enthousiaste oisif de ses vertus, vous bornerez-vous sans cesse à les admirer, sans les imiter jamais ? Vous

---

1. Expression capitale dans la méthode anthropologique de Rousseau : les *Confessions* sont données comme « une pièce de comparaison pour l'étude du cœur humain, et c'est la seule qui existe » (Préambule du Ms de Neuchâtel, *Confessions*, t. II, p. 438). Édouard fait allusion à la lettre de Saint-Preux sur les Valaisans (I, 23). **2.** L'Angleterre. **3.** Périphrase désignant fièrement la supériorité de la monarchie parlementaire anglaise et sa Constitution de 1688 garantissant les libertés publiques. Pour autant, le fonctionnement de ce gouvernement n'est pas exempt de défauts : sa cour reste un « pays de valets », selon Bomston (III, 23).

parlez avec chaleur de la manière dont elle remplit ses devoirs d'épouse et de mère ; mais vous, quand remplirez-vous vos devoirs d'homme et d'ami à son exemple ? Une femme a triomphé d'elle-même, et un philosophe a peine à se vaincre ! Voulez-vous donc n'être toujours qu'un discoureur comme les autres, et vous borner à faire de bons livres, au lieu de bonnes actions * ? Prenez-y garde, mon cher ; il règne encore dans vos lettres un ton de mollesse et de langueur qui me déplaît, et qui est bien plus un reste de votre passion qu'un effet de votre caractère. Je hais partout la faiblesse, et n'en veux point dans mon ami. Il n'y a point de vertu sans force, et le chemin du vice est la lâcheté. Osez-vous bien compter sur vous avec un cœur sans courage ? Malheureux ! Si Julie était faible, tu succomberais demain et ne serais qu'un vil adultère. Mais te voilà resté seul avec elle ; apprends à la connaître, et rougis de toi.

J'espère pouvoir bientôt vous aller joindre. Vous savez à quoi ce voyage est destiné. Douze ans d'erreurs et de troubles me rendent suspect à moi-même ; pour résister j'ai pu me suffire, pour choisir il me faut les yeux d'un ami ; et je me fais un plaisir de rendre tout commun entre nous ; la reconnaissance aussi bien que l'attachement. Cependant, ne

---

* Non, ce siècle de la philosophie ne passera point sans avoir produit un vrai Philosophe. J'en connais un, un seul, j'en conviens ; mais c'est beaucoup encore, et pour comble de bonheur, c'est dans mon pays qu'il existe. L'oserai-je nommer ici, lui dont la véritable gloire est d'avoir su rester peu connu ? Savant et modeste Abauzit, que votre sublime simplicité pardonne à mon cœur un zèle qui n'a point votre nom pour objet. Non, ce n'est pas vous que je veux faire connaître à ce siècle indigne de vous admirer ; c'est Genève que je veux illustrer de votre séjour ; ce sont mes Concitoyens que je veux honorer de l'honneur qu'ils vous rendent. Heureux le pays où le mérite qui se cache en est d'autant plus estimé ! Heureux le peuple où la jeunesse altière vient abaisser son ton dogmatique et rougir de son vain savoir, devant la docte ignorance du sage ! Vénérable et vertueux vieillard ! vous n'aurez point été prôné par les beaux esprits ; leurs bruyantes Académies n'auront point retenti de vos éloges ; au lieu de déposer comme eux votre sagesse dans des livres, vous l'aurez mise dans votre vie pour l'exemple de la patrie que vous avez daigné vous choisir, que vous aimez, et qui vous respecte. Vous avez vécu comme Socrate ; mais il mourut par la main de ses concitoyens, et vous êtes chéri des vôtres. [NdE : Firmin Abauzit (1679-1767), réfugié protestant à Genève, devint le bibliothécaire de cette ville. Il est l'auteur de *Mémoires concernant la théologie et la morale* (1732).]

vous y trompez pas ; avant de vous accorder ma confiance, j'examinerai si vous en êtes digne, et si vous méritez de me rendre les soins que j'ai pris de vous. Je connais votre cœur, j'en suis content ; ce n'est pas assez ; c'est de votre jugement que j'ai besoin dans un choix où doit présider la raison seule, et où la mienne peut m'abuser. Je ne crains pas les passions qui, nous faisant une guerre ouverte, nous avertissent de nous mettre en défense, nous laissent, quoi qu'elles fassent, la conscience de toutes nos fautes, et auxquelles on ne cède qu'autant qu'on leur veut céder. Je crains leur illusion qui trompe au lieu de contraindre, et nous fait faire sans le savoir, autre chose que ce que nous voulons. On n'a besoin que de soi pour réprimer ses penchants ; on a quelquefois besoin d'autrui pour discerner ceux qu'il est permis de suivre, et c'est à quoi sert l'amitié d'un homme sage qui voit pour nous sous un autre point de vue les objets que nous avons intérêt à bien connaître. Songez donc à vous examiner et dites-vous si toujours en proie à de vains regrets vous serez à jamais inutile à vous et aux autres, ou si reprenant enfin l'empire de vous-même vous voulez mettre une fois votre âme en état d'éclairer celle de votre ami.

Mes affaires ne me retiennent plus à Londres que pour une quinzaine de jours ; je passerai par notre armée de Flandres où je compte rester encore autant [1] ; de sorte que vous ne devez guère m'attendre avant la fin du mois prochain ou le commencement d'octobre. Ne m'écrivez plus à Londres mais à l'armée sous l'adresse ci-jointe. Continuez vos descriptions ; malgré le mauvais ton de vos lettres elles me touchent et m'instruisent ; elles m'inspirent des projets de retraite et de repos convenables à mes maximes et à mon âge. Calmez surtout l'inquiétude que vous m'avez donnée sur Madame de Wolmar : si son sort n'est pas heureux, qui doit oser aspirer à l'être ? Après le détail qu'elle vous a fait, je ne puis concevoir ce qui manque à son bonheur *.

---

* Le galimatias de cette Lettre me plaît, en ce qu'il est tout à fait dans le caractère du bon Édouard, qui n'est jamais si philosophe que quand il fait des sottises, et ne raisonne jamais tant que quand il ne sait ce qu'il dit. [Note ajoutée sur épreuves.]

---

1. Les troupes françaises marchent sur la Flandre contre l'Angleterre et l'Autriche en 1743.

Lettre II
À Milord Édouard

Oui, Milord, je vous le confirme avec des transports de joie, la scène de Meillerie a été la crise [1] de ma folie et de mes maux. Les explications de M. de Wolmar m'ont entièrement rassuré sur le véritable état de mon cœur. Ce cœur trop faible est guéri tout autant qu'il peut l'être, et je préfère la tristesse d'un regret imaginaire à l'effroi d'être sans cesse assiégé par le crime. Depuis le retour de ce digne ami, je ne balance plus à lui donner un nom si cher et dont vous m'avez si bien fait sentir tout le prix. C'est le moindre titre que je doive à quiconque aide à me rendre à la vertu. La paix est au fond de mon âme comme dans le séjour que j'habite. Je commence à m'y voir sans inquiétude, à y vivre comme chez moi ; et si je n'y prends pas tout à fait l'autorité d'un maître, je sens plus de plaisir encore à me regarder comme l'enfant de la maison. La simplicité, l'égalité que j'y vois régner ont un attrait qui me touche et me porte au respect. Je passe des jours sereins entre la raison vivante et la vertu sensible. En fréquentant ces heureux époux, leur ascendant me gagne et me touche insensiblement, et mon cœur se met par degrés à l'unisson des leurs, comme la voix prend sans qu'on y songe le ton des gens avec qui l'on parle.

Quelle retraite délicieuse ! quelle charmante habitation ! Que la douce habitude d'y vivre en augmente le prix ! et que, si l'aspect en paraît d'abord peu brillant, il est difficile de ne pas l'aimer aussitôt qu'on la connaît ! Le goût que prend Madame de Wolmar à remplir ses nobles devoirs, à rendre heureux et bons ceux qui l'approchent, se communique à tout ce qui en est l'objet, à son mari, à ses enfants, à ses hôtes, à ses domestiques. Le tumulte, les jeux bruyants, les longs éclats de rire ne retentissent point dans ce paisible séjour ; mais on y trouve partout des cœurs contents et des visages gais. Si quelquefois on y verse des larmes, elles sont d'attendrissement et de joie. Les noirs soucis, l'ennui, la tristesse n'approchent pas plus d'ici que le vice et les remords dont ils sont le fruit.

---

1. Voir I, 9, n. 2, p. 77.

Pour elle, il est certain qu'excepté la peine secrète qui la tourmente et dont je vous ai dit la cause dans ma précédente lettre *, tout concourt à la rendre heureuse. Cependant avec tant de raisons de l'être, mille autres se désoleraient à sa place. Sa vie uniforme et retirée leur serait insupportable ; elles s'impatienteraient du tracas des enfants ; elles s'ennuieraient des soins domestiques ; elles ne pourraient souffrir la campagne ; la sagesse et l'estime d'un mari peu caressant ne les dédommageraient ni de sa froideur ni de son âge ; sa présence et son attachement même leur seraient à charge. Ou elles trouveraient l'art de l'écarter de chez lui pour y vivre à leur liberté, ou s'en éloignant elles-mêmes, elles mépriseraient les plaisirs de leur état, elles en chercheraient au loin de plus dangereux, et ne seraient à leur aise dans leur propre maison que quand elles y seraient étrangères. Il faut une âme saine pour sentir les charmes de la retraite ; on ne voit guère que des gens de bien se plaire au sein de leur famille et s'y renfermer volontairement ; s'il est au monde une vie heureuse, c'est sans doute celle qu'ils y passent : Mais les instruments du bonheur ne sont rien pour qui ne sait pas les mettre en œuvre, et l'on ne sent en quoi le vrai bonheur consiste qu'autant qu'on est propre à le goûter.

S'il fallait dire avec précision ce qu'on fait dans cette maison pour être heureux, je croirais avoir bien répondu en disant : *on y sait vivre* ; non dans le sens qu'on donne en France à ce mot, qui est d'avoir avec autrui certaines manières établies par la mode [1] ; mais de la vie de l'homme, et pour laquelle il est né ; de cette vie dont vous me parlez, dont vous m'avez donné l'exemple, qui dure au delà d'elle-même, et qu'on ne tient pas pour perdue au jour de la mort.

Julie a un père qui s'inquiète du bien-être de sa famille ; elle a des enfants à la subsistance desquels il faut pourvoir convenablement. Ce doit être le principal soin de l'homme

---

* Cette précédente lettre ne se trouve point. On en verra ci-après la raison. [NdE : voir lettre V, 4, p. 691.]

---

1. Savoir-vivre : « Connaissance des usages du monde, et des égards de politesse que les hommes se doivent dans la société » (*Acad.* 1762).

sociable, et c'est aussi le premier dont elle et son mari se sont conjointement occupés. En entrant en ménage ils ont examiné l'état de leurs biens ; ils n'ont pas tant regardé s'ils étaient proportionnés à leur condition qu'à leurs besoins, et voyant qu'il n'y avait point de famille honnête qui ne dût s'en contenter, ils n'ont pas eu assez mauvaise opinion de leurs enfants pour craindre que le patrimoine qu'ils ont à leur laisser ne leur pût suffire. Ils se sont donc appliqués à l'améliorer plutôt qu'à l'étendre ; ils ont placé leur argent plus sûrement qu'avantageusement ; au lieu d'acheter de nouvelles terres, ils ont donné un nouveau prix à celles qu'ils avaient déjà, et l'exemple de leur conduite est le seul trésor dont ils veuillent accroître leur héritage.

Il est vrai qu'un bien qui n'augmente point est sujet à diminuer par mille accidents ; mais si cette raison est un motif pour l'augmenter une fois, quand cessera-t-elle d'être un prétexte pour l'augmenter toujours ? Il faudra le partager à [1] plusieurs enfants ; mais doivent-ils rester oisifs ? Le travail de chacun n'est-il pas un supplément à son partage, et son industrie [2] ne doit-elle pas entrer dans le calcul de son bien ? L'insatiable avidité fait ainsi son chemin sous le masque de la prudence, et mène au vice à force de chercher la sûreté. C'est en vain, dit M. de Wolmar, qu'on prétend donner aux choses humaines une solidité qui n'est pas dans leur nature. La raison même veut que nous laissions beaucoup de choses au hasard, et si notre vie et notre fortune en dépendent toujours malgré nous, quelle folie de se donner sans cesse un tourment réel pour prévenir des maux douteux et des dangers inévitables ! La seule précaution qu'il ait prise à ce sujet a été de vivre un an sur son capital [3], pour se laisser autant d'avance sur son revenu ; de sorte que le produit anticipe toujours d'une année sur la dépense [4]. Il

---

1. Partager entre. « Ce régime du datif [de la préposition *à*] est celui de *distribuer* », précise Féraud, qui recommande la préposition *entre*. **2.** Son savoir-faire. **3.** Ce terme est employé ici dans son sens moderne, non répertorié dans les dictionnaires de l'époque : « somme des richesses qu'un individu possède en produits accumulés » (*Littré*). Les époux Wolmar vivent un an sur leurs biens sans rien prendre sur le recouvrement des rentes. **4.** Cette « avance » sert en quelque sorte de fonds de roulement pour les dépenses courantes ; les dépenses extraordinaires sont assurées par un fonds prélevé sur la vente des vins (voir *infra*, p. 651). Ces fonds prévisionnels sont un moyen sûr d'échapper à l'endettement et autres « expédients ruineux ».

a mieux aimé diminuer un peu son fonds que d'avoir sans cesse à courir après ses rentes. L'avantage de n'être point réduit à des expédients ruineux au moindre accident imprévu l'a déjà remboursé bien des fois de cette avance. Ainsi l'ordre et la règle lui tiennent lieu d'épargne, et il s'enrichit de ce qu'il a dépensé.

Les maîtres de cette maison jouissent d'un bien médiocre selon les idées de fortune qu'on a dans le monde ; mais au fond je ne connais personne de plus opulent [1] qu'eux. Il n'y a point de richesse absolue. Ce mot ne signifie qu'un rapport de surabondance entre les désirs et les facultés de l'homme riche. Tel est riche avec un arpent de terre ; tel est gueux au milieu de ses monceaux d'or. Le désordre et les fantaisies n'ont point de bornes, et font plus de pauvres que les vrais besoins. Ici la proportion est établie sur un fondement qui la rend inébranlable, savoir le parfait accord des deux époux. Le mari s'est chargé du recouvrement des rentes, la femme en dirige l'emploi, et c'est dans l'harmonie qui règne entre eux qu'est la source de leur richesse.

Ce qui m'a d'abord le plus frappé dans cette maison, c'est d'y trouver l'aisance, la liberté, la gaieté au milieu de l'ordre et de l'exactitude. Le grand défaut des maisons bien réglées est d'avoir un air triste et contraint. L'extrême sollicitude des chefs [2] sent toujours un peu l'avarice. Tout respire la gêne autour d'eux ; la rigueur de l'ordre a quelque chose de servile qu'on ne supporte point sans peine. Les Domestiques font leur devoir, mais ils le font d'un air mécontent et craintif. Les hôtes sont bien reçus, mais ils n'usent qu'avec défiance de la liberté qu'on leur donne, et comme on s'y voit toujours hors de la règle, on n'y fait rien qu'en tremblant de se rendre indiscret. On sent que ces pères esclaves ne vivent point pour eux, mais pour leurs enfants ; sans songer qu'ils ne sont pas seulement pères, mais hommes, et qu'ils doivent à leurs enfants l'exemple de la vie de l'homme et du bonheur attaché à la sagesse. On suit ici des règles plus judicieuses. On y pense qu'un des principaux devoirs d'un bon père de famille n'est pas seulement de rendre son séjour riant afin que ses enfants s'y plaisent, mais d'y mener lui-même une vie agréable et douce, afin qu'ils sentent qu'on est heureux en vivant comme lui, et ne soient jamais tentés de prendre pour l'être une conduite opposée à la sienne. Une des maximes que M. de Wolmar répète le plus souvent au sujet des amusements des deux Cousines, est que la vie triste et mesquine des pères et mères est presque toujours la première source du désordre des enfants.

Pour Julie, qui n'eut jamais d'autre règle que son cœur et n'en saurait avoir de plus sûre, elle s'y livre sans scrupule, et pour bien faire, elle fait tout ce qu'il lui demande. Il ne laisse pas de lui demander beaucoup, et personne ne sait mieux qu'elle mettre un prix aux douceurs de la vie. Comment cette âme si sensible serait-elle insensible aux plaisirs ? Au contraire, elle les aime, elle les recherche, elle ne s'en refuse aucun de ceux qui la flattent ; on voit qu'elle sait les goûter : mais ces plaisirs sont les plaisirs de Julie. Elle ne néglige ni ses propres commodités ni celles des gens qui lui sont chers, c'est-à-dire, de tous ceux qui l'environnent. Elle ne compte pour superflu rien de ce qui peut contribuer au bien-être d'une personne sensée ; mais elle appelle ainsi tout ce qui ne sert qu'à briller aux yeux d'autrui, de sorte qu'on trouve dans sa maison le luxe de plaisir et de sensualité sans raffinement ni mollesse. Quant au luxe de magnificence et de vanité, on n'y en voit que ce qu'elle n'a pu refuser au goût de son père ; encore y reconnaît-on toujours le sien qui consiste à donner moins de lustre et d'éclat que d'élégance et de grâce aux choses. Quand je lui parle des moyens qu'on invente journellement à Paris ou à Londres pour suspendre plus doucement les Carrosses [1], elle approuve assez cela ; mais quand je lui dis jusqu'à quel prix on a poussé les vernis, elle ne comprend plus, et me demande toujours si ces beaux vernis rendent les Carrosses plus commodes [2] ? Elle ne doute pas que je

---

1. Les carrosses sont équipés de « suspensions à la Cardan », soit un « mode de suspension qui permet à un objet de conserver sensiblement sa position par rapport à l'horizon malgré les déplacements du support » (*Littré*).
2. Produits d'importation, les vernis employés pour protéger les boiseries des carrosses sont extrêmement coûteux, en raison des conditions de transport et de fabrication (détaillées dans les articles « Vernis de Chine » et « Vernis du Japon » de l'*Encyclopédie*).

n'exagère beaucoup sur les peintures scandaleuses dont on orne à grands frais ces voitures au lieu des armes [1] qu'on y mettait autrefois, comme s'il était plus beau de s'annoncer aux passants pour un homme de mauvaises mœurs que pour un homme de qualité ! Ce qui l'a surtout révoltée a été d'apprendre que les femmes avaient introduit ou soutenu cet usage, et que leurs Carrosses ne se distinguaient de ceux des hommes que par des tableaux un peu plus lascifs. J'ai été forcé de lui citer là-dessus un mot de votre illustre ami [2] qu'elle a bien de la peine à digérer. J'étais chez lui un jour qu'on lui montrait un vis-à-vis [3] de cette espèce. À peine eut-il jeté les yeux sur les panneaux, qu'il partit en disant au maître : Montrez ce Carrosse à des femmes de la Cour ; un honnête homme n'oserait s'en servir.

Comme le premier pas vers le bien est de ne point faire de mal, le premier pas vers le bonheur est de ne point souffrir. Ces deux maximes qui bien entendues [4] épargneraient beaucoup de préceptes de morale, sont chères à Madame de Wolmar. Le mal-être lui est extrêmement sensible et pour elle et pour les autres, et il ne lui serait pas plus aisé d'être heureuse en voyant des misérables, qu'à l'homme droit de conserver sa vertu toujours pure, en vivant sans cesse au milieu des méchants. Elle n'a point cette pitié barbare qui se contente de détourner les yeux des maux qu'elle pourrait soulager. Elle les va chercher pour les guérir ; c'est l'existence et non la vue des malheureux qui la tourmente : il ne lui suffit pas de ne point savoir qu'il y en a, il faut pour son bonheur qu'elle sache qu'il n'y en a pas, du moins autour d'elle : car ce serait sortir des termes de la raison que de faire dépendre son bonheur de celui de tous les hommes. Elle s'informe des besoins de son voisinage avec la chaleur qu'on met à son propre intérêt ; elle en connaît tous les habitants ; elle y étend, pour ainsi dire, l'enceinte de sa famille, et n'épargne aucun soin pour en écarter tous les sentiments de douleur et de peine auxquels la vie humaine est assujettie.

---

1. Des armoiries. **2.** « Milord Cornberry » (Lord Hyde), précise Br. Voir V, 6, p. 703. **3.** « Sorte de voiture en forme de berline, mais où il n'y a qu'une seule place dans chaque fond » (*Acad.* 1762). **4.** Bien comprises.

Milord, je veux profiter de vos leçons ; mais pardonnez-moi un enthousiasme que je ne me reproche plus et que vous partagez. Il n'y aura jamais qu'une Julie au monde. La providence a veillé sur elle, et rien de ce qui la regarde n'est un effet du hasard. Le Ciel semble l'avoir donnée à la terre pour y montrer à la fois l'excellence dont une âme humaine est susceptible, et le bonheur dont elle peut jouir dans l'obscurité de la vie privée, sans le secours des vertus écla-tantes qui peuvent l'élever au-dessus d'elle-même, ni de la gloire qui les peut honorer. Sa faute, si c'en fut une, n'a servi qu'à déployer sa force et son courage. Ses parents, ses amis, ses domestiques, tous heureusement nés, étaient faits pour l'aimer et pour en être aimés. Son pays était le seul où il lui convînt de naître, la simplicité qui la rend sublime, devait régner autour d'elle ; il lui fallait pour être heureuse vivre parmi des gens heureux. Si pour son malheur elle fût née chez des peuples infortunés qui gémissent sous le poids de l'oppression, et luttent sans espoir et sans fruit contre la misère qui les consume, chaque plainte des opprimés eût empoisonné sa vie ; la désolation commune l'eût accablée, et son cœur bienfaisant, épuisé de peines et d'ennuis, lui eût fait éprouver sans cesse les maux qu'elle n'eût pu soulager.

Au lieu de cela, tout anime et soutient ici sa bonté natu-relle. Elle n'a point à pleurer les calamités publiques. Elle n'a point sous les yeux l'image affreuse de la misère et du désespoir. Le Villageois à son aise * a plus besoin de ses avis que de ses dons. S'il se trouve quelque orphelin trop jeune pour gagner sa vie, quelque veuve oubliée qui souffre en secret, quelque vieillard sans enfants, dont les bras affaiblis par l'âge ne fournissent plus à son entretien, elle ne craint pas que ses bienfaits leur deviennent onéreux, et fassent

---

* Il y a près de Clarens un Village appelé Moutru, dont la Commune seule est assez riche pour entretenir tous les Communiers, n'eussent-ils pas un pouce de terre en propre. Aussi la bourgeoisie de ce village est-elle aussi difficile à acquérir que celle de Berne. Quel dommage qu'il n'y ait pas là quelque honnête homme de subdélégué, pour rendre Messieurs de Moutru plus sociables, et leur bourgeoisie un peu moins chère ! [NdE : *subdélégué* : magistrat chargé de l'intendance et des finances des communes. *Moutru* est le nom de Montreux à l'époque. *Communier* est un terme administratif ancien désignant l'habitant d'une commune.]

aggraver sur eux les charges publiques pour en exempter des coquins accrédités [1]. Elle jouit du bien qu'elle fait, et le voit profiter. Le bonheur qu'elle goûte se multiplie et s'étend autour d'elle. Toutes les maisons où elle entre offrent bientôt un tableau de la sienne ; l'aisance et le bien-être y sont une de ses moindres influences, la concorde et les mœurs la suivent de ménage en ménage. En sortant de chez elle ses yeux ne sont frappés que d'objets agréables ; en y rentrant elle en retrouve de plus doux encore ; elle voit partout ce qui plaît à son cœur, et cette âme si peu sensible à l'amour-propre apprend à s'aimer dans ses bienfaits. Non, Milord, je le répète : Rien de ce qui touche à Julie n'est indifférent pour la vertu. Ses charmes, ses talents, ses goûts, ses combats, ses fautes, ses regrets, son séjour, ses amis, sa famille, ses peines, ses plaisirs et toute sa destinée, font de sa vie un exemple unique, que peu de femmes voudront imiter, mais qu'elles aimeront en dépit d'elles.

Ce qui me plaît le plus dans les soins qu'on prend ici du bonheur d'autrui, c'est qu'ils sont tous dirigés par la sagesse, et qu'il n'en résulte jamais d'abus. N'est pas toujours bienfaisant qui veut, et souvent tel croit rendre de grands services, qui fait de grands maux qu'il ne voit pas, pour un petit bien qu'il aperçoit. Une qualité rare dans les femmes du meilleur caractère, et qui brille éminemment dans celui de Madame de Wolmar, [2] c'est un discernement exquis dans la distribution de ses bienfaits, soit par le choix des moyens de les rendre utiles, soit par le choix des gens sur qui elle les répand. Elle s'est fait des règles dont elle ne se départ point. Elle sait accorder et refuser ce qu'on lui demande, sans qu'il y ait ni faiblesse dans sa bonté, ni caprice dans son refus. Quiconque a commis en sa vie une méchante action n'a rien à espérer d'elle que justice, et pardon s'il l'a offensée, jamais faveur ni protection qu'elle puisse placer sur un meilleur sujet. Je l'ai vue refuser assez sèchement à un homme de cette espèce une grâce qui dépendait d'elle seule. « Je vous souhaite du bonheur [3] », lui dit-elle, « mais je n'y veux pas contribuer, de peur de faire

---

1. Qui ont plus de crédit, de réputation. **2.** Nous remplaçons le point-virgule par une virgule. **3.** De la chance.

du mal à d'autres en vous mettant en état d'en faire. Le monde n'est pas assez épuisé de gens de bien qui souffrent, pour qu'on soit réduit à songer à vous. » Il est vrai que cette dureté lui coûte extrêmement et qu'il lui est rare de l'exercer. Sa maxime est de compter pour bons tous ceux dont la méchanceté ne lui est pas prouvée, et il y a bien peu de méchants qui n'aient l'adresse de se mettre à l'abri des preuves. Elle n'a point cette charité paresseuse des riches qui payent en argent aux malheureux le droit de rejeter leurs prières, et pour un bienfait imploré ne savent jamais donner que l'aumône. Sa bourse n'est pas inépuisable, et depuis qu'elle est mère de famille, elle en sait mieux régler l'usage. De tous les secours dont on peut soulager les malheureux, l'aumône est à la vérité celui qui coûte le moins de peine ; mais il est aussi le plus passager et le moins solide ; et Julie ne cherche pas à se délivrer d'eux, mais à leur être utile.

Elle n'accorde pas non plus indistinctement des recommandations et des services sans bien savoir si l'usage qu'on en veut faire est raisonnable et juste. Sa protection n'est jamais refusée à quiconque en a un véritable besoin et mérite de l'obtenir ; mais pour ceux que l'inquiétude ou l'ambition porte à vouloir s'élever et quitter un état où ils sont bien, rarement peuvent-ils l'engager à se mêler de leurs affaires. La condition naturelle à l'homme est de cultiver la terre et de vivre de ses fruits. Le paisible habitant des champs n'a besoin pour sentir son bonheur que de le connaître. Tous les vrais plaisirs de l'homme sont à sa portée [1] ; il n'a que les peines inséparables de l'humanité, des peines que celui qui croit s'en délivrer ne fait qu'échanger contre d'autres plus cruelles *. Cet état est le seul nécessaire et le plus utile. Il n'est malheureux que quand les autres le tyrannisent par leur violence, ou le séduisent par l'exemple de leurs vices : C'est en lui que consiste la véritable prospérité d'un pays, la force et la grandeur qu'un

---

* L'homme sorti de sa première simplicité devient si stupide qu'il ne sait pas même désirer. Ses souhaits exaucés le mèneraient tous à la fortune, jamais à la félicité.

---

1. Voir l'*Entretien sur les romans*, p. 916, et notre Présentation, p. 23-25.

peuple tire de lui-même, qui ne dépend en rien des autres
nations, qui ne contraint jamais d'attaquer pour se soutenir,
et donne les plus sûrs moyens de se défendre. Quand il est
question d'estimer la puissance publique, le bel esprit visite
les palais du prince, ses ports, ses troupes, ses arsenaux, ses
villes ; le vrai politique parcourt les terres et va dans la
chaumière du laboureur. Le premier voit ce qu'on a fait, et
le second ce qu'on peut faire.

Sur ce principe on s'attache ici, et plus encore à Étange,
à contribuer autant qu'on peut à rendre aux paysans leur
condition douce, sans jamais leur aider[1] à en sortir. Les
plus aisés et les plus pauvres ont également[2] la fureur
d'envoyer leurs enfants dans les villes, les uns pour étudier
et devenir un jour des Messieurs, les autres pour entrer en
condition et décharger leurs parents de leur entretien. Les
jeunes gens de leur côté aiment souvent à courir ; les filles
aspirent à la parure bourgeoise, les garçons s'engagent dans
un service étranger ; ils croient valoir mieux en rapportant
dans leur village, au lieu de l'amour de la patrie et de la
liberté, l'air à la fois rogue[3] et rampant des soldats mercenaires, et le ridicule mépris de leur ancien état. On leur
montre à tous l'erreur de ces préjugés, la corruption des
enfants, l'abandon des pères, et les risques continuels de la
vie, de la fortune et des mœurs, où cent périssent pour un
qui réussit. S'ils s'obstinent, on ne favorise point leur fantaisie insensée, on les laisse courir au vice et à la misère, et
l'on s'applique à dédommager ceux qu'on a persuadés, des
sacrifices qu'ils font à la raison. On leur apprend à honorer
leur condition naturelle en l'honorant soi-même ; on n'a
point avec les paysans les façons des villes, mais on use avec
eux d'une honnête et grave familiarité, qui, maintenant
chacun dans son état, leur apprend pourtant à faire cas du
leur. Il n'y a point de bon paysan qu'on ne porte à se considérer lui-même, en lui montrant la différence qu'on fait de
lui à ces petits parvenus qui viennent briller un moment
dans leur village et ternir leurs parents de leur éclat.

---

1. Les aider (construction classique). **2.** Pareillement. **3.** « Fier, arrogant,
superbe. Il n'a d'usage que dans le style familier » (*Acad.* 1762).

M. de Wolmar et le Baron quand il est ici manquent rarement d'assister aux exercices, aux prix, aux revues du village et des environs. Cette jeunesse déjà naturellement ardente et guerrière, voyant de vieux Officiers se plaire à ses assemblées, s'en estime davantage et prend plus de confiance en elle-même. On lui en donne encore plus en lui montrant des soldats retirés du service étranger en savoir moins qu'elle à tous égards ; car quoi qu'on fasse, jamais cinq sols de paye [1] et la peur des coups de canne ne produiront une émulation pareille à celle que donne à un homme libre et sous les armes la présence de ses parents, de ses voisins, de ses amis, de sa maîtresse, et la gloire de son pays.

La grande maxime de Madame de Wolmar est donc de ne point favoriser les changements de condition, mais de contribuer à rendre heureux chacun dans la sienne, et surtout d'empêcher que la plus heureuse de toutes, qui est celle du villageois dans un État libre, ne se dépeuple en faveur des autres.

Je lui faisais là-dessus l'objection des talents divers que la nature semble avoir partagés aux hommes, pour leur donner à chacun leur emploi, sans égard à la condition dans laquelle ils sont nés. À cela elle me répondit qu'il y avait deux choses à considérer avant le talent, savoir les mœurs, et la félicité. L'homme, dit-elle, est un être trop noble pour devoir servir simplement d'instrument à d'autres, et l'on ne doit point l'employer à ce qui leur convient sans consulter aussi ce qui lui convient à lui-même ; car les hommes ne sont pas faits pour les places, mais les places sont faites pour eux [2], et pour distribuer convenablement les choses il ne faut pas tant chercher dans leur partage l'emploi auquel chaque homme est le plus propre, que celui qui est le plus propre à chaque homme, pour le rendre bon et heureux autant qu'il est possible. Il n'est jamais permis de détériorer

---

1. Par jour, soit une solde de 7 livres par mois (autour de 70 euros). **2.** « Il s'agit de trouver cette place », complétera Wolmar (V, 3, p. 666). Dans le système monarchique, les places sont attribuées selon le rang et non selon le mérite, iniquité que Diderot propose de réformer en soutenant l'idée des concours pour faire reconnaître le talent (*Salon de 1767, Réfutation d'Helvétius*).

une âme humaine pour l'avantage des autres, ni de faire un scélérat pour le service des honnêtes gens.

Or de mille sujets qui sortent du Village il n'y en a pas dix qui n'aillent se perdre à la ville, ou qui n'en portent les vices plus loin que les gens dont ils les ont appris. Ceux qui réussissent et font fortune, la font presque tous par les voies déshonnêtes qui y mènent. Les malheureux qu'elle n'a point favorisés ne reprennent plus leur ancien état et se font mendiants ou voleurs, plutôt que de redevenir paysans. De ces mille s'il s'en trouve un seul qui résiste à l'exemple et se conserve honnête homme, pensez-vous qu'à tout prendre celui-là passe une vie aussi heureuse qu'il l'eût passée à l'abri des passions violentes, dans la tranquille obscurité de sa première condition ?

Pour suivre son talent il le faut connaître. Est-ce une chose aisée de discerner toujours les talents des hommes, et à l'âge où l'on prend un parti si l'on a tant de peine à bien connaître ceux des enfants qu'on a le mieux observés, comment un petit paysan saura-t-il de lui-même distinguer les siens ? Rien n'est plus équivoque que les signes d'inclination qu'on donne dès l'enfance ; l'esprit imitateur y a souvent plus de part que le talent ; ils dépendront plutôt d'une rencontre fortuite que d'un penchant décidé, et le penchant même n'annonce pas toujours la disposition. Le vrai talent, le vrai génie a une certaine simplicité qui le rend moins inquiet, moins remuant, moins prompt à se montrer qu'un apparent et faux talent qu'on prend pour véritable, et qui n'est qu'une vaine ardeur de briller, sans moyens pour y réussir. Tel entend un tambour et veut être Général ; un autre voit bâtir et se croit Architecte. Gustin mon jardinier prit le goût du dessin pour m'avoir vue dessiner ; je l'envoyai apprendre à Lausanne ; il se croyait déjà peintre, et n'est qu'un jardinier. L'occasion, le désir de s'avancer, décident de l'état qu'on choisit. Ce n'est pas assez de sentir son génie, il faut aussi vouloir s'y livrer. Un Prince ira-t-il se faire cocher, parce qu'il mène bien son carrosse ? Un Duc se fera-t-il Cuisinier parce qu'il invente de bons ragoûts ? On n'a des talents que pour s'élever, personne n'en a pour descendre ; pensez-vous que ce soit là l'ordre de la nature ? Quand chacun connaîtrait son talent et voudrait le suivre, combien le pourraient ? Combien surmonteraient d'injustes obstacles ? Combien vaincraient d'indignes Concurrents ? Celui qui sent sa faiblesse appelle à son secours le manège et la brigue [1], que l'autre plus sûr de lui dédaigne. Ne m'avez-vous pas cent fois dit vous-même que tant d'établissements en faveur des arts ne font que leur nuire ? En multipliant indiscrètement les Sujets on les confond [2], le vrai mérite reste étouffé dans la foule, et les honneurs dus au plus habile sont tous pour le plus intrigant. S'il existait une société où les emplois et les rangs fussent exactement mesurés sur les talents et le mérite personnel, chacun pourrait aspirer à la place qu'il saurait le mieux remplir ; mais il faut se conduire par des règles plus sûres et renoncer au prix des talents, quand le plus vil de tous est le seul qui mène à la fortune [3].

Je vous dirai plus, continua-t-elle ; j'ai peine à croire que tant de talents divers doivent être tous développés ; car il faudrait pour cela que le nombre de ceux qui les possèdent fût exactement proportionné aux besoins de la société, et si l'on ne laissait au travail de la terre que ceux qui ont éminemment le talent de l'agriculture, ou qu'on enlevât à ce travail tous ceux qui sont plus propres à un autre, il ne resterait pas assez de laboureurs pour la cultiver et nous faire vivre. Je penserais que les talents des hommes sont comme les vertus des drogues que la nature nous donne pour guérir nos maux, quoique son intention soit que nous n'en ayons pas besoin. Il y a des plantes qui nous empoisonnent, des animaux qui nous dévorent, des talents qui nous sont pernicieux. S'il fallait toujours employer chaque chose selon ses principales propriétés, peut-être ferait-on moins de bien que de mal aux hommes. Les peuples bons et simples n'ont pas besoin de tant de talents ; ils se soutiennent mieux par leur seule simplicité que les autres par toute leur industrie. Mais à mesure qu'ils se corrompent leurs talents se développent comme

---

1. Les manœuvres et la cabale. *Manège* : « manières d'agir adroites et artificieuses » (*Acad.* 1762). **2.** En favorisant sans discernement tous ceux qui veulent développer leurs talents, on n'en distingue aucun. *Sujet* « se dit d'Une personne, par rapport à sa capacité et à ses talents » (*Acad.* 1762). **3.** Rousseau oppose ici le système de distribution des places, corrompu et inégalitaire, de l'ordre monarchique, à l'égalitarisme républicain méritocratique que la Constituante va mettre en place à partir de 1792.

pour servir de supplément aux vertus qu'ils perdent, et pour forcer les méchants eux-mêmes d'être utiles en dépit d'eux.

Une autre chose sur laquelle j'avais peine à tomber d'accord avec elle était l'assistance des mendiants. Comme c'est ici une grande route, il en passe beaucoup, et l'on ne refuse l'aumône à aucun. Je lui représentai que ce n'était pas seulement un bien jeté à pure perte, et dont on privait ainsi le vrai pauvre ; mais que cet usage contribuait à multiplier les gueux et les vagabonds qui se plaisent à ce lâche métier, et, se rendant à charge à la société, la privent encore du travail qu'ils y pourraient faire.

Je vois bien, me dit-elle, que vous avez pris dans les grandes villes les maximes dont de complaisants raisonneurs aiment à flatter la dureté des riches ; vous en avez même pris les termes. Croyez-vous dégrader un pauvre de sa qualité d'homme, en lui donnant le nom méprisant de gueux [1] ? Compatissant comme vous l'êtes, comment avez-vous pu vous résoudre à l'employer ? Renoncez-y, mon ami, ce mot ne va point dans votre bouche. Il est plus déshonorant pour l'homme dur qui s'en sert que pour le malheureux qui le porte. Je ne déciderai point si ces détracteurs de l'aumône ont tort ou raison ; ce que je sais, c'est que mon mari qui ne cède point en bon sens à vos philosophes [2], et qui m'a souvent rapporté tout ce qu'ils disent là-dessus pour étouffer dans le cœur la pitié naturelle et l'exercer à l'insensibilité, m'a toujours paru mépriser ces discours et n'a point désapprouvé ma conduite. Son raisonnement est simple. On souffre [3], dit-il, et l'on entretient à grands frais des multitudes de professions inutiles dont plusieurs ne servent qu'à corrompre et gâter les mœurs. À ne regarder l'état de mendiant que comme un métier, loin qu'on en ait rien de pareil à craindre, on n'y trouve que de quoi nourrir en nous les sentiments d'intérêt et d'humanité qui devraient unir tous

---

1. « Ne se dit que dans le discours familier et un peu méprisant » (*Féraud*).
2. Rousseau vise les doctrines des philosophes matérialistes comme d'Holbach et Helvétius. Il les fustige dans le troisième *Dialogue* : « Cette commode philosophie des heureux et des riches qui font leur paradis en ce monde, ne saurait être longtemps celle de la multitude victime de leurs passions, et qui, faute de bonheur en cette vie a besoin d'y trouver au moins l'espérance et les consolations que cette barbare doctrine leur ôte » (*Rousseau juge de Jean-Jacques*, p. 403). **3.** On supporte.

les hommes. Si l'on veut le considérer par le talent, pourquoi ne récompenserais-je pas l'éloquence de ce mendiant qui me remue le cœur et me porte à le secourir, comme je paye un Comédien qui me fait verser quelques larmes stériles ? Si l'un me fait aimer les bonnes actions d'autrui, l'autre me porte à en faire moi-même : tout ce qu'on sent à la tragédie s'oublie à l'instant qu'on en sort ; mais la mémoire des malheureux qu'on a soulagés donne un plaisir qui renaît sans cesse [1]. Si le grand nombre des mendiants est onéreux à l'État, de combien d'autres professions qu'on encourage et qu'on tolère n'en peut-on pas dire autant ? C'est au Souverain de faire en sorte qu'il n'y ait point de mendiants : mais pour les rebuter de leur profession * faut-il rendre les citoyens inhumains et dénaturés ? Pour moi, continua Julie, sans savoir ce que les pauvres

---

* Nourrir les mendiants c'est, disent-ils, former des pépinières de voleurs ; et tout au contraire, c'est empêcher qu'ils ne le deviennent. Je conviens qu'il ne faut pas encourager les pauvres à se faire mendiants, mais quand une fois ils le sont, il faut les nourrir, de peur qu'ils ne se fassent voleurs. Rien n'engage tant à changer de profession que de ne pouvoir vivre dans la sienne : or tous ceux qui ont une fois goûté de ce métier oiseux prennent tellement le travail en aversion qu'ils aiment mieux voler et se faire pendre, que de reprendre l'usage de leurs bras. Un liard est bientôt demandé et refusé, mais vingt liards auraient payé le souper d'un pauvre que vingt refus peuvent rendre impatienter. Qui est-ce qui voudrait jamais refuser une si légère aumône s'il songeait qu'elle peut sauver deux hommes, l'un du crime et l'autre de la mort ? J'ai lu quelque part que les mendiants sont une vermine[a] qui s'attache aux riches. Il est naturel que les enfants s'attachent aux pères ; mais ces pères opulents et durs les méconnaissent, et laissent aux pauvres le soin de les nourrir. [NdE : *oiseux* est ici synonyme de « fainéant ». Le liard est une monnaie de cuivre valant 3 deniers. 4 liards font un sou. 20 liards valent environ 2,50 euros.

Le texte cité est une brochure de Voltaire, *Observations sur MM. Jean Lass (John Law), Melon et Dutot* (1738), autocitée dans l'article « gueux mendiants » des *Questions sur l'Encyclopédie* : « Tout pays où la gueuserie, la mendicité est une profession, est mal gouverné. La gueuserie, ai-je dit autrefois, est une vermine qui s'attache à l'opulence ; oui, mais il faut la secouer. Il faut que l'opulence fasse travailler la pauvreté ; que les hôpitaux soient pour les maladies et la vieillesse ; les ateliers pour la jeunesse saine et vigoureuse » (*OCV*, t. XLII A, p. 167). Ces idées figurent aussi dans l'article « Mendiant » de l'*Encyclopédie* par Jaucourt.]

---

1. Rousseau ne croit guère à la *catharsis* (« Le seul instrument qui serve à les [les passions] purger est la raison, et j'ai déjà dit que la raison n'avait nul effet au théâtre », *Lettre à d'Alembert*, p. 69) mais à la *praxis* : Julie pratique une vertu en action.

sont à l'État je sais qu'ils sont tous mes frères, et que je ne puis sans une inexcusable dureté leur refuser le faible secours qu'ils me demandent. La plupart sont des vagabonds, j'en conviens ; mais je connais trop les peines de la vie pour ignorer par combien de malheurs un honnête homme peut se trouver réduit à leur sort, et comment puis-je être sûre que l'inconnu qui vient implorer au nom de Dieu mon assistance et mendier un pauvre morceau de pain n'est pas, peut-être, cet honnête homme prêt à périr de misère, et que mon refus va réduire au désespoir ? L'aumône que je fais donner à la porte est légère. Un demi-crutz * et un morceau de pain sont ce qu'on ne refuse à personne, on donne une ration double à ceux qui sont évidemment estropiés. S'ils en trouvent autant sur leur route dans chaque maison aisée, cela suffit pour les faire vivre en chemin, et c'est tout ce qu'on doit au mendiant étranger qui passe. Quand ce ne serait pas pour eux un secours réel, c'est au moins un témoignage qu'on prend part à leur peine, un adoucissement à la dureté du refus, une sorte de salutation qu'on leur rend. Un demi-crutz et un morceau de pain ne coûtent guère plus à donner et sont une réponse plus honnête qu'un : *Dieu vous assiste* ; comme si les dons de Dieu n'étaient pas dans la main des hommes, et qu'il eût d'autres greniers sur la terre que les magasins des riches ? Enfin, quoi qu'on puisse penser de ces infortunés, si l'on ne doit rien au gueux qui mendie, au moins se doit-on à soi-même de rendre honneur à l'humanité souffrante ou à son image, et de ne point s'endurcir le cœur à l'aspect de ses misères.

Voilà comment j'en use avec ceux qui mendient, pour ainsi dire, sans prétexte et de bonne foi : à l'égard de ceux qui se disent ouvriers et se plaignent de manquer d'ouvrage, il y a toujours ici pour eux des outils et du travail qui les attendent. Par cette méthode on les aide, on met leur bonne volonté à l'épreuve, et les menteurs le savent si bien qu'il ne s'en présente plus chez nous.

C'est ainsi, Milord, que cette âme angélique trouve toujours dans ses vertus de quoi combattre les vaines subtilités

---

* Petite monnaie du pays. [NdE : le crutz vaut un quart de Batz, soit environ 50 centimes d'euro.]

dont les gens cruels pallient leurs vices. Tous ces soins et d'autres semblables sont mis par elle au rang de ses plaisirs, et remplissent une partie du temps que lui laissent ses devoirs les plus chéris. Quand, après s'être acquittée de tout ce qu'elle doit aux autres elle songe ensuite à elle-même, ce qu'elle fait pour se rendre la vie agréable peut encore être compté parmi ses vertus ; tant son motif est toujours louable et honnête, et tant il y a de tempérance et de raison dans tout ce qu'elle accorde à ses désirs ! Elle veut plaire à son mari qui aime à la voir contente et gaie ; elle veut inspirer à ses enfants le goût des innocents plaisirs que la modération l'ordre et la simplicité font valoir, et qui détournent le cœur des passions impétueuses. Elle s'amuse pour les amuser, comme la colombe amollit dans son estomac le grain dont elle veut nourrir ses petits.

Julie a l'âme et le corps également sensibles. La même délicatesse règne dans ses sentiments et dans ses organes. Elle était faite pour connaître et goûter tous les plaisirs, et longtemps elle n'aima si chèrement la vertu même que comme la plus douce des voluptés. Aujourd'hui qu'elle sent en paix cette volupté suprême, elle ne se refuse aucune de celles qui peuvent s'associer avec celle-là ; mais sa manière de les goûter ressemble à l'austérité de ceux qui s'y refusent, et l'art de jouir est pour elle celui des privations [1] ; non de ces privations pénibles et douloureuses qui blessent la nature et dont son auteur dédaigne l'hommage insensé [2], mais des privations passagères et modérées, qui conservent à la raison son empire, et servant d'assaisonnement au plaisir en préviennent le dégoût et l'abus. Elle prétend que tout ce qui tient aux sens et n'est pas nécessaire à la vie change de nature aussitôt qu'il tourne en habitude, qu'il cesse d'être un plaisir en devenant un besoin, que c'est à la fois une chaîne qu'on se donne et une jouissance dont on se prive, et que prévenir toujours les désirs n'est pas l'art de les contenter mais de les éteindre. Tout celui qu'elle emploie à donner du prix aux moindres choses est de se les refuser

---

1. Sur l'économie libidinale pratiquée par Julie, voir Présentation, p. 32.
2. Allusion aux mortifications que s'infligent les fanatiques pour plaire, disent-ils, à leur dieu.

vingt fois pour en jouir une. Cette âme simple se conserve
ainsi son premier ressort ; son goût ne s'use point ; elle n'a
jamais besoin de le ranimer par des excès, et je la vois souvent savourer avec délices un plaisir d'enfant, qui serait insipide à tout autre.

Un objet plus noble qu'elle se propose encore en cela, est
de rester maîtresse d'elle-même, d'accoutumer ses passions
à l'obéissance, et de plier tous ses désirs à la règle. C'est un
nouveau moyen d'être heureuse, car on ne jouit sans inquiétude que de ce qu'on peut perdre sans peine, et si le vrai
bonheur appartient au sage, c'est parce qu'il est de tous les
hommes celui à qui la fortune peut le moins ôter.

Ce qui me paraît le plus singulier dans sa tempérance,
c'est qu'elle la suit sur les mêmes raisons qui jettent les
voluptueux dans l'excès. La vie est courte, il est vrai,
dit-elle ; c'est une raison d'en user jusqu'au bout, et de dispenser avec art sa durée afin d'en tirer le meilleur parti qu'il
est possible [1]. Si un jour de satiété nous ôte un an de jouissance, c'est une mauvaise philosophie d'aller toujours jusqu'où le désir nous mène, sans considérer si nous ne serons
point plus tôt au bout de nos facultés que de notre carrière,
et si notre cœur épuisé ne mourra point avant nous. Je vois
que ces vulgaires Épicuriens pour ne vouloir jamais perdre
une occasion les perdent toutes, et toujours ennuyés au sein
des plaisirs n'en savent jamais trouver aucun. Ils prodiguent
le temps qu'ils pensent économiser, et se ruinent comme les
avares pour ne savoir rien perdre à propos [2]. Je me trouve
bien de la maxime opposée, et je crois que j'aimerais encore
mieux sur ce point trop de sévérité que de relâchement. Il
m'arrive quelquefois de rompre une partie de plaisir par la
seule raison qu'elle m'en fait trop ; en la renouant j'en jouis
deux fois. Cependant, je m'exerce à conserver sur moi

---

1. Souvenir des dernières pages de l'essai « De l'expérience » de Montaigne :
« Je me compose pourtant à la [ma vie] perdre sans regret : Mais comme
perdable de sa condition, non comme moleste et importune. Aussi ne sied-
il proprement bien, de ne se déplaire à mourir qu'à ceux, qui se plaisent à
vivre. Il y a du ménage à la jouir [il faut une sage administration pour en
jouir] : je la jouis au double des autres : Car la mesure en la jouissance,
dépend du plus ou moins d'application, que nous y prêtons » (*Essais*, III,
13, p. 1733). **2.** Convenablement.

l'empire de ma volonté, et j'aime mieux être taxée de caprice que de me laisser dominer par mes fantaisies.

Voilà sur quel principe on fonde ici les douceurs de la vie, et les choses de pur agrément. Julie a du penchant à la gourmandise, et dans les soins qu'elle donne à toutes les parties du ménage, la cuisine surtout n'est pas négligée. La table se sent de l'abondance générale, mais cette abondance n'est point ruineuse ; il y règne une sensualité sans raffinement ; tous les mets sont communs, mais excellents dans leurs espèces, l'apprêt en est simple et pourtant exquis. Tout ce qui n'est que d'appareil, tout ce qui tient à l'opinion, tous les plats fins et recherchés, dont la rareté fait tout le prix et qu'il faut nommer pour les trouver bons, en sont bannis à jamais, et même dans la délicatesse et le choix de ceux qu'on se permet, on s'abstient journellement de certaines choses qu'on réserve pour donner à quelque repas un air de fête qui les rend plus agréables sans être plus dispendieux. Que croiriez-vous que sont ces mets si sobrement ménagés ? Du gibier rare ? du poisson de mer ? des productions étrangères ? Mieux que tout cela. Quelque excellent légume du pays, quelqu'un des savoureux herbages [1] qui croissent dans nos jardins, certains poissons du lac apprêtés d'une certaine manière, certains laitages de nos montagnes, quelque pâtisserie à l'allemande, à quoi l'on joint quelque pièce de la chasse des gens de la maison ; voilà tout l'extraordinaire qu'on y remarque ; voilà ce qui couvre et orne la table, ce qui excite et contente notre appétit les jours de réjouissance ; le service est modeste et champêtre, mais propre et riant, la grâce et le plaisir y sont, la joie et l'appétit l'assaisonnent ; des surtouts [2] dorés autour desquels on meurt de faim, des cristaux pompeux chargés de fleurs pour tout dessert ne remplissent point la place des mets, on n'y sait point l'art de nourrir l'estomac par les yeux ; mais on y sait celui d'ajouter du charme à la bonne chère, de manger beaucoup sans s'incommoder, de s'égayer à boire sans altérer sa

---

1. Plantes comestibles et aromatiques. **2.** « Grande pièce de vaisselle d'argent, de cuivre doré, etc. qu'on place au milieu des grandes tables, et sur laquelle il y a un sucrier, un poivrier, un vinaigrier, des salières, etc. » (*Acad.* 1762).

raison, de tenir table longtemps sans ennui, et d'en sortir toujours sans dégoût.

Il y a au premier étage une petite salle à manger différente de celle où l'on mange ordinairement, [1] laquelle est au rez-de-chaussée. Cette salle particulière est à l'angle de la maison et éclairée de deux côtés. Elle donne par l'un sur le jardin au-delà duquel on voit le lac à travers les arbres ; par l'autre on aperçoit ce grand coteau de vignes qui commence d'étaler aux yeux les richesses qu'on y recueillira dans deux mois [2]. Cette pièce est petite mais ornée de tout ce qui peut la rendre agréable et riante. C'est là que Julie donne ses petits festins à son père, à son mari, à sa cousine, à moi, à elle-même, et quelquefois à ses enfants. Quand elle ordonne d'y mettre le couvert, on sait d'avance ce que cela veut dire, et M. de Wolmar l'appelle en riant le salon d'Apollon ; mais ce salon ne diffère pas moins de celui de Lucullus par le choix des Convives que par celui des mets [3]. Les simples hôtes n'y sont point admis ; jamais on n'y mange quand on a des étrangers ; c'est l'asile inviolable de la confiance, de l'amitié, de la liberté. C'est la société des cœurs qui lie en ce lieu celle de la table ; elle est une sorte d'initiation à l'intimité, et jamais il ne s'y rassemble que des gens qui voudraient n'être plus séparés. Milord, la fête vous attend, et c'est dans cette salle que vous ferez ici votre premier repas.

Je n'eus pas d'abord le même honneur. Ce ne fut qu'à mon retour de chez Madame d'Orbe que je fus traité [4] dans le salon d'Apollon. Je n'imaginais pas qu'on pût rien ajouter d'obligeant à la réception qu'on m'avait faite : Mais ce souper me donna d'autres idées. J'y trouvai je ne sais quel délicieux mélange de familiarité, de plaisir, d'union, d'aisance, que je n'avais point encore éprouvé. Je me sentais plus libre sans qu'on m'eût averti de l'être ; il me semblait que nous nous entendions mieux qu'auparavant. L'éloignement des domestiques m'invitait à n'avoir plus de réserve au fond de mon cœur, et c'est là qu'à l'instance de Julie je repris

---

1. Nous ajoutons une virgule. **2.** Annonce de la lettre V, 7 sur les vendanges. **3.** Le salon d'Apollon est le nom d'une salle somptueuse dans laquelle le général romain Lucullus reçut à grands frais Cicéron et Pompée (Plutarque, *Vie de Lucullus*, in *Vies parallèles*, t. II, p. 705). **4.** Régalé.

l'usage quitté depuis tant d'années de boire avec mes hôtes du vin pur à la fin du repas.

Ce souper m'enchanta. J'aurais voulu que tous nos repas se fussent passés de même. Je ne connaissais point cette charmante salle, dis-je à Madame de Wolmar ; pourquoi n'y mangez-vous pas toujours ? Voyez, dit-elle, elle est si jolie ! ne serait-ce pas dommage de la gâter ? Cette réponse me parut trop loin de son caractère pour n'y pas soupçonner quelque sens caché. Pourquoi du moins, repris-je, ne rassemblez-vous pas toujours autour de vous les mêmes commodités qu'on trouve ici, afin de pouvoir éloigner vos domestiques et causer plus en liberté ? C'est, me répondit-elle encore, que cela serait trop agréable, et que l'ennui d'être toujours à son aise est enfin le pire de tous. Il ne m'en fallut pas davantage pour concevoir son système [1], et je jugeai qu'en effet, l'art d'assaisonner les plaisirs n'est que celui d'en être avare.

Je trouve qu'elle se met avec plus de soin qu'elle ne faisait autrefois. La seule vanité qu'on lui ait jamais reprochée était de négliger son ajustement. L'orgueilleuse avait ses raisons, et ne me laissait point de prétexte pour méconnaître son empire. Mais elle avait beau faire, l'enchantement était trop fort pour me sembler naturel ; je m'opiniâtrais à trouver de l'art dans sa négligence ; elle se serait coiffée d'un sac, que je l'aurais accusée de coquetterie. Elle n'aurait pas moins de pouvoir aujourd'hui ; mais elle dédaigne de l'employer et je dirais qu'elle affecte une parure plus recherchée pour ne sembler plus qu'une jolie femme, si je n'avais découvert la cause de ce nouveau soin. J'y fus trompé les premiers jours, et sans songer qu'elle n'était pas mise autrement qu'à mon arrivée où je n'étais point attendu, j'osai m'attribuer l'honneur de cette recherche. Je me désabusai durant l'absence de M. de Wolmar. Dès le lendemain ce n'était plus cette élégance de la veille dont l'œil ne pouvait se lasser, ni cette simplicité touchante et voluptueuse qui m'enivrait autrefois. C'était une certaine modestie qui parle au cœur par les yeux, qui n'inspire que du respect, et que la beauté rend plus imposante. La dignité d'épouse et de mère régnait sur tous ses charmes ; ce

---

1. Sa doctrine : « l'art de jouir » de Julie. Sur l'*assaisonnement des plaisirs*, voir I, 50, p. 174.

regard timide et tendre était devenu plus grave ; et l'on eût dit
qu'un air plus grand et plus noble avait voilé la douceur de ses
traits. Ce n'était pas qu'il y eût la moindre altération dans son
maintien ni dans ses manières ; son égalité sa candeur ne
connurent jamais les simagrées. Elle usait seulement du talent
naturel aux femmes de changer quelquefois nos sentiments et
nos idées par un ajustement différent, par une coiffure d'une
autre forme, par une robe d'une autre couleur, et d'exercer sur
les cœurs l'empire du goût en faisant de rien quelque chose.
Le jour qu'elle attendait son mari de retour, elle retrouva l'art
d'animer ses grâces naturelles sans les couvrir ; elle était
éblouissante en sortant de sa toilette ; je trouvai qu'elle ne
savait pas moins effacer la plus brillante parure qu'orner la
plus simple, et je me dis avec dépit en pénétrant l'objet de ses
soins : En fit-elle jamais autant pour l'amour ?

Ce goût de parure s'étend de la maîtresse de la maison à
tout ce qui la compose. Le maître, les enfants, les domestiques, les chevaux, les bâtiments, les jardins, les meubles, tout
est tenu avec un soin qui marque qu'on n'est pas au-dessous
de la magnificence, mais qu'on la dédaigne. Ou plutôt, la
magnificence y est en effet, s'il est vrai qu'elle consiste moins
dans la richesse de certaines choses que dans un bel ordre du
tout, qui marque le concert des parties et l'unité d'intention
de l'ordonnateur *. Pour moi je trouve au moins que c'est une
idée plus grande et plus noble de voir dans une maison simple
et modeste un petit nombre de gens heureux d'un bonheur
commun que de voir régner dans un palais la discorde et le
trouble, et chacun de ceux qui l'habitent chercher sa fortune
et son bonheur dans la ruine d'un autre et dans le désordre
général. La maison bien réglée est une, et forme un tout
agréable à voir : dans le palais on ne trouve qu'un assemblage
confus de divers objets, dont la liaison n'est qu'apparente. Au

---

* Cela me paraît incontestable. Il y a de la magnificence dans la symétrie
d'un grand Palais ; il n'y en a point dans une foule de maisons confusément
entassées. Il y a de la magnificence dans l'uniforme d'un Régiment en
bataille ; il n'y en a point dans le peuple qui le regarde ; quoiqu'il ne s'y
trouve peut-être pas un seul homme dont l'habit en particulier ne vaille
mieux que celui d'un soldat. En un mot, la véritable magnificence n'est que
l'ordre rendu sensible dans le grand ; ce qui fait que de tous les spectacles
imaginables le plus magnifique est celui de la nature.

premier coup d'œil on croit voir une fin commune ; en y regardant mieux on est bientôt détrompé [1].

À ne consulter que l'impression la plus naturelle, il semblerait que pour dédaigner l'éclat et le luxe on a moins besoin de modération que de goût. La symétrie et la régularité plaît à tous les yeux [2]. L'image du bien-être et de la félicité touche le cœur humain qui en est avide : mais un vain appareil qui ne se rapporte ni à l'ordre ni au bonheur et n'a pour objet que de frapper les yeux, quelle idée favorable à celui qui l'étale peut-il exciter dans l'esprit du spectateur ? L'idée du goût ? Le goût ne paraît-il pas cent fois mieux dans les choses simples que dans celles qui sont offusquées de richesse [3] ? L'idée de la commodité ? Y a-t-il rien de plus incommode que le faste * ? L'idée de la grandeur ? C'est précisément le contraire [4]. Quand je vois qu'on a voulu faire un grand palais, je me demande aussitôt pourquoi ce palais n'est pas plus grand ? Pourquoi celui qui a cinquante

---

* Le bruit des gens d'une maison trouble incessamment le repos du maître. Il ne peut rien cacher à tant d'Argus. La foule de ses créanciers lui fait payer cher celle de ses admirateurs. Ses appartements sont si superbes qu'il est forcé de coucher dans une bouge pour être à son aise, et son singe est quelquefois mieux logé que lui. S'il veut dîner, il dépend de son cuisinier et jamais de sa faim ; s'il veut sortir, il est à la merci de ses chevaux ; mille embarras l'arrêtent dans les rues ; il brûle d'arriver et ne sait plus qu'il a des jambes. Chloé l'attend, les boues le retiennent, le poids de l'or de son habit l'accable, et il ne peut faire vingt pas à pied : mais s'il perd un rendez-vous avec sa maîtresse, il en est bien dédommagé par les passants : chacun remarque sa livrée, l'admire, et dit tout haut que c'est Monsieur un tel. [NdE : *bouge* : « espèce de petit cabinet auprès d'une chambre » (*Acad.* 1762). Le féminin est dialectal d'après Féraud. *Chloé* : prénom conventionnel pour désigner une dame du monde, à l'imitation des *Caractères* de La Bruyère. R. Pomeau fait le rapprochement avec « la jeune personne vers laquelle l'honnête homme vole à son rendez-vous dans *Le Mondain*, poème de Voltaire » (Classiques Garnier, rééd. 2012, p. 532).]

---

1. Cette « fin commune » qui règne à Clarens est l'illustration, au niveau domestique, de ce que peut être la « volonté générale » au niveau d'une démocratie (voir *Du contrat social*, II, 3). **2.** Latinisme : accord avec le sujet proche lorsque les termes sont synonymes. **3.** Celles que les richesses éblouissent. Nous remplaçons le point par un point d'interrogation. **4.** « Le faste n'excite tout au plus qu'une admiration froide et stérile, et sûrement ne me charmera jamais », déclare le personnage « Rousseau » à l'ouverture du premier *Dialogue* (p. 65).

domestiques n'en a-t-il pas cent ? Cette belle vaisselle
d'argent pourquoi n'est-elle pas d'or ? Cet homme qui dore
son Carrosse pourquoi ne dore-t-il pas ses lambris ? Si ses
lambris sont dorés pourquoi son toit ne l'est-il pas ? Celui
qui voulut bâtir une haute tour faisait bien de la vouloir
porter jusqu'au Ciel ; autrement il eût eu beau l'élever ; le
point où il se fût arrêté n'eût servi qu'à donner de plus loin
la preuve de son impuissance. Ô homme petit et vain,
montre-moi ton pouvoir, je te montrerai ta misère !

Au contraire, un ordre de choses où rien n'est donné à
l'opinion, où tout a son utilité réelle et qui se borne aux
vrais besoins de la nature n'offre pas seulement un spectacle
approuvé par la raison, mais qui contente les yeux et le
cœur, en ce que l'homme ne s'y voit que sous des rapports
agréables, comme se suffisant à lui-même, que l'image de sa
faiblesse n'y paraît point, et que ce riant tableau n'excite
jamais de réflexions attristantes. Je défie aucun homme sensé
de contempler une heure durant le palais d'un prince et le
faste qu'on y voit briller sans tomber dans la mélancolie et
déplorer le sort de l'humanité. Mais l'aspect de cette maison
et de la vie uniforme et simple de ses habitants répand dans
l'âme des spectateurs un charme secret qui ne fait qu'augmenter sans cesse. Un petit nombre de gens doux et paisibles, unis par des besoins mutuels et par une réciproque
bienveuillance y concourt par divers soins à une fin commune : chacun trouvant dans son état tout ce qu'il faut pour
en être content et ne point désirer d'en sortir, on s'y attache
comme y devant rester toute la vie, et la seule ambition
qu'on garde est celle d'en bien remplir les devoirs. Il y a tant
de modération dans ceux qui commandent et tant de zèle
dans ceux qui obéissent que des égaux eussent pu distribuer
entre eux les mêmes emplois, sans qu'aucun se fût plaint de
son partage [1]. Ainsi nul n'envie celui d'un autre ; nul ne croit
pouvoir augmenter sa fortune que par l'augmentation du
bien commun ; les maîtres mêmes ne jugent de leur bonheur
que par celui des gens qui les environnent. On ne saurait

---

1. L'organisation politique de Clarens est présentée comme *analogue* à celle
qu'eût ordonnée un gouvernement démocratique égalitaire. Voir notre Présentation, p. 28-29.

qu'ajouter ni que retrancher ici, parce qu'on n'y trouve que les choses utiles et qu'elles y sont toutes, en sorte qu'on n'y souhaite rien de ce qu'on n'y voit pas, et qu'il n'y a rien de ce qu'on y voit dont on puisse dire : Pourquoi n'y en a-t-il pas davantage ? Ajoutez-y du galon, des tableaux, un lustre, de la dorure, à l'instant vous appauvrirez tout. En voyant tant d'abondance dans le nécessaire, et nulle trace de superflu, on est porté à croire que s'il n'y est pas c'est qu'on n'a pas voulu qu'il y fût, et que si on le voulait, il y régnerait avec la même profusion. [1] En voyant continuellement les biens refluer au-dehors par l'assistance du pauvre, on est porté à dire : Cette maison ne peut contenir toutes ses richesses. Voilà, ce me semble, la véritable magnificence. [b]

Cet air d'opulence m'effraya moi-même, quand je fus instruit de ce qui servait à l'entretenir. Vous vous ruinez, dis-je à M. et Made de Wolmar. Il n'est pas possible qu'un si modique revenu suffise à tant de dépenses. Ils se mirent à rire, et me firent voir que, sans rien retrancher dans leur maison, il ne tiendrait qu'à eux d'épargner beaucoup et d'augmenter leur revenu plutôt que de se ruiner. Notre grand secret pour être riches, me dirent-ils, [2] est d'avoir peu d'argent, et d'éviter autant qu'il se peut dans l'usage de nos biens les échanges intermédiaires entre le produit et l'emploi. Aucun de ces échanges ne se fait sans perte, et ces pertes multipliées réduisent presque à rien d'assez grands moyens, comme à force d'être brocantée une belle boîte d'or devient un mince colifichet. Le transport de nos revenus s'évite en les employant sur le lieu, l'échange s'en évite encore en les consommant en nature, et dans l'indispensable conversion de ce que nous avons de trop en ce qui nous manque, au lieu des ventes et des achats pécuniaires qui doublent le préjudice, nous cherchons des échanges réels où la commodité de chaque contractant tienne lieu de profit à tous deux [3].

---

1. Nous remplaçons le deux-points par un point. **2.** Nous ajoutons une virgule. **3.** Autre défense de l'économie des échanges directs, sans intermédiaire, avec très peu d'importations, contre les échanges fiduciaires, les mécanismes du crédit, de la spéculation sur les produits importés et de la plus-value. Le gain se mesure au bien-être des contractants et non en pourcentages obtenus sur des ventes.

Je conçois, leur dis-je, les avantages de cette méthode ; mais elle ne me paraît pas sans inconvénient. Outre les soins importuns auxquels elle assujettit, le profit doit être plus apparent que réel, et ce que vous perdez dans le détail de la régie de vos biens l'emporte probablement sur le gain que feraient avec vous vos Fermiers [1] : car le travail se fera toujours avec plus d'économie et la récolte avec plus de soin par un paysan que par vous. C'est une erreur, me répondit Wolmar [2] ; le paysan se soucie moins d'augmenter le produit que d'épargner sur les frais, parce que les avances lui sont plus pénibles que les profits ne lui sont utiles ; comme son objet n'est pas tant de mettre un fonds en valeur que d'y faire peu de dépense, s'il s'assure un gain actuel c'est bien moins en améliorant la terre qu'en l'épuisant, et le mieux qui puisse arriver est qu'au lieu de l'épuiser il la néglige. Ainsi pour un peu d'argent comptant recueilli sans embarras, un propriétaire oisif prépare à lui ou à ses enfants de grandes pertes, de grands travaux, et quelquefois la ruine de son patrimoine [3].

D'ailleurs, poursuivit M. de Wolmar, je ne disconviens pas que je ne fasse la culture de mes terres à plus grands frais que ne ferait un fermier ; mais aussi le profit du fermier

---

1. Un fermier doit verser une avance (une somme « à ferme », forfaitaire) et se rembourser sur le produit de sa récolte. **2.** Saint-Preux répète ici les arguments des physiocrates, secte d'économistes idolâtres du « produit net » de la terre, pourfendeurs de l'impôt et défenseurs des riches propriétaires, seuls capables d'entretenir des chevaux de labour (les paysans pauvres emploient des bœufs). Un de leurs arguments était que « les métayers qui partagent la récolte avec le propriétaire occupent, autant qu'ils peuvent, les bœufs qui leur sont confiés, à tirer des charrois pour leur profit, ce qui les intéresse plus que le labourage des terres ; ainsi ils en négligent tellement la culture, que si le propriétaire n'y apporte pas d'attention, la plus grande partie des terres reste en friche » (Quesnay, article « fermier » de l'*Encyclopédie*). Par la voix de Wolmar, Rousseau dénonce une *doxa* fallacieuse mais largement partagée par les milieux encyclopédistes. Galiani (aidé par Diderot) prendra ses distances avec les physiocrates dans les *Dialogues sur le commerce des blés* (1770). **3.** Wolmar – contre les physiocrates – prône le métayage (le paysan paye une partie du fermage en fruits et légumes) contre le fermage classique (le paysan doit avancer l'argent du produit de sa récolte). Le métayage réduit les transactions pécuniaires (voir *infra*, p. 651) et « l'âpre avidité d'un fermier avare » (V, 7, p. 710). Il démontre ainsi la supériorité d'une économie respectueuse d'un rythme de travail naturel, qui seule peut augmenter la productivité, sur le mécanisme de l'endettement qui grève le paysan, le rend avide et moins soigneux de la terre.

c'est moi qui le fais, et cette culture étant beaucoup meilleure le produit est beaucoup plus grand ; de sorte qu'en dépensant davantage, je ne laisse pas de gagner encore. Il y a plus ; cet excès de dépense n'est qu'apparent et produit réellement une très grande économie : car, si d'autres cultivaient nos terres, nous serions oisifs ; il faudrait demeurer à la ville, la vie y serait plus chère, il nous faudrait des amusements qui nous coûteraient beaucoup plus que ceux que nous trouvons ici, et nous seraient moins sensibles. Ces soins que vous appelez importuns font à la fois nos devoirs et nos plaisirs ; grâce à la prévoyance avec laquelle on les ordonne, ils ne sont jamais pénibles ; ils nous tiennent lieu d'une foule de fantaisies ruineuses dont la vie champêtre prévient ou détruit le goût, et tout ce qui contribue à notre bien-être devient pour nous un amusement.

Jetez les yeux tout autour de vous, ajoutait ce judicieux père de famille, vous n'y verrez que des choses utiles, qui ne nous coûtent presque rien et nous épargnent mille vaines dépenses. Les seules denrées du cru couvrent notre table, les seules étoffes du pays composent presque nos meubles et nos habits : rien n'est méprisé parce qu'il est commun, rien n'est estimé parce qu'il est rare. Comme tout ce qui vient de loin est sujet à être déguisé ou falsifié, nous nous bornons, par délicatesse autant que par modération au choix de ce qu'il y a de meilleur auprès de nous et dont la qualité n'est pas suspecte [1]. Nos mets sont simples, mais choisis. Il ne manque à notre table pour être somptueuse que d'être servie loin d'ici ; car tout y est bon, tout y serait rare, et tel gourmand trouverait les truites du lac bien meilleures, s'il les mangeait à Paris.

La même règle a lieu dans le choix de la parure, qui comme vous voyez n'est pas négligée ; mais l'élégance y préside seule, la richesse ne s'y montre jamais, encore moins la mode. Il y a une grande différence entre le prix que l'opinion donne aux choses et celui qu'elles ont réellement. C'est à ce dernier seul que Julie s'attache, et quand il est question d'une étoffe, elle ne cherche pas tant si elle est ancienne ou nouvelle que si elle est bonne et si elle lui sied. Souvent

---

1. Rousseau jeune redoutait les vins trafiqués et les marchands qui « empoisonnent » leurs clients (*Confessions*, livre I, p. 64).

même la nouveauté seule est pour elle un motif d'exclusion, quand cette nouveauté donne aux choses un prix qu'elles n'ont pas ou qu'elles ne sauraient garder.

Considérez encore qu'ici l'effet de chaque chose vient moins d'elle-même que de son usage et de son accord avec le reste, de sorte qu'avec des parties de peu de valeur Julie a fait un tout d'un grand prix. Le goût aime à créer, à donner seul la valeur aux choses. Autant la loi de la mode est inconstante et ruineuse, autant la sienne est économe et durable. Ce que le bon goût approuve une fois est toujours bien ; s'il est rarement à la mode, en revanche il n'est jamais ridicule, et dans sa modeste simplicité il tire de la convenance des choses des règles inaltérables et sûres, qui restent quand les modes ne sont plus.

Ajoutez enfin que l'abondance du seul nécessaire ne peut dégénérer en abus ; parce que le nécessaire a sa mesure naturelle, et que les vrais besoins n'ont jamais d'excès. On peut mettre la dépense de vingt habits en un seul, et manger en un repas le revenu d'une année ; mais on ne saurait porter deux habits en même temps ni dîner deux fois en un jour. Ainsi l'opinion est illimitée, au lieu que la nature nous arrête de tous côtés, et celui qui dans un état médiocre se borne au bien-être ne risque point de se ruiner.

Voilà, mon cher, continuait le sage Wolmar, comment avec de l'économie et des soins on peut se mettre au-dessus de sa fortune. Il ne tiendrait qu'à nous d'augmenter la nôtre sans changer notre manière de vivre ; car il ne se fait ici presque aucune avance qui n'ait un produit pour objet, et tout ce que nous dépensons nous rend de quoi dépenser beaucoup plus [1].

Hé bien, Milord, rien de tout cela ne paraît au premier coup d'œil. Partout un air de profusion couvre l'ordre qui le donne ; il faut du temps pour apercevoir des lois somptuaires qui mènent à l'aisance et au plaisir, et l'on a d'abord peine à comprendre comment on jouit de ce qu'on épargne. En y réfléchissant le contentement augmente, parce qu'on voit que

---

1. Le *produit* désigne ce qui rapporte en argent ou en denrées. Wolmar énonce ici un autre refus par rapport aux habitudes économiques de la thésaurisation et des capitaux bloqués. Tout revenu à Clarens est réinvesti dans l'économie réelle, à savoir l'amélioration et l'entretien du domaine.

la source en est intarissable et que l'art de goûter le bonheur de la vie sert encore à le prolonger. Comment se lasserait-on d'un état si conforme à la nature ? Comment épuiserait-on son héritage en l'améliorant tous les jours ? Comment ruinerait-on sa fortune en ne consommant que ses revenus ? Quand chaque année on est sûr de la suivante, qui peut troubler la paix de celle qui court ? Ici le fruit du labeur passé soutient l'abondance présente, et le fruit du labeur présent annonce l'abondance à venir [1] ; on jouit à la fois de ce qu'on dépense et de ce qu'on recueille, et les divers temps se rassemblent pour affermir la sécurité du présent.

Je suis entré dans tous les détails du ménage et j'ai partout vu régner le même esprit. Toute la broderie et la dentelle sortent du gynécée ; toute la toile est filée dans la basse-cour ou par de pauvres femmes que l'on nourrit. La laine s'envoie à des manufactures dont on tire en échange des draps pour habiller les gens ; le vin, l'huile, et le pain se font dans la maison ; on a des bois en coupe réglée [2] autant qu'on en peut consommer ; le boucher se paye en bétail, l'épicier reçoit du blé pour ses fournitures ; le salaire des ouvriers et des domestiques se prend sur le produit des terres qu'ils font valoir ; le loyer des maisons de la ville suffit pour l'ameublement de celles qu'on habite ; les rentes sur les fonds publics [3] fournissent à l'entretien des maîtres, et au peu de vaisselle qu'on se permet, la vente des vins et des blés qui restent donne un fonds qu'on laisse en réserve pour les dépenses extraordinaires ; fonds que la prudence de Julie ne laisse jamais tarir, et que sa charité laisse encore moins augmenter. Elle n'accorde aux choses de pur agrément que le profit du travail qui se fait dans sa maison, celui des terres qu'ils [4] ont défrichées, celui des arbres qu'ils ont fait planter etc. Ainsi le produit et l'emploi se trouvant toujours compensés par la nature des choses, la balance ne peut être rompue, et il est impossible de se déranger [5].

---

1. Autre trait de cette économie domestique : son articulation au cycle naturel des saisons, emblématisée par la lettre V, 7 sur les vendanges. **2.** « On dit que *Des bois sont en coupes réglées*, pour dire, qu'on en coupe tous les ans une certaine quantité d'arpents à un certain âge, en sorte que les coupes différentes se succèdent les unes aux autres » (*Acad.* 1762). **3.** Les rentes constituées sur des fonds placés par contrat sur des domaines publics. **4.** Les maîtres. **5.** S'endetter, être grevé d'hypothèques.

Bien plus ; les privations qu'elle s'impose par cette volupté tempérante dont j'ai parlé sont à la fois de nouveaux moyens de plaisir et de nouvelles ressources d'économie. Par exemple elle aime beaucoup le café ; chez sa mère elle en prenait tous les jours. Elle en a quitté l'habitude pour en augmenter le goût ; elle s'est bornée à n'en prendre que quand elle a des hôtes, et dans le salon d'Apollon, afin d'ajouter cet air de fête à tous les autres. C'est une petite sensualité qui la flatte plus, qui lui coûte moins, et par laquelle elle aiguise et règle à la fois sa gourmandise. Au contraire, elle met à deviner et satisfaire les goûts de son père et de son mari une attention sans relâche, une prodigalité naturelle et pleine de grâces qui leur fait mieux goûter ce qu'elle leur offre par le plaisir qu'elle trouve à le leur offrir. Ils aiment tous deux à prolonger un peu la fin du repas, à la Suisse : Elle ne manque jamais après le souper de faire servir une bouteille de vin plus délicat, plus vieux que celui de l'ordinaire. Je fus d'abord la dupe des noms pompeux qu'on donnait à ces vins, qu'en effet je trouve excellents, et, les buvant comme étant des lieux dont ils portaient les noms, je fis la guerre à Julie d'une infraction si manifeste à ses maximes ; mais elle me rappela en riant un passage de Plutarque, où Flaminius compare les troupes asiatiques d'Antiochus sous mille noms barbares, aux ragoûts divers sous lesquels un ami lui avait déguisé la même viande [1]. Il en est de même, dit-elle, de ces vins étrangers que vous me reprochez. Le Rancio, le Cherez, le Malaga, le Chassaigne, le Syracuse dont vous buvez avec tant de plaisir ne sont en effet que des vins de Lavaux diversement préparés, et vous pouvez voir d'ici le vignoble qui produit toutes ces boissons lointaines [2]. Si elles sont inférieures en qualité aux vins fameux dont elles portent les noms, elles n'en ont pas les inconvénients, et comme on est sûr de ce qui les compose, on peut au moins les boire sans risque. J'ai lieu de croire, continua-t-elle, que mon

---

1. Trait rapporté par Plutarque (*Vie d'Antiochus*, 17, 7, in *Vies parallèles*, t. I, p. 520). **2.** Nous rétablissons les majuscules aux noms de vins. Le Rancio est un vin rouge espagnol qui jaunit en vieillissant. Rousseau a remplacé sur épreuves *malvoisie* et *verdet* (vins de Grèce et de Toscane) en *xérès* (prononcé *chérès*) et *malaga*, vins d'Espagne. Le Chassaigne est l'actuel Chassagne-Montrachet (bourgogne du terroir de Meursault). Les vins de Lavaux sont produits sur les coteaux entre Lausanne et Vevey.

père et mon mari les aiment autant que les vins les plus rares. Les siens, me dit alors M. de Wolmar ont pour nous un goût dont manquent tous les autres ; c'est le plaisir qu'elle a pris à les préparer. Ah, reprit-elle, ils seront toujours exquis !

Vous jugez bien qu'au milieu de tant de soins divers le désœuvrement et l'oisiveté qui rendent nécessaires la compagnie les visites et les sociétés extérieures, ne trouvent guère ici de place. On fréquente les voisins, assez pour entretenir un commerce agréable, trop peu pour s'y assujettir. Les hôtes sont toujours bienvenus et ne sont jamais désirés. On ne voit précisément qu'autant de monde qu'il faut pour se conserver le goût de la retraite ; les occupations champêtres tiennent lieu d'amusements, et pour qui trouve au sein de sa famille une douce société, toutes les autres sont bien insipides. La manière dont on passe ici le temps est trop simple et trop uniforme pour tenter beaucoup de gens * ; mais c'est par la disposition du cœur de ceux qui l'ont adoptée qu'elle leur est intéressante. Avec une âme saine, peut-on s'ennuyer à remplir les plus chers et les plus charmants devoirs de l'humanité, et à se rendre mutuellement la vie heureuse ? Tous les soirs Julie contente de sa journée n'en désire point une différente pour le lendemain, et tous les matins elle demande au Ciel un jour semblable à celui de la veille [1] : elle fait toujours les mêmes choses parce qu'elles sont bien, et qu'elle ne connaît rien de mieux à faire. Sans doute elle jouit ainsi de toute la félicité permise à l'homme. Se plaire dans la durée de son état n'est-ce pas un signe assuré qu'on y vit heureux ?

Si l'on voit rarement ici de ces tas de désœuvrés qu'on appelle bonne compagnie, tout ce qui s'y rassemble intéresse le cœur par quelque endroit avantageux, et rachète quelques

---

* Je crois qu'un de nos beaux esprits voyageant dans ce pays-là, reçu et caressé dans cette maison à son passage, ferait ensuite à ses amis une relation bien plaisante de la vie de manants qu'on y mène. Au reste, je vois par les lettres de Miladi Catesby que ce goût n'est pas particulier à la France, et que c'est apparemment aussi l'usage en Angleterre de tourner ses hôtes en ridicule, pour prix de leur hospitalité. [NdE : allusion à un roman récent publié en 1759 par Mme Riccoboni, exemple de bel esprit féminin honni par Rousseau.]

---

1. Vœu repris par Saint-Preux à la fin de V, 7.

ridicules par mille vertus. De paisibles campagnards sans monde [1] et sans politesse ; mais bons, simples, honnêtes et contents de leur sort ; d'anciens officiers retirés du service ; des commerçants ennuyés de s'enrichir ; de sages mères de famille qui amènent leurs filles à l'école de la modestie et des bonnes mœurs ; voilà le cortège que Julie aime à rassembler autour d'elle. Son mari n'est pas fâché d'y joindre quelquefois de ces aventuriers corrigés par l'âge et l'expérience, qui, devenus sages à leurs dépens, reviennent sans chagrin cultiver le champ de leur père qu'ils voudraient n'avoir point quitté. Si quelqu'un récite à table les événements de sa vie, ce ne sont point les aventures merveilleuses du riche Sindbad racontant au sein de la mollesse orientale comment il a gagné ses trésors [2] : Ce sont les relations plus simples de gens sensés que les caprices du sort et les injustices des hommes ont rebutés des faux biens vainement poursuivis, pour leur rendre le goût des véritables.

Croiriez-vous que l'entretien même des paysans a des charmes pour ces âmes élevées avec qui le sage aimerait à s'instruire ? Le judicieux Wolmar trouve dans la naïveté villageoise des caractères plus marqués, plus d'hommes pensant par eux-mêmes que sous le masque uniforme des habitants des villes, où chacun se montre comme sont les autres, plutôt que comme il est lui-même. La tendre Julie trouve en eux des cœurs sensibles aux moindres caresses, et qui s'estiment heureux de l'intérêt qu'elle prend à leur bonheur. Leur cœur ni leur esprit ne sont point façonnés par l'art ; ils n'ont point appris à se former sur nos modèles, et l'on n'a pas peur de trouver en eux l'homme de l'homme, au lieu de celui de la nature [3].

Souvent dans ses tournées M. de Wolmar rencontre quelque bon Vieillard dont le sens et la raison le frappent, et qu'il se plaît à faire causer. Il l'amène à sa femme ; elle

---

1. Sans habitude du « monde ». **2.** Les voyages de Sindbad ne font pas partie du cycle des *Mille et Une Nuits*, mais Galland les a intégrés dans sa traduction en français, publiée de 1704 à 1717 (*Les Mille et Une Nuits*, éd. J.-P. Sermain et A. Chraïbi, GF-Flammarion, 2004, t. I, p. 228-290). **3.** Cette formule synthétique opposant l'homme de la nature qui cultive l'amour de soi à l'homme de l'homme, c'est-à-dire l'homme aliéné par les passions sociales et l'amour-propre, est reprise par Julie dans V, 8, p. 721.

lui fait un accueil charmant, qui marque, non la politesse et les airs de son état, mais la bienveillance et l'humanité de son caractère. On retient le bonhomme à dîner. Julie le place à côté d'elle, le sert, le caresse [1], lui parle avec intérêt, s'informe de sa famille, de ses affaires, ne sourit point de son embarras, ne donne point une attention gênante à ses manières rustiques, mais le met à son aise par la facilité des siennes, et ne sort point avec lui de ce tendre et touchant respect dû à la vieillesse infirme qu'honore une longue vie passée sans reproche. Le vieillard enchanté se livre à l'épanchement de son cœur ; il semble reprendre un moment la vivacité de sa jeunesse. Le vin bu à la santé d'une jeune Dame en réchauffe mieux son sang à demi glacé. Il se ranime à parler de son ancien temps, de ses amours, de ses campagnes, des combats où il s'est trouvé, du courage de ses compatriotes, de son retour au pays, de sa femme, de ses enfants, des travaux champêtres, des abus qu'il a remarqués, des remèdes qu'il imagine. Souvent des longs discours de son âge sortent d'excellents préceptes moraux, ou des leçons d'agriculture ; et quand il n'y aurait dans les choses qu'il dit que le plaisir qu'il prend à les dire, Julie en prendrait à les écouter.

Elle passe après le dîner dans sa chambre, et en rapporte un petit présent de quelque nippe convenable à la femme ou aux filles du vieux bonhomme. Elle le lui fait offrir par les enfants, et réciproquement il rend aux enfants quelque don simple et de leur goût dont elle l'a secrètement chargé pour eux [2]. Ainsi se forme de bonne heure l'étroite et douce bienveillance qui fait la liaison des états divers. Les enfants s'accoutument à honorer la vieillesse, à estimer la simplicité, et à distinguer le mérite dans tous les rangs. Les paysans, voyant leurs vieux pères fêtés dans une maison respectable et admis à la table des maîtres, ne se tiennent point offensés d'en être exclus ; ils ne s'en prennent point à leur rang mais à leur âge ; ils ne disent point : Nous sommes trop pauvres, mais : Nous sommes trop jeunes pour être ainsi traités :

---

1. Lui fait des démonstrations d'amitié. Sur « bonhomme », voir n. 2, p. 534. **2.** Discrète apparition du motif du présent truqué, récurrent dans l'*Émile*.

l'honneur qu'on rend à leurs vieillards et l'espoir de le partager un jour les consolent d'en être privés et les excitent à
s'en rendre dignes.

Cependant, le vieux bonhomme, encore attendri des
caresses qu'il a reçues, revient dans sa chaumière, empressé
de montrer à sa femme et à ses enfants les dons qu'il leur
apporte. Ces bagatelles répandent la joie dans toute une
famille qui voit qu'on a daigné s'occuper d'elle. Il leur
raconte avec emphase la réception qu'on lui a faite, les mets
dont on l'a servi, les vins dont il a goûté, les discours obligeants qu'on lui a tenus, combien on s'est informé d'eux,
l'affabilité des maîtres, l'attention des serviteurs, et généralement ce qui peut donner du prix aux marques d'estime et
de bonté qu'il a reçues ; en le racontant il en jouit une
seconde fois, et toute la maison croit jouir aussi des honneurs rendus à son chef. Tous bénissent de concert cette
famille illustre et généreuse qui donne exemple aux grands
et refuge aux petits, qui ne dédaigne point le pauvre et rend
honneur aux cheveux blancs. Voilà l'encens qui plaît aux
âmes bienfaisantes. S'il est des bénédictions humaines que
le Ciel daigne exaucer, ce ne sont point celles qu'arrache la
flatterie et la bassesse en présence des gens qu'on loue, mais
celles que dicte en secret un cœur simple et reconnaissant
au coin d'un foyer rustique.

C'est ainsi qu'un sentiment agréable et doux peut couvrir
de son charme une vie insipide à des cœurs indifférents :
c'est ainsi que les soins, les travaux, la retraite peuvent devenir des amusements par l'art de les diriger. Une âme saine
peut donner du goût à des occupations communes, comme
la santé du corps fait trouver bons les aliments les plus
simples. Tous ces gens ennuyés qu'on amuse avec tant de
peine doivent leur dégoût à leurs vices, et ne perdent le sentiment du plaisir qu'avec celui du devoir. Pour Julie, il lui est
arrivé précisément le contraire, et des soins qu'une certaine
langueur d'âme lui eût laissé négliger autrefois, lui
deviennent intéressants par le motif qui les inspire. Il faudrait être insensible pour être toujours sans vivacité [1]. La

---

1. Activité, émotion.

sienne s'est développée par les mêmes causes qui la réprimaient autrefois. Son cœur cherchait la retraite et la solitude pour se livrer en paix aux affections dont il était pénétré ; maintenant elle a pris une activité nouvelle en formant de nouveaux liens. Elle n'est point de ces indolentes mères de famille, contentes d'étudier quand il faut agir, qui perdent à s'instruire des devoirs d'autrui le temps qu'elles devraient mettre à remplir les leurs. Elle pratique aujourd'hui ce qu'elle apprenait autrefois. Elle n'étudie plus, elle ne lit plus ; elle agit. Comme elle se lève une heure plus tard que son mari, elle se couche aussi plus tard d'une heure. Cette heure est le seul temps qu'elle donne encore à l'étude, et la journée ne lui paraît jamais assez longue pour tous les soins dont elle aime à la remplir.

Voilà, Milord, ce que j'avais à vous dire sur l'économie de cette maison, et sur la vie privée des maîtres qui la gouvernent. Contents de leur sort, ils en jouissent paisiblement ; contents de leur fortune, ils ne travaillent pas à l'augmenter pour leurs enfants ; mais à leur laisser avec l'héritage qu'ils ont reçu, des terres en bon état, des domestiques affectionnés, le goût du travail, de l'ordre, de la modération, et tout ce qui peut rendre douce et charmante à des gens sensés la jouissance d'un bien médiocre, aussi sagement conservé qu'il fut honnêtement acquis.

Lettre III
À Milord Édouard*

Nous avons eu des hôtes ces jours derniers. Ils sont repartis hier, et nous recommençons entre nous trois une société d'autant plus charmante qu'il n'est rien resté dans le fond des cœurs qu'on veuille se cacher l'un à l'autre. Quel plaisir

---

* Deux Lettres écrites en différents temps roulaient sur le sujet de celle-ci, ce qui occasionnait bien des répétitions inutiles. Pour les retrancher, j'ai réuni ces deux Lettres en une seule. Au reste ; sans prétendre justifier l'excessive longueur de plusieurs des lettres dont ce recueil est composé, je remarquerai que les lettres des solitaires sont longues et rares ; celles des gens du monde fréquentes et courtes. Il ne faut qu'observer cette différence pour en sentir à l'instant la raison.

je goûte à reprendre un nouvel être qui me rend digne de votre confiance ! Je ne reçois pas une marque d'estime de Julie et de son mari, que je ne me dise avec une certaine fierté d'âme : Enfin j'oserai me montrer à lui. C'est par vos soins, c'est sous vos yeux que j'espère honorer mon état présent de mes fautes passées. Si l'amour éteint jette l'âme dans l'épuisement, l'amour subjugué lui donne avec la conscience de sa victoire une élévation nouvelle, et un attrait plus vif pour tout ce qui est grand et beau. Voudrait-on perdre le fruit d'un sacrifice qui nous a coûté si cher ? Non, Milord, je sens qu'à votre exemple mon cœur va mettre à profit tous les ardents sentiments qu'il a vaincus. Je sens qu'il faut avoir été ce que je fus pour devenir ce que je veux être.

Après six jours perdus aux entretiens frivoles des gens indifférents, nous avons passé aujourd'hui une matinée à l'anglaise [1], réunis et dans le silence, goûtant à la fois le plaisir d'être ensemble et la douceur du recueillement. Que les délices de cet état sont connues de peu de gens ! Je n'ai vu personne en France en avoir la moindre idée. La conversation des amis ne tarit jamais, disent-ils. Il est vrai, la langue fournit un babil facile aux attachements médiocres. Mais l'amitié, Milord, l'amitié ! sentiment vif et céleste, quels discours sont dignes de toi ? Quelle langue ose être ton interprète ? Jamais ce qu'on dit à son ami peut-il valoir ce qu'on sent à ses côtés ? Mon Dieu ! qu'une main serrée, qu'un regard animé, qu'une étreinte contre la poitrine, que le soupir qui la suit disent de choses, et que le premier mot qu'on prononce est froid après tout cela ! Ô veillées de Besançon ! moments consacrés au silence et recueillis par l'amitié [2] ! Ô Bomston ! âme grande, ami sublime ! Non, je n'ai point avili ce que tu fis pour moi, et ma bouche ne t'en a jamais rien dit.

Il est sûr que cet état de contemplation fait un des grands charmes des hommes sensibles. Mais j'ai toujours trouvé que les importuns empêchaient de le goûter, et que les amis ont besoin d'être sans témoin pour pouvoir ne se rien dire, à leur aise. On veut être recueillis, pour ainsi dire, l'un dans l'autre : les moindres distractions sont désolantes, la

---

1. C'est-à-dire sans la présence des domestiques. **2.** Voir II, 2, p. 235.

moindre contrainte est insupportable. Si quelquefois le cœur porte un mot à la bouche, il est si doux de pouvoir le prononcer sans gêne. Il semble qu'on n'ose penser librement ce qu'on n'ose dire de même : il semble que la présence d'un seul étranger retienne le sentiment, et comprime des âmes qui s'entendraient si bien sans lui.

Deux heures se sont ainsi écoulées entre nous dans cette immobilité d'extase, plus douce mille fois que le froid repos des Dieux d'Épicure [1]. Après le déjeuner, les enfants sont entrés comme à l'ordinaire dans la chambre de leur mère [2] ; mais au lieu d'aller ensuite s'enfermer avec eux dans le gynécée selon sa coutume ; pour nous dédommager en quelque sorte du temps perdu sans nous voir, elle les a fait rester avec elle, et nous ne nous sommes point quittés jusqu'au dîner. Henriette qui commence à savoir tenir l'aiguille, travaillait assise devant la Fanchon qui faisait de la dentelle, et dont l'oreiller [3] posait sur le dossier de sa petite chaise. Les deux garçons feuilletaient sur une table un recueil d'images, dont l'aîné expliquait les sujets au cadet. Quand il se trompait, Henriette attentive et qui sait le recueil par cœur avait soin de le corriger. Souvent feignant d'ignorer à quelle estampe ils étaient, elle en tirait un prétexte de se lever, d'aller et venir de sa chaise à la table et de la table à la chaise. Ces promenades ne lui déplaisaient pas et lui attiraient toujours quelque agacerie de la part du petit mali ; quelquefois même il s'y joignait un baiser, que sa bouche enfantine sait mal appliquer encore, mais dont Henriette, déjà plus savante, lui épargne volontiers la façon [4]. Pendant ces petites leçons, qui se prenaient et se donnaient sans beaucoup de soin, mais aussi sans la moindre gêne, le cadet comptait furtivement des onchets de buis, qu'il avait cachés sous le livre.

Madame de Wolmar brodait près de la fenêtre vis-à-vis des enfants ; nous étions son mari et moi encore autour de

---

1. Voir la fin de la *Lettre à Ménécée* d'Épicure : « Il n'est en rien semblable à un vivant mortel l'homme qui vit au milieu de biens immortels » (trad. P.-M. Morel, GF-Flammarion, 2009, p. 52). **2.** Le mot « chambre » désigne ici un espace de l'intimité qui n'est pas spécifiquement la chambre à coucher ; il s'oppose au mot « salle », espace de réunion mondaine. **3.** Le coussin. **4.** Le soin.

la table à thé lisant la gazette, à laquelle elle prêtait assez peu d'attention. Mais à l'article de la maladie du Roi de France et de l'attachement singulier de son peuple [1], qui n'eut jamais d'égal que celui des Romains pour Germanicus [2], elle a fait quelques réflexions sur le bon naturel de cette nation douce et bienveillante que toutes haïssent et qui n'en hait aucune, ajoutant qu'elle n'enviait du rang suprême, que le plaisir de s'y faire aimer. N'enviez rien, lui a dit son mari d'un ton qu'il m'eût dû laisser prendre ; il y a longtemps que nous sommes tous vos sujets. À ce mot, son ouvrage est tombé de ses mains ; elle a tourné la tête, et jeté sur son digne époux un regard si touchant, si tendre, que j'en ai tressailli moi-même. Elle n'a rien dit : qu'eût-elle dit qui valût ce regard ? Nos yeux se sont aussi rencontrés. J'ai senti à la manière dont son mari m'a serré la main que la même émotion nous gagnait tous trois, et que la douce influence de cette âme expansive agissait autour d'elle, et triomphait de l'insensibilité même.

C'est dans ces dispositions qu'a commencé le silence dont je vous parlais ; vous pouvez juger qu'il n'était pas de froideur et d'ennui. Il n'était interrompu que par le petit manège des enfants ; encore, aussitôt que nous avons cessé de parler, ont-ils modéré par imitation leur caquet, comme craignant de troubler le recueillement universel. C'est la petite Surintendante [3] qui la première s'est mise à baisser la voix, à faire signe aux autres, à courir sur la pointe du pied, et leurs jeux sont devenus d'autant plus amusants que cette légère contrainte y ajoutait un nouvel intérêt. Ce spectacle qui semblait être mis sous nos yeux pour prolonger notre attendrissement a produit son effet naturel.

Ammutiscon le lingue, e parlan l'alme.

[Les langues se taisent mais les cœurs parlent [4].]

---

1. Louis XV était encore « le Bien-Aimé », résultat d'une active propagande monarchique. Il était tombé malade en août 1744 devant Metz. **2.** Les derniers mots de Germanicus empoisonné par ses ennemis et le récit de ses funérailles sont rapportés par Tacite (*Annales*, II, 71-73, p. 507-509). **3.** Henriette en tant que fille de Claire, qui sera chargée de l'intendance à Clarens. Le mot a aussi un référent monarchique : « on appelle *Surintendante de la Maison de la Reine*, La Dame qui a la première charge de la Maison de la Reine » (*Acad.* 1762). **4.** Marini, *Adone*, chant III, octave 151, p. 132. Trad. de Rousseau dans DC.

Que de choses se sont dites sans ouvrir la bouche ! Que d'ardents sentiments se sont communiqués sans la froide entremise de la parole ! Insensiblement Julie s'est laissée absorber à celui qui dominait tous les autres. Ses yeux se sont tout à fait fixés sur ses trois enfants, et son cœur ravi dans une si délicieuse extase animait son charmant visage de tout ce que la tendresse maternelle eut jamais de plus touchant.

Livrés nous-mêmes à cette double contemplation, nous nous laissions entraîner Wolmar et moi à nos rêveries, quand les enfants, qui les causaient, les ont fait finir. L'aîné, qui s'amusait aux images, voyant que les onchets empêchaient son frère d'être attentif, a pris le temps qu'il les avait rassemblés, et lui donnant un coup sur la main, les a fait sauter par la chambre. Marcellin s'est mis à pleurer ; et sans s'agiter pour le faire taire, Mad^e de Wolmar a dit à Fanchon d'emporter les onchets. L'enfant s'est tu sur-le-champ, mais les onchets n'ont pas moins été emportés, sans qu'il ait recommencé de pleurer comme je m'y étais attendu. Cette circonstance qui n'était rien m'en a rappelé beaucoup d'autres auxquelles je n'avais fait nulle attention, et je ne me souviens pas, en y pensant, d'avoir vu d'enfants à qui l'on parlât si peu et qui fussent moins incommodes. Ils ne quittent presque jamais leur mère, et à peine s'aperçoit-on qu'ils soient là. Ils sont vifs, étourdis, sémillants [1], comme il convient à leur âge, jamais importuns ni criards, et l'on voit qu'ils sont discrets avant de savoir ce que c'est que discrétion. Ce qui m'étonnait le plus dans les réflexions où ce sujet m'a conduit, c'était que cela se fît comme de soi-même, et qu'avec une si vive tendresse pour ses enfants, Julie se tourmentât si peu autour d'eux. En effet, on ne la voit jamais s'empresser à les faire parler ou taire, ni à leur prescrire ou défendre ceci ou cela. Elle ne dispute point avec eux, elle ne les contrarie point dans leurs amusements ; on dirait qu'elle se contente de les voir et de les aimer, et que quand ils ont passé leur journée avec elle, tout son devoir de mère est rempli.

---

1. « Remuant, extrêmement vif. Il est du style familier » (*Acad.* 1762).

H. Gravelot inv.   J. J. Flipart Sculp.

La matineé à l'Angloise.

Quoique cette paisible tranquillité me parût plus douce à considérer que l'inquiète sollicitude des autres mères, je n'en étais pas moins frappé d'une indolence qui s'accordait mal avec mes idées. J'aurais voulu qu'elle n'eût pas encore été contente avec tant de sujets de l'être : une activité superflue sied si bien à l'amour maternel ! Tout ce que je voyais de bon dans ses enfants, j'aurais voulu l'attribuer à ses soins ; j'aurais voulu qu'ils dussent moins à la nature et davantage à leur mère, je leur aurais presque désiré des défauts pour la voir plus empressée à les corriger.

Après m'être occupé longtemps de ces réflexions en silence, je l'ai rompu pour les lui communiquer. Je vois, lui ai-je dit, que le Ciel récompense la vertu des mères par le bon naturel des enfants : mais ce bon naturel veut être cultivé. C'est dès leur naissance que doit commencer leur éducation. Est-il un temps plus propre à les former, que celui où ils n'ont encore aucune forme à détruire ? Si vous les livrez à eux-mêmes dès leur enfance, à quel âge attendrez-vous d'eux de la docilité ? Quand vous n'auriez rien à leur apprendre, il faudrait leur apprendre à vous obéir. Vous apercevez-vous, a-t-elle répondu, qu'ils me désobéissent ? Cela serait difficile, ai-je dit, quand vous ne leur commandez rien. Elle s'est mise à sourire en regardant son mari, et me prenant par la main, elle m'a mené dans le cabinet, où nous pouvions causer tous trois sans être entendus des enfants.

C'est là que, m'expliquant à loisir ses maximes, elle m'a fait voir sous cet air de négligence la plus vigilante attention qu'ait jamais donnée la tendresse maternelle. Longtemps m'a-t-elle dit, j'ai pensé comme vous sur les instructions prématurées, et durant ma première grossesse, effrayée de tous mes devoirs et des soins que j'aurais bientôt à remplir, j'en parlais souvent à M. de Wolmar avec inquiétude. Quel meilleur guide pouvais-je prendre en cela qu'un observateur éclairé, qui joignait à l'intérêt d'un père le sens-froid [1] d'un philosophe ? Il remplit et passa mon attente ; il dissipa mes préjugés et m'apprit à m'assurer avec moins de peine un succès beaucoup plus étendu. Il me fit sentir que la première et la plus importante éducation, celle précisément que tout

---

1. Voir I, 8, n. 1, p. 75.

le monde oublie * est de rendre un enfant propre à être élevé. Une erreur commune à tous les parents qui se piquent de lumières est de supposer leurs enfants raisonnables dès leur naissance, et de leur parler comme à des hommes avant même qu'ils sachent parler. La raison est l'instrument qu'on pense employer à les instruire, au lieu que les autres instruments doivent servir à former celui-là, et que de toutes les instructions propres à l'homme, celle qu'il acquiert le plus tard et le plus difficilement est la raison même. En leur parlant dès leur bas âge une langue qu'ils n'entendent point, on les accoutume à se payer de mots, à en payer les autres, à contrôler tout ce qu'on leur dit, à se croire aussi sages que leurs maîtres, à devenir disputeurs et mutins, et tout ce qu'on pense obtenir d'eux par des motifs raisonnables, on ne l'obtient en effet que par ceux de crainte ou de vanité [1] qu'on est toujours forcé d'y joindre.

Il n'y a point de patience que ne lasse enfin l'enfant qu'on veut élever ainsi ; et voilà comment, ennuyés, rebutés, excédés de l'éternelle importunité dont ils leur ont donné l'habitude eux-mêmes, les parents ne pouvant plus supporter le tracas des enfants sont forcés de les éloigner d'eux en les livrant à des maîtres ; comme si l'on pouvait jamais espérer d'un Précepteur plus de patience et de douceur que n'en peut avoir un père.

La nature, a continué Julie, veut que les enfants soient enfants avant que d'être hommes. Si nous voulons pervertir cet ordre, nous produirons des fruits précoces qui n'auront ni maturité ni saveur, et ne tarderont pas à se corrompre ; nous aurons de jeunes docteurs et de vieux enfants. L'enfance a des manières de voir, de penser, de sentir, qui lui sont propres [2]. Rien n'est moins sensé que d'y vouloir

* Locke lui-même, le sage Locke l'a oublié ; il dit bien plus ce qu'on doit exiger des enfants, que ce qu'il faut faire pour l'obtenir. [NdE : Locke écrit dans ses *Quelques pensées sur l'éducation* (traduites en français par Coste en 1710) : « accoutumez de bonne heure les enfants à consulter leur raison » (XII, éd. J. Chateau, Vrin, 1992, p. 140).]

1. Deux passions sociales qui transforment l'enfant en « l'homme de l'homme ». **2.** C'est une révolution qu'apporte Rousseau dans cette manière de percevoir l'enfant comme une personne à part entière, et non comme un adulte en miniature.

substituer les nôtres, et j'aimerais autant exiger qu'un enfant eût cinq pieds de haut [1] que du jugement à dix ans.

La raison ne commence à se former qu'au bout de plusieurs années, et quand le corps a pris une certaine consistance. L'intention de la nature est donc que le corps se fortifie avant que l'esprit s'exerce. Les enfants sont toujours en mouvement ; le repos et la réflexion sont l'aversion de leur âge ; une vie appliquée et sédentaire les empêche de croître et de profiter [2] ; leur esprit ni leur corps ne peuvent supporter la contrainte. Sans cesse enfermés dans une chambre avec des livres, ils perdent toute leur vigueur ; ils deviennent délicats, faibles, malsains, plutôt hébétés que raisonnables ; et l'âme se sent [3] toute la vie du dépérissement du corps.

Quand toutes ces instructions prématurées profiteraient à leur jugement autant qu'elles y nuisent, encore y aurait-il un très grand inconvénient à les leur donner indistinctement, et sans égard à celles qui conviennent par préférence au génie [4] de chaque enfant. Outre la constitution commune à l'espèce chacun apporte en naissant un tempérament particulier qui détermine son génie et son caractère, et qu'il ne s'agit ni de changer ni de contraindre, mais de former et de perfectionner. [a] Tous les caractères sont bons et sains en eux-mêmes, selon M. de Wolmar. Il n'y a point, dit-il, d'erreurs dans la nature *. Tous les vices qu'on impute au naturel sont l'effet des mauvaises formes qu'il a reçues. Il n'y a point de scélérat dont les penchants mieux dirigés n'eussent produit de grandes vertus. Il n'y a point d'esprit faux dont on n'eût tiré des talents utiles en le prenant d'un certain biais, comme ces figures difformes et monstrueuses qu'on rend belles et bien proportionnées en les mettant à leur point de vue [5]. Tout concourt au bien commun dans le système universel. Tout

* Cette doctrine si vraie me surprend dans M. de Wolmar ; on verra bientôt pourquoi.

---

1. Soit 1,63 m. **2.** Profiter « se dit d'un enfant, d'une jeune personne qui croît, qui se fortifie » (*Acad.* 1762). **3.** Se ressent. **4.** À la disposition particulière. L'enfant est considéré par les époux Wolmar comme un individu dès son plus jeune âge. **5.** « On appelle *Point de vue* l'endroit précis d'où il faut voir les objets pour les bien voir » (*Acad.* 1762). Wolmar évoque l'anamorphose.

homme a sa place assignée dans le meilleur ordre des choses,
il s'agit de trouver cette place et de ne pas pervertir cet
ordre [1]. Qu'arrive-t-il d'une éducation commencée dès le
berceau et toujours sous une même formule, sans égard à la
prodigieuse diversité des esprits ? Qu'on donne à la plupart
des instructions nuisibles ou déplacées, qu'on les prive de
celles qui leur conviendraient, qu'on gêne de toutes parts la
nature, qu'on efface les grandes qualités de l'âme, pour en
substituer de petites et d'apparentes qui n'ont aucune réalité ; qu'en exerçant indistinctement aux mêmes choses tant
de talents divers on efface les uns par les autres, on les
confond tous ; qu'après bien des soins perdus à gâter dans
les enfants les vrais dons de la nature, on voit bientôt ternir
cet éclat passager et frivole qu'on leur préfère, sans que le
naturel étouffé revienne jamais ; qu'on perd à la fois ce
qu'on a détruit et ce qu'on a fait ; qu'enfin pour le prix de
tant de peine indiscrètement prise, tous ces petits prodiges
deviennent des esprits sans force et des hommes sans mérite,
uniquement remarquables par leur faiblesse et par leur
inutilité.

J'entends ces maximes, ai-je dit à Julie ; mais j'ai peine à
les accorder avec vos propres sentiments sur le peu d'avantage qu'il y a de développer le génie et les talents naturels
de chaque individu, soit pour son propre bonheur, soit pour
le vrai bien de la société. Ne vaut-il pas infiniment mieux
former un parfait modèle de l'homme raisonnable et de
l'honnête homme ; puis rapprocher chaque enfant de ce
modèle par la force de l'éducation, en excitant l'un, en retenant l'autre, en réprimant les passions, en perfectionnant la
raison, en corrigeant la nature [2].... Corriger la nature ! a dit
Wolmar en m'interrompant [b] ; ce mot est beau ; mais avant

---

1. Le discours de Wolmar devient ici polyphonique. Rousseau y oppose son
propre sensualisme déiste (« Tout est bien sortant des mains de l'Auteur des
choses, tout dégénère entre les mains de l'homme », *incipit* de l'*Émile*) à une
sorte de vulgate matérialiste. L'athée tolérant et raisonnable apparaît comme
un ambigu de Leibniz (« Le tout est bien ») ou de Spinoza (*Deus sive
natura*), en même temps qu'il répond à Locke et Helvétius (voir les variantes,
p. 886-887). **2.** La méthode un peu caricaturale exposée par Saint-Preux
n'est pas sans rappeler la monstrueuse éducation que la mère de Cleveland
donne à son fils dans le roman de Prévost, *Le Philosophe anglais*.

que de l'employer, il fallait répondre à ce que Julie vient de vous dire.

Une réponse très péremptoire, à ce qu'il me semblait, était de nier le principe ; c'est ce que j'ai fait. Vous supposez toujours que cette diversité d'esprits et de génies qui distingue les individus est l'ouvrage de la nature ; et cela n'est rien moins qu'évident. Car enfin, si les esprits sont différents ils sont inégaux, et si la nature les a rendus inégaux, c'est en douant les uns préférablement aux autres d'un peu plus de finesse de sens, d'étendue de mémoire, ou de capacité d'attention. Or quant aux sens et à la mémoire, il est prouvé, par l'expérience que leurs divers degrés d'étendue et de perfection ne sont point la mesure de l'esprit des hommes ; et quant à la capacité d'attention, elle dépend uniquement de la force des passions qui nous animent, et il est encore prouvé que tous les hommes sont par leur nature susceptibles de passions assez fortes pour les douer du degré d'attention auquel est attachée la supériorité de l'esprit.

Que si la diversité des esprits, au lieu de venir de la nature, était un effet de l'éducation, c'est-à-dire, des diverses idées, des divers sentiments qu'excitent en nous dès l'enfance les objets qui nous frappent, les circonstances où nous nous trouvons, et toutes les impressions que nous recevons ; bien loin d'attendre pour élever les enfants qu'on connût le caractère de leur esprit, il faudrait au contraire se hâter de déterminer convenablement ce caractère, par une éducation propre à celui qu'on veut leur donner [1].

À cela il m'a répondu que ce n'était pas sa méthode de nier ce qu'il voyait, lorsqu'il ne pouvait l'expliquer. Regardez, m'a-t-il dit, ces deux chiens qui sont dans la cour : ils sont de la même portée ; ils ont été nourris et traités de

---

1. La position de Saint-Preux pourrait prolonger le dernier chapitre (« De l'éducation ») du traité *De l'esprit* (1758) d'Helvétius que Rousseau conteste (voir variantes, p. 886). Helvétius y recommande, pour former des hommes de génie, de cultiver la mémoire et l'émulation pour la gloire et l'estime – ces passions sociales que les époux Wolmar tiennent à distance. « Rien n'empêche de profiter du premier âge pour charger la mémoire des jeunes gens des idées et des objets relatifs aux places qu'ils peuvent occuper : mais jamais on n'y formera d'hommes de génie, parce que ces idées et ces objets sont stériles, si l'amour de la gloire ne les féconde », écrit Helvétius (p. 454).

même ; ils ne se sont jamais quittés : cependant l'un des deux est vif, gai, caressant, plein d'intelligence : l'autre lourd, pesant, hargneux, et jamais on n'a pu lui rien apprendre [1]. La seule différence des tempéraments a produit en eux celle des caractères, comme la seule différence de l'organisation intérieure produit en nous celle des esprits ; tout le reste a été semblable.... Semblable ? ai-je interrompu ; quelle différence ! [2] Combien de petits objets ont agi sur l'un et non pas sur l'autre ! combien de petites circonstances les ont frappés diversement, sans que vous vous en soyez aperçu ! Bon, a-t-il repris ; vous voilà raisonnant comme les astrologues. Quand on leur opposait que deux hommes nés sous le même aspect [3] avaient des fortunes si diverses, ils rejetaient bien loin cette identité. Ils soutenaient que, vu la rapidité des cieux, il y avait une distance immense du thème de l'un de ces hommes à celui de l'autre, et que, si l'on eût pu remarquer les deux instants précis de leurs naissances, l'objection se fût tournée en preuve.

Laissons je vous prie toutes ces subtilités, et nous en tenons à l'observation [4]. Elle nous apprend qu'il y a des caractères qui s'annoncent presque en naissant, et des enfants qu'on peut étudier sur le sein de leur nourrice. Ceux-là font une classe à part, et s'élèvent en commençant de vivre. Mais quant aux autres qui se développent moins vite, vouloir former leur esprit avant de le connaître, c'est s'exposer à gâter le bien que la nature a fait et à faire plus mal à sa place. Platon votre maître ne soutenait-il pas que tout le savoir humain, toute la philosophie ne pouvait tirer d'une âme

---

1. L'exemple de Wolmar peut se lire comme une variante de la fable de La Fontaine sur les deux chiens César et Laridon (« L'Éducation », *Fables*, VIII, 24). Elle est évoquée dans les *Confessions* à propos de l'apprentissage chez le graveur Ducommun (livre I, p. 57). **2.** Nous remplaçons le point d'interrogation par un point d'exclamation. **3.** Aspect « se dit de la situation des Planètes les unes à l'égard des autres ». « On appelle *Thème céleste*, ou simplement *Thème*, La position où se trouvent les astres, par rapport au moment de la naissance de quelqu'un, et au lieu où il est né, et sur laquelle les Astrologues tirent des conjectures qu'ils appellent *Horoscope* » (*Acad.* 1762). **4.** Tenons-nous-en à l'observation. Même mouvement oratoire que la déclaration : « Commençons donc par écarter tous les faits, car ils ne touchent point à la question », dans le préambule du *Discours sur l'inégalité* (p. 65).

humaine que ce que la nature y avait mis [1] ; comme toutes les opérations chimiques n'ont jamais tiré d'aucun mixte qu'autant d'or qu'il en contenait déjà [2] ?[c] Cela n'est vrai ni de nos sentiments ni de nos idées ; mais cela est vrai de nos dispositions à les acquérir. Pour changer un esprit, il faudrait changer l'organisation intérieure ; pour changer un caractère, il faudrait changer le tempérament dont il dépend. Avez-vous jamais ouï dire qu'un emporté soit devenu flegmatique, et qu'un esprit méthodique et froid ait acquis de l'imagination ? Pour moi je trouve qu'il serait tout aussi aisé de faire un blond d'un brun, et d'un sot un homme d'esprit. C'est donc en vain qu'on prétendrait refondre les divers esprits sur un modèle commun. On peut les contraindre et non les changer : on peut empêcher les hommes de se montrer tels qu'ils sont, mais non les faire devenir autres ; et s'ils se déguisent dans le cours ordinaire de la vie, vous les verrez dans toutes les occasions importantes reprendre leur caractère originel, et s'y livrer avec d'autant moins de règle, qu'ils n'en connaissent plus en s'y livrant. Encore une fois il ne s'agit point de changer le caractère et de plier le naturel, mais au contraire de le pousser aussi loin qu'il peut aller, de le cultiver et d'empêcher qu'il ne dégénère ; car c'est ainsi qu'un homme devient tout ce qu'il peut être, et que l'ouvrage de la nature s'achève en lui par l'éducation. Or avant de cultiver le caractère il faut l'étudier, attendre paisiblement qu'il se montre, lui fournir les occasions de se montrer, et toujours s'abstenir de rien faire, plutôt que d'agir mal à propos [3]. À tel génie il faut donner des ailes, à d'autres des entraves ; l'un veut être pressé, l'autre retenu ; l'un veut qu'on le flatte, et l'autre qu'on l'intimide ; il faudrait tantôt éclairer, tantôt abrutir [4]. Tel homme est fait pour porter la connaissance humaine jusqu'à son dernier

---

1. Allusion à la théorie de la réminiscence chez Platon, en particulier dans le *Phédon* (72e-73a), le *Ménon* (80d) et le *Phèdre* (249b). **2.** Rousseau avait écrit des *Institutions chimiques* en 1749, après avoir suivi des cours auprès de Rouelle. **3.** Autre souvenir de Montaigne : « Il est bon qu'il [le gouverneur de l'enfant] le fasse trotter devant lui, pour juger de son train : et juger jusques à quel point il se doit ravaler, pour s'accommoder à sa force. À faute de cette proportion, nous gâtons tout » (*Essais*, I, 25, « De l'institution des enfants », p. 231). **4.** Rendre stupide.

terme ; à tel autre il est même funeste de savoir lire. Attendons la première étincelle de la raison ; c'est elle qui fait sortir le caractère et lui donne sa véritable forme ; c'est par elle aussi qu'on le cultive, et il n'y a point avant la raison de véritable éducation pour l'homme.

Quant aux maximes de Julie que vous mettez en opposition, je ne sais ce que vous y voyez de contradictoire : Pour moi je les trouve parfaitement d'accord. Chaque homme apporte en naissant un caractère, un génie, et des talents qui lui sont propres. Ceux qui sont destinés à vivre dans la simplicité champêtre n'ont pas besoin pour être heureux du développement de leurs facultés, et leurs talents enfouis sont comme les mines d'or du Valais que le bien public ne permet pas qu'on exploite [1]. Mais dans l'état civil où l'on a moins besoin de bras que de tête, et où chacun doit compte à soi-même et aux autres de tout son prix, il importe d'apprendre à tirer des hommes tout ce que la nature leur a donné, à les diriger du côté où ils peuvent aller le plus loin, et surtout à nourrir leurs inclinations de tout ce qui peut les rendre utiles. Dans le premier cas on n'a d'égard qu'à l'espèce, chacun fait ce que font tous les autres, l'exemple est la seule règle, l'habitude est le seul talent, et nul n'exerce de son âme que la partie commune à tous. Dans le second, on s'applique à l'individu. [2] À l'homme en général on ajoute en lui tout ce qu'il peut avoir de plus qu'un autre ; on le suit aussi loin que la nature le mène, et l'on en fera le plus grand des hommes s'il a ce qu'il faut pour le devenir. Ces maximes se contredisent si peu que la pratique en est la même pour le premier âge. N'instruisez point l'enfant du villageois, car il ne lui convient pas d'être instruit ; n'instruisez pas l'enfant du Citadin, car vous ne savez encore quelle instruction lui convient. En tout état de cause, laissez former le corps, jusqu'à ce que la raison commence à poindre : Alors c'est le moment de la cultiver.

---

1. Voir I, 23, p. 110. **2.** Nous remplaçons le deux-points par un point. Cette méthode pédagogique qui forme la ligne directrice de l'*Émile* consiste à maintenir la perfectibilité de l'individu tout en évitant « la décrépitude de l'espèce » (*Discours sur l'inégalité*, p. 118). Voir F. Lotterie, *Moraliser le progrès (1755-1814). La question de la perfectibilité dans la culture des Lumières en France*, Oxford, *SVEC*, 2006.

Tout cela me paraîtrait fort bien, ai-je dit, si je n'y voyais un inconvénient qui nuit fort aux avantages que vous attendez de cette méthode ; c'est de laisser prendre aux enfants mille mauvaises habitudes qu'on ne prévient que par les bonnes. Voyez ceux qu'on abandonne à eux-mêmes ; ils contractent bientôt tous les défauts dont l'exemple frappe leurs yeux, parce que cet exemple est commode à suivre, et n'imitent jamais le bien, qui coûte plus à pratiquer. Accoutumés à tout obtenir, à faire en toute occasion leur indiscrète volonté, ils deviennent mutins, têtus, indomptables…. Mais, a repris M. de Wolmar, il me semble que vous avez remarqué le contraire dans les nôtres, et que c'est ce qui a donné lieu à cet entretien. Je l'avoue, ai-je dit, et c'est précisément ce qui m'étonne. Qu'a-t-elle fait pour les rendre dociles ? Comment s'y est-elle prise ? Qu'a-t-elle substitué au joug de la discipline ? Un joug bien plus inflexible, a-t-il dit à l'instant, celui de la nécessité [1] : mais en vous détaillant sa conduite, elle vous fera mieux entendre ses vues. Alors il l'a engagée à m'expliquer sa méthode, et après une courte pause, voici à peu près comme elle m'a parlé.

Heureux les bien nés [2], mon aimable ami ! Je ne présume pas autant de nos soins que M. de Wolmar. Malgré ses maximes, je doute qu'on puisse jamais tirer un bon parti d'un mauvais caractère, et que tout naturel puisse être tourné à bien : mais au surplus convaincue de la bonté [3] de sa méthode, je tâche d'y conformer en tout ma conduite dans le gouvernement de la famille. Ma première espérance est que des méchants ne seront pas sortis de mon sein ; la

---

1. Même affirmation dans l'*Émile* : « Ne lui laissez pas même imaginer que vous prétendiez avoir aucune autorité sur lui. Qu'il sache seulement qu'il est faible et que vous êtes fort, que par son état et le vôtre il est nécessairement à votre merci ; qu'il le sache, qu'il l'apprenne, qu'il le sente : qu'il sente de bonne heure sur sa tête altière le dur joug que la nature impose à l'homme, le pesant joug de la nécessité, sous lequel il faut que tout être fini ploie. Qu'il voie cette nécessité dans les choses, jamais dans le caprice des hommes ; que le frein qui le retient soit la force et non l'autorité » (livre II, p. 320). L'exposé théorique de Julie sur les préceptes d'hygiène et la méthode pédagogique est repris intégralement dans le traité sur l'éducation. **2.** Les enfants qui ont de bonnes dispositions naturelles (et non ceux qui sont de naissance noble). Rousseau a ici encore pu s'inspirer de Montaigne (*Essais*, II, 8, « De l'affection des pères aux enfants », p. 622). **3.** De l'excellence.

seconde est d'élever assez bien les enfants que Dieu m'a
donnés, sous la direction de leur père, pour qu'ils aient un
jour le bonheur de lui ressembler. J'ai tâché pour cela de
m'approprier les règles qu'il m'a prescrites, en leur donnant
un principe moins philosophique et plus convenable à
l'amour maternel ; c'est de voir mes enfants heureux. Ce fut
le premier vœu de mon cœur en portant le doux nom de
mère, et tous les soins de mes jours sont destinés à l'accomplir. La première fois que je tins mon fils aîné dans mes
bras, je songeai que l'enfance est presque un quart des plus
longues vies, qu'on parvient rarement aux trois autres
quarts, et que c'est une bien cruelle prudence de rendre cette
première portion malheureuse pour assurer le bonheur du
reste, qui peut-être ne viendra jamais. Je songeai que, durant
la faiblesse du premier âge, la nature assujettit les enfants
de tant de manières, qu'il est barbare d'ajouter à cet assujet-
tissement l'empire de nos caprices, en leur ôtant une liberté
si bornée, et dont ils peuvent si peu abuser. Je résolus
d'épargner au mien toute contrainte autant qu'il serait possible, de lui laisser tout l'usage de ses petites forces, et de ne
gêner en lui nul des mouvements de la nature. J'ai déjà
gagné à cela deux grands avantages : [1] l'un d'écarter de son
âme naissante le mensonge, la vanité, la colère, l'envie, en
un mot tous les vices qui naissent de l'esclavage, et qu'on
est contraint de fomenter dans les enfants, pour obtenir
d'eux ce qu'on en exige ; [2] l'autre de laisser fortifier librement son corps par l'exercice continuel que l'instinct lui
demande. Accoutumé tout comme les paysans à courir tête
nue au soleil, au froid, à s'essouffler, à se mettre en sueur, il
s'endurcit comme eux aux injures de l'air [3], et se rend plus
robuste en vivant plus content. C'est le cas de [4] songer à
l'âge d'homme et aux accidents de l'humanité. Je vous l'ai
déjà dit, je crains cette pusillanimité meurtrière qui, à force
de délicatesse et de soins, affaiblit, efféminé un enfant, le
tourmente par une éternelle contrainte, l'enchaîne par mille

---

1. Nous remmplaçons le point-virgule par un deux-points. **2.** Nous remplaçons le deux-points par un point-virgule. **3.** « On appelle figurément, *Les injures du temps, de l'air,* les incommodités du temps, comme le vent, la pluie, la grêle, le brouillard, etc. » (*Acad.* 1762). **4.** C'est l'occasion de.

vaines précautions, enfin l'expose pour toute sa vie aux
périls inévitables dont elle veut le préserver un moment, et
pour lui sauver quelques rhumes dans son enfance, lui prépare de loin des fluxions de poitrine, des pleurésies, des
coups de soleil, et la mort étant grand.

Ce qui donne aux enfants livrés à eux-mêmes la plupart
des défauts dont vous parliez, c'est lorsque non contents de
faire leur propre volonté, ils la font encore faire aux autres,
et cela, par l'insensée indulgence des mères à qui l'on ne
complaît qu'en servant toutes les fantaisies de leur enfant [1].
Mon ami, je me flatte que vous n'avez rien vu dans les miens
qui sentît l'empire et l'autorité, même avec le dernier domestique, et que vous ne m'avez pas vue, non plus, applaudir
en secret aux fausses complaisances qu'on a pour eux. C'est
ici que je crois suivre une route nouvelle et sûre pour rendre
à la fois un enfant libre, paisible, caressant, docile, et cela
par un moyen fort simple, c'est de le convaincre qu'il n'est
qu'un enfant.

À considérer l'enfance en elle-même, y a-t-il au monde un
être plus faible, plus misérable, plus à la merci de tout ce
qui l'environne, qui ait si grand besoin de pitié, d'amour, de
protection qu'un enfant ? Ne semble-t-il pas que c'est pour
cela que les premières voix qui lui sont suggérées par la
nature sont les cris et les plaintes, qu'elle lui a donné une
figure si douce et un air si touchant, afin que tout ce qui
l'approche s'intéresse à sa faiblesse et s'empresse à le secourir ? Qu'y a-t-il donc de plus choquant, de plus contraire à
l'ordre, que de voir un enfant impérieux et mutin, commander à tout ce qui l'entoure, prendre impudemment un ton
de maître avec ceux qui n'ont qu'à l'abandonner pour le
faire périr, et d'aveugles parents approuvant cette audace
l'exercer à devenir le tyran de sa nourrice, en attendant qu'il
devienne le leur ? [2]

Quant à moi je n'ai rien épargné pour éloigner de mon
fils la dangereuse image de l'empire et de la servitude, et
pour ne jamais lui donner lieu de penser qu'il fût plutôt
servi par devoir que par pitié. Ce point est, peut-être, le plus

---

1. Voir le comportement de Claire à l'égard d'Henriette (IV, 9, p. 525).
2. Nous remplaçons le point par un point d'interrogation.

difficile et le plus important de toute l'éducation, et c'est un détail qui ne finirait point que celui de toutes les précautions qu'il m'a fallu prendre, pour prévenir en lui cet instinct si prompt à distinguer les services mercenaires des domestiques, de la tendresse des soins maternels.

L'un des principaux moyens que j'ai employés a été, comme je vous l'ai dit, de le bien convaincre de l'impossibilité où le tient son âge de vivre sans notre assistance. Après quoi je n'ai pas eu peine à lui montrer que tous les secours qu'on est forcé de recevoir d'autrui sont des actes de dépendance, que les domestiques ont une véritable supériorité sur lui, en ce qu'il ne saurait se passer d'eux, tandis qu'il ne leur est bon à rien ; de sorte que, bien loin de tirer vanité de leurs services, il les reçoit avec une sorte d'humiliation, comme un témoignage de sa faiblesse, et il aspire ardemment au temps où il sera assez grand et assez fort pour avoir l'honneur de se servir lui-même.

Ces idées, ai-je dit, seraient difficiles à établir dans des maisons où le père et la mère se font servir comme des enfants : Mais dans celle-ci où chacun, à commencer par vous, a ses fonctions à remplir, et où le rapport des valets aux maîtres n'est qu'un échange perpétuel de services et de soins, je ne crois pas cet établissement impossible. Cependant il me reste à concevoir comment des enfants accoutumés à voir prévenir leurs besoins n'étendent pas ce droit à leurs fantaisies, ou comment ils ne souffrent pas quelquefois de l'humeur d'un domestique qui traitera de fantaisie un véritable besoin ?

Mon ami, a repris Madame de Wolmar, une mère peu éclairée se fait des monstres de tout. Les vrais besoins sont très bornés dans les enfants comme dans les hommes, et l'on doit plus regarder à la durée du bien-être qu'au bien-être d'un seul moment. Pensez-vous qu'un enfant qui n'est point gêné, puisse assez souffrir de l'humeur de sa gouvernante sous les yeux d'une mère, pour en être incommodé ? Vous supposez des inconvénients qui naissent de vices déjà contractés, sans songer que tous mes soins ont été d'empêcher ces vices de naître. Naturellement les femmes aiment les enfants. La mésintelligence ne s'élève entre eux que quand l'un veut assujettir l'autre à ses caprices. Or cela ne peut arriver ici, ni sur l'enfant, dont on n'exige rien, ni sur la gouvernante à qui l'enfant n'a rien à commander. J'ai suivi en cela tout le contre-pied des autres mères, qui font semblant de vouloir que l'enfant obéisse au domestique, et veulent en effet que le domestique obéisse à l'enfant. Personne ici ne commande ni n'obéit. Mais l'enfant n'obtient jamais de ceux qui l'approchent qu'autant de complaisance qu'il en a pour eux. Par là, sentant qu'il n'a sur tout ce qui l'environne d'autre autorité que celle de la bienveillance, il se rend docile et complaisant ; en cherchant à s'attacher les cœurs des autres le sien s'attache à eux à son tour ; car on aime en se faisant aimer ; c'est l'infaillible effet de l'amour-propre [1], et, de cette affection réciproque, née de l'égalité, résultent sans effort les bonnes qualités qu'on prêche sans cesse à tous les enfants, sans jamais en obtenir aucune.

J'ai pensé que la partie la plus essentielle de l'éducation d'un enfant, celle dont il n'est jamais question dans les éducations les plus soignées, c'est de lui bien faire sentir sa misère, sa faiblesse, sa dépendance, et, comme vous a dit mon mari, le pesant joug de la nécessité que la nature impose à l'homme ; et cela, non seulement afin qu'il soit sensible à ce qu'on fait pour lui alléger ce joug, mais surtout afin qu'il connaisse de bonne heure en quel rang l'a placé la providence, qu'il ne s'élève point au-dessus de sa portée, et que rien d'humain ne lui semble étranger à lui [2].

Induits dès leur naissance par la mollesse dans laquelle ils sont nourris, par les égards que tout le monde a pour eux, par la facilité d'obtenir tout ce qu'ils désirent, à penser que tout doit céder à leurs fantaisies, les jeunes gens entrent dans le monde avec cet impertinent préjugé, et souvent ils ne s'en corrigent qu'à force d'humiliations, d'affronts et de déplaisirs ; or je voudrais bien sauver à [3] mon fils cette

---

1. L'amour de soi, selon la terminologie du modèle anthropologique de Rousseau, ce qui correspond au sens premier de l'expression : « On appelle *Amour propre*, l'amour qu'on a pour soi-même ; et il se prend ordinairement en mauvaise part pour une trop grande opinion de soi-même » (*Acad.* 1762).
2. Adaptation d'un vers célèbre de Térence, au début de l'*Héautontimorouménos* (« le bourreau de soi-même ») : *homo sum, humani nihil a me alienum puto* (« Je suis homme et rien d'humain ne me paraît étranger à moi »).
3. Épargner à.

seconde et mortifiante éducation en lui donnant par la première une plus juste opinion des choses. J'avais d'abord résolu de lui accorder tout ce qu'il demanderait, persuadée que les premiers mouvements de la nature sont toujours bons et salutaires. Mais je n'ai pas tardé de connaître qu'en se faisant un droit d'être obéis les enfants sortaient de l'état de nature presque en naissant, et contractaient nos vices par notre exemple, les leurs par notre indiscrétion. J'ai vu que si je voulais contenter toutes ses fantaisies, elles croîtraient avec ma complaisance, qu'il y aurait toujours un point où il faudrait s'arrêter, et où le refus lui deviendrait d'autant plus sensible qu'il y serait moins accoutumé. Ne pouvant donc, en attendant la raison lui sauver tout chagrin, j'ai préféré le moindre et le plus tôt passé. Pour qu'un refus lui fût moins cruel je l'ai plié d'abord au refus ; et pour lui épargner de longs déplaisirs, des lamentations, des mutineries, j'ai rendu tout refus irrévocable. Il est vrai que j'en fais le moins que je puis, et que j'y regarde à deux fois avant que d'en venir là. Tout ce qu'on lui accorde est accordé sans condition dès la première demande, et l'on est très indulgent là-dessus : mais il n'obtient jamais rien par importunité ; les pleurs et les flatteries sont également inutiles. Il en est si convaincu qu'il a cessé de les employer ; du premier mot il prend son parti, et ne se tourmente pas plus de voir fermer un cornet de bonbons qu'il voudrait manger, qu'envoler un oiseau qu'il voudrait tenir ; car il sent la même impossibilité d'avoir l'un et l'autre. Il ne voit rien dans ce qu'on lui ôte sinon qu'il ne l'a pu garder, ni dans ce qu'on lui refuse, sinon qu'il n'a pu l'obtenir, et loin de battre la table contre laquelle il se blesse, il ne battrait pas la personne qui lui résiste. Dans tout ce qui le chagrine il sent l'empire de la nécessité, l'effet de sa propre faiblesse, jamais l'ouvrage du mauvais vouloir d'autrui.... Un moment ! dit-elle un peu vivement, voyant que j'allais répondre ; je pressens votre objection ; j'y vais venir à l'instant.

Ce qui nourrit les criailleries des enfants, c'est l'attention qu'on y fait, soit pour leur céder, soit pour les contrarier. Il ne leur faut quelquefois pour pleurer tout un jour, que s'apercevoir qu'on ne veut pas qu'ils pleurent. Qu'on les flatte ou qu'on les menace, les moyens qu'on prend pour les faire taire sont tous pernicieux et presque toujours sans effet. Tant qu'on s'occupe de leurs pleurs, c'est une raison pour eux de les continuer ; mais ils s'en corrigent bientôt quand ils voient qu'on n'y prend pas garde ; car grands et petits, nul n'aime à prendre une peine inutile. Voilà précisément ce qui est arrivé à mon aîné. C'était d'abord un petit criard qui étourdissait tout le monde, et vous êtes témoin qu'on ne l'entend pas plus à présent dans la maison que s'il n'y avait point d'enfant. Il pleure quand il souffre ; c'est la voix de la nature qu'il ne faut jamais contraindre ; mais il se tait à l'instant qu'il ne souffre plus. Aussi fais-je une très grande attention à ses pleurs, bien sûre qu'il n'en verse jamais en vain. Je gagne à cela de savoir à point nommé quand il sent de la douleur et quand il n'en sent pas, quand il se porte bien et quand il est malade ; avantage qu'on perd avec ceux qui pleurent par fantaisie, et seulement pour se faire apaiser. Au reste, j'avoue que ce point n'est pas facile à obtenir des Nourrices et des gouvernantes : car comme rien n'est plus ennuyeux que d'entendre toujours lamenter un enfant [1], et que ces bonnes femmes ne voient jamais que l'instant présent, elles ne songent pas qu'à faire taire l'enfant aujourd'hui il en pleurera demain davantage. Le pis est que l'obstination qu'il contracte tire à conséquence dans un âge avancé. La même cause qui le rend criard à trois ans, le rend mutin à douze, querelleur à vingt, impérieux à trente, et insupportable toute sa vie.

Je viens maintenant à vous, [2] me dit-elle en souriant. Dans tout ce qu'on accorde aux enfants, ils voient aisément le désir de leur complaire ; dans tout ce qu'on en exige ou qu'on leur refuse, ils doivent supposer des raisons sans les demander. C'est un autre avantage qu'on gagne à user avec eux d'autorité plutôt que de persuasion dans les occasions nécessaires : car comme il n'est pas possible qu'ils n'aperçoivent quelquefois la raison qu'on a d'en user ainsi, il est naturel qu'ils la supposent encore quand ils sont hors d'état de la voir. Au contraire, dès qu'on a soumis quelque chose à leur jugement, ils prétendent juger de tout, ils deviennent sophistes, subtils [3], de mauvaise foi, féconds en chicanes,

---

1. D'entendre toujours un enfant se plaindre. Emploi vieilli de *lamenter*.
2. Nous remplaçons le point-virgule par une virgule. 3. Adroits, rusés.

cherchant toujours à réduire au silence ceux qui ont la faiblesse de s'exposer à leurs petites lumières. Quand on est
contraint de leur rendre compte des choses qu'ils ne sont
point en état d'entendre, ils attribuent au caprice la conduite
la plus prudente, sitôt qu'elle est au-dessus de leur portée.
En un mot, le seul moyen de les rendre dociles à la raison
n'est pas de raisonner avec eux, mais de les bien convaincre
que la raison est au-dessus de leur âge : car alors ils la supposent du côté où elle doit être, à moins qu'on ne leur donne
un juste sujet de penser autrement. Ils savent bien qu'on ne
veut pas les tourmenter quand ils sont sûrs qu'on les aime,
et les enfants se trompent rarement là-dessus. Quand donc
je refuse quelque chose aux miens, je n'argumente point avec
eux, je ne leur dis point pourquoi je ne veux pas, mais je
fais en sorte qu'ils le voient autant qu'il est possible, et quelquefois après coup. De cette manière ils s'accoutument à
comprendre que jamais je ne les refuse sans en avoir une
bonne raison, quoiqu'ils ne l'aperçoivent pas toujours.

Fondée sur le même principe, je ne souffrirai pas, non
plus, que mes enfants se mêlent dans la conversation des
gens raisonnables, et s'imaginent sottement y tenir leur rang
comme les autres quand on y souffre leur babil indiscret. Je
veux qu'ils répondent modestement et en peu de mots
quand on les interroge sans jamais parler de leur chef, et
surtout sans qu'ils s'ingèrent à questionner hors de propos
les gens plus âgés qu'eux, auxquels ils doivent du respect.

En vérité, Julie, dis-je en l'interrompant, voilà bien de la
rigueur pour une mère aussi tendre ! Pythagore n'était pas
plus sévère à ses disciples que vous l'êtes aux vôtres [1]. Non
seulement vous ne les traitez pas en hommes, mais on dirait
que vous craignez de les voir cesser trop tôt d'être enfants.
Quel moyen plus agréable et plus sûr peuvent-ils avoir de
s'instruire, que d'interroger sur les choses qu'ils ignorent les
gens plus éclairés qu'eux ? Que penseraient de vos maximes
les Dames de Paris, qui trouvent que leurs enfants ne jasent

---

1. Citation de Plutarque : « Pythagore ordonna aux jeunes gens cinq années
de silence, qu'il appela Echemythie, c'est-à-dire tenir sa langue » (*De la
curiosité*, in *Œuvres morales*, éd. J. Dumortier et J. Defrades, Les Belles
Lettres, t. VII, 1975, p. 275). Rousseau cite la traduction d'Amyot.

jamais assez tôt ni assez longtemps, et qui jugent de l'esprit qu'ils auront étant grands par les sottises qu'ils débitent étant jeunes ? Wolmar me dira que cela peut être bon dans un pays où le premier mérite est de bien babiller, et où l'on est dispensé de penser pourvu qu'on parle. Mais vous qui voulez faire à vos enfants un sort si doux, comment accorderez-vous tant de bonheur avec tant de contrainte, et que devient, parmi toute cette gêne, la liberté que vous prétendez leur laisser ?

Quoi donc ? a-t-elle repris à l'instant : est-ce gêner leur liberté que de les empêcher d'attenter à la nôtre, et ne sauraient-ils être heureux à moins que toute une compagnie en silence n'admire leurs puérilités ? Empêchons leur vanité de naître, ou du moins arrêtons-en les progrès ; c'est là vraiment travailler à leur félicité : Car la vanité de l'homme est la source de ses plus grandes peines, et il n'y a personne de si parfait et de si fêté, à qui elle ne donne encore plus de chagrins que de plaisirs *.

Que peut penser un enfant de lui-même, quand il voit autour de lui tout un cercle de gens sensés [1] l'écouter, l'agacer, l'admirer, attendre avec un lâche empressement les oracles qui sortent de sa bouche, et se récrier avec des retentissements de joie à chaque impertinence qu'il dit ? La tête d'un homme aurait bien de la peine à tenir à tous ces faux applaudissements ; jugez de ce que deviendra la sienne ! Il en est du babil des enfants comme des prédictions des Almanachs [2]. Ce serait un prodige si sur tant de vaines paroles, le hasard ne fournissait jamais une rencontre heureuse [3]. Imaginez ce que font alors les exclamations de la flatterie sur une pauvre mère déjà trop abusée par son propre cœur, et sur un enfant qui ne sait ce qu'il dit et se voit célébrer ! Ne pensez pas que pour démêler l'erreur, je m'en garantisse. Non, je vois la faute, et j'y tombe. Mais si j'admire les reparties de mon fils, au moins je les admire en

---

* Si jamais la vanité fit quelque heureux sur la terre, à coup sûr cet heureux-là n'était qu'un sot.

---

1. Qui ont de la raison. **2.** « On dit figurément et en raillant *Faire des Almanachs* pour dire : s'amuser à faire des pronostics en l'air » (*Acad.* 1762). **3.** Un bon mot dit par hasard.

secret ; il n'apprend point en me les voyant applaudir à devenir babillard et vain, et les flatteurs en me les faisant répéter n'ont pas le plaisir de rire de ma faiblesse.

Un jour qu'il nous était venu du monde, étant allée donner quelques ordres, je vis en rentrant quatre ou cinq grands nigauds occupés à jouer avec lui, et s'apprêtant à me raconter d'un air d'emphase je ne sais combien de gentillesses qu'ils venaient d'entendre, et dont ils semblaient tout émerveillés. Messieurs, leur dis-je assez froidement, je ne doute pas que vous ne sachiez faire dire à des marionnettes de fort jolies choses : mais j'espère qu'un jour mes enfants seront hommes, qu'ils agiront et parleront d'eux-mêmes, et alors j'apprendrai toujours dans la joie de mon cœur tout ce qu'ils auront dit et fait de bien. Depuis qu'on a vu que cette manière de faire sa cour ne prenait pas, on joue avec mes enfants comme avec des enfants, non comme avec Polichinelle ; il ne leur vient plus de compère [1], et ils en valent sensiblement mieux depuis qu'on ne les admire plus.

À l'égard des questions, on ne les leur défend pas indistinctement. Je suis la première à leur dire de demander doucement en particulier à leur père ou à moi tout ce qu'ils ont besoin de savoir. Mais je ne souffre pas qu'ils coupent un entretien sérieux pour occuper tout le monde de la première impertinence qui leur passe par la tête. L'art d'interroger n'est pas si facile qu'on pense. C'est bien plus l'art des maîtres que des disciples ; il faut avoir déjà beaucoup appris de choses pour savoir demander ce qu'on ne sait pas. Le savant sait et s'enquiert, dit un proverbe indien ; mais l'ignorant ne sait pas même de quoi s'enquérir *. Faute de cette

---

* Ce proverbe est tiré de Chardin. t. V, p. 170, in-12. [NdE : d'après Mornet, la note renvoie aux *Voyages de M. le chevalier Chardin en Perse* (Paris, Mazuel, 1723). Chardin est un orientaliste contemporain de Galland (voir *supra*, n. 2, p. 654). Le Ms Rey porte : « Ce proverbe est aussi rapporté dans le livre *De l'Esprit* ». On lit en effet dans le traité d'Helvétius : « L'homme qui se refuse au doute est sujet à mille erreurs : il a lui-même posé la borne de son esprit. On demandait un jour à l'un des plus savants hommes de la Perse, comment il avait acquis tant de connaissances : *En demandant sans peine,* répondit-il*, ce que je ne savais pas* » (IV, 15, p. 444).]

---

1. De complaisant, de flatteur. Polichinelle est une « sorte de Bouffon qui joue les rôles comiques dans la farce Italienne » (*Trévoux*).

science préliminaire les enfants en liberté ne font presque jamais que des questions ineptes qui ne servent à rien, ou profondes et scabreuses dont la solution passe leur portée, et puisqu'il ne faut pas qu'ils sachent tout, il importe qu'ils n'aient pas le droit de tout demander. Voilà pourquoi, généralement parlant, ils s'instruisent mieux par les interrogations qu'on leur fait que par celles qu'ils font eux-mêmes.

Quand cette méthode leur serait aussi utile qu'on croit, la première et la plus importante science qui leur convient, n'est-elle pas d'être discrets et modestes, et y en a-t-il quelque autre qu'ils doivent apprendre au préjudice de celle-là ? Que produit donc dans les enfants cette émancipation de paroles avant l'âge de parler, et ce droit de soumettre effrontément les hommes à leur interrogatoire ? De petits questionneurs babillards, qui questionnent moins pour s'instruire que pour importuner, pour occuper d'eux tout le monde, et qui prennent encore plus de goût à ce babil par l'embarras où ils s'aperçoivent que jettent quelquefois leurs questions indiscrètes, en sorte que chacun est inquiet aussitôt qu'ils ouvrent la bouche. Ce n'est pas tant un moyen de les instruire que de les rendre étourdis et vains ; inconvénient plus grand à mon avis que l'avantage qu'ils acquièrent par là n'est utile ; car par degrés l'ignorance diminue, mais la vanité ne fait jamais qu'augmenter.

Le pis qui pût arriver de cette réserve trop prolongée serait que mon fils en âge de raison eût la conversation moins légère, le propos moins vif et moins abondant, et en considérant combien cette habitude de passer sa vie à dire des riens rétrécit l'esprit, je regarderais plutôt cette heureuse stérilité comme un bien que comme un mal. Les gens oisifs toujours ennuyés d'eux-mêmes s'efforcent de donner un grand prix à l'art de les amuser, et l'on dirait que le savoir-vivre consiste à ne dire que de vaines paroles, comme à ne faire que des dons inutiles : mais la société humaine a un objet plus noble et ses vrais plaisirs ont plus de solidité. L'organe de la vérité, le plus digne organe de l'homme, le seul dont l'usage le distingue des animaux, ne lui a point été donné pour n'en pas tirer un meilleur parti qu'ils ne font de leurs cris. Il se dégrade au-dessous d'eux quand il parle pour ne rien dire, et l'homme doit être homme jusque dans ses délassements. S'il y a de la politesse à étourdir tout le monde d'un vain caquet, j'en trouve une bien plus véritable à laisser parler les autres par préférence, à faire plus grand cas de ce qu'ils disent que de ce qu'on dirait soi-même, et à montrer qu'on les estime trop pour croire les amuser par des niaiseries. Le bon usage du monde, celui qui nous y fait le plus rechercher et chérir n'est pas tant d'y briller que d'y faire briller les autres, et de mettre, à force de modestie leur orgueil plus en liberté. Ne craignons pas qu'un homme d'esprit qui ne s'abstient de parler que par retenue et discrétion, puisse jamais passer pour un sot. Dans quelque pays que ce puisse être il n'est pas possible qu'on juge un homme sur ce qu'il n'a pas dit, et qu'on le méprise pour s'être tu. Au contraire on remarque en général que les gens silencieux en imposent, qu'on s'écoute devant eux, et qu'on leur donne beaucoup d'attention quand ils parlent ; ce qui, leur laissant le choix des occasions et faisant qu'on ne perd rien de ce qu'ils disent, met tout l'avantage de leur côté. Il est si difficile à l'homme le plus sage de garder toute sa présence d'esprit dans un long flux de paroles, il est si rare qu'il ne lui échappe des choses dont il se repent à loisir, qu'il aime mieux retenir le bon que risquer le mauvais. Enfin, quand ce n'est pas faute d'esprit qu'il se tait, s'il ne parle pas, quelque discret qu'il puisse être, le tort en est à ceux qui sont avec lui.

Mais il y a bien loin de six ans à vingt ; mon fils ne sera pas toujours enfant, et à mesure que sa raison commencera de naître, l'intention de son père est bien de la laisser exercer. Quant à moi, ma mission ne va pas jusque-là. Je nourris des enfants et n'ai pas la présomption de vouloir former des hommes. J'espère, dit-elle en regardant son mari, que de plus dignes mains se chargeront de ce noble emploi. Je suis femme et mère, je sais me tenir à mon rang. Encore une fois, la fonction dont je suis chargée n'est pas d'élever mes fils, mais de les préparer pour être élevés.

Je ne fais même en cela que suivre de point en point le système de M. de Wolmar, et plus j'avance, plus j'éprouve combien il est excellent et juste, et combien il s'accorde avec le mien. Considérez mes enfants et surtout l'aîné ; en connaissez-vous de plus heureux sur la terre, de plus gais, de moins importuns ? Vous les voyez sauter, rire, courir toute la journée sans jamais incommoder personne. De quels plaisirs, de quelle indépendance leur âge est-il susceptible, dont ils ne jouissent pas ou dont ils abusent ? Ils se contraignent aussi peu devant moi qu'en mon absence. Au contraire, sous les yeux de leur mère ils ont toujours un peu plus de confiance, et quoique je sois l'auteur de toute la sévérité qu'ils éprouvent, ils me trouvent toujours la moins sévère : car je ne pourrais supporter de n'être pas ce qu'ils aiment le plus au monde.

Les seules lois qu'on leur impose auprès de nous sont celles de la liberté même, savoir de ne pas plus gêner la compagnie qu'elle ne les gêne, de ne pas crier plus haut qu'on ne parle, et comme on ne les oblige point de s'occuper de nous, je ne veux pas, non plus, qu'ils prétendent nous occuper d'eux. Quand ils manquent à de si justes lois, toute leur peine est d'être à l'instant renvoyés, et tout mon art pour que c'en soit une, de faire qu'ils ne se trouvent nulle part aussi bien qu'ici. À cela près, on ne les assujettit à rien ; on ne les force jamais de rien apprendre ; on ne les ennuie point de vaines corrections ; jamais on ne les reprend ; les seules leçons qu'ils reçoivent sont des leçons de pratique prises dans la simplicité de la nature. Chacun bien instruit là-dessus se conforme à mes intentions avec une intelligence et un soin qui ne me laissent rien à désirer, et si quelque faute est à craindre, mon assiduité la prévient ou la répare aisément.

Hier, par exemple, l'aîné ayant ôté un tambour au cadet, l'avait fait pleurer. Fanchon ne dit rien, mais une heure après, au moment que le ravisseur du tambour en était le plus occupé, elle le lui reprit ; il la suivait en le redemandant, et pleurant à son tour. Elle lui dit : Vous l'avez pris par force à votre frère ; je vous le reprends de même ; qu'avez-vous à dire ? Ne suis-je pas la plus forte ? Puis elle se mit à battre la caisse à son imitation, comme si elle y eût pris beaucoup de plaisir. Jusque-là tout était à merveilles. Mais quelque temps après elle voulut rendre le tambour au cadet, alors je l'arrêtai ; car ce n'était plus la leçon de la nature, et de là pouvait naître un premier germe d'envie entre les deux frères. En perdant le tambour le cadet supporta la dure loi de la nécessité, l'aîné sentit son injustice, tous deux connurent leur faiblesse et furent consolés le moment d'après.

Un plan si nouveau et si contraire aux idées reçues m'avait d'abord effarouché. À force de me l'expliquer ils m'en rendirent enfin l'admirateur, et je sentis que pour guider l'homme, la marche de la nature est toujours la meilleure. Le seul inconvénient que je trouvais à cette méthode, et cet inconvénient me parut fort grand, c'était de négliger dans les enfants la seule faculté qu'ils aient dans toute sa vigueur et qui ne fait que s'affaiblir en avançant en âge. Il me semblait que selon leur propre système, plus les opérations de l'entendement étaient faibles, insuffisantes, plus on devait exercer et fortifier la mémoire, si propre alors à soutenir le travail. C'est elle, disais-je, qui doit suppléer à la raison jusqu'à sa naissance, et l'enrichir quand elle est née. Un esprit qu'on n'exerce à rien devient lourd et pesant dans l'inaction. La semence ne prend point dans un champ mal préparé, et c'est une étrange préparation pour apprendre à devenir raisonnable que de commencer par être stupide. Comment, stupide ! s'est écriée aussitôt Mad^e de Wolmar. Confondriez-vous deux qualités aussi différentes et presque aussi contraires que la mémoire et le jugement * ? Comme si la quantité des choses mal digérées et sans liaison dont on remplit une tête encore faible, n'y faisait pas plus de tort que de profit à la raison ! J'avoue que de toutes les facultés de l'homme, la mémoire est la première qui se développe et la plus commode à cultiver dans les enfants : mais à votre avis lequel est à préférer de ce qu'il leur est le plus aisé d'apprendre, ou de ce qu'il leur importe le plus de savoir ?

Regardez à l'usage qu'on fait en eux de cette facilité, à la violence qu'il faut leur faire, à l'éternelle contrainte où il les faut assujettir pour mettre en étalage leur mémoire, et comparez l'utilité qu'ils en retirent au mal qu'on leur fait souffrir pour cela. Quoi ! Forcer un enfant d'étudier des

---

* Cela ne me paraît pas bien vu. Rien n'est si nécessaire au jugement que la mémoire : il est vrai que ce n'est pas la mémoire des mots. [NdE : Rousseau privilégie la mémoire des sensations et des faits (voir *Émile*, in *OC*, livre II, p. 341-352).]

langues qu'il ne parlera jamais, même avant qu'il ait bien appris la sienne ; lui faire incessamment répéter et construire des vers qu'il n'entend point, et dont toute l'harmonie n'est pour lui qu'au bout de ses doigts ; embrouiller son esprit de cercles et de sphères dont il n'a pas la moindre idée ; l'accabler de mille noms de villes et de rivières qu'il confond sans cesse et qu'il rapprend tous les jours ; est-ce cultiver sa mémoire au profit de son jugement, et tout ce frivole acquis vaut-il une seule des larmes qu'il lui coûte ?

Si tout cela n'était qu'inutile, je m'en plaindrais moins ; mais n'est-ce rien que d'instruire un enfant à se payer de mots, et à croire savoir ce qu'il ne peut comprendre ? Se pourrait-il qu'un tel amas ne nuisît point aux premières idées dont on doit meubler une tête humaine, et ne vaudrait-il pas mieux n'avoir point de mémoire, que de la remplir de tout ce fatras au préjudice des connaissances nécessaires dont il tient la place ?

Non, si la nature a donné au cerveau des enfants cette souplesse qui le rend propre à recevoir toutes sortes d'impressions, ce n'est pas pour qu'on y grave des noms de Rois, des dates, des termes de blason, de sphère, de géographie, et tous ces mots sans aucun sens pour leur âge et sans aucune utilité pour quelque âge que ce soit dont on accable leur triste et stérile enfance ; mais c'est pour que toutes les idées relatives à l'état de l'homme, toutes celles qui se rapportent à son bonheur et l'éclairent sur ses devoirs s'y tracent de bonne heure en caractères ineffaçables, et lui servent à se conduire pendant sa vie d'une manière convenable à son être et à ses facultés.

Sans étudier dans les livres, la mémoire d'un enfant ne reste pas pour cela oisive : tout ce qu'il voit, tout ce qu'il entend le frappe, et il s'en souvient ; il tient registre en lui-même des actions des discours des hommes, et tout ce qui l'environne est le livre dans lequel sans y songer il enrichit continuellement sa mémoire, en attendant que son jugement puisse en profiter. C'est dans le choix de ces objets, c'est dans le soin de lui présenter sans cesse ceux qu'il doit connaître et de lui cacher ceux qu'il doit ignorer que consiste le véritable art de cultiver la première de ses facultés, et c'est par là qu'il faut tâcher de lui former un magasin de connaissances [1] qui serve à son éducation durant la jeunesse, et à sa conduite dans tous les temps. Cette méthode, il est vrai, ne forme point de petits prodiges, et ne fait pas briller les gouvernantes et les précepteurs ; mais elle forme des hommes judicieux, robustes, sains de corps et d'entendement, qui, sans s'être fait admirer étant jeunes, se font honorer étant grands.

Ne pensez pas, pourtant, continua Julie, qu'on néglige ici tout à fait ces soins dont vous faites un si grand cas. Une mère un peu vigilante tient dans ses mains les passions de ses enfants. Il y a des moyens pour exciter et nourrir en eux le désir d'apprendre ou de faire telle ou telle chose ; et autant que ces moyens peuvent se concilier avec la plus entière liberté de l'enfant et n'engendrent en lui nulle semence de vice, je les emploie assez volontiers, sans m'opiniâtrer quand le succès n'y répond pas ; car il aura toujours le temps d'apprendre, mais il n'y a pas un moment à perdre pour lui former un bon naturel ; et M. de Wolmar a une telle idée du premier développement de la raison, qu'il soutient que quand son fils ne saurait rien à douze ans, il n'en serait pas moins instruit à quinze ; sans compter que rien n'est moins nécessaire que d'être savant, et rien plus que d'être sage et bon.

Vous savez que notre aîné lit déjà passablement. Voici comment lui est venu le goût d'apprendre à lire. J'avais dessein de lui dire de temps en temps quelque fable de La Fontaine pour l'amuser, et j'avais déjà commencé, quand il me demanda si les corbeaux parlaient ? À l'instant je vis la difficulté de lui faire sentir bien nettement la différence de l'apologue au mensonge, je me tirai d'affaire comme je pus, et convaincue que les fables sont faites pour les hommes, mais qu'il faut toujours dire la vérité nue aux enfants, je supprimai La Fontaine [2]. Je lui substituai un recueil de

1. La même métaphore est employée pour décrire l'instruction autodidacte de Rousseau aux Charmettes : « Je me dis : Commençons par me faire un magasin d'idées, vraies ou fausses, mais nettes, en attendant que ma tête en soit assez fournie pour pouvoir les comparer et choisir » (*Confessions*, livre VI, t. I, p. 284-285). **2.** La même critique de l'apprentissage précoce des fables de La Fontaine est reprise dans l'*Émile* à partir d'un dialogue entre l'enfant et le maître (*OC*, livre II, p. 353-357).

petites histoires intéressantes et instructives, la plupart tirées de la bible ; puis voyant que l'enfant prenait goût à mes contes, j'imaginai de les lui rendre encore plus utiles, en essayant d'en composer moi-même d'aussi amusants qu'il me fut possible, et les appropriant toujours au besoin du moment. Je les écrivais à mesure, dans un beau livre orné d'images, que je tenais bien enfermé, et dont je lui lisais de temps en temps quelques contes, rarement, peu longtemps, et répétant souvent les mêmes avec des commentaires, avant de passer à de nouveaux. Un enfant oisif est sujet à l'ennui ; les petits contes servaient de ressource ; mais quand je le voyais le plus avidement attentif, je me souvenais quelquefois d'un ordre à donner, et je le quittais à l'endroit le plus intéressant en laissant négligemment le livre. Aussitôt il allait prier sa Bonne ou Fanchon ou quelqu'un d'achever la lecture : mais comme il n'a rien à commander à personne et qu'on était prévenu [1], l'on n'obéissait pas toujours. L'un refusait, l'autre avait à faire, l'autre balbutiait lentement et mal, l'autre laissait à mon exemple un conte à moitié. Quand on le vit bien ennuyé de tant de dépendance, quelqu'un lui suggéra secrètement d'apprendre à lire, pour s'en délivrer et feuilleter le livre à son aise. Il goûta ce projet. Il fallut trouver des gens assez complaisants pour vouloir lui donner leçon ; nouvelle difficulté qu'on n'a poussée qu'aussi loin qu'il fallait. Malgré toutes ces précautions, il s'est lassé trois ou quatre fois ; on l'a laissé faire. Seulement je me suis efforcée de rendre les contes encore plus amusants, et il est revenu à la charge avec tant d'ardeur que quoiqu'il n'y ait pas six mois qu'il a tout de bon commencé d'apprendre, il sera bientôt en état de lire seul le recueil.

C'est à peu près ainsi que je tâcherai d'exciter son zèle et sa volonté pour acquérir les connaissances qui demandent de la suite et de l'application, et qui peuvent convenir à son âge ; mais quoiqu'il apprenne à lire, ce n'est point des livres qu'il tirera ces connaissances ; car elles ne s'y trouvent point, et la lecture ne convient en aucune manière aux

---

1. Comme dans l'*Émile*, l'éducation procède d'une complicité secrète entre adultes – et de quelques trucages – pour amener l'enfant à devenir autonome.

enfants. Je veux aussi l'habituer de bonne heure à nourrir sa tête d'idées et non de mots ; c'est pourquoi je ne lui fais jamais rien apprendre par cœur.

Jamais ? interrompis-je : C'est beaucoup dire ; car encore faut-il bien qu'il sache son catéchisme et ses prières. C'est ce qui vous trompe, reprit-elle. À l'égard de la prière, tous les matins et tous les soirs je fais la mienne à haute voix dans la chambre de mes enfants, et c'est assez pour qu'ils l'apprennent sans qu'on les y oblige : quant au catéchisme, ils ne savent ce que c'est. Quoi, Julie ! vos enfants n'apprennent pas leur catéchisme ? Non, mon ami ; mes enfants n'apprennent pas leur catéchisme. Comment ! ai-je dit tout étonné, une mère si pieuse !…. Je ne vous comprends point. Et pourquoi vos enfants n'apprennent-ils pas leur catéchisme ? Afin qu'ils le croient un jour, dit-elle, j'en veux faire un jour des Chrétiens. Ah, j'y suis ! m'écriai-je ; vous ne voulez pas que leur foi ne soit qu'en paroles, ni qu'ils sachent seulement leur Religion, mais qu'ils la croient, et vous pensez avec raison qu'il est impossible à l'homme de croire ce qu'il n'entend point. Vous êtes bien difficile, me dit en souriant M. de Wolmar ; seriez-vous Chrétien, par hasard ? Je m'efforce de l'être, lui dis-je avec fermeté. Je crois de la Religion tout ce que j'en puis comprendre, et respecte le reste sans le rejeter. Julie me fit un signe d'approbation, et nous reprîmes le sujet de notre entretien.

Après être entrée dans d'autres détails qui m'ont fait concevoir combien le zèle maternel est actif infatigable et prévoyant, elle a conclu, en observant que sa méthode se rapportait exactement aux deux objets qu'elle s'était proposés, savoir de laisser développer le naturel des enfants, et de l'étudier. Les miens ne sont gênés en rien, dit-elle, et ne sauraient abuser de leur liberté ; leur caractère ne peut ni se dépraver ni se contraindre ; on laisse en paix renforcer leur corps et germer leur jugement ; l'esclavage n'avilit point leur âme, les regards d'autrui ne font point fermenter leur amour-propre, ils ne se croient ni des hommes puissants ni des animaux enchaînés, mais des enfants heureux et libres. Pour les garantir des vices qui ne sont pas en eux, ils ont, ce me semble, un préservatif plus fort que des discours qu'ils n'entendraient point, ou dont ils seraient bientôt ennuyés.

C'est l'exemple des mœurs de tout ce qui les environne ; ce sont les entretiens qu'ils entendent, qui sont ici naturels à tout le monde et qu'on n'a pas besoin de composer exprès pour eux ; c'est la paix et l'union dont ils sont témoins ; c'est l'accord qu'ils voient régner sans cesse et dans la conduite respective de tous, et dans la conduite et les discours de chacun.

Nourris encore dans leur première simplicité, d'où leur viendraient des vices dont ils n'ont point vu d'exemple, des passions qu'ils n'ont nulle occasion de sentir, des préjugés que rien ne leur inspire ? Vous voyez qu'aucune erreur ne les gagne, qu'aucun mauvais penchant ne se montre en eux. Leur ignorance n'est point entêtée, leurs désirs ne sont point obstinés ; les inclinations au mal sont prévenues, la nature est justifiée, et tout me prouve que les défauts dont nous l'accusons ne sont point son ouvrage mais le nôtre.

C'est ainsi que livrés au penchant de leur cœur, sans que rien le déguise ou l'altère, nos enfants ne reçoivent point une forme extérieure et artificielle, mais conservent exactement celle de leur caractère originel : c'est ainsi que ce caractère se développe journellement à nos yeux sans réserve, et que nous pouvons étudier les mouvements de la nature jusque dans leurs principes les plus secrets. Sûrs de n'être jamais ni grondés ni punis, ils ne savent ni mentir, ni se cacher, et dans tout ce qu'ils disent soit entre eux soit à nous, ils laissent voir sans contrainte tout ce qu'ils ont au fond de l'âme. Libres de babiller entre eux toute la journée, ils ne songent pas même à se gêner un moment devant moi. Je ne les reprends jamais, ni ne les fais taire, ni ne feins de les écouter, et ils diraient les choses du monde les plus blâmables que je ne ferais pas semblant d'en rien savoir : mais en effet, je les écoute avec la plus grande attention sans qu'ils s'en doutent ; je tiens un registre exact de ce qu'ils font et de ce qu'ils disent ; ce sont les productions naturelles du fonds qu'il faut cultiver. Un propos vicieux dans leur bouche est une herbe étrangère dont le vent apporta la graine ; si je la coupe par une réprimande, bientôt elle repoussera : au lieu de cela j'en cherche en secret la racine, et j'ai soin de l'arracher. Je ne suis, m'a-t-elle dit en riant, que la servante du Jardinier [1] ; je sarcle le jardin, j'en ôte la mauvaise herbe, c'est à lui de cultiver la bonne.

Convenons aussi qu'avec toute la peine que j'aurais pu prendre, il fallait être aussi bien secondée pour espérer de réussir, et que le succès de mes soins dépendait d'un concours de circonstances qui ne s'est peut-être jamais trouvé qu'ici. Il fallait les lumières d'un père éclairé, pour démêler à travers les préjugés établis le véritable art de gouverner les enfants dès leur naissance ; il fallait toute sa patience pour se prêter à l'exécution, sans jamais démentir ses leçons par sa conduite ; il fallait des enfants bien nés en qui la nature eût assez fait pour qu'on pût aimer son seul ouvrage ; il fallait n'avoir autour de soi que des domestiques intelligents et bien intentionnés, qui ne se lassassent point d'entrer dans les vues des maîtres ; un seul valet brutal ou flatteur eût suffi pour tout gâter. En vérité, quand on songe combien de causes étrangères peuvent nuire aux meilleurs desseins et renverser les projets les mieux concertés, on doit remercier la fortune de tout ce qu'on fait de bien dans la vie, et dire que la sagesse dépend beaucoup du bonheur.

Dites, me suis-je écrié, que le bonheur dépend encore plus de la sagesse ! Ne voyez-vous pas que ce concours dont vous vous félicitez est votre ouvrage, et que tout ce qui vous approche est contraint de vous ressembler ? Mères de famille ! Quand vous vous plaignez de n'être pas secondées, que vous connaissez mal votre pouvoir ! soyez tout ce que vous devez être, vous surmonterez tous les obstacles ; vous forcerez chacun de remplir ses devoirs si vous remplissez bien tous les vôtres. Vos droits ne sont-ils pas ceux de la nature ? Malgré les maximes du vice, ils seront toujours chers au cœur humain. Ah veuillez être femmes et mères, et le plus doux empire qui soit sur la terre sera aussi le plus respecté !

En achevant cette conversation, Julie a remarqué que tout prenait une nouvelle facilité depuis l'arrivée d'Henriette. Il est certain, dit-elle, que j'aurais besoin de beaucoup moins de soins et d'adresse, si je voulais introduire l'émulation

---

1. Cette métaphore horticole classique pour désigner le précepteur est un pilotis pour préparer le rôle futur de Saint-Preux (V, 8).

entre les deux frères ; mais ce moyen me paraît trop dangereux ; j'aime mieux avoir plus de peine et ne rien risquer. Henriette supplée à cela ; comme elle est d'un autre sexe, leur aînée, qu'ils l'aiment tous deux à la folie, et qu'elle a du sens au-dessus de son âge, j'en fais en quelque sorte leur première gouvernante, et avec d'autant plus de succès que ses leçons leur sont moins suspectes.

Quant à elle, son éducation me regarde ; mais les principes en sont si différents qu'ils méritent un entretien à part. Au moins puis-je bien dire d'avance qu'il sera difficile d'ajouter en elle aux dons de la nature, et qu'elle vaudra sa mère elle-même, si quelqu'un au monde la peut valoir.

Milord, on vous attend de jour en jour, et ce devrait être ici ma dernière Lettre. Mais je comprends ce qui prolonge votre séjour à l'armée, et j'en frémis. Julie n'en est pas moins inquiète ; elle vous prie de nous donner plus souvent de vos nouvelles, et vous conjure de songer en exposant votre personne, combien vous prodiguez le repos de vos amis. Pour moi je n'ai rien à vous dire. Faites votre devoir ; un conseil timide ne peut non plus sortir de mon cœur qu'approcher du vôtre. Cher Bomston, je le sais trop ; la seule mort digne de ta vie serait de verser ton sang pour la gloire de ton pays ; mais ne dois-tu nul compte de tes jours à celui qui n'a conservé les siens que pour toi ?

Lettre IV
De Milord Édouard

Je vois par vos deux dernières lettres qu'il m'en manque une antérieure à ces deux-là, apparemment la première que vous m'ayez écrite à l'armée, et dans laquelle était l'explication des chagrins secrets de Madame de Wolmar. Je n'ai point reçu cette Lettre, et je conjecture qu'elle pouvait être dans la malle d'un Courrier qui nous a été enlevé. Répétez-moi donc, mon ami, ce qu'elle contenait ; ma raison s'y perd et mon cœur s'en inquiète : Car encore une fois, si le bonheur et la paix ne sont pas dans l'âme de Julie, où sera leur asile ici-bas ?

Rassurez-la sur les risques auxquels elle me croit exposé ; nous avons affaire à un ennemi trop habile pour nous en laisser courir. Avec une poignée de monde, il rend toutes nos forces inutiles, et nous ôte partout les moyens de l'attaquer. Cependant, comme nous sommes confiants, nous pourrions bien lever des difficultés insurmontables pour de meilleurs Généraux et forcer à la fin les Français de nous battre. J'augure que nous payerons cher nos premiers succès, et que la bataille gagnée à Dettingue [1] nous en fera perdre une en Flandres. Nous avons en tête un grand Capitaine [2] ; ce n'est pas tout ; il a la confiance de ses troupes, et le soldat français qui compte sur son Général est invincible. Au contraire, on en a si bon marché quand il est commandé par des Courtisans qu'il méprise, et cela arrive si souvent, qu'il ne faut qu'attendre les intrigues de Cour et l'occasion, pour vaincre à coup sûr la plus brave nation du continent. Ils le savent fort bien eux-mêmes. Milord Marlboroug voyant la bonne mine et l'air guerrier d'un soldat pris à Bleinheim *, lui dit : S'il y eût eu cinquante mille hommes comme toi à l'armée française, elle ne se fût pas ainsi laissé battre. Eh morbleu ! repartit le grenadier, nous avions assez d'hommes comme moi ; il ne nous en manquait qu'un comme vous. Or cet homme comme lui commande à présent l'armée de France [a] et manque à la nôtre ; mais nous ne songeons guère à cela.

Quoi qu'il en soit, je veux voir les manœuvres du reste de cette campagne, et j'ai résolu de rester à l'armée jusqu'à ce qu'elle entre en quartiers [3]. Nous gagnerons tous à ce délai.

---

* C'est le nom que les Anglais donnent à la bataille d'Hochstet. [NdE : bataille livrée le 13 août 1704 pendant la guerre de Succession d'Espagne. Les Anglais et les Autrichiens commandés par Malborough et le prince Eugène battirent les Français et les Bavarois. Le récit de la bataille est rapporté par Voltaire dans son *Siècle de Louis XIV* (chap. XIX).]

---

1. Victoire anglaise de Dettingue remportée le 27 juin 1743. **2.** Nous avons en face de nous un grand général d'armée. « On dit *Mettre un homme en tête à quelqu'un*, pour dire, Lui opposer quelqu'un qui puisse lui résister » (*Acad.* 1762). Maurice, comte de Saxe (1695-1750), fut nommé maréchal des troupes françaises en 1744 et remporta la bataille de Fontenoy en 1745. **3.** « Intervalle de temps compris entre deux campagnes » (*Acad.* 1762). Il s'agit ici du quartier d'hiver, trêve traditionnellement respectée à l'époque par les troupes belligérantes.

La saison étant trop avancée pour traverser les monts, nous passerons l'hiver où vous êtes, et n'irons en Italie qu'au commencement du Printemps. Dites à M. et Mad^e de Wolmar que je fais ce nouvel arrangement pour jouir à mon aise du touchant spectacle que vous décrivez si bien, et pour voir Mad^e d'Orbe établie avec eux. Continuez, mon cher, à m'écrire avec le même soin, et vous me ferez plus de plaisir que jamais : Mon équipage a été pris, et je suis sans livres ; mais je lis vos lettres.

Lettre V
À Milord Édouard

Quelle joie vous me donnez en m'annonçant que nous passerons l'hiver à Clarens ! mais que vous me la faites payer cher en prolongeant votre séjour à l'armée ! Ce qui me déplaît surtout, c'est de voir clairement qu'avant notre séparation le parti de faire la campagne était déjà pris, et que vous ne m'en voulûtes rien dire. Milord, je sens la raison de ce mystère et ne puis vous en savoir bon gré. Me mépriseriez-vous assez pour croire qu'il me fût bon de vous survivre, ou m'avez-vous connu des attachements si bas que je les préfère à l'honneur de mourir avec mon ami ? Si je ne méritais pas de vous suivre, il fallait me laisser à Londres, vous m'auriez moins offensé que de m'envoyer ici.

Il est clair par la dernière de vos lettres qu'en effet une des miennes s'est perdue, et cette perte a dû vous rendre les deux lettres suivantes fort obscures à bien des égards ; mais les éclaircissements nécessaires pour les bien entendre viendront à loisir. Ce qui presse le plus à présent est de vous tirer de l'inquiétude où vous êtes sur le chagrin secret de Madame de Wolmar.

Je ne vous redirai point la suite de la conversation que j'eus avec elle après le départ de son mari. Il s'est passé depuis bien des choses qui m'en ont fait oublier une partie, et nous la reprîmes tant de fois durant son absence que je m'en tiens au sommaire pour épargner des répétitions.

Elle m'apprit donc que ce même Époux qui faisait tout pour la rendre heureuse était l'unique auteur de toute sa peine, et que plus leur attachement mutuel était sincère, plus il lui donnait à souffrir. Le diriez-vous, Milord ? Cet homme si sage, si raisonnable, si loin de toute espèce de vice, si peu soumis aux passions humaines, ne croit rien de ce qui donne un prix aux vertus, et, dans l'innocence d'une vie irréprochable, il porte au fond de son cœur l'affreuse paix des méchants. La réflexion qui naît de ce contraste augmente la douleur de Julie, et il semble qu'elle lui pardonnerait plutôt de méconnaître l'Auteur de son être, s'il avait plus de motifs pour le craindre ou plus d'orgueil pour le braver. Qu'un coupable apaise sa conscience aux dépens de sa raison, que l'honneur de penser autrement que le vulgaire anime celui qui dogmatise, cette erreur au moins se conçoit ; mais, poursuit-elle en soupirant, pour un si honnête homme et si peu vain de son savoir, c'était bien la peine d'être incrédule !

Il faut être instruit du caractère des deux époux, il faut les imaginer concentrés dans le sein de leur famille, et se tenant l'un à l'autre lieu du reste de l'univers ; il faut connaître l'union qui règne entre eux dans tout le reste, pour concevoir combien leur différend sur ce seul point est capable d'en troubler les charmes. M. de Wolmar, élevé dans le rite grec [1], n'était pas fait pour supporter l'absurdité d'un culte aussi ridicule. Sa raison trop supérieure à l'imbécile joug qu'on lui voulait imposer le secoua bientôt avec mépris, et rejetant à la fois tout ce qui lui venait d'une autorité si suspecte, forcé d'être impie il se fit athée.

Dans la suite ayant toujours vécu dans des pays catholiques il n'apprit pas à concevoir une meilleure opinion de la foi chrétienne par celle qu'on y professe. Il n'y vit d'autre religion que l'intérêt de ses ministres. Il vit que tout y consistait encore en vaines simagrées, plâtrées un peu plus subtilement par des mots qui ne signifiaient rien, il s'aperçut que tous les *honnêtes gens* y étaient unanimement de son avis et ne s'en cachaient guère, que le clergé même, un peu plus discrètement, se moquait en secret de ce qu'il enseignait en public, et il m'a protesté souvent qu'après bien du temps et des recherches, il n'avait trouvé de sa vie[a] que trois Prêtres

---

1. Le culte orthodoxe.

qui crussent en Dieu *. En voulant s'éclaircir de bonne foi sur ces matières, il s'était enfoncé dans les ténèbres de la métaphysique où l'homme n'a d'autres guides que les systèmes qu'il y porte, et ne voyant partout que doutes et contradictions, quand enfin il est venu parmi des Chrétiens [1] il y est venu trop tard, sa foi s'était déjà fermée à la vérité, sa raison n'était plus accessible à la certitude ; tout ce qu'on lui prouvait détruisant plus un sentiment qu'il n'en établissait un autre, il a fini par combattre également les dogmes de toute espèce, et n'a cessé d'être athée que pour devenir sceptique [2].

Voilà le mari que le Ciel destinait à cette Julie en qui vous connaissez une foi si simple et une piété si douce : mais il faut avoir vécu aussi familièrement avec elle que sa cousine et moi, pour savoir combien cette âme tendre est naturellement portée à la dévotion. On dirait que rien de terrestre ne pouvant suffire au besoin d'aimer dont elle est dévorée, cet excès de sensibilité soit forcé de remonter à sa source. Ce n'est point, comme Ste Thérèse, un cœur amoureux qui se donne le change [3] et veut se tromper d'objet ; c'est un cœur vraiment intarissable que l'amour ni l'amitié n'ont pu épuiser, et qui porte ses affections surabondantes au seul Être digne de les absorber **. L'amour de Dieu ne la détache

* À Dieu ne plaise que je veuille approuver ces assertions dures et téméraires ; j'affirme seulement qu'il y a des gens qui les font et dont la conduite du clergé de tous les pays et de toutes les sectes n'autorise que trop souvent l'indiscrétion. Mais loin que mon dessein dans cette note soit de me mettre lâchement à couvert, voici bien nettement mon propre sentiment sur ce point. C'est que nul vrai croyant ne saurait être intolérant ni persécuteur. Si j'étais magistrat, et que la loi portât peine de mort contre les athées, je commencerais par faire brûler comme tel quiconque en viendrait dénoncer un autre. [NdE : le seul « dogme négatif » que Rousseau reconnaît à la religion civile est l'intolérance ; les « dogmes positifs » comprennent le déisme et « la sainteté du Contrat social » (*Du contrat social*, IV, 8, p. 178-179).]

** Comment ! Dieu n'aura donc que les restes des créatures ? Au contraire, ce que les créatures peuvent occuper du cœur humain est si peu de chose, que quand on croit l'avoir rempli d'elles, il est encore vide. Il faut un objet infini pour le remplir.

1. Les protestants, seuls chrétiens épargnés par le fanatisme et l'idolâtrie, selon Rousseau. **2.** Agnostique. On disait aussi « pyrrhonien » en référence à Pyrrhon, philosophe sceptique de l'Antiquité. Le pyrrhonisme de Wolmar est une litote pour désigner son matérialisme athée. **3.** S'illusionne. Voir préface, n. 1, p. 49.

point des créatures ; il ne lui donne ni dureté ni aigreur.
Tous ces attachements produits par la même cause, en s'animant l'un par l'autre en deviennent plus charmants et plus doux, et pour moi je crois qu'elle serait moins dévote, si elle aimait moins tendrement son père, son mari, ses enfants, sa cousine, et moi-même.

Ce qu'il y a de singulier, c'est que plus elle l'est, moins elle croit l'être, et qu'elle se plaint de sentir en elle-même une âme aride qui ne sait point aimer Dieu. On a beau faire, dit-elle souvent, le cœur ne s'attache que par l'entremise des sens ou de l'imagination qui les représente, et le moyen de voir ou d'imaginer l'immensité du grand Être * ! Quand je veux m'élever à lui, je ne sais où je suis ; n'apercevant aucun rapport entre lui et moi, je ne sais par où l'atteindre, je ne vois ni ne sens plus rien, je me trouve dans une espèce d'anéantissement, et si j'osais juger d'autrui par moi-même, je craindrais que les extases des mystiques ne vinssent moins d'un cœur plein que d'un cerveau vide.

Que faire donc, continue-t-elle, pour me dérober aux fantômes d'une raison qui s'égare ? Je substitue un culte grossier mais à ma portée à ces sublimes contemplations qui passent mes facultés. Je rabaisse à regret la majesté divine ; j'interpose entre elle et moi des objets sensibles ; ne la pouvant contempler dans son essence, je la contemple au moins dans ses œuvres, je l'aime dans ses bienfaits ; mais de quelque manière que je m'y prenne, au lieu de l'amour pur qu'elle exige, je n'ai qu'une reconnaissance intéressée à lui présenter.

C'est ainsi que tout devient sentiment dans un cœur sensible. Julie ne trouve dans l'univers entier que sujets d'attendrissement et de gratitude. Partout elle aperçoit la bienfaisante main de la providence ; ses enfants sont le cher

---

* Il est certain qu'il faut se fatiguer l'âme pour l'élever aux sublimes idées de la divinité ; un culte plus sensible repose l'esprit du peuple. Il aime qu'on lui offre des objets de piété qui le dispensent de penser à Dieu. Sur ces maximes les catholiques ont-ils mal fait de remplir leurs Légendes, leurs Calendriers, leurs Églises, de petits Anges, de beaux garçons, et de jolies saintes ? L'enfant Jésus entre les bras d'une mère charmante et modeste, est en même temps un des plus touchants et des plus agréables spectacles que la dévotion Chrétienne puisse offrir aux yeux des fidèles.

dépôt qu'elle en a reçu ; elle recueille ses dons dans les productions de la terre ; elle voit sa table couverte par ses soins ; elle s'endort sous sa protection ; son paisible réveil lui vient d'elle ; elle sent ses leçons dans les disgrâces, et ses faveurs dans les plaisirs ; les biens dont jouit tout ce qui lui est cher sont autant de nouveaux sujets d'hommages ; si le Dieu de l'univers échappe à ses faibles yeux, elle voit partout le père commun des hommes. Honorer ainsi ses bienfaits suprêmes, n'est-ce pas servir autant qu'on peut l'Être infini ?

Concevez, Milord, quel tourment c'est de vivre dans la retraite avec celui qui partage notre existence, et ne peut partager l'espoir qui nous la rend chère ! De ne pouvoir avec lui ni bénir les œuvres de Dieu, ni parler de l'heureux avenir que nous promet sa bonté ! de le voir insensible en faisant le bien à tout ce qui le rend agréable à faire, et par la plus bizarre inconséquence penser en impie et vivre en Chrétien ! Imaginez Julie à la promenade avec son mari ; l'une admirant dans la riche et brillante parure que la terre étale l'ouvrage et les dons de l'Auteur de l'univers ; l'autre ne voyant en tout cela qu'une combinaison fortuite où rien n'est lié que par une force aveugle : Imaginez deux époux sincèrement unis, n'osant de peur de s'importuner mutuellement se livrer, l'un aux réflexions l'autre aux sentiments que leur inspirent les objets qui les entourent, et tirer de leur attachement même le devoir de se contraindre incessamment. Nous ne nous promenons presque jamais Julie et moi, que quelque vue frappante et pittoresque ne lui rappelle ces idées douloureuses. Hélas ! dit-elle avec attendrissement ; le spectacle de la nature, si vivant si animé pour nous, est mort aux yeux de l'infortuné Wolmar, et dans cette grande harmonie des êtres, où tout parle de Dieu d'une voix si douce, il n'aperçoit qu'un silence éternel [1].

Vous qui connaissez Julie, vous qui savez combien cette âme communicative aime à se répandre, concevez ce qu'elle souffrirait de ces réserves, quand elles n'auraient d'autre inconvénient qu'un si triste partage entre ceux à qui tout

---

1. Réminiscence pascalienne : « Le silence éternel de ces espaces infinis m'effraie » (*Pensées*, Sellier 233, p. 172). Le caractère déiste de la religion de Julie est explicite dans cette lettre.

doit être commun. Mais des idées plus funestes s'élèvent
malgré qu'elle en ait à la suite de celle-là. Elle a beau vouloir
rejeter ces terreurs involontaires, elles reviennent la troubler
à chaque instant. Quelle horreur pour une tendre épouse
d'imaginer l'Être suprême vengeur de sa divinité méconnue,
de songer que le bonheur de celui qui fait le sien doit finir
avec sa vie, et de ne voir qu'un réprouvé [1] dans le père de
ses enfants ! À cette affreuse image, toute sa douceur la
garantit à peine du désespoir, et la Religion, qui lui rend
amère l'incrédulité de son mari lui donne seule la force de
la supporter. Si le Ciel, dit-elle souvent, me refuse la conversion de cet honnête homme, je n'ai plus qu'une grâce à lui
demander c'est de mourir la première.

Telle est, Milord, la trop juste cause de ses chagrins
secrets ; telle est la peine intérieure qui semble charger sa
conscience de l'endurcissement d'autrui, et ne lui devient
que plus cruelle par le soin qu'elle prend de la dissimuler.
L'athéisme qui marche à visage découvert chez les papistes [2],
est obligé de se cacher dans tout pays où la raison permet-
tant de croire en Dieu, la seule excuse des incrédules leur
est ôtée. Ce Système est naturellement désolant ; s'il trouve
des partisans chez les Grands et les riches qu'il favorise, il
est partout en horreur au peuple opprimé et misérable, qui
voyant délivrer ses tyrans du seul frein propre à les contenir,
se voit encore enlever dans l'espoir d'une autre vie la seule
consolation qu'on lui laisse en celle-ci. Madame de Wolmar
sentant donc le mauvais effet que ferait ici le pyrrhonisme
de son mari, et voulant surtout garantir ses enfants d'un si
dangereux exemple, n'a pas eu de peine à engager au secret
un homme sincère et vrai, mais discret, simple, sans vanité,
et fort éloigné de vouloir ôter aux autres un bien dont il est
fâché d'être privé lui-même. Il ne dogmatise jamais, il vient
au temple avec nous, il se conforme aux usages établis ; sans
professer de bouche une foi qu'il n'a pas, il évite le scandale,
et fait sur le culte réglé par les lois tout ce que l'État peut
exiger d'un Citoyen.

---

1. Les *réprouvés* sont, selon la mythologie chrétienne, « ceux que Dieu a
rejetés et maudits » (*Acad.* 1762). **2.** « Terme odieux, dont les Protestants se
servent pour désigner les Catholiques » (*Acad.* 1762).

ᵇ Depuis près de huit ans qu'ils sont unis, la seule Madᵉ d'Orbe est du secret parce qu'on le lui a confié. Au surplus, les apparences sont si bien sauvées, et avec si peu d'affectation, qu'au bout de six semaines passées ensemble dans la plus grande intimité, je n'avais pas même conçu le moindre soupçon, et n'aurais peut-être jamais pénétré la vérité sur ce point, si Julie elle-même ne me l'eût apprise.

Plusieurs motifs l'ont déterminée à cette confidence. Premièrement quelle réserve est compatible avec l'amitié qui règne entre nous ? N'est-ce pas aggraver ses chagrins à pure perte que s'ôter la douceur de les partager avec un ami ? De plus, elle n'a pas voulu que ma présence fût plus longtemps un obstacle aux entretiens qu'ils ont souvent ensemble sur un sujet qui lui tient si fort au cœur. Enfin, sachant que vous deviez bientôt venir nous joindre, elle a désiré, du consentement de son mari, que vous fussiez d'avance instruit de ses sentiments ; car elle attend de votre sagesse un supplément à nos vains efforts, et des effets dignes de vous.

Le temps qu'elle choisit pour me confier sa peine m'a fait soupçonner une autre raison dont elle n'a eu garde de me parler. Son mari nous quittait ; nous restions seuls ; nos cœurs s'étaient aimés ; ils s'en souvenaient encore ; s'ils s'étaient un instant oubliés tout nous livrait à l'opprobre. Je voyais clairement qu'elle avait craint ce tête-à-tête et tâché de s'en garantir, et la scène de Meillerie m'a trop appris que celui des deux qui se défiait le moins de lui-même devait seul s'en défier.

Dans l'injuste crainte que lui inspirait sa timidité naturelle, elle n'imagina point de précaution plus sûre que de se donner incessamment un témoin qu'il fallût respecter, d'appeler en tiers le juge intègre et redoutable qui voit les actions secrètes et sait lire au fond des cœurs. Elle s'environnait de la majesté suprême ; je voyais Dieu sans cesse entre elle et moi. Quel coupable désir eût pu franchir une telle sauvegarde [1] ? Mon cœur s'épurait au feu de son zèle, et je partageais sa vertu.

Ces graves entretiens remplirent presque tous nos tête-à-tête durant l'absence de son mari, et depuis son retour nous

---

1. Protection.

les reprenons fréquemment en sa présence. Il s'y prête comme s'il était question d'un autre, et sans mépriser nos soins, il nous donne souvent de bons conseils sur la manière dont nous devons raisonner avec lui. C'est cela même qui me fait désespérer du succès ; car s'il avait moins de bonne foi, l'on pourrait attaquer le vice de l'âme qui nourrirait son incrédulité ; mais s'il n'est question que de convaincre, où chercherons-nous des lumières qu'il n'ait point eues et des raisons qui lui aient échappé ? Quand j'ai voulu disputer avec lui, j'ai vu que tout ce que je pouvais employer d'arguments avait été déjà vainement épuisé par Julie, et que ma sécheresse était bien loin de cette éloquence du cœur et de cette douce persuasion qui coule de sa bouche. Milord, nous ne ramènerons jamais cet homme ; il est trop froid et n'est point méchant, il ne s'agit pas de le toucher ; la preuve intérieure ou de sentiment lui manque [1], et celle-là seule peut rendre invincibles toutes les autres.

Quelque soin que prenne sa femme de lui déguiser sa tristesse, il la sent et la partage : ce n'est pas un œil aussi clairvoyant qu'on abuse. Ce chagrin dévoré ne lui en est que plus sensible. Il m'a dit avoir été tenté plusieurs fois de céder en apparence, et de feindre pour la tranquilliser des sentiments qu'il n'avait pas ; mais une telle bassesse d'âme est trop loin de lui. Sans en imposer à Julie, cette dissimulation n'eût été qu'un nouveau tourment pour elle. La bonne foi, la franchise, l'union des cœurs qui console de tant de maux se fût éclipsée entre eux. Était-ce en se faisant moins estimer de sa femme qu'il pouvait la rassurer sur ses craintes ? Au lieu d'user de déguisement avec elle, il lui dit sincèrement ce qu'il pense ; mais il le dit d'un ton si simple, avec si peu de mépris des opinions vulgaires, si peu de cette ironique fierté des esprits forts, que ces tristes aveux donnent bien plus d'affliction que de colère à Julie, et que, ne pouvant transmettre à son mari ses sentiments et ses espérances, elle en cherche avec plus de soin à rassembler autour de lui ces

---

1. La foi correspond dans l'anthropologie de Rousseau à un besoin de l'âme : elle ne dépend nullement des dogmes inventés par des hommes qui font parler des dieux. Voir les derniers entretiens de Julie avec le ministre (VI, 11).

douceurs passagères auxquelles il borne sa félicité. Ah ! dit-elle avec douleur, si l'infortuné fait son paradis en ce monde, rendons-le-lui au moins aussi doux qu'il est possible *.

Le voile de tristesse dont cette opposition de sentiments couvre leur union, prouve mieux que toute autre chose l'invincible ascendant de Julie par les consolations dont cette tristesse est mêlée, et qu'elle seule au monde était peut-être capable d'y joindre. Tous leurs démêlés, toutes leurs disputes sur ce point important, loin de se tourner en aigreur, en mépris, en querelles, finissent toujours par quelque scène attendrissante, qui ne fait que les rendre plus chers l'un à l'autre.

Hier l'entretien s'étant fixé sur ce texte [1] qui revient souvent quand nous ne sommes que nous trois, nous tombâmes sur l'origine du mal, et je m'efforçais de montrer que non seulement il n'y avait point de mal absolu et général dans le système des êtres, mais que même les maux particuliers étaient beaucoup moindres qu'ils ne le semblent au premier coup d'œil, et qu'à tout prendre ils étaient surpassés de beaucoup par les biens particuliers et individuels. Je citais à M. de Wolmar son propre exemple, et pénétré du bonheur de sa situation, je la peignais avec des traits si vrais qu'il en parut ému lui-même. Voilà, dit-il en m'interrompant, les séductions de Julie. Elle met toujours le sentiment à la place des raisons, et le rend si touchant qu'il faut toujours l'embrasser pour toute réponse : serait-ce point de son maître de philosophie, ajouta-t-il en riant, qu'elle aurait appris cette manière d'argumenter ?

Deux mois plus tôt la plaisanterie m'eût déconcerté cruellement, mais le temps de l'embarras est passé ; je n'en fis que rire à mon tour, et quoique Julie eût un peu rougi, elle

---

* Combien ce sentiment plein d'humanité n'est-il pas plus naturel que le zèle affreux des persécuteurs, toujours occupé à tourmenter les incrédules, comme pour les damner dès cette vie, et se faire les précurseurs des démons ? Je ne cesserai jamais de le redire ; c'est que ces persécuteurs-là ne sont point des croyants ; ce sont des fourbes.

---

1. Sur ce sujet. « On dit *Revenir à son texte*, pour dire : Revenir au sujet principal dont il est question » (*Acad.* 1762).

ne parut pas plus embarrassée que moi. Nous continuâmes.
Sans disputer sur la quantité du mal, Wolmar se contentait
de l'aveu qu'il fallut bien faire que, peu ou beaucoup, enfin
le mal existe ; et de cette seule existence il déduisait défaut
de puissance d'intelligence ou de bonté dans la première
cause. Moi de mon côté je tâchais de montrer l'origine du
mal physique dans la nature de la matière, et du mal moral
dans la liberté de l'homme. Je lui soutenais que Dieu pouvait tout faire, hors de créer d'autres substances aussi parfaites que la sienne et qui ne laissassent aucune prise au
mal. Nous étions dans la chaleur de la dispute quand je
m'aperçus que Julie avait disparu. Devinez où elle est, me
dit son mari voyant que je la cherchais des yeux ? Mais, dis-
je, elle est allée donner quelque ordre dans le ménage. Non,
dit-il, elle n'aurait point pris pour d'autres affaires le temps
de celle-ci. Tout se fait sans qu'elle me quitte, et je ne la vois
jamais rien faire. Elle est donc dans la chambre des enfants ?
Tout aussi peu ; ses enfants ne lui sont pas plus chers que
mon salut. Hé bien, repris-je, ce qu'elle fait, je n'en sais
rien ; mais je suis très sûr qu'elle ne s'occupe qu'à des soins
utiles. Encore moins, dit-il froidement ; venez, venez ; vous
verrez si j'ai bien deviné.

Il se mit à marcher doucement ; je le suivis sur la pointe
du pied. Nous arrivâmes à la porte du cabinet ; elle était
fermée. Il l'ouvrit brusquement. Milord, quel spectacle ! Je
vis Julie à genoux, les mains jointes, et tout en larmes. Elle
se lève avec précipitation, s'essuyant les yeux, se cachant le
visage, et cherchant à s'échapper : on ne vit jamais une
honte pareille. Son mari ne lui laissa pas le temps de fuir. Il
courut à elle dans une espèce de transport [1]. Chère épouse !
lui dit-il en l'embrassant ; l'ardeur même de tes vœux trahit
ta cause. Que leur manque-t-il pour être efficaces ? Va, s'ils
étaient entendus, ils seraient bientôt exaucés. Ils le seront,
lui dit-elle d'un ton ferme et persuadé ; j'en ignore l'heure et
l'occasion. Pussé-je l'acheter [2] aux dépens de ma vie ! mon
dernier jour serait le mieux employé.

---

1. La modalisation traduit une forme de malaise éprouvé par le spectateur
de cette scène. Elle sera reprise dans la neuvième promenade des *Rêveries*,
à propos du petit garçon de Clignancourt (p. 158). **2.** Même si je devrai
l'acheter. La forme moderne est « puissé-je ».

Venez, Milord, quittez vos malheureux combats, venez remplir un devoir plus noble. Le sage préfère-t-il l'honneur de tuer des hommes aux soins qui peuvent en sauver un * ?

Lettre VI
À Milord Édouard

Quoi ! même après la séparation de l'armée, encore un voyage à Paris ! Oubliez-vous donc tout à fait Clarens, et celle qui l'habite ? Nous êtes-vous moins cher qu'à Milord Hyde [1] ? Êtes-vous plus nécessaire à cet ami qu'à ceux qui vous attendent ici ? Vous nous forcez à faire des vœux opposés aux vôtres, et vous me faites souhaiter d'avoir du crédit à la Cour de France pour vous empêcher d'obtenir les passeports que vous en attendez. Contentez-vous, toutefois : allez voir votre digne compatriote. Malgré lui, malgré vous, nous serons vengés de cette préférence, et quelque plaisir que vous goûtiez à vivre avec lui, je sais que quand vous serez avec nous vous regretterez le temps que vous ne nous aurez pas donné.

En recevant votre lettre, j'avais d'abord soupçonné qu'une commission secrète.... quel plus digne médiateur de paix [2] ?.... mais les Rois donnent-ils leur confiance à des hommes vertueux ? Osent-ils écouter la vérité ? savent-ils même honorer le vrai mérite ?..... Non, non, cher Édouard, vous n'êtes pas fait pour le ministère, et je pense trop bien de vous pour croire que si vous n'étiez pas né Pair d'Angleterre, vous le fussiez jamais devenu.

Viens, Ami, tu seras mieux à Clarens qu'à la Cour. Ô quel hiver nous allons passer tous ensemble, si l'espoir de notre

---

* Il y avait ici une grande Lettre de Milord Édouard à Julie. Dans la suite il sera parlé de cette Lettre ; mais pour de bonne raisons j'ai été forcé de la supprimer.

---

1. Personnage réel : le baron Henry Hyde (1710-1753) est un homme de lettres et un grand voyageur. Une anecdote sur l'intelligence du fils de Milord Hyde, instruit par un sage gouverneur, est rapportée à la fin du livre II de l'*Émile* (*OC*, p. 424). **2.** La paix sera signée lors du traité d'Aix-la-Chapelle en 1748.

réunion ne m'abuse pas ! Chaque jour la prépare en ramenant ici quelqu'une de ces âmes privilégiées qui sont si chères l'une à l'autre, qui sont si dignes de s'aimer, et qui semblent n'attendre que vous pour se passer du reste de l'univers. En apprenant quel heureux hasard a fait passer ici la partie adverse du Baron d'Étange, vous avez prévu tout ce qui devait arriver de cette rencontre *, et ce qui est arrivé réellement. Ce vieux plaideur, quoique inflexible et entier presque autant que son adversaire, n'a pu résister à l'ascendant qui nous a tous subjugués. Après avoir vu Julie, après l'avoir entendue, après avoir conversé avec elle, il a eu honte de plaider contre son père. Il est parti pour Berne si bien disposé, et l'accommodement est actuellement en si bon train, que sur la dernière lettre du Baron nous l'attendons de retour dans peu de jours.

Voilà ce que vous aurez déjà su par M. de Wolmar. Mais ce que probablement vous ne savez point encore, c'est que Made d'Orbe ayant enfin terminé ses affaires est ici depuis Jeudi, et n'aura plus d'autre demeure que celle de son amie. Comme j'étais prévenu du jour de son arrivée, j'allai au-devant d'elle à l'insu de Made de Wolmar qu'elle voulait surprendre, et l'ayant rencontrée au deçà de Lutri [1], je revins sur mes pas avec elle.

Je la trouvai plus vive et plus charmante que jamais, mais inégale, distraite, n'écoutant point, répondant encore moins, parlant sans suite et par saillies, enfin livrée à cette inquiétude dont on ne peut se défendre sur le point d'obtenir ce qu'on a fortement désiré. On eût dit à chaque instant qu'elle tremblait de retourner en arrière. Ce départ, quoique longtemps différé, s'était fait si à la hâte que la tête en tournait à la maîtresse et aux domestiques. Il régnait un désordre risible dans le menu bagage qu'on amenait. À mesure que la femme de chambre craignait d'avoir oublié quelque

---

* On voit qu'il manque ici plusieurs lettres intermédiaires, ainsi qu'en beaucoup d'autres endroits. Le lecteur dira qu'on se tire fort commodément d'affaire avec de pareilles omissions, et je suis tout à fait de son avis.

---

1. Lutry se trouve sur le lac Léman, à quelques kilomètres à l'est de Lausanne.

chose, Claire assurait toujours l'avoir fait mettre dans le coffre du Carrosse, et le plaisant quand on y regarda, fut qu'il ne s'y trouva rien du tout.

Comme elle ne voulait pas que Julie entendît sa voiture, elle descendit dans l'avenue, traversa la cour en courant comme une folle, et monta si précipitamment qu'il fallut respirer après la première rampe [1] avant d'achever de monter. M. de Wolmar vint au-devant d'elle ; elle ne put lui dire un seul mot.

En ouvrant la porte de la chambre, je vis Julie assise vers la fenêtre et tenant sur ses genoux la petite Henriette, comme elle faisait souvent. Claire avait médité un beau discours à sa manière mêlé de sentiment et de gaieté ; mais en mettant le pied sur le seuil de la porte, le discours, la gaieté, tout fut oublié ; elle vole à son amie en s'écriant avec un emportement impossible à peindre : Cousine, toujours, pour toujours, jusqu'à la mort ! Henriette apercevant sa mère saute et court au-devant d'elle en criant aussi : *Maman ! maman !* de toute sa force, et la rencontre si rudement que la pauvre petite tomba du coup. Cette subite apparition, cette chute, la joie, le trouble saisirent Julie à tel point, que s'étant levée en étendant les bras avec un cri très aigu, elle se laissa retomber et se trouva mal. Claire voulant relever sa fille, voit pâlir son amie, elle hésite, elle ne sait à laquelle courir. Enfin, me voyant relever Henriette, elle s'élance pour secourir Julie défaillante, et tombe sur elle dans le même état.

Henriette les apercevant toutes deux sans mouvement se mit à pleurer et pousser des cris qui firent accourir la Fanchon ; l'une court à sa mère, l'autre à sa maîtresse. Pour moi, saisi, transporté, hors de sens, j'errais à grands pas par la chambre sans savoir ce que je faisais, avec des exclamations interrompues, et dans un mouvement convulsif dont je n'étais pas le maître. Wolmar lui-même, le froid Wolmar se sentit ému. Ô sentiment, sentiment ! douce vie de l'âme ! quel est le cœur de fer que tu n'as jamais touché ? Quel est l'infortuné

---

1. « Partie d'un escalier par laquelle on monte d'un palier à un autre », mais « on appelle aussi *Rampe* un plan incliné qui tient lieu d'escalier dans les Jardins, par lequel on monte et on descend sans degrés [marches] » (*Acad.* 1762).

mortel à qui tu n'arrachas jamais de larmes ? Au lieu de courir à Julie, cet heureux époux se jeta sur un fauteuil pour contempler avidement ce ravissant spectacle. Ne craignez rien, dit-il en voyant notre empressement. Ces scènes de plaisir et de joie n'épuisent un instant la nature que pour la ranimer d'une vigueur nouvelle ; elles ne sont jamais dangereuses. Laissez-moi jouir du bonheur que je goûte et que vous partagez. Que doit-il être pour vous ? Je n'en connus jamais de semblable, et [1] je suis le moins heureux des six.

Milord, sur ce premier moment vous pouvez juger du reste. Cette réunion excita dans toute la maison un retentissement d'allégresse, et une fermentation [2] qui n'est pas encore calmée. Julie hors d'elle-même était dans une agitation où je ne l'avais jamais vue ; il fut impossible de songer à rien de toute la journée qu'à se voir et s'embrasser sans cesse avec de nouveaux transports. On ne s'avisa pas même du salon d'Apollon, le plaisir était partout, on n'avait pas besoin d'y songer. À peine le lendemain eut-on assez de sang-froid pour préparer une fête. Sans Wolmar tout serait allé de travers : chacun se para de son mieux. Il n'y eut de travail permis que ce qu'il en fallait pour les amusements. La fête fut célébrée, non pas avec pompe, mais avec délire ; il y régnait une confusion qui la rendait touchante, et le désordre en faisait le plus bel ornement.

La matinée se passa à mettre Mad^e d'Orbe en possession de son emploi d'Intendante ou de maîtresse d'hôtel, et elle se hâtait d'en faire les fonctions avec un empressement d'enfant qui nous fit rire. En entrant pour dîner dans le beau Salon les deux Cousines virent de tous côtés leurs chiffres unis, et formés avec des fleurs. Julie devina dans l'instant d'où venait ce soin ; elle m'embrassa dans un saisissement de joie. Claire contre son ancienne coutume hésita d'en faire autant. Wolmar lui en fit la guerre ; elle prit, en rougissant, le parti d'imiter sa cousine. Cette rougeur, que je remarquai trop, me fit un effet que je ne saurais dire ; mais je ne me sentis pas dans ses bras sans émotion.

L'après-midi il y eut une belle collation dans le gynécée, où pour le coup le maître et moi fûmes admis. Les hommes

---

1. Comprendre : et pourtant. **2.** Voir III, 18, n. 1, p. 427.

tirèrent au blanc [1] une mise donnée par Mad[e] d'Orbe. Le nouveau venu l'emporta, quoique moins exercé que les autres ; Claire ne fut pas la dupe de son adresse. Hanz lui-même ne s'y trompa pas, et refusa d'accepter le prix ; mais tous ses camarades l'y forcèrent, et vous pouvez juger que cette honnêteté de leur part ne fut pas perdue.

Le soir, toute la maison, augmentée de trois personnes [2], se rassembla pour danser. Claire semblait parée par la main des grâces ; elle n'avait jamais été si brillante que ce jour-là. Elle dansait, elle causait, elle riait, elle donnait ses ordres, elle suffisait à tout. Elle avait juré de m'excéder de fatigue, et après cinq ou six contredanses [3] très vives tout d'une haleine, elle n'oublia pas le reproche ordinaire que je dansais comme un philosophe [4]. Je lui dis, moi, qu'elle dansait comme un lutin [5], qu'elle ne faisait pas moins de ravage, et que j'avais peur qu'elle ne me laissât reposer ni jour ni nuit : Au contraire, dit-elle, voici de quoi vous faire dormir tout d'une pièce ; et à l'instant, elle me reprit pour danser.

Elle était infatigable ; mais il n'en était pas ainsi de Julie ; elle avait peine à se tenir ; les genoux lui tremblaient en dansant ; elle était trop touchée pour pouvoir être gaie. Souvent on voyait des larmes de joie couler de ses yeux ; elle contemplait sa Cousine avec une sorte de ravissement [6] ; elle aimait à se croire l'étrangère à qui l'on donnait la fête, et à regarder Claire comme la maîtresse de la maison, qui l'ordonnait. Après le souper, je tirai des fusées que j'avais apportées de la Chine, et qui firent beaucoup d'effet. Nous veillâmes fort avant dans la nuit ; il fallut enfin se quitter ; Mad[e] d'Orbe était lasse ou devait l'être, et Julie voulut qu'on se couchât de bonne heure.

---

1. Voir IV, 10, n. 3, p. 543. **2.** C'est-à-dire Claire et ses domestiques : Hanz et une femme de chambre non nommée. **3.** « Sorte de danse vive et légère, qui a ses figures propres, et où plusieurs personnes dansent ensemble. *Originairement les contre-danses sont des danses de village* » (*Acad.* 1762). **4.** Le mot sera repris par Claire (VI, 2, p. 756). **5.** « On dit proverbialement d'Un jeune enfant qui fait continuellement du bruit, que *C'est un vrai lutin*. Et on dit d'Un homme agissant, qui donne très-peu de temps au sommeil, qu'*Il ne dort non plus qu'un lutin* » (*Acad.* 1762). **6.** Autre moment d'extase de Julie, après la matinée à l'anglaise (V, 3) : ce sont là les seules jouissances permises par le système de Wolmar à la « matrone de 30 ans ». Voir Présentation, p. 26.

Insensiblement le calme renaît, et l'ordre avec lui. Claire, toute folâtre qu'elle est, sait prendre, quand il lui plaît, un ton d'autorité qui en impose. Elle a d'ailleurs du sens, un discernement exquis, la pénétration de Wolmar, la bonté de Julie, et quoique extrêmement libérale [1], elle ne laisse pas d'avoir aussi beaucoup de prudence. En sorte que restée Veuve si jeune, et chargée de la garde-noble de sa fille [2], les biens de l'une et de l'autre n'ont fait que prospérer dans ses mains ; ainsi l'on n'a pas lieu de craindre que sous ses ordres la maison soit moins bien gouvernée qu'auparavant. Cela donne à Julie le plaisir de se livrer tout entière à l'occupation qui est le plus de son goût, savoir l'éducation des enfants, et je ne doute pas qu'Henriette ne profite extrêmement de tous les soins dont une de ses mères aura soulagé l'autre. Je dis : Ses mères ; car à voir la manière dont elles vivent avec elle, il est difficile de distinguer la véritable, et des étrangers qui nous sont venus aujourd'hui sont ou paraissent là-dessus encore en doute. En effet, toutes deux l'appellent Henriette, ou ma fille, indifféremment. Elle appelle *maman* l'une, et l'autre *petite maman* ; la même tendresse règne de part et d'autre ; elle obéit également à toutes deux. S'ils demandent aux Dames à laquelle elle appartient, chacune répond : À moi. S'ils interrogent Henriette, il se trouve qu'elle a deux mères ; on serait embarrassé à moins. Les plus clairvoyants se décident pourtant à la fin pour Julie. Henriette dont le père était blond est blonde comme elle et lui ressemble beaucoup. Une certaine tendresse de mère se peint encore mieux dans ses yeux si doux que dans les regards plus enjoués de Claire. La petite prend auprès de Julie un air plus respectueux, plus attentif sur elle-même. Machinalement elle se met plus souvent à ses côtés, parce que Julie a plus souvent quelque chose à lui dire. Il faut avouer que toutes les apparences sont en faveur de la petite maman, et je me suis aperçu que cette erreur est si agréable

---

1. Généreuse. **2.** « Le droit qu'un père ou une mère nobles, survivant l'un à l'autre, ont de jouir du bien de leurs enfants, venant de la succession du père décédé, jusqu'à ce qu'ils aient atteint un certain âge, à la charge de les nourrir, de les entretenir, et de payer toutes les dettes sans être tenus de rendre aucun compte » (*Acad.* 1762).

aux deux Cousines, qu'elle pourrait bien être quelquefois volontaire, et devenir un moyen de leur faire sa cour.

Milord, dans quinze jours il ne manquera plus ici que vous. Quand vous y serez, il faudra mal penser de tout homme dont le cœur cherchera sur le reste de la terre des vertus, [1] des plaisirs qu'il n'aura pas trouvés dans cette maison.

Lettre VII
À Milord Édouard

Il y a[a] trois jours que j'essaye chaque soir de vous écrire. Mais après une journée laborieuse, le sommeil me gagne en rentrant : le matin dès le point du jour il faut retourner à l'ouvrage. Une ivresse plus douce que celle du vin me jette au fond de l'âme un trouble délicieux, et je ne puis dérober un moment à des plaisirs devenus tout nouveaux pour moi.

Je ne conçois pas quel séjour pourrait me déplaire avec la société que je trouve dans celui-ci : mais savez-vous en quoi Clarens me plaît pour lui-même ? C'est que je m'y sens vraiment à la campagne, et que c'est presque la première fois que j'en ai pu dire autant. Les gens de ville ne savent point aimer la Campagne ; ils ne savent pas même y être : à peine quand ils y sont savent-ils ce qu'on y fait. Ils en dédaignent les travaux, les plaisirs, ils les ignorent ; ils sont chez eux comme en pays étranger, je ne m'étonne pas qu'ils s'y déplaisent. Il faut être villageois au village, ou n'y point aller ; car qu'y va-t-on faire ? Les habitants de Paris qui croient aller à la campagne, n'y vont point ; ils portent Paris avec eux. Les chanteurs, les beaux esprits, les auteurs, les parasites sont le cortège qui les suit. Le jeu, la musique, la comédie y sont leur seule occupation *. Leur table est couverte comme à Paris ; ils y mangent aux mêmes heures, on

---

* Il y faut ajouter la chasse. Encore la font-ils si commodément qu'ils n'en ont pas la moitié de la fatigue ni du plaisir. Mais je n'entame point ici cet article de la chasse ; il fournit trop pour être traité dans une note. J'aurai peut-être l'occasion d'en parler ailleurs. [NdE : le développement sur la chasse pratiquée par les riches et destructrice des récoltes du paysan figure au livre IV de l'*Émile* (*OC*, p. 689).]

---

1. Nous ajoutons une virgule.

leur y sert les mêmes mets, avec le même appareil [1], ils n'y font que les mêmes choses ; autant valait y rester ; car quelque riche qu'on puisse être et quelque soin qu'on ait pris, on sent toujours quelque privation, et l'on ne saurait apporter avec soi Paris tout entier. Ainsi cette variété qui leur est si chère, ils la fuient ; ils ne connaissent jamais qu'une manière de vivre, et s'en ennuient toujours.

Le travail de la campagne est agréable à considérer, et n'a rien d'assez pénible en lui-même pour émouvoir à compassion [2]. L'objet de l'utilité publique et privée le rend intéressant ; et puis, c'est la première vocation de l'homme, il rappelle à l'esprit une idée agréable, et au cœur tous les charmes de l'âge d'or [3]. L'imagination ne reste point froide à l'aspect du labourage et des moissons. La simplicité de la vie pastorale et champêtre a toujours quelque chose qui touche. Qu'on regarde les prés couverts de gens qui fanent [4] et chantent, et des troupeaux épars dans l'éloignement : insensiblement on se sent attendrir sans savoir pourquoi. Ainsi quelquefois encore la voix de la nature amollit nos cœurs farouches, et quoiqu'on l'entende avec un regret inutile, elle est si douce qu'on ne l'entend jamais sans plaisir.

J'avoue que la misère qui couvre les champs en certains pays où le publicain dévore les fruits de la terre, l'âpre avidité d'un fermier avare, l'inflexible rigueur d'un maître inhumain ôtent beaucoup d'attrait à ces tableaux [5]. Des chevaux étiques près d'expirer sous les coups ; de malheureux paysans exténués de jeûne excédés de fatigue et couverts de haillons, des hameaux de masures, offrent un triste spectacle à la vue ; on a presque regret d'être homme quand on songe aux malheureux dont il faut manger le sang. Mais quel charme de voir de bons et sages régisseurs faire de la culture de leurs terres l'instrument de leurs bienfaits, leurs amusements, leurs plaisirs, verser à pleines mains les dons de la providence ; engraisser tout ce qui les entoure, hommes et

---

1. Voir I, 46, n. 2, p. 161. **2.** Susciter la pitié. **3.** Allusion à l'Âge d'or chanté par Ovide (*Métamorphoses*, I, v. 89 *sq.*, Arles, Actes Sud, p. 35). Saint-Preux mêle les références païennes (Ovide, Virgile) et bibliques dans ce tableau idyllique des vendanges, où le thème économique est minimisé. **4.** Faner : « Tourner et retourner l'herbe d'un pré fauché, pour la faire sécher » (*Acad.* 1762). **5.** Voir IV, 17, n. 2, p. 609, et V, 2, n. 1, p. 648.

bestiaux, des biens dont regorgent leurs granges, leurs caves, leurs greniers ; accumuler l'abondance et la joie autour d'eux, et faire du travail qui les enrichit une fête continuelle ! Comment se dérober à la douce illusion que ces objets font naître ? On oublie son siècle et ses contemporains ; on se transporte au temps des patriarches ; on veut mettre soi-même la main à l'œuvre, partager les travaux rustiques, et le bonheur qu'on y voit attaché. Ô temps de l'amour et de l'innocence, où les femmes étaient tendres et modestes, où les hommes étaient simples et vivaient contents ! Ô Rachel ! fille charmante et si constamment aimée, heureux celui qui pour t'obtenir ne regretta pas quatorze ans d'esclavage ! Ô douce élève de Noémi, heureux le bon vieillard dont tu réchauffais les pieds et le cœur [1] ! Non, jamais la beauté ne règne avec plus d'empire qu'au milieu des soins champêtres. C'est là que les grâces sont sur leur trône, que la simplicité les pare, que la gaieté les anime, et qu'il faut les adorer malgré soi. Pardon, Milord, je reviens à nous.

Depuis un mois les chaleurs de l'automne apprêtaient d'heureuses vendanges ; les premières gelées en ont amené l'ouverture * ; le pampre grillé laissant la grappe à découvert étale aux yeux les dons du père Lyée [2], et semble inviter les mortels à s'en emparer. Toutes les vignes chargées de ce fruit bienfaisant que le Ciel offre aux infortunés pour leur faire oublier leur misère ; le bruit des tonneaux, des Cuves, les Légrefass ** qu'on relie [3] de toutes parts ; le chant des vendangeuses dont ces coteaux retentissent ; la marche continuelle de ceux qui portent la vendange au pressoir ; le rauque son des instruments rustiques qui les anime au travail ; l'aimable et touchant tableau d'une allégresse générale

---

* On vendange fort tard dans le pays de Vaud ; parce que la principale récolte est en vins blancs, et que la gelée leur est salutaire.
** Sorte de foudre ou de grand tonneau du pays. [NdE : forme francisée du mot allemand *Lagerfass*, « cuve ».]

---

1. Rachel, seconde femme de Jacob (Genèse 29), est une figure de grande aïeule tutélaire dans la mythologie judéo-chrétienne. L'élève de Noémi et le bon vieillard sont des périphrases désignant Ruth et Booz (Ruth 1-3). **2.** Bacchus. Référence à un vers de Virgile évoquant les offrandes au « vénérable *Pater Lyaeus* » (*Énéide*, IV, v. 58, t. II, p. 112). **3.** Cercle.

qui semble en ce moment étendu sur la face de la terre ; enfin le voile de brouillard que le soleil élève au matin comme une toile de théâtre pour découvrir à l'œil un si charmant spectacle ; tout conspire à lui donner un air de fête, et cette fête n'en devient que plus belle à la réflexion, quand on songe qu'elle est la seule où les hommes aient su joindre l'agréable à l'utile.

M. de Wolmar dont ici le meilleur terrain consiste en vignobles a fait d'avance tous les préparatifs nécessaires. Les cuves, le pressoir, le cellier, les futailles n'attendaient que la douce liqueur pour laquelle ils sont destinés. Made de Wolmar s'est chargée de la récolte, le choix des ouvriers, l'ordre et la distribution du travail la regardent. Made d'Orbe préside aux festins de vendange, et au salaire des journaliers selon la police établie, dont les lois ne s'enfreignent jamais ici. Mon inspection, à moi, est de faire observer au pressoir les directions [1] de Julie dont la tête ne supporte pas la vapeur des cuves, et Claire n'a pas manqué d'applaudir à cet emploi, comme étant tout à fait du ressort d'un buveur.

Les tâches ainsi partagées, le métier commun pour remplir les vides est celui de vendangeur. Tout le monde est sur pied de grand matin ; on se rassemble pour aller à la vigne. Made d'Orbe, qui n'est jamais assez occupée au gré de son activité, se charge pour surcroît, de faire avertir et tancer les paresseux, et je puis me vanter qu'elle s'acquitte envers moi de ce soin avec une maligne vigilance. Quant au vieux Baron, tandis que nous travaillons tous, il se promène avec un fusil, et vient de temps en temps m'ôter aux vendangeuses pour aller avec lui tirer des grives, à quoi l'on ne manque pas de dire que je l'ai secrètement engagé, si bien que j'en perds peu à peu le nom de philosophe pour gagner celui de fainéant, qui dans le fond n'en diffère pas de beaucoup.

---

1. Les instructions (Féraud voit dans le pluriel de « directions » un anglicisme ou un germanisme). « Inspection » « signifie la charge et le soin de veiller à quelque chose, de prendre garde aux actions, au travail de quelqu'un » (*Acad.* 1762).

Vous voyez, par ce que je viens de vous marquer du Baron, que notre réconciliation est sincère, et que Wolmar a lieu d'être content de sa seconde épreuve *. Moi de la haine pour le père de mon amie ! Non, quand j'aurais été son fils, je ne l'aurais pas plus parfaitement honoré. En vérité, je ne connais point d'homme plus droit, plus franc, plus généreux, plus respectable à tous égards que ce bon gentilhomme. Mais la bizarrerie de ses préjugés est étrange. Depuis qu'il est sûr que je ne saurais lui appartenir [1], il n'y a sorte d'honneur qu'il ne me fasse ; et pourvu que je ne sois pas son gendre, il se mettrait volontiers au-dessous de moi. La seule chose que je ne puis lui pardonner, c'est quand nous sommes seuls de railler quelquefois le prétendu philosophe sur ses anciennes leçons. Ces plaisanteries me sont amères et je les reçois toujours fort mal ; mais il rit de ma colère, et dit : Allons tirer des grives, c'est assez pousser d'arguments. Puis il crie en passant : Claire, Claire ! un bon souper à ton maître, car je vais lui faire gagner de l'appétit. En effet, à son âge il court les vignes avec son fusil tout aussi vigoureusement que moi, et tire incomparablement mieux. Ce qui me venge un peu de ses railleries, c'est que devant sa fille il n'ose plus souffler, et la petite écolière n'en impose guère moins à son père même qu'à son précepteur. Je reviens à nos vendanges.

Depuis huit jours que cet agréable travail nous occupe on est à peine à la moitié de l'ouvrage. Outre les vins destinés pour la vente et pour les provisions ordinaires, lesquels

---

* Ceci s'entendra mieux par l'extrait suivant d'une Lettre de Julie, qui n'est pas dans ce recueil : « Voilà, me dit M. de Wolmar en me tirant à part, la seconde épreuve que je lui destinais. S'il n'eût pas caressé votre père je me serais défié de lui. Mais, dis-je, comment concilier ces caresses et votre épreuve avec l'antipathie que vous avez vous-même trouvée entre eux ? Elle n'existe plus, reprit-il ; les préjugés de votre père ont fait à St. Preux tout le mal qu'ils pouvaient lui faire : Il n'en a plus rien à craindre, il ne les hait plus, il les plaint. Le Baron de son côté ne le craint plus ; il a le cœur bon, il sent qu'il lui a fait bien du mal, il en a pitié. Je vois qu'ils seront fort bien ensemble, et se verront avec plaisir. Aussi dès cet instant, je compte sur lui tout à fait. »

---

1. Faire partie de sa lignée.

n'ont d'autre façon que d'être recueillis avec soin, la bienfaisante fée en prépare d'autres plus fins pour nos buveurs, et j'aide aux opérations magiques dont je vous ai parlé, pour tirer d'un même vignoble des vins de tous les pays. Pour l'un elle fait tordre la grappe quand elle est mûre et la laisse flétrir au soleil sur la souche ; pour l'autre elle fait égrapper le raisin et trier les grains avant de les jeter dans la cuve ; pour un autre elle fait cueillir avant le lever du soleil du raisin rouge, et le porter doucement sur le pressoir couvert encore de sa fleur et de sa rosée [1], pour en exprimer du vin blanc ; elle prépare un vin de liqueur en mêlant dans les tonneaux du moût réduit en sirop sur le feu, un vin sec en l'empêchant de cuver [2], un vin d'absinthe pour l'estomac *, un vin muscat avec des simples. Tous ces vins différents ont leur apprêt particulier ; toutes ces préparations sont saines et naturelles : c'est ainsi qu'une économe industrie [3] supplée à la diversité des terrains, et rassemble vingt climats en un seul.

Vous ne sauriez concevoir avec quel zèle, avec quelle gaieté tout cela se fait. On chante, on rit toute la journée, et le travail n'en va que mieux. Tout [4] vit dans la plus grande familiarité ; tout le monde est égal, et personne ne s'oublie. Les Dames sont sans airs, les paysannes sont décentes, les hommes badins et non grossiers. C'est à qui trouvera les meilleures chansons, à qui fera les meilleurs contes, à qui dira les meilleurs traits. L'union même engendre les folâtres querelles, et l'on ne s'agace mutuellement que pour montrer combien on est sûr les uns des autres [5]. On ne revient point

---

* En Suisse on boit beaucoup de vin d'absinthe ; et en général, comme les herbes des Alpes ont plus de vertu que dans les plaines, on y fait plus d'usage des infusions.

---

1. Cette étape correspond à ce que les viticulteurs appellent la « pourriture noble » de la vigne : les grains de raisin se dessèchent sous l'action du *botrytis cinerea* (« grappe de raisins cendrés »), champignon favorisant la concentration en sucre des vins liquoreux. D'après Mornet, Rousseau a pu s'inspirer des recettes fournies par Liger dans sa *Maison rustique* (7e éd., 1755). **2.** De fermenter. **3.** Dextérité, adresse. **4.** Tout le monde. **5.** Cet idéal de transparence est le propre de la fête collective et égalitaire célébrée à la fin de la *Lettre à d'Alembert* : « donnez les spectateurs en spectacles ; rendez-les acteurs eux-mêmes ; faites que chacun se voie et s'aime dans les autres, afin que tous en soient mieux unis » (p. 183).

ensuite faire chez soi les messieurs ; on passe aux vignes toute la journée ; Julie y a fait une loge où l'on va se chauffer quand on a froid, et dans laquelle on se réfugie en cas de pluie. On dîne avec les paysans et à leur heure, aussi bien qu'on travaille avec eux. On mange avec appétit leur soupe un peu grossière, mais bonne, saine, et chargée d'excellents légumes. On ne ricane point orgueilleusement de leur air gauche et de leurs compliments rustauds ; pour les mettre à leur aise on s'y prête sans affectation. Ces complaisances ne leur échappent pas ; ils y sont sensibles, et voyant qu'on veut bien sortir pour eux de sa place, ils s'en tiennent d'autant plus volontiers dans la leur. À dîner, on amène les enfants, et ils passent le reste de la journée à la vigne. Avec quelle joie ces bons villageois les voient arriver ! Ô bienheureux enfants, disent-ils en les pressant dans leurs bras robustes, que le bon Dieu prolonge vos jours aux dépens des nôtres ! ressemblez à vos père et mères, et soyez comme eux la bénédiction du pays ! Souvent en songeant que la plupart de ces hommes ont porté les armes et savent manier l'épée et le mousquet aussi bien que la serpette et la houe ; en voyant Julie au milieu d'eux, si charmante et si respectée, recevoir, elle et ses enfants, leurs touchantes acclamations, je me rappelle l'illustre et vertueuse Agrippine montrant son fils aux troupes de Germanicus [1]. Julie ! femme incomparable ! vous exercez dans la simplicité de la vie privée le despotique empire de la sagesse et des bienfaits : vous êtes pour tout le pays un dépôt cher et sacré que chacun voudrait défendre et conserver au prix de son sang, et vous vivez plus sûrement, plus honorablement au milieu d'un peuple entier qui vous aime, que les Rois entourés de tous leurs soldats.

Le soir on revient gaiement tous ensemble. On nourrit et loge les ouvriers tout le temps de la vendange, et même le dimanche après le prêche du soir on se rassemble avec eux et l'on danse jusqu'au souper. Les autres jours on ne se

---

1. La scène s'inspire d'un passage des *Annales* de Tacite (I, 40-41, p. 450-451) d'un tout autre contexte : le général romain Germanicus, envoyé pour mater des soldats rebelles, fit partir sa femme Agrippine et leur fils Caligula, « élevé dans la camaraderie des légions », pour les mettre en sûreté. Les soldats furent émus de ce spectacle et Germanicus en profita pour les rappeler à leur devoir, dans une harangue pathétique mais ferme.

sépare point non plus en rentrant au logis, hors le Baron qui ne soupe jamais et se couche de fort bonne heure, et Julie qui monte avec ses enfants chez lui jusqu'à ce qu'il s'aille coucher. À cela près, depuis le moment qu'on prend le métier de vendangeur jusqu'à celui qu'on le quitte, on ne mêle plus la vie citadine à la vie rustique. Ces saturnales [1] sont bien plus agréables et plus sages que celles des Romains. Le renversement qu'ils affectaient était trop vain pour instruire le maître ni l'esclave : mais la douce égalité qui règne ici rétablit l'ordre de la nature, forme une instruction pour les uns, une consolation pour les autres et un lien d'amitié pour tous *.

Le lieu d'assemblée est une Salle à l'antique avec une grande cheminée où l'on fait bon feu. La pièce est éclairée de trois lampes, auxquelles M. de Wolmar a seulement fait ajouter des capuchons de fer-blanc pour intercepter la fumée et réfléchir la lumière. Pour prévenir l'envie et les regrets on tâche de ne rien étaler aux yeux de ces bonnes gens qu'ils ne puissent retrouver chez eux, de ne leur montrer d'autre opulence que le choix du bon dans les choses communes et un peu plus de largesse dans la distribution. Le souper est servi sur deux longues tables. Le luxe et l'appareil des festins n'y sont pas, mais l'abondance et la joie

* Si de là naît un commun état de fête, non moins doux à ceux qui descendent qu'à ceux qui montent, ne s'ensuit-il pas que tous les états sont presque indifférents par eux-mêmes, pourvu qu'on puisse et qu'on veuille en sortir quelquefois ? Les gueux sont malheureux parce qu'ils sont toujours gueux ; les Rois sont malheureux parce qu'ils sont toujours Rois. Les états moyens, dont on sort plus aisément offrent des plaisirs au-dessus et au-dessous de soi ; ils étendent aussi les lumières de ceux qui les remplissent, en leur donnant plus de préjugés à connaître et plus de degrés à comparer. Voilà, ce me semble, la principale raison pourquoi c'est généralement dans les conditions médiocres qu'on trouve les hommes les plus heureux et du meilleur sens.

----

1. « Fêtes célèbres chez les Romains. Pendant ces fêtes les esclaves faisaient les maîtres, leurs maîtres mêmes les servaient à table, et il leur était permis de dire impunément ce qu'ils pensaient. Elles duraient trois jours, et commençaient au 16 Décembre. Pendant ces jours-là tout était en débauche, et en dissolution. [...] On célébrait les *Saturnales* en l'honneur de Saturne, et pour conserver le souvenir du siècle d'or où tout le monde était égal » (*Trévoux*).

y sont. Tout le monde se met à table, maîtres, journaliers, domestiques ; chacun se lève indifféremment pour servir, sans exclusion, sans préférence, et le service se fait toujours avec grâce et avec plaisir. On boit à discrétion, la liberté n'a point d'autres bornes que l'honnêteté. La présence de maîtres si respectés contient tout le monde et n'empêche pas qu'on ne soit à son aise et gai. Que s'il arrive à quelqu'un de s'oublier, on ne trouble point la fête par des réprimandes, mais il est congédié sans rémission dès le lendemain.

Je me prévaux aussi des plaisirs du pays et de la saison. Je reprends la liberté de vivre à la Valaisane, et de boire assez souvent du vin pur : mais je n'en bois point qui n'ait été versé de la main d'une des deux Cousines. Elles se chargent de mesurer ma soif à mes forces et de ménager ma raison. Qui sait mieux qu'elles comment il la faut gouverner, et l'art de me l'ôter et de me la rendre ? Si le travail de la journée, la durée et la gaieté du repas donnent plus de force au vin versé de ces mains chéries, je laisse exhaler mes transports sans contrainte ; ils n'ont plus rien que je doive taire, rien que gêne la présence du sage Wolmar. Je ne crains point que son œil éclairé lise au fond de mon cœur ; et quand un tendre souvenir y veut renaître, un regard de Claire lui donne le change, un regard de Julie m'en fait rougir.

Après le souper on veille encore une heure ou deux en teillant [1] du chanvre ; chacun dit sa chanson tour à tour. Quelquefois les vendangeuses chantent en chœur toutes ensemble, ou bien alternativement à voix seule et en refrain. La plupart de ces chansons sont de vieilles romances [2] dont les airs ne sont pas piquants ; mais ils ont je ne sais quoi d'antique et de doux qui touche à la longue. Les paroles sont simples, naïves, souvent tristes ; elles plaisent pourtant. Nous ne pouvons nous empêcher, Claire de sourire, Julie de rougir, moi de soupirer, quand nous retrouvons dans ces chansons des tours et des expressions dont nous nous

---

1. Teiller : « rompre les brins de chanvre, et séparer les chènevottes de l'écorce qui se doit filer » (*Acad.* 1762). **2.** « Air sur lequel on chante un petit Poème du même nom, divisé par couplet, duquel le sujet est pour l'ordinaire quelque histoire amoureuse et souvent tragique » (Rousseau, *DM*, p. 1028).

sommes servis autrefois. Alors en jetant les yeux sur elles et
me rappelant les temps éloignés, un tressaillement me prend,
un poids insupportable me tombe tout à coup sur le cœur,
et me laisse une impression funeste qui ne s'efface qu'avec
peine [1]. Cependant je trouve à ces veillées une sorte de
charme que je ne puis vous expliquer, et qui m'est pourtant
fort sensible. Cette réunion des différents états, la simplicité
de cette occupation, l'idée de délassement, d'accord, [2] de
tranquillité, le sentiment de paix qu'elle porte à l'âme, a
quelque chose d'attendrissant qui dispose à trouver ces
chansons plus intéressantes. Ce concert des voix de femmes
n'est pas non plus sans douceur. Pour moi, je suis convaincu
que de toutes les harmonies, il n'y en a point d'aussi
agréable que le chant à l'unisson, et que s'il nous faut des
accords, c'est parce que nous avons le goût dépravé [3]. En
effet, toute l'harmonie ne se trouve-t-elle pas dans un son
quelconque ? et qu'y pouvons-nous ajouter sans altérer les
proportions que la nature a établies dans la force relative
des sons harmonieux ? En doublant les uns et non pas les
autres, en ne les renforçant pas en même rapport, n'ôtons-
nous pas à l'instant ces proportions ? La nature a tout fait
le mieux qu'il était possible ; mais nous voulons mieux faire
encore, et nous gâtons tout.

Il y a une grande émulation pour ce travail du soir aussi
bien que pour celui de la journée, et la filouterie que j'y
voulais employer m'attira hier un petit affront. Comme je
ne suis pas des plus adroits à teiller et que j'ai souvent des
distractions, ennuyé d'être toujours noté pour avoir fait le
moins d'ouvrage, je tirais doucement avec le pied des chenevottes [4] de mes voisins pour grossir mon tas ; mais cette
impitoyable Madame d'Orbe s'en étant aperçue fit signe à
Julie, qui, m'ayant pris sur le fait, me tança sévèrement.
Monsieur le fripon, me dit-elle tout haut, point d'injustice,

---

1. La guérison tant affirmée n'est pas complète, comme on le constate en
d'autres endroits de cette lettre. **2.** Nous ajoutons deux virgules après
« délassement » et « d'accord ». **3.** Thèse défendue depuis la *Lettre sur la
musique française*, poursuivie dans l'*Essai sur l'origine des langues* et le *DM*
(art. « Accord », « Harmonie » et « Unité de mélodie »). **4.** « Petit éclat de
la partie boiseuse du chanvre dépouillé de son écorce » (*Acad.* 1762).

même en plaisantant ; c'est ainsi qu'on s'accoutume à devenir méchant tout de bon, et qui pis est, à plaisanter encore *.

Voilà comment se passe la soirée. Quand l'heure de la retraite approche, Mad^e de Wolmar dit : Allons tirer le feu d'artifice. À l'instant, chacun prend son paquet de chenevottes, signe honorable de son travail ; on les porte en triomphe au milieu de la Cour, on les rassemble en un tas, on en fait un trophée, on y met le feu ; mais n'a pas cet honneur qui veut ; Julie l'adjuge, en présentant le flambeau à celui ou celle qui a fait ce soir-là le plus d'ouvrage ; fûtce elle-même, elle se l'attribue sans façon. L'auguste cérémonie est accompagnée d'acclamations et de battements de mains. Les chenevottes font un feu clair et brillant qui s'élève jusqu'aux nues, un vrai feu de joie autour duquel on saute, on rit. Ensuite on offre à boire à toute l'assemblée ; chacun boit à la santé du vainqueur et va se coucher content d'une journée passée dans le travail, la gaieté, l'innocence, et qu'on ne serait pas fâché de recommencer le lendemain, le surlendemain, et toute sa vie.

* L'homme au beurre ! Il me semble que cet avis vous irait assez bien. [NdE : cette note incompréhensible pour le lecteur étranger aux affaires du ménage Rousseau vise le comportement de son voisin le comte de Lastic : ayant reçu par erreur un colis de 10 kg de beurre destiné à Mme Levasseur, il l'avait gardé sans dédommager Thérèse venue le trouver. Rousseau prépara alors une lettre cinglante datée du 20 décembre 1755 : « [...] après vous être moqué d'elle [Thérèse], selon l'usage, vous et Madame votre épouse, vous avez pour toute réponse ordonné à vos gens de la chasser. J'ai tâché de consoler la bonne femme affligée, en lui expliquant les règles du grand monde et de la grande éducation, je lui ai prouvé que ce ne serait pas la peine d'avoir des Gens, s'il ne servaient à chasser le pauvre quand il vient réclamer son bien ; et en lui montrant combien justice et humanité sont des mots roturiers, je lui ai fait comprendre à la fin qu'elle est trop honorée qu'un Comte ait mangé son beurre » (*CC*, vol. 3, n° 349, p. 231). Mme d'Épinay le dissuada d'envoyer cette lettre en arguant qu'elle avait reçu les excuses de Lastic.]

Lettre VIII [1]
À M. de Wolmar

Jouissez, cher Wolmar, du fruit de vos soins. Recevez les hommages d'un cœur épuré, qu'avec tant de peine vous avez rendu digne de vous être offert. Jamais homme n'entreprit ce que vous avez entrepris, jamais homme ne tenta ce que vous avez exécuté ; jamais âme reconnaissante et sensible ne sentit ce que vous m'avez inspiré. La mienne avait perdu son ressort, sa vigueur, son être ; vous m'avez tout rendu[a]. J'étais mort aux vertus ainsi qu'au bonheur : je vous dois cette vie morale à laquelle je me sens renaître. Ô mon Bienfaiteur ! ô mon Père ! En me donnant à vous tout entier, je ne puis vous offrir, comme à Dieu même, que les dons que je tiens de vous.

Faut-il vous avouer ma faiblesse et mes craintes ? Jusqu'à présent je me suis toujours défié de moi. Il n'y a pas huit jours que j'ai rougi de mon cœur et cru toutes vos bontés perdues. Ce moment fut cruel, et décourageant pour la vertu ; grâce au Ciel, grâce à vous, il est passé pour ne plus revenir. Je ne me crois plus guéri seulement parce que vous me le dites, mais parce que je le sens. Je n'ai plus besoin que vous me répondiez de moi. Vous m'avez mis en état d'en répondre moi-même. Il m'a fallu séparer de vous et d'elle pour savoir ce que je pouvais être sans votre appui. C'est loin des lieux qu'elle habite que j'apprends à ne plus craindre d'en approcher.

J'écris à Madame d'Orbe le détail de notre voyage. Je ne vous le répéterai point ici. Je veux bien que vous connaissiez toutes mes faiblesses, mais je n'ai pas la force de vous les dire. Cher Wolmar, c'est ma dernière faute ; je m'en sens déjà si loin que je n'y songe point sans fierté ; mais l'instant en est si près encore que je ne puis l'avouer sans peine. Vous qui sûtes pardonner mes égarements, comment ne pardonneriez-vous pas la honte qu'a produit leur repentir ?

---

1. Cette lettre est écrite plusieurs mois après la précédente. Il n'y a évidemment pas eu de correspondance durant l'hiver qui a vu toute la communauté des belles âmes réunie à Clarens.

Rien ne manque plus à mon bonheur, Milord m'a tout dit. Cher ami, je serai donc à vous ? J'élèverai donc vos enfants ? L'aîné des trois élèvera les deux autres ? Avec quelle ardeur je l'ai désiré ! Combien l'espoir d'être trouvé digne d'un si cher emploi redoublait mes soins pour répondre aux vôtres ! combien de fois j'osai montrer là-dessus mon empressement à Julie ! Qu'avec plaisir j'interprétais souvent en ma faveur vos discours et les siens ! Mais quoiqu'elle fût sensible à mon zèle et qu'elle en parût approuver l'objet, je ne la vis point entrer assez précisément dans mes vues pour oser en parler plus ouvertement. Je sentis qu'il fallait mériter cet honneur et ne pas le demander. J'attendais de vous et d'elle ce gage de votre confiance et de votre estime. Je n'ai point été trompé dans mon espoir : mes amis, croyez-moi, vous ne serez point trompés dans le vôtre.

Vous savez qu'à la suite de nos conversations sur l'éducation de vos enfants j'avais jeté sur le papier quelques idées qu'elles m'avaient fournies et que vous approuvâtes. Depuis mon départ il m'est venu de nouvelles réflexions sur le même sujet, et j'ai réduit le tout en une espèce de système que je vous communiquerai quand je l'aurai mieux digéré [1], afin que vous l'examiniez à votre tour. Ce n'est qu'après notre arrivée à Rome que j'espère pouvoir le mettre en état de vous être montré. Ce système commence où finit celui de Julie, ou plutôt il n'en est que la suite et le développement ; car tout consiste à ne pas gâter l'homme de la nature en l'appropriant à la société [2].

J'ai recouvré ma raison par vos soins ; redevenu libre et sain de cœur, je me sens aimé de tout ce qui m'est cher ; l'avenir le plus charmant se présente à moi ; ma situation devrait être délicieuse, mais il est dit que je n'aurai jamais l'âme en paix. En approchant du terme de notre voyage, j'y vois l'époque [3] du sort de mon illustre ami ; c'est moi qui

---

1. « Examiner, discuter une affaire, la réduire par la méditation dans l'ordre, dans l'état où elle doit être » (*Acad.* 1762). **2.** C'est le projet même de l'*Émile*. Nouveau traité de Saint-Preux mentionné dans la correspondance. **3.** « Point fixe dans l'histoire, dont on se sert dans la Chronologie, ou dont on peut se servir pour commencer à compter les années, et qui ordinairement est marqué par quelque événement considérable » (*Acad.* 1762). Ce sens est étendu à l'histoire individuelle des personnages, dans cette lettre et la suivante.

dois, pour ainsi dire, en décider. Saurai-je faire au moins une fois pour lui ce qu'il a fait si souvent pour moi ? Saurai-je remplir dignement le plus grand le plus important devoir de ma vie ? Cher Wolmar, j'emporte au fond de mon cœur toutes vos leçons, mais pour savoir les rendre utiles que ne puis-je de même emporter votre sagesse ! Ah ! si je puis voir un jour Édouard heureux ; si selon son projet et le vôtre, nous nous rassemblons tous pour ne nous plus séparer, quel vœu me restera-t-il à faire ? Un seul, dont l'accomplissement ne dépend ni de vous, ni de moi, ni de personne au monde ; mais de celui qui doit un prix aux vertus de votre épouse, et compte en secret vos bienfaits.

Lettre IX
À Mad^e d'Orbe

Où êtes-vous, charmante Cousine ? Où êtes-vous, aimable confidente de ce faible cœur que vous partagez à tant de titres, et que vous avez consolé tant de fois ? Venez, qu'il verse aujourd'hui dans le vôtre l'aveu de sa dernière erreur. N'est-ce pas à vous qu'il appartient toujours de le purifier, et sait-il se reprocher encore les torts qu'il vous a confessés ? Non, je ne suis plus le même, et ce changement vous est dû : c'est un nouveau cœur que vous m'avez fait, et qui vous offre ses prémices ; mais je ne me croirai délivré de celui que je quitte qu'après l'avoir déposé dans vos mains. Ô vous qui l'avez vu naître, recevez ses derniers soupirs !

L'eussiez-vous jamais pensé ? le moment de ma vie où je fus le plus content de moi-même fut celui où je me séparai de vous. Revenu de mes longs égarements, je fixais à cet instant la tardive époque de mon retour à mes devoirs. Je commençais à payer enfin les immenses dettes de l'amitié, en m'arrachant d'un séjour si chéri pour suivre un bienfaiteur, un sage, qui feignant d'avoir besoin de mes soins, mettait le succès des siens à l'épreuve. Plus ce départ m'était douloureux, plus je m'honorai d'un pareil sacrifice. Après avoir perdu la moitié de ma vie à nourrir une passion malheureuse, je consacrais l'autre à la justifier, à rendre par mes vertus un plus digne hommage à celle qui reçut si longtemps tous ceux de mon cœur. Je marquais hautement le premier de mes jours où je ne faisais rougir de moi, ni vous, ni elle, ni rien de tout ce qui m'était cher.

Milord Édouard avait craint l'attendrissement des adieux, et nous voulions partir sans être aperçus : mais tandis que tout dormait encore, nous ne pûmes tromper votre vigilante amitié. En apercevant votre porte entrouverte et votre femme de chambre au guet, en vous voyant venir au-devant de nous, en entrant et trouvant une table à thé préparée, le rapport des circonstances me fit songer à d'autres temps, et comparant ce départ à celui dont il me rappelait l'idée [1], je me sentis si différent de ce que j'étais alors, que me félicitant d'avoir Édouard pour témoin de ces différences, j'espérai bien lui faire oublier à Milan l'indigne scène de Besançon [2]. Jamais je ne m'étais senti tant de courage ; je me faisais une gloire de vous le montrer ; je me parais auprès de vous de cette fermeté que vous ne m'aviez jamais vue, et je me glorifiais en vous quittant de paraître un moment à vos yeux tel que j'allais être. Cette idée ajoutait à mon courage, je me fortifiais de votre estime, et peut-être vous eussé-je dit adieu d'un œil sec, si vos larmes coulant sur ma joue n'eussent forcé les miennes de s'y confondre.

Je partis le cœur plein de tous mes devoirs, pénétré surtout de ceux que votre amitié m'impose, et bien résolu d'employer le reste de ma vie à la mériter. Édouard passant en revue toutes mes fautes, me remit devant les yeux un tableau qui n'était pas flatté, et je connus par sa juste rigueur à blâmer tant de faiblesses, qu'il craignait peu de les imiter. Cependant il feignait d'avoir cette crainte ; il me parlait avec inquiétude de son voyage de Rome et des indignes attachements qui l'y rappelaient malgré lui ; mais je jugeai facilement qu'il augmentait ses propres dangers pour m'en occuper davantage, et m'éloigner d'autant plus de ceux auxquels j'étais exposé.

Comme nous approchions de Villeneuve [3], un laquais qui montait un mauvais cheval se laissa tomber et se fit une légère contusion à la tête. Son maître le fit saigner et voulut

---

1. Voir I, 65. **2.** Voir II, 10. **3.** Villeneuve se trouve à l'extrémité est du lac Léman, à quelques kilomètres au sud de Clarens.

coucher là cette nuit. Ayant dîné de bonne heure, nous prîmes des chevaux pour aller à Bex voir la Saline, et Milord ayant des raisons particulières qui lui rendaient cet examen intéressant, je pris les mesures et le dessin du bâtiment de graduation [1] ; nous ne rentrâmes à Villeneuve qu'à la nuit. Après le souper, nous causâmes en buvant du punch, et veillâmes assez tard. Ce fut alors qu'il m'apprit quels soins m'étaient confiés, et ce qui avait été fait pour rendre cet arrangement praticable. Vous pouvez juger de l'effet que fit sur moi cette nouvelle ; une telle conversation n'amenait pas le sommeil. Il fallut pourtant enfin se coucher.

En entrant dans la chambre qui m'était destinée, je la reconnus pour la même que j'avais occupée autrefois en allant à Sion [2]. À cet aspect, je sentis une impression que j'aurais peine à vous rendre. J'en fus si vivement frappé que je crus redevenir à l'instant tout ce que j'étais alors : Dix années s'effacèrent de ma vie et tous mes malheurs furent oubliés. Hélas ! cette erreur fut courte, et le second instant me rendit plus accablant le poids de toutes mes anciennes peines. Quelles tristes réflexions succédèrent à ce premier enchantement ! Quelles comparaisons douloureuses s'offrirent à mon esprit ! Charmes de la première jeunesse, délices des premières amours, pourquoi vous retracer encore à ce cœur accablé d'ennuis et surchargé de lui-même ? Ô temps, temps heureux, tu n'es plus ! J'aimais, j'étais aimé. Je me livrais dans la paix de l'innocence aux transports d'un amour partagé : Je savourais à longs traits le délicieux sentiment qui me faisait vivre : La douce vapeur de l'espérance enivrait mon cœur. Une extase, un ravissement, un délire absorbait toutes mes facultés : Ah ! sur les rochers de Meillerie, au milieu de l'hiver et des glaces, d'affreux abîmes devant les yeux, quel être au monde jouissait d'un sort comparable au mien [3] ?…. et je pleurais ! et je me trouvais à plaindre ! et la tristesse osait approcher de moi !…. que ferai-je donc aujourd'hui que j'ai tout possédé, tout perdu ?…. J'ai bien mérité ma

---

1. Les sources salées étaient canalisées en direction d'un « bâtiment de graduation », dans lequel l'eau ruisselait sur des fagots de bois pour augmenter sa teneur saline. La récupération du sel s'effectuait ensuite par évaporation. Bex se situe dans les terres, à une vingtaine de kilomètres au sud de Villeneuve. **2.** Voir I, 18. **3.** Voir I, 26.

misère, puisque j'ai si peu senti mon bonheur !.... je pleurais alors ?.... tu pleurais ?.... Infortuné, tu ne pleures plus.... tu n'as pas même le droit de pleurer.... Que n'est-elle morte ! osai-je m'écrier dans un transport de rage ; oui, je serais moins malheureux : j'oserais me livrer à mes douleurs ; j'embrasserais sans remords sa froide tombe, mes regrets seraient dignes d'elle ; je dirais : Elle entend mes cris, elle voit mes pleurs, mes gémissements la touchent, elle approuve et reçoit mon pur hommage.... j'aurais au moins l'espoir de la rejoindre [1].... Mais elle vit ; elle est heureuse !.... elle vit, et sa vie est ma mort, et son bonheur est mon supplice, et le Ciel après me l'avoir arrachée, m'ôte jusqu'à la douceur de la regretter !.... elle vit, mais non pas pour moi ; elle vit pour mon désespoir. Je suis cent fois plus loin d'elle que si elle n'était plus.

Je me couchai dans ces tristes idées. Elles me suivirent durant mon sommeil, et le remplirent d'images funèbres. Les amères douleurs, les regrets, la mort se peignirent dans mes songes, et tous les maux que j'avais soufferts reprenaient à mes yeux cent formes nouvelles, pour me tourmenter une seconde fois. Un rêve surtout, le plus cruel de tous, s'obstinait à me poursuivre, et de fantôme en fantôme, toutes leurs apparitions confuses finissaient toujours par celui-là.

Je crus voir la digne mère de votre amie, dans son lit expirante, et sa fille à genoux devant elle, fondant en larmes, baisant ses mains et recueillant ses derniers soupirs. Je revis cette scène que vous m'avez autrefois dépeinte, et qui ne sortira jamais de mon souvenir. Ô ma mère, disait Julie d'un ton à me navrer l'âme, celle qui vous doit le jour vous l'ôte ! Ah ! reprenez votre bienfait, sans vous il n'est pour moi qu'un don funeste. Mon enfant, répondit sa tendre mère,.... il faut remplir son sort.... Dieu est juste.... tu seras mère à ton tour.... elle ne put achever.... Je voulus lever les yeux sur elle ; je ne la vis plus. Je vis Julie à sa place ; je la vis, je la reconnus, quoique son visage fût couvert d'un voile. Je fais un cri ; je m'élance pour écarter le voile ; je ne pus

---

1. Cette scène d'hallucination sera reprise exactement à la fin de la lettre VI, 13 de Claire.

l'atteindre ; j'étendais les bras, je me tourmentais et ne touchais rien. Ami, calme-toi ; me dit-elle d'une voix faible. Le voile redoutable me couvre, nulle main ne peut l'écarter. À ce mot, je m'agite et fais un nouvel effort ; cet effort me réveille : je me trouve dans mon lit, accablé de fatigue, et trempé de sueur et de larmes.

Bientôt ma frayeur se dissipe, l'épuisement me rendort ; le même songe me rend les mêmes agitations ; je m'éveille, et me rendors une troisième fois. Toujours ce spectacle lugubre, toujours ce même appareil de mort ; toujours ce voile impénétrable échappe à mes mains et dérobe à mes yeux l'objet expirant qu'il couvre.

À ce dernier réveil ma terreur fut si forte que je ne la pus vaincre étant éveillé. Je me jette à bas de mon lit, sans savoir ce que je faisais. Je me mets à errer par la chambre, effrayé comme un enfant des ombres de la nuit, croyant me voir environné de fantômes, et l'oreille encore frappée de cette voix plaintive dont je n'entendis jamais le son sans émotion. Le crépuscule [1] en commençant d'éclairer les objets, ne fit que les transformer au gré de mon imagination troublée. Mon effroi redouble et m'ôte le jugement : après avoir trouvé ma porte avec peine, je m'enfuis de ma chambre ; j'entre brusquement dans celle d'Édouard : J'ouvre son rideau et me laisse tomber sur son lit en m'écriant hors d'haleine : C'en est fait, je ne la verrai plus ! Il s'éveille en sursaut, il saute à ses armes, se croyant surpris par un voleur. À l'instant, il me reconnaît ; je me reconnais moi-même, et pour la seconde fois de ma vie [2], je me vois devant lui dans la confusion que vous pouvez concevoir.

Il me fit asseoir, me remettre et parler. Sitôt qu'il sut de quoi il s'agissait, il voulut tourner la chose en plaisanterie ; mais voyant que j'étais vivement frappé, et que cette impression ne serait pas facile à détruire, il changea de ton. Vous ne méritez ni mon amitié ni mon estime, me dit-il assez durement ; si j'avais pris pour mon laquais le quart des soins que j'ai pris pour vous, j'en aurais fait un homme ; mais vous n'êtes rien. Ah ! lui dis-je, il est trop vrai. Tout ce que

---

1. En un sens étendu, il y a un « crépuscule du matin » (*Acad.* 1762). **2.** Voir II, 10.

H. Gravelot *inven.*   I. Ouvrier *Sculp.*

Où veux-tu fuir ? le fantome est dans ton cœur.

j'avais de bon me venait d'elle : je ne la reverrai jamais ; je ne suis plus rien. Il sourit, et m'embrassa. Tranquillisez-vous aujourd'hui, me dit-il, demain vous serez raisonnable. Je me charge de l'événement. Après cela, changeant de conversation, il me proposa de partir. J'y consentis. On fit mettre les chevaux, nous nous habillâmes : En entrant dans la chaise, Milord dit un mot à l'oreille au postillon, et nous partîmes.

Nous marchions sans rien dire. J'étais si occupé de mon funeste rêve que je n'entendais et ne voyais rien. Je ne fis pas même attention que le lac, qui la veille était à ma droite, était maintenant à ma gauche. Il n'y eut qu'un bruit de pavé qui me tira de ma léthargie, et me fit apercevoir, avec un étonnement facile à comprendre, que nous rentrions dans Clarens. À trois cents pas de la grille Milord fit arrêter, et me tirant à l'écart : Vous voyez, me dit-il, mon projet ; il n'a pas besoin d'explication. Allez, visionnaire [1], ajouta-t-il en me serrant la main ; allez la revoir. Heureux de ne montrer vos folies qu'à des gens qui vous aiment ! Hâtez-vous, je vous attends ; mais surtout ne revenez qu'après avoir déchiré ce fatal voile tissu dans votre cerveau.

Qu'aurais-je dit ? Je partis sans répondre. Je marchais d'un pas précipité que la réflexion ralentit en approchant de la maison. Quel personnage allais-je faire ? Comment oser me montrer ? De quel prétexte couvrir ce retour imprévu ? Avec quel front irais-je alléguer mes ridicules terreurs, et supporter le regard méprisant du généreux Wolmar ? Plus j'approchais, plus ma frayeur me paraissait puérile, et mon extravagance me faisait pitié. Cependant un noir pressentiment m'agitait encore, et je ne me sentais point rassuré. J'avançais toujours quoique lentement, et j'étais déjà près de la cour, quand j'entendis ouvrir et refermer la porte de l'Élysée. N'en voyant sortir personne, je fis le tour en dehors, et j'allai par le rivage côtoyer la volière autant qu'il me fut possible. Je ne tardai pas de juger qu'on en approchait. Alors prêtant l'oreille, je vous entendis parler toutes deux, et, sans qu'il me fût possible de distinguer un seul mot, je

---

1. « Se dit figurément de celui qui a des idées folles, des imaginations extravagantes, des desseins chimériques » (*Acad.* 1762). Voir VI, 10.

trouvai dans le son de votre voix je ne sais quoi de languissant et de tendre qui me donna de l'émotion, et dans la sienne un accent affectueux et doux à son ordinaire, mais paisible et serein, qui me remit à l'instant, et qui fit le vrai réveil de mon rêve.

Sur-le-champ je me sentis tellement changé, que je me moquai de moi-même et de mes vaines alarmes. En songeant que je n'avais qu'une haie et quelques buissons à franchir pour voir pleine de vie et de santé celle que j'avais cru ne revoir jamais, j'abjurai pour toujours mes craintes, mon effroi, mes chimères, et je me déterminai sans peine à repartir, même sans la voir. Claire, je vous le jure, non seulement je ne la vis point ; mais je m'en retournai fier de ne l'avoir point vue, de n'avoir pas été faible et crédule jusqu'au bout, et d'avoir au moins rendu cet honneur à l'ami d'Édouard, de le mettre au-dessus d'un songe.

Voilà, chère Cousine, ce que j'avais à vous dire et le dernier aveu qui me restait à vous faire. Le détail du reste de notre voyage n'a plus rien d'intéressant ; il me suffit de vous protester que depuis lors non seulement Milord est content de moi ; mais que je le suis encore plus moi-même qui sens mon entière guérison, bien mieux qu'il ne la peut voir. De peur de lui laisser une défiance inutile, je lui ai caché que je ne vous avais point vues. Quand il me demanda si le voile était levé, je l'affirmai sans balancer [1], et nous n'en avons plus parlé. Oui, Cousine, il est levé pour jamais, ce voile dont ma raison fut longtemps offusquée [2]. Tous mes transports inquiets sont éteints. Je vois tous mes devoirs et je les aime. Vous m'êtes toutes deux plus chères que jamais ; mais mon cœur ne distingue plus l'une de l'autre, et ne sépare point les inséparables.

Nous arrivâmes avant-hier à Milan. Nous en repartons après-demain. Dans huit jours nous comptons être à Rome, et j'espère y trouver de vos nouvelles en arrivant. Qu'il me tarde de voir ces deux étonnantes personnes [3] qui troublent depuis si longtemps le repos du plus grand des hommes. Ô

---

1. Sans hésiter. **2.** Voir II, 65, n. 1, p. 231. **3.** La marquise et Laure (voir V, 12 et VI, 3).

Julie ! ô Claire ! il faudrait votre égale pour mériter de le rendre heureux.

Lettre X
Réponse de Mad^e d'Orbe

Nous attendions tous de vos nouvelles avec impatience, et je n'ai pas besoin de vous dire combien vos lettres ont fait de plaisir à la petite communauté : mais ce que vous ne devinerez pas de même, c'est que de toute la maison je suis peut-être celle qu'elles ont le moins réjouie. Ils ont tous appris que vous aviez heureusement passé les Alpes ; moi, j'ai songé que vous étiez au-delà.

À l'égard du détail que vous m'avez fait, nous n'en avons rien dit au Baron, et j'en ai passé à tout le monde quelques soliloques fort inutiles. M. de Wolmar a eu l'honnêteté de ne faire que se moquer de vous : Mais Julie n'a pu se rappeler les derniers moments de sa mère sans de nouveaux regrets et de nouvelles larmes. Elle n'a remarqué de votre rêve que ce qui ranimait ses douleurs.

Quant à moi, je vous dirai, mon cher Maître, que je ne suis plus surprise de vous voir en continuelle admiration de vous-même, toujours achevant quelque folie, et toujours commençant d'être sage : car il y a longtemps que vous passez votre vie à vous reprocher le jour de la veille, et à vous applaudir pour le lendemain.

Je vous avoue aussi que ce grand effort de courage, qui, si près de nous vous a fait retourner comme vous étiez venu, ne me paraît pas aussi merveilleux qu'à vous. Je le trouve plus vain que sensé, et je crois qu'à tout prendre j'aimerais autant moins de force avec un peu plus de raison. Sur cette manière de vous en aller pourrait-on vous demander ce que vous êtes venu faire ? Vous avez eu honte de vous montrer, et c'était de n'oser vous montrer qu'il fallait avoir honte ; comme si la douceur de voir ses amis n'effaçait pas cent fois le petit chagrin de leur raillerie ! N'étiez-vous pas trop heureux de venir nous offrir votre air effaré pour nous faire rire ? Hé bien donc, je ne me suis pas moquée de vous alors ;

mais je m'en moque tant plus [1] aujourd'hui ; quoique n'ayant pas le plaisir de vous mettre en colère, je ne puisse pas rire de si bon cœur.

Malheureusement, il y a pis encore ; c'est que j'ai gagné toutes vos terreurs sans me rassurer comme vous. Ce rêve a quelque chose d'effrayant qui m'inquiète et m'attriste malgré que j'en aie. En lisant votre lettre, je blâmais vos agitations ; en la finissant, j'ai blâmé votre sécurité. L'on ne saurait voir à la fois pourquoi vous étiez si ému, et pourquoi vous êtes devenu si tranquille. Par quelle bizarrerie avez-vous gardé les plus tristes pressentiments jusqu'au moment où vous avez pu les détruire et ne l'avez pas voulu ? [2] Un pas, un geste, un mot, tout était fini. Vous vous étiez alarmé sans raison, vous vous êtes rassuré de même ; mais vous m'avez transmis la frayeur que vous n'avez plus, et il se trouve qu'ayant eu de la force une seule fois en votre vie, vous l'avez eue à mes dépens. Depuis votre fatale lettre un serrement de cœur ne m'a pas quittée ; je n'approche point de Julie sans trembler de la perdre. À chaque instant je crois voir sur son visage la pâleur de la mort, et ce matin la pressant dans mes bras, je me suis sentie en pleurs sans savoir pourquoi. Ce voile ! Ce voile !…. Il a je ne sais quoi de sinistre qui me trouble chaque fois que j'y pense. Non, je ne puis vous pardonner d'avoir pu l'écarter sans l'avoir fait, et j'ai bien peur de n'avoir plus désormais un moment de contentement que je ne vous revoie auprès d'elle. Convenez aussi qu'après avoir si longtemps parlé de philosophie, vous vous êtes montré philosophe à la fin bien mal à propos. Ah ! rêvez, et voyez vos amis ; cela vaut mieux que de les fuir et d'être un sage.

Il paraît, par la Lettre de Milord à M. de Wolmar qu'il songe sérieusement à venir s'établir avec nous. Sitôt qu'il aura pris son parti là-bas, et que son cœur sera décidé, revenez tous deux heureux et fixés ; c'est le vœu de la petite communauté, et surtout celui de votre amie,

Claire d'Orbe.

---

1. D'autant plus (version de CP). Provincialisme suisse. **2.** Nous remplaçons le point par un point d'interrogation.

P. S. Au reste, s'il est vrai que vous n'avez rien entendu de notre conversation dans l'Élysée, c'est peut-être tant mieux pour vous ; car vous me savez assez alerte pour voir les gens sans qu'ils m'aperçoivent, et assez maligne pour persifler les écouteurs.

Lettre XI
Réponse de M. de Wolmar

J'écris à Milord Édouard, et je lui parle de vous si au long, qu'il ne me reste en vous écrivant à vous-même qu'à vous renvoyer à sa lettre. La vôtre exigerait peut-être de ma part un retour d'honnêtetés [1] ; mais vous appeler dans ma famille ; vous traiter en frère, en ami, faire votre sœur de celle qui fut votre amante ; vous remettre l'autorité paternelle sur mes enfants ; vous confier mes droits après avoir usurpé les vôtres ; voilà les compliments dont je vous ai cru digne. De votre part, si vous justifiez ma conduite et mes soins, vous m'aurez assez loué. J'ai tâché de vous honorer par mon estime, honorez-moi par vos vertus. Tout autre éloge doit être banni d'entre nous.

Loin d'être surpris de vous voir frappé d'un songe, je ne vois pas trop pourquoi vous vous reprochez de l'avoir été. Il me semble que pour un homme à systèmes [2] ce n'est pas une si grande affaire qu'un rêve de plus.

Mais ce que je vous reprocherais volontiers, c'est moins l'effet de votre songe que son espèce, et cela par une raison fort différente de celle que vous pourriez penser. Un Tyran fit autrefois mourir un homme qui dans un songe avait cru le poignarder. Rappelez-vous la raison qu'il donna de ce meurtre, et faites-vous-en l'application [3]. Quoi ! vous allez décider du sort de votre ami et vous songez à vos anciennes

---

1. Des marques de civilité. **2.** Un philosophe, qualifié ici de rêveur à travers le mot d'esprit de Wolmar. Voir IV, 7, n. 1, p. 512. **3.** Le tyran est Denys l'Ancien : « il condamna à mort un certain Marsyas, qu'il avait promu lui-même et nommé à un commandement, parce que celui-ci avait eu un songe où il se voyait égorger son maître ; Denys prétendit que cette vision lui était venue dans son sommeil à la suite d'une idée et d'un projet conçus pendant le jour » (Plutarque, *Vie de Dion*, in *Vies parallèles*, t. I, p. 483).

amours ! Sans les conversations du soir précédent, je ne vous pardonnerais jamais ce rêve-là. Pensez le jour à ce que vous allez faire à Rome, vous songerez moins la nuit à ce qui s'est fait à Vevey.

La Fanchon est malade ; cela tient ma femme occupée et lui ôte le temps de vous écrire. Il y a ici quelqu'un qui supplée volontiers à ce soin. Heureux jeune homme ! Tout conspire à votre bonheur : tous les prix de la vertu vous recherchent pour vous forcer à les mériter. Quant à celui de mes bienfaits n'en chargez personne que vous-même ; c'est de vous seul que je l'attends.

Lettre XII
À M. de Wolmar

Que cette Lettre demeure entre vous et moi. Qu'un profond secret cache à jamais les erreurs du plus vertueux des hommes. Dans quel pas dangereux je me trouve engagé ? Ô mon sage et bienfaisant ami ! que n'ai-je tous vos conseils dans la mémoire, comme j'ai vos bontés dans le cœur ! Jamais je n'eus si grand besoin de prudence, et jamais la peur d'en manquer ne nuisit tant au peu que j'en ai. Ah ! où sont vos soins paternels, où sont vos leçons, vos lumières ? Que deviendrai-je sans vous ? Dans ce moment de crise, je donnerais tout l'espoir de ma vie pour vous avoir ici durant huit jours.

Je me suis trompé dans toutes mes conjectures ; je n'ai fait que des fautes jusqu'à ce moment. Je ne redoutais que la Marquise. Après l'avoir vue, effrayé de sa beauté, de son adresse, je m'efforçais d'en détacher tout à fait l'âme noble de son ancien amant. Charmé de le ramener du côté d'où je ne voyais rien à craindre, je lui parlais de Laure avec l'estime et l'admiration qu'elle m'avait inspirée ; en relâchant son plus fort attachement par l'autre, j'espérais les rompre enfin tous les deux.

Il se prêta d'abord à mon projet ; il outra même la complaisance, et voulant peut-être punir mes importunités par un peu d'alarmes, il affecta pour Laure encore plus d'empressement qu'il ne croyait en avoir. Que vous dirai-je

aujourd'hui ? son empressement est toujours le même, mais
il n'affecte plus rien. Son cœur épuisé par tant de combats
s'est trouvé dans un état de faiblesse dont elle a profité. Il
serait difficile à tout autre de feindre longtemps de l'amour
auprès d'elle, jugez pour l'objet même de la passion qui la
consume. En vérité, l'on ne peut voir cette infortunée sans
être touché de son air et de sa figure ; une impression de
langueur et d'abattement qui ne quitte point son charmant
visage, en éteignant la vivacité de sa physionomie, la rend
plus intéressante, et comme les rayons du soleil échappés à
travers les nuages, ses yeux ternis par la douleur lancent des
feux plus piquants. Son humiliation même a toutes les
grâces de la modestie : en la voyant on la plaint, en l'écoutant on l'honore ; enfin je dois dire à la justification de mon
ami que je ne connais que deux hommes au monde qui
puissent rester sans risque auprès d'elle.

Il s'égare, ô Wolmar ! je le vois, je le sens ; je vous l'avoue
dans l'amertume de mon cœur. Je frémis en songeant jusqu'où son égarement peut lui faire oublier ce qu'il est et ce
qu'il se doit. Je tremble que cet intrépide amour de la vertu,
qui lui fait mépriser l'opinion publique, ne le porte à l'autre
extrémité, et ne lui fasse braver encore les lois sacrées de la
décence et de l'honnêteté. Édouard Bomston faire un tel
mariage !…. vous concevez !…. sous les yeux de son ami !….
qui le permet !…. qui le souffre !…. et qui lui doit tout !….
Il faudra qu'il m'arrache le cœur de sa main avant de la
profaner ainsi.

Cependant, que faire ? Comment me comporter ? Vous
connaissez sa violence. On ne gagne rien avec lui par les discours, et les siens depuis quelque temps ne sont pas propres
à calmer mes craintes. J'ai feint d'abord de ne pas l'entendre.
J'ai fait indirectement parler la raison en maximes générales :
à son tour il ne m'entend point. Si j'essaye de le toucher un
peu plus au vif, il répond des sentences, et croit m'avoir
réfuté. Si j'insiste, il s'emporte, il prend un ton qu'un ami
devrait ignorer, et auquel l'amitié ne sait point répondre.
Croyez que je ne suis en cette occasion ni craintif, ni timide ;
quand on est dans son devoir, on n'est que trop tenté d'être
fier ; mais il ne s'agit pas ici de fierté, il s'agit de réussir, et
de fausses tentatives peuvent nuire aux meilleurs moyens. Je

n'ose presque entrer avec lui dans aucune discussion ; car je sens tous les jours la vérité de l'avertissement que vous m'avez donné, qu'il est plus fort que moi de raisonnement, et qu'il ne faut point l'enflammer par la dispute.

Il paraît d'ailleurs un peu refroidi pour moi. On dirait que je l'inquiète. Combien avec tant de supériorité à tous égards un homme est rabaissé par un moment de faiblesse ! Le grand, le sublime Édouard a peur de son ami, de sa créature, de son élève ! Il semble même, par quelques mots jetés sur le choix de son séjour s'il ne se marie pas, vouloir tenter ma fidélité par mon intérêt. Il sait bien que je ne dois ni ne veux le quitter. Ô Wolmar, je ferai mon devoir et suivrai partout mon bienfaiteur. Si j'étais lâche et vil, que gagnerais-je à ma perfidie ? Julie et son digne époux confieraient-ils leurs enfants à un traître ?

Vous m'avez dit souvent que les petites passions ne prennent jamais le change et vont toujours à leur fin ; mais qu'on peut armer les grandes contre elles-mêmes. J'ai cru pouvoir ici faire usage de cette maxime. En effet, la compassion, le mépris des préjugés, l'habitude, tout ce qui détermine Édouard en cette occasion, échappe à force de petitesse et devient presque inattaquable. Au lieu que le véritable amour est inséparable de la générosité, et que par elle on a toujours sur lui quelque prise. J'ai tenté cette voie indirecte, et je ne désespère pas du succès. Ce moyen paraît cruel ; je ne l'ai pris qu'avec répugnance. Cependant, tout bien pesé, je crois rendre service à Laure elle-même. Que ferait-elle dans l'état auquel elle peut monter, qu'y montrer son ancienne ignominie ? Mais qu'elle peut être grande en demeurant ce qu'elle est ! Si je connais bien cette étrange fille, elle est faite pour jouir de son sacrifice, plus que du rang qu'elle doit refuser.

Si cette ressource me manque, il m'en reste une de la part du gouvernement à cause de la Religion [1] ; mais ce moyen ne doit être employé qu'à la dernière extrémité et au défaut de tout autre : quoi qu'il en soit, je n'en veux épargner aucun pour prévenir une alliance indigne et déshonnête. Ô

---

1. Selon les lois de la papauté, le protestant Bomston ne peut épouser Laure, catholique.

respectable Wolmar ! je suis jaloux de votre estime durant tous les moments de ma vie : Quoi que puisse vous écrire Édouard, quoi que vous puissiez entendre dire, souvenez-vous qu'à quelque prix que ce puisse être, tant que mon cœur battra dans ma poitrine, jamais *Lauretta Pisana* ne sera Lady Bomston.

Si vous approuvez mes mesures, cette Lettre n'a pas besoin de réponse. Si je me trompe, instruisez-moi. Mais hâtez-vous, car il n'y a pas un moment à perdre. Je ferai mettre l'adresse par une main étrangère. Faites de même en me répondant. Après avoir examiné ce qu'il faut faire, brûlez ma lettre et oubliez ce qu'elle contient. Voici le premier et le seul secret que j'aurai eu de ma vie à cacher aux deux Cousines : si j'osais me fier davantage à mes lumières, vous-même n'en sauriez jamais rien *.

Lettre XIII
De Mad^e de Wolmar à Mad^e d'Orbe

Le Courrier d'Italie semblait n'attendre pour arriver que le moment de ton départ, comme pour te punir de ne l'avoir différé qu'à cause de lui. Ce n'est pas moi qui ai fait cette jolie découverte ; c'est mon mari qui a remarqué qu'ayant fait mettre les chevaux à huit heures, tu tardas de partir jusqu'à onze, non pour l'amour de nous, mais après avoir demandé vingt fois s'il en était dix, parce que c'est ordinairement l'heure où la poste passe.

Tu es prise, pauvre Cousine, tu ne peux plus t'en dédire. Malgré l'augure de la Chaillot, cette Claire si folle, ou plutôt si sage, n'a pu l'être jusqu'au bout ; te voilà dans les mêmes las ** dont tu pris tant de peine à me dégager, et tu n'as pu

---

* Pour bien entendre cette lettre et la 3e de la VIe partie, il faudrait savoir les aventures de Milord Édouard ; et j'avais d'abord résolu de les ajouter à ce recueil. En y repensant, je n'ai pu me résoudre à gâter la simplicité de l'histoire des deux amants par le romanesque de la sienne. Il vaut mieux laisser quelque chose à deviner au lecteur.

** Je n'ai pas voulu laisser *lacs*, à cause de la prononciation genevoise remarquée par Mad^e d'Orbe, VIe partie, lettre V, p. 775. [NdE : « las » est la forme phonétique de « lacs » (*laz* en ancien français, du latin *lacium*), qui a donné en français moderne « lacets » et en anglais *lace* (comme dans *Lovelace*, ce lacet d'amour où l'on s'étrangle…).]

conserver pour toi la liberté que tu m'as rendue. Mon tour de rire est-il donc venu ? Chère amie, il faudrait avoir ton charme et tes grâces pour savoir plaisanter comme toi, et donner à la raillerie elle-même l'accent tendre et touchant des caresses. Et puis, quelle différence entre nous ! De quel front pourrais-je me jouer d'un mal dont je suis la cause et que tu t'es fait pour me l'ôter ?[1] Il n'y a pas un sentiment dans ton cœur qui n'offre au mien quelque sujet de reconnaissance, et tout jusqu'à ta faiblesse est en toi l'ouvrage de ta vertu. C'est cela même qui me console et m'égaye. Il fallait me plaindre et pleurer de mes fautes ; mais on peut se moquer de la mauvaise honte qui te fait rougir d'un attachement aussi pur que toi.

Revenons au Courrier d'Italie, et laissons un moment les moralités. Ce serait trop abuser de mes anciens titres ; car il est permis d'endormir son auditoire, mais non pas de l'impatienter. Hé bien donc, ce Courrier que je fais si lentement arriver, qu'a-t-il apporté ? Rien que de bien sur la santé de nos amis, et de plus une grande Lettre pour toi. Ah bon ! je te vois déjà sourire et reprendre haleine ; la lettre venue te fait attendre plus patiemment ce qu'elle contient.

Elle a pourtant bien son prix encore, même après s'être fait désirer ;[a] car elle respire une si…. Mais je ne veux te parler que de nouvelles, et sûrement ce que j'allais dire n'en est pas une.

Avec cette lettre, il en est venu une autre de Milord Édouard pour mon mari, et beaucoup d'amitiés pour nous. Celle-ci contient véritablement des nouvelles, et d'autant moins attendues que la première n'en dit rien. Ils devaient le lendemain partir pour Naples, où Milord a quelques affaires, et d'où ils iront voir le Vésuve…… Conçois-tu, ma chère, ce que cette vue a de si attrayant ? Revenus à Rome, Claire, pense, imagine….. Édouard est sur le point d'épouser…. non, grâce au Ciel,[2] cette indigne Marquise ; il marque, au contraire, qu'elle est fort mal. Qui donc ?…. Laure, l'aimable Laure ; qui…. mais pourtant…. quel mariage !…. Notre ami n'en dit pas un mot. Aussitôt après

---

1. Nous remplaçons le point par un point d'interrogation. **2.** Nous ajoutons une virgule.

ils partiront tous trois, et viendront ici prendre leurs derniers arrangements. Mon mari ne m'a pas dit quels ; mais il compte toujours que St. Preux nous restera.

Je t'avoue que son silence m'inquiète un peu. J'ai peine à voir clair dans tout cela. J'y trouve des situations bizarres, et des jeux du cœur humain qu'on n'entend guère. Comment un homme aussi vertueux a-t-il pu se prendre d'une passion si durable pour une aussi méchante femme que cette Marquise ? Comment elle-même avec un caractère violent et cruel a-t-elle pu concevoir et nourrir un amour aussi vif pour un homme qui lui ressemblait si peu ; si tant est cependant qu'on puisse honorer du nom d'amour une fureur capable d'inspirer des crimes [1] ? Comment un jeune cœur aussi généreux, aussi tendre, aussi désintéressé que celui de Laure a-t-il pu supporter ses premiers désordres [2] ? Comment s'en est-il retiré par ce penchant trompeur fait pour égarer son sexe, et comment l'amour qui perd tant d'honnêtes femmes a-t-il pu venir à bout d'en faire une ? Dis-moi, ma Claire, désunir deux cœurs qui s'aimaient sans se convenir ; joindre ceux qui se convenaient sans s'entendre ; faire triompher l'amour de l'amour même ; du sein du vice et de l'opprobre tirer le bonheur et la vertu ; délivrer son ami d'un monstre en lui créant, pour ainsi dire, [b] une compagne…. infortunée, il est vrai, mais aimable, honnête même, au moins si, comme je l'ose croire, on peut le redevenir : Dis ; celui qui aurait fait tout cela serait-il coupable ? celui qui l'aurait souffert serait-il à blâmer ?

Lady Bomston viendra donc ici ? Ici, mon ange ? Qu'en penses-tu ? Après tout, quel prodige ne doit pas être cette étonnante fille que son éducation perdit, que son cœur a sauvée, et pour qui l'amour fut la route de la vertu ? Qui doit plus l'admirer que moi qui fis tout le contraire, et que mon penchant seul égara, quand tout concourait à me bien conduire ? Je m'avilis moins, il est vrai ; mais me suis-je élevée comme elle ? Ai-je évité tant de pièges et fait tant de

---

1. L'adultère, mais aussi la tentative d'assassinat sur Bomston. Voir *Les Amours de Milord Édouard Bomston*, *infra*, p. 946. **2.** Br portait plus explicitement : « supporter les horreurs de la prostitution ». Laure y a été forcée par « d'indignes parents » (voir *ibid.*, p. 940).

sacrifices ? Du dernier degré de la honte elle a su remonter au premier degré de l'honneur ; elle est plus respectable cent fois que si jamais elle n'eût été coupable. Elle est sensible et vertueuse : que lui faut-il pour nous ressembler ? S'il n'y a point de retour aux fautes de la jeunesse, quel droit ai-je à plus d'indulgence, devant qui dois-je espérer de trouver grâce, et à quel honneur pourrais-je prétendre en refusant de l'honorer ?

Hé bien Cousine, quand ma raison me dit cela, mon cœur en murmure, et, sans que je puisse expliquer pourquoi, j'ai peine à trouver bon qu'Édouard ait fait ce mariage, et que son ami s'en soit mêlé. Ô l'opinion, l'opinion ! Qu'on a de peine à secouer son joug ! Toujours elle nous porte à l'injustice : le bien passé s'efface par le mal présent ; le mal passé ne s'effacera-t-il jamais par aucun bien ?

J'ai laissé voir à mon mari mon inquiétude sur la conduite de St. Preux dans cette affaire. Il semble, ai-je dit, avoir honte d'en parler à ma cousine. Il est incapable de lâcheté, mais il est faible…. trop d'indulgence pour les fautes d'un ami…. Non, m'a-t-il dit ; il a fait son devoir ; il le fera, je le sais ; je ne puis rien vous dire de plus : mais St. Preux est un honnête garçon. Je réponds de lui, vous en serez contente…. Claire, il est impossible que Wolmar me trompe, et qu'il se trompe. Un discours si positif m'a fait rentrer en moi-même : j'ai compris que tous mes scrupules ne venaient que de fausse délicatesse, et que si j'étais moins vaine [1] et plus équitable, je trouverais Lady Bomston plus digne de son rang.

Mais laissons un peu Lady Bomston, et revenons à nous. Ne sens-tu point trop en lisant cette lettre que nos amis reviendront plus tôt qu'ils n'étaient attendus, et le cœur ne te dit-il rien ? Ne bat-il point à présent plus fort qu'à l'ordinaire, ce cœur trop tendre et trop semblable au mien ? Ne songe-t-il point au danger de vivre familièrement avec un objet chéri ? de le voir tous les jours ? de loger sous le même toit ? et si mes erreurs ne m'ôtèrent point ton estime, mon exemple ne te fait-il rien craindre pour toi ? Combien dans nos jeunes ans la raison, l'amitié, l'honneur t'inspirèrent

---

1. Voir I, 23, n. 2, p. 107.

pour moi de craintes que l'aveugle amour me fit mépriser ! C'est mon tour, maintenant, ma douce amie, et j'ai de plus pour me faire écouter la triste autorité de l'expérience. Écoute-moi donc tandis qu'il est temps, de peur qu'après avoir passé la moitié de ta vie à déplorer mes fautes, tu ne passes l'autre à déplorer les tiennes. Surtout, ne te fie plus à cette gaieté folâtre qui garde celles qui n'ont rien à craindre, et perd celles qui sont en danger. Claire, Claire ! tu te moquais de l'amour une fois, mais c'est parce que tu ne le connaissais pas, et pour n'en avoir pas senti les traits, tu te croyais au-dessus de ses atteintes. Il se venge, et rit à son tour. Apprends à te défier de sa traîtresse joie, ou crains qu'elle ne te coûte un jour bien des pleurs. Chère amie, il est temps de te montrer à toi-même ; car jusqu'ici tu ne t'es pas bien vue : tu t'es trompée sur ton caractère, et tu n'as pas su t'estimer ce que tu valais. Tu t'es fiée aux discours de la Chaillot ; sur ta vivacité badine elle te jugea peu sensible ; mais un cœur comme le tien était au-dessus de sa portée. La Chaillot n'était pas faite pour te connaître ; personne au monde ne t'a bien connue, excepté moi seule. Notre ami même a plutôt senti que vu tout ton prix. Je t'ai laissé ton erreur tant qu'elle a pu t'être utile ; à présent qu'elle te perdrait il faut te l'ôter.

Tu es vive, et te crois peu sensible. Pauvre enfant, que tu t'abuses ! ta vivacité même prouve le contraire. N'est-ce pas toujours sur des choses de sentiment qu'elle s'exerce ? N'est-ce pas de ton cœur que viennent les grâces de ton enjouement ? Tes railleries sont des signes d'intérêt plus touchants que les compliments d'un autre ; tu caresses quand tu folâtres ; tu ris, mais ton rire pénètre l'âme ; tu ris, mais tu fais pleurer de tendresse, et je te vois presque toujours sérieuse avec les indifférents.

Si tu n'étais que ce que tu prétends être, dis-moi ce qui nous unirait si fort l'une à l'autre ? où serait entre nous le lien d'une amitié sans exemple ? par quel prodige un tel attachement serait-il venu chercher par préférence un cœur si peu capable d'attachement ? Quoi ! celle qui n'a vécu que pour son amie ne sait pas aimer ? Celle qui voulut quitter père, époux, parents, et son pays pour la suivre ne sait préférer l'amitié à rien [1] ? Et qu'ai-je donc fait, moi qui porte un

---

1. Voir II, 5, p. 251.

cœur sensible ? Cousine, je me suis laissé aimer, et j'ai beaucoup fait, avec toute ma sensibilité, de te rendre une amitié qui valût la tienne.

Ces contradictions t'ont donné de ton caractère l'idée la plus bizarre qu'une folle comme toi pût jamais concevoir ; c'est de te croire à la fois ardente amie et froide amante. Ne pouvant disconvenir du tendre attachement dont tu te sentais pénétrée, tu crus n'être capable que de celui-là. Hors ta Julie, tu ne pensais pas que rien pût t'émouvoir au monde ; comme si les cœurs naturellement sensibles pouvaient ne l'être que pour un objet, et que, ne sachant aimer que moi, tu m'eusses pu bien aimer moi-même. Tu demandais plaisamment si l'âme avait un sexe [1] ? Non, mon enfant, l'âme n'a point de sexe ; mais ses affections les distinguent, et tu commences trop à le sentir. Parce que le premier amant qui s'offrit ne t'avait pas émue, tu crus aussitôt ne pouvoir l'être ; parce que tu manquais d'amour pour ton soupirant, tu crus n'en pouvoir sentir pour personne. Quand il fut ton mari tu l'aimas pourtant, et si fort, que notre intimité même en souffrit ; cette âme si peu sensible sut trouver à l'amour un supplément encore assez tendre pour satisfaire un honnête homme.

Pauvre Cousine ! C'est à toi désormais de résoudre tes propres doutes, et s'il est vrai

Ch'un freddo amante è mal sicuro amico *,

[Qu'un froid amant est un peu sûr ami [2]]

j'ai grand'peur d'avoir maintenant une raison de trop pour compter sur toi : mais il faut que j'achève de te dire là-dessus tout ce que je pense.

Je soupçonne que tu as aimé sans le savoir, bien plus tôt que tu ne crois, ou du moins, que le même penchant qui me perdit t'eût séduite si je ne t'avais prévenue [3]. Conçois-tu

* Ce vers est renversé de l'original, et, n'en déplaise aux belles Dames, le sens de l'auteur est plus véritable et plus beau.

1. Voir *ibid.*, p. 252. **2.** Métastase, *L'Erœ cinese*, III, 5, v. 823, vol. 3, p. 292. Le vers original est en effet : *Un freddo amico è mal sicuro amante.* Trad. de Rousseau dans DC. **3.** Devancée.

qu'un sentiment si naturel et si doux puisse tarder si long-temps à naître ? Conçois-tu qu'à l'âge où nous étions on puisse impunément se familiariser avec un jeune homme aimable, ou qu'avec tant de conformité dans tous nos goûts celui-ci seul ne nous eût pas été commun ? Non, mon ange, tu l'aurais aimé j'en suis sûre, si je ne l'eusse aimé la première. Moins faible et non moins sensible, tu aurais été plus sage que moi sans être plus heureuse. Mais quel penchant eût pu vaincre dans ton âme honnête l'horreur de la trahison et de l'infidélité ? L'amitié te sauva des pièges de l'amour ; tu ne vis plus qu'un ami dans l'amant de ton amie, et tu rachetas ainsi ton cœur aux dépens du mien.

Ces conjectures ne sont pas même si conjectures que tu penses, et si je voulais rappeler des temps qu'il faut oublier, il me serait aisé de trouver dans l'intérêt que tu croyais ne prendre qu'à moi seule un intérêt non moins vif pour ce qui m'était cher. N'osant l'aimer, tu voulais que je l'aimasse ; tu jugeas chacun de nous nécessaire au bonheur de l'autre, et ce cœur, qui n'a point d'égal au monde, nous en chérit plus tendrement tous les deux. Sois sûre que sans ta propre faiblesse tu m'aurais été moins indulgente ; mais tu te serais reproché sous le nom de jalousie une juste sévérité. Tu te sentais pas en droit de combattre en moi le penchant qu'il eût fallu vaincre, et craignant d'être perfide plutôt que sage, en immolant ton bonheur au nôtre tu crus avoir assez fait pour la vertu.

Ma Claire, voilà ton histoire ; voilà comment ta tyrannique amitié me force à te savoir gré de ma honte, et à te remercier de mes torts. Ne crois pas, pourtant, que je veuille t'imiter en cela. Je ne suis pas plus disposée à suivre ton exemple que toi le mien, et comme tu n'as pas à craindre mes fautes, je n'ai plus, grâce au Ciel, tes raisons d'indulgence. Quel plus digne usage ai-je à faire de la vertu que tu m'as rendue, que de t'aider à la conserver ?

Il faut donc te dire encore mon avis sur ton état présent. La longue absence de notre maître n'a pas changé tes dispositions pour lui. Ta liberté recouvrée, et son retour ont produit une nouvelle époque dont l'amour a su profiter. Un nouveau sentiment n'est pas né dans ton cœur, celui qui s'y cacha si longtemps n'a fait que se mettre plus à l'aise. Fière d'oser te l'avouer à toi-même, tu t'es pressée de me le dire [1]. Cet aveu te semblait presque nécessaire pour le rendre tout à fait innocent ; en devenant un crime pour ton amie il cessait d'en être un pour toi, et peut-être ne t'es-tu livrée au mal que tu combattais depuis tant d'années, que pour mieux achever de m'en guérir.

J'ai senti tout cela, ma chère ; je me suis peu alarmée d'un penchant qui me servait de sauvegarde, et que tu n'avais point à te reprocher. Cet hiver que nous avons passé tous ensemble au sein de la paix et de l'amitié m'a donné plus de confiance encore, en voyant que loin de rien perdre de ta gaieté, tu semblais l'avoir augmentée. Je t'ai vue tendre, empressée, attentive ; mais franche dans tes caresses, naïve dans tes jeux, sans mystère, sans ruse en toute chose, et dans tes plus vives agaceries la joie de l'innocence réparait tout.

Depuis notre entretien de l'Élysée je ne suis plus si contente de toi. Je te trouve triste et rêveuse. Tu te plais seule autant qu'avec ton amie ; tu n'as pas changé de langage mais d'accent [2] ; tes plaisanteries sont plus timides ; tu n'oses plus parler de lui si souvent ; on dirait que tu crains toujours qu'il ne t'écoute, et l'on voit à ton inquiétude que tu attends de ses nouvelles plutôt que tu n'en demandes.

Je tremble, bonne Cousine, que tu ne sentes pas tout ton mal, et que le trait ne soit enfoncé plus avant que tu n'as paru le craindre. Crois-moi, sonde bien ton cœur malade ; dis-toi bien, je le répète, si, quelque sage qu'on puisse être, on peut sans risque demeurer longtemps avec ce qu'on aime, et si la confiance qui me perdit est tout à fait sans danger pour toi ; vous êtes libres tous deux ; c'est précisément ce qui rend les occasions plus suspectes. Il n'y a point, dans un cœur vertueux, de faiblesse qui cède au remords, et je conviens avec toi qu'on est toujours assez forte contre le crime ; mais hélas ! qui peut se garantir d'être faible ? Cependant, regarde les suites, songe aux effets de la honte.

---

1. Dans l'Élysée (voir la fin de V, 9). **2.** « Élévation plus ou moins forte de la voix sur certaines syllabes, et manière de les prononcer plus ou moins longues ou brèves » (*Acad.* 1762). Selon Rousseau, « le plus ou moins d'accent est la vraie cause qui rend les langues plus ou moins musicales » (*DM*, art. « accent », p. 614).

Il faut s'honorer pour être honorée, comment peut-on mériter le respect d'autrui sans en avoir pour soi-même, et où s'arrêtera dans la route du vice celle qui fait le premier pas sans effroi ? Voilà ce que je dirais à ces femmes du monde pour qui la morale et la religion ne sont rien, et qui n'ont de loi que l'opinion d'autrui. Mais toi, femme vertueuse et chrétienne ; toi qui vois ton devoir et qui l'aimes ; toi qui connais et suis d'autres règles que les jugements publics, ton premier honneur est celui que te rend ta conscience, et c'est celui-là qu'il s'agit de conserver.

Veux-tu savoir quel est ton tort en toute cette affaire ? C'est, je te le redis, de rougir d'un sentiment honnête que tu n'as qu'à déclarer pour le rendre innocent * : mais avec toute ton humeur folâtre, rien n'est si timide que toi. Tu plaisantes pour faire la brave, et je vois ton pauvre cœur tout tremblant. Tu fais avec l'amour dont tu feins de rire, comme ces enfants qui chantent la nuit quand ils ont peur. Ô chère amie ! Souviens-toi de l'avoir dit mille fois : C'est la fausse honte qui mène à la véritable, et la vertu ne sait rougir que de ce qui est mal. L'amour en lui-même est-il un crime ? N'est-il pas le plus pur ainsi que le plus doux penchant de la nature ? N'a-t-il pas une fin bonne et louable ? Ne dédaigne-t-il pas les âmes basses et rampantes ? N'anime-t-il pas les âmes grandes et fortes ? N'anoblit-il pas tous leurs sentiments ? Ne double-t-il pas leur être ? Ne les élève-t-il pas au-dessus d'elles-mêmes ? Ah ! si pour être honnête et sage, il faut être inaccessible à ses traits, dis, que reste-t-il pour la vertu sur la terre ? Le rebut de la nature, et les plus vils des mortels.

Qu'as-tu donc fait que tu puisses te reprocher ? N'as-tu pas fait choix d'un honnête homme ? N'est-il pas libre ? Ne l'es-tu pas ? Ne mérite-t-il pas toute ton estime ? N'as-tu pas toute la sienne ? Ne seras-tu pas trop heureuse de faire le bonheur d'un ami si digne de ce nom, de payer de ton cœur

---

* Pourquoi l'Éditeur laisse-t-il les continuelles répétitions dont cette Lettre est pleine, ainsi que beaucoup d'autres ? Par une raison fort simple ; c'est qu'il ne se soucie point du tout que ces Lettres plaisent à ceux qui feront cette question.

et de ta personne les anciennes dettes de ton amie, et d'honorer en l'élevant à toi le mérite outragé par la fortune ?

Je vois les petits scrupules qui t'arrêtent. Démentir une résolution prise et déclarée, donner un successeur au défunt, montrer sa faiblesse au public, épouser un aventurier ; car les âmes basses, toujours prodigues de titres flétrissants, sauront bien trouver celui-ci. Voilà donc les raisons sur lesquelles tu aimes mieux te reprocher ton penchant que le justifier, et couver tes feux au fond de ton cœur que les rendre légitimes ? Mais, je te prie, la honte est-elle d'épouser celui qu'on aime ou de l'aimer sans l'épouser ? Voilà le choix qui te reste à faire. L'honneur que tu dois au défunt est de respecter assez sa Veuve pour lui donner un mari plutôt qu'un amant, et si ta jeunesse te force à remplir sa place [1], n'est-ce pas rendre encore hommage à sa mémoire, de choisir un homme qui lui fut cher ? [2]

Quant à l'inégalité, je croirais t'offenser de combattre une objection si frivole, lorsqu'il s'agit de sagesse et de bonnes mœurs. Je ne connais d'inégalité déshonorante que celle qui vient du caractère ou de l'éducation. À quelque état que parvienne un homme imbu de maximes basses, il est toujours honteux de s'allier à lui. Mais un homme élevé dans des sentiments d'honneur est l'égal de tout le monde, il n'y a point de rang où il ne soit à sa place. Tu sais quel était l'avis de ton père même quand il fut question de moi pour notre ami. Sa famille est honnête quoique obscure. Il jouit de l'estime publique, il la mérite. Avec cela fût-il le dernier des hommes, encore ne faudrait-il pas balancer ; car il vaut mieux déroger à la noblesse qu'à la vertu, et la femme d'un Charbonnier est plus respectable que la maîtresse d'un Prince [3].

J'entrevois bien encore une autre espèce d'embarras dans la nécessité de te déclarer la première ; car comme tu dois le sentir, pour qu'il ose aspirer à toi, il faut que tu le lui permettes ; et c'est un des justes retours de l'inégalité,

---

1. Le thème des besoins sexuels est traité librement dans la correspondance des deux cousines. **2.** Nous remplaçons le point par un point d'interrogation. **3.** Phrase supprimée par Malesherbes dans l'édition parisienne. Rousseau se défendra dans les *Confessions* d'avoir eu l'intention de viser la Pompadour ou la comtesse de Boufflers, maîtresse du prince de Conti (livre X, t. II, p. 271).

qu'elle coûte souvent au plus élevé des avances mortifiantes. Quant à cette difficulté, je te la pardonne, et j'avoue même qu'elle me paraîtrait fort grave [1] si je ne prenais soin de la lever : J'espère que tu comptes assez sur ton amie pour croire que ce sera sans te compromettre ; de mon côté je compte assez sur le succès pour m'en charger avec confiance ; car quoi que vous m'ayez dit autrefois tous deux sur la difficulté de transformer une amie en maîtresse [2], si je connais bien un cœur dans lequel j'ai trop appris à lire, je ne crois pas qu'en cette occasion l'entreprise exige une grande habileté de ma part. Je te propose donc de me laisser charger de cette négociation, afin que tu puisses te livrer au plaisir que te fera son retour, sans mystère, sans regret, sans danger, sans honte. Ah Cousine ! quel charme pour moi de réunir à jamais deux cœurs si bien faits l'un pour l'autre, et qui se confondent depuis si longtemps dans le mien. Qu'ils s'y confondent mieux encore, s'il est possible ; ne soyez plus qu'un pour vous et pour moi. Oui, ma Claire, tu serviras encore ton amie en couronnant ton amour, et j'en serai plus sûre de mes propres sentiments quand je ne pourrai plus les distinguer entre vous.

Que si, malgré mes raisons, ce projet ne te convient pas, mon avis est qu'à quelque prix que ce soit nous écartions de nous cet homme dangereux, toujours redoutable à l'une ou à l'autre ; car, quoi qu'il arrive, l'éducation de nos enfants nous importe encore moins que la vertu de leurs mères. Je te laisse le temps de réfléchir sur tout ceci durant ton voyage. Nous en parlerons après ton retour.

Je prends le parti de t'envoyer cette Lettre en droiture [3] à Genève, parce que tu n'as dû coucher qu'une nuit à Lausanne et qu'elle ne t'y trouverait plus. Apporte-moi des détails de la petite République. Sur tout le bien qu'on dit de cette ville charmante, je t'estimerais heureuse de l'aller voir, si je pouvais faire cas des plaisirs qu'on achète aux dépens de ses amis. Je n'ai jamais aimé le luxe, et je le hais maintenant de t'avoir ôtée à moi pour je ne sais combien d'années. Mon enfant, nous n'allâmes ni l'une ni l'autre faire nos emplettes de noce à Genève ; mais quelque mérite

_____

1. Importante, mais aussi pesante. **2.** Voir II, 5, p. 250. **3.** Directement.

que puisse avoir ton frère, je doute que ta Belle-sœur soit plus heureuse avec sa dentelle de Flandres et ses étoffes des Indes, que nous dans notre simplicité. Je te charge pourtant, malgré ma rancune, de l'engager à venir faire la noce à Clarens. Mon père écrit au tien, et mon mari à la mère de l'épouse pour les en prier : Voilà les lettres, donne-les, et soutiens l'invitation de ton crédit renaissant [1] ; c'est tout ce que je puis faire pour que la fête ne se fasse pas sans moi : car je te déclare qu'à quelque prix que ce soit je ne veux pas quitter ma famille. Adieu, Cousine ; un mot de tes nouvelles, et que je sache au moins quand je dois t'attendre. Voici le deuxième jour depuis ton départ, et je ne sais plus vivre si longtemps sans toi.

P. S. Tandis que j'achevais cette lettre interrompue, Mademoiselle Henriette se donnait les airs d'écrire aussi de son côté. Comme je veux que les enfants disent toujours ce qu'ils pensent et non ce qu'on leur fait dire, j'ai laissé la petite curieuse écrire tout ce qu'elle a voulu, sans y changer un seul mot. Troisième Lettre ajoutée à la mienne. Je me doute bien que ce n'est pas encore celle que tu cherchais du coin de l'œil en furetant ce paquet. Pour celle-là dispense-toi de l'y chercher plus longtemps, car tu ne la trouveras pas. Elle est adressée à Clarens ; c'est à Clarens qu'elle doit être lue ; arrange-toi là-dessus.

Lettre XIV
D'Henriette à sa Mère

Où êtes-vous donc, Maman ? On dit que vous êtes à Genève et que c'est si loin, si loin, qu'il faudrait marcher deux jours tout le jour pour vous atteindre : voulez-vous donc faire aussi le tour du monde ? Mon petit papa est parti ce matin pour Étange ; mon petit grand-papa est à la chasse ; ma petite maman vient de s'enfermer pour écrire ; il ne reste que ma mie Pernette et ma mie Fanchon. Mon

---

1. De ton influence retrouvée dans ta famille (Claire a connu des « chagrins dans sa famille » : voir IV, 2).

Dieu ! je ne sais plus comment tout va, mais, depuis le départ de notre bon ami, tout le monde s'éparpille. Maman, vous avez commencé la première. On s'ennuyait déjà bien quand vous n'aviez plus personne à faire endêver[1] ; oh ! c'est encore pis depuis que vous êtes partie ; car la petite maman n'est pas non plus de si bonne humeur que quand vous y êtes. Maman, mon petit mali se porte bien, mais il ne vous aime plus, parce que vous ne l'avez pas fait sauter hier comme à l'ordinaire. Moi, je crois que je vous aimerais encore un peu si vous reveniez bien vite, afin qu'on ne s'ennuyât pas tant. Si vous voulez m'apaiser tout à fait, apportez à mon petit mali quelque chose qui lui fasse plaisir. Pour l'apaiser, lui, vous aurez bien l'esprit de trouver aussi ce qu'il faut faire. Ah mon Dieu ! si notre bon ami était ici, comme il l'aurait déjà deviné ! Mon bel éventail est tout brisé ; mon ajustement bleu n'est plus qu'un chiffon ; ma pièce de blonde est en loques ; mes mitaines à jour ne valent plus rien[2]. Bonjour, Maman ; il faut finir ma Lettre, car la petite maman vient de finir la sienne et sort de son cabinet. Je crois qu'elle a les yeux rouges, mais je n'ose le lui dire ; mais en lisant ceci clle verra bien que je l'ai vu. Ma bonne Maman, que vous êtes méchante, si vous faites pleurer ma petite Maman !

P. S. J'embrasse mon grand-papa, j'embrasse mes oncles, j'embrasse ma nouvelle tante et sa maman ; j'embrasse tout le monde excepté vous. Maman, vous m'entendez bien ; je n'ai pas pour vous de si longs bras[a].

Fin de la cinquième partie

---

1. Enrager. « *Endêver* : Avoir grand dépit de quelque chose. Il est populaire » (*Acad.* 1762). **2.** Blonde : « espèce de dentelle de soie » ; « *Mitaines* : sorte de petits gants de femme, qui ne couvrent que le dessus des doigts » (*Acad.* 1762) ; à jour : laissant passer le jour à travers l'étoffe.

SIXIÈME PARTIE

Lettre I
De Mad^e d'Orbe à Mad^e de Wolmar

Avant de partir de Lausanne il faut t'écrire un petit mot pour t'apprendre que j'y suis arrivée ; non pas pourtant aussi joyeuse que j'espérais. Je me faisais une fête de ce petit voyage qui t'a toi-même si souvent tentée ; mais en refusant d'en être tu me l'as rendu presque importun ; car quelle ressource y trouverai-je ? S'il est ennuyeux, j'aurai l'ennui pour mon compte ; et s'il est agréable, j'aurai le regret de m'amuser sans toi. Si je n'ai rien à dire contre tes raisons, crois-tu pour cela que je m'en contente ? Ma foi, Cousine, tu te trompes bien fort, et c'est encore ce qui me fâche, de n'être pas même en droit de me fâcher. Dis, mauvaise, n'as-tu pas honte d'avoir toujours raison avec ton amie, et de résister à ce qui lui fait plaisir, sans lui laisser même celui de gronder ? Quand tu aurais planté là pour huit jours ton mari, ton ménage, et tes marmots [1], ne dirait-on pas que tout eût été perdu ? Tu aurais fait une étourderie, il est vrai ; mais tu en vaudrais cent fois mieux ; au lieu qu'en te mêlant d'être parfaite, tu ne seras plus bonne à rien, et tu n'auras qu'à te chercher des amis parmi les anges.

Malgré les mécontentements passés, je n'ai pu sans attendrissement me retrouver au milieu de ma famille ; j'y ai été reçue avec plaisir, ou du moins avec beaucoup de caresses. J'attends pour te parler de mon frère que j'aie fait connaissance avec lui. Avec une assez belle figure, il a l'air empesé du pays d'où il vient. Il est sérieux et froid ; je lui trouve même un peu de morgue : j'ai grand'peur pour la petite personne, qu'au lieu d'être un aussi bon mari que les nôtres, il ne tranche un peu du Seigneur et maître [2].

---

1. « On appelle figurément et familièrement par mépris Un petit garçon, *Un marmot* » (*Acad.* 1762). **2.** « On dit, *Trancher du grand Seigneur*, pour dire, Faire le grand Seigneur » (*Acad.* 1762).

Mon père a été si charmé de me voir qu'il a quitté pour m'embrasser la relation d'une grande bataille que les Français viennent de gagner en Flandres [1], comme pour vérifier la prédiction de l'ami de notre ami. Quel bonheur qu'il n'ait pas été là ! Imagines-tu le brave Édouard voyant fuir les Anglais, et fuyant lui-même ?.... jamais, jamais !... il se fût fait tuer cent fois.

Mais à propos de nos amis, il y a longtemps qu'ils ne nous ont écrit. N'était-ce pas hier, je crois, jour de Courrier ? Si tu reçois de leurs Lettres, j'espère que tu n'oublieras pas l'intérêt que j'y prends.

Adieu, Cousine, il faut partir. J'attends de tes nouvelles à Genève, où nous comptons arriver demain pour dîner. Au reste, je t'avertis que de manière ou d'autres la noce ne se fera pas sans toi, et que si tu ne veux pas venir à Lausanne, moi je viens avec tout mon monde mettre Clarens au pillage, et boire les vins de tout l'univers.

Lettre II
De Mad^e d'Orbe à Mad^e de Wolmar

À merveilles, sœur prêcheuse ! mais tu comptes un peu trop, ce me semble, sur l'effet salutaire de tes sermons : sans juger s'ils endormaient beaucoup autrefois ton ami, je t'avertis qu'ils n'endorment point aujourd'hui ton amie ; et celui que j'ai reçu hier au soir, loin de m'exciter au sommeil, me l'a ôté durant la nuit entière. Gare la paraphrase de mon argus [2], s'il voit cette lettre ! mais j'y mettrai bon ordre, et je te jure que tu te brûleras les doigts plutôt que de la lui montrer.

Si j'allais te récapituler point par point, j'empiéterais sur tes droits ; il vaut mieux suivre ma tête ; et puis, pour avoir l'air plus modeste et ne pas te donner trop beau jeu, je ne veux pas d'abord parler de nos voyageurs et du Courrier d'Italie. Le pis aller, si cela m'arrive, sera de récrire ma

---

1. La bataille de Fontenoy (11 mai 1745), annoncée dans V, 4. **2.** Les commentaires de Wolmar, qualifié d'« espion d'homme » dans Br. Sur « argus », voir I, 36, n. 1, p. 145.

lettre, et de mettre le commencement à la fin. Parlons de la prétendue Lady Bomston.

Je m'indigne à ce seul titre. Je ne pardonnerais pas plus à St. Preux de le laisser prendre à cette fille, qu'à Édouard de le lui donner, et à toi de le reconnaître. Julie de Wolmar recevoir *Lauretta Pisana* dans sa maison ! la souffrir auprès d'elle ! Eh mon enfant, y penses-tu ? Quelle douceur cruelle est-ce là ? Ne sais-tu pas que l'air qui t'entoure est mortel à l'infamie ? La pauvre malheureuse oserait-elle mêler son haleine à la tienne, oserait-elle respirer près de toi ? Elle y serait plus mal à son aise qu'un possédé touché par des reliques ; ton seul regard la ferait rentrer en terre ; ton ombre seule la tuerait.

Je ne méprise point Laure ; à Dieu ne plaise : au contraire, je l'admire et la respecte d'autant plus qu'un pareil retour est héroïque et rare. En est-ce assez pour autoriser les comparaisons basses avec lesquelles tu t'oses profaner toi-même ; comme si dans ses plus grandes faiblesses le véritable amour ne gardait pas la personne, et ne rendait pas l'honneur plus jaloux ? Mais je t'entends, et je t'excuse. Les objets éloignés et bas se confondent maintenant à ta vue ; dans ta sublime élévation tu regardes la terre, et n'en vois plus les inégalités. Ta dévote humilité sait mettre à profit jusqu'à ta vertu.

Hé bien que sert tout cela ?[1] Les sentiments naturels en reviennent-ils moins ? L'amour-propre en fait-il moins son jeu ? Malgré toi tu sens ta répugnance, tu la taxes d'orgueil, tu la voudrais combattre, tu l'imputes à l'opinion. Bonne fille ! et depuis quand l'opprobre du vice n'est-il que dans l'opinion ? Quelle société conçois-tu possible avec une femme devant qui l'on ne saurait nommer la chasteté, l'honnêteté, la vertu, sans lui faire verser des larmes de honte, sans ranimer ses douleurs, sans insulter presque à son repentir ? Crois-moi, mon ange, il faut respecter Laure et ne la point voir. La fuir est un égard que lui doivent d'honnêtes femmes ; elle aurait trop à souffrir avec nous.

Écoute. Ton cœur te dit que ce mariage ne se doit point faire ? N'est-ce pas te dire qu'il ne se fera point ?... Notre

---

1. À quoi sert tout cela ?

ami, dis-tu, n'en parle pas dans sa lettre ?… dans la lettre que tu dis qu'il m'écrit ?… et tu dis que cette lettre est fort longue ?… et puis vient le discours de ton mari… il est mystérieux, ton mari !… Vous êtes un couple de fripons qui me jouez d'intelligence [1] ; mais… son sentiment, au reste, n'était pas ici fort nécessaire… surtout pour toi qui as vu la lettre… ni pour moi qui ne l'ai pas vue… car je suis plus sûre de ton ami, du mien, que de toute la philosophie.

Ah çà ! Ne voilà-t-il pas déjà cet importun qui revient, on ne sait comment ? Ma foi, de peur qu'il ne revienne encore, puisque je suis sur son chapitre, il faut que je l'épuise [2], afin de n'en pas faire à deux fois.

N'allons point nous perdre dans le pays des chimères [3]. Si tu n'avais pas été Julie, si ton ami n'eût pas été ton amant, j'ignore ce qu'il eût été pour moi [4] ; je ne sais ce que j'aurais été moi-même. Tout ce que je sais bien, c'est que si sa mauvaise étoile me l'eût adressé d'abord, c'était fait de sa pauvre tête, et, que je sois folle ou non, je l'aurais infailliblement rendu fou. Mais qu'importe ce que je pouvais être [5] ? Parlons de ce que je suis. La première chose que j'ai faite a été de t'aimer. Dès nos premiers ans mon cœur s'absorba dans le tien. Toute tendre et sensible que j'eusse été, je ne sus plus aimer ni sentir par moi-même. Tous mes sentiments me vinrent de toi ; toi seule me tins lieu de tout, et je ne vécus que pour être ton amie. Voilà ce que vit la Chaillot ; voilà sur quoi elle me jugea ; réponds, Cousine, se trompa-t-elle ?

Je fis mon frère de ton ami, tu le sais [6] : l'amant de mon amie me fut comme le fils de ma mère. Ce ne fut point ma raison, mais mon cœur qui fit ce choix. J'eusse été plus sensible encore, que je ne l'aurais pas autrement aimé. Je t'embrassais en embrassant la plus chère moitié de toi-même [7] ; j'avais pour garant de la pureté de mes caresses

---

1. Qui s'entendent pour m'en faire croire. « On dit figurément, *Se jouer de quelqu'un*, pour dire, Se moquer de lui, le railler adroitement, lui donner de belles paroles » (*Acad.* 1762). **2.** Il faut que je traite à fond ce sujet. **3.** Formule reprise par Julie dans VI, 8, p. 812. CP corrige en : « le pays des conjectures ». **4.** Nous corrigeons la leçon « pour toi », coquille de Rey 61 reprise dans toutes les éditions ultérieures. CP et CL portent bien « pour moi », qui est la leçon logique. **5.** Ce que j'aurais pu être (latinisme). **6.** Voir II, 5, p. 250. **7.** C'est toi que j'embrassais en embrassant Saint-Preux. Même expression en I, 65, p. 225.

leur propre vivacité. Une fille traite-t-elle ainsi ce qu'elle aime ? Le traitais-tu toi-même ainsi ? Non, Julie, l'amour chez nous est craintif et timide ; la réserve et la honte sont ses avances, il s'annonce par ses refus, et sitôt qu'il transforme en faveurs les caresses, il en sait bien distinguer le prix. L'amitié est prodigue, mais l'amour est avare.

J'avoue que de trop étroites liaisons sont toujours périlleuses à l'âge où nous étions lui et moi ; mais tous deux le cœur plein du même objet, nous nous accoutumâmes tellement à le placer entre nous, qu'à moins de t'anéantir nous ne pouvions plus arriver l'un à l'autre. La familiarité même dont nous avions pris la douce habitude, cette familiarité dans tout autre cas si dangereuse, fut alors ma sauvegarde. Nos sentiments dépendent de nos idées, et quand elles ont pris un certain cours, elles en changent difficilement. Nous en avions trop dit sur un ton pour recommencer sur un autre ; nous étions déjà trop loin pour revenir sur nos pas. L'amour veut faire tout son progrès lui-même, il n'aime point que l'amitié lui épargne la moitié du chemin. Enfin, je l'ai dit autrefois, et j'ai lieu de le croire encore ; on ne prend guère de baisers coupables sur la même bouche où l'on en prit d'innocents.

À l'appui de tout cela vint celui que le Ciel destinait à faire le court bonheur de ma vie. Tu le sais, Cousine, il était jeune, bien fait, honnête, attentif, complaisant ; il ne savait pas aimer comme ton ami ; mais c'était moi qu'il aimait, et quand on a le cœur libre, la passion qui s'adresse à nous a toujours quelque chose de contagieux. Je lui rendis donc du mien tout ce qu'il en restait à prendre, et sa part fut encore assez bonne pour ne lui pas laisser de regret à son choix. Avec cela, qu'avais-je à redouter ? J'avoue même que les droits du sexe joints à ceux du devoir [1] portèrent un moment préjudice aux tiens, et que livrée à mon nouvel état, je fus d'abord plus épouse qu'amie ; mais en revenant à toi je te rapportai deux cœurs au lieu d'un, et je n'ai pas oublié depuis, que je suis restée seule chargée de cette double dette.

Que te dirai-je encore ma douce amie ? Au retour de notre ancien maître, c'était, pour ainsi dire, une nouvelle connaissance à faire : je crus le voir avec d'autres yeux ; je crus

---

1. Les droits et les devoirs des femmes mariées. Voir II, 18, p. 310.

sentir en l'embrassant un frémissement qui jusque-là m'avait été inconnu ; plus cette émotion me fut délicieuse, plus elle me fit de peur : je m'alarmai comme d'un crime d'un sentiment qui n'existait peut-être que parce qu'il n'était plus criminel. Je pensai trop que ton amant ne l'était plus et qu'il ne pouvait plus l'être ; je sentis trop qu'il était libre et que je l'étais aussi. Tu sais le reste, aimable Cousine, mes frayeurs, mes scrupules te furent connus aussitôt qu'à moi. Mon cœur sans expérience s'intimidait tellement d'un état si nouveau pour lui, que je me reprochais mon empressement de te rejoindre, comme s'il n'eût pas précédé le retour de cet ami. Je n'aimais point qu'il fût précisément où je désirais si fort d'être, et je crois que j'aurais moins souffert de sentir ce désir plus tiède que d'imaginer qu'il ne fût pas tout pour toi.

Enfin, je te rejoignis, et je fus presque rassurée. Je m'étais moins reproché ma faiblesse après t'en avoir fait l'aveu. Près de toi je me la reprochais moins encore ; je crus m'être mise à mon tour sous ta garde, et je cessai de craindre pour moi. Je résolus, par ton conseil même, de ne point changer de conduite avec lui. Il est constant [1] qu'une plus grande réserve eût été une espèce de déclaration, et ce n'était que trop de celles qui pouvaient m'échapper malgré moi, sans en faire une volontaire. Je continuai donc d'être badine par honte, et familière par modestie : mais peut-être tout cela se faisant moins naturellement ne se faisait-il plus avec la même mesure. De folâtre que j'étais, je devins tout à fait folle, et ce qui m'en accrut la confiance fut de sentir que je pouvais l'être impunément. Soit que l'exemple de ton retour à toi-même me donnât plus de force pour t'imiter ; soit que ma Julie épure tout ce qui l'approche ; je me trouvai tout à fait tranquille, et il ne me resta de mes premières émotions qu'un sentiment très doux, il est vrai, mais calme et paisible, et qui ne demandait rien de plus à mon cœur que la durée de l'état où j'étais.

Oui, chère amie, je suis tendre et sensible aussi bien que toi ; mais je le suis d'une autre manière. Mes affections sont plus vives ; les tiennes sont plus pénétrantes. Peut-être avec

---

1. Il est certain.

des sens plus animés ai-je plus de ressources pour leur donner le change, et cette même gaieté qui coûte l'innocence à tant d'autres me l'a toujours conservée. Ce n'a pas toujours été sans peine, il faut l'avouer. Le moyen de rester veuve à mon âge, et de ne pas sentir quelquefois que les jours ne sont que la moitié de la vie ? Mais comme tu l'as dit, et comme tu l'éprouves, la sagesse est un grand moyen d'être sage ; car avec toute ta bonne contenance, je ne te crois pas dans un cas fort différent du mien [1]. C'est alors que l'enjouement vient à mon secours et fait plus, peut-être, pour la vertu que n'eussent fait les graves leçons de la raison. Combien de fois dans le silence de la nuit où l'on ne peut s'échapper à soi-même, j'ai chassé des idées importunes en méditant des tours pour le lendemain ! Combien de fois j'ai sauvé les dangers d'un tête-à-tête par une saillie extravagante ? Tiens, ma chère, il y a toujours, quand on est faible, un moment où la gaieté devient sérieuse, et ce moment ne viendra point pour moi. Voilà ce que je crois sentir, et de quoi je t'ose répondre.

Après cela, je te confirme librement tout ce que je t'ai dit dans l'Élysée sur l'attachement que j'ai senti naître, et sur tout le bonheur dont j'ai joui cet hiver. Je m'en livrais de meilleur cœur au charme de vivre avec ce que j'aime, en sentant que je ne désirais rien de plus. Si ce temps eût duré toujours, je n'en aurais jamais souhaité un autre. Ma gaieté venait de contentement et non d'artifice. Je tournais en espièglerie le plaisir de m'occuper de lui sans cesse. Je sentais qu'en me bornant à rire je ne m'apprêtais point de pleurs.

Ma foi, Cousine, j'ai cru m'apercevoir quelquefois que le jeu ne lui déplaisait pas trop à lui-même. Le rusé n'était pas fâché d'être fâché, et il ne s'apaisait avec tant de peine que pour se faire apaiser plus longtemps. J'en tirais occasion de lui tenir des propos assez tendres en paraissant me moquer de lui ; c'était à qui des deux serait le plus enfant. Un jour qu'en ton absence il jouait aux échecs avec ton mari, et que je jouais au volant avec la Fanchon dans la même salle, elle

---

1. Allusion à l'âge de Wolmar. Claire répond à l'argument des besoins sexuels de la jeunesse, avancé par Julie (V, 13, p. 745).

avait le mot [1] et j'observais notre philosophe. À son air humblement fier et à la promptitude de ses coups, je vis qu'il avait beau jeu. La table était petite, et l'échiquier débordait. J'attendis le moment, et sans paraître y tâcher [2], d'un revers de raquette je renversai l'échec et mat. Tu ne vis de tes jours pareille colère ; il était si furieux que lui ayant laissé le choix d'un soufflet ou d'un baiser pour ma pénitence, il se détourna quand je lui présentai la joue. Je lui demandai pardon ; il fut inflexible : il m'aurait laissée à genoux si je m'y étais mise. Je finis par lui faire une autre pièce [3] qui lui fit oublier la première, et nous fûmes meilleurs amis que jamais.

Avec une autre méthode, infailliblement je m'en serais moins bien tirée ; et je m'aperçus une fois que si le jeu fût devenu sérieux, il eût pu trop l'être. C'était un soir qu'il nous accompagnait ce duo si simple et si touchant de Leo, *Vado a morir, ben mio* [je vais mourir, mon bien aimé] [4]. Tu chantais avec assez de négligence, je n'en faisais pas de même ; et, comme j'avais une main appuyée sur le Clavecin, au moment le plus pathétique et où j'étais moi-même émue, il appliqua sur cette main un baiser que je sentis sur mon cœur. Je ne connais pas bien les baisers de l'amour, mais ce que je peux te dire, c'est que jamais l'amitié, pas même la nôtre, n'en a donné ni reçu de semblable à celui-là. Hé bien, mon enfant, après de pareils moments que devient-on quand on s'en va rêver seule, et qu'on emporte avec soi leur souvenir ? Moi, je troublai la musique, il fallut danser, je fis danser le philosophe, on soupa presque en l'air [5], on veilla fort avant dans la nuit, je fus me coucher bien lasse, et je ne fis qu'un sommeil.

J'ai donc de fort bonnes raisons pour ne point gêner mon humeur ni changer de manières. Le moment qui rendra ce

---

1. Je pouvais compter sur sa complicité pour agir de concert. **2.** Sans paraître le faire exprès. **3.** Lui jouer un autre tour. Pièce « se dit figurément dans plusieurs phrases du style familier. *Faire une pièce à quelqu'un* : Lui faire une malice, lui jouer un tour » (*Acad.* 1762). **4.** Voir I, 52. Lionardo Oronzo Salvatore de Leo (1694-1744) fit carrière à Naples. Compositeur d'opéras prolifique, il collabora à plusieurs reprises avec le poète Métastase. « Quand la nature fit Leo, Vinci, Pergolèse, Duni, elle sourit », dit LUI dans *Le Neveu de Rameau* (éd. J.-C. Bonnet, GF-Flammarion, 1983, p. 121). **5.** En désordre. L'expression n'est pas répertoriée.

W. Gravelot inven.   N. Le Mire sculp.

Claire! Claire! Les enfans chantent la nuit quand ils ont peur.

changement nécessaire est si près, que ce n'est pas la peine d'anticiper. Le temps ne viendra que trop tôt d'être prude et réservée ; tandis que je compte encore par vingt, je me dépêche d'user de mes droits ; car passé la trentaine on n'est plus folle mais ridicule, et ton épilogueur d'homme ose bien me dire qu'il ne me reste que six mois encore à retourner la salade avec les doigts [1]. Patience ! pour payer ce sarcasme je prétends la lui retourner dans six ans, et je te jure qu'il faudra qu'il la mange ; mais revenons.

Si l'on n'est pas maître de ses sentiments, au moins on l'est de sa conduite. Sans doute, je demanderais au Ciel un cœur plus tranquille ; mais puissé-je à mon dernier jour offrir au Souverain juge une vie aussi peu criminelle que celle que j'ai passée cet hiver ! En vérité, je ne me reprochais rien auprès du seul homme qui pouvait me rendre coupable. Ma chère, il n'en est pas de même depuis qu'il est parti ; en m'accoutumant à penser à lui dans son absence, j'y pense à tous les instants du jour, et je trouve son image plus dangereuse que sa personne. S'il est loin, je suis amoureuse ; s'il est près, je ne suis que folle ; qu'il revienne, et je ne le crains plus.

Au chagrin de son éloignement s'est jointe l'inquiétude de son rêve. Si tu as tout mis sur le compte de l'amour, tu t'es trompée ; l'amitié avait part à ma tristesse. Depuis leur départ je te voyais pâle et changée ; à chaque instant je pensais te voir tomber malade. Je ne suis pas crédule mais craintive. Je sais bien qu'un songe n'amène pas un événement, mais j'ai toujours peur que l'événement n'arrive à sa suite. À peine ce maudit rêve m'a-t-il laissé une nuit tranquille, jusqu'à ce que je t'aie vue bien remise et reprendre tes couleurs. Dussé-je avoir mis sans le savoir un intérêt suspect à cet empressement, il est sûr que j'aurais donné tout au monde pour qu'il [2] se fût montré quand il s'en retourna comme un imbécile. Enfin ma vaine terreur s'en est allée avec ton mauvais visage. Ta santé, ton appétit ont plus fait

---

1. On lit dans le *Littré* (éd. 1874), qui donne précisément cette lettre en guise d'illustration de sa définition : « Retourner la salade avec les doigts, être encore jeune, en parlant d'une femme ; dans le siècle dernier les jeunes femmes retournaient la salade avec les doigts ; cette locution a disparu avec l'usage lui-même. » **2.** Saint-Preux. Voir V, 9 et 10.

que tes plaisanteries, et je t'ai vue si bien argumenter à table contre mes frayeurs, qu'elles se sont tout à fait dissipées. Pour surcroît de bonheur il revient, et j'en suis charmée à tous égards. Son retour ne m'alarme point, il me rassure ; et sitôt que nous le verrons, je ne craindrai plus rien pour tes jours ni pour mon repos. Cousine, conserve-moi mon amie, et ne sois point en peine de la tienne [1] ; je réponds d'elle tant qu'elle t'aura.... Mais, mon Dieu, qu'ai-je donc qui m'inquiète encore, et me serre le cœur sans savoir pourquoi ? Ah, mon enfant, faudra-t-il un jour qu'une des deux survive à l'autre ? Malheur à celle sur qui doit tomber un sort si cruel ! Elle restera peu digne de vivre, ou sera morte avant sa mort.

Pourrais-tu me dire à propos de quoi je m'épuise en sottes lamentations ? Foin de ces terreurs paniques qui n'ont pas le sens commun ! Au lieu de parler de mort, parlons de mariage ; cela sera plus amusant. Il y a longtemps que cette idée est venue à ton mari, et s'il ne m'en eût jamais parlé, peut-être ne me fût-elle point venue à moi-même. Depuis lors j'y ai pensé quelquefois, et toujours avec dédain. Fi ! cela vieillit une jeune veuve ; si j'avais des enfants d'un second lit, je me croirais la grand'mère de ceux du premier. Je te trouve aussi fort bonne de faire avec légèreté les honneurs de ton amie, et de regarder cet arrangement comme un soin de ta bénigne charité. Oh bien je t'apprends, moi, que toutes les raisons fondées sur tes soucis obligeants ne valent pas la moindre des miennes contre un second mariage.

Parlons sérieusement ; je n'ai pas l'âme assez basse pour faire entrer dans ces raisons la honte de me rétracter d'un engagement téméraire pris avec moi seule, ni la crainte du blâme en faisant mon devoir, ni l'inégalité des fortunes dans un cas où tout l'honneur est pour celui des deux à qui l'autre veut bien devoir la sienne : mais sans répéter ce que je t'ai dit tant de fois sur mon humeur indépendante et sur mon éloignement naturel pour le joug du mariage, je me tiens à une seule objection, et je la tire de cette voix si sacrée que personne au monde ne respecte autant que toi ; lève

_____

1. Prends soin de toi-même et ne sois point inquiète pour moi.

cette objection, Cousine, et je me rends. Dans tous ces jeux qui te donnent tant d'effroi ma conscience est tranquille. Le souvenir de mon mari ne me fait point rougir ; j'aime à l'appeler à témoin de mon innocence, et pourquoi craindrais-je de faire devant son image tout ce que je faisais autrefois devant lui ? En serait-il de même, ô Julie ! si je violais les saints engagements qui nous unirent, que j'osasse jurer à un autre l'amour éternel que je lui jurai tant de fois, que mon cœur indignement partagé dérobât à sa mémoire ce qu'il donnerait à son successeur, et ne pût sans offenser l'un des deux remplir ce qu'il doit à l'autre ? Cette même image qui m'est si chère ne me donnerait qu'épouvante et qu'effroi, sans cesse elle viendrait empoisonner mon bonheur, et son souvenir qui fait la douceur de ma vie en ferait le tourment. Comment oses-tu me parler de donner un successeur à mon mari, après avoir juré de n'en jamais donner au tien [1] ? comme si les raisons que tu m'allègues t'étaient moins applicables en pareil cas ! Ils s'aimèrent ? C'est pis encore. Avec quelle indignation verrait-il un homme qui lui fut cher usurper ses droits et rendre sa femme infidèle ! Enfin quand il serait vrai que je ne lui dois plus rien à lui-même, ne dois-je rien au cher gage de son amour, et puis-je croire qu'il eût jamais voulu de moi, s'il eût prévu que j'eusse un jour exposé sa fille unique à se voir confondue [2] avec les enfants d'un autre ?

Encore un mot, et j'ai fini. Qui t'a dit que tous les obstacles viendraient de moi seule ? En répondant de celui que cet engagement regarde, n'as-tu point plutôt consulté ton désir que ton pouvoir ? Quand tu serais sûre de son aveu [3], n'aurais-tu donc aucun scrupule de m'offrir un cœur usé par une autre passion ? Crois-tu que le mien dût s'en contenter, et que je pusse être heureuse avec un homme que je ne rendrais pas heureux ? Cousine, penses-y mieux ; sans exiger plus d'amour que je n'en puis ressentir moi-même, tous les sentiments que j'accorde je veux qu'ils me soient rendus, et je suis trop honnête femme pour pouvoir me passer de

---

1. Voir III, 20, p. 450. **2.** Mêlée. **3.** Du consentement de Saint-Preux. Claire anticipe sur la réponse qu'il fera à Julie (VI, 7).

plaire à mon mari. Quel garant as-tu donc de tes espérances ? Un certain plaisir à se voir, qui peut être l'effet de la seule amitié ; un transport passager qui peut naître à notre âge de la seule différence du sexe ; tout cela suffit-il pour les fonder ? si ce transport eût produit quelque sentiment durable est-il croyable qu'il s'en fût tu, non seulement à moi, mais à toi, mais à ton mari de qui ce propos n'eût pu qu'être favorablement reçu ? En a-t-il jamais dit un mot à personne ? Dans nos tête-à-tête a-t-il jamais été question que de toi ? a-t-il jamais été question de moi dans les vôtres ? Puis-je penser que s'il avait eu là-dessus quelque secret pénible à garder, je n'aurais jamais aperçu sa contrainte, ou qu'il ne lui serait jamais échappé d'indiscrétion ? Enfin, même depuis son départ, de laquelle de nous deux parle-t-il le plus dans ses lettres, de laquelle est-il occupé dans ses songes [1] ? Je t'admire de me croire sensible et tendre, et de ne pas imaginer que je me dirai tout cela ! Mais j'aperçois vos ruses, ma mignonne. C'est pour vous donner droit de représailles que vous m'accusez d'avoir jadis sauvé mon cœur aux dépens du vôtre. Je ne suis pas la dupe de ce tour-là.

Voilà toute ma confession, Cousine. Je l'ai faite pour t'éclairer, et non pour te contredire. Il me reste à te déclarer ma résolution sur cette affaire. Tu connais à présent mon intérieur aussi bien et peut-être mieux que moi-même ; mon honneur, mon bonheur te sont chers autant qu'à moi, et dans le calme des passions, la raison te fera mieux voir où je dois trouver l'un et l'autre. Charge-toi donc de ma conduite, je t'en remets l'entière direction. Rentrons dans notre état naturel et changeons entre nous de métier, nous nous en tirerons mieux toutes deux. Gouverne, je serai docile ; c'est à toi de vouloir ce que je dois faire, à moi de faire ce que tu voudras. Tiens mon âme à couvert dans la tienne, que sert aux inséparables d'en avoir deux ?

Ah çà ! Revenons à présent à nos voyageurs ; mais j'ai déjà tant parlé de l'un que je n'ose plus parler de l'autre, de peur que la différence du style ne se fît un peu trop sentir, et que l'amitié même que j'ai pour l'Anglais ne dît trop en

---

1. Argument irréfutable, repris par Julie dans VI, 6, p. 783.

faveur du Suisse. Et puis, que dire sur des Lettres qu'on n'a pas vues ? Tu devais bien au moins m'envoyer celle de Milord Édouard ; mais tu n'as osé l'envoyer sans l'autre, et tu as fort bien fait... tu pouvais pourtant faire mieux encore... Ah vivent les Duègnes de vingt ans [1] ! elles sont plus traitables qu'à trente.

Il faut au moins que je me venge en t'apprenant ce que tu as opéré par cette belle réserve ? C'est de me faire imaginer la Lettre en question,.... cette lettre si.... cent fois plus si qu'elle ne l'est réellement. De dépit, je me plais à la remplir de choses qui n'y sauraient être. Va, si je n'y suis pas adorée, c'est à toi que je ferai payer tout ce qu'il en faudra rabattre.

En vérité, je ne sais après tout cela comment tu m'oses parler du Courrier d'Italie. Tu prouves que mon tort ne fut pas de l'attendre, mais de ne pas l'attendre assez longtemps. Un pauvre petit quart d'heure de plus, j'allais au-devant du paquet, je m'en emparais la première, je lisais le tout à mon aise, et c'était mon tour de me faire valoir. Les raisins sont trop verts [2] ; on me retient deux lettres ; mais j'en ai deux autres que, quoi que tu puisses croire, je ne changerais sûrement pas contre celle-là, quand tous les *si* du monde y seraient. Je te jure que si celle d'Henriette ne tient pas sa place à côté de la tienne c'est qu'elle la passe [3], et que ni toi ni moi n'écrirons de la vie rien d'aussi joli. Et puis on se donnera les airs de traiter ce prodige de petite impertinente ! Ah, c'est assurément pure jalousie. En effet, te voit-on jamais à genoux devant elle lui baiser humblement les deux mains l'une après l'autre ? Grâce à toi, la voilà modeste comme une vierge, et grave comme un Caton ; respectant tout le monde, jusqu'à sa mère ; il n'y a plus le mot pour rire à ce qu'elle dit ; à ce qu'elle écrit, passe encore. Aussi depuis que j'ai découvert ce nouveau talent, avant que tu gâtes ses lettres comme ses propos, je compte établir de sa chambre à la mienne un Courrier d'Italie, dont on n'escamotera point les paquets.

---

1. Voir I, 7, p. 71. **2.** Citation de la fable de La Fontaine, « Le Renard et les Raisins » (III, 11) : le renard feint de dédaigner ce qu'il ne peut obtenir. **3.** La surpasse.

Adieu, petite Cousine, voilà des réponses qui t'apprendront à respecter mon crédit renaissant [1]. Je voulais te parler de ce pays et de ses habitants, mais il faut mettre fin à ce volume, et puis tu m'as toute brouillée avec tes fantaisies, et le mari m'a presque fait oublier les hôtes. Comme nous avons encore cinq ou six jours à rester ici et que j'aurai le temps de mieux revoir le peu que j'ai vu, tu ne perdras rien pour attendre, et tu peux compter sur un second tome avant mon départ.

Lettre III
De Milord Édouard à M. de Wolmar

Non, cher Wolmar, vous ne vous êtes point trompé ; le jeune homme est sûr ; mais moi je ne le suis guère, et j'ai failli payer cher l'expérience qui m'en a convaincu. Sans lui, je succombais moi-même à l'épreuve que je lui avais destinée. Vous savez que pour contenter sa reconnaissance et remplir son cœur de nouveaux objets, j'affectais de donner à ce voyage plus d'importance qu'il n'en avait réellement. D'anciens penchants à flatter, une vieille habitude à suivre encore une fois, voilà avec ce qui se rapportait à St. Preux tout ce qui m'engageait à l'entreprendre. Dire les derniers adieux aux attachements de ma jeunesse, ramener un ami parfaitement guéri, voilà tout le fruit que j'en voulais recueillir.

Je vous ai marqué que le songe de Villeneuve m'avait laissé des inquiétudes. Ce songe me rendit suspects les transports de joie auxquels il s'était livré quand je lui avais annoncé qu'il était le maître d'élever vos enfants et de passer sa vie avec vous. Pour mieux l'observer dans les effusions de son cœur, j'avais d'abord prévenu ses difficultés ; en lui déclarant que je m'établirais moi-même avec vous, je ne laissais plus à son amitié d'objections à me faire ; mais de nouvelles résolutions me firent changer de langage.

---

1. La considération que j'ai retrouvée. Claire avait été brouillée avec sa famille.

Il n'eut pas vu trois fois la Marquise que nous fûmes d'accord sur son compte. Malheureusement pour elle, elle voulut le gagner, et ne fit que lui montrer ses artifices. L'infortunée ! Que de grandes qualités sans vertu ! que d'amour sans honneur ! Cet amour ardent et vrai me touchait, m'attachait, nourrissait le mien ; mais il prit la teinte de son âme noire, et finit par me faire horreur. Il ne fut plus question d'elle.

Quand il eut vu Laure, qu'il connut son cœur, sa beauté, son esprit, et cet attachement sans exemple trop fait pour me rendre heureux, je résolus de me servir d'elle pour bien éclaircir l'état de St. Preux. Si j'épouse Laure, lui dis-je, mon dessein n'est point de la mener à Londres où quelqu'un pourrait la reconnaître ; mais dans des lieux où l'on sait honorer la vertu partout où elle est ; vous remplirez votre emploi, et nous ne cesserons point de vivre ensemble. Si je ne l'épouse pas, il est temps de me recueillir [1]. Vous connaissez ma maison d'Oxford-Shire, et vous choisirez d'élever les enfants d'un de vos amis, ou d'accompagner l'autre dans sa solitude. Il me fit la réponse à laquelle je pouvais m'attendre ; mais je voulais l'observer par sa conduite : Car si pour vivre à Clarens il favorisait un mariage qu'il eût dû blâmer, ou si dans cette occasion délicate il préférait à son bonheur la gloire de son ami, dans l'un et dans l'autre cas l'épreuve était faite, et son cœur était jugé.

Je le trouvai d'abord tel que je le désirais ; ferme contre le projet que je feignais d'avoir, et armé de toutes les raisons qui devaient m'empêcher d'épouser Laure. Je sentais ces raisons mieux que lui, mais je la voyais sans cesse, et je la voyais affligée et tendre. Mon cœur tout à fait détaché de la Marquise, se fixa par ce commerce [2] assidu. Je trouvai dans les sentiments de Laure de quoi redoubler l'attachement qu'elle m'avait inspiré. J'eus honte de sacrifier à l'opinion, que je méprisais, l'estime que je devais à son mérite ; ne devais-je rien aussi à l'espérance que je lui avais donnée, sinon par mes discours, au moins par mes soins ? Sans avoir rien promis, ne rien tenir c'était la tromper ; cette tromperie

---

1. Me retirer du monde et me recueillir en moi-même. Cet emploi absolu de *se recueillir* n'a pas de connotation religieuse. **2.** Cette fréquentation.

était barbare. Enfin joignant à mon penchant une espèce de devoir, et songeant plus à mon bonheur qu'à ma gloire, j'achevai de l'aimer par raison ; je résolus de pousser la feinte aussi loin qu'elle pouvait aller, et jusqu'à la réalité même, si je ne pouvais m'en tirer autrement sans injustice.

Cependant je sentis augmenter mon inquiétude sur le compte du jeune homme, voyant qu'il ne remplissait pas dans toute sa force le rôle dont il s'était chargé. Il s'opposait à mes vues, il improuvait [1] le nœud que je voulais former ; mais il combattait mal mon inclination naissante, et me parlait de Laure avec tant d'éloges, qu'en paraissant me détourner de l'épouser, il augmentait mon penchant pour elle. Ces contradictions m'alarmèrent. Je ne le trouvais point aussi ferme qu'il aurait dû l'être. Il semblait n'oser heurter de front mon sentiment, il mollissait contre ma résistance, il craignait de me fâcher, il n'avait point à mon gré pour son devoir l'intrépidité qu'il inspire à ceux qui l'aiment.

D'autres observations augmentèrent ma défiance ; je sus qu'il voyait Laure en secret, je remarquais entre eux des signes d'intelligence. L'espoir de s'unir à celui qu'elle avait tant aimé ne la rendait point gaie. Je lisais bien la même tendresse dans ses regards, mais cette tendresse n'était plus mêlée de joie à mon abord, la tristesse y dominait toujours. Souvent dans les plus doux épanchements de son cœur, je la voyais jeter sur le jeune homme un coup d'œil à la dérobée, et ce coup d'œil était suivi de quelques larmes qu'on cherchait à me cacher. Enfin le mystère fut poussé, au point que j'en fus alarmé. Jugez de ma surprise. Que pouvais-je penser ? N'avais-je réchauffé qu'un serpent dans mon sein ? Jusqu'où n'osais-je point porter mes soupçons et lui rendre son ancienne injustice [2] ? Faibles et malheureux que nous sommes, c'est nous qui faisons nos propres maux ! Pourquoi nous plaindre que les méchants nous tourmentent, si les bons se tourmentent encore entre eux ?

Tout cela ne fit qu'achever de me déterminer. Quoique j'ignorasse le fond de cette intrigue, je voyais que le cœur de Laure était toujours le même, et cette épreuve ne me la rendait que plus chère. Je me proposais d'avoir une explication

---

1. Désapprouvait. **2.** Voir II, 10.

avec elle avant la conclusion ; mais je voulais attendre jusqu'au dernier moment, pour prendre auparavant par moi-même tous les éclaircissements possibles. Pour lui, j'étais résolu de me convaincre, de le convaincre, enfin d'aller jusqu'au bout avant que de lui rien dire ni de prendre un parti par rapport à lui, prévoyant une rupture infaillible, et ne voulant pas mettre un bon naturel et vingt ans d'honneur en balance avec des soupçons.

La Marquise n'ignorait rien de ce qui se passait entre nous. Elle avait des épies [1] dans le Couvent de Laure, et parvint à savoir qu'il était question de mariage. Il n'en fallut pas davantage pour réveiller ses fureurs ; elle m'écrivit des lettres menaçantes. Elle fit plus que d'écrire [2] ; mais comme ce n'était pas la première fois et que nous étions sur nos gardes, ses tentatives furent vaines. J'eus seulement le plaisir de voir dans l'occasion que St. Preux savait payer de sa personne, et ne marchandait pas sa vie pour sauver celle d'un ami.

Vaincue par les transports de sa rage, la Marquise tomba malade, et ne se releva plus. Ce fut là le terme de ses tourments * et de ses crimes. Je ne pus apprendre son état sans en être affligé. Je lui envoyai le Docteur Eswin [3] ; St. Preux y fut de ma part ; elle ne voulut voir ni l'un ni l'autre ; elle ne voulut pas même entendre parler de moi, et m'accabla d'imprécations horribles chaque fois qu'elle entendit prononcer mon nom. Je gémis sur elle, et sentis mes blessures prêtes à se rouvrir ; la raison vainquit encore, mais j'eusse été le dernier des hommes de songer au mariage, tandis qu'une femme qui me fut si chère était à l'extrémité. St. Preux, craignant qu'enfin je ne pusse résister au désir de la voir, me proposa le voyage de Naples, et j'y consentis [4].

Le surlendemain de notre arrivée, je le vis entrer dans ma chambre avec une contenance ferme et grave, et tenant une Lettre à la main. Je m'écriai : La Marquise est morte ! Plût

---

* Par la lettre de Milord Édouard ci-devant supprimée, on voit qu'il pensait qu'à la mort des méchants leurs âmes étaient anéanties. [NdE : voir p. 703.]

---

1. Mot employé « anciennement pour *espion* » (*Féraud*). **2.** *Les Amours de Milord Bomston* précisent que la Marquise envoie des sicaires assassiner son amant. **3.** Nom fictif. **4.** Voir V, 13, p. 737.

à Dieu ! reprit-il froidement : il vaut mieux n'être plus, que d'exister pour mal faire ; mais ce n'est pas d'elle que je viens vous parler ; écoutez-moi. J'attendis en silence.

Milord, me dit-il, en me donnant le saint nom d'ami, vous m'apprîtes à le porter. J'ai rempli la fonction dont vous m'avez chargé, et vous voyant prêt à vous oublier, j'ai dû vous rappeler à vous-même. Vous n'avez pu rompre une chaîne que par une autre. Toutes deux étaient indignes de vous. S'il n'eût été question que d'un mariage inégal, je vous aurais dit : Songez que vous êtes Pair d'Angleterre, et renoncez aux honneurs du monde, ou respectez l'opinion. Mais un mariage abject !.... vous !.... choisissez mieux votre épouse. Ce n'est pas assez qu'elle soit vertueuse ; elle doit être sans tache.... la femme d'Édouard Bomston n'est pas facile à trouver. Voyez ce que j'ai fait.

Alors il me remit la lettre. Elle était de Laure. Je ne l'ouvris pas sans émotion. *L'amour a vaincu,* me disait-elle ; *vous avez voulu m'épouser ; je suis contente. Votre ami m'a dicté mon devoir ; je le remplis sans regret. En vous déshonorant j'aurais vécu malheureuse ; en vous laissant votre gloire je crois la partager. Le sacrifice de tout mon bonheur à un devoir si cruel me fait oublier la honte de ma jeunesse. Adieu ; dès cet instant je cesse d'être en votre pouvoir et au mien. Adieu pour jamais. Ô Édouard ! ne portez pas le désespoir dans ma retraite ; écoutez mon dernier vœu. Ne donnez à nulle autre une place que je n'ai pu remplir. Il fut au monde un cœur fait pour vous, et c'était celui de Laure.*

L'agitation m'empêchait de parler. Il profita de mon silence pour me dire qu'après mon départ elle avait pris le voile dans le Couvent où elle était pensionnaire ; que la Cour de Rome informée qu'elle devait épouser un Luthérien avait donné des ordres pour m'empêcher de la revoir, et il m'avoua franchement qu'il avait pris tous ces soins de concert avec elle. Je ne m'opposai point à vos projets, continua-t-il, aussi vivement que je l'aurais pu, craignant un retour à la Marquise, et voulant donner le change à cette ancienne passion par celle de Laure. En vous voyant aller plus loin qu'il ne fallait, je fis d'abord parler la raison ; mais ayant trop acquis par mes propres fautes le droit de me défier d'elle, je sondai le cœur de Laure, et y trouvant toute la générosité qui est inséparable du véritable amour, je m'en prévalus pour la porter au sacrifice qu'elle vient de faire. L'assurance de n'être plus l'objet de votre mépris lui releva le courage et la rendit plus digne de votre estime. Elle a fait son devoir ; il faut faire le vôtre.

Alors s'approchant avec transport, il me dit en me serrant contre sa poitrine : Ami, je lis dans le sort commun que le Ciel nous envoie la loi commune qu'il nous prescrit [1]. Le règne de l'amour est passé [2], que celui de l'amitié commence ; mon cœur n'entend plus que sa voix sacrée, il ne connaît plus d'autre chaîne que celle qui me lie à toi. Choisis le séjour que tu veux habiter. Clarens, Oxford, Londres, Paris, ou Rome ; tout me convient, pourvu que nous y vivions ensemble. Va, viens où tu voudras ; cherche un asile en quelque lieu que ce puisse être, je te suivrai partout. J'en fais le serment solennel à la face du Dieu vivant, je ne te quitte plus qu'à la mort.

Je fus touché. Le zèle et le feu de cet ardent jeune homme éclataient dans ses yeux. J'oubliai la Marquise et Laure. Que peut-on regretter au monde quand on y conserve un ami ? Je vis aussi par le parti qu'il prit sans hésiter dans cette occasion qu'il était guéri véritablement et que vous n'aviez pas perdu vos peines ; enfin j'osai croire, par le vœu qu'il fit de si bon cœur de rester attaché à moi, qu'il l'était plus à la vertu qu'à ses anciens penchants. Je puis donc vous le ramener en toute confiance ; oui, cher Wolmar, il est digne d'élever des hommes, et qui plus est, d'habiter votre maison.

Peu de jours après j'appris la mort de la Marquise ; il y avait longtemps pour moi qu'elle était morte : cette perte ne me toucha plus. Jusqu'ici j'avais regardé le mariage comme une dette que chacun contracte à sa naissance envers son espèce, envers son pays, et j'avais résolu de me marier, moins par inclination que par devoir : j'ai changé de sentiment. L'obligation de se marier n'est pas commune à tous : elle dépend pour chaque homme de l'état où le sort l'a placé ; c'est pour le peuple, pour l'artisan, pour le villageois, pour les hommes vraiment utiles, que le célibat est illicite : pour

---

1. Périphrases désignant le célibat. **2.** Saint-Preux confirme ce qu'il a récusé autrefois : voir I, 60.

les ordres qui dominent les autres [1], auxquels tout tend sans cesse, et qui ne sont toujours que trop remplis, il est permis et même convenable. Sans cela, l'État ne fait que se dépeupler par la multiplication des sujets qui lui sont à charge. Les hommes auront toujours assez de maîtres, et l'Angleterre manquera plus tôt de Laboureurs que de Pairs.

Je me crois donc libre et maître de moi dans la condition où le Ciel m'a fait naître. À l'âge où je suis on ne répare plus les pertes que mon cœur a faites. Je le dévoue à cultiver ce qui me reste, et ne puis mieux le rassembler qu'à Clarens. J'accepte donc toutes vos offres, sous les conditions que ma fortune y doit mettre, afin qu'elle ne me soit pas inutile. Après l'engagement qu'a pris St. Preux, je n'ai plus d'autre moyen de le tenir auprès de vous que d'y demeurer moi-même, et si jamais il y est de trop, il me suffira d'en partir. Le seul embarras qui me reste est pour mes voyages d'Angleterre ; car quoique je n'aie plus aucun crédit dans le Parlement [2], il me suffit d'en être membre pour faire mon devoir jusqu'à la fin. Mais j'ai un collègue et un ami sûr, que je puis charger de ma voix dans les affaires courantes. Dans les occasions où je croirai devoir m'y trouver moi-même notre élève pourra m'accompagner, même avec les siens quand ils seront un peu plus grands et que vous voudrez bien nous les confier. Ces voyages ne sauraient que leur être utiles, et ne seront pas assez longs pour affliger beaucoup leur mère.

Je n'ai point montré cette lettre à St. Preux : Ne la montrez pas entière à vos Dames ; il convient que le projet de cette épreuve ne soit jamais connu que de vous et de moi. Au surplus ne leur cachez rien de ce qui fait honneur à mon digne ami, même à mes dépens. Adieu, cher Wolmar. Je vous envoie les dessins de mon Pavillon. Réformez, changez comme il vous plaira, mais faites-y travailler dès à présent, s'il se peut. J'en voulais ôter le salon de musique, car tous mes goûts sont éteints, et je ne me soucie plus de rien [3]. Je le laisse, à la prière de St. Preux qui se propose d'exercer dans ce salon vos enfants. Vous recevrez aussi quelques

---

1. La noblesse et le clergé. Les *ordres* sont « les Corps qui composent un État » (*Acad.* 1762). **2.** La Chambre des Lords. **3.** Plus rien ne m'intéresse. Passe ici, sur Bomston, l'ombre du mélancolique Pococurante de *Candide*.

livres pour l'augmentation de votre bibliothèque. Mais que trouverez-vous de nouveau dans des livres ? Ô Wolmar, il ne vous manque que d'apprendre à lire dans celui de la nature, pour être le plus sage des mortels.

Lettre IV
Réponse

Je me suis attendu, cher Bomston, au dénouement de vos longues aventures. Il eût paru bien étrange qu'ayant résisté si longtemps à vos penchants vous eussiez attendu pour vous laisser vaincre qu'un ami vînt vous soutenir ; quoiqu'à vrai dire on soit souvent plus faible en s'appuyant sur un autre, que quand on ne compte que sur soi. J'avoue pourtant que je fus alarmé de votre dernière lettre où vous m'annonciez votre mariage avec Laure comme une affaire absolument décidée. Je doutai de l'événement malgré votre assurance, et si mon attente eût été trompée, de mes jours je n'aurais revu St. Preux. Vous avez fait tous deux ce que j'avais espéré de l'un et de l'autre, et vous avez trop bien justifié le jugement que j'avais porté de vous, pour que je ne sois pas charmé de vous voir reprendre nos premiers arrangements. Venez, hommes rares, augmenter et partager le bonheur de cette maison. Quoi qu'il en soit de l'espoir des Croyants dans l'autre vie, j'aime à passer avec eux celle-ci, et je sens que vous me convenez tous mieux tels que vous êtes que si vous aviez le malheur de penser comme moi.

Au reste vous savez ce que je vous dis sur son sujet à votre départ. Je n'avais pas besoin pour le juger de votre épreuve ; car la mienne était faite, et je crois le connaître autant qu'un homme en peut connaître un autre. J'ai d'ailleurs plus d'une raison de compter sur son cœur, et de bien meilleures cautions de lui que lui-même. Quoique dans votre renoncement au mariage il paraisse vouloir vous imiter, peut-être trouverez-vous ici de quoi l'engager à changer de système. Je m'expliquerai mieux après votre retour.

Quant à vous, je trouve vos distinctions sur le célibat toutes nouvelles et fort subtiles. Je les crois même judicieuses pour le politique qui balance[1] les forces respectives de l'État, afin d'en maintenir l'équilibre. Mais je ne sais si dans vos principes ces raisons sont assez solides pour dispenser les particuliers de leur devoir envers la nature. Il semblerait que la vie est un bien qu'on ne reçoit qu'à la charge de le transmettre, une sorte de substitution qui doit passer de race en race, et que quiconque eut un père est obligé de le devenir. C'était votre sentiment jusqu'ici, c'était une des raisons de votre voyage ; mais je sais d'où vous vient cette nouvelle philosophie, et j'ai vu dans le billet de Laure un argument auquel votre cœur n'a point de réplique.

La petite Cousine est depuis huit ou dix jours à Genève avec sa famille pour des emplettes et d'autres affaires. Nous l'attendons de retour de jour en jour. J'ai dit à ma femme de votre lettre tout ce qu'elle en devait savoir. Nous avons appris par M. Miol que le mariage était rompu ; mais elle ignorait la part qu'avait St. Preux à cet événement. Soyez sûr qu'elle n'apprendra jamais qu'avec la plus vive joie tout ce qu'il fera pour mériter vos bienfaits et justifier votre estime. Je lui ai montré les dessins de votre pavillon ; elle les trouve de très bon goût ; nous y ferons pourtant quelques changements que le local exige et qui rendront votre logement plus commode ; vous les approuverez sûrement. Nous attendons l'avis de Claire avant d'y toucher ; car vous savez qu'on ne peut rien faire sans elle. En attendant j'ai déjà mis du monde en œuvre, et j'espère qu'avant l'hiver la maçonnerie sera fort avancée.

Je vous remercie de vos livres ; mais je ne lis plus ceux que j'entends, et il est trop tard pour apprendre à lire ceux que je n'entends pas. Je suis pourtant moins ignorant que vous ne m'accusez de l'être. Le vrai livre de la nature est pour moi le cœur des hommes, et la preuve que j'y sais lire est dans mon amitié pour vous[a].

Lettre V
De Mad^e d'Orbe à Mad^e de Wolmar

J'ai bien des griefs, Cousine, à la charge de ce séjour. Le plus grave est qu'il me donne envie d'y rester. La ville est

---

1. Voir III, 1, n. 3, p. 373.

charmante, les habitants sont hospitaliers, les mœurs sont
honnêtes et la liberté, que j'aime sur toutes choses, semble
s'y être réfugiée. Plus je contemple ce petit État, plus je
trouve qu'il est beau d'avoir une patrie, et Dieu garde de
mal tous ceux qui pensent en avoir une, et n'ont pourtant
qu'un pays [1] ! Pour moi, je sens que si j'étais née dans celui-
ci, j'aurais l'âme toute romaine. Je n'oserais pourtant pas
trop dire à présent :

> Rome n'est plus à Rome, elle est toute où je suis [2],

car j'aurais peur que dans ta malice tu n'allasses penser le
contraire. Mais pourquoi donc Rome, et toujours Rome ?
Restons à Genève.

Je ne te dirai rien de l'aspect du pays. Il ressemble au
nôtre, excepté qu'il est moins montueux [3], plus champêtre,
et qu'il n'a pas des Chalets si voisins *. Je ne te dirai rien,
non plus, du gouvernement. Si Dieu ne t'aide, mon père t'en
parlera de reste : il passe toute la journée à politiquer avec
les magistrats dans la joie de son cœur, et je le vois déjà très
mal édifié que la gazette [4] parle si peu de Genève. Tu peux
juger de leurs conférences par mes lettres. Quand ils
m'excèdent, je me dérobe, et je t'ennuie pour me désennuyer.

Tout ce qui m'est resté de leurs longs entretiens, c'est
beaucoup d'estime pour le grand sens qui règne en cette
ville. À voir l'action et réaction mutuelles de toutes les parties de l'État qui le tiennent en équilibre, on ne peut douter
qu'il n'y ait plus d'art et de vrai talent employés au gouvernement de cette petite République, qu'à celui des plus vastes
Empires, où tout se soutient par sa propre masse, et où les

---

* L'éditeur les croit un peu rapprochés.

---

1. L'opposition pays/patrie rejoint les lettres parisiennes de Saint-Preux : il
y avait trouvé des Français, mais aucun citoyen. **2.** Corneille, *Sertorius*
(1662), III, 1, v. 936, éd. G. Couton, Gallimard, « Bibliothèque de la
Pléiade », 1987, t. III, p. 342. Le vers renvoie aux valeurs fondatrices de la
république incarnées par le général Sertorius s'adressant à Pompée.
« Romaine » est synonyme de « citoyenne » sous la plume de Claire.
3. Montueux « n'a guère d'usage qu'en cette phrase : *Pays montueux*, qui
signifie : Un pays extrêmement inégal, et mêlé d'espace en espace de plaines
et de collines » (*Acad.* 1762). **4.** Voir I, 35.

rênes de l'État peuvent tomber entre les mains d'un sot, sans que les affaires cessent d'aller. Je te réponds qu'il n'en serait pas de même ici. Je n'entends jamais parler à mon père de tous ces grands ministres des grandes cours, sans songer à ce pauvre musicien qui barbouillait si fièrement sur notre grand Orgue * à Lausanne, et qui se croyait un fort habile homme parce qu'il faisait beaucoup de bruit. Ces gens-ci n'ont qu'une petite épinette [1], mais ils en savent tirer une bonne harmonie, quoiqu'elle soit souvent assez mal d'accord [2].

Je ne te dirai rien non plus.... mais à force de ne te rien dire, je ne finirais pas. Parlons de quelque chose pour avoir plus tôt fait. Le Genevois est de tous les peuples du monde celui qui cache le moins son caractère, et qu'on connaît le plus promptement. Ses mœurs, ses vices mêmes sont mêlés de franchise. Il se sent naturellement bon, et cela lui suffit pour ne pas craindre de se montrer tel qu'il est. Il a de la générosité, du sens, de la pénétration ; mais il aime trop l'argent ; défaut que j'attribue à sa situation qui le lui rend nécessaire ; car le territoire ne suffirait pas pour nourrir les habitants.

Il arrive de là que les Genevois épars dans l'Europe pour s'enrichir imitent les grands airs des étrangers, et après avoir pris les vices des pays où ils ont vécu **, les rapportent chez eux en triomphe avec leurs trésors. Ainsi le luxe des autres peuples leur fait mépriser leur antique simplicité ; la fière

---

* Il y avait, *grande Orgue.* Je remarquerai pour ceux de nos Suisses et Genevois qui se piquent de parler correctement, que le mot *orgue* est masculin au singulier, féminin au pluriel, et s'emploie également dans les deux nombres ; mais le singulier est plus élégant. [NdE : *plurier* est une forme archaïque de *pluriel*, disparue de *Acad.* 1762.]

** Maintenant on ne leur donne plus la peine de les aller chercher, on les leur porte. [NdE : allusion à Voltaire installé aux Délices depuis 1755, inspirateur du projet de comédie pour Genève lancé par d'Alembert dans l'*Encyclopédie*.]

---

1. «Instrument de musique à clavier et à cordes de fil d'archal, plus petit qu'un clavecin » (*Acad.* 1762). Rousseau possédait une épinette et en jouait.
2. Accordée. Les luttes politiques entre patriciens et bourgeois se succèdent entre 1734 et 1738, ce qui correspond à l'époque du roman.

liberté leur paraît ignoble ; ils se forgent des fers d'argent, non comme une chaîne, mais comme un ornement [1].

Eh bien ! ne me voilà-t-il pas encore dans cette maudite politique ? Je m'y perds, je m'y noie, j'en ai par-dessus la tête, je ne sais plus par où m'en tirer. Je n'entends parler ici d'autre chose, si ce n'est quand mon père n'est pas avec nous, ce qui n'arrive qu'aux heures des Courriers. C'est nous, mon enfant, qui portons partout notre influence ; car d'ailleurs, les entretiens du pays sont utiles et variés, et l'on n'apprend rien de bon dans les livres qu'on ne puisse apprendre ici dans la conversation. Comme autrefois les mœurs anglaises ont pénétré jusqu'en ce pays les hommes y vivant encore un peu plus séparés des femmes que dans le nôtre contractent entre eux un ton plus grave, et généralement plus de solidité dans leurs discours. Mais aussi cet avantage a son inconvénient qui se fait bientôt sentir. Des longueurs toujours excédantes, des arguments, des exordes, un peu d'apprêt, quelquefois des phrases [2], rarement de la légèreté, jamais de cette simplicité naïve qui dit le sentiment avant la pensée, et fait si bien valoir ce qu'elle dit. Au lieu que le Français écrit comme il parle, ceux-ci parlent comme ils écrivent, ils dissertent au lieu de causer ; on les croirait toujours prêts à soutenir thèse. Ils distinguent, ils divisent, ils traitent la conversation par points ; ils mettent dans leurs propos la même méthode que dans leurs livres ; ils sont Auteurs, et toujours Auteurs [3]. Ils semblent lire en parlant, tant ils observent bien les étymologies, tant ils font sonner toutes les Lettres avec soin. Ils articulent le *marc* du raisin comme *Marc* nom d'homme ; ils disent exactement du *tabak* et non pas du *taba*, un *pare-sol* et non pas un *parasol* ; *avant-t-hier* et non pas *avanhier* ; *Secrétaire* et non pas *Segretaire*,

---

1. Le Genevois est né naturellement bon, et il se met partout dans les fers, dira-t-on pour paraphraser l'*incipit* du *Contrat social*. Sur la voix politique portée par Claire, voir Présentation, p. 29. **2.** « On dit d'Un homme qui a une façon de parler recherchée et affectée, qu'*Il ne parle que par phrases* » (*Acad.* 1762). **3.** « *Auteur* se prend quelquefois en mauvaise part, et c'est plutôt une injure qu'une louange. On entend par-là un homme […] qui ne parle point naturellement, et qui est fort entêté de lui-même. C'est ce qui a fait dire à M. Pascal, que quand on voit un style naturel, on est tout étonné, parce qu'on s'attendait de voir un *Auteur*, et qu'on trouve un homme » (*Trévoux*).

un *lac-d'amour* où l'on se noie [1], et non pas où l'on s'étrangle ; partout les *s* finales, partout les *r* des infinitifs ; enfin leur parler est toujours soutenu, leurs discours sont des harangues, et ils jasent comme s'ils prêchaient.

Ce qu'il y a de singulier, c'est qu'avec ce ton dogmatique et froid, ils sont vifs, impétueux, et ont les passions très ardentes ; ils diraient même assez bien les choses de sentiment s'ils ne disaient pas tout, ou s'ils ne parlaient qu'à des oreilles. Mais leurs points leurs virgules sont tellement insupportables, ils peignent si posément des émotions si vives, que quand ils ont achevé leur dire, on chercherait volontiers autour d'eux où est l'homme qui sent ce qu'ils ont écrit.

Au reste il faut t'avouer que je suis un peu payée pour bien penser de leurs cœurs, et croire qu'ils ne sont pas de mauvais goût. Tu sauras en confidence qu'un joli Monsieur à marier et, dit-on, fort riche, m'honore de ses attentions, et qu'avec des propos assez tendres, il ne m'a point fait chercher ailleurs l'Auteur de ce qu'il me disait. Ah ! s'il était venu il y a dix-huit mois, quel plaisir j'aurais pris à me donner un Souverain pour esclave, et à faire tourner la tête à un magnifique Seigneur. Mais à présent la mienne n'est plus assez droite pour que le jeu me soit agréable, et je sens que toutes mes folies s'en vont avec ma raison.

Je reviens à ce goût de lecture qui porte les Genevois à penser. Il s'étend à tous les états, et se fait sentir dans tous avec avantage. Le Français lit beaucoup ; mais il ne lit que les livres nouveaux, ou plutôt il les parcourt, moins pour les lire, que pour dire qu'il les a lus. Le Genevois ne lit que les bons livres ; il les lit, il les digère ; il ne les juge pas, mais il les sait ; Le jugement et le choix se font à Paris, les livres choisis sont presque les seuls qui vont à Genève. Cela fait que la lecture y est moins mêlée et s'y fait avec plus de profit. Les femmes dans leur retraite * lisent de leur côté, et

---

* On se souviendra que cette Lettre est de vieille date, et je crains bien que cela ne soit trop facile à voir.

---

1. « On appelle *Lacs d'amour*, Des cordons passés l'un dans l'autre d'une certaine manière. *Un chiffre fait en lacs d'amour* » (*Acad.* 1762). Sur la prononciation genevoise de *lacs*, voir la note de Rousseau, V, 13, p. 736.

leur ton s'en ressent aussi mais d'une autre manière. Les belles Madames y sont petites-maîtresses et beaux esprits tout comme chez nous. Les petites Citadines elles-mêmes prennent dans les livres un babil plus arrangé, et certain choix d'expressions qu'on est étonné d'entendre sortir de leur bouche, comme quelquefois de celle des enfants. Il faut tout le bon sens des hommes, toute la gaieté des femmes, et tout l'esprit qui leur est commun, pour qu'on ne trouve pas les premiers un peu pédants et les autres un peu précieuses.

Hier vis-à-vis de ma fenêtre deux filles d'ouvriers, fort jolies, causaient devant leur boutique d'un air assez enjoué pour me donner de la curiosité. Je prêtai l'oreille, et j'entendis qu'une des deux proposait en riant d'écrire leur journal. Oui, reprit l'autre à l'instant ; le journal tous les matins, et tous les soirs le commentaire. Qu'en dis-tu, Cousine ? Je ne sais si c'est là le ton des filles d'artisans, mais je sais qu'il faut faire un furieux emploi du temps pour ne tirer du cours des journées que le commentaire de son journal. Assurément la petite personne avait lu les aventures des mille et une nuits !

Avec ce style un peu guindé, les Genevoises ne laissent pas d'être vives et piquantes, et l'on voit autant de grandes passions ici qu'en ville du monde [1]. Dans la simplicité de leur parure elles ont de la grâce et du goût ; elles en ont dans leur entretien, dans leurs manières. Comme les hommes sont moins galants que tendres, les femmes sont moins coquettes que sensibles, et cette sensibilité donne, même aux plus honnêtes un tour d'esprit agréable et fin qui va au cœur, et qui en tire toute sa finesse. Tant que les Genevoises seront Genevoises, elles seront les plus aimables femmes de l'Europe ; mais bientôt elles voudront être Françaises, et alors les Françaises vaudront mieux qu'elles.

Ainsi tout dépérit avec les mœurs. Le meilleur goût tient à la vertu même ; il disparaît avec elle, et fait place à un goût factice et guindé qui n'est plus que l'ouvrage de la mode. Le véritable esprit est presque dans le même cas. N'est-ce pas la modestie de notre sexe qui nous oblige d'user d'adresse pour repousser les agaceries des hommes, et s'ils ont besoin

---

1. Que dans toute autre ville du monde.

d'art pour se faire écouter, nous en faut-il moins pour savoir ne les pas entendre ? N'est-ce pas eux qui nous délient l'esprit et la langue, qui nous rendent plus vives à la riposte *, et nous forcent de nous moquer d'eux ? Car enfin, tu as beau dire, une certaine coquetterie maligne et railleuse désoriente encore plus les soupirants que le silence ou le mépris. Quel plaisir de voir un beau Céladon tout déconcerté, se confondre se troubler se perdre à chaque repartie, de s'environner contre lui de traits moins brûlants mais plus aigus que ceux de l'amour, de le cribler de pointes de glace, qui piquent à l'aide du froid ! Toi-même qui ne fais semblant de rien, crois-tu que tes manières naïves et tendres, ton air timide et doux, cachent moins de ruse et d'habileté que toutes mes étourderies ? Ma foi, Mignonne, s'il fallait compter les galants que chacune de nous a persiflés, je doute fort qu'avec ta mine hypocrite, ce fût toi qui serais en reste ! Je ne puis m'empêcher de rire encore en songeant à ce pauvre Conflans, qui venait tout en furie me reprocher que tu l'aimais trop. Elle est si caressante, me disait-il, que je ne sais de quoi me plaindre : elle me parle avec tant de raison que j'ai honte d'en manquer devant elle, et je la trouve si fort mon amie que je n'ose être son amant.

Je ne crois pas qu'il y ait nulle part au monde des époux plus unis et de meilleurs ménages que dans cette ville, la vie domestique y est agréable et douce ; on y voit des maris complaisants [1] et presque d'autres Julies. Ton système se vérifie très bien ici [2]. Les deux sexes gagnent de toutes manières à se donner des travaux et des amusements différents qui les empêchent de se rassasier l'un de l'autre, et font

---

* Il fallait *risposte*, de l'italien *risposta*, toutefois *riposte* se dit aussi, et je le laisse. Ce n'est au pis aller qu'une faute de plus. [NdE : le mot « riposte » est alors nouvellement introduit dans les dictionnaires dans son sens moderne : « Réponse vive faite sur le champ, repartie prompte pour repousser quelque raillerie. *Avoir la riposte prête, il est vif à la riposte.* Il n'est que du style familier » (*Acad.* 1762).]

---

1. L'adjectif « complaisant » n'a nulle signification injurieuse ici, il est pris au sens de « civil, flatteur qui tâche de plaire, et de se conformer à l'humeur et à la volonté d'autrui » (*Trévoux*). **2.** Celui de la séparation des deux sexes durant la journée. Voir IV, 10, p. 537-539.

qu'ils se retrouvent avec plus de plaisir. Ainsi s'aiguise la volupté du sage : s'abstenir pour jouir c'est ta philosophie ; c'est l'épicuréisme de la raison [1].

Malheureusement cette antique modestie commence à décliner. On se rapproche, et les cœurs s'éloignent. Ici comme chez nous tout est mêlé de bien et de mal ; mais à différentes mesures. Le Genevois tire ses vertus de lui-même, ses vices lui viennent d'ailleurs. Non seulement il voyage beaucoup, mais il adopte aisément les mœurs et les manières des autres peuples ; il parle avec facilité toutes les langues ; il prend sans peine leurs divers accents, quoiqu'il ait lui-même un accent traînant très sensible, surtout dans les femmes qui voyagent moins. Plus humble de sa petitesse que fier de sa liberté, il se fait chez les nations étrangères une honte de sa patrie ; il se hâte pour ainsi dire de se naturaliser dans le pays où il vit, comme pour faire oublier le sien ; peut-être la réputation qu'il a d'être âpre au gain contribue-t-elle à cette coupable honte [2]. Il vaudrait mieux, sans doute, effacer par son désintéressement l'opprobre du nom genevois, que de l'avilir encore en craignant de le porter : mais le Genevois le méprise, même en le rendant estimable, et il a plus de tort encore de ne pas honorer son pays de son propre mérite[a].

Quelque avide qu'il puisse être, on ne le voit guère aller à la fortune par des moyens serviles et bas ; il n'aime point s'attacher aux Grands et ramper dans les Cours. L'esclavage personnel ne lui est pas moins odieux que l'esclavage civil. Flexible et liant comme Alcibiade [3], il supporte aussi peu la servitude, et quand il se plie aux usages des autres, il les imite sans s'y assujettir. Le commerce étant de tous les moyens de s'enrichir le plus compatible avec la liberté, est aussi celui que les Genevois préfèrent. Ils sont presque tous marchands ou banquiers, et ce grand objet de leurs désirs leur fait souvent enfouir de rares talents que leur prodigua

---

1. Br et CP portent « l'épicuréisme de la vertu ». Voir les exemples de la « volupté tempérante » de Julie dans V, 2, p. 652. **2.** Exemple typique de la « fausse honte » générée par les passions sociales : c'est ainsi que « l'homme de l'homme » étouffe « l'homme de la nature ». Voir II, 27. **3.** Alcibiade est à l'époque un modèle de libertin dont Crébillon fils fera le héros de ses *Lettres athéniennes* (1771).

la nature. Ceci me ramène au commencement de ma Lettre. Ils ont du génie et du courage, ils sont vifs et pénétrants, il n'y a rien d'honnête et de grand au-dessus de leur portée : Mais plus passionnés d'argent que de gloire, pour vivre dans l'abondance ils meurent dans l'obscurité, et laissent à leurs enfants pour tout exemple l'amour des trésors qu'ils leur ont acquis.

Je tiens tout cela des Genevois mêmes ; car ils parlent d'eux fort impartialement. Pour moi, je ne sais comment ils sont chez les autres, mais je les trouve aimables chez eux, et je ne connais qu'un moyen de quitter sans regret Genève. Quel est ce moyen, Cousine ? oh ! ma foi tu as beau prendre ton air humble ; si tu dis ne l'avoir pas déjà deviné, tu mens. C'est après-demain que s'embarque la bande joyeuse dans un joli Brigantin [1] appareillé de fête ; car nous avons choisi l'eau à cause de la saison, et pour demeurer tous rassemblés. Nous comptons coucher le même soir, à Morges, le lendemain à Lausanne * pour la Cérémonie, et le surlendemain.... tu m'entends. Quand tu verras de loin briller des flammes, flotter des banderoles, quand tu entendras ronfler le canon ; cours par toute la maison comme une folle, en criant : Armes ! armes ! Voici les ennemis ! voici les ennemis !

P. S. Quoique la distribution des logements entre incontestablement dans les droits de ma charge, je veux bien m'en désister en cette occasion. J'entends seulement que mon Père soit logé chez Milord Édouard à cause des cartes de géographie, et qu'on achève d'en tapisser du haut en bas tout l'appartement.

---

* Comment cela ? Lausanne n'est pas au bord du lac ; il y a du port à la ville une demi-lieue de fort mauvais chemin ; et puis il faut un peu supposer que tous ces jolis arrangements ne seront point contrariés par le vent.

---

1. « Sorte de petit Vaisseau à voiles et à rames pour aller en course » (*Acad.* 1762).

Lettre VI
De Mad^e de Wolmar

Quel sentiment délicieux j'éprouve en commençant cette lettre ! Voici la première fois de ma vie où j'ai pu vous écrire sans crainte et sans honte. Je m'honore de l'amitié qui nous joint comme d'un retour sans exemple. On étouffe de grandes passions ; rarement on les épure. Oublier ce qui nous fut cher quand l'honneur le veut, c'est l'effort d'une âme honnête et commune ; mais après avoir été ce que nous fûmes être ce que nous sommes aujourd'hui, voilà le vrai triomphe de la vertu. La cause qui fait cesser d'aimer peut être un vice, celle qui change un tendre amour en une amitié non moins vive ne saurait être équivoque.

Aurions-nous jamais fait ce progrès par nos seules forces ? Jamais, jamais mon bon ami, le tenter même était une témérité. Nous fuir était pour nous la première loi du devoir, que rien ne nous eût permis d'enfreindre. Nous nous serions toujours estimés, sans doute ; mais nous aurions cessé de nous voir, de nous écrire ; nous nous serions efforcés de ne plus penser l'un à l'autre, et le plus grand honneur que nous pouvions nous rendre mutuellement était de rompre tout commerce entre nous.

Voyez, au lieu de cela, quelle est notre situation présente. En est-il au monde une plus agréable, et ne goûtons-nous pas mille fois le jour le prix des combats qu'elle nous a coûtés ? Se voir, s'aimer, le sentir, s'en féliciter, passer les jours ensemble dans la familiarité fraternelle et dans la paix de l'innocence, s'occuper l'un de l'autre, y penser sans remords, en parler sans rougir, et s'honorer à ses propres yeux du même attachement qu'on s'est si longtemps reproché ; voilà le point où nous en sommes. Ô ami ! quelle carrière d'honneur nous avons déjà parcourue ! Osons nous en glorifier pour savoir nous y maintenir, et l'achever comme nous l'avons commencée.

À qui devons-nous un bonheur si rare ? Vous le savez. J'ai vu votre cœur sensible, plein des bienfaits du meilleur des hommes, aimer à s'en pénétrer ; et comment nous seraient-ils à charge, à vous et à moi ? Ils ne nous imposent point de nouveaux devoirs, ils ne font que nous rendre plus chers ceux qui nous étaient déjà si sacrés. Le seul moyen de reconnaître ses soins est d'en être dignes, et tout leur prix est dans leur succès. Tenons-nous-en donc là dans l'effusion de notre zèle. Payons de nos vertus celles de notre bienfaiteur ; voilà tout ce que nous lui devons. Il a fait assez pour nous et pour lui s'il nous a rendus à nous-mêmes. Absents ou présents, vivants ou morts, nous porterons partout un témoignage qui ne sera perdu pour aucun des trois.

Je faisais ces réflexions en moi-même quand mon mari vous destinait l'éducation de ses enfants. Quand Milord Édouard m'annonça son prochain retour et le vôtre, ces mêmes réflexions revinrent et d'autres encore qu'il importe de vous communiquer, tandis qu'il est temps de le faire.

Ce n'est point de moi qu'il est question c'est de vous ; je me crois plus en droit de vous donner des conseils depuis qu'ils sont tout à fait désintéressés, et que n'ayant plus ma sûreté pour objet ils ne se rapportent qu'à vous-même. Ma tendre amitié ne vous est pas suspecte, et je n'ai que trop acquis de lumières pour faire écouter mes avis.

Permettez-moi de vous offrir le tableau de l'état où vous allez être, afin que vous examiniez vous-même s'il n'a rien qui doive vous effrayer. Ô bon jeune homme ! Si vous aimez la vertu, écoutez d'une oreille chaste les conseils de votre amie. Elle commence en tremblant un discours qu'elle voudrait taire ; mais comment le taire sans vous trahir ? sera-t-il temps de voir les objets que vous devez craindre quand ils vous auront égaré ! Non, mon ami, je suis la seule personne au monde assez familière avec vous pour vous les présenter. N'ai-je pas le droit de vous parler au besoin comme une sœur, comme une mère ? Ah ! si les leçons d'un cœur honnête étaient capables de souiller le vôtre, il y a longtemps que je n'en aurais plus à vous donner.

Votre carrière, dites-vous, est finie. Mais convenez qu'elle est finie avant l'âge. L'amour est éteint ; les sens lui survivent, et leur délire est d'autant plus à craindre que le seul sentiment qui le bornait n'existant plus, tout est occasion de chute à qui ne tient plus à rien. Un homme ardent et sensible, jeune et garçon, veut être continent et chaste ; il sait, il sent, il l'a dit mille fois, que la force de l'âme qui produit toutes les vertus tient à la pureté qui les nourrit toutes. Si l'amour le préserva des mauvaises mœurs dans sa jeunesse, il veut que la raison l'en préserve dans tous les temps ; il connaît pour les devoirs pénibles un prix qui console de leur rigueur, et s'il en coûte des combats quand on veut se vaincre, fera-t-il moins aujourd'hui pour le Dieu qu'il adore qu'il ne fit pour la maîtresse qu'il servit autrefois ? Ce sont là, ce me semble, des maximes de votre morale ; ce sont donc aussi des règles de votre conduite ; car vous avez toujours méprisé ceux qui contents de l'apparence parlent autrement qu'ils n'agissent, et chargent les autres de lourds fardeaux auxquels ils ne veulent pas toucher eux-mêmes.

Quel genre de vie a choisi cet homme sage pour suivre les lois qu'il se prescrit ? Moins philosophe encore qu'il n'est vertueux et chrétien, sans doute il n'a point pris son orgueil pour guide : il sait que l'homme est plus libre d'éviter les tentations que de les vaincre, et qu'il n'est pas question de réprimer les passions irritées, mais de les empêcher de naître. Se dérobe-t-il donc aux occasions dangereuses ? fuit-il les objets capables de l'émouvoir ? fait-il d'une humble défiance de lui-même la sauvegarde de sa vertu ? Tout au contraire ; il n'hésite pas à s'offrir aux plus téméraires combats. À trente ans il va s'enfermer dans une solitude avec des femmes de son âge, dont une lui fut trop chère pour qu'un si dangereux souvenir se puisse effacer, dont l'autre vit avec lui dans une étroite familiarité, et dont une troisième [1] lui tient encore par les droits qu'ont les bienfaits sur les âmes reconnaissantes. Il va s'exposer à tout ce qui peut réveiller en lui des passions mal éteintes ; il va s'enlacer dans les pièges qu'il devrait le plus redouter. Il n'y a pas un rapport dans sa situation qui ne dût le faire défier de sa force, et pas un qui ne l'avilît à jamais s'il était faible un moment. Où est-elle donc, cette grande force d'âme à laquelle il ose tant se fier ? Qu'a-t-elle fait jusqu'ici qui lui réponde de l'avenir ? Le tira-t-elle à Paris de la maison du colonel ? Est-ce elle qui lui dicta l'été dernier la Scène de Meillerie ? L'a-t-elle

---

1. Fanchon Regard (voir I, 39-44). Julie détaille plus bas l'avilissement des amours ancillaires.

bien sauvé cet hiver des charmes d'un autre objet, et ce printemps des frayeurs d'un rêve ? S'est-il vaincu pour elle [1] au moins une fois, pour espérer de se vaincre sans cesse ? Il sait, quand le devoir l'exige combattre les passions d'un ami ; mais les siennes ?.... Hélas sur la plus belle moitié de sa vie, qu'il doit penser modestement de l'autre !

On supporte un état violent, quand il passe. Six mois, un an, ne sont rien ; on envisage un terme et l'on prend courage. Mais quand cet état doit durer toujours, qui est-ce qui le supporte ? Qui est-ce qui sait triompher de lui-même jusqu'à la mort ? Ô mon ami ! si la vie est courte pour le plaisir, qu'elle est longue pour la vertu ! Il faut être incessamment sur ses gardes. L'instant de jouir passe et ne revient plus ; celui de mal faire passe et revient sans cesse : On s'oublie un moment, et l'on est perdu. Est-ce dans cet état effrayant qu'on peut couler des jours tranquilles, et ceux mêmes qu'on a sauvés du péril n'offrent-ils pas une raison de n'y plus exposer les autres ?

Que d'occasions peuvent renaître, aussi dangereuses que celles dont vous avez échappé [2], et qui pis est, non moins imprévues ! Croyez-vous que les monuments [3] à craindre n'existent qu'à Meillerie ? Ils existent partout où nous sommes ; car nous les portons avec nous. Eh ! vous savez trop qu'une âme attendrie intéresse l'univers entier à sa passion, et que même après la guérison, tous les objets de la nature nous rappellent encore ce qu'on sentit autrefois en les voyant. Je crois pourtant, oui j'ose le croire, que ces périls ne reviendront plus, et mon cœur me répond du vôtre. Mais pour être au-dessus d'une lâcheté, ce cœur facile est-il au-dessus d'une faiblesse, et suis-je la seule ici qu'il lui en coûtera peut-être de respecter ? Songez, St. Preux, que tout ce qui m'est cher doit être couvert de ce même respect que vous me devez ; songez que vous aurez sans cesse à porter [4] innocemment les jeux innocents d'une femme charmante ; songez aux mépris éternels que vous auriez mérités, si jamais votre cœur osait s'oublier un moment, et profaner ce qu'il doit honorer à tant de titres.

---

1. A-t-il vaincu ses passions grâce à sa force d'âme ? **2.** Construction classique : *échapper de* a le sens d'*éviter* (*Féraud*). **3.** Les souvenirs (sens étymologique). Voir le titre de la hutième estampe, p. 615. **4.** Supporter.

Je veux que [1] le devoir, la foi, l'ancienne amitié vous arrêtent ; que l'obstacle opposé par la vertu vous ôte un vain espoir, et qu'au moins par raison vous étouffiez des vœux inutiles, serez-vous pour cela délivré de l'empire des sens, et des pièges de l'imagination ? Forcé de nous respecter toutes deux et d'oublier en nous notre sexe, vous le verrez dans celles qui nous servent, et en vous abaissant vous croirez vous justifier : mais serez-vous moins coupable en effet, et la différence des rangs change-t-elle ainsi la nature des fautes ? Au contraire vous vous avilirez d'autant plus que les moyens de réussir seront moins honnêtes. Quels moyens ! Quoi ! vous ?.... Ah périsse l'homme indigne qui marchande un cœur, et rend l'amour mercenaire ! C'est lui qui couvre la terre des crimes que la débauche y fait commettre. Comment ne serait pas toujours à vendre celle qui se laisse acheter une fois ? et dans l'opprobre où bientôt elle tombe, lequel est l'auteur de sa misère, du brutal qui la maltraite en un mauvais lieu, ou du séducteur qui l'y traîne, en mettant le premier ses faveurs à prix ?

Oserai-je ajouter une considération qui vous touchera, si je ne me trompe ? Vous avez vu quels soins j'ai pris pour établir ici la règle et les bonnes mœurs ; la modestie et la paix y règnent, tout y respire le bonheur et l'innocence. Mon ami, songez à vous, à moi, à ce que nous fûmes, à ce que nous sommes, à ce que nous devons être. Faudra-t-il que je dise un jour, en regrettant mes peines perdues : C'est de lui que vient le désordre de ma maison ?

Disons tout, s'il est nécessaire, et sacrifions la modestie elle-même au véritable amour de la vertu. L'homme n'est pas fait pour le célibat, et il est bien difficile qu'un état si contraire à la nature n'amène pas quelque désordre public ou caché. Le moyen d'échapper toujours à l'ennemi qu'on porte sans cesse avec soi ? [2] Voyez en d'autres pays ces téméraires qui font vœu de n'être pas hommes [3]. Pour les punir d'avoir tenté Dieu, Dieu les abandonne ; ils se disent saints et sont déshonnêtes ; leur

---

1. Je veux bien croire que. **2.** Nous remplaçons le point par un point d'interrogation. **3.** Les prêtres catholiques contraints au célibat par le pape Silvère (Ve siècle), à la différence des ministres protestants qui peuvent librement se marier.

feinte continence n'est que souillure, et pour avoir dédaigné l'humanité ils s'abaissent au-dessous d'elle. Je comprends qu'il en coûte peu de se rendre difficile sur des lois qu'on n'observe qu'en apparence* ; mais celui qui veut être sincèrement vertueux se sent assez chargé des devoirs de l'homme sans s'en imposer de nouveaux. Voilà, cher St. Preux, la véritable humilité du Chrétien ; c'est de trouver toujours sa tâche au-dessus de ses forces, bien loin d'avoir l'orgueil de la doubler. Faites-vous l'application de cette règle, et vous sentirez qu'un état qui devrait seulement alarmer un autre homme doit par mille raisons vous faire trembler. Moins vous craignez, plus vous avez à craindre, et si vous n'êtes point effrayé de vos devoirs, n'espérez pas de les remplir.

Tels sont les dangers qui vous attendent ici. Pensez-y tandis qu'il en est temps. Je sais que jamais de propos délibéré vous ne vous exposerez à mal faire, et le seul mal que je crains de vous est celui que vous n'aurez pas prévu. Je ne vous dis donc pas de vous déterminer sur mes raisons, mais de les peser. Trouvez-y quelque réponse dont vous soyez content et je m'en contente ; osez compter sur vous, et j'y compte. Dites-moi : Je suis un ange, et je vous reçois à bras ouverts.

Quoi ! toujours des privations et des peines ! toujours des devoirs cruels à remplir ! toujours fuir les gens qui nous sont chers ! Non, mon aimable ami. Heureux qui peut dès cette vie offrir un prix à la vertu ! J'en vois un digne d'un homme qui sut combattre et souffrir pour elle. Si je ne présume pas trop de moi, ce prix que j'ose vous destiner acquittera tout ce que mon cœur redoit au vôtre, et vous aurez plus que vous n'eussiez obtenu si le Ciel eût béni nos premières inclinations. Ne pouvant vous faire ange vous-même, je vous en veux donner un qui garde votre âme, qui l'épure, qui la ranime, et sous les auspices duquel vous puissiez vivre avec

---

* Quelques hommes sont continents sans mérite, d'autres le sont par vertu, et je ne doute point que plusieurs Prêtres Catholiques ne soient dans ce dernier cas : mais imposer le célibat à un corps aussi nombreux que le Clergé de l'Église Romaine, ce n'est pas tant lui défendre de n'avoir point de femmes, que lui ordonner de se contenter de celles d'autrui. Je suis surpris que dans tout pays où les bonnes mœurs sont encore en estime, les lois et les magistrats tolèrent un vœu si scandaleux.

nous dans la paix [1] du séjour céleste. Vous n'aurez pas, je crois, beaucoup de peine à deviner qui je veux dire ; c'est l'objet qui se trouve à peu près établi d'avance dans le cœur qu'il doit remplir un jour, si mon projet réussit.

Je vois toutes les difficultés de ce projet sans en être rebutée ; car il est honnête. Je connais tout l'empire que j'ai sur mon amie et ne crains point d'en abuser en l'exerçant en votre faveur. Mais ses résolutions vous sont connues, et avant de les ébranler je dois m'assurer de vos dispositions, afin qu'en l'exhortant de vous permettre d'aspirer à elle, je puisse répondre de vous et de vos sentiments ; car si l'inégalité que le sort a mise entre l'un et l'autre vous ôte le droit de vous proposer vous-même, elle permet encore moins que ce droit vous soit accordé sans savoir quel usage vous en pourrez faire.

Je connais toute votre délicatesse, et si vous avez des objections à m'opposer, je sais qu'elles seront pour elle bien plus que pour vous. Laissez ces vains scrupules. Serez-vous plus jaloux que moi de l'honneur de mon amie ? Non, quelque cher que vous me puissiez être, ne craignez point que je préfère votre intérêt à sa gloire. Mais autant je mets de prix à l'estime des gens sensés, autant je méprise les jugements téméraires de la multitude, qui se laisse éblouir par un faux éclat, et ne voit rien de ce qui est honnête. La différence fût-elle cent fois plus grande, il n'est point de rang auquel les talents et les mœurs n'aient droit d'atteindre, et à quel titre une femme oserait-elle dédaigner pour époux celui qu'elle s'honore d'avoir pour ami ? Vous savez quels sont là-dessus nos principes à toutes deux. La fausse honte, et la crainte du blâme inspirent plus de mauvaises actions que de bonnes, et la vertu ne sait rougir que de ce qui est mal.

À votre égard, la fierté que je vous ai quelquefois connue ne saurait être plus déplacée que dans cette occasion, et ce serait à vous une ingratitude de craindre d'elle un bienfait de plus. Et puis, quelque difficile que vous puissiez être, convenez qu'il est plus doux et mieux séant de devoir sa fortune à son épouse qu'à son ami ; car on devient le protecteur de l'une et le protégé de l'autre, et quoi que l'on puisse

---

1. Comme dans la paix.

dire, un honnête homme n'aura jamais de meilleur ami que sa femme.

Que s'il reste au fond de votre âme quelque répugnance à former de nouveaux engagements, vous ne pouvez trop vous hâter de la détruire pour votre honneur et pour mon repos ; car je ne serai jamais contente de vous et de moi, que quand vous serez en effet tel que vous devez être, et que vous aimerez les devoirs que vous avez à remplir. Eh, mon ami ! je devrais moins craindre cette répugnance qu'un empressement trop relatif à vos anciens penchants. Que ne fais-je point pour m'acquitter auprès de vous ? Je tiens plus que je n'avais promis. N'est-ce pas aussi Julie que je vous donne ? n'aurez-vous pas la meilleure partie de moi-même, et n'en serez-vous pas plus cher à l'autre ? Avec quel charme alors je me livrerai sans contrainte à tout mon attachement pour vous ! Oui, portez-lui la foi que vous m'avez jurée [1] ; que votre cœur remplisse avec elle tous les engagements qu'il prit avec moi : qu'il lui rende s'il est possible tout ce que vous redevez au mien. Ô St. Preux ! je lui transmets cette ancienne dette. Souvenez-vous qu'elle n'est pas facile à payer.

Voilà, mon ami, le moyen que j'imagine de nous réunir sans danger, en vous donnant dans notre famille la même place que vous tenez dans nos cœurs. Dans le nœud cher et sacré qui nous unira tous, nous ne serons plus entre nous que des sœurs et des frères ; vous ne serez plus votre propre ennemi ni le nôtre : les plus doux sentiments devenus légitimes ne seront plus dangereux ; quand il ne faudra plus les étouffer on n'aura plus à les craindre. Loin de résister à des sentiments si charmants, nous en ferons à la fois nos devoirs et nos plaisirs ; c'est alors que nous nous aimerons tous plus parfaitement, et que nous goûterons véritablement réunis les charmes de l'amitié de l'amour et de l'innocence. Que si dans l'emploi dont vous vous chargez le Ciel récompense du bonheur d'être père le soin que vous prendrez de nos enfants, alors vous connaîtrez par vous-même le prix de ce

---

1. Réminiscence d'un vers de Racine : « Va lui jurer la foi que tu m'avais jurée », dit Hermione à Pyrrhus (*Andromaque*, IV, 5, v. 1381, éd. A. Welfringer, GF-Flammarion, p. 90).

que vous aurez fait pour nous. Comblé des vrais biens de l'humanité, vous apprendrez à porter avec plaisir le doux fardeau d'une vie utile à vos proches ; vous sentirez, enfin, ce que la vaine sagesse des méchants n'a jamais pu croire ; qu'il est un bonheur réservé dès ce monde aux seuls amis de la vertu.

Réfléchissez à loisir sur le parti que je vous propose ; non pour savoir s'il vous convient, je n'ai pas besoin là-dessus de votre réponse, mais s'il convient à Madame d'Orbe, et si vous pouvez faire son bonheur, comme elle doit faire le vôtre. Vous savez comment elle a rempli ses devoirs dans tous les états de son sexe ; sur ce qu'elle est jugez ce qu'elle a droit d'exiger. Elle aime comme Julie, elle doit être aimée comme elle. Si vous sentez pouvoir la mériter, parlez ; mon amitié tentera le reste et se promet tout de la sienne : mais si j'ai trop espéré de vous, au moins vous êtes honnête homme, et vous connaissez sa délicatesse ; vous ne voudriez pas d'un bonheur qui lui coûterait le sien : que votre cœur soit digne d'elle, ou qu'il ne lui soit jamais offert.

Encore une fois, consultez-vous bien. Pesez votre réponse avant de la faire. Quand il s'agit du sort de la vie, la prudence ne permet pas de se déterminer légèrement ; mais toute délibération légère est un crime quand il s'agit du destin de l'âme et du choix de la vertu. Fortifiez la vôtre, ô mon bon ami, de tous les secours de la sagesse. La mauvaise honte m'empêcherait-elle de vous rappeler le plus nécessaire ? Vous avez de la Religion ; mais j'ai peur que vous n'en tiriez pas tout l'avantage qu'elle offre dans la conduite de la vie, et que la hauteur philosophique ne dédaigne la simplicité du Chrétien. Je vous ai vu sur la prière des maximes que je ne saurais goûter. Selon vous, cet acte d'humilité ne nous est d'aucun fruit, et Dieu nous ayant donné dans la conscience tout ce qui peut nous porter au bien, nous abandonne ensuite à nous-mêmes et laisse agir notre liberté. Ce n'est pas là vous le savez la doctrine de St. Paul ni celle qu'on professe dans notre Église. Nous sommes libres, il est vrai, mais nous sommes ignorants, faibles, portés au mal, et d'où nous viendraient la lumière et la force, si ce n'est de celui qui en est la source, et pourquoi les obtiendrions-nous si nous ne daignons pas les demander ?

Prenez garde, mon ami, qu'aux idées sublimes que vous vous faites du grand Être, l'orgueil humain ne mêle des idées basses qui se rapportent à l'homme, comme si les moyens qui soulagent notre faiblesse convenaient à la puissance divine, et qu'elle eût besoin d'art comme nous pour généraliser les choses, afin de les traiter plus facilement. Il semble, à vous entendre, que ce soit un embarras pour elle de veiller sur chaque individu ; vous craignez qu'une attention partagée et continuelle ne la fatigue, et vous trouvez bien plus beau qu'elle fasse tout par des lois générales, sans doute parce qu'elles lui coûtent moins de soin. Ô grands Philosophes, que Dieu vous est obligé de lui fournir ainsi des méthodes commodes, et de lui abréger le travail !

À quoi bon lui rien demander, dites-vous encore, ne connaît-il pas tous nos besoins ? N'est-il pas notre Père pour y pourvoir ? Savons-nous mieux que lui ce qu'il nous faut, et voulons-nous notre bonheur plus véritablement qu'il ne le veut lui-même ? Cher St. Preux, que de vains sophismes ! Le plus grand de nos besoins, le seul auquel nous pouvons pourvoir, est celui de sentir nos besoins, et le premier pas pour sortir de notre misère est de la connaître. Soyons humbles pour être sages ; voyons notre faiblesse, et nous serons forts. Ainsi s'accorde la justice avec la clémence ; ainsi règnent à la fois la grâce et la liberté. Esclaves par notre faiblesse nous sommes libres par la prière ; car il dépend de nous de demander et d'obtenir la force qu'il ne dépend pas de nous d'avoir par nous-mêmes.

Apprenez donc à ne pas prendre toujours conseil de vous seul dans les occasions difficiles, mais de celui qui joint le pouvoir à la prudence, et sait faire le meilleur parti du parti qu'il nous fait préférer. Le grand défaut de la sagesse humaine, même de celle qui n'a que la vertu pour objet, est un excès de confiance qui nous fait juger de l'avenir par le présent, et par un moment de la vie entière. On se sent ferme un instant et l'on compte n'être jamais ébranlé. Plein d'un orgueil que l'expérience confond [1] tous les jours, on croit n'avoir plus à craindre un piège une fois évité. Le modeste langage de la vaillance est : Je fus brave un tel jour ; mais

---

1. Dément.

celui qui dit : Je suis brave, ne sait ce qu'il sera demain, et tenant pour sienne une valeur qu'il ne s'est pas donnée, il mérite de la perdre au moment de s'en servir.

Que tous nos projets doivent être ridicules, que tous nos raisonnements doivent être insensés devant l'Être pour qui les temps n'ont point de succession ni les lieux de distance ! Nous comptons pour rien ce qui est loin de nous, nous ne voyons que ce qui nous touche : quand nous aurons changé de lieu nos jugements seront tout contraires, et ne seront pas mieux fondés. Nous réglons l'avenir sur ce qui nous convient aujourd'hui, sans savoir s'il nous conviendra demain ; nous jugeons de nous comme étant toujours les mêmes, et nous changeons tous les jours. Qui sait si nous aimerons ce que nous aimons, si nous voudrons ce que nous voulons, si nous serons ce que nous sommes, si les objets étrangers et les altérations de nos corps n'auront pas autrement modifié nos âmes, et si nous ne trouverons pas notre misère dans ce que nous aurons arrangé pour notre bonheur ? Montrez-moi la règle de la sagesse humaine, et je vais la prendre pour guide. Mais si sa meilleure leçon est de nous apprendre à nous défier d'elle, recourons à celle qui ne trompe point et faisons ce qu'elle nous inspire. Je lui demande d'éclairer mes conseils, demandez-lui d'éclairer vos résolutions. Quelque parti que vous preniez, vous ne voudrez que ce qui est bon et honnête ; je le sais bien : Mais ce n'est pas assez encore ; il faut vouloir ce qui le sera toujours ; et ni vous ni moi n'en sommes les juges.

Lettre VII
Réponse

Julie ! une lettre de vous !.... après sept ans de silence.... oui c'est elle ; je le vois, je le sens : mes yeux méconnaîtraient-ils des traits que mon cœur ne peut oublier ? Quoi ? vous vous souvenez de mon nom ? vous le savez encore écrire ?.... en formant ce nom * votre main n'a-t-elle point tremblé ?.... Je m'égare, et c'est votre faute. La

---

* On a dit que *St. Preux* était un nom controuvé. Peut-être le véritable était-il sur l'adresse. [NdE : controuver : « inventer une fausseté pour nuire à quelqu'un » (*Acad.* 1762).]

forme, le pli, le cachet, l'adresse, tout dans cette lettre m'en rappelle de trop différentes. Le cœur et la main semblent se contredire. Ah ! deviez-vous employer la même écriture pour tracer d'autres sentiments ?

Vous trouverez, peut-être que songer si fort à vos anciennes lettres, c'est trop justifier la dernière. Vous vous trompez. Je me sens bien ; je ne suis plus le même, ou vous n'êtes plus la même ; et ce qui me le prouve est qu'excepté les charmes et la bonté, tout ce que je retrouve en vous de ce que j'y trouvais autrefois m'est un nouveau sujet de surprise. Cette observation répond d'avance à vos craintes. Je ne me fie point à mes forces, mais au sentiment qui me dispense d'y recourir. Plein de tout ce qu'il faut que j'honore en celle que j'ai cessé d'adorer, je sais à quels respects doivent s'élever mes anciens hommages. Pénétré de la plus tendre reconnaissance, je vous aime autant que jamais, il est vrai ; mais ce qui m'attache le plus à vous est le retour de ma raison. Elle vous montre à moi telle que vous êtes ; elle vous sert mieux que l'amour même. Non, si j'étais resté coupable vous ne me seriez pas aussi chère.

Depuis que j'ai cessé de prendre le change et que le pénétrant Wolmar m'a éclairé sur mes vrais sentiments j'ai mieux appris à me connaître, et je m'alarme moins de ma faiblesse. Qu'elle abuse mon imagination, que cette erreur me soit douce encore, il suffit pour mon repos qu'elle ne puisse plus vous offenser, et la chimère qui m'égare à sa poursuite me sauve d'un danger réel.

Ô Julie ! il est des impressions éternelles que le temps ni les soins n'effacent point. La blessure guérit, mais la marque reste, et cette marque est un sceau respecté qui préserve le cœur d'une autre atteinte. L'inconstance et l'amour sont incompatibles : l'amant qui change, ne change pas ; il commence ou finit d'aimer. Pour moi, j'ai fini ; mais en cessant d'être à vous, je suis resté sous votre garde. Je ne vous crains plus ; mais vous m'empêchez d'en craindre une autre. Non, Julie, non, femme respectable, vous ne verrez jamais en moi que l'ami de votre personne et l'amant de vos vertus : mais nos amours, nos premières et uniques amours ne sortiront jamais de mon cœur. La fleur de mes ans ne se flétrira point dans ma mémoire. Dussé-je vivre des siècles entiers, le doux

temps de ma jeunesse ne peut ni renaître pour moi, ni s'effacer de mon souvenir. Nous avons beau n'être plus les
mêmes, je ne puis oublier ce que nous avons été. Mais parlons de votre Cousine.

Chère Amie, il faut l'avouer : depuis que je n'ose plus
contempler vos charmes, je deviens plus sensible aux siens.
Quels yeux peuvent errer toujours de beautés en beautés
sans jamais se fixer sur aucune ? Les miens l'ont revue avec
trop de plaisir peut-être, et depuis mon éloignement ses
traits déjà gravés dans mon cœur y font une impression plus
profonde. Le sanctuaire est fermé, mais son image est dans
le temple. Insensiblement je deviens pour elle ce que j'aurais
été si je ne vous avais jamais vue, et il n'appartenait qu'à
vous seule de me faire sentir la différence de ce qu'elle
m'inspire à l'amour. Les sens, libres de cette passion terrible
se joignent au doux sentiment de l'amitié. Devient-elle
amour pour cela ? Julie, ah quelle différence ! Où est
l'enthousiasme ? où est l'idolâtrie ? Où sont ces divins égarements de la raison, plus brillants, plus sublimes, plus forts,
meilleurs cent fois que la raison même ? Un feu passager
m'embrase, un délire d'un moment me saisit, me trouble, et
me quitte. Je retrouve entre elle et moi deux amis qui
s'aiment tendrement et qui se le disent. Mais deux amants
s'aiment-ils l'un l'autre ? Non ; *vous* et *moi* sont des mots
proscrits de leur langue ; ils ne sont plus deux, ils sont un.

Suis-je donc tranquille en effet [1] ? Comment puis-je
l'être ? Elle est charmante, elle est votre amie et la mienne :
la reconnaissance m'attache à elle ; elle entre dans mes souvenirs les plus doux ; que de droits sur une âme sensible, et
comment écarter un sentiment plus tendre de tant de sentiments si bien dus ! Hélas ! il est dit qu'entre elle et vous, je
ne serai jamais un moment paisible !

Femmes, femmes ! objets chers et funestes, que la nature
orna pour notre supplice, qui punissez quand on vous brave,
qui poursuivez quand on vous craint, dont la haine et
l'amour sont également nuisibles, et qu'on ne peut ni rechercher ni fuir impunément ! Beauté, charme, attrait, sympathie ! être ou chimère inconcevable, abîme de douleurs et de

---

1. Réellement.

voluptés [1] ! beauté, plus terrible aux mortels que l'élément où l'on t'a fait naître, malheureux qui se livre à ton calme trompeur [2] ! C'est toi qui produis les tempêtes qui tourmentent le genre humain. Ô Julie ! ô Claire ! que vous me vendez cher cette amitié cruelle dont vous osez vous vanter à moi !.... J'ai vécu dans l'orage et c'est toujours vous qui l'avez excité ; mais quelles agitations diverses vous avez fait éprouver à mon cœur ! Celles du lac de Genève ne ressemblent pas plus aux flots du vaste océan. L'un n'a que des ondes vives et courtes dont le perpétuel tranchant agite, émeut, sumerge [3] quelquefois, sans jamais former de longs cours. Mais sur la mer tranquille en apparence, on se sent élevé, porté doucement et loin par un flot lent et presque insensible ; on croit ne pas sortir de la place, et l'on arrive au bout du monde.

Telle est la différence de l'effet qu'ont produit sur moi vos attraits et les siens. Ce premier cet unique amour qui fit le destin de ma vie et que rien n'a pu vaincre que lui-même, était né sans que je m'en fusse aperçu ; il m'entraînait que je l'ignorais encore : je me perdis sans croire m'être égaré. Durant le vent [4] j'étais au Ciel ou dans les abîmes ; le calme vient, je ne sais plus où je suis. Au contraire, je vois je sens mon trouble auprès d'elle, et me le figure plus grand qu'il n'est ; j'éprouve des transports passagers et sans suite, je m'emporte un moment et suis paisible un moment après : l'onde tourmente en vain le vaisseau, le vent n'enfle point les voiles ; mon cœur content de ses charmes ne leur prête point son illusion ; je la vois plus belle que je ne l'imagine, et je la redoute plus de près que de loin ; c'est presque l'effet contraire à celui qui me vient de vous, et j'éprouvais constamment l'un et l'autre à Clarens.

Depuis mon départ, il est vrai qu'elle se présente à moi quelquefois avec plus d'empire. Malheureusement, il m'est difficile de la voir seule. Enfin je la vois, et c'est bien assez ; elle ne m'a pas laissé de l'amour, mais de l'inquiétude.

---

1. Beaumarchais se souviendra de ce passage lyrique dans le monologue de Figaro (*Le Mariage de Figaro*, V, 1). **2.** Métaphore filée de la mer, lieu de naissance de Vénus d'après la mythologie païenne, combinée au voyage autour du globe accompli par Saint-Preux. **3.** Orthographe de Rousseau pour *submerge* (voir IV, 1, n. 2, p. 484). **4.** Tant que le vent durait.

Voilà fidèlement ce que je suis pour l'une et pour l'autre.
Tout le reste de votre sexe ne m'est plus rien ; mes longues
peines me l'ont fait oublier ;

> *È fornito 'l mio tempo a mezzo gli anni.*

[Ma carrière est finie au milieu de mes ans [1].]

Le malheur m'a tenu lieu de force pour vaincre la nature
et triompher des tentations. On a peu de désirs quand on
souffre, et vous m'avez appris à les éteindre en leur résistant.
Une grande passion malheureuse est un grand moyen de
sagesse. Mon cœur est devenu, pour ainsi dire, l'organe de
tous mes besoins ; je n'en ai point quand il est tranquille.
Laissez-le en paix l'une et l'autre, et désormais il l'est pour
toujours.

Dans cet état, qu'ai-je à craindre de moi-même, et par
quelle précaution cruelle voulez-vous m'ôter mon bonheur
pour ne pas m'exposer à le perdre ? Quel caprice de m'avoir
fait combattre et vaincre, pour m'enlever le prix après la
victoire ! N'est-ce pas vous qui rendez blâmable un danger
bravé sans raison ? Pourquoi m'avoir appelé près de vous
avec tant de risques, ou pourquoi m'en bannir quand je suis
digne d'y rester ? Deviez-vous laisser prendre à votre mari
tant de peine à pure perte ? Que ne le faisiez-vous renoncer
à des soins que vous aviez résolu de rendre inutiles ! que ne
lui disiez-vous : Laissez-le au bout du monde, puisque aussi
bien je l'y veux renvoyer ? Hélas ! plus vous craignez pour
moi, plus il faudrait vous hâter de me rappeler. Non, ce n'est
pas près de vous qu'est le danger, c'est en votre absence, et
je ne vous crains qu'où vous n'êtes pas. Quand cette redoutable Julie me poursuit, je me réfugie auprès de
Madame de Wolmar et je suis tranquille ; où fuirai-je si cet
asile m'est ôté ? Tous les temps tous les lieux me sont dangereux loin d'elle ; partout je trouve Claire ou Julie. Dans le
passé, dans le présent l'une et l'autre m'agite à son tour ;
ainsi mon imagination toujours troublée ne se calme qu'à
votre vue, et ce n'est qu'auprès de vous que je suis en sûreté
contre moi. Comment vous expliquer le changement que
j'éprouve en vous abordant ? Toujours vous exercez le même

---

1. Pétrarque, *Canzoniere*, n° 254, v. 14, p. 351. Trad. de Rousseau dans DC.

empire, mais son effet est tout opposé ; en réprimant les transports que vous causiez autrefois, cet empire est plus grand, plus sublime encore ; la paix la sérénité succède [1] au trouble des passions ; mon cœur toujours formé sur le vôtre aima comme lui, et devient paisible à son exemple. Mais ce repos passager n'est qu'une trêve, et j'ai beau m'élever jusqu'à vous en votre présence, je retombe en moi-même en vous quittant. Julie, en vérité je crois avoir deux âmes, dont la bonne est en dépôt dans vos mains [2]. Ah voulez-vous me séparer d'elle ?

Mais les erreurs des sens vous alarment ? vous craignez les restes d'une jeunesse éteinte par les ennuis ? vous craignez pour les jeunes personnes qui sont sous votre garde ? vous craignez de moi ce que le sage Wolmar n'a pas craint ! Ô Dieu ! que toutes ces frayeurs m'humilient ! Estimez-vous donc votre ami moins que le dernier de vos gens ? Je puis vous pardonner de mal penser de moi, jamais de ne vous pas rendre à vous-même l'honneur que vous vous devez. Non non, les feux dont j'ai brûlé m'ont purifié ; je n'ai plus rien d'un homme ordinaire. Après ce que je fus, si je pouvais être vil un moment, j'irais me cacher au bout du monde, et ne me croirais jamais assez loin de vous.

Quoi ! je troublerais cet ordre aimable que j'admirais avec tant de plaisir ? Je souillerais ce séjour d'innocence et de paix que j'habitais avec tant de respect ? Je pourrais être assez lâche ?.... Eh comment le plus corrompu des hommes ne serait-il pas touché d'un si charmant tableau ? comment ne reprendrait-il pas dans cet asile l'amour de l'honnêteté ? Loin d'y porter ses mauvaises mœurs, c'est là qu'il irait s'en défaire.... Qui ? moi, Julie, moi ?... si tard ?.... sous vos yeux ?.... Chère amie, ouvrez-moi votre maison sans crainte ; elle est pour moi le temple de la vertu ; partout j'y vois son simulacre auguste [3], et ne puis servir qu'elle auprès de vous. Je ne suis pas un ange, il est vrai ; mais j'habiterai

---

1. Accord avec le sujet proche quand les mots sont synonymes. **2.** Le personnage énonce ici un des fantasmes de Rousseau : « Il m'aurait fallu deux âmes dans le même corps » (*Confessions*, livre IX, t. II, p. 164). **3.** Son image vénérable (en style élevé).

leur demeure, j'imiterai leurs exemples ; on les fuit quand
on ne leur veut pas ressembler.

Vous le voyez, j'ai peine à venir au point principal de
votre Lettre, le premier auquel il fallait songer, le seul dont
je m'occuperais si j'osais prétendre au bien qu'il m'annonce.
Ô Julie ! âme bienfaisante, amie incomparable ! en m'offrant
la digne moitié de vous-même, et le plus précieux trésor qui
soit au monde après vous, vous faites plus s'il est possible,
que vous ne fîtes jamais pour moi. L'amour, l'aveugle
amour put vous forcer à vous donner, mais donner votre
amie est une preuve d'estime non suspecte. Dès cet instant
je crois vraiment être homme de mérite ; car je suis honoré
de vous [1] ; mais que le témoignage de cet honneur m'est
cruel ! En l'acceptant, je le démentirais, et pour le mériter il
faut que j'y renonce. Vous me connaissez ; jugez-moi. Ce
n'est pas assez que votre adorable Cousine soit aimée ; elle
doit l'être comme vous, je le sais ; le sera-t-elle ? le peut-elle
être ? et dépend-il de moi de lui rendre sur ce point ce qui
lui est dû ? Ah si vous vouliez m'unir avec elle que ne me
laissiez-vous un cœur à lui donner, un cœur auquel elle
inspirât des sentiments nouveaux dont il lui pût offrir les
prémices ! En est-il un moins dignè d'elle que celui qui sut
vous aimer ? Il faudrait avoir l'âme libre et paisible du bon
et sage d'Orbe pour s'occuper d'elle seule à son exemple. Il
faudrait le valoir pour lui succéder ; autrement la comparaison de son ancien état lui rendrait le dernier plus insupportable, et l'amour faible et distrait d'un second époux loin de
la consoler du premier le lui ferait regretter davantage. D'un
ami tendre et reconnaissant elle aurait fait un mari vulgaire [2]. Gagnerait-elle à cet échange ? elle y perdrait doublement. Son cœur délicat et sensible sentirait trop cette perte,
et moi comment supporterais-je le spectacle continuel d'une
tristesse dont je serais cause, et dont je ne pourrais la
guérir ? Hélas ! j'en mourrais de douleur même avant elle.
Non Julie, je ne ferai point mon bonheur aux dépens du
sien. Je l'aime trop pour l'épouser.

Mon bonheur ? Non. Serais-je heureux moi-même en ne
la rendant pas heureuse ? l'un des deux peut-il se faire un

---

1. Honoré par votre don. **2.** Ordinaire (sans nuance péjorative).

sort exclusif dans le mariage ? les biens les maux n'y sont-ils
pas communs malgré qu'on en ait, et les chagrins qu'on se
donne l'un à l'autre ne retombent-ils pas toujours sur celui
qui les cause ? Je serais malheureux par ses peines sans être
heureux par ses bienfaits. Grâces, beauté, mérite, attachement, fortune, tout concourrait à ma félicité ; mon cœur,
mon cœur seul empoisonnerait tout cela, et me rendrait
misérable au sein du bonheur [1].

Si mon état présent est plein de charme auprès d'elle, loin
que ce charme pût augmenter par une union plus étroite,
les plus doux plaisirs que j'y goûte me seraient ôtés. Son
humeur badine peut laisser un aimable essor à son amitié,
mais c'est quand elle a des témoins de ses caresses. Je puis
avoir quelque émotion trop vive auprès d'elle, mais c'est
quand votre présence me distrait [2] de vous. Toujours entre
elle et moi dans nos tête-à-tête, c'est vous qui nous les
rendez délicieux. Plus notre attachement augmente, plus
nous songeons aux chaînes qui l'ont formé ; le doux lien de
notre amitié se resserre, et nous nous aimons pour parler de
vous. Ainsi mille souvenirs chers à votre amie, plus chers à
votre ami, les réunissent ; unis par d'autres nœuds, il y
faudra renoncer. Ces souvenirs trop charmants ne
seraient-ils pas autant d'infidélités envers elle ? et de quel
front prendrais-je une épouse respectée et chérie pour
confidente des outrages que mon cœur lui ferait malgré lui ?
Ce cœur n'oserait donc plus s'épancher dans le sien, il se
fermerait à son abord. N'osant plus lui parler de vous, bientôt je ne lui parlerais plus de moi. Le devoir, l'honneur, en
m'imposant pour elle une réserve nouvelle me rendraient
ma femme étrangère, et je n'aurais plus ni guide ni conseil
pour éclairer mon âme et corriger mes erreurs. Est-ce là
l'hommage qu'elle doit attendre ? Est-ce là le tribut de tendresse et de reconnaissance que j'irais lui porter ? Est-ce
ainsi que je ferais son bonheur et le mien ?

Julie, oubliâtes-vous mes serments avec les vôtres ? Pour
moi, je ne les ai point oubliés. J'ai tout perdu ; ma foi [3] seule

---

1. Le paradoxe souligne le désintéressement de « la belle âme » par rapport
à ces promesses de bonheur matériel qui attirent les prétendants de la riche
et piquante veuve (voir VI, 5). **2.** Me détourne. **3.** Ma parole. Voir le serment de Saint-Preux dans II, 12.

m'est restée ; elle me restera jusqu'au tombeau. Je n'ai pu vivre à vous ; je mourrai libre [1]. Si l'engagement en était à prendre, je le prendrais aujourd'hui : Car si c'est un devoir de se marier, un devoir plus indispensable encore est de ne faire le malheur de personne, et tout ce qui me reste à sentir en d'autres nœuds, c'est l'éternel regret de ceux auxquels j'osai prétendre. Je porterais dans ce lien sacré l'idée de ce que j'espérais y trouver une fois. Cette idée ferait mon supplice et celui d'une infortunée. Je lui demanderais compte des jours heureux que j'attendis de vous. Quelles comparaisons j'aurais à faire ! Quelle femme au monde les pourrait soutenir ? Ah ! comment me consolerais-je à la fois de n'être pas à vous, et d'être à une autre ?

Chère amie, n'ébranlez point des résolutions dont dépend le repos de mes jours ; ne cherchez point à me tirer de l'anéantissement [2] où je suis tombé ; de peur qu'avec le sentiment de mon existence je ne reprenne celui de mes maux, et qu'un état violent ne rouvre toutes mes blessures. Depuis mon retour j'ai senti sans m'en alarmer l'intérêt plus vif que je prenais à votre amie ; car je savais bien que l'état de mon cœur ne lui permettrait jamais d'aller trop loin, et voyant ce nouveau goût ajouter à l'attachement déjà si tendre que j'eus pour elle dans tous les temps, je me suis félicité d'une émotion qui m'aidait à prendre le change, et me faisait supporter votre image avec moins de peine. Cette émotion a quelque chose des douceurs de l'amour et n'en a pas les tourments. Le plaisir de la voir n'est point troublé par le désir de la posséder ; content de passer ma vie entière comme j'ai passé cet hiver, je trouve entre vous deux cette situation paisible * et douce qui tempère l'austérité de la

---

* Il a dit précisément le contraire quelques pages auparavant. Le pauvre philosophe entre deux jolies femmes me paraît dans un plaisant embarras. On dirait qu'il ne veut aimer ni l'une ni l'autre, afin de les aimer toutes deux.

---

1. Je n'ai pu vivre en étant à vous, je mourrai célibataire. **2.** Le mot a un sens sexuel dans ce contexte : Saint-Preux vient de dire qu'il n'a « plus rien d'un homme ordinaire ». L'ombre des eunuques et « l'affreux néant » d'Usbek à la fin des *Lettres persanes* hantent cette lettre, la dernière qu'on lira de Saint-Preux.

vertu et rend ses leçons aimables. Si quelque vain transport
m'agite un moment, tout le réprime et le fait taire : j'en ai
trop vaincu de plus dangereux pour qu'il m'en reste aucun
à craindre. J'honore votre amie comme je l'aime, et c'est
tout dire. Quand je ne songerais qu'à mon intérêt, tous les
droits de la tendre amitié me sont trop chers auprès d'elle
pour que je m'expose à les perdre en cherchant à les étendre,
et je n'ai pas même eu besoin de songer au respect que je
lui dois pour ne jamais lui dire un seul mot dans le tête-à-
tête, qu'elle eût besoin d'interpréter ou de ne pas entendre.
Que si peut-être elle a trouvé quelquefois un peu trop
d'empressement dans mes manières, sûrement elle n'a point
vu dans mon cœur la volonté de le témoigner. Tel que je fus
six mois auprès d'elle, tel je serai toute ma vie. Je ne connais
rien après vous de si parfait qu'elle ; mais fût-elle plus parfaite que vous encore, je sens qu'il faudrait n'avoir jamais
été votre amant pour pouvoir devenir le sien.

Avant d'achever cette lettre, il faut vous dire ce que je
pense de la vôtre. J'y trouve avec toute la prudence de la
vertu, les scrupules d'une âme craintive qui se fait un devoir
de s'épouvanter, et croit qu'il faut tout craindre pour se
garantir de tout. Cette extrême timidité a son danger ainsi
qu'une confiance excessive. En nous montrant sans cesse des
monstres où il n'y en a point, elle nous épuise à combattre
des chimères [1], et à force de nous effaroucher sans sujet, elle
nous tient moins en garde contre les périls véritables et nous
les laisse moins discerner. Relisez quelquefois la lettre que
Milord Édouard vous écrivit l'année dernière au sujet de
votre mari [2] ; vous y trouverez de bons avis à votre usage à
plus d'un égard. Je ne blâme point votre dévotion, elle est
touchante, aimable et douce comme vous, elle doit plaire à
votre mari même. Mais prenez garde qu'à force de vous
rendre timide et prévoyante elle ne vous mène au quiétisme [3]

---

1. « Monstre fabuleux, ayant le devant d'un lion, le milieu du corps d'une
chèvre, et le derrière d'un dragon. On appelle figurément chimères des imaginations vaines, et qui n'ont aucun fondement » (*Acad.* 1762). Claire donne
un sens plus large au mot dans VI, 2, de même que Julie dans VI, 8. **2.** Nouvelle allusion à cette lettre importante absente du recueil (voir V, 5, p. 703).
3. « Sorte d'hérésie de certains prétendus Mystiques, qui par une fausse
spiritualité, font consister toute la perfection chrétienne dans le repos ou
l'inaction entière de l'âme, et négligent entièrement les œuvres extérieures »
(*Acad.* 1762).

par une route opposée, et que vous montrant partout du risque à courir, elle ne vous empêche enfin d'acquiescer à rien. Chère amie, ne savez-vous pas que la vertu est un état de guerre, et que pour y vivre on a toujours quelque combat à rendre contre soi ? Occupons-nous moins des dangers que de nous, afin de tenir notre âme prête à tout événement. Si chercher les occasions c'est mériter d'y succomber, les fuir avec trop de soin c'est souvent nous refuser à de grands devoirs, et il n'est pas bon de songer sans cesse aux tentations, même pour les éviter. On ne me verra jamais rechercher des moments dangereux ni des tête-à-tête avec des femmes ; mais dans quelque situation que me place désormais la providence, j'ai pour sûreté de moi les huit mois que j'ai passés à Clarens, et ne crains plus que personne m'ôte le prix que vous m'avez fait mériter. Je ne serai pas plus faible que je l'ai été, je n'aurai pas de plus grands combats à rendre ; j'ai senti l'amertume des remords, j'ai goûté les douceurs de la victoire, après de telles comparaisons on n'hésite plus sur le choix ; tout jusqu'à mes fautes passées m'est garant de l'avenir.

Sans vouloir entrer avec vous dans de nouvelles discussions sur l'ordre de l'univers et sur la direction des êtres qui le composent, je me contenterai de vous dire que sur des questions si fort au-dessus de l'homme, il ne peut juger des choses qu'il ne voit pas que par induction [1] sur celles qu'il voit, et que toutes les analogies sont pour ces lois générales que vous semblez rejeter. La raison même et les plus saines idées que nous pouvons nous former de l'Être suprême sont très favorables à cette opinion ; car bien que sa puissance n'ait pas besoin de méthode pour abréger le travail, il est digne de sa sagesse de préférer pourtant les voies les plus simples, afin qu'il n'y ait rien d'inutile dans les moyens non plus que dans les effets. En créant l'homme il l'a doué de toutes les facultés nécessaires pour accomplir ce qu'il exigeait de lui, et quand nous lui demandons le pouvoir de bien faire, nous ne lui demandons rien qu'il ne nous ait déjà donné. Il nous a donné la raison pour connaître ce qui est

---

1. En tirant des conséquences.

bien, la conscience pour l'aimer *, et la liberté pour le choisir [1]. C'est dans ces dons sublimes que consiste la grâce divine, et comme nous les avons tous reçus, nous en sommes tous comptables.

J'entends beaucoup raisonner contre la liberté de l'homme, et je méprise tous ces sophismes ; parce qu'un raisonneur [2] a beau me prouver que je ne suis pas libre, le sentiment intérieur, plus fort que tous ses arguments les dément sans cesse, et quelque parti que je prenne dans quelque délibération que ce soit, je sens parfaitement qu'il ne tient qu'à moi de prendre le parti contraire. Toutes ces subtilités de l'école sont vaines précisément parce qu'elles prouvent trop, qu'elles combattent tout aussi bien la vérité que le mensonge, et que soit que la liberté existe ou non, elles peuvent servir également à prouver qu'elle n'existe pas. À entendre ces gens-là Dieu même ne serait pas libre, et ce mot de liberté n'aurait aucun sens. Ils triomphent, non d'avoir résolu la question, mais d'avoir mis à sa place une chimère. Ils commencent par supposer que tout être intelligent est purement passif, et puis ils déduisent de cette supposition des conséquences pour prouver qu'il n'est pas actif ; la commode méthode qu'ils ont trouvée là ! S'ils accusent leurs adversaires de raisonner de même, ils ont tort. Nous ne nous supposons point actifs et libres ; nous sentons que nous le sommes. C'est à eux de prouver non seulement que ce sentiment pourrait nous tromper, mais qu'il nous trompe en effet **. L'Évêque de Cloyne a démontré que sans rien changer aux apparences, la matière et les corps pourraient ne pas exister [3] ; est-ce assez pour affirmer

---

* St. Preux fait de la conscience morale un sentiment et non pas un jugement, ce qui est contre les définitions des philosophes. Je crois pourtant qu'en ceci leur prétendu confrère a raison.
** Ce n'est pas de tout cela qu'il s'agit. Il s'agit de savoir si la volonté se détermine sans cause, ou quelle est la cause qui détermine la volonté ?

---

1. Phrase replacée dans la bouche du vicaire savoyard (*Émile*, livre IV, in *OC*, p. 605). **2.** Possible allusion au livre *De l'esprit* (1758), condamné par le Parlement : « On ne peut donc se former aucune idée de ce mot de liberté, appliqué à la volonté », écrit Helvétius (I, 4, « De l'abus des mots », p. 75). **3.** Berkeley (1685-1753), nommé évêque de Cloyne en Irlande en 1734, dans ses *Dialogues d'Hylas et Philonous* publiés en 1713 (éd. G. Brykman et R. Dégremont, GF-Flammarion, 1998, p. 52 et 182-183).

qu'ils n'existent pas ? En tout ceci la seule apparence coûte plus que la réalité ; je m'en tiens à ce qui est plus simple.

[a] Je ne crois donc pas qu'après avoir pourvu de toute manière aux besoins de l'homme, Dieu accorde à l'un plutôt qu'à l'autre des secours extraordinaires, dont celui qui abuse des secours communs à tous est indigne, et dont celui qui en use bien n'a pas besoin. Cette acception de personnes est injurieuse à la justice divine. Quand cette dure et décourageante doctrine se déduirait de l'Écriture elle-même, mon premier devoir n'est-il pas d'honorer Dieu ? Quelque respect que je doive au texte sacré, j'en dois plus encore à son Auteur, et j'aimerais mieux croire la Bible falsifiée ou inintelligible [1], que Dieu injuste ou malfaisant [b]. St. Paul ne veut pas que le vase dise au potier : Pourquoi m'as-tu fait ainsi [2] ? Cela est fort bien si le potier n'exige du vase que des services qu'il l'a mis en état de lui rendre ; mais s'il s'en prenait au vase de n'être pas propre à un usage pour lequel il ne l'aurait pas fait, le vase aurait-il tort de lui dire : Pourquoi m'as-tu fait ainsi ?

S'ensuit-il de là que la prière soit inutile ? À Dieu ne plaise que je m'ôte cette ressource contre mes faiblesses. Tous les actes de l'entendement qui nous élèvent à Dieu nous portent au-dessus de nous-mêmes ; en implorant son secours nous apprenons à le trouver. Ce n'est pas lui qui nous change, c'est nous qui nous changeons en nous élevant à lui *. Tout ce qu'on lui demande comme il faut, on se

---

* Notre galant philosophe après avoir imité la conduite d'Abélard semble en vouloir prendre aussi la doctrine. Leurs sentiments sur la prière ont beaucoup de rapport. Bien des gens relevant cette hérésie trouveront qu'il eût mieux valu persister dans l'égarement que de tomber dans l'erreur ; je ne pense pas ainsi. C'est un petit mal de se tromper ; c'en est un grand de se mal conduire. Ceci ne contredit point, à mon avis, ce que j'ai dit ci-devant sur le danger des fausses maximes de morale. Mais il faut laisser quelque chose à faire au lecteur. [NdE : dans son *Dictionnaire historique et critique*, Bayle avait imputé à Abélard l'argument que Dieu ne peut faire que ce qu'il fait et ne peut pas faire ce qu'il ne fait point (art. « Bérenger de Poitiers »).]

---

1. Les mots « ou inintelligible » ne figurent pas sur Br et CP. Saint-Preux ne fétichise pas des textes qu'il a plu aux prêtres et aux théologiens de tenir pour sacrés : position critique partagée pour le coup avec Voltaire (voir le relevé des passages falsifiés de la Bible dans le *Dictionnaire philosophique*).
2. Romains 9, 20.

le donne, et, comme vous l'avez dit, on augmente sa force
en reconnaissant sa faiblesse. Mais si l'on abuse de l'oraison
et qu'on devienne mystique, on se perd à force de s'élever ; en
cherchant la grâce on renonce à la raison ; pour obtenir un
don du Ciel on en foule aux pieds un autre ; en s'obstinant
à vouloir qu'il nous éclaire on s'ôte les lumières qu'il nous
a données. Qui sommes-nous pour vouloir forcer Dieu de
faire un miracle ?

Vous le savez ; il n'y a rien de bien qui n'ait un excès
blâmable ; même la dévotion qui tourne en délire. La vôtre
est trop pure pour arriver jamais à ce point : mais l'excès
qui produit l'égarement commence avant lui, et c'est de ce
premier terme que vous avez à vous défier. Je vous ai souvent entendue blâmer les extases des ascétiques [1] ; savez-
vous comment elles viennent ? En prolongeant le temps
qu'on donne à la prière plus que ne le permet la faiblesse
humaine. Alors l'esprit s'épuise, l'imagination s'allume et
donne des visions, on devient inspiré, prophète, et il n'y a
plus ni sens ni génie qui garantisse du fanatisme. Vous vous
enfermez fréquemment dans votre cabinet ; vous vous
recueillez, vous priez sans cesse : vous ne voyez pas encore
les piétistes *, mais vous lisez leurs livres. Je n'ai jamais
blâmé votre goût pour les écrits du bon Fénelon : mais que
faites-vous de ceux de sa disciple [2] ? Vous lisez Muralt, je le

---

* Sorte de fous qui avaient la fantaisie d'être Chrétiens, et de suivre l'Évangile à la lettre : à peu près comme sont aujourd'hui les méthodistes en
Angleterre, les moraves en Allemagne, les Jansénistes en France ; excepté
pourtant qu'il ne manque à ces derniers que d'être les maîtres, pour être
plus durs et plus intolérants que leurs ennemis. [NdE : les jansénistes, majo-
ritaires au parlement de Paris, condamnèrent l'*Émile* au bûcher en juin 1762.
Dans sa *Lettre à Chr. De Beaumont*, Rousseau assure que cette note (censurée dans l'éd. de Paris) fut « la véritable source de tous [s]es malheurs » et
lui valut la persécution des jansénistes (*OC*, t. IV, p. 933).]

---

1. Ceux qui s'adonnent avec excès aux « exercices de la vie spirituelle »
(*Acad.* 1762). **2.** Mme Guyon (1648-1717). Ce fut plutôt l'inverse : Fénelon s'ouvrit en 1688 à la mystique de celle qui venait de publier à Grenoble
le *Moyen court et très facile pour l'oraison que tous peuvent pratiquer très
aisément* (1685). Mme Guyon dut subir en 1694 les foudres inquisitoriales
de Bossuet qui l'accusait d'hérésie, mais l'auteur du *Télémaque* lui resta
fidèle.

lis aussi ; mais je choisis ses lettres, et vous choisissez son instinct divin [1]. Voyez comment il a fini, déplorez les égarements de cet homme sage, et songez à vous. Femme pieuse et chrétienne, allez-vous n'être plus qu'une dévote ?

Chère et respectable amie, je reçois vos avis avec la docilité d'un enfant et vous donne les miens avec le zèle d'un père. Depuis que la vertu loin de rompre nos liens les a rendus indissolubles, ses devoirs se confondent avec les droits de l'amitié. Les mêmes leçons nous conviennent, le même intérêt nous conduit. Jamais nos cœurs ne se parlent, jamais nos yeux ne se rencontrent sans offrir à tous deux un objet d'honneur et de gloire qui nous élève conjointement, et la perfection de chacun de nous importera toujours à l'autre. Mais si les délibérations sont communes, la décision ne l'est pas, elle appartient à vous seule. Ô vous qui fîtes toujours mon sort, ne cessez point d'en être l'arbitre, pesez mes réflexions, prononcez ; quoi que vous ordonniez de moi je me soumets, je serai digne au moins que vous ne cessiez pas de me conduire. Dussé-je ne vous plus revoir, vous me serez toujours présente, vous présiderez toujours à mes actions ; dussiez-vous m'ôter l'honneur d'élever vos enfants, vous ne m'ôterez point les vertus que je tiens de vous ; ce sont les enfants de votre âme, la mienne les adopte, et rien ne les lui peut ravir.

[c] Parlez-moi sans détour, Julie. À présent que je vous ai bien expliqué ce que je sens et ce que je pense, dites-moi ce qu'il faut que je fasse. Vous savez à quel point mon sort est lié à celui de mon illustre ami. Je ne l'ai point consulté dans cette occasion ; je ne lui ai montré ni cette lettre ni la vôtre. S'il apprend que vous désapprouviez son projet ou plutôt celui de votre époux, il le désapprouvera lui-même, et je suis bien éloigné d'en vouloir tirer une objection contre vos scrupules ; il convient seulement qu'il les ignore jusqu'à votre entière décision. En attendant je trouverai pour différer notre départ des prétextes qui pourront le surprendre, mais

---

1. Muralt avait publié ses *Lettres sur les Anglais et les Français* en 1725 (voir II, 14, n. 4, p. 283) et *L'Instinct divin recommandé aux hommes* en 1727. Ses démêlés avec les autorités religieuses le firent chasser de Berne puis de Genève : il mourut l'esprit affaibli, pour s'être trop soucié de spiritualité.

auxquels il acquiescera sûrement. Pour moi j'aime mieux ne vous plus voir que de vous revoir pour vous dire un nouvel adieu. Apprendre à vivre chez vous en étranger, est une humiliation que je n'ai pas méritée.

Lettre VIII
De Mad^e de Wolmar

Hé bien ! ne voilà-t-il pas encore votre imagination effarouchée ? et sur quoi, je vous prie ? Sur les plus vrais témoignages d'estime et d'amitié que vous ayez jamais reçus de moi ; sur les paisibles réflexions que le soin de votre vrai bonheur m'inspire ; sur la proposition la plus obligeante, la plus avantageuse, la plus honorable qui vous ait jamais été faite ; sur l'empressement indiscret, peut-être, de vous unir à ma famille par des nœuds indissolubles ; sur le désir de faire mon allié, mon parent, d'un ingrat qui croit ou qui feint de croire que je ne veux plus de lui pour ami. Pour vous tirer de l'inquiétude où vous paraissez être, il ne fallait que prendre ce que je vous écris dans son sens le plus naturel. Mais il y a longtemps que vous aimez à vous tourmenter par vos injustices. Votre lettre est comme votre vie, sublime et rampante, pleine de force et de puérilités. Mon cher Philosophe, ne cesserez-vous jamais d'être enfant ?

Où avez-vous donc pris que je songeasse à vous imposer des lois, à rompre avec vous, et pour me servir de vos termes, à vous renvoyer au bout du monde ? De bonne foi, trouvez-vous là l'esprit de ma Lettre ? Tout au contraire. En jouissant d'avance du plaisir de vivre avec vous, j'ai craint les inconvénients qui pouvaient le troubler ; je me suis occupée des moyens de prévenir ces inconvénients d'une manière agréable et douce, en vous faisant un sort digne de votre mérite et de mon attachement pour vous. Voilà tout mon crime ; il n'y avait pas là, ce me semble, de quoi vous alarmer si fort.

Vous avez tort, mon ami, car vous n'ignorez pas combien vous m'êtes cher ; mais vous aimez à vous le faire redire, et comme je n'aime guère moins à le répéter, il vous est aisé d'obtenir ce que vous voulez sans que la plainte et l'humeur s'en mêlent.

Soyez donc bien sûr que si votre séjour ici vous est agréable, il me l'est tout autant qu'à vous, et que de tout ce que M. de Wolmar a fait pour moi, rien ne m'est plus sensible que le soin qu'il a pris de vous appeler dans sa maison, et de vous mettre en état d'y rester. J'en conviens avec plaisir, nous sommes utiles l'un à l'autre. Plus propres à recevoir de bons avis qu'à les prendre de nous-mêmes, nous avons tous deux besoin de guides, et qui saura mieux ce qui convient à l'un, que l'autre qui le connaît si bien ? Qui sentira mieux le danger de s'égarer, par tout ce que coûte un retour pénible [1] ? Quel objet peut mieux nous rappeler ce danger ? Devant qui rougirions-nous autant d'avilir un si grand sacrifice ? Après avoir rompu de tels liens, ne devons-nous pas à leur mémoire de ne rien faire d'indigne du motif qui nous les fit rompre ? Oui, c'est une fidélité que je veux vous garder toujours, de vous prendre à témoin de toutes les actions de ma vie, et de vous dire à chaque sentiment qui m'anime : Voilà ce que je vous ai préféré. Ah mon ami ! je sais rendre honneur à ce que mon cœur a si bien senti ; je puis être faible devant toute la terre ; mais je réponds de moi devant vous.

C'est dans cette délicatesse qui survit toujours au véritable amour, plutôt que dans les subtiles distinctions de M. de Wolmar [2], qu'il faut chercher la raison de cette élévation d'âme et de cette force intérieure que nous éprouvons l'un près de l'autre, et que je crois sentir comme vous. Cette explication du moins est plus naturelle, plus honorable à nos cœurs que la sienne, et vaut mieux pour s'encourager à bien faire ; ce qui suffit pour la préférer. Ainsi croyez que loin d'être dans la disposition bizarre où vous me supposez, celle où je suis est directement contraire. Que s'il fallait renoncer au projet de nous réunir, je regarderais ce changement comme un grand malheur pour vous, pour moi, pour mes enfants, et pour mon mari même qui, vous le savez, entre

---

1. Effet de syllepse : « retour » peut être pris au sens aussi bien physique que moral. Voir II, 10, n. 1, p. 264. **2.** Par exemple, dans la lettre de Wolmar à Claire, IV, 14, p. 602.

pour beaucoup dans les raisons que j'ai de vous désirer ici. Mais pour ne parler que de mon inclination particulière, souvenez-vous du moment de votre arrivée, marquai-je moins de joie à vous voir que vous n'en eûtes en m'abordant ? Vous a-t-il paru que votre séjour à Clarens me fût ennuyeux ou pénible ? avez-vous jugé que je vous en visse partir avec plaisir ? Faut-il aller jusqu'au bout, et vous parler avec ma franchise ordinaire ? Je vous avouerai sans détour que les six derniers mois que nous avons passés ensemble ont été le temps le plus doux de ma vie, et que j'ai goûté dans ce court espace tous les biens dont ma sensibilité m'ait fourni l'idée.

Je n'oublierai jamais un jour de cet hiver, où, après avoir fait en commun la lecture de vos voyages et celle des aventures de votre ami, nous soupâmes dans la salle d'Apollon, et où, songeant à la félicité que Dieu m'envoyait en ce monde, je vis tout autour de moi, mon père, mon mari, mes enfants, ma cousine, Milord Édouard, vous ; sans compter la Fanchon qui ne gâtait rien au tableau ; et tout cela rassemblé pour l'heureuse Julie. Je me disais : Cette petite chambre contient tout ce qui est cher à mon cœur, et peut-être tout ce qu'il y a de meilleur sur la terre ; je suis environnée de tout ce qui m'intéresse, tout l'univers est ici pour moi ; je jouis à la fois de l'attachement que j'ai pour mes amis, de celui qu'ils me rendent, de celui qu'ils ont l'un pour l'autre ; leur bienveuillance mutuelle ou vient de moi ou s'y rapporte ; je ne vois rien qui n'étende mon être, et rien qui le divise ; il est dans tout ce qui m'environne, il n'en reste aucune portion loin de moi ; mon imagination n'a plus rien à faire, je n'ai rien à désirer ; sentir et jouir sont pour moi la même chose ; je vis à la fois dans tout ce que j'aime, je me rassasie de bonheur et de vie : Ô mort, viens quand tu voudras ! je ne te crains plus, j'ai vécu, je t'ai prévenue, je n'ai plus de nouveaux sentiments à connaître, tu n'as plus rien à me dérober.

Plus j'ai senti le plaisir de vivre avec vous, plus il m'était doux d'y compter, et plus aussi tout ce qui pouvait troubler ce plaisir m'a donné d'inquiétude. Laissons un moment à part cette morale craintive et cette prétendue dévotion que vous me reprochez. Convenez, du moins, que tout le charme de la société qui régnait entre nous est dans cette ouverture de cœur qui met en commun tous les sentiments, toutes les pensées, et qui fait que chacun se sentant tel qu'il doit être se montre à tous tel qu'il est. Supposez un moment quelque intrigue secrète, quelque liaison qu'il faille cacher, quelque raison de réserve et de mystère ; à l'instant tout le plaisir de se voir s'évanouit, on est contraint l'un devant l'autre, on cherche à se dérober, quand on se rassemble on voudrait se fuir : la circonspection, la bienséance amènent la défiance et le dégoût. Le moyen d'aimer longtemps ceux qu'on craint ? on se devient importun l'un à l'autre.... Julie importune !.... importune à son ami !.... non non, cela ne saurait être ; on n'a jamais de maux à craindre que ceux qu'on peut supporter.

En vous exposant naïvement mes scrupules, je n'ai point prétendu changer vos résolutions, mais les éclairer ; de peur que, prenant un parti dont vous n'auriez pas prévu toutes les suites, vous n'eussiez peut-être à vous en repentir quand vous n'oseriez plus vous en dédire. À l'égard des craintes que M. de Wolmar n'a pas eues, ce n'est pas à lui de les avoir, c'est à vous : Nul n'est juge du danger qui vient de vous que vous-même. Réfléchissez-y bien, puis dites-moi qu'il n'existe pas, et je n'y pense plus : car je connais votre droiture et ce n'est pas de vos intentions que je me défie. Si votre cœur est capable d'une faute imprévue, très sûrement le mal prémédité n'en approcha jamais. C'est ce qui distingue l'homme fragile du méchant homme.

D'ailleurs, quand mes objections auraient plus de solidité que je n'aime à le croire, pourquoi mettre d'abord la chose au pis comme vous faites ? Je n'envisage point les précautions à prendre, aussi sévèrement que vous. S'agit-il pour cela de rompre aussitôt tous vos projets, et de nous fuir pour toujours ? Non, mon aimable ami, de si tristes ressources ne sont point nécessaires. Encore enfant par la tête, vous êtes déjà vieux par le cœur. Les grandes passions usées dégoûtent des autres : la paix de l'âme qui leur succède est le seul sentiment qui s'accroît par la jouissance. Un cœur sensible craint le repos qu'il ne connaît pas ; qu'il le sente une fois, il ne voudra plus le perdre. En comparant deux états si contraires on apprend à préférer le meilleur ; mais pour les comparer il les faut connaître. Pour moi, je vois le moment de votre sûreté plus près, peut-être, que vous ne le voyez vous-même. Vous avez trop senti pour sentir long-temps ; vous avez trop aimé pour ne pas devenir indifférent : on ne rallume plus la cendre qui sort de la fournaise, mais il faut attendre que tout soit consumé. Encore quelques années d'attention sur vous-même, et vous n'avez plus de risque à courir.

Le sort que je voulais vous faire [1] eût anéanti ce risque ; mais indépendamment de cette considération, ce sort était assez doux pour devoir être envié pour lui-même, et si votre délicatesse vous empêche d'oser y prétendre, je n'ai pas besoin que vous me disiez ce qu'une telle retenue a pu vous coûter. Mais j'ai peur qu'il ne se mêle à vos raisons des prétextes plus spécieux que solides ; j'ai peur qu'en vous piquant de tenir des engagements dont tout vous dispense et qui n'intéressent plus personne [2], vous ne vous fassiez une fausse vertu de je ne sais quelle vaine constance plus à blâmer qu'à louer, et désormais tout à fait déplacée. Je vous l'ai déjà dit autrefois, c'est un second crime de tenir un serment criminel ; si le vôtre ne l'était pas, il l'est devenu ; c'en est assez pour l'annuler. La promesse qu'il faut tenir sans cesse est celle d'être honnête homme et toujours ferme dans son devoir ; changer quand il change, ce n'est pas légèreté, c'est constance. Vous fîtes bien, peut-être, alors de promettre ce que vous feriez mal aujourd'hui de tenir. Faites dans tous les temps ce que la vertu demande, vous ne vous démentirez jamais.

Que s'il y a [3] parmi vos scrupules quelque objection solide, c'est ce que nous pourrons examiner à loisir. En attendant, je ne suis pas trop fâchée que vous n'ayez pas saisi mon idée avec la même avidité que moi, afin que mon étourderie vous soit moins cruelle, si j'en ai fait une. J'avais médité ce projet durant l'absence de ma Cousine. Depuis son retour et le départ de ma Lettre, ayant eu avec elle quelques conversations générales sur un second mariage,

---

1. Le mariage avec Claire. **2.** Qui n'engagent plus l'intérêt de personne. **3.** S'il y a. Tour classique, qui signale un effort rhétorique : « *Que*, s'emploie aussi quelquefois également par redondance. Ainsi on dit *Que s'il m'allègue. Que si vous m'objectez*, pour dire, simplement, S'il m'allègue, si vous m'objectez » (*Acad.* 1762).

elle m'en a paru si éloignée, que, malgré tout le penchant que je lui connais pour vous, je craindrais qu'il ne fallût user de plus d'autorité qu'il ne me convient pour vaincre sa répugnance, même en votre faveur ; car il est un point où l'empire de l'amitié doit respecter celui des inclinations et les principes que chacun se fait sur des devoirs arbitraires en eux-mêmes, mais relatifs à l'état du cœur qui se les impose.

Je vous avoue pourtant que je tiens encore à mon projet [1] ; il nous convient si bien à tous, il vous tirerait si honorablement de l'état précaire où vous vivez dans le monde, il confondrait [2] tellement nos intérêts, il nous ferait un devoir si naturel de cette amitié qui nous est si douce, que je n'y puis renoncer tout à fait. Non, mon ami, vous ne m'appartiendrez jamais de trop près ; ce n'est pas même assez que vous soyez mon cousin ; ah ! je voudrais que vous fussiez mon frère !

Quoi qu'il en soit de toutes ces idées, rendez plus de justice à mes sentiments pour vous. Jouissez sans réserve de mon amitié, de ma confiance, de mon estime. Souvenez-vous que je n'ai plus rien à vous prescrire, et que je ne crois point en avoir besoin. Ne m'ôtez pas le droit de vous donner des conseils, mais n'imaginez jamais que j'en fasse des ordres. Si vous sentez pouvoir habiter Clarens sans danger, venez-y, demeurez-y, j'en serai charmée. Si vous croyez devoir donner encore quelques années d'absence aux restes toujours suspects d'une jeunesse impétueuse, écrivez-moi souvent, venez nous voir quand vous voudrez, entretenons la correspondance la plus intime. Quelle peine n'est pas adoucie par cette consolation ? Quel éloignement ne supporte-t-on pas par l'espoir de finir ses jours ensemble ? Je ferai plus ; je suis prête à vous confier un de mes enfants ; je le croirai mieux dans vos mains que dans les miennes : Quand vous me le ramènerez, je ne sais duquel des deux le retour me touchera le plus. Si tout à fait devenu raisonnable vous bannissez enfin vos chimères et voulez mériter ma cousine ; venez, aimez-la, servez-la, achevez de lui plaire ; en vérité, je crois que vous avez déjà commencé ; triomphez de son cœur et des obstacles qu'il vous oppose, je vous aiderai de

---

1. Julie dit « mon projet », mais l'idée vient de Wolmar (voir la fin de VI, 11, p. 864). **2.** Mêlerait.

tout mon pouvoir : Faites, enfin, le bonheur l'un de l'autre, et rien ne manquera plus au mien. Mais, quelque parti que vous puissiez prendre, après y avoir sérieusement pensé, prenez-le en toute assurance, et n'outragez plus votre amie en l'accusant de se défier de vous.

À force de songer à vous, je m'oublie. Il faut pourtant que mon tour vienne ; car vous faites avec vos amis dans la dispute comme avec votre adversaire aux échecs, vous attaquez en vous défendant. Vous vous excusez d'être philosophe en m'accusant d'être dévote ; c'est comme si j'avais renoncé au vin lorsqu'il vous eut enivré. Je suis donc dévote, à votre compte, ou prête à le devenir ? Soit ; les dénominations méprisantes changent-elles la nature des choses ? Si la dévotion est bonne, où est le tort d'en avoir ? Mais peut-être ce mot est-il trop bas pour vous. La dignité philosophique dédaigne un culte vulgaire ; elle veut servir Dieu plus noblement ; elle porte jusqu'au Ciel même ses prétentions et sa fierté. Ô mes pauvres philosophes !.... Revenons à moi.

J'aimai la vertu dès mon enfance, et cultivai ma raison dans tous les temps. Avec du sentiment et des lumières j'ai voulu me gouverner, et je me suis mal conduite. Avant de m'ôter le guide que j'ai choisi [1], donnez-m'en quelque autre sur lequel je puisse compter. Mon bon ami ! toujours de l'orgueil, quoi qu'on fasse ; c'est lui qui vous élève, et c'est lui qui m'humilie. Je crois valoir autant qu'une autre, et mille autres ont vécu plus sagement que moi. Elles avaient donc des ressources que je n'avais pas. Pourquoi me sentant bien née ai-je eu besoin de cacher ma vie ? Pourquoi haïssais-je le mal que j'ai fait malgré moi ? Je ne connaissais que ma force ; elle n'a pu me suffire. Toute la résistance qu'on peut tirer de soi je crois l'avoir faite, et toutefois j'ai succombé ; comment font celles qui résistent ? Elles ont un meilleur appui.

Après l'avoir pris à leur exemple, j'ai trouvé dans ce choix un autre avantage auquel je n'avais pas pensé. Dans le règne des passions elles [2] aident à supporter les tourments qu'elles donnent ; elles tiennent l'espérance à côté du désir. Tant qu'on désire on peut se passer d'être heureux ; on s'attend à

---

1. Sa foi déiste. **2.** Ces passions. Le texte de Br porte : « Tant que les passions durent, elles aident à... »

le devenir ; si le bonheur ne vient point, l'espoir se prolonge, et le charme de l'illusion dure autant que la passion qui le cause. Ainsi cet état se suffit à lui-même, et l'inquiétude qu'il donne est une sorte de jouissance qui supplée à la réalité.

Qui vaut mieux, peut-être. Malheur à qui n'a plus rien à désirer ! il perd pour ainsi dire tout ce qu'il possède. On jouit moins de ce qu'on obtient que de ce qu'on espère, et l'on n'est heureux qu'avant d'être heureux. En effet, l'homme avide et borné, fait pour tout vouloir et peu obtenir, a reçu du ciel une force consolante qui rapproche de lui tout ce qu'il désire, qui le soumet à son imagination, qui le lui rend présent et sensible, qui le lui livre en quelque sorte, et pour lui rendre cette imaginaire propriété plus douce, le modifie au gré de sa passion. Mais tout ce prestige disparaît devant l'objet même ; rien n'embellit plus cet objet aux yeux du possesseur ; on ne se figure point ce qu'on voit ; l'imagination ne pare plus rien de ce qu'on possède, l'illusion cesse où commence la jouissance. Le pays des chimères est en ce monde le seul digne d'être habité, et tel est le néant des choses humaines, qu'hors * l'Être existant par lui-même, il n'y a rien de beau que ce qui n'est pas.

Si cet effet n'a pas toujours lieu sur les objets particuliers de nos passions, il est infaillible dans le sentiment commun qui les comprend toutes. Vivre sans peine n'est pas un état d'homme ; vivre ainsi c'est être mort. Celui qui pourrait tout sans être Dieu, serait une misérable créature ; il serait privé du plaisir de désirer ; toute autre privation serait plus supportable **.

Voilà ce que j'éprouve en partie depuis mon mariage, et depuis votre retour. Je ne vois partout que sujets de contentement, et je ne suis pas contente [1]. Une langueur secrète s'insinue au fond de mon cœur ; je le sens vide et gonflé, comme

---

* Il fallait : *que hors*, et sûrement Mad^e de Wolmar ne l'ignorait pas. Mais, outre les fautes qui lui échappaient par ignorance ou par inadvertance, il paraît qu'elle avait l'oreille trop délicate pour s'asservir toujours aux règles mêmes qu'elle savait. On peut employer un style plus pur, mais non pas plus doux ni plus harmonieux que le sien.

** D'où il suit que tout Prince qui aspire au despotisme, aspire à l'honneur de mourir d'ennui. Dans tous les Royaumes du monde cherchez-vous l'homme le plus ennuyé du pays ? Allez toujours directement au souverain ; surtout s'il est très absolu. C'est bien la peine de faire tant de misérables ! Ne saurait-il s'ennuyer à moindre frais ?

---

1. Et pourtant je reste insatisfaite.

vous disiez autrefois du vôtre ; l'attachement que j'ai pour tout ce qui m'est cher ne suffit pas pour l'occuper, il lui reste une force inutile dont il ne sait que faire. Cette peine est bizarre, j'en conviens ; mais elle n'est pas moins réelle. Mon ami ; je suis trop heureuse ; le bonheur m'ennuie *.

Concevez-vous quelque remède à ce dégoût du bien-être ? Pour moi, je vous avoue qu'un sentiment si peu raisonnable et si peu volontaire a beaucoup ôté du prix que je donnais à la vie, et je n'imagine pas quelle sorte de charme on y peut trouver qui me manque ou qui me suffise. Une autre sera-t-elle plus sensible que moi ? Aimera-t-elle mieux son père, son mari, ses enfants, ses amis, ses proches ? En sera-t-elle mieux aimée ? Mènera-t-elle une vie plus de son goût ? Sera-t-elle plus libre d'en choisir une autre ? Jouira-t-elle d'une meilleure santé ? Aura-t-elle plus de ressources contre l'ennui, plus de liens qui l'attachent au monde ? Et toutefois j'y vis inquiète ; mon cœur ignore ce qui lui manque ; il désire sans savoir quoi.

Ne trouvant donc rien ici-bas qui lui suffise, mon âme avide cherche ailleurs de quoi la remplir ; en s'élevant à la source du sentiment et de l'être, elle y perd sa sécheresse et sa langueur : elle y renaît, elle s'y ranime, elle y trouve un nouveau ressort, elle y puise une nouvelle vie ; elle y prend une autre existence qui ne tient point aux passions du corps, ou plutôt elle n'est plus en moi-même ; elle est toute dans l'Être immense qu'elle contemple, et dégagée un moment de ses entraves, elle se console d'y rentrer, par cet essai d'un état plus sublime, qu'elle espère être un jour le sien.

Vous souriez ; je vous entends, mon bon ami ; j'ai pro-noncé mon propre jugement en blâmant autrefois cet état d'oraison que je confesse aimer aujourd'hui [1]. À cela je n'ai qu'un mot à vous dire, c'est que je ne l'avais pas éprouvé. Je ne prétends pas même le justifier de toutes manières. Je ne dis pas que ce goût soit sage, je dis seulement qu'il est

---

* Quoi Julie ! aussi des contradictions ! Ah ! je crains bien, charmante dévote, que vous ne soyez pas, non plus, trop d'accord avec vous-même ! Au reste, j'avoue que cette lettre me paraît le chant du cygne.

---

1. Voir les propos de Julie sur le « cerveau vide » des mystiques (V, 5, p. 696).

doux, qu'il supplée au sentiment du bonheur qui s'épuise, qu'il remplit le vide de l'âme, qu'il jette un nouvel intérêt sur la vie passée à le mériter. S'il produit quelque mal, il faut le rejeter sans doute ; s'il abuse le cœur par une fausse jouissance, il faut encore le rejeter. Mais enfin lequel tient le mieux à la vertu, du philosophe avec ses grands principes, ou du Chrétien dans sa simplicité ? Lequel est le plus heureux dès ce monde, du sage avec sa raison, ou du dévot dans son délire ? Qu'ai-je besoin de penser, d'imaginer, dans un moment où toutes mes facultés sont aliénées ? L'ivresse a ses plaisirs, disiez-vous ! Eh bien, ce délire en est une. Ou laissez-moi dans cet état qui m'est agréable, ou montrez-moi comment je puis être mieux.

J'ai blâmé les extases des mystiques. Je les blâme encore, quand elles nous détachent de nos devoirs, et que nous dégoûtant de la vie active par les charmes de la contemplation, elles nous mènent à ce quiétisme dont vous me croyez si proche, et dont je crois être aussi loin que vous.

Servir Dieu, ce n'est point passer sa vie à genoux dans un oratoire, je le sais bien ; c'est remplir sur la terre les devoirs qu'il nous impose ; c'est faire en vue de lui plaire tout ce qui convient à l'état où il nous a mis :

> *Il cor gradisce ;*
> *E serve a lui chi'l suo dover compisce.*

[Le cœur lui suffit, et qui fait son devoir le prie [1].]

Il faut premièrement faire ce qu'on doit, et puis prier quand on le peut. Voilà la règle que je tâche de suivre ; je ne prends point le recueillement que vous me reprochez comme une occupation, mais comme une récréation, et je ne vois pas pourquoi, parmi les plaisirs qui sont à ma portée, je m'interdirais le plus sensible et le plus innocent de tous.

Je me suis examinée avec plus de soin depuis votre lettre. J'ai étudié les effets que produit sur mon âme ce penchant qui semble si fort vous déplaire, et je n'y sais rien voir jusqu'ici qui me fasse craindre, au moins sitôt, l'abus d'une dévotion mal entendue.

---

1. Métastase, *Morte d'Abele*, 1re partie, v. 60-61 (vers prononcés par Ève, la première « pécheresse » selon la mythologie chrétienne), in *Oratori sacri*, p. 108. Trad. de Rousseau dans DC.

Premièrement je n'ai point pour cet exercice un goût trop vif qui me fasse souffrir quand j'en suis privée, ni qui me donne de l'humeur quand on m'en distrait. Il ne me donne point, non plus, de distractions dans la journée, et ne jette ni dégoût ni impatience sur la pratique de mes devoirs. Si quelquefois mon cabinet m'est nécessaire, c'est quand quelque émotion m'agite et que je serais moins bien partout ailleurs. C'est là que rentrant en moi-même j'y retrouve le calme de la raison. Si quelque souci me trouble, si quelque peine m'afflige, c'est là que je les vais déposer. Toutes ces misères s'évanouissent devant un plus grand objet. En songeant à tous les bienfaits de la providence, j'ai honte d'être sensible à de si faibles chagrins et d'oublier de si grandes grâces. Il ne me faut des séances ni fréquentes ni longues. Quand la tristesse m'y suit malgré moi, quelques pleurs versés devant celui qui console soulagent mon cœur à l'instant. Mes réflexions ne sont jamais amères ni douloureuses ; mon repentir même est exempt d'alarmes ; mes fautes me donnent moins d'effroi que de honte ; j'ai des regrets et non des remords [1].[a] Le Dieu que je sers est un Dieu clément, un père ; ce qui me touche est sa bonté ; elle efface à mes yeux tous ses autres attributs ; elle est le seul que je conçois. Sa puissance m'étonne, son immensité me confond, sa justice…. il a fait l'homme faible ; puisqu'il est juste, il est clément. Le Dieu vengeur est le Dieu des méchants, je ne puis ni le craindre pour moi, ni l'implorer contre un autre. Ô Dieu de paix, Dieu de bonté, c'est toi que j'adore ! c'est de toi, je le sens, que je suis l'ouvrage, et j'espère te retrouver au dernier jugement tel que tu parles à mon cœur durant ma vie.

Je ne saurais vous dire combien ces idées jettent de douceur sur mes jours et de joie au fond de mon cœur. En sortant de mon cabinet ainsi disposée, je me sens plus légère et plus gaie. Toute la peine s'évanouit, tous les embarras disparaissent ; rien de rude, rien d'anguleux ; tout devient facile et coulant ; tout prend à mes yeux une face plus riante ; la complaisance ne me coûte plus rien ; j'en aime

---

1. Aveu assez transparent des désirs censurés de Julie. Voir l'antithèse tourment/crime dans sa lettre posthume (VI, 12, p. 865).

encore mieux ceux que j'aime et leur en suis plus agréable.
Mon mari même en est plus content de mon humeur. La
dévotion prétend-il est un opium pour l'âme [1]. Elle égaye,
anime et soutient quand on en prend peu : une trop forte
dose endort, ou rend furieux, ou tue ; j'espère ne pas aller
jusque-là.

Vous voyez que je ne m'offense pas de ce titre de dévote
autant peut-être que vous l'auriez voulu ; mais je ne lui
donne pas non plus tout le prix que vous pourriez croire.
Je n'aime point, par exemple, qu'on affiche cet état par un
extérieur affecté, et comme une espèce d'emploi qui dispense de tout autre. Ainsi cette Madame Guyon dont vous
me parlez eût mieux fait, ce me semble, de remplir avec soin
ses devoirs de mère de famille, d'élever chrétiennement ses
enfants, de gouverner sagement sa maison, que d'aller composer des livres de dévotion, disputer avec des Évêques, et
se faire mettre à la Bastille pour des rêveries où l'on ne
comprend rien. Je n'aime pas, non plus, ce langage mystique
et figuré qui nourrit le cœur des chimères de l'imagination,
et substitue au véritable amour de Dieu des sentiments
imités de l'amour terrestre, et trop propres à le réveiller. Plus
on a le cœur tendre et l'imagination vive, plus on doit éviter
ce qui tend à les émouvoir ; car enfin, comment voir les
rapports de l'objet mystique, si l'on ne voit aussi l'objet sensuel, et comment une honnête femme ose-t-elle imaginer
avec assurance des objets qu'elle n'oserait regarder * ?

Mais ce qui m'a donné le plus d'éloignement pour les
dévots de profession, c'est cette âpreté de mœurs qui les
rend insensibles à l'humanité, c'est cet orgueil excessif qui

---

* Cette objection me paraît tellement solide et sans réplique que si j'avais
le moindre pouvoir dans l'Église, je l'emploierais à faire retrancher de nos
livres sacrés le Cantique des Cantiques, et j'aurais bien du regret d'avoir
attendu si tard.

---

1. Br porte « un opium pour les femmes ». Même si le mot fait irrésistible-
ment penser à l'auteur du *Capital*, il serait anachronique de voir dans ce
trait d'esprit de l'athée Wolmar (filé par Julie) l'expression d'une pensée
matérialiste prémarxiste. Au XVIIIe siècle, l'opium est un remède soporatif,
employé pour atténuer les souffrances physiques comme morales.

leur fait regarder en pitié le reste du monde. Dans leur élévation sublime s'ils daignent s'abaisser à quelque acte de
bonté, c'est d'une manière si humiliante, ils plaignent les
autres d'un ton si cruel, leur justice est si rigoureuse, leur
charité est si dure, leur zèle est si amer, leur mépris ressemble si fort à la haine, que l'insensibilité même des gens
du monde est moins barbare que leur commisération.
L'amour de Dieu leur sert d'excuse pour n'aimer personne,
ils ne s'aiment pas même l'un l'autre ; vit-on jamais d'amitié
véritable entre les dévots ? Mais plus ils se détachent des
hommes, plus ils en exigent, et l'on dirait qu'ils ne s'élèvent
à Dieu que pour exercer son autorité sur la terre.

Je me sens pour tous ces abus une aversion qui doit naturellement m'en garantir. Si j'y tombe, ce sera sûrement sans
le vouloir, et j'espère de l'amitié de tous ceux qui m'environnent que ce ne sera pas sans être avertie. Je vous avoue
que j'ai été longtemps sur le sort de mon mari d'une inquiétude qui m'eût peut-être altéré l'humeur à la longue. Heureusement la sage lettre de Milord Édouard à laquelle vous
me renvoyez avec grande raison [1], ses entretiens consolants
et sensés, les vôtres, ont tout à fait dissipé ma crainte et
changé mes principes. Je vois qu'il est impossible que l'intolérance n'endurcisse l'âme. Comment chérir tendrement les
gens qu'on réprouve [2] ? Quelle charité peut-on conserver
parmi des damnés ? Les aimer ce serait haïr Dieu qui les
punit. Voulons-nous donc être humains ? jugeons les actions
et non pas les hommes. N'empiétons point sur l'horrible
fonction des Démons : N'ouvrons point si légèrement l'enfer
à nos frères. Eh, s'il était destiné pour ceux qui se trompent,
quel mortel pourrait l'éviter ?

Ô mes amis, de quel poids vous avez soulagé mon cœur !
En m'apprenant que l'erreur n'est point un crime, vous
m'avez délivrée de mille inquiétants scrupules. Je laisse la
subtile interprétation des dogmes que je n'entends pas. Je
m'en tiens aux vérités lumineuses qui frappent mes yeux et
convainquent ma raison, aux vérités de pratique qui
m'instruisent de mes devoirs. Sur tout le reste, j'ai pris pour

---

1. Autre allusion à la lettre non conservée dans le recueil, mentionnée dans
VI, 7, p. 799. **2.** Qu'on désapprouve.

règle votre ancienne réponse à M. de Wolmar *. Est-on maître de croire ou de ne pas croire ? Est-ce un crime de n'avoir pas su bien argumenter ? Non ; la conscience ne nous dit point la vérité des choses, mais la règle de nos devoirs ; elle ne nous dicte point ce qu'il faut penser, mais ce qu'il faut faire ; elle ne nous apprend point à bien raisonner, mais à bien agir. En quoi mon mari peut-il être coupable devant Dieu ? Détourne-t-il les yeux de lui ? Dieu lui-même a voilé sa face. Il ne fuit point la vérité, c'est la vérité qui le fuit. L'orgueil ne le guide point ; il ne veut égarer personne, il est bien aise qu'on ne pense pas comme lui. Il aime nos sentiments, il voudrait les avoir, il ne peut. Notre espoir, nos consolations, tout lui échappe. Il fait le bien sans attendre de récompense ; il est plus vertueux, plus désinté-ressé que nous. Hélas, il est à plaindre ! mais de quoi sera-t-il puni ? Non non, la bonté, la droiture, les mœurs, l'honnêteté, la vertu ; voilà ce que le Ciel exige et qu'il récompense ; voilà le véritable culte que Dieu veut de nous, et qu'il reçoit de lui tous les jours de sa vie. Si Dieu juge la foi par les œuvres, c'est croire en lui que d'être homme de bien. Le vrai chrétien c'est l'homme juste ; les vrais incré-dules sont les méchants.

Ne soyez donc pas étonné, mon aimable ami, si je ne dis-pute pas avec vous sur plusieurs points de votre lettre où nous ne sommes pas de même avis. Je sais trop bien ce que vous êtes pour être en peine de ce que vous croyez. Que m'importent toutes ces questions oiseuses sur la liberté ? Que je sois libre de vouloir le bien par moi-même, ou que j'obtienne en priant cette volonté, si je trouve enfin le moyen de bien faire, tout cela ne revient-il pas au même ? Que je me donne ce qui me manque en le demandant, ou que Dieu l'accorde à ma prière ; s'il faut toujours pour l'avoir que je le demande, ai-je besoin d'autre éclaircissement ? Trop heu-reux de convenir sur les points principaux de notre croyance, que cherchons-nous au-delà ? Voulons-nous péné-trer dans ces abîmes de métaphysique qui n'ont ni fond ni rive, et perdre à disputer sur l'essence divine ce temps si court qui nous est donné pour l'honorer ? Nous ignorons

* Voyez Part. V. lett. III, p. 163 [p. 688].

ce qu'elle est, mais nous savons qu'elle est, que cela nous suffise ; elle se fait voir dans ses œuvres, elle se fait sentir au dedans de nous. Nous pouvons bien disputer contre elle, mais non pas la méconnaître de bonne foi. Elle nous a donné ce degré de sensibilité qui l'aperçoit et la touche : plaignons ceux à qui elle ne l'a pas départi [1], sans nous flatter de les éclairer à son défaut. Qui de nous fera ce qu'elle n'a pas voulu faire ? Respectons ses décrets en silence et faisons notre devoir ; c'est le meilleur moyen d'apprendre le leur aux autres.

Connaissez-vous quelqu'un plus plein de sens et de raison que M. de Wolmar ? quelqu'un plus sincère, plus droit, plus juste, plus vrai, moins livré à ses passions, qui ait plus à gagner à la justice divine et à l'immortalité de l'âme ? Connaissez-vous un homme plus fort, plus élevé, plus grand, plus foudroyant dans la dispute que Milord Édouard ? plus digne par sa vertu de défendre la cause de Dieu, plus certain de son existence, plus pénétré de sa majesté suprême, plus zélé pour sa gloire et plus fait pour la soutenir ? Vous avez vu ce qui s'est passé durant trois mois à Clarens ; vous avez vu deux hommes pleins d'estime et de respect l'un pour l'autre, éloignés par leur état et par leur goût des pointilleries de collège, passer un hiver entier à chercher dans des disputes [2] sages et paisibles, mais vives et profondes à s'éclairer mutuellement, s'attaquer, se défendre se saisir par toutes les prises que peut avoir l'entendement humain, et sur une matière où tous deux n'ayant que le même intérêt ne demandaient pas mieux que d'être d'accord.

Qu'est-il arrivé ? Ils ont redoublé d'estime l'un pour l'autre, mais chacun est resté dans son sentiment. Si cet exemple ne guérit pas à jamais un homme sage de la dispute, l'amour de la vérité ne le touche guère ; il cherche à briller [3].

---

1. Distribué. **2.** Le mot n'est pas choisi au hasard. Dans cet éloge de la tolérance religieuse, Julie oppose les valeurs de l'échange respectueux et ouvert au modèle rigide de la « dispute » de collège (exercice d'examen dans les universités) qu'elle caractérise par la « pointillerie », c'est-à-dire le goût de la « contestation sur des bagatelles » (*Acad.* 1762). Et c'est bien à la « dispute » théologique qu'il faut, plus précisément, songer ici. **3.** Exemple des méfaits de l'amour-propre que Rousseau dénonce régulièrement, depuis le premier *Discours* et la préface de *Narcisse*, en visant les savants, les philosophes et les théologiens.

Pour moi, j'abandonne à jamais cette arme inutile, et j'ai résolu de ne plus dire à mon mari un seul mot de Religion que quand il s'agira de rendre raison de la mienne. Non que l'idée de la tolérance divine m'ait rendue indifférente sur le besoin qu'il en a. Je vous avoue même que, tranquillisée sur son sort à venir, je ne sens point pour cela diminuer mon zèle pour sa conversion. Je voudrais au prix de mon sang le voir une fois convaincu, si ce n'est pour son bonheur dans l'autre monde c'est pour son bonheur dans celui-ci. Car de combien de douceurs n'est-il point privé ? Quel sentiment peut le consoler dans ses peines ? Quel spectateur [1] anime les bonnes actions qu'il fait en secret ? Quelle voix peut parler au fond de son âme ? Quel prix peut-il attendre de sa vertu ? Comment doit-il envisager la mort ? Non, je l'espère, il ne l'attendra pas dans cet état horrible. Il me reste une ressource pour l'en tirer, et j'y consacre le reste de ma vie ; ce n'est plus de le convaincre, mais de le toucher ; c'est de lui montrer un exemple qui l'entraîne, et de lui rendre la Religion si aimable qu'il ne puisse lui résister. Ah, mon ami ! quel argument contre l'incrédule, que la vie du vrai Chrétien ! croyez-vous qu'il y ait quelque âme à l'épreuve de celui-là ? Voilà désormais la tâche que je m'impose ; aidez-moi tous à la remplir. Wolmar est froid, mais il n'est pas insensible. Quel tableau nous pouvons offrir à son cœur, quand ses amis, ses enfants, sa femme, concourront tous à l'instruire en l'édifiant ! quand sans lui prêcher Dieu dans leurs discours, ils le lui montreront dans les actions qu'il inspire, dans les vertus dont il est l'auteur, dans le charme qu'on trouve à lui plaire ! quand il verra briller l'image du Ciel dans sa maison ! Quand cent fois le jour il sera forcé de se dire : non, l'homme n'est pas ainsi par lui-même, quelque chose de plus qu'humain règne ici !

Si cette entreprise est de votre goût, si vous vous sentez digne d'y concourir, venez, passons nos jours ensemble et ne nous quittons plus qu'à la mort. Si le projet vous déplaît ou vous épouvante, écoutez votre conscience ; elle vous dicte votre devoir. Je n'ai rien de plus à vous dire.

---

1. Cette métaphore du spectateur pour figurer la conscience ou le « sentiment intérieur » sera reprise par Julie (VI, 11, p. 851).

Selon ce que Milord Édouard nous marque, je vous attends[b] tous deux vers la fin du mois prochain. Vous ne reconnaîtrez pas votre appartement ; mais dans les changements qu'on y a faits, vous reconnaîtrez les soins et le cœur d'une bonne amie, qui s'est fait un plaisir de l'orner. Vous y trouverez aussi un petit assortiment de livres qu'elle a choisis à Genève, meilleurs et de meilleur goût que *l'Adone*, quoiqu'il y soit aussi par plaisanterie [1]. Au reste, soyez discret, car comme elle ne veut pas que vous sachiez que tout cela vient d'elle, je me dépêche de vous l'écrire, avant qu'elle me défende de vous en parler.

Adieu mon ami. Cette partie du Château de Chillon * que nous devions tous faire ensemble, se fera demain sans vous. Elle n'en vaudra pas mieux, quoiqu'on la fasse avec plaisir. M. le Bailli nous a invités avec nos enfants, ce qui ne m'a point laissé d'excuse ; mais je ne sais pourquoi je voudrais être déjà de retour.

---

* Le Château de Chillon, ancien séjour des Baillis de Vevey, est situé dans le lac sur un rocher qui forme une presqu'Île, et autour duquel j'ai vu sonder à plus de cent cinquante brasses qui font près de 800 pieds, sans trouver le fond. On a creusé dans ce rocher des caves et des cuisines au-dessous du niveau de l'eau, qu'on y introduit quand on veut par des robinets. C'est là que fut détenu six ans prisonnier François Bonnivard Prieur de St. Victor, homme d'un mérite rare, d'une droiture et d'une fermeté à toute épreuve, ami de la liberté quoique Savoyard, et tolérant quoique Prêtre. Au reste, l'année où ces dernières lettres paraissent avoir été écrites, il y avait très longtemps que les Baillis de Vevey n'habitaient plus le Château de Chillon. On supposera, si l'on veut, que celui de ce temps-là y était allé passer quelques jours. [NdE : 800 pieds font plus de 250 m. François Bonnivard (1496-1570) fut emprisonné en 1530 par le duc de Savoie, pour avoir défendu les droits de la bourgeoisie genevoise. Byron fera de lui le héros narrateur de son poème *The Prisoner of Chillon*, inspiré par un « pèlerinage rousseau-iste » à Clarens en 1816, en compagnie de Shelley. Le bailli de Vevey était le représentant du gouvernement de Berne. Dans CP, la note de Rousseau renforce le doute sur l'authenticité des *Lettres* : « Il faut donc que le Bailli de ce temps-là y ait été faire une promenade, ou que les noms des lieux soient changés ou que tout ceci ne soit qu'une fiction. »]

---

1. Voir II, 25, n. 2, p. 352.

Lettre IX
De Fanchon Anet

Ah Monsieur ! Ah mon bienfaiteur ! que me charge-t-on de vous apprendre ?.... Madame !.... ma pauvre maîtresse.... Ô Dieu ! je vois déjà votre frayeur.... mais vous ne voyez pas notre désolation.... Je n'ai pas un moment à perdre ; il faut vous dire,.... il faut courir.... je voudrais déjà vous avoir tout dit.... Ah que deviendrez-vous quand vous saurez notre malheur ?

Toute la famille alla hier dîner à Chillon. Monsieur le Baron, qui allait en Savoie passer quelques jours au Château de Blonay, partit après le dîner. On l'accompagna quelques pas ; puis on se promena le long de la digue. Madame d'Orbe et Madame la Baillive marchaient devant avec Monsieur. Madame suivait, tenant d'une main Henriette et de l'autre Marcellin. J'étais derrière avec l'aîné. Monseigneur le Bailli, qui s'était arrêté pour parler à quelqu'un, vint rejoindre la compagnie et offrit le bras à Madame. Pour le prendre elle me renvoie Marcellin ; il court à moi, j'accours à lui ; en courant l'enfant fait un faux pas, le pied lui manque, il tombe dans l'eau. Je pousse un cri perçant ; Madame se retourne, voit tomber son fils, part comme un trait [1], et s'élance après lui....

Ah ! misérable que n'en fis-je autant ! que n'y suis-je restée !..... Hélas ! je retenais l'aîné qui voulait sauter après sa mère.... elle se débattait en serrant l'autre entre ses bras.... On n'avait là ni gens ni bateau, il fallut du temps pour les retirer... l'enfant est remis, mais la mère.... le saisissement, la chute, l'état où elle était.... qui sait mieux que moi combien cette chute est dangereuse !.... elle resta très longtemps sans connaissance. À peine l'eut-elle reprise qu'elle demanda son fils.... avec quels transports de joie elle l'embrassa ! je la crus sauvée ; mais sa vivacité ne dura qu'un moment ; elle voulut être ramenée ici ; durant la route elle s'est trouvée mal plusieurs fois. Sur quelques ordres qu'elle m'a donnés je vois qu'elle ne croit pas en revenir. Je

---

1. Comme une flèche. « On dit proverbialement *Vite comme un trait d'arbalète*, ou *Comme un trait*, pour dire : Fort vite » (*Acad.* 1762).

suis trop malheureuse, elle n'en reviendra pas.
Madame d'Orbe est plus changée qu'elle. Tout le monde est
dans une agitation.... Je suis la plus tranquille de toute la
maison.... de quoi m'inquiéterais-je ?.... Ma bonne maîtresse ! Ah si je vous perds, je n'aurai plus besoin de personne.... Oh mon cher Monsieur, que le bon Dieu vous
soutienne dans cette épreuve.... Adieu.... le Médecin sort
de la chambre. Je cours au-devant de lui... s'il nous donne
quelque bonne espérance, je vous le marquerai. Si je ne dis
rien....

Lettre X
Commencée par Mad^e d'Orbe,
et achevée par M. de Wolmar

C'en est fait. Homme imprudent, homme infortuné, malheureux visionnaire ! Jamais vous ne la reverrez.... le
voile.... Julie n'est....

Elle vous a écrit. Attendez sa lettre : honorez ses dernières
volontés. Il vous reste de grands devoirs à remplir sur la
terre.

Lettre XI
De M. de Wolmar

J'ai laissé passer vos premières douleurs en silence ; ma
lettre n'eût fait que les aigrir ; vous n'étiez pas plus en état
de supporter ces détails que moi de les faire. Aujourd'hui
peut-être nous seront-ils doux à tous deux. Il ne me reste
d'elle que des souvenirs, mon cœur se plaît à les recueillir [1] !
Vous n'avez plus que des pleurs à lui donner ; vous aurez la
consolation d'en verser pour elle. Ce plaisir des infortunés
m'est refusé dans ma misère ; je suis plus malheureux que
vous.

---

1. Rassembler.

Ce n'est point de sa maladie c'est d'elle que je veux vous parler. D'autres mères peuvent se jeter après leur enfant : L'accident, la fièvre, la mort, sont de la nature : c'est le sort commun des mortels ; mais l'emploi de ses derniers moments, ses discours, ses sentiments, son âme, tout cela n'appartient qu'à Julie. Elle n'a point vécu comme une autre : personne, que je sache, n'est mort comme elle. Voilà ce que j'ai pu seul observer, et que vous n'apprendrez que de moi.

Vous savez que l'effroi, l'émotion, la chute, l'évacuation de l'eau lui laissèrent une longue faiblesse dont elle ne revint tout à fait qu'ici. En arrivant, elle redemanda son fils, il vint ; à peine le vit-elle marcher et répondre à ses caresses qu'elle devint tout à fait tranquille, et consentit à prendre un peu de repos. Son sommeil fut court, et comme le Médecin n'arrivait point encore, en l'attendant elle nous fit asseoir autour de son lit, la Fanchon, sa cousine et moi. Elle nous parla de ses enfants, des soins assidus qu'exigeait auprès d'eux la forme d'éducation qu'elle avait prise, et du danger de les négliger un moment. Sans donner une grande importance à sa maladie, elle prévoyait qu'elle l'empêcherait quelque temps de remplir sa part des mêmes soins, et nous chargeait tous de répartir cette part sur les nôtres.

Elle s'étendit sur tous ses projets, sur les vôtres, sur les moyens les plus propres à les faire réussir, sur les observations qu'elle avait faites et qui pouvaient les favoriser ou leur nuire, enfin sur tout ce qui devait nous mettre en état de suppléer à ses fonctions de mère, aussi longtemps qu'elle serait forcée à les suspendre. C'était, pensais-je, bien des précautions pour quelqu'un qui ne se croyait privé que durant quelques jours d'une occupation si chère ; mais ce qui m'effraya tout à fait, ce fut de voir qu'elle entrait pour Henriette dans un bien plus grand détail encore. Elle s'était bornée à ce qui regardait la première enfance de ses fils comme se déchargeant sur un autre du soin de leur jeunesse ; pour sa fille [1] elle embrassa tous les temps, et sentant bien que personne ne suppléerait sur ce point aux réflexions que sa propre expérience lui avait fait faire, elle nous exposa

---

1. La fille de Claire.

en abrégé, mais avec force et clarté le plan d'éducation qu'elle avait fait pour elle, employant près de la mère [1] les raisons les plus vives et les plus touchantes exhortations pour l'engager à le suivre.

Toutes ces idées sur l'éducation des jeunes personnes et sur les devoirs des mères, mêlées de fréquents retours sur elle-même, ne pouvaient manquer de jeter de la chaleur dans l'entretien ; je vis qu'il s'animait trop. Claire tenait une des mains de sa Cousine, et la pressait à chaque instant contre sa bouche en sanglotant pour toute réponse ; la Fanchon n'était pas plus tranquille ; et pour Julie, je remarquai que les larmes lui roulaient aussi dans les yeux, mais qu'elle n'osait pleurer, de peur de nous alarmer davantage. Aussitôt je me dis : Elle se voit morte. Le seul espoir qui me resta fut que la frayeur pouvait l'abuser sur son état et lui montrer le danger plus grand qu'il n'était peut-être. Malheureusement je la connaissais trop pour compter beaucoup sur cette erreur. J'avais essayé plusieurs fois de la calmer ; je la priai derechef [2] de ne pas s'agiter hors de propos par des discours qu'on pouvait reprendre à loisir. Ah, dit-elle, rien ne fait tant de mal aux femmes que le silence ! et puis je me sens un peu de fièvre ; autant vaut employer le babil qu'elle donne à des sujets utiles, qu'à battre sans raison la campagne.

L'arrivée du Médecin causa dans la maison un trouble impossible à peindre. Tous les domestiques l'un sur l'autre à la porte de la chambre attendaient, l'œil inquiet et les mains jointes, son jugement sur l'état de leur maîtresse, comme l'arrêt de leur sort. Ce spectacle jeta la pauvre Claire dans une agitation qui me fit craindre pour sa tête. Il fallut les éloigner sous différents prétextes pour écarter de ses yeux cet objet d'effroi. Le Médecin donna vaguement un peu d'espérance, mais d'un ton propre à me l'ôter. Julie ne dit pas non plus ce qu'elle pensait ; la présence de sa Cousine la tenait en respect. Quand il sortit, je le suivis ; Claire en voulut faire autant, mais Julie la retint et me fit de l'œil un signe que j'entendis. Je me hâtai d'avertir le Médecin que s'il y avait du danger il fallait le cacher à Mad^e d'Orbe avec

---

1. Employant auprès de Claire. **2.** De nouveau. Voir I, 22, n. 4, p. 105.

autant et plus de soin qu'à la malade, de peur que le désespoir n'achevât de la troubler, et ne la mît hors d'état de
servir son amie. Il déclara qu'il y avait en effet du danger,
mais que vingt-quatre heures étant à peine écoulées depuis
l'accident, il fallait plus de temps pour établir un pronostic
assuré, que la nuit prochaine déciderait du sort de la maladie, et qu'il ne pouvait prononcer [1] que le troisième jour. La
Fanchon seule fut témoin de ce discours, et après l'avoir
engagée, non sans peine, à se contenir, on convint de ce qui
serait dit à Mad[e] d'Orbe et au reste de la maison.

Vers le soir Julie obligea sa Cousine, qui avait passé la
nuit précédente auprès d'elle et qui voulait encore y passer
la suivante, à s'aller reposer quelques heures. Durant ce
temps, la malade ayant su qu'on allait la saigner du pied et
que le Médecin préparait des ordonnances, elle le fit appeler
et lui tint ce discours : « Monsieur du Bosson [2], quand on
croit devoir tromper un malade craintif sur son état, c'est
une précaution d'humanité que j'approuve ; mais c'est une
cruauté de prodiguer également à tous des soins superflus
et désagréables, dont plusieurs n'ont aucun besoin. Prescrivez-moi tout ce que vous jugerez m'être véritablement utile,
j'obéirai ponctuellement. Quant aux remèdes qui ne sont
que pour l'imagination, faites-m'en grâce ; c'est mon corps
et non mon esprit qui souffre ; et je n'ai pas peur de finir
mes jours mais d'en mal employer le reste. Les derniers
moments de la vie sont trop précieux pour qu'il soit permis
d'en abuser. Si vous ne pouvez prolonger la mienne, au
moins ne l'abrégez pas, en m'ôtant l'emploi du peu
d'instants qui me sont laissés par la nature. Moins il m'en
reste, plus vous devez les respecter. Faites-moi vivre ou laissez-moi : je saurai bien mourir seule. » Voilà comment cette
femme si timide et si douce dans le commerce ordinaire,
savait trouver un ton ferme et sérieux dans les occasions
importantes.

La nuit fut cruelle et décisive. Étouffement, oppression,
syncope, la peau sèche et brûlante. Une ardente fièvre,
durant laquelle on l'entendait souvent appeler vivement

---

1. Se prononcer. Voir II, 17, n. 1, p. 308. **2.** Le nom du médecin, historique
d'après Mornet, a été ajouté sur épreuves.

Marcellin, comme pour le retenir ; et prononcer aussi quelquefois un autre nom, jadis si répété dans une occasion pareille [1]. Le lendemain le Médecin me déclara sans détour qu'il n'estimait pas qu'elle eût trois jours à vivre. Je fus seul dépositaire de cet affreux secret, et la plus terrible heure de ma vie fut celle où je le portai dans le fond de mon cœur, sans savoir quel usage j'en devais faire. J'allai seul errer dans les bosquets, rêvant au parti que j'avais à prendre ; non sans quelques tristes réflexions sur le sort qui me ramenait dans ma vieillesse à cet état solitaire, dont je m'ennuyais, même avant d'en connaître un plus doux.

La veille, j'avais promis à Julie de lui rapporter fidèlement le jugement du Médecin ; elle m'avait intéressé par tout ce qui pouvait toucher mon cœur à lui tenir parole. Je sentais cet engagement sur ma conscience : Mais quoi ! pour un devoir chimérique et sans utilité fallait-il contrister son âme, et lui faire à longs traits savourer la mort ? Quel pouvait être à mes yeux l'objet d'une précaution si cruelle ? Lui annoncer sa dernière heure n'était-ce pas l'avancer ? Dans un intervalle si court que deviennent les désirs, l'espérance, éléments de la vie ? Est-ce en jouir encore que de se voir si près du moment de la perdre ? Était-ce à moi de lui donner la mort ?

Je marchais à pas précipités avec une agitation que je n'avais jamais éprouvée. Cette longue et pénible anxiété me suivait partout ; j'en traînais après moi l'insupportable poids. Une idée vint enfin me déterminer. Ne vous efforcez pas de la prévoir ; il faut vous la dire.

Pour qui est-ce que je délibère, est-ce pour elle ou pour moi ? Sur quel principe est-ce que je raisonne, est-ce sur son système ou sur le mien ? Qu'est-ce qui m'est démontré sur l'un ou sur l'autre ? Je n'ai pour croire ce que je crois que mon opinion armée de quelques probabilités. Nulle démonstration ne la renverse, il est vrai, mais quelle démonstration l'établit ? Elle a pour croire ce qu'elle croit son opinion de même, mais elle y voit l'évidence ; cette opinion à ses yeux est une démonstration. Quel droit ai-je de préférer quand il s'agit d'elle, ma simple opinion que je reconnais douteuse à

---

1. Voir III, 13 et 14.

son opinion qu'elle tient pour démontrée ? Comparons les conséquences des deux sentiments. Dans le sien, la disposition de sa dernière heure doit décider de son sort durant l'éternité. Dans le mien, les ménagements que je veux avoir pour elle lui seront indifférents dans trois jours. Dans trois jours, selon moi, elle ne sentira plus rien : Mais si peut-être elle avait raison, quelle différence ! Des biens ou des maux éternels !.... Peut-être !... ce mot est terrible.... malheureux ! risque ton âme et non la sienne [1].

Voilà le premier doute qui m'ait rendu suspecte l'incertitude que vous avez si souvent attaquée[a]. Ce n'est pas la dernière fois qu'il est revenu depuis ce temps-là [2]. Quoi qu'il en soit, ce doute me délivra de celui qui me tourmentait. Je pris sur-le-champ mon parti, et de peur d'en changer, je courus en hâte au lit de Julie. Je fis sortir tout le monde, et je m'assis : vous pouvez juger avec quelle contenance ! Je n'employai point auprès d'elle les précautions nécessaires pour les petites âmes. Je ne dis rien ; mais elle me vit, et me comprit à l'instant. Croyez-vous me l'apprendre, dit-elle en me tendant la main ? Non, mon ami, je me sens bien [3] : la mort me presse ; il faut nous quitter.

Alors elle me tint un long discours dont j'aurai à vous parler quelque jour, et durant lequel elle écrivit son testament dans mon cœur. Si j'avais moins connu le sien, ses dernières dispositions auraient suffi pour me le faire connaître.

Elle me demanda si son état était connu dans la maison. Je lui dis que l'alarme y régnait, mais qu'on ne savait rien de positif et que du Bosson s'était ouvert à moi seul. Elle me conjura que le secret fût soigneusement gardé le reste de

---

1. Ce raisonnement de Wolmar s'inspire de la pensée de Pascal sur le pari : « Dieu est, ou il n'est pas. Mais de quel côté pencherons-nous ? La raison n'y peut rien déterminer. Il y a un chaos infini qui nous sépare. Il se joue un jeu, à l'extrémité de cette distance infinie, où il arrivera croix ou pile : que gagerez-vous ? » (*Pensées*, Sellier 680, p. 460). **2.** P.-M. Masson a rapproché cette page de ces mots du vicaire savoyard : « Comment peut-on être sceptique par système et de bonne foi ? Je ne saurai le comprendre. Ces Philosophes, ou n'existent pas, ou sont les plus malheureux des hommes » (*Émile*, livre IV, in *OC*, p. 567-568). Il y a de nombreuses analogies entre la profession de foi du vicaire et celle que prononce Julie plus bas. **3.** Je me connais, je sens bien quel est mon état physique.

la journée. Claire, ajouta-t-elle, ne supportera jamais ce coup que de ma main ; elle en mourra s'il lui vient d'une autre. Je destine la nuit prochaine à ce triste devoir. C'est pour cela surtout que j'ai voulu avoir l'avis du Médecin, afin de ne pas exposer sur mon seul sentiment cette infortunée à recevoir à faux une si cruelle atteinte. Faites qu'elle ne soupçonne rien avant le temps, ou vous risquez de rester sans amie et de laisser vos enfants sans mère.

Elle me parla de son père. J'avouai lui avoir envoyé un Exprès ; mais je me gardai d'ajouter que cet homme, au lieu de se contenter de donner ma lettre comme je lui avais ordonné, s'était hâté de parler, et si lourdement, que mon vieil ami croyant sa fille noyée était tombé d'effroi sur l'escalier, et s'était fait une blessure qui le retenait à Blonay [1] dans son lit. L'espoir de revoir son père la toucha sensiblement, et la certitude que cette espérance était vaine ne fut pas le moindre des maux qu'il me fallut dévorer.

Le redoublement [2] de la nuit précédente l'avait extrêmement affaiblie. Ce long entretien n'avait pas contribué à la fortifier ; dans l'accablement où elle était elle essaya de prendre un peu de repos durant la journée ; je n'appris que le surlendemain qu'elle ne l'avait pas passée tout entière à dormir.

Cependant la consternation régnait dans la maison. Chacun dans un morne silence attendait qu'on le tirât de peine, et n'osait interroger personne, crainte d'apprendre plus qu'il ne voulait savoir. On se disait : S'il y a quelque bonne nouvelle on s'empressera de la dire ; s'il y en a de mauvaises, on ne les saura toujours que trop tôt. Dans la frayeur dont ils étaient saisis, c'était assez pour eux qu'il n'arrivât rien qui fît nouvelle. Au milieu de ce morne repos, Madame d'Orbe était la seule active et parlante. Sitôt qu'elle était hors de la chambre de Julie, au lieu de s'aller reposer dans la sienne, elle parcourait toute la maison, elle arrêtait tout le monde, demandant ce qu'avait dit le Médecin, ce qu'on disait ? Elle avait été témoin de la nuit précédente, elle ne pouvait ignorer ce qu'elle avait vu ; mais elle

---

1. Le château de Blonay se situe entre Vevey et Montreux. **2.** Voir III, 13, n. 1, p. 395.

cherchait à se tromper elle-même, et à récuser le témoignage de ses yeux. Ceux qu'elle questionnait ne lui répondant rien que de favorable, cela l'encourageait à questionner les autres, et toujours avec une inquiétude si vive, avec un air si effrayant, qu'on eût su la vérité mille fois sans être tenté de la lui dire.

Auprès de Julie elle se contraignait, et l'objet touchant qu'elle avait sous les yeux la disposait plus à l'affliction qu'à l'emportement. Elle craignait surtout de lui laisser voir ses alarmes, mais elle réussissait mal à les cacher. On apercevait son trouble dans son affectation même à paraître tranquille. Julie de son côté n'épargnait rien pour l'abuser. Sans exténuer [1] son mal elle en parlait presque comme d'une chose passée, et ne semblait en peine que du temps qu'il lui faudrait pour se remettre. C'était encore un de mes supplices de les voir chercher à se rassurer mutuellement, moi qui savais si bien qu'aucune des deux n'avait dans l'âme l'espoir qu'elle s'efforçait de donner à l'autre.

Mad^e d'Orbe avait veillé les deux nuits précédentes ; il y avait trois jours qu'elle ne s'était déshabillée. Julie lui proposa de s'aller coucher ; elle n'en voulut rien faire. Hé bien donc, dit Julie, qu'on lui tende un petit lit dans ma chambre, à moins, ajouta-t-elle comme par réflexion, qu'elle ne veuille partager le mien. Qu'en dis-tu, Cousine ? Mon mal ne se gagne pas, tu ne te dégoûtes pas de moi, couche dans mon lit ; le parti fut accepté. Pour moi, l'on me renvoya, et véritablement j'avais besoin de repos.

Je fus levé de bonne heure. Inquiet de ce qui s'était passé durant la nuit, au premier bruit que j'entendis j'entrai dans la chambre. Sur l'état où Mad^e d'Orbe était la veille, je jugeai du désespoir où j'allais la trouver et des fureurs dont je serais le témoin. En entrant je la vis assise dans un fauteuil, défaite et pâle, ou plutôt livide, les yeux plombés et presque éteints ; mais douce, tranquille, parlant peu, faisant tout ce qu'on lui disait, sans répondre. Pour Julie, elle paraissait moins faible que la veille, sa voix était plus ferme, son geste plus animé ; elle semblait avoir pris la vivacité de sa Cousine. Je connus aisément à son teint que ce mieux

---

1. Diminuer.

apparent était l'effet de la fièvre : mais je vis aussi briller dans ses regards je ne sais quelle secrète joie qui pouvait y contribuer, et dont je ne démêlais pas la cause. Le Médecin n'en confirma pas moins son jugement de la veille ; la malade n'en continua pas moins de penser comme lui, et il ne me resta plus aucune espérance.

Ayant été forcé de m'absenter pour quelque temps, je remarquai en entrant que l'appartement était arrangé avec soin ; il y régnait de l'ordre et de l'élégance ; elle avait fait mettre des pots de fleurs sur sa cheminée ; ses rideaux étaient entr'ouverts et rattachés ; l'air avait été changé ; on y sentait une odeur agréable ; on n'eût jamais cru être dans la chambre d'un malade. Elle avait fait sa toilette avec le même soin : la grâce et le goût se montraient encore dans sa parure négligée. Tout cela lui donnait plutôt l'air d'une femme du monde qui attend compagnie, que d'une campagnarde qui attend sa dernière heure. Elle vit ma surprise, elle en sourit, et lisant dans ma pensée elle allait me répondre, quand on amena les enfants. Alors il ne fut plus question que d'eux, et vous pouvez juger si, se sentant prête à les quitter, ses caresses furent tièdes et modérées ! J'observai même qu'elle revenait plus souvent et avec des étreintes encore plus ardentes à celui qui lui coûtait la vie, comme s'il lui fût devenu plus cher à ce prix.

Tous ces embrassements, ces soupirs, ces transports étaient des mystères pour ces pauvres enfants. Ils l'aimaient tendrement, mais c'était la tendresse de leur âge ; ils ne comprenaient rien à son état, au redoublement de ses caresses, à ses regrets de ne les voir plus ; ils nous voyaient tristes et ils pleuraient : Ils n'en savaient pas davantage. Quoiqu'on apprenne aux enfants le nom de la mort, ils n'en ont aucune idée ; ils ne la craignent ni pour eux ni pour les autres ; ils craignent de souffrir et non de mourir. Quand la douleur arrachait quelque plainte à leur mère, ils perçaient l'air de leurs cris ; quand on leur parlait de la perdre, on les aurait crus stupides. La seule Henriette, un peu plus âgée, et d'un sexe où le sentiment et les lumières se développent plus tôt, paraissait troublée et alarmée de voir sa petite maman dans un lit, elle qu'on voyait toujours levée avant ses enfants. Je me souviens qu'à ce propos Julie fit une réflexion tout à fait

dans son caractère sur l'imbécile vanité de Vespasien qui
resta couché tandis qu'il pouvait agir, et se leva lorsqu'il ne
put plus rien faire *. Je ne sais pas, dit-elle, s'il faut qu'un
Empereur meure debout [1], mais je sais bien qu'une mère de
famille ne doit s'aliter que pour mourir.

Après avoir épanché son cœur sur ses enfants ; après les
avoir pris chacun à part, surtout Henriette qu'elle tint fort
longtemps, et qu'on entendait plaindre [2] et sangloter en
recevant ses baisers, elle les appela tous trois, leur donna sa
bénédiction, et leur dit en leur montrant Mad^e d'Orbe :
Allez, mes enfants, allez vous jeter aux pieds de votre mère :
voilà celle que Dieu vous donne, il ne vous a rien ôté. À
l'instant ils courent à elle, se mettent à ses genoux, lui
prennent les mains, l'appellent leur bonne maman, leur
seconde mère. Claire se pencha sur eux ; mais en les serrant
dans ses bras elle s'efforça vainement de parler, elle ne
trouva que des gémissements, elle ne put jamais prononcer
un seul mot, elle étouffait. Jugez si Julie était émue ! Cette
scène commençait à devenir trop vive ; je la fis cesser.

Ce moment d'attendrissement passé, l'on se remit à
causer autour du lit, et quoique la vivacité de Julie se fût
un peu éteinte avec le redoublement, on voyait le même air
de contentement sur son visage ; elle parlait de tout avec
une attention et un intérêt qui montraient un esprit très libre
de soins ; rien ne lui échappait, elle était à la conversation
comme si elle n'avait eu autre chose à faire. Elle nous proposa de dîner dans sa chambre, pour nous quitter le moins
qu'il se pourrait ; vous pouvez croire que cela ne fut pas
refusé. On servit sans bruit, sans confusion, sans désordre,

---

* Ceci n'est pas bien exact. Suétone dit que Vespasien travaillait comme à
l'ordinaire dans son lit de mort, et donnait même ses audiences : mais peut-
être, en effet, eût-il mieux valu se lever pour donner ses audiences, et se
recoucher pour mourir. Je sais que Vespasien sans être un grand homme
était au moins un grand Prince. N'importe, quelque rôle qu'on ait pu faire
durant sa vie, on ne doit point jouer la comédie à sa mort.

---

1. Mot attribué à Vespasien par Suétone (*Vies des douze Césars*, « Vespasien », 24, trad. T. Baudement, éd. J. Gascou, GF-Flammarion, p. 314) et
cité par Montaigne au début du chapitre « Contre la fainéantise » (*Essais*,
II, 21, p. 1044). **2.** Se plaindre.

d'un air aussi rangé que si l'on eût été dans le salon d'Apollon. La Fanchon, les enfants dînèrent à table. Julie voyant qu'on manquait d'appétit trouva le secret de faire manger de tout, tantôt prétextant l'instruction de sa cuisinière, tantôt voulant savoir si elle oserait en goûter, tantôt nous intéressant par notre santé même dont nous avions besoin pour la servir, toujours montrant le plaisir qu'on pouvait lui faire de manière à ôter tout moyen de s'y refuser, et mêlant à tout cela un enjouement propre à nous distraire du triste objet qui nous occupait. Enfin une maîtresse de maison, attentive à faire ses honneurs, n'aurait pas en pleine santé pour des étrangers, des soins plus marqués, plus obligeants, plus aimables que ceux que Julie mourante avait pour sa famille. Rien de tout ce que j'avais cru prévoir n'arrivait, rien de ce que je voyais ne s'arrangeait dans ma tête. Je ne savais plus qu'imaginer ; je n'y étais plus.

Après le dîner, on annonça Monsieur le Ministre. Il venait comme ami de la maison, ce qui lui arrivait fort souvent. Quoique je ne l'eusse point fait appeler, parce que Julie ne l'avait pas demandé, je vous avoue que je fus charmé de son arrivée, et je ne crois pas qu'en pareille circonstance le plus zélé croyant l'eût pu voir avec plus de plaisir. Sa présence allait éclaircir bien des doutes et me tirer d'une étrange perplexité.

Rappelez-vous le motif qui m'avait porté à lui annoncer sa fin prochaine. Sur l'effet qu'aurait dû selon moi produire cette affreuse nouvelle, comment concevoir celui qu'elle avait produit réellement ? Quoi ! cette femme dévote qui dans l'état de santé ne passe pas un jour sans se recueillir, qui fait un de ses plaisirs de la prière, n'a plus que deux jours à vivre, elle se voit prête à paraître devant le juge redoutable ; et au lieu de se préparer à ce moment terrible, au lieu de mettre ordre à sa conscience, elle s'amuse à parer sa chambre, à faire sa toilette, à causer avec ses amis, à égayer leur repas ; et dans tous ses entretiens pas un seul mot de Dieu ni du salut ! Que devais-je penser d'elle et de ses vrais sentiments ? Comment arranger sa conduite avec les idées que j'avais de sa piété ? Comment accorder l'usage qu'elle faisait des derniers moments de sa vie avec ce qu'elle avait dit au Médecin de leur prix ? Tout cela formait à mon sens une énigme inexplicable. Car enfin quoique je ne m'attendisse pas à lui trouver toute la petite cagoterie des dévotes, il me semblait pourtant que c'était le temps de songer à ce qu'elle estimait d'une si grande importance, et qui ne souffrait aucun retard. Si l'on est dévot durant le tracas de cette vie, comment ne le sera-t-on pas au moment qu'il la faut quitter, et qu'il ne reste plus qu'à penser à l'autre ?

Ces réflexions m'amenèrent à un point où je ne me serais guère attendu d'arriver [1]. Je commençai presque d'être inquiet que mes opinions indiscrètement soutenues n'eussent enfin trop gagné sur elle. Je n'avais pas adopté les siennes, et pourtant je n'aurais pas voulu qu'elle y eût renoncé. Si j'eusse été malade je serais certainement mort dans mon sentiment, mais je désirais qu'elle mourût dans le sien, et je trouvais, pour ainsi dire, qu'en elle je risquais plus qu'en moi. Ces contradictions vous paraîtront extravagantes ; je ne les trouve pas raisonnables, et cependant elles ont existé. Je ne me charge pas de les justifier ; je vous les rapporte.

Enfin le moment vint où mes doutes allaient être éclaircis. Car il était aisé de prévoir que tôt ou tard le Pasteur amènerait la conversation sur ce qui fait l'objet de son ministère ; et quand Julie eût été capable de déguisement dans ses réponses, il lui eût été bien difficile de se déguiser assez pour qu'attentif et prévenu, je n'eusse pas démêlé ses vrais sentiments.

Tout arriva comme je l'avais prévu. Je laisse à part les lieux communs mêlés d'éloges, qui servirent de transition au ministre pour venir à son sujet ; je laisse encore ce qu'il lui dit de touchant sur le bonheur de couronner une bonne vie par une fin chrétienne. Il ajouta qu'à la vérité il lui avait quelquefois trouvé sur certains points des sentiments qui ne s'accordaient pas entièrement avec la doctrine de l'Église, c'est-à-dire avec celle que la plus saine raison pouvait déduire de l'Écriture ; mais comme elle ne s'était jamais aheurtée [2] à les défendre, il espérait qu'elle voulait mourir

---

1. « S'attendre de » est une licence grammaticale blâmée par Féraud, mais employée par Racine. **2.** Obstinée, opiniâtrée.

ainsi qu'elle avait vécu dans la communion des fidèles, et acquiescer en tout à la commune profession de foi.

Comme la réponse de Julie était décisive sur mes doutes, et n'était pas, à l'égard des lieux communs, dans le cas de l'exhortation [1], je vais vous la rapporter presque mot à mot, car je l'avais bien écoutée, et j'allai l'écrire dans le moment [2].

« Permettez-moi, Monsieur, de commencer par vous remercier de tous les soins que vous avez pris de me conduire dans la droite route de la morale et de la foi chrétienne, et de la douceur avec laquelle vous avez corrigé ou supporté mes erreurs quand je me suis égarée. Pénétrée de respect pour votre zèle et de reconnaissance pour vos bontés, je déclare avec plaisir que je vous dois toutes mes bonnes résolutions, et que vous m'avez toujours portée à faire ce qui était bien, et à croire ce qui était vrai.

« J'ai vécu et je meurs dans la communion protestante qui tire son unique règle de l'Écriture Sainte et de la raison ; mon cœur a toujours confirmé ce que prononçait ma bouche, et quand je n'ai pas eu pour vos lumières toute la docilité qu'il eût fallu peut-être, c'était un effet de mon aversion pour toute espèce de déguisement ; ce qu'il m'était impossible de croire, je n'ai pu dire que je le croyais ; j'ai toujours cherché sincèrement ce qui était conforme à la gloire de Dieu et à la vérité. J'ai pu me tromper dans ma recherche ; je n'ai pas l'orgueil de penser avoir eu toujours raison ; j'ai peut-être eu toujours tort ; mais mon intention a toujours été pure, et j'ai toujours cru ce que je disais croire. C'était sur ce point tout ce qui dépendait de moi. Si Dieu n'a pas éclairé ma raison au-delà, il est clément et juste ; pourrait-il me demander compte d'un don qu'il ne m'a pas fait ?

---

1. Discours « pour exciter à la dévotion et à bien servir Dieu » (*Acad.* 1762). Wolmar veut dire qu'il ne peut être question d'exhorter Julie en employant les lieux communs de la doctrine chrétienne. **2.** Indication courante dans les romans de l'époque pour justifier la vraisemblance des longs discours rapportés. Ainsi dans l'*Histoire du chevalier des Grieux et de Manon Lescaut* : « Je dois avertir ici le lecteur que j'écrivis son histoire [celle de des Grieux] presque aussitôt après l'avoir entendue, et qu'on peut s'assurer par conséquent que rien n'est plus exact et plus fidèle que cette narration » (p. 56).

« Voilà, Monsieur, ce que j'avais d'essentiel à vous dire sur les sentiments que j'ai professés. Sur tout le reste mon état présent vous répond pour moi. Distraite par le mal, livrée au délire de la fièvre, est-il temps d'essayer de raisonner mieux que je n'ai fait jouissant d'un entendement aussi sain que je l'ai reçu ? Si je me suis trompée alors, me tromperais-je moins aujourd'hui, et dans l'abattement où je suis dépend-il de moi de croire autre chose que ce que j'ai cru étant en santé ? C'est la raison qui décide du sentiment qu'on préfère, et la mienne ayant perdu ses meilleures fonctions, quelle autorité peut donner ce qui m'en reste aux opinions que j'adopterais sans elle ? Que me reste-t-il donc désormais à faire ? C'est de m'en rapporter à ce que j'ai cru ci-devant : car la droiture d'intention est la même, et j'ai le jugement de moins. Si je suis dans l'erreur, c'est sans l'aimer ; cela suffit pour me tranquilliser sur ma croyance.

« Quant à la préparation à la mort, Monsieur, elle est faite ; mal, il est vrai ; mais de mon mieux, et mieux du moins que je ne la pourrais faire à présent. J'ai tâché de ne pas attendre pour remplir cet important devoir que j'en fusse incapable. Je priais en santé ; maintenant je me résigne. La prière du malade est la patience : La préparation à la mort est une bonne vie ; je n'en connais point d'autre. Quand je conversais avec vous, quand je me recueillais seule, quand je m'efforçais de remplir les devoirs que Dieu m'impose ; c'est alors que je me disposais à paraître devant lui ; c'est alors que je l'adorais de toutes les forces qu'il m'a données ; que ferais-je aujourd'hui que je les ai perdues ? Mon âme aliénée est-elle en état de s'élever à lui ? Ces restes d'une vie à demi éteinte, absorbés par la souffrance, sont-ils dignes de lui être offerts ? Non, Monsieur ; il me les laisse pour être donnés à ceux qu'il m'a fait aimer et qu'il veut que je quitte ; je leur fais mes adieux pour aller à lui ; c'est d'eux qu'il faut que je m'occupe : bientôt je m'occuperai de lui seul. Mes derniers plaisirs sur la terre sont aussi mes derniers devoirs ; n'est-ce pas le servir encore et faire sa volonté que de remplir les soins que l'humanité m'impose, avant d'abandonner sa dépouille ? Que faire pour apaiser des troubles que je n'ai pas ? Ma conscience n'est point agitée ; si quelquefois elle m'a donné des craintes, j'en avais plus en santé qu'aujourd'hui. Ma confiance les efface ; elle me dit que Dieu est plus clément que je ne suis coupable, et ma sécurité redouble en me sentant approcher de lui. Je ne lui porte point un repentir imparfait, tardif, et forcé, qui, dicté par la peur ne saurait être sincère, et n'est qu'un piège pour le tromper. Je ne lui porte pas le reste et le rebut de mes jours, pleins de peine et d'ennuis, en proie à la maladie, aux douleurs, aux angoisses de la mort, et que je ne lui donnerais que quand je n'en pourrais plus rien faire. Je lui porte ma vie entière, pleine de péchés et de fautes, mais exempte des remords de l'impie et des crimes du méchant[b].

« À quels tourments Dieu pourrait-il condamner mon âme ? Les réprouvés, dit-on, le haïssent ! Il faudrait donc qu'il m'empêchât de l'aimer ? Je ne crains pas d'augmenter leur nombre. Ô grand Être ! Être éternel, suprême intelligence, source de vie et de félicité, créateur, conservateur, père de l'homme et Roi de la nature, Dieu très puissant, très bon, dont je ne doutai jamais un moment, et sous les yeux duquel j'aimai toujours à vivre ! Je le sais, je m'en réjouis, je vais paraître devant ton trône. Dans peu de jours mon âme libre de sa dépouille commencera de t'offrir plus dignement cet immortel hommage qui doit faire mon bonheur durant l'éternité. Je compte pour rien tout ce que je serai jusqu'à ce moment. Mon corps vit encore, mais ma vie morale est finie. Je suis au bout de ma carrière et déjà jugée sur le passé. Souffrir et mourir est tout ce qui me reste à faire ; c'est l'affaire de la nature : Mais moi j'ai tâché de vivre de manière à n'avoir pas besoin de songer à la mort, et maintenant qu'elle approche, je la vois venir sans effroi. Qui s'endort dans le sein d'un père n'est pas en souci du réveil. »

Ce discours prononcé d'abord d'un ton grave et posé, puis avec plus d'accent et d'une voix plus élevée, fit sur tous les assistants, sans m'en excepter, une impression d'autant plus vive que les yeux de celle qui le prononça brillaient d'un feu surnaturel ; un nouvel éclat animait son teint, elle paraissait rayonnante, et s'il y a quelque chose au monde qui mérite le nom de céleste, c'était son visage tandis qu'elle parlait.

Le Pasteur lui-même saisi, transporté de ce qu'il venait d'entendre, s'écria en levant les mains et les yeux au ciel : Grand Dieu ! voilà le culte qui t'honore ; daigne t'y rendre propice, les humains t'en offrent peu de pareils.

Madame, dit-il en s'approchant du lit, je croyais vous instruire, et c'est vous qui m'instruisez. Je n'ai plus rien à vous dire. Vous avez la véritable foi, celle qui fait aimer Dieu. Emportez ce précieux repos d'une bonne conscience, il ne vous trompera pas ; j'ai vu bien des Chrétiens dans l'état où vous êtes, je ne l'ai trouvé qu'en vous seule. Quelle différence d'une fin si paisible à celle de ces pécheurs bourrelés [1] qui n'accumulent tant de vaines et sèches prières que parce qu'ils sont indignes d'être exaucés ! Madame, votre mort est aussi belle que votre vie ; Vous avez vécu pour la charité ; vous mourez martyre de l'amour maternel. Soit que Dieu vous rende à nous pour nous servir d'exemple, soit qu'il vous appelle à lui pour couronner vos vertus ; puissions-nous tous tant que nous sommes vivre et mourir comme vous ! Nous serons bien sûrs du bonheur de l'autre vie.

Il voulut s'en aller ; elle le retint. Vous êtes de mes amis, lui dit-elle, et l'un de ceux que je vois avec le plus de plaisir ; c'est pour eux que mes derniers moments me sont précieux. Nous allons nous quitter pour si longtemps qu'il ne faut pas nous quitter si vite. Il fut charmé de rester, et je sortis là-dessus.

En rentrant, je vis que la conversation avait continué sur le même sujet, mais d'un autre ton, et comme sur une matière indifférente. Le Pasteur parlait de l'esprit faux qu'on donnait au Christianisme en n'en faisant que la Religion des mourants, et de ses ministres des hommes de mauvais augure. On nous regarde, disait-il, comme des messagers de mort, parce que dans l'opinion commode qu'un quart d'heure de repentir suffit pour effacer cinquante ans de crimes, on n'aime à nous voir que dans ce temps-là. Il faut nous vêtir d'une couleur lugubre ; il faut

---

1. Bourreler : « tourmenter, gêner. Ce verbe n'a d'usage qu'au figuré, et pour marquer les peines intérieures que les reproches de la conscience font souffrir » (*Acad.* 1762).

affecter un air sévère ; on n'épargne rien pour nous rendre effrayants. Dans les autres cultes, c'est pis encore. Un catholique mourant n'est environné que d'objets qui l'épouvantent, et de cérémonies qui l'enterrent tout vivant. Au soin qu'on prend d'écarter de lui les Démons, il croit en voir sa chambre pleine ; il meurt cent fois de terreur avant qu'on l'achève, et c'est dans cet état d'effroi que l'Église aime à le plonger pour avoir meilleur marché de sa bourse [1]. Rendons grâces au Ciel, dit Julie, de n'être point nés dans ces Religions vénales qui tuent les gens pour en hériter, et qui, vendant le paradis aux riches, portent jusqu'en l'autre monde l'injuste inégalité qui règne dans celui-ci. Je ne doute point que toutes ces sombres idées ne fomentent l'incrédulité, et ne donnent une aversion naturelle pour le culte qui les nourrit. J'espère, dit-elle en me regardant, que celui qui doit élever nos enfants prendra des maximes tout opposées, et qu'il ne leur rendra point la Religion lugubre et triste, en y mêlant incessamment des pensées de mort. S'il leur apprend à bien vivre, ils sauront assez bien mourir.

Dans la suite de cet entretien, qui fut moins serré et plus interrompu que je ne vous le rapporte, j'achevai de concevoir les maximes de Julie et la conduite qui m'avait scandalisé. Tout cela tenait à ce que sentant son état parfaitement désespéré, elle ne songeait plus qu'à en écarter l'inutile et funèbre appareil dont l'effroi des mourants les environne ; soit pour donner le change à notre affliction, soit pour s'ôter à elle-même un spectacle attristant à pure perte. La mort, disait-elle, est déjà si pénible ! pourquoi la rendre encore hideuse ? Les soins que les autres perdent à vouloir prolonger leur vie, je les emploie à jouir de la mienne jusqu'au bout : il ne s'agit que de savoir prendre son parti ; tout le reste va de lui-même. Ferai-je de ma chambre un hôpital, un objet de dégoût et d'ennui, tandis que mon dernier soin est d'y rassembler tout ce qui m'est cher ? si j'y laisse croupir le mauvais air, il en faudra écarter mes

---

1. Réminiscence de Montaigne, en particulier la fin du chapitre « Que philosopher c'est apprendre à mourir » : « notre chevet assiégé de médecins et de prêcheurs : [en] somme tout horreur et tout effroi autour de nous. Nous voilà déjà ensevelis et enterrés » (*Essais*, I, 19, p. 145).

enfants, ou exposer leur santé. Si je reste dans un équipage [1]
à faire peur, personne ne me reconnaîtra plus ; je ne serai
plus la même, vous vous souviendrez tous de m'avoir aimée,
et ne pourrez plus me souffrir. J'aurai, moi vivante, l'affreux
spectacle de l'horreur que je ferai même à mes amis, comme
si j'étais déjà morte. Au lieu de cela, j'ai trouvé l'art
d'étendre ma vie sans la prolonger. J'existe, j'aime, je suis
aimée, je vis jusqu'à mon dernier soupir. L'instant de la
mort n'est rien ; le mal de la nature est peu de chose ; j'ai
banni tous ceux de l'opinion.

Tous ces entretiens et d'autres semblables se passaient
entre la malade, le pasteur, quelquefois le médecin, la Fanchon, et moi. Mad^e d'Orbe y était toujours présente, et ne
s'y mêlait jamais. Attentive aux besoins de son amie, elle
était prompte à la servir. Le reste du temps, immobile et
presque inanimée, elle la regardait sans rien dire, et sans rien
entendre de ce qu'on disait.

Pour moi, [2] craignant que Julie ne parlât jusqu'à s'épuiser,
je pris le moment que le Ministre et le médecin s'étaient mis
à causer ensemble, et m'approchant d'elle, je lui dis à
l'oreille : Voilà bien des discours pour une malade ! voilà
bien de la raison pour quelqu'un qui se croit hors d'état de
raisonner !

Oui, me dit-elle tout bas, je parle trop pour une malade,
mais non pas pour une mourante ; bientôt je ne dirai plus
rien. À l'égard des raisonnements, je n'en fais plus, mais j'en
ai fait. Je savais en santé qu'il fallait mourir. J'ai souvent
réfléchi sur ma dernière maladie ; je profite aujourd'hui de
ma prévoyance. Je ne suis plus en état de penser ni de
résoudre ; je ne fais que dire ce que j'avais pensé, et pratiquer ce que j'avais résolu.

Le reste de la journée, à quelques accidents près, se passa
avec la même tranquillité, et presque de la même manière
que quand tout le monde se portait bien. Julie était, comme
en pleine santé, douce et caressante ; elle parlait avec le
même sens, avec la même liberté d'esprit ; même d'un air

---

1. « On dit *Être en bon ou mauvais équipage*, pour dire : Être bien ou mal
vêtu » (*Acad.* 1762). **2.** Nous remplaçons le point-virgule par une virgule.

serein qui allait quelquefois jusqu'à la gaieté : Enfin je continuais de démêler dans ses yeux un certain mouvement de joie qui m'inquiétait de plus en plus, et sur lequel je résolus de m'éclaircir avec elle.

Je n'attendis pas plus tard que le même soir. Comme elle vit que je m'étais ménagé un tête-à-tête, elle me dit : Vous m'avez prévenue, j'avais à vous parler. Fort bien, lui dis-je ; mais puisque j'ai pris les devants, laissez-moi m'expliquer le premier.

Alors m'étant assis auprès d'elle et la regardant fixement, je lui dis : Julie, ma chère Julie ! vous avez navré mon cœur : hélas, vous avez attendu bien tard ! Oui, continuai-je voyant qu'elle me regardait avec surprise ; je vous ai pénétrée [1] ; vous vous réjouissez de mourir ; vous êtes bien aise de me quitter. Rappelez-vous la conduite de votre Époux depuis que nous vivons ensemble ; ai-je mérité de votre part un sentiment si cruel ? À l'instant elle me prit les mains, et de ce ton qui savait aller chercher l'âme : Qui, moi ? je veux vous quitter ? Est-ce ainsi que vous lisez dans mon cœur ? Avez-vous sitôt oublié notre entretien d'hier ? Cependant, repris-je, vous mourez contente.... je l'ai vu.... je le vois.... Arrêtez, dit-elle ; il est vrai, je meurs contente ; mais c'est de mourir comme j'ai vécu, digne d'être votre épouse. Ne m'en demandez pas davantage, je ne vous dirai rien de plus ; mais voici, continua-t-elle en tirant un papier de dessous son chevet, où vous achèverez d'éclaircir ce mystère. Ce papier était une Lettre, et je vis qu'elle vous était adressée. Je vous la remets ouverte, ajouta-t-elle en me la donnant, afin qu'après l'avoir lue vous vous déterminiez à l'envoyer ou à la supprimer, selon ce que vous trouverez le plus convenable à votre sagesse et à mon honneur. Je vous prie de ne la lire que quand je ne serai plus, et je suis si sûre de ce que vous ferez à ma prière que je ne veux pas même que vous me le promettiez. Cette Lettre, cher St. Preux, est celle que vous trouverez ci-jointe. J'ai beau savoir que celle qui l'a écrite est morte ; j'ai peine à croire qu'elle n'est plus rien.

---

1. *Pénétrer* se dit « figurément, en parlant de la profonde connaissance des choses, soit naturelles, soit spirituelles » (*Acad.* 1762).

Elle me parla ensuite de son père avec inquiétude. Quoi ! dit-elle, il sait sa fille en danger, et je n'entends point parler de lui ! Lui serait-il arrivé quelque malheur ? Aurait-il cessé de m'aimer ? Quoi, mon père !... ce père si tendre... m'abandonner ainsi !.... me laisser mourir sans le voir !... sans recevoir sa bénédiction.... ses derniers embrassements !.... Ô Dieu ! quels reproches amers il se fera quand il ne me trouvera plus !... Cette réflexion lui était douloureuse. Je jugeai qu'elle supporterait plus aisément l'idée de son père malade, que celle de son père indifférent. Je pris le parti de lui avouer la vérité. En effet, l'alarme qu'elle en conçut se trouva moins cruelle que ses premiers soupçons. Cependant la pensée de ne plus le revoir l'affecta vivement. Hélas ! dit-elle, que deviendra-t-il après moi ? À quoi tiendra-t-il ? Survivre à toute sa famille !.... Quelle vie sera la sienne ? Il sera seul ; il ne vivra plus. Ce moment fut un de ceux où l'horreur de la mort se faisait sentir, et où la nature reprenait son empire. Elle soupira, joignit les mains, leva les yeux, et je vis qu'en effet elle employait cette difficile prière qu'elle avait dit être celle du malade.

Elle revint à moi. Je me sens faible, dit-elle ; je prévois que cet entretien pourrait être le dernier que nous aurons ensemble. Au nom de notre union, au nom de nos chers enfants qui en sont le gage, ne soyez plus injuste envers votre épouse. Moi, me réjouir de vous quitter ! vous qui n'avez vécu que pour me rendre heureuse et sage ; vous de tous les hommes celui qui me convenait le plus ; le seul, peut-être avec qui je pouvais faire un bon ménage, et devenir une femme de bien ! Ah, croyez que si je mettais un prix à la vie, c'était pour la passer avec vous ! Ces mots prononcés avec tendresse m'émurent au point qu'en portant fréquemment à ma bouche ses mains que je tenais dans les miennes, je les sentis se mouiller de mes pleurs. Je ne croyais pas mes yeux faits pour en répandre. Ce furent les premiers depuis ma naissance ; ce seront les derniers jusqu'à ma mort. Après en avoir versé pour Julie, il n'en faut plus verser pour rien [1].

---

1. Pour personne. Emploi classique fréquent chez Molière (« Et c'est n'estimer rien qu'estimer tout le monde », *Le Misanthrope*, I, 1).

Ce jour fut pour elle un jour de fatigue. La préparation de Mad^e d'Orbe durant la nuit, la scène des enfants le matin, celle du ministre l'après-midi, l'entretien du soir avec moi l'avaient jetée dans l'épuisement. Elle eut un peu plus de repos cette nuit-là que les précédentes, soit à cause de sa faiblesse, soit qu'en effet la fièvre et le redoublement fussent moindres.

Le lendemain dans la matinée on vint me dire qu'un homme très mal mis demandait avec beaucoup d'empressement à voir Madame en particulier. On lui avait dit l'état où elle était, il avait insisté, disant qu'il s'agissait d'une bonne action, qu'il connaissait bien Madame de Wolmar, et qu'il savait bien que tant qu'elle respirerait, elle aimerait à en faire de telles. Comme elle avait établi pour règle inviolable de ne jamais rebuter personne, et surtout les malheureux, on me parla de cet homme avant de le renvoyer. Je le fis venir. Il était presque en guenilles, il avait l'air et le ton de la misère ; au reste, je n'aperçus rien dans sa physionomie et dans ses propos qui me fît mal augurer de lui. Il s'obstinait à ne vouloir parler qu'à Julie. Je lui dis que s'il ne s'agissait que de quelques secours pour lui aider à vivre, sans importuner pour cela une femme à l'extrémité, je ferais ce qu'elle aurait pu faire. Non, dit-il, je ne demande point d'argent, quoique j'en aie grand besoin : Je demande un bien qui m'appartient, un bien que j'estime plus que tous les trésors de la terre, un bien que j'ai perdu par ma faute, et que Madame seule, de qui je le tiens, peut me rendre une seconde fois.

Ce discours, auquel je ne compris rien, me détermina pourtant. Un malhonnête homme eût pu dire la même chose ; mais il ne l'eût jamais dite du même ton. Il exigeait du mystère ; ni laquais, ni femme de chambre. Ces précautions me semblaient bizarres ; toutefois je les pris. Enfin je le lui menai. Il m'avait dit être connu de Mad^e d'Orbe ; il passa devant elle ; elle ne le reconnut point, et j'en fus peu surpris. Pour Julie, elle le reconnut à l'instant, et le voyant dans ce triste équipage, elle me reprocha de l'y avoir laissé. Cette reconnaissance fut touchante. Claire éveillée par le bruit s'approche et le reconnaît à la fin, non sans donner aussi quelques signes de joie ; mais les témoignages de son bon cœur s'éteignaient dans sa profonde affliction : un seul sentiment absorbait tout ; elle n'était plus sensible à rien.

Je n'ai pas besoin, je crois, de vous dire qui était cet homme. Sa présence rappela bien des souvenirs : Mais tandis que Julie le consolait et lui donnait de bonnes espérances, elle fut saisie d'un violent étouffement et se trouva si mal qu'on crut qu'elle allait expirer. Pour ne pas faire scène [1], et prévenir les distractions dans un moment où il ne fallait songer qu'à la secourir, je fis passer l'homme dans le cabinet, l'avertissant de le fermer sur lui [2] ; la Fanchon fut appelée, et à force de temps et de soins la malade revint enfin de sa pâmoison. En nous voyant tous consternés autour d'elle, elle nous dit : Mes enfants, ce n'est qu'un essai : cela n'est pas si cruel qu'on pense [3].

Le calme se rétablit ; mais l'alarme avait été si chaude qu'elle me fit oublier l'homme dans le cabinet, et quand Julie me demanda tout bas ce qu'il était devenu, le couvert était mis, tout le monde était là. Je voulus entrer pour lui parler, mais il avait fermé la porte en dedans, comme je lui avais dit ; il fallut attendre après le dîner pour le faire sortir.

Durant le repas, du Bosson, qui s'y trouvait, parlant d'une jeune veuve qu'on disait se remarier, ajouta quelque chose sur le triste sort des veuves. Il y en a, dis-je, de bien plus à plaindre encore ; ce sont les veuves dont les maris sont vivants [4]. Cela est vrai, reprit Fanchon qui vit que ce discours s'adressait à elle ; surtout quand ils leur sont chers. Alors l'entretien tomba sur le sien, et comme elle en avait parlé avec affection dans tous les temps, il était naturel qu'elle en parlât de même au moment où la perte de sa bienfaitrice allait lui rendre la sienne encore plus rude. C'est aussi ce qu'elle fit en termes très touchants, louant son bon

---

1. Pour éviter que Fanchon découvre sans y être préparée la présence de cet homme dans la chambre de Julie. **2.** L'artifice de l'inconnu caché dans la pièce laisse attendre une scène de retrouvailles pathétique, préparée par Wolmar. **3.** Écho du *non dolet* prononcé par la Romaine Arria avant de mourir (voir III, 21, n. 1, p. 459). **4.** Le mot a certaines résonances marivaudiennes. Dans un tout autre contexte, le laquais La Verdure explique pourquoi il ne veut pas épouser « en secondes noces » la servante Lisette : « mon maître m'est un peu suspect, et je n'aime pas les veuves dont le mari vit encore » (*Le Cabinet du philosophe*, 4ᵉ feuille, in *Journaux*, t. II, p. 200).

naturel, déplorant les mauvais exemples qui l'avaient séduit, et le regrettant si sincèrement, que déjà disposée à la tristesse, elle s'émut jusqu'à pleurer. Tout à coup le cabinet s'ouvre, l'homme en guenilles en sort impétueusement, se précipite à ses genoux, les embrasse, et fond en larmes. Elle tenait un verre ; il lui échappe : Ah, malheureux, d'où viens-tu ? se laisse aller sur lui, et serait tombée en faiblesse, si l'on n'eût été prompt à la secourir.

Le reste est facile à imaginer. En un moment on sut par toute la maison que Claude Anet était arrivé. Le mari de la bonne Fanchon ! quelle fête ! À peine était-il hors de la chambre qu'il fut équipé. Si chacun n'avait eu que deux chemises, Anet en aurait autant eu lui tout seul, qu'il en serait resté à tous les autres. Quand je sortis pour le faire habiller, je trouvai qu'on m'avait si bien prévenu, qu'il fallut user d'autorité pour faire tout reprendre à ceux qui l'avaient fourni.

Cependant Fanchon ne voulait point quitter sa maîtresse. Pour lui faire donner quelques heures à son mari, on prétexta que les enfants avaient besoin de prendre l'air, et tous deux furent chargés de les conduire.

Cette scène n'incommoda point la malade, comme les précédentes ; elle n'avait rien eu que d'agréable, et ne lui fit que du bien. Nous passâmes l'après-midi Claire et moi seuls auprès d'elle, et nous eûmes deux heures d'un entretien paisible, qu'elle rendit le plus intéressant, le plus charmant que nous eussions jamais eu.

Elle commença par quelques observations sur le touchant spectacle qui venait de nous frapper et qui lui rappelait si vivement les premiers temps de sa jeunesse. Puis suivant le fil des événements, elle fit une courte récapitulation de sa vie entière, pour montrer qu'à tout prendre elle avait été douce et fortunée, que de degrés en degrés elle était montée au comble du bonheur permis sur la terre, et que l'accident qui terminait ses jours au milieu de leur course, marquait selon toute apparence dans sa carrière naturelle, le point de séparation des biens et des maux.

Elle remercia le Ciel de lui avoir donné un cœur sensible et porté au bien, un entendement sain, une figure prévenante, de l'avoir fait naître dans un pays de liberté et non

parmi des esclaves, d'une famille honorable et non d'une
race de malfaiteurs, dans une honnête fortune et non dans
les grandeurs du monde qui corrompent l'âme, ou dans
l'indigence qui l'avilit. Elle se félicita d'être née d'un père et
d'une mère tous deux vertueux et bons, pleins de droiture
et d'honneur, et qui tempérant les défauts l'un de l'autre,
avaient formé sa raison sur la leur, sans lui donner leur faiblesse ou leurs préjugés. Elle vanta l'avantage d'avoir été
élevée dans une religion raisonnable et sainte qui, loin
d'abrutir l'homme, l'ennoblit et l'élève, qui ne favorisant ni
l'impiété ni le fanatisme, permet d'être sage et de croire,
d'être humain et pieux tout à la fois.

Après cela, serrant la main de sa Cousine qu'elle tenait
dans la sienne, et la regardant de cet œil que vous devez
connaître et que la langueur rendait encore plus touchant :
Tous ces biens, dit-elle, ont été donnés à mille autres ; mais
celui-ci !.... le ciel ne l'a donné qu'à moi. J'étais femme, et
j'eus une amie. Il nous fit naître en même temps ; il mit dans
nos inclinations un accord qui ne s'est jamais démenti ; il fit
nos cœurs l'un pour l'autre, il nous unit dès le berceau, je
l'ai conservée tout le temps de ma vie, et sa main me ferme
les yeux [1]. Trouvez un autre exemple pareil au monde, et je
ne me vante plus de rien. Quels sages conseils ne m'a-t-elle
pas donnés ? De quels périls ne m'a-t-elle pas sauvée ? De
quels maux ne me consolait-elle pas ? Qu'eussé-je été sans
elle ? Que n'eût-elle pas fait de moi, si je l'avais mieux écoutée ? Je la vaudrais peut-être aujourd'hui ! Claire pour toute
réponse baissa la tête sur le sein de son amie, et voulut soulager ses sanglots par des pleurs : il ne fut pas possible.
Julie la pressa longtemps contre sa poitrine en silence. Ces
moments n'ont ni mots ni larmes.

Elles se remirent, et Julie continua : Ces biens étaient
mêlés d'inconvénients ; c'est le sort des choses humaines.
Mon cœur était fait pour l'amour, difficile en mérite personnel, indifférent sur tous les biens de l'opinion. Il était

---

1. C'est sur ce geste symbolique, privilège des proches du défunt, que se
termineront les *Dialogues* : « ménageons-lui cette consolation pour sa dernière heure que des mains amies lui [Jean-Jacques] ferment les yeux »
(p. 409).

presque impossible que les préjugés de mon père s'accordassent avec mon penchant. Il me fallait un amant que j'eusse choisi moi-même. Il s'offrit ; je crus le choisir : sans doute le Ciel le choisit pour moi, afin que, livrée aux erreurs de ma passion, je ne le fusse pas aux horreurs du crime, et que l'amour de la vertu restât au moins dans mon âme après elle. Il prit le langage honnête et insinuant avec lequel mille fourbes séduisent tous les jours autant de filles bien nées : mais seul parmi tant d'autres il était honnête homme et pensait ce qu'il disait. Était-ce ma prudence qui l'avait discerné ? Non ; je ne connus d'abord de lui que son langage et je fus séduite. Je fis par désespoir ce que d'autres font par effronterie : je me jetai comme disait mon père à sa tête ; il me respecta : Ce fut alors seulement que je pus le connaître. Tout homme capable d'un pareil trait a l'âme belle. Alors on y peut compter ; mais j'y comptais auparavant, ensuite j'osai compter sur moi-même, et voilà comment on se perd.

Elle s'étendit avec complaisance sur le mérite de cet amant ; elle lui rendait justice, mais on voyait combien son cœur se plaisait à la lui rendre. Elle le louait même à ses propres dépens. À force d'être équitable envers lui elle était inique envers elle, et se faisait tort pour lui faire honneur. Elle alla jusqu'à soutenir qu'il eut plus d'horreur qu'elle de l'adultère, sans se souvenir qu'il avait lui-même réfuté cela.

Tous les détails du reste de sa vie furent suivis dans le même esprit. Milord Édouard, son mari, ses enfants, votre retour, notre amitié, tout fut mis sous un jour avantageux. Ses malheurs même lui en avaient épargné de plus grands. Elle avait perdu sa mère au moment que cette perte lui pouvait être la plus cruelle, mais si le Ciel la lui eût conservée, bientôt il fût survenu du désordre dans sa famille. L'appui de sa mère, quelque faible qu'il fût, eût suffi pour la rendre plus courageuse à résister à son père, et de là seraient sortis la discorde et les scandales ; peut-être les désastres et le déshonneur ; peut-être pis encore si son frère avait vécu. Elle avait épousé malgré elle un homme qu'elle n'aimait point, mais elle soutint qu'elle n'aurait pu jamais être aussi heureuse avec un autre, pas même avec celui qu'elle avait aimé. La mort de M. d'Orbe lui avait ôté un ami, mais en lui rendant son amie. Il n'y avait pas jusqu'à ses chagrins et ses

peines qu'elle ne comptât pour des avantages, en ce qu'ils
avaient empêché son cœur de s'endurcir aux malheurs
d'autrui. On ne sait pas, disait-elle, quelle douceur c'est de
s'attendrir sur ses propres maux et sur ceux des autres. La
sensibilité porte toujours dans l'âme un certain contentement de soi-même indépendant de la fortune et des événements. Que j'ai gémi ! que j'ai versé de larmes ! Hé bien, s'il
fallait renaître aux mêmes conditions, le mal que j'ai
commis serait le seul que je voudrais retrancher : celui que
j'ai souffert me serait agréable encore. St. Preux, je vous
rends ses propres mots ; quand vous aurez lu sa lettre, vous
les comprendrez peut-être mieux.

Voyez donc, continuait-elle, à quelle félicité je suis parvenue. J'en avais beaucoup, j'en attendais davantage. La prospérité de ma famille, une bonne éducation pour mes enfants,
tout ce qui m'était cher rassemblé autour de moi ou prêt à
l'être. Le présent, l'avenir me flattaient également ; la jouissance et l'espoir se réunissaient pour me rendre heureuse :
Mon bonheur monté par degrés était au comble, il ne pouvait plus que déchoir ; il était venu sans être attendu, il se
fût enfui quand je l'aurais cru durable. Qu'eût fait le sort
pour me soutenir à ce point ? Un état permanent est-il fait
pour l'homme ? Non, quand on a tout acquis, il faut
perdre ; ne fût-ce que le plaisir de la possession, qui s'use
par elle. Mon père est déjà vieux ; mes enfants sont dans
l'âge tendre où la vie est encore mal assurée : que de pertes
pouvaient m'affliger, sans qu'il me restât plus rien à pouvoir
acquérir ! L'affection maternelle augmente sans cesse, la
tendresse filiale diminue à mesure que les enfants vivent plus
loin de leur mère. En avançant en âge, les miens se seraient
plus séparés de moi. Ils auraient vécu dans le monde ; ils
m'auraient pu négliger. Vous en voulez envoyer un en
Russie ; que de pleurs son départ m'aurait coûtés ! Tout se
serait détaché de moi peu à peu, et rien n'eût suppléé aux
pertes que j'aurais faites. Combien de fois j'aurais pu me
trouver dans l'état où je vous laisse ! Enfin n'eût-il pas fallu
mourir ? Peut-être mourir la dernière de tous ! Peut-être
seule et abandonnée ! Plus on vit, plus on aime à vivre,
même sans jouir de rien : j'aurais eu l'ennui de la vie et la

terreur de la mort, suite ordinaire de la vieillesse. Au lieu de cela, mes derniers instants sont encore agréables, et j'ai de la vigueur pour mourir ; si même on peut appeler mourir, que laisser vivant ce qu'on aime. Non mes amis, non mes enfants, je ne vous quitte pas, pour ainsi dire ; je reste avec vous ; en vous laissant tous unis mon esprit mon cœur vous demeurent. Vous me verrez sans cesse entre vous ; vous vous sentirez sans cesse environnés de moi.... Et puis, nous nous rejoindrons, j'en suis sûre ; le bon Wolmar lui-même ne m'échappera pas. Mon retour à Dieu tranquillise mon âme, et m'adoucit un moment pénible ; il me promet pour vous le même destin qu'à moi. Mon sort me suit et s'assure. Je fus heureuse, je le suis, je vais l'être : mon bonheur est fixé, je l'arrache à la fortune ; il n'a plus de bornes que l'éternité.

Elle en était là quand le Ministre entra. Il l'honorait et l'estimait véritablement. Il savait mieux que personne combien sa foi était vive et sincère. Il n'en avait été que plus frappé de l'entretien de la veille, et en tout [1], de la contenance qu'il lui avait trouvée. Il avait vu souvent mourir avec ostentation, jamais avec sérénité. Peut-être à l'intérêt qu'il prenait à elle se joignait-il un désir secret de voir si ce calme se soutiendrait jusqu'au bout.

Elle n'eut pas besoin de changer beaucoup le sujet de l'entretien pour en amener un convenable au caractère du survenant [2]. Comme ses conversations en pleine santé n'étaient jamais frivoles, elle ne faisait alors que continuer à traiter dans son lit avec la même tranquillité des sujets intéressants pour elle et pour ses amis ; elle agitait indifféremment des questions qui n'étaient pas indifférentes.

[c] En suivant le fil de ses idées sur ce qui pouvait rester d'elle avec nous, elle nous parlait de ses anciennes réflexions sur l'état des âmes séparées des corps. Elle admirait la simplicité des gens qui promettaient à leurs amis de venir leur donner des nouvelles de l'autre monde. Cela, disait-elle, est aussi raisonnable que les contes de Revenants qui font mille désordres et tourmentent les bonnes femmes, comme si les esprits avaient des voix pour parler et des mains pour

---

1. Et pour ne rien omettre. **2.** De la personne qui venait d'arriver.

battre * ! Comment un pur Esprit agirait-il sur une âme
enfermée dans un corps, et qui, en vertu de cette union, ne
peut rien apercevoir que par l'entremise de ses organes ? Il
n'y a pas de sens à cela. Mais j'avoue que je ne vois point
ce qu'il y a d'absurde à supposer qu'une âme libre d'un
corps qui jadis habita la terre puisse y revenir encore, errer,
demeurer peut-être autour de ce qui lui fut cher [1] ; non pas
pour nous avertir de sa présence ; elle n'a nul moyen pour
cela ; non pas pour agir sur nous et nous communiquer ses
pensées ; elle n'a point de prise pour ébranler les organes de
notre cerveau ; non pas pour apercevoir non plus ce que
nous faisons, car il faudrait qu'elle eût des sens ; mais pour
connaître elle-même ce que nous pensons et ce que nous
sentons, par une communication immédiate, semblable à
celle par laquelle Dieu lit nos pensées dès cette vie, et par
laquelle nous lirons réciproquement les siennes dans l'autre,
puisque nous le verrons face à face ** : Car enfin, ajouta-
t-elle en regardant le Ministre, à quoi serviraient des sens
lorsqu'ils n'auront plus rien à faire ? L'Être éternel ne se
voit ni ne s'entend ; il se fait sentir ; il ne parle ni aux yeux
ni aux oreilles, mais au cœur.

Je compris à la réponse du pasteur et à quelques signes
d'intelligence [2], qu'un des points ci-devant contestés entre
eux était la résurrection des corps. Je m'aperçus aussi que
je commençais à donner un peu plus d'attention aux articles
de la religion de Julie où la foi se rapprochait de la raison.

---

* Platon dit qu'à la mort les âmes des justes qui n'ont point contracté de
souillure sur la terre, se dégagent seules de la matière dans toute leur pureté.
Quant à ceux qui se sont ici-bas asservis à leurs passions, il ajoute que leurs
âmes ne reprennent point sitôt leur pureté primitive, mais qu'elles entraînent
avec elles des parties terrestres qui les tiennent comme enchaînées autour
des débris de leurs corps ; voilà, dit-il, ce qui produit ces simulacres sensibles
qu'on voit quelquefois errants sur les cimetières, en attendant de nouvelles
transmigrations. C'est une manie commune aux philosophes de tous les âges
de nier ce qui est, et d'expliquer ce qui n'est pas.

** Cela me paraît très bien dit : car qu'est-ce que voir Dieu face à face, si ce
n'est lire dans la suprême intelligence ?

---

1. Sur l'effet de ce discours de Julie sur Claire, voir sa dernière lettre (VI,
13). **2.** Signes d'entente entre Julie et son pasteur.

Elle se complaisait tellement à ces idées que quand elle n'eût pas pris son parti sur ses anciennes opinions, c'eût été une cruauté d'en détruire une qui lui semblait si douce dans l'état où elle se trouvait. Cent fois, disait-elle, j'ai pris plus de plaisir à faire quelque bonne œuvre en imaginant ma mère présente, qui lisait dans le cœur de sa fille et l'applaudissait. Il y a quelque chose de si consolant à vivre encore sous les yeux de ce qui nous fut cher ! Cela fait qu'il ne meurt qu'à moitié pour nous. Vous pouvez juger si durant ces discours la main de Claire était souvent serrée.

Quoique le Pasteur répondît à tout avec beaucoup de douceur et de modération, et qu'il affectât même de ne la contrarier en rien, de peur qu'on ne prît son silence sur d'autres points pour un aveu, il ne laissa pas d'être Ecclésiastique un moment, et d'exposer sur l'autre vie une doctrine opposée. Il dit que l'immensité, la gloire et les attributs de Dieu seraient le seul objet dont l'âme des bienheureux serait occupée, que cette contemplation sublime effacerait tout autre souvenir, qu'on ne se verrait point, qu'on ne se reconnaîtrait point, même dans le Ciel, et qu'à cet aspect ravissant on ne songerait plus à rien de terrestre.

Cela peut être, reprit Julie, il y a si loin de la bassesse de nos pensées à l'essence divine, que nous ne pouvons juger des effets qu'elle produira sur nous quand nous serons en état de la contempler. Toutefois ne pouvant maintenant raisonner que sur mes idées, j'avoue que je me sens des affections si chères, qu'il m'en coûterait de penser que je ne les aurai plus. Je me suis même fait une espèce d'argument qui flatte mon espoir. Je me dis qu'une partie de mon bonheur consistera dans le témoignage d'une bonne conscience. Je me souviendrai donc de ce que j'aurai fait sur la terre ; je me souviendrai donc aussi des gens qui m'y ont été chers ; ils me le seront donc encore : ne les voir * plus serait une peine, et le séjour des bienheureux n'en admet point. Au

---

* Il est aisé de comprendre que par ce mot *voir* elle entend un pur acte de l'entendement, semblable à celui par lequel Dieu nous voit et par lequel nous verrons Dieu. Les sens ne peuvent imaginer l'immédiate communication des esprits : mais la raison la conçoit très bien, et mieux, ce me semble, que la communication du mouvement dans les corps.

reste, ajouta-t-elle en regardant le ministre d'un air assez gai, si je me trompe, un jour ou deux d'erreur seront bientôt passés. Dans peu j'en saurai là-dessus plus que vous-même. En attendant, ce qu'il y a pour moi de très sûr, c'est que tant que je me souviendrai d'avoir habité la terre, j'aimerai ceux que j'y ai aimés, et mon pasteur n'aura pas la dernière place.

Ainsi se passèrent les entretiens de cette journée, où la sécurité, l'espérance, le repos de l'âme brillèrent plus que jamais dans celle de Julie, et lui donnaient d'avance, au jugement du Ministre, la paix des bienheureux dont elle allait augmenter le nombre. Jamais elle ne fut plus tendre, plus vraie, plus caressante, plus aimable, en un mot, plus elle-même. Toujours du sens, toujours du sentiment, toujours la fermeté du sage, et toujours la douceur du chrétien. Point de prétention, point d'apprêt, point de sentence ; partout la naïve expression de ce qu'elle sentait ; partout la simplicité de son cœur. Si quelquefois elle contraignait les plaintes que la souffrance aurait dû lui arracher, ce n'était point pour jouer l'intrépidité stoïque, c'était de peur de navrer ceux qui étaient autour d'elle ; et quand les horreurs de la mort faisaient quelque instant pâtir la nature, elle ne cachait point ses frayeurs, elle se laissait consoler. Sitôt qu'elle était remise, elle consolait les autres. On voyait, on sentait son retour, son air caressant le disait à tout le monde. Sa gaieté n'était point contrainte, sa plaisanterie même était touchante ; on avait le sourire à la bouche et les yeux en pleurs. Ôtez cet effroi qui ne permet pas de jouir de ce qu'on va perdre, elle plaisait plus, elle était plus aimable qu'en santé même ; et le dernier jour de sa vie en fut aussi le plus charmant.

Vers le soir elle eut encore un accident qui, bien que moindre que celui du matin, ne lui permit pas de voir longtemps ses enfants. Cependant elle remarqua qu'Henriette était changée ; on lui dit qu'elle pleurait beaucoup et ne mangeait point. On ne la guérira pas de cela, dit-elle en regardant Claire ; la maladie est dans le sang [1].

---

1. Henriette a hérité de sa mère un cœur sensible.

Se sentant bien revenue, elle voulut qu'on soupât dans sa chambre. Le médecin s'y trouva comme le matin. La Fanchon, qu'il fallait toujours avertir, quand elle devait venir manger à notre table, vint ce soir-là sans se faire appeler. Julie s'en aperçut et sourit. Oui, mon enfant, lui dit-elle, soupe encore avec moi ce soir ; tu auras plus longtemps ton mari que ta maîtresse. Puis elle me dit : Je n'ai pas besoin de vous recommander Claude Anet. [1] Non, repris-je, tout ce que vous avez honoré de votre bienveuillance n'a pas besoin de m'être recommandé.

Le souper fut encore plus agréable que je ne m'y étais attendu. Julie, voyant qu'elle pouvait soutenir la lumière, fit approcher la table, et, ce qui semblait inconcevable dans l'état où elle était, elle eut appétit. Le médecin, qui ne voyait plus d'inconvénient à le satisfaire lui offrit un blanc de poulet ; non, dit-elle, mais je mangerais bien de cette Ferra *. On lui en donna un petit morceau ; elle le mangea avec un peu de pain et le trouva bon. Pendant qu'elle mangeait, il fallait voir Mad\ufffde d'Orbe la regarder ; il fallait le voir, car cela ne peut se dire. Loin que ce qu'elle avait mangé lui fît mal, elle en parut mieux le reste du souper. Elle se trouva même de si bonne humeur qu'elle s'avisa de remarquer par forme de reproche qu'il y avait longtemps que je n'avais bu de vin étranger. Donnez, dit-elle, une bouteille de vin d'Espagne à ces Messieurs. À la contenance du Médecin elle vit qu'il s'attendait à boire de vrai vin d'Espagne, et sourit encore en regardant sa Cousine. J'aperçus aussi que, sans faire attention à tout cela, Claire de son côté commençait de temps à autre à lever les yeux avec un peu d'agitation, tantôt sur Julie et tantôt sur Fanchon à qui ces yeux semblaient dire ou demander quelque chose.

Le vin tardait à venir. On eut beau chercher la clé de la Cave, on ne la trouva point, et l'on jugea, comme il était

---

* Excellent poisson particulier au lac de Genève, et qu'on n'y trouve qu'en certain temps. [NdE : CP porte cet ajout : « Comme c'est un poisson de passage, ceci montre l'époque en question, vers le commencement de septembre, au plus tard. »]

---

1. Nous remplaçons le deux-points par un point.

vrai, que le Valet de chambre du Baron, qui en était chargé, l'avait emportée par mégarde. Après quelques autres informations, il fut clair que la provision d'un seul jour en avait duré cinq, et que le vin manquait sans que personne s'en fût aperçu, malgré plusieurs nuits de veille*. Le médecin tombait des nues. Pour moi, soit qu'il fallût attribuer cet oubli à la tristesse ou à la sobriété des Domestiques, j'eus honte d'user avec de telles gens des précautions ordinaires. Je fis enfoncer la porte de la cave, et j'ordonnai que désormais tout le monde eût du vin à discrétion.

La bouteille arrivée, on en but. Le vin fut trouvé excellent. La malade en eut envie. Elle en demanda une cuillerée avec de l'eau : le médecin le lui donna dans un verre et voulut qu'elle le bût pur. Ici les coups d'œil devinrent plus fréquents entre Claire et la Fanchon ; mais comme à la dérobée et craignant toujours d'en trop dire.

Le jeûne, la faiblesse, le régime ordinaire à Julie donnèrent au vin une grande activité. Ah ! dit-elle, vous m'avez enivrée ! après avoir attendu si tard ce n'était pas la peine de commencer, car c'est un objet bien odieux qu'une femme ivre. En effet, elle se mit à babiller, très sensément pourtant, à son ordinaire, mais avec plus de vivacité qu'auparavant. Ce qu'il y avait d'étonnant, c'est que son teint n'était point allumé ; ses yeux ne brillaient que d'un feu modéré par la langueur de la maladie ; à la pâleur près on l'aurait crue en santé. Pour alors [1], l'émotion de Claire devint tout à fait visible. Elle élevait un œil craintif alternativement sur Julie, sur moi, sur la Fanchon, mais principalement sur le médecin ; tous ces regards étaient autant d'interrogations qu'elle voulait et n'osait faire. On eût dit toujours qu'elle allait parler, mais que la peur d'une mauvaise réponse la retenait ; son inquiétude était si vive qu'elle en paraissait oppressée.

---

* Lecteurs à beaux laquais, ne demandez point avec un ris moqueur où l'on avait pris ces gens-là. On vous a répondu d'avance : on ne les avait point pris, on les avait faits. Le problème entier dépend d'un point unique : Trouvez seulement Julie, et tout le reste est trouvé. Les hommes en général ne sont point ceci ou cela, ils sont ce qu'on les fait être.

---

1. Pour lors. Tour non répertorié dans les dictionnaires.

Fanchon, enhardie par tous ces signes, hasarda de dire, mais en tremblant et à demi-voix, qu'il semblait que Madame avait un peu moins souffert aujourd'hui ;.... que la dernière convulsion avait été moins forte ;.... que la soirée... Elle resta interdite. Et Claire, qui pendant qu'elle avait parlé tremblait comme la feuille, leva des yeux craintifs sur le médecin, les regards attachés aux siens, l'oreille attentive, et n'osant respirer, de peur de ne pas bien entendre ce qu'il allait dire.

Il eût fallu être stupide pour ne pas concevoir tout cela. Du Bosson se lève, va tâter le pouls de la malade, et dit : Il n'y a point là d'ivresse, ni de fièvre ; le pouls est fort bon. À l'instant Claire s'écrie en tendant à demi les deux bras : Hé bien Monsieur !... le pouls ?... la fièvre ?.... La voix lui manquait ; mais ses mains écartées restaient toujours en avant ; ses yeux pétillaient d'impatience ; il n'y avait pas un muscle à son visage qui ne fût en action. Le médecin ne répond rien, reprend le poignet, examine les yeux, la langue, reste un moment pensif, et dit : Madame, je vous entends bien. Il m'est impossible de dire à présent rien de positif ; mais si demain matin à pareille heure elle est encore dans le même état, je réponds de sa vie. À ce moment Claire part comme un éclair, renverse deux chaises et presque la table, saute au cou du médecin, l'embrasse, le baise mille fois en sanglotant et pleurant à chaudes larmes, et toujours avec la même impétuosité s'ôte du doigt une bague de prix, la met au sien malgré lui, et lui dit hors d'haleine : Ah Monsieur ! si vous nous la rendez, vous ne la sauverez pas seule.

Julie vit tout cela. Ce spectacle la déchira. Elle regarde son amie, et lui dit d'un ton tendre et douloureux : Ah cruelle ! que tu me fais regretter la vie ! veux-tu me faire mourir désespérée ? Faudra-t-il te préparer deux fois ? Ce peu de mots fut un coup de foudre ; il amortit aussitôt les transports de joie ; mais il ne put étouffer tout à fait l'espoir renaissant.

En un instant la réponse du Médecin fut sue par toute la maison. Ces bonnes gens crurent déjà leur maîtresse guérie. Ils résolurent tout d'une voix de faire au Médecin, si elle en revenait, un présent en commun pour lequel chacun donna trois mois de ses gages, et l'argent fut sur-le-champ consigné dans les mains de la Fanchon, les uns prêtant aux autres ce qui leur manquait pour cela. Cet accord se fit avec tant d'empressement que Julie entendait de son lit le bruit de leurs acclamations. Jugez de l'effet, dans le cœur d'une femme qui se sent mourir ! Elle me fit signe, et me dit à l'oreille : On m'a fait boire jusqu'à la lie la coupe amère et douce de la sensibilité.

Quand il fut question de se retirer, Mad^e d'Orbe, qui partagea le lit de sa Cousine comme les deux nuits précédentes, fit appeler sa femme de chambre pour relayer cette nuit la Fanchon ; mais celle-ci s'indigna de cette proposition, plus même, ce me sembla, qu'elle n'eût fait si son mari ne fût pas arrivé. Mad^e d'Orbe s'opiniâtra de son côté, et les deux femmes de chambre passèrent la nuit ensemble dans le cabinet. Je la passai dans la chambre voisine, et l'espoir avait tellement ranimé le zèle, que ni par ordre ni par menaces je ne pus envoyer coucher un seul domestique. Ainsi toute la maison resta sur pied cette nuit avec une telle impatience qu'il y avait peu de ses habitants qui n'eussent donné beaucoup de leur vie pour être à neuf heures du matin.

J'entendis durant la nuit quelques allées et venues qui ne m'alarmèrent pas : mais sur le matin que tout était tranquille, un bruit sourd frappa mon oreille. J'écoute, je crois distinguer des gémissements. J'accours, j'entre, j'ouvre le rideau.... St. Preux !.... cher St. Preux !.... je vois les deux amies sans mouvement, et se tenant embrassées ; l'une évanouie, et l'autre expirante. Je m'écrie, je veux retarder ou recueillir son dernier soupir, je me précipite. Elle n'était plus.

Adorateur de Dieu, Julie n'était plus.... Je ne vous dirai pas ce qui se fit durant quelques heures. J'ignore ce que je devins moi-même. Revenu du premier saisissement je m'informai de Mad^e d'Orbe. J'appris qu'il avait fallu la porter dans sa chambre, et même l'y renfermer : car elle rentrait à chaque instant dans celle de Julie, se jetait sur son corps, le réchauffait du sien, s'efforçait de le ranimer, le pressait, s'y collait avec une espèce de rage, l'appelait à grands cris de mille noms passionnés, et nourrissait son désespoir de tous ces efforts inutiles.

En entrant, je la trouvai tout à fait hors de sens, ne voyant rien, n'entendant rien, ne connaissant personne, se roulant par la chambre en se tordant les mains et mordant les pieds des chaises, murmurant d'une voix sourde quelques paroles extravagantes, puis poussant par longs intervalles des cris aigus qui faisaient tressaillir. Sa femme de chambre au pied de son lit consternée, épouvantée, immobile, n'osant souffler, cherchait à se cacher d'elle, et tremblait de tout son corps. En effet, les convulsions dont elle était agitée avaient quelque chose d'effrayant. Je fis signe à la femme de chambre de se retirer ; car je craignais qu'un seul mot de consolation lâché mal à propos ne la mît en fureur.

Je n'essayai pas de lui parler ; elle ne m'eût point écouté, ni même entendu ; mais au bout de quelque temps la voyant épuisée de fatigue, je la pris et la portai dans un fauteuil. Je m'assis auprès d'elle, en lui tenant les mains ; j'ordonnai qu'on amenât les enfants, et les fis venir autour d'elle. Malheureusement, le premier qu'elle aperçut fut précisément la cause innocente de la mort de son amie. Cet aspect la fit frémir. Je vis ses traits s'altérer, ses regards s'en détourner avec une espèce d'horreur, et ses bras en contraction se roidir pour le repousser. Je tirai l'enfant à moi. Infortuné ! lui dis-je, pour avoir été trop cher à l'une tu deviens odieux à l'autre ; elles n'eurent pas en tout le même cœur. Ces mots l'irritèrent violemment et m'en attirèrent de très piquants. Ils ne laissèrent pourtant pas de faire impression. Elle prit l'enfant dans ses bras et s'efforça de le caresser ; ce fut en vain ; elle le rendit presque au même instant. Elle continue même à le voir avec moins de plaisir que l'autre, et je suis bien aise que ce ne soit pas celui-là qu'on a destiné à sa fille.

Gens sensibles, qu'eussiez-vous fait à ma place ? Ce que faisait Mad^e d'Orbe. Après avoir mis ordre aux enfants, à Mad^e d'Orbe, aux funérailles de la seule personne que j'aie aimée, il fallut monter à cheval et partir la mort dans le cœur pour la porter au plus déplorable père. Je le trouvai souffrant de sa chute, agité, troublé de l'accident de sa fille. Je le laissai accablé de douleur, de ces douleurs de vieillard, qu'on n'aperçoit pas au dehors, qui n'excitent ni gestes ni cris, mais qui tuent. Il n'y résistera jamais, j'en suis sûr, et je prévois de loin le dernier coup qui manque au malheur de son ami. Le lendemain je fis toute la diligence possible pour être de retour de bonne heure et rendre les derniers honneurs à la plus digne des femmes : Mais tout n'était pas dit encore. Il fallait qu'elle ressuscitât pour me donner l'horreur de la perdre une seconde fois.

En approchant du logis, je vois un de mes gens accourir à perte d'haleine, et s'écrier d'aussi loin que je pus l'entendre : Monsieur, Monsieur, hâtez-vous ; Madame n'est pas morte. Je ne compris rien à ce propos insensé ; j'accours toutefois. Je vois la cour pleine de gens qui versaient des larmes de joie en donnant à grand cris des bénédictions à Madame de Wolmar. Je demande ce que c'est ; tout le monde est dans le transport, personne ne peut me répondre : la tête avait tourné à mes propres gens. Je monte à pas précipités dans l'appartement de Julie. Je trouve plus de vingt personnes à genoux autour de son lit, et les yeux fixés sur elle. Je m'approche ; je la vois sur ce lit habillée et parée ; le cœur me bat ; je l'examine…. Hélas, elle était morte ! Ce moment de fausse joie si tôt et si cruellement éteinte fut le plus amer de ma vie. Je ne suis pas colère [1] : je me sentis vivement irrité. Je voulus savoir le fond de cette extravagante scène. Tout était déguisé altéré, changé : j'eus toute la peine du monde à démêler la vérité. Enfin j'en vins à bout, et voici l'histoire du prodige [2].

Mon beau-père alarmé de l'accident qu'il avait appris, et croyant pouvoir se passer de son Valet de chambre, l'avait envoyé un peu avant mon arrivée auprès de lui savoir des nouvelles de sa fille. Le vieux domestique, fatigué du cheval, avait pris un bateau, et traversant le lac pendant la nuit était arrivé à Clarens le matin même de mon retour. En arrivant il voit la consternation, il en apprend le sujet, il monte en gémissant à la chambre de Julie ; il se met à genoux au pied de son lit, il la regarde, il pleure, il la contemple. Ah, ma bonne maîtresse ! ah, que Dieu ne m'a-t-il pris au lieu de vous ! moi qui suis vieux, qui ne tiens à rien, qui ne suis bon à rien, que fais-je sur la terre ? Et vous qui étiez jeune, qui faisiez la gloire de votre famille, le bonheur de votre

---

1. Je ne suis pas sujet à la colère. **2.** L'ironie de Wolmar est à rapprocher de la critique que fait Rousseau des miracles et du fanatisme dans ses *Lettres écrites de la montagne* (livre III, in *OC*, t. III, p. 727-754).

maison, l'espoir des malheureux ;.... hélas, quand je vous vis naître, était-ce pour vous voir mourir ?...

Au milieu des exclamations que lui arrachaient son zèle et son bon cœur, les yeux toujours collés sur ce visage, il crut apercevoir un mouvement : son imagination se frappe [1] ; il voit Julie tourner les yeux, le regarder, lui faire un signe de tête. Il se lève avec transport et court par toute la maison, en criant que Madame n'est pas morte, qu'elle l'a reconnu, qu'il en est sûr, qu'elle en reviendra. Il n'en fallut pas davantage ; tout le monde accourt, les voisins, les pauvres qui faisaient retentir l'air de leurs lamentations, tous s'écrient : Elle n'est pas morte ! Le bruit s'en répand et s'augmente : le peuple ami du merveilleux se prête avidement à la nouvelle ; on la croit comme on la désire ; chacun cherche à se faire fête [2] en appuyant la crédulité commune. Bientôt la défunte n'avait pas seulement fait signe, elle avait agi, elle avait parlé, et il y avait vingt témoins oculaires de faits circonstanciés qui n'arrivèrent jamais.

Sitôt qu'on crut qu'elle vivait encore, on fit mille efforts pour la ranimer ; on s'empressait autour d'elle, on lui parlait, on l'inondait d'eaux spiritueuses, on touchait si le pouls ne revenait point. Ses femmes, indignées que le corps de leur maîtresse restât environné d'hommes dans un état si négligé, firent sortir tout le monde, et ne tardèrent pas à connaître combien on s'abusait. Toutefois ne pouvant se résoudre à détruire une erreur si chère ; peut-être espérant encore elles-mêmes quelque événement miraculeux, elles vêtirent le corps avec soin, et quoique sa garde-robe leur eût été laissée, elles lui prodiguèrent la parure. Ensuite l'exposant sur un lit et laissant les rideaux ouverts, elles se remirent à la pleurer au milieu de la joie publique.

C'était au plus fort de cette fermentation que j'étais arrivé. Je reconnus bientôt qu'il était impossible de faire entendre raison à la multitude, que si je faisais fermer la porte et porter le corps à la sépulture il pourrait arriver du tumulte, que je passerais au moins pour un mari parricide

---

1. S'affecte, se trouble. Cet usage pronominal en contexte abstrait est rare.
2. Se donner espoir.

qui faisait enterrer sa femme en vie, et que je serais en horreur dans tout le pays. Je résolus d'attendre. Cependant
après plus de trente-six heures, par l'extrême chaleur qu'il
faisait, les chairs commençaient à se corrompre, et quoique
le visage eût gardé ses traits et sa douceur, on y voyait déjà
quelques signes d'altération. Je le dis à Mad^e d'Orbe qui
restait demi-morte au chevet du lit. Elle n'avait pas le bonheur d'être la dupe d'une illusion si grossière ; mais elle feignait de s'y prêter pour avoir un prétexte d'être
incessamment dans la chambre, d'y navrer son cœur à plaisir, de l'y repaître de ce mortel spectacle, de s'y rassasier de
douleur.

Elle m'entendit, et prenant son parti sans rien dire, elle
sortit de la chambre. Je la vis rentrer un moment après
tenant un voile d'or brodé de perles que vous lui aviez
apporté des Indes *. Puis s'approchant du lit, elle baisa le
voile, en couvrit en pleurant la face de son amie, et s'écria
d'une voix éclatante : « Maudite soit l'indigne main qui
jamais lèvera ce voile ! maudit soit l'œil impie qui verra ce
visage défiguré ! » Cette action, ces mots frappèrent tellement les spectateurs, qu'aussitôt comme par une inspiration
soudaine, la même imprécation fut répétée par mille cris.
Elle a fait tant d'impression sur tous nos gens et sur tout le
peuple, que la défunte ayant été mise au cercueil dans ses
habits et avec les plus grandes précautions, elle a été portée
et inhumée dans cet état, sans qu'il se soit trouvé personne
assez hardi pour toucher au voile **.

Le sort du plus à plaindre est d'avoir encore à consoler
les autres. C'est ce qui me reste à faire auprès de mon beau-
père, de Mad^e d'Orbe, des amis, des parents, des voisins, et
de mes propres gens. Le reste n'est rien ; mais mon vieux
ami ! mais Mad^e d'Orbe ! Il faut voir l'affliction de celle-ci
pour juger de ce qu'elle ajoute à la mienne. Loin de me

---

* On voit assez que c'est le songe de St. Preux, dont Mad^e d'Orbe avait
l'imagination toujours pleine, qui lui suggère l'expédient de ce voile. Je crois
que si l'on y regardait de bien près, on trouverait ce même rapport dans
l'accomplissement de beaucoup de prédictions. L'événement n'est pas prédit
parce qu'il arrivera ; mais il arrive parce qu'il a été prédit.
** Le peuple du pays de Vaud, quoique protestant, ne laisse pas d'être extrêmement superstitieux.

H. Gravelot inven.

N. Mire Sculp.

[L'imprécation de Claire.]

savoir gré de mes soins, elle me les reproche ; mes attentions l'irritent, ma froide tristesse l'aigrit ; il lui faut des regrets amers semblables aux siens, et sa douleur barbare voudrait voir tout le monde au désespoir. Ce qu'il y a de plus désolant est qu'on ne peut compter sur rien avec elle, et ce qui la soulage un moment la dépite un moment après. Tout ce qu'elle fait, tout ce qu'elle dit approche de la folie, et serait risible pour des gens de sens-froid. J'ai beaucoup à souffrir [1] ; je ne me rebuterai jamais. En servant ce qu'aima Julie, je crois l'honorer mieux que par des pleurs.

Un seul trait vous fera juger des autres. Je croyais avoir tout fait en engageant Claire à se conserver pour remplir les soins dont la chargea son amie. Exténuée d'agitations, d'abstinences, de veilles, elle semblait enfin résolue à revenir sur elle-même, à recommencer sa vie ordinaire, à reprendre ses repas dans la salle à manger. La première fois qu'elle y vint je fis dîner les enfants dans leur chambre, ne voulant pas courir le hasard de cet essai devant eux : car le spectacle des passions violentes de toute espèce est un des plus dangereux qu'on puisse offrir aux enfants. Ces passions ont toujours dans leurs excès quelque chose de puéril qui les amuse, qui les séduit, et leur fait aimer ce qu'ils devraient craindre *. Ils n'en avaient déjà que trop vu.

En entrant, elle jeta un coup d'œil sur la table et vit deux couverts. À l'instant elle s'assit sur la première chaise qu'elle trouva derrière elle, sans vouloir se mettre à table ni dire la raison de ce caprice. Je crus la deviner, et je fis mettre un troisième couvert à la place qu'occupait ordinairement sa Cousine. Alors elle se laissa prendre par la main et mener à table sans résistance, rangeant sa robe avec soin, comme si elle eût craint d'embarrasser cette place vide. À peine avait-elle porté la première cuillerée de potage à sa bouche qu'elle la repose, et demande d'un ton brusque ce que faisait là ce couvert, puisqu'il n'était point occupé ? Je lui dis qu'elle avait raison, et fis ôter le couvert. Elle essaya de

---

* Voilà pourquoi nous aimons tous le théâtre, et plusieurs d'entre nous les romans.

---

1. À supporter de sa part.

manger, sans pouvoir en venir à bout. Peu à peu son cœur se gonflait, sa respiration devenait haute et ressemblait à des soupirs. Enfin elle se leva tout à coup de table, s'en retourna dans sa chambre sans dire un mot ni rien écouter de tout ce que je voulus lui dire, et de toute la journée elle ne prit que du thé.

Le lendemain ce fut à recommencer. J'imaginai un moyen de la ramener à la raison par ses propres caprices, et d'amollir la dureté du désespoir par un sentiment plus doux. Vous savez que sa fille ressemble beaucoup à Madame de Wolmar [1]. Elle se plaisait à marquer cette ressemblance par des robes de même étoffe, et elle leur avait apporté de Genève plusieurs ajustements semblables, dont elles se paraient les mêmes jours. Je fis donc habiller Henriette le plus à l'imitation de Julie qu'il fût possible, et après l'avoir bien instruite, je lui fis occuper à table le troisième couvert, qu'on avait mis comme la veille.

Claire au premier coup d'œil comprit mon intention ; elle en fut touchée ; elle me jeta un regard tendre et obligeant. Ce fut là le premier de mes soins auquel elle parut sensible, et j'augurai bien d'un expédient qui la disposait à l'attendrissement.

Henriette, fière de représenter sa petite Maman, joua parfaitement son rôle, et si parfaitement que je vis pleurer les domestiques. Cependant elle donnait toujours à sa mère le nom de Maman, et lui parlait avec le respect convenable. Mais enhardie par le succès, et par mon approbation qu'elle remarquait fort bien, elle s'avisa de porter la main sur une cuillère et de dire dans une saillie : Claire, veux-tu de cela ? Le geste et le ton de voix furent imités au point que sa mère en tressaillit. Un moment après elle part d'un grand éclat de rire, tend son assiette en disant : Oui, mon enfant, donne ; tu es charmante. [2] Et puis elle se mit à manger avec une avidité qui me surprit. En la considérant avec attention, je vis de l'égarement dans ses yeux, et dans son geste un mouvement plus brusque et plus décidé qu'à l'ordinaire. Je l'empêchai de manger davantage, et je fis bien ; car une

---

1. Voir la fin de la lettre V, 6. **2.** Nous remplaçons le deux-points par un point.

heure après elle eut une violente indigestion qui l'eût infailliblement étouffée, si elle eût continué de manger. Dès ce
moment, je résolus de supprimer tous ces jeux, qui pouvaient allumer son imagination au point qu'on n'en serait
plus maître. Comme on guérit plus aisément de l'affliction
que de la folie, il vaut mieux la laisser souffrir davantage, et
ne pas exposer sa raison.

Voilà, mon cher, à peu près où nous en sommes. Depuis le
retour du Baron, Claire monte chez lui tous les matins, soit
tandis que j'y suis, soit quand j'en sors ; ils passent une heure
ou deux ensemble, et les soins qu'elle lui rend facilitent un
peu ceux qu'on prend d'elle. D'ailleurs, elle commence à se
rendre plus assidue auprès des enfants. Un des trois a été
malade, précisément celui qu'elle aime le moins. Cet accident
lui a fait sentir qu'il lui reste des pertes à faire, et lui a rendu
le zèle de ses devoirs. Avec tout cela, elle n'est pas encore au
point de la tristesse ; les larmes ne coulent pas encore ; on
vous attend pour en répandre, c'est à vous de les essuyer.
Vous devez m'entendre. Pensez au dernier conseil de Julie ; il
est venu de moi le premier, et je le crois plus que jamais utile
et sage. Venez vous réunir à tout ce qui reste d'elle. Son père,
son amie, son mari, ses enfants, tout vous attend, tout vous
désire, vous êtes nécessaire à tous. Enfin, sans m'expliquer
davantage, venez partager et guérir mes ennuis ; je vous
devrai peut-être plus que personne.

Lettre XII
De Julie
(Cette Lettre était incluse dans la précédente)

Il faut renoncer à nos projets. Tout est changé, mon bon
ami ; souffrons ce changement sans murmure ; il vient d'une
main plus sage que nous. Nous songions à nous réunir :
cette réunion n'était pas bonne. C'est un bienfait du Ciel de
l'avoir prévenue ; sans doute il prévient des malheurs.

Je me suis longtemps fait illusion. Cette illusion me fut
salutaire ; elle se détruit au moment que je n'en ai plus
besoin. Vous m'avez crue guérie, et j'ai cru l'être. Rendons
grâce à celui qui fit durer cette erreur autant qu'elle était

utile ; qui sait si me voyant si près de l'abîme, la tête ne m'eût point tourné ? Oui, j'eus beau vouloir étouffer le premier sentiment qui m'a fait vivre, il s'est concentré dans mon cœur. Il s'y réveille au moment qu'il n'est plus à craindre ; il me soutient quand mes forces m'abandonnent ; il me ranime quand je me meurs. Mon ami, je fais cet aveu sans honte ; ce sentiment resté malgré moi fut involontaire, il n'a rien coûté à mon innocence ; tout ce qui dépend de ma volonté fut pour mon devoir. Si le cœur qui n'en dépend pas fut pour vous, ce fut mon tourment et non pas mon crime. J'ai fait ce que j'ai dû faire ; la vertu me reste sans tache, et l'amour m'est resté sans remords.

J'ose m'honorer du passé ; mais qui m'eût pu répondre de l'avenir ? Un jour de plus, peut-être, et j'étais coupable ! Qu'était-ce de la vie entière passée avec vous ? Quels dangers j'ai courus sans le savoir ! À quels dangers plus grands j'allais être exposée ! Sans doute je sentais pour moi les craintes que je croyais sentir pour vous. Toutes les épreuves ont été faites, mais elles pouvaient trop revenir [1]. N'ai-je pas assez vécu pour le bonheur et pour la vertu ? Que me restait-il d'utile à tirer de la vie ? En me l'ôtant le Ciel ne m'ôte plus rien de regrettable, et met mon honneur à couvert. Mon ami, je pars au moment favorable ; contente de vous et de moi ; je pars avec joie, et ce départ n'a rien de cruel. Après tant de sacrifices je compte pour peu celui qui me reste à faire : Ce n'est que mourir une fois de plus.

Je prévois vos douleurs, je les sens : vous restez à plaindre, je le sais trop ; et le sentiment de votre affliction est la plus grande peine que j'emporte avec moi ; mais voyez aussi que de consolations je vous laisse ! Que de soins à remplir envers celle qui vous fut chère vous font un devoir de vous conserver pour elle ! il vous reste à la servir dans la meilleure partie d'elle-même. Vous ne perdez de Julie que ce que vous en avez perdu depuis longtemps. Tout ce qu'elle eut de meilleur vous reste. Venez vous réunir à sa famille. Que son cœur demeure au milieu de vous. Que tout ce qu'elle aima se rassemble pour lui donner un nouvel être. Vos soins, vos plaisirs, votre amitié, tout sera son ouvrage. Le nœud de votre

---

1. Elles pouvaient revenir en force. Cet emploi de *trop* en régime simple est condamné par Féraud.

union formé par elle la fera revivre ; elle ne mourra qu'avec le dernier de tous.

Songez qu'il vous reste une autre Julie et n'oubliez pas ce que vous lui devez. Chacun de vous va perdre la moitié de sa vie ; unissez-vous pour conserver l'autre ; c'est le seul moyen qui vous reste à tous deux de me survivre, en servant ma famille et mes enfants. Que ne puis-je inventer des nœuds plus étroits encore pour unir tout ce qui m'est cher ! Combien vous devez l'être l'un à l'autre ! Combien cette idée doit renforcer votre attachement mutuel ! Vos objections contre cet engagement vont être de nouvelles raisons pour le former. Comment pourrez-vous jamais vous parler de moi sans vous attendrir ensemble ? Non : Claire et Julie seront si bien confondues qu'il ne sera plus possible à votre cœur de les séparer. Le sien vous rendra tout ce que vous aurez senti pour son amie, elle en sera la confidente et l'objet : vous serez heureux par celle qui vous restera, sans cesser d'être fidèle à celle que vous aurez perdue, et après tant de regrets et de peines, avant que l'âge de vivre et d'aimer se passe, vous aurez brûlé d'un feu légitime et joui d'un bonheur innocent.

C'est dans ce chaste lien que vous pourrez sans distractions et sans craintes vous occuper des soins que je vous laisse, et après lesquels vous ne serez plus en peine de dire quel bien vous aurez fait ici-bas. Vous le savez, il existe un homme digne du bonheur auquel il ne sait pas aspirer. Cet homme est votre libérateur, le mari de l'amie qu'il vous a rendue. Seul, sans intérêt à la vie, sans attente de celle qui la suit, sans plaisir, sans consolation, sans espoir, il sera bientôt le plus infortuné des mortels. Vous lui devez les soins qu'il a pris de vous, et vous savez ce qui peut les rendre utiles. Souvenez-vous de ma lettre précédente. Passez vos jours avec lui. Que rien de ce qui m'aima ne le quitte. Il vous a rendu le goût de la vertu, montrez-lui-en l'objet et le prix. Soyez Chrétien pour l'engager à l'être. Le succès est plus près que vous ne pensez : Il a fait son devoir, je ferai le mien, faites le vôtre. Dieu est juste ; ma confiance ne me trompera pas.

Je n'ai qu'un mot à vous dire sur mes enfants. Je sais quels soins va vous coûter leur éducation : mais je sais bien aussi que ces soins ne vous seront pas pénibles. Dans les

moments de dégoût inséparables de cet emploi, dites-vous :
Ils sont les enfants de Julie, il ne vous coûtera plus rien.
M. de Wolmar vous remettra les observations que j'ai faites
sur votre mémoire [1] et sur le caractère de mes deux fils. Cet
écrit n'est que commencé : Je ne vous le donne pas pour
règle, je le soumets à vos lumières. N'en faites point des
savants, faites-en des hommes bienfaisants et justes. Parlez-
leur quelquefois de leur mère…. vous savez s'ils lui étaient
chers…. dites à Marcellin qu'il ne m'en coûta pas de mourir
pour lui. Dites à son frère que c'était pour lui que j'aimais
la vie. Dites-leur…. je me sens fatiguée. Il faut finir cette
Lettre. En vous laissant mes enfants, je m'en sépare avec
moins de peine ; je crois rester avec eux.

Adieu, adieu, mon doux ami….. Hélas ! j'achève de vivre
comme j'ai commencé. J'en dis trop, peut-être, en ce
moment où le cœur ne déguise plus rien…. Eh pourquoi
craindrais-je d'exprimer tout ce que je sens ? Ce n'est plus
moi qui te parle ; je suis déjà dans les bras de la mort.
Quand tu verras cette Lettre, les vers rongeront le visage de
ton amante, et son cœur où tu ne seras plus. Mais mon âme
existerait-elle sans toi, sans toi quelle félicité goûterais-je ?
Non, je ne te quitte pas, je vais t'attendre. La vertu qui nous
sépara sur la terre, nous unira dans le séjour éternel. Je
meurs dans cette douce attente. Trop heureuse d'acheter au
prix de ma vie le droit de t'aimer toujours sans crime, et de
te le dire encore une fois.

Lettre XIII
De Mad^e d'Orbe

J'apprends que vous commencez à vous remettre assez
pour qu'on puisse espérer de vous voir bientôt ici. Il faut,
mon ami, faire effort sur votre faiblesse ; il faut tâcher de
passer les monts avant que l'hiver achève de vous les fermer.
Vous trouverez en ce pays l'air qui vous convient ; vous n'y
verrez que douleur et tristesse, et peut-être l'affliction commune sera-t-elle un soulagement pour la vôtre. La mienne

---

1. Voir V, 8, p. 721.

pour s'exhaler a besoin de vous. Moi seule je ne puis ni pleurer, ni parler, ni me faire entendre. Wolmar m'entend et ne me répond pas. La douleur d'un père infortuné se concentre en lui-même ; il n'en imagine pas une plus cruelle ; il ne la sait ni voir ni sentir ; il n'y a plus d'épanchement pour les vieillards. Mes enfants m'attendrissent et ne savent pas s'attendrir. Je suis seule au milieu de tout le monde. Un morne silence règne autour de moi. Dans mon stupide abattement je n'ai plus de commerce avec personne. Je n'ai qu'assez de force et de vie pour sentir les horreurs de la mort. Ô venez, vous qui partagez ma perte ! Venez partager mes douleurs : Venez nourrir mon cœur de vos regrets ; venez l'abruver de vos larmes. C'est la seule consolation que je puisse attendre ; c'est le seul plaisir qui me reste à goûter.

Mais avant que vous arriviez, et que j'apprenne votre avis sur un projet dont je sais qu'on vous a parlé, il est bon que vous sachiez le mien d'avance. Je suis ingénue et franche ; je ne veux rien vous dissimuler. J'ai eu de l'amour pour vous, je l'avoue ; peut-être en ai-je encore ; peut-être en aurai-je toujours ; je ne le sais ni ne le veux savoir. On s'en doute, je ne l'ignore pas ; je ne m'en fâche ni ne m'en soucie. Mais voici ce que j'ai à vous dire et que vous devez bien retenir. C'est qu'un homme qui fut aimé de Julie d'Étange et pourrait se résoudre à en épouser un autre [1], n'est à mes yeux qu'un indigne et un lâche que je tiendrais à déshonneur d'avoir pour ami ; et quant à moi, je vous déclare que tout homme, quel qu'il puisse être, qui désormais m'osera parler d'amour, ne m'en reparlera de sa vie.

Songez aux soins qui vous attendent, aux devoirs qui vous sont imposés, à celle à qui vous les avez promis. Ses enfants se forment et grandissent, son père se consume insensiblement ; son mari s'inquiète et s'agite ; il a beau faire, il ne peut la croire anéantie ; son cœur, malgré qu'il en ait, se révolte contre sa vaine raison. Il parle d'elle, il lui parle, il soupire. Je crois déjà voir s'accomplir les vœux qu'elle a faits tant de fois, et c'est à vous d'achever ce grand ouvrage [2]. Quels motifs pour vous attirer ici l'un et l'autre ! Il est bien

---

1. Tour classique pour « une autre » (ce qui est la leçon de Br, CP et Rey 63).
2. La conversion de Wolmar.

digne du généreux Édouard que nos malheurs ne lui aient pas fait changer de résolution.

Venez donc, chers et respectables amis, venez vous réunir à tout ce qui reste d'elle. Rassemblons tout ce qui lui fut cher. Que son esprit nous anime ; que son cœur joigne tous les nôtres ; vivons toujours sous ses yeux. J'aime à croire que du lieu qu'elle habite, du séjour de l'éternelle paix, cette âme encore aimante et sensible se plaît à revenir parmi nous, à retrouver ses amis pleins de sa mémoire, à les voir imiter ses vertus, à s'entendre honorer par eux, à les sentir embrasser sa tombe, et gémir en prononçant son nom. Non, elle n'a point quitté ces lieux qu'elle nous rendit si charmants. Ils sont encore tout remplis d'elle. Je la vois sur chaque objet, je la sens à chaque pas, à chaque instant du jour j'entends les accents de sa voix. C'est ici qu'elle a vécu ; c'est ici que repose sa cendre.... la moitié de sa cendre. Deux fois la semaine, en allant au Temple.... j'aperçois.... j'aperçois le lieu triste et respectable.... beauté, c'est donc là ton dernier asile !.... confiance, amitié, vertus, plaisirs, folâtres jeux, la terre a tout englouti.... je me sens entraînée.... j'approche en frissonnant.... je crains de fouler cette terre sacrée.... je crois la sentir palpiter et frémir sous mes pieds.... j'entends murmurer une voix plaintive[a] !.... Claire, ô ma Claire, où es-tu ? que fais-tu loin de ton amie ?.... son cercueil ne la contient pas toute entière.... il attend le reste de sa proie.... il ne l'attendra pas longtemps *.

---

* En achevant de relire ce recueil, je crois voir pourquoi l'intérêt, tout faible qu'il est, m'en est si agréable, et le sera, je pense, à tout lecteur d'un bon naturel. C'est qu'au moins ce faible intérêt est pur et sans mélange de peine ; qu'il n'est point excité par des noirceurs, par des crimes, ni mêlé du tourment de haïr. Je ne saurais concevoir quel plaisir on peut prendre à imaginer et composer le personnage d'un Scélérat, à se mettre à sa place tandis qu'on le représente, à lui prêter l'éclat le plus imposant. Je plains beaucoup les auteurs de tant de tragédies pleines d'horreurs, lesquels passent leur vie à faire agir et parler des gens qu'on ne peut écouter ni voir sans souffrir. Il me semble qu'on devrait gémir d'être condamné à un travail si cruel ; ceux qui s'en font un amusement doivent être bien dévorés du zèle de l'utilité publique. Pour moi, j'admire de bon cœur leurs talents et leurs beaux génies ; mais je remercie Dieu de ne me les avoir pas donnés. [NdE : Rousseau vise aussi bien les auteurs tragiques (au premier rang desquels figure Voltaire) que des romanciers comme Richardson (voir le scélérat Lovelace dans *Clarissa*) ou Crébillon fils (le libertin Chester dans *Les Heureux Orphelins*).]

CHOIX DE VARIANTES

PREMIÈRE PARTIE

Lettre I

a. Destinés l'un pour l'autre. (Ms Rey)

Lettre V

a. Crois-tu qu'il soit un <mortel> homme assez abject <dans le monde> sur la terre. (Ms Rey)

Lettre XI

a. Et de tirer parti de notre sexe pour l'acheter aux dépens du mien. (CL et Ms Rey)

Lettre XII

a. Puisse-t-il être digne d'un si doux auspice. (CL)
b. « Et penser beaucoup à nos lectures » (Ms Rey, Rey 61 et Rey 63), corrigé par l'*errata*.
c. L'œil ne sait voir qu'à proportion que l'esprit sent, ou plutôt... (CL)
d. Si la nature a beaucoup fait, elle nous a laissé beaucoup à faire. (CL)

Lettre XIII

a. Livres d'amour. (CL)
b. Rousseau avait écrit sur le Ms Rey la leçon « pensé à », puis il a corrigé sur épreuve en « pensé de », tour archaïque antérieur à la distinction faite par Féraud (penser de : croire ; penser à ; avoir en vue). Voir André Wyss, 1989, p. 192.

Lettre XIV

    a. « Toute piquante », absent de CL, est rajouté sur le Ms Rey.
    b. À tes pieds, ou dans tes bras. (Ms Rey)

Lettre XVI

    a. Aux autres douleurs l'ignominie. (Ms Rey)

Lettre XVII

    a. Cent fois prête. (Correction effectuée sur Ms Rey par Rousseau)
    b. Depuis quand l'amour a-t-il honte de lui-même ? (Ajout sur CL)
    c. Vous savez que Julie ne ment pas, et si sa parole ne vous rassure pas, je vais. (CL)

Lettre XX

    a. Un an. (CL)
    b. Ce n'est point par caprice que je vous ai éloigné de moi, j'en avais des raisons très fortes et ces raisons subsistent encore. (CL)

Lettre XXII

    a. Je vois toutes les montagnes couvertes de neige, et je prévois. (Ms Rey)

Lettre XXIII

    a. Ainsi s'élève l'âme du sage au-dessus des passions humaines, mais on n'atteint pas au faîte de la sagesse comme on parvient au sommet des monts. (CL)

Lettre XXIV

    a. La leçon « serais-je » (DC) est acceptée après hésitations par Rousseau.

Lettre XXV

    a. Tous les obstacles qui se présentent m'alarment. Je ne vois rien qui ne serve à me décourager. (CL)
    b. Empirent. (Ms Rey)

Lettre XXVI

a. Goûter le prix des sentiments qui nous unissent. Viens à la face du ciel, guide et témoin de notre fuite et de nos serments, unir à jamais les destins de deux cœurs qu'il unit en les faisant naître. (Ms Rey)

Lettre XXIX

a. Comment oser t'en dire davantage, ô chère et trop confiante amie ? Ne m'entends-tu pas déjà trop sans que j'achève ? L'Univers entier ne me reproche-t-il pas la faute que j'ai cru dérober à tous les regards, et ma honte n'est-elle pas écrite sur tous les objets aussi clairement que sur mon visage. Quel Démon... (CL et Ms Rey)

b. Le feu de ses yeux pénétrait mon âme, ses soupirs... (CL)

c. Jamais je n'en fus moins digne, mais jamais elle ne me fut si nécessaire <laisse> conserve-moi donc par pitié les <sentiments> soins que tu m'accordas par inclination. Viens... (Ms Rey)

Lettre XXX

a. Je l'aurais empêché peut-être si j'avais pu te sauver autrement la vie ; (CL)

b. Tous les Ms de la *NH* portent la leçon *cru.*

c. Et sans songer que <ce n'était> le péril ne venait pas de tes sens mais de ton cœur, j'oubliai... (Ms Rey)

d. Tu ne songes pas qu'il est des passions qui sont au-dessus des règles, et qu'une âme vulgaire eût pu vaincre avec cent fois moins de combats que tu n'en as rendus en succombant. Je connais... (CL)

e. L'avilissement. (Ms Rey et Rey 61, corrigé dans l'*errata*)

f. Paragraphe absent de CL et de Ms Rey.

g. Nous gémirons si tu le veux ; nous nous tairons si tu m'en crois, et nous effacerons. (CL et Ms Rey)

Lettre XXXI

a. Supplice. (Ms Rey et Rey 1761 corrigé par l'*errata* de 1761)

b. Charme. (Ms Rey et Rey 1761 corrigé par l'*errata* de 1761)

c. Pourquoi me prives-tu d'une partie de moi-même ? (Ajout de CL et Ms Rey)

d. Tout ce que l'ardent amour peut avoir de transports et tout ce que l'imagination d'un amant peut rassembler de charmes, et tout ce qu'une touchante pudeur peut ajouter aux plaisirs. (CL)

Lettre XXXV

a. « Il faut nécessairement que toutes les autres passions tombent ou s'affaiblissent. » (CH et CL)

b. « Ô Julie, je ne… Non ma plume ne peut non plus tracer un mot si funeste que ta bouche le prononcer. » (Ms Rey), « Ah non ! ma plume ne saurait non plus tracer un mot si funeste, que ta bouche le prononcer. » (CH)

Lettre XXXVI

a. « Rentre en toi-même, mon digne ami ; tu sentiras que les sacrifices qu'on fait au devoir ne sont jamais perdus, et qu'ils portent toujours au fond du cœur le dédommagement des plaisirs qu'ils nous coûtent » (CH). « Mon ami sait que le plaisir qu'on sacrifie à l'honnêteté ne se perd pas, il s'aiguise ». (Ms Rey)

Lettre XLV

a. L'*errata* de Rey 61 porte : « son âme » ; et Rey 63 : « son caractère ».

Lettre L

a. « Tous les plaisirs qu'il fait goûter ». (Ms Rey)

Lettre LI

a. « À ta pudeur vaincue », corrigé en « à ta défaite » (Ms Rey), « ta modestie ». (CL)

Lettre LV

a. « Ma mère, ma fille, ma sœur… » (Ms Rey)

Lettre LX

a. « Et votre Julie qui se reproche les torts d'un père inflexible et se méprise d'avoir écouté la nature, me paraît être ce qu'il y a de plus parfait au monde. » (CL)

b. « espoir déçu tant de fois ». (CL et CP)

Lettre LXII

a. « Que seriez-vous sans vos paysans, que de misérables esclaves ? Quelle est donc cette gloire insensée dont vous faites tant de bruit ? Vils et lâches dans votre vaine fierté, vous ne parlez que de servir le Prince, toujours prêts à fouler aux pieds vos concitoyens ; et quand vous défendez votre maître au péril de la vie, que faites-vous que ne fassent au besoin des valets bien payés dans la maison du particulier qu'ils servent ? » (Ms Rey)

Lettre LXIII

a. « Le pouvoir que l'amour m'a donné. Sépare-moi pour jamais de moi-même ; romps si tu le peux les plus doux liens du monde ; donne-moi la mort s'il faut que je meure… » (Br, Ms Rey et CL)

SECONDE PARTIE

Lettre II

a. « Notre ». (CH et CL)
b. « Tyrannie ». (CH et CL)

Lettre III

a. Br porte : « dont vous êtes dignes ».
b. CH et Br ajoutent le paragraphe suivant : « <Ô mes> Mes chers enfants, c'est moins quelque âge de plus, que <ma tendre> mon affection pour vous qui m'inspire un nom si <cher> tendre qu'il me serait doux de <servir> former ce lien sacré qui vous <donnant> rendant l'un à l'autre peut seul vous rendre à vous-mêmes et à la raison ! Que je serais honoré d'entendre un jour mon nom joint aux vôtres dans <les louanges> la bouche des gens de bien, et quel précieux témoignage je <pourrais me rendre à moi-même> porterais au fond de mon cœur d'avoir tant fait en vous unissant <plus que tout le reste du monde> pour le bonheur, pour l'amour, et pour la vertu ! »

Lettre IV

a. À cette place, sur Br, Rousseau a noté : « Parler de la maladie de la mère dans cette lettre ou dans la 68 » (c'est-à-dire la lettre 6 de cette deuxième partie).

Lettre V

a. Ajout biffé : « C'est à toi mon ange de bien sonder ton cœur avant de te répondre. Fais ensuite un dernier effort sur toi, choisis pour les deux moitiés de ton âme, règle mon sort avec le tien et surtout ne nous séparons jamais (car je ne suis rien sans toi). » (Br)

Lettre X

a. Le *P. S.* est absent de Br, Ms Rey et CL.

Lettre XI

a. Br et CH intercalent ici un paragraphe dont nous supprimons les biffures : « Telle est l'insurmontable force de la vertu ; elle n'a qu'à se montrer pour vaincre, et sitôt qu'elle règne, elle est invincible ; elle est plus puissante que la fortune, et la nature, et tous les hommes unis contre elle : elle franchit tous les obstacles et terrasse le crime heureux ; elle renverse et brise les triples murs, et les prisons obscures, et leurs portes de fer, et les taureaux d'airain, et les chaînes de tyrans ; tout fléchit, tout s'amollit, tout tombe en poudre à sa voix sacrée. Les tourments ne sont rien, la douleur perd son amertume et la mort son aiguillon : les forces de l'univers entier seraient épuisées avant qu'on pût chasser la vertu. »

b. « Mon métier de prêcheuse ». (Br)

c. Br ajoutait (nous supprimons les biffures) : « Un charme secret s'insinue dans mon cœur en écrivant cette longue lettre et me fait complaire à la prolonger. Il me présente un avenir heureux comme s'il devait exister ; mes ardents souhaits me tiennent lieu de pressentiment ; le plaisir m'a fait étendre à l'excès ma morale et me voici comme la Dame de Cour qui faisait dire le catéchisme à Jean de Saintré. Je me flatte au moins que mon catéchisme n'est pas celui des Dames de la cour, et je crains si peu d'être ridicule à tes yeux en te parlant comme je viens de faire, que je vais te répéter le sommaire de ma Lettre. Souviens-toi, mon ami, qu'il vaut mieux rester pauvre, malheureux et s'aimer encore que d'acheter les grandeurs et la fortune aux dépens de l'amour et de la vertu. »

Lettre XIV

a. Paragraphe ajouté : « On publie aussi de certains écrits périodiques que leurs badins auteurs ont la malice de remplir tout exprès d'absurdités pour avoir le plaisir de les faire circuler ensuite chez tous les sots des provinces. On prétend même qu'ils ont une manière très plaisante de mettre à contribution leurs confrères en les menaçant de les louer sans miséricorde s'ils ne fournissent pas telle somme dans un tel temps. Frayeur qui ne manque point de produire son effet sur tous ceux qui ont plus d'argent que d'humilité. » (CH)

Lettre XV

a. Note de Rousseau supprimée après avoir opté pour « nous » : « Je demande aux puristes pourquoi *soi* est là plus choquant que *nous*, quoiqu'il soit plus conforme à la règle ? J'avoue que ce n'est que pour faire cette question que je l'ai laissé. » (CH)

Lettre XVIII

a. On trouve dans Br deux développements, le premier en marge :

« Outre ce qu'elle se doit à elle-même, l'honnête femme a des devoirs à remplir envers son mari, envers sa famille, envers le public ; Il ne lui suffit pas de mériter l'estime d'un époux, il faut encore qu'elle l'obtienne ; s'il la blâme elle est blâmable, et fût-elle innocente elle a tort sitôt qu'elle est accusée, car les apparences mêmes entrent dans ses devoirs envers son mari. – Le compte qu'on doit à un autre de sa personne et l'obligation d'avoir égard aux apparences ainsi qu'à la réalité rendent une honnête femme beaucoup plus circonspecte qu'une fille même, et la modestie conjugale est d'autant plus scrupuleuse qu'outre l'engagement de la fidélité une mère de famille doit l'exemple de toutes les vertus à ses enfants et à ses domestiques. » (Br)

Le second après « ses devoirs » : « Sur ce pied-là, je ne vois pas, mon ami, que Madame d'Orbe puisse continuer d'être notre confidente, dans une <liaison> amour malheureux que son mari doit regarder comme illégitime. Cet honnête homme, plein de sens et d'honneur, mais trop borné pour sortir des règles générales et voir <ce qu'il y a maintenant d'honnête dans le lien qui nous unit> que le lien qui nous unit est désormais un devoir <pour nous> ne saurait approuver que <sa f.> ma cousine s'en mêle plus longtemps. – Étant amant il usait de complaisance, il voulait plaire et il faisait volontiers pour sa maîtresse dont il connaissait le cœur, ce qu'il ne permettrait pas à sa femme. Il nous aime tendrement, j'en suis sûre, mais il aime encore plus l'honneur, et nous devrions nous-mêmes nous défier de lui s'il souffrait que sa maison fût l'entremise de notre commerce.

C'est <donc> à nous ce me semble de prévenir l'embarras où ces deux époux peuvent être de nous montrer, et, dussions-nous même manquer d'autre ressource c'est bien le moins que nous devions faire de leur épargner une peine dont leur seule amitié pour nous est la cause. » (Br)

b. Les deux paragraphes suivants sont absents de Br, de même que les lettres 21 et 23, mais ils figurent dans CH.

Lettre XIX

a. « les <déclarer> confesser ». (Br)

b. Br porte au début de ce paragraphe très récrit par Rousseau : « Ton scrupule sur la médiation de ta cousine me paraît fondé, et ta prévoyance honnête et sage. »

Lettre XXI

a. Une version différente de ce début de lettre existe : « ces femmes redoutables qui doivent te supplanter. Ah ! pauvre enfant ; quel terrible appareil te menace ! » (CH). Rousseau a ensuite rédigé un paragraphe dont les éléments se sont finalement réagencés dans la suite.

b. Lettres « du plus sublime bel esprit ou de la plus fine plaisanterie ». (CL)

c. CH ajoute : « Ceci me fit conjecturer encore comment les femmes, sans être belles, étant ici naturellement aimables, l'amour y est pourtant si peu connu ; car, pour les aimer, il faut avoir vécu familièrement avec elles ; or l'attachement qui succède à la familiarité, et que l'habitude fait naître est rarement de l'amour, et voilà, ce me semble, une des causes qui détournent les frères et les sœurs de s'enflammer les uns pour les autres. Quant à la cause de cette cause, je crois la voir dans la force de l'imagination qui fait les grandes passions, et qui aime mieux deviner que connaître. Cette petite digression me pourrait mener loin ; mais ma Julie aime à penser ; l'amour est un texte qui ne lui déplaît pas ; je lui laisse à discuter ce point. »

d. « Avait des amants ». (CL)

e. « Morale, histoire, ». (CL)

f. « Si j'osais juger des autres Sociétés par celles où j'ai eu l'honneur d'être admis, c'est surtout contre cette Lettre que je voudrais protester. En garde et prévenu, comme je l'étais, les manières qu'on y décrit ne m'auraient guère apprivoisé. J'en ai trouvé de bien différentes, qu'à juger de la Lettre par ce qui m'est connu, tout, hors le bien, m'en paraîtrait faux, et j'aurais grand sujet moi-même de me reprocher mon ancienne injustice. Mais ce que j'ai pu entrevoir de plus général, au Spectacle et ailleurs, m'a montré qu'il fallait plutôt me féliciter de mon bonheur, que me rétracter de mes jugements, et j'ai bien peur que l'Auteur n'ait vu les usages, et moi les exceptions. » (note de l'éditeur dans CH)

Lettre XXIII

a. « Nullement d'équité ». (CL)

b. On lit dans CH cette note qui fait allusion à la « Querelle des Bouffons » de 1752 : « On commence depuis quelques années à parler de cette majesté avec moins d'enthousiasme et de vénération. Une troupe de mauvais farceurs Italiens, comparés sur ce même Théâtre, à cette Académie Royale, ont fait soupçonner au public que les titres et la dignité ne sont pas des talents, et qu'en ceci, du moins, la noblesse ne vaut pas le mérite. »

c. « S'il était permis de relever sérieusement les puérilités de ce badin spectacle, je dirais : de deux choses l'une ; ou la musique imite le tonnerre, ou elle ne l'imite pas. Si elle ne l'imite pas, que fait là l'Orchestre ? Si elle l'imite, à quoi sert la charrette ? quel disparate ! ces deux bruits se ressemblent si peu qu'il faut nécessairement que l'un détruise l'effet de l'autre. Qu'ils imitent séparément ce qu'il vous plaira, il est très sûr qu'ensemble ils n'imitent plus rien. » (note du Ms Rey supprimée sur épreuves)

d. « Deux ou trois ». (CL)

e. CL ajoute : « comme ces auteurs qui vantent leurs moindres écrits aux dépens des autres, bien sûrs que ceux-ci n'y perdront rien. »

Lettre XXV

a. Br ajoute : « et que tu te fis, dit-on, d'un canif dans ton enfance en désarmant étourdiment ton cousin qui feignait de s'en vouloir blesser. » Ce cousin est peut-être le frère de Claire qui se marie à Lausanne (VI, 5).

Lettre XXVII

a. CL ajoute : « Au lieu de toutes ces folies dont vous me parlez il eût mieux valu voir plus souvent cette jeune dame si charitable, si belle, chez qui vous vous plaisiez tant à la campagne. Pourquoi ne m'avez-vous plus parlé d'elle ? Quoi qu'il en soit, si vous voulez… »

b. « Il est clair que vous nous prenez pour des Caillettes » (Br et CH), c'est-à-dire des femmes frivoles et babillardes. Le mot est employé au livre IX des *Confessions* : « médire, et dire des quolibets » est « la ressource des caillettes ». (GF, t. II, p. 171)

TROISIÈME PARTIE

Lettre VI

a. « Plus que moi peut-être ». (CP)

Lettre VII

a. « Tendresse ». (Br)

b. « Julie avait porté l'égarement » (Br). La version finale insiste sur la responsabilité de Saint-Preux.

Lettre VIII

a. Dans Br, on lit à cet endroit une lettre de Saint-Preux à Bomston et la réponse : « LETTRE À MILORD ÉDOUARD – 8. Je ne vais point vous attendre à Londres comme vous me l'avez marqué, car il n'est plus question de votre projet en ma faveur, et sur ce que vous a écrit Mad^e d'Orbe vous voyez assez qu'il y faut renoncer. Je ne suis plus bon à rien ni pour autrui ni pour moi-même. Milord, je ne tiens plus qu'à vous sur la terre ; que votre amitié m'occupe ou me congédie. Je vous dois tout, ma vie est à vous, disposez de moi si je puis vous servir ; mais si vous ne voulez perdre mon estime et vos soins, n'abusez pas du devoir qui me lie pour me retenir inutilement.

RÉPONSE – 9. Je ne suis point étonné du projet qui vous occupe, il m'a souvent occupé moi-même, et je suis d'un pays où vous savez qu'il n'est pas rare de le voir mettre en exécution ; mais ce n'est ni par humeur ni sur l'exemple d'autrui que je veux me décider dans la plus importante affaire de la vie ; j'ai toujours cru qu'il ne suffisait pas de n'être bon ni à soi ni aux autres, si l'on n'était sûr encore de ne le pouvoir jamais, et je doute qu'un homme ait jamais cette certitude.

Je ne veux point entamer ici le sujet ; c'est une matière à discussion qu'on ne saurait bien traiter par lettres. Quant à ce qui me regarde, je n'ai que deux mots à vous dire. Je compte sur vous et j'ai droit d'y compter ; votre amitié est nécessaire au bonheur de ma vie et vos services importent à mes affaires. J'espère partir de Venise dans six semaines et vous joindre dans huit ou dix. Vous connaîtrez alors que pour exiger de vous le juste retour de mon zèle, je n'ai pas besoin de prétextes et vous devez savoir d'avance que je suis incapable d'en employer. Je vous demande un si court délai pour prix de mon attachement. Refusez-moi si vous croyez le pouvoir sans crime ; mais songez que vous laissez dans l'âme d'un honnête homme la douleur de n'avoir [obligé] aimé [servi] qu'un ingrat. »

Lettre IX

a. Note de l'éditeur biffée dans Ms Rey : « La suite montre qu'il y a un intervalle considérable entre les lettres précédentes, et les suivantes. »

Billet

a. « D'Orsinge » (CH et CP). Rousseau semble avoir hésité assez longtemps sur le nom de l'héroïne.

Lettre XIII

a. « Il me semble le voir ». (Rey 63)

Lettre XVIII

a. « Huit jours » (CL et CH) est biffé sur CP et Ms Rey, et remplacé par « deux mois ».

b. « trente ans ». (CL et CP)

c. « qu'une émotion passagère ». (CP et CL)

d. « Et répandu dans tout mon être une fraîcheur pareille à celle de la rose du soir. » (Ms Rey)

e. « Le pasteur commun qui sait rappeler les brebis égarées ». (CP, Ms Rey) « Le père de toute vérité ». (CL, CH)

f. « <Le Dieu des Chrétiens> le Dieu de toute justice ». (Ms Rey)

g. « Pour que mon état puisse changer sans le vôtre ». (Ms Rey)

Lettre XIX

a. « Ô Julie, écoutez un homme capable de quelque sacrifice et pensez que vous devez quelque honneur à celui dont vous connaissez l'âme et qui peut vous écrire comme à une étrangère. » (CL et CP)

Lettre XX

a. « Cinquante ans passés ». (Br, CP)

b. « L'ordre de la providence dans le monde ». (Br)

c. Note de Rousseau ajoutée dans Rey 63 et reproduite dans DC : « Nos situations diverses déterminent et changent malgré nous les affections de nos cœurs : nous serons vicieux et méchants tant que nous aurons intérêt à l'être, et malheureusement les chaînes dont nous sommes chargés multiplient cet intérêt autour de nous. L'effort de corriger le désordre de nos désirs est presque toujours vain, et très rarement il est vrai : ce qu'il faut changer c'est moins nos désirs que les situations qui les produisent. Si nous voulons devenir bons ôtons les rapports qui nous empêchent de l'être, il n'y a point d'autre moyen. Je ne voudrais pas pour tout au monde avoir droit à la succession d'autrui, surtout de personnes qui doivent m'être chères, car que sais-je quel horrible vœu l'indigence pourrait m'arracher ? Sur ce principe examinez bien la résolution de Julie et la déclaration qu'elle en fait à son ami. Pesez cette résolution dans toutes ses circonstances, et vous verrez comment

un cœur droit en doute de lui-même sait s'ôter au besoin tout intérêt contraire au devoir. Dès ce moment Julie malgré l'amour qui
lui reste met ses sens du parti de sa vertu ; elle se force, pour ainsi
dire, d'aimer Wolmar comme son unique époux, comme le seul
homme avec lequel elle habitera de sa vie ; elle change l'intérêt
secret qu'elle avait à sa perte en intérêt à le conserver. Ou je ne
connais rien au cœur humain ou c'est à cette seule résolution si
critiquée que tient le triomphe de la vertu dans tout le reste de la
vie de Julie, et l'attachement sincère et constant qu'elle a jusqu'à
la fin pour son mari. »

    d. « Plus capable ». (Br)

Lettre XXI

    a. « J'ai eu quelques occasions de méditer sur ce grave sujet ; j'ai
lu à peu près tout ce qu'on a écrit de mieux pour et contre, et
toujours avec un nouvel étonnement de voir comment on <a pu>
pouvait embrouiller une question si simple. » (Br)

Lettre XXII

    a. « Je laisse à part les ressources qu'on trouve dans l'exercice
de la force <de l'âme> et de la raison pour soulager nos maux et
raccourcir leur durée. Si la philosophie manque de moyens pour
anéantir l'intervalle, elle en a du moins pour rapprocher le terme
et j'admire par quel travers d'esprit on peut tirer du pouvoir qu'a
le sage de surmonter les afflictions terrestres la nécessité de quitter
le corps qui les donne pour nous laisser le mérite de les vaincre. »
(Lignes biffées sur Br)

    b. « Et puisque je n'étais pas digne de te consoler, tu n'étais pas
digne de vivre. » (Ajout figurant dans Br, CP, Ms Rey, CH, CL)

Lettre XXIII

    a. « Quinze jours ». (Br, Ms Rey, CH)

QUATRIÈME PARTIE

Lettre II

    a. « Qu'à mesure qu'on y répond » (Br), « qu'à mesure qu'on les
partage ». (Ms Rey, CP, CH)

Lettre VI

a. « Je crus tout de bon pouvoir bien augurer de moi et j'espérai que l'amour de la véritable décence me garantirait désormais de l'effet des passions déréglées » (Br), « Dès cet instant je commençai tout de bon à bien augurer de moi ». (CP)

b. « Et que, sans être moins doux, ils sont moins impétueux. Je la trouve plus belle que jamais, mais d'une beauté plus imposante. Elle a dans l'air, dans les yeux, dans le maintien, je ne sais quoi de ferme et d'assuré qui m'intimide, je ne sais quoi de pur et de chaste qui écarte les idées de volupté que sa présence m'inspirait autrefois. » (Br)

Lettre VIII

a. « Sur ton bonheur » (CP), « sur ton cœur ». (Ms Rey, CH)

b. Br ajoute : « Je meurs de peur d'en avoir peur au premier abord. »

Lettre IX

a. « Cousine, il la peignait si bien que j'avais peur quelquefois de trop sentir moi-même combien c'est une douce chose d'aimer sans crime », « Non, ma chère, jamais la Chaillot qui me croyait folle ne parla de l'amour comme lui ». (Deux phrases biffées sur CP)

Lettre X

a. « C'est encore de quoi les exemples se préparent en plus d'un lieu. Dans deux cents ans d'ici, le commerce et la marine auront fait de l'Europe le plus misérable séjour du monde, un lieu inculte et désert un vrai repaire de brigands où il faudra si l'on veut vivre manger de l'or au lieu de pain. » (Paragraphe biffé dans Br)

b. « Les richesses en argent sont des richesses illusoires et précaires dont la valeur tient à mille choses qui ne dépendent pas de ceux qui les ont. Il y a des pays où l'on meurt de faim avec un écu, mais il n'y en a point où une livre de pain ne rassasie son homme ; il ne s'agit donc pas pour les peuples de compter les millions qu'ils ont, mais de savoir si avec ces millions ils auront toujours des denrées commodément, à leur volonté, et autant qu'il leur plaira. » (Br, biffé en marge)

c. « Et l'on peut dire qu'on est servi par des hommes dans cette maison, et non pas par des valets, ce qui convient surtout dans un pays de liberté ». (Br)

d. Br, CP et CH portent *leurs maisons*, Rey 61 *leur maisons*, coquille corrigée dans Rey 63 et CL.

e. « Il y avait deux étrangères ; vous savez que les paysannes du pays de Vaud se conservent sous leurs grands chapeaux de paille un teint fort blanc et de vives couleurs ; je me trouvai au milieu de six personnes assez jeunes et qui toutes, en l'absence de l'une d'elles, auraient pu passer pour jolies. Je crus être dans un petit sérail, et ce qui m'amusa le plus c'est que je m'aperçus à <leurs potins> leur chuchetage et à leurs sourires que ma présence leur causait quelque sorte d'embarras et que ces petits goûters étaient ordinairement fort gais. Je goûtais délicieusement. » (Br)

f. « Convenez que l'écot des femmes vaut bien <le punch de Milord Édouard ; Milord, vous n'aurez pas de peine à me croire quand je vous dirai que je le trouvai beaucoup meilleur ; je le lui dis, elle m'ordonna de vous l'écrire et vous voyez que j'obéis> celui des Valaisans qui ne daignent pas les admettre à leur table ; on s'enivre quelquefois à l'un et à l'autre, lui répondis-je mais il est vrai que j'aime <encore> mieux celui-ci. Ah, <j'aurais mieux aimé> faillis-je ajouter en la regardant un peu trop, celui du chalet valait mieux encore. Hélas, mes yeux le dirent peut-être ; elle détourna les siens, et ma bouche se tut. Il se fit entre nous un moment de silence <tandis que ses enfants la caressaient> elle se mit à caresser ses enfants et je sentis renaître le calme au fond de mon cœur. » (Br)

Lettre XI

a. « Je vais <Milord> vous écrire une longue lettre sur un fort petit sujet : je vous en préviens <d'avance> afin que vous ne lisiez qu'à votre loisir ; mais pour vous instruire exactement de l'état de mon cœur, il faut bien que je vous entretienne de tout ce qui sert à le modifier. » (Br)

b. « Cette réponse n'est pas exacte puisque le mot d'*hôte* est corrélatif de lui-même. Sans vouloir relever toutes les fautes de langue, je dois avertir de celles qui peuvent induire en erreur. » (note ajoutée dans R 63)

c. « Ma petite Henriette quoiqu'un peu jaseuse aujourd'hui sera sage et posée, elle modérera ces jeunes étourdis et je prétends bien lui donner d'avance l'autorité qu'elle sera digne un jour d'avoir sur le mari qui lui est destiné ». (Br et CP)

Lettre XII

a. Br ajoute : « au contraire, si j'étais seul dans l'univers, il me semble que je n'aurais ni plaisir ni peine, ni contentement ni ennui ; je serais comme n'existant pas. »

b. « Je n'avais rien aimé, mon cœur n'avait jamais senti la moindre émotion, la différence des sexes m'était [inconnue ?]. J'avançais en âge. » (Br)

Lettre XIII

a. Br ajoute ces lignes biffées sur CP : « Écoute : j'eus une amie ; un amant trop chéri fut traité par elle en époux ; il pouvait, il aurait dû le devenir ; tout le tort qu'elle eut fut d'oser espérer qu'il le deviendrait, et ce tort a été expié par huit ans de larmes. Elle est maintenant épouse, mère, sage, vertueuse, chrétienne ; son cœur est chaste comme sa personne ; son honneur lui est plus cher que la vie. »

Lettre XV

a. Sur Br, on lit cette phrase destinée vraisemblablement à cette lettre : « La voix de l'amour ne s'y fait plus entendre ; ah Milord ! quel silence affreux règne dans cette maison ! »

Lettre XVI

a. « Bien cruellement » biffé sur CP.

Lettre XVII

a. Cette lettre a été extrêmement remaniée. Dans Br, elle était adressée à Claire : « Je suis chargé, ma Cousine, de vous faire le récit d'un danger [...] un peu de fatigue. Made de Wolmar voulait vous faire ce détail elle-même ; mais je l'ai tant pressée de m'en confier le soin qu'elle y a consenti ; elle a toujours mille autres choses à vous écrire ; elle est occupée, je suis oisif, et ce n'est pas assez pour moi de vivre auprès d'elle, si je ne reprends aussi mon commerce avec vous. »

b. « La fraîcheur du soir, les doux rayons de la lune ». (CP)

c. « L'adorer encore et, après une union si parfaite et si douce, la sentir perdue... » (Ms Rey)

CINQUIÈME PARTIE

Lettre I

a. « Il manque ici du sel » : ce jugement de Rousseau (en marge de Br) sur le style fade et sans esprit du « discoureur » Bomston est prolongé dans la note moqueuse qui termine la lettre, ajoutée sur épreuves.

Lettre II

a. CP porte deux versions de la fin de cette note :
« Les mendiants se rassemblent autour des riches et s'attachent à eux comme une vermine pour les dévorer. Ce discours est faux et barbare. Ce sont bien les riches qui font les mendiants, mais ce ne sont pas eux qui les nourrissent, et je ne vois pas qu'ils soient gens que l'on puisse dévorer. Quels termes ! Je les livre à l'indigne roi des rhéteurs [...] soyez sûr que vous le [le mendiant] verrez toujours rebuté par les riches. S'il reçoit des aumônes, ce sont de pauvres gens qui la font, et cela doit être, car on n'a guère de pitié que des maux auxquels on est exposé soi-même. Le partage du riche et du pauvre à l'égard des mendiants est donc que le premier se charge de les faire et le second de les nourrir. »
« J'ai lu quelque part que les mendiants sont une vermine qui s'attache aux riches. Quel mensonge ! Quoi ! parce que les riches font les mendiants, on va dire qu'ils les aiment. Ils ne leur donnent jamais rien. Ce sont les pauvres seuls qui les assistent. Je dirais, moi, que les mendiants sont une vermine que le riche engendre et qu'il secoue ensuite sur les pauvres pour les lui donner à dévorer. Ce serait plus conforme à l'expérience et à la raison. »
b. Br ajoute : « En note : les grands et les riches veulent qu'on les croie humains et compatissants. Sur ce pied-là, quand on voit un gueux affamé et demi-nu pousser d'inutiles plaintes à la porte d'un palais, peut-on s'empêcher de juger que le maître du palais est un gueux lui-même ? »

Lettre III

a. CP ajoute : « Si l'auteur du livre *De l'Esprit* eût considéré la question par ce côté, je doute qu'il ait avancé cette proposition insoutenable que tous les esprits sont égaux par eux-mêmes et ne tirent leur différence que de l'éducation ; il prouve en détail que la différence d'organe ne fait point ceci ou cela ; mais s'il prétend que l'éducation fait tout, il doit prouver que c'est elle aussi qui fait la différence des tempéraments, des teints, des statures, car tout cela se tient mais par une chaîne que nous ne voyons pas, et les différences sensibles et naturelles nous montrent qu'il y a d'autres différences non moins naturelles qu'on n'aperçoit que par leurs effets ». Rousseau résume ici un passage de *De l'esprit* (p. 326-327).

b. « N'est-ce pas la changer ? de quels instruments vous servirez-vous qui ne soient pas l'ouvrage de la nature et par quelle étrange contradiction prétendez-vous la rendre plus forte qu'elle-même ? pensez-vous combiner l'esprit et les sentiments comme les corps non organisés et greffer les h<ommes> comme des arbres pour leur faire porter d'autres fruits ? Ignorez-vous que tout le savoir humain toute la philosophie n'ont jamais pu tirer d'une âme humaine... » (Br). « Vouloir corriger la nature avant que de la connaître n'est-ce pas s'exposer à gâter le bien qu'elle a fait et à faire plus mal à sa place ? Ignorez-vous... » (Ms Rey). Tout ce passage a été extrêmement remanié entre Br et CP, autour de la publication de *De l'esprit* (1758).

c. « Quoi, tous mes sentiments me viendraient de moi ? Toutes mes idées seraient innées ? Cela ressemble assez aux réminiscences de Platon. Assurément ce M. de Wolmar, s'il était conséquent, devait avoir une métaphysique plus bizarre que lumineuse, et son œil perçant lisait mieux dans l'esprit des autres que dans le sien. » (Note de Rousseau sur Ms Rey)

Lettre IV

a. « Le maréchal de Saxe qui avait passé sa vie à étudier son métier devait être un homme bien extraordinaire et bien ignoble aux yeux des Français. Ce qu'il y a d'incompréhensible, c'est qu'avec cette étude si roturière il ne laissait pas de battre ses ennemis. <Il est vrai que c'était toujours par l'habileté du tiers et du quart. Il est fâcheux que ce tiers et ce quart-là soient tous morts avec lui.> » (Note de CP)

Lettre V

a. « Un seul prêtre qui crût en Dieu ». (Br et CP)
b. « Depuis huit ans entiers ». (Br, CP)

Lettre VII

a. « Huit jours ». (Br, CP, Ms Rey)

Lettre VIII

a. « Ô Lucrèce, ô Brutus, Virginius, Scipion, grandes et sublimes âmes qui sûtes régner sur vous, ce fut ici votre patrie ». (En marge de Br)

Lettre XIII

a. « Car elle respire une amitié si tendre que quelqu'un plus difficile en amour que tu ne prétends l'être eût pu s'en contenter
autrefois ; et ces témoignages qui ne sont ni nouveaux ni indifférents sont suivis d'un long détail des événements qui ont <pré-
cédé> le mariage de Milord Édouard et de la conclusion de cette
épineuse affaire ; il en parle, tu peux bien le croire, avec la chaleur
d'un homme qui y prend le plus vif intérêt, et pourtant d'une
manière aussi simple que s'il n'en avait été que spectateur. [...] »
(Br, dans lequel Rousseau envisageait la possibilité du mariage de
Bomston avec Laure)

b. « Une compagne digne de lui : il a fait un honnête homme
heureux ; juge s'il doit l'être lui-même.

Dans la même Lettre Milord Édouard entre dans le détail de ses
arrangements, il me dit qu'il va partir avec notre ami pour Naples
où il a quelques affaires, qu'ils iront ensemble voir le Vésuve ; je
ne sais pas ce que cette vue a de si attrayant. Qu'ensuite revenus à
Rome prendre sa nouvelle Épouse, ils en partiront tous trois pour
nous venir joindre. Que continuant son voyage en Angleterre il
nous laissera sa femme et son ami pour gages de son retour, et
qu'après avoir réglé ses affaires il reviendra vivre avec nous, élever
ses enfants avec les nôtres, jusqu'à ce qu'ils puissent un jour dans
sa patrie honorer le rang qui leur est destiné.

Mon Père et mon Mari sont forts contents de cet arrangement
et je n'imagine pas que tu le désapprouves. Quant à moi je serai
charmée de voir Miladi Bomston. Quel prodige doit être cette
aimable personne pour avoir su par sa propre force s'arracher au
désordre de sa première jeunesse, et, par huit ans de constance et
d'épreuves effacer l'infamie où la plongèrent d'indignes parents ; »
(Br)

Lettre XIV

a. Une réponse de Claire à Henriette figure dans Br : « Tu fais
bien, mignonne, de m'aimer encore un peu ; pour moi, je t'aime à
la folie, mais je trouve que tu te plains de mon absence de manière
à la faire durer longtemps ; car ta lettre m'en fait désirer beaucoup
de semblables, et tu grondes de trop bonne grâce pour me donner
envie de t'apaiser. Quant au petit mali, qu'il ne faut point tant
appeler le tien, je veux l'apaiser, lui, de peur qu'il ne boude, et l'on
n'a jamais bonne grâce à bouder. Tu dis que j'aurai bien l'esprit de
savoir pour cela ce qu'il faut faire. Ah ! je le crois. J'emporterai
d'ici tout plein d'ajustements avec lesquels je me ferai si jolie,

qu'aussitôt qu'il m'aura vue il n'aura plus le courage d'être en colère, et ne songera plus à toi. N'est-ce pas cela, ma mignonne ?

Ne parlons point de ton bon ami, je t'en prie. Depuis qu'il t'a promis des coquilles [coquillages], je sais qu'il t'a mise de son parti. Mais patience : Genève a ses coquilles aussi bien que Rome, et tu verras que si je ne vends pas les miennes, je ne les donne pas légèrement.

Ne m'accuses-tu point de faire pleurer ta petite maman, de peur que je ne t'en accuse la première ? À ton avis, de laquelle de nous deux est-elle plus souvent mécontente ? Elle est si enfant, ta petite maman ; elle aura pleuré de ce que sa poupée n'était pas sage. Tu m'entends. Prends donc soin de la faire taire. Embrasse-la, caresse-la, traite-la en enfant gâté. Tu dois savoir comme il faut la prendre. Enfin dis-lui que je la connais bien, sa poupée, et qu'elle ne veut point que ta petite maman pleure. »

SIXIÈME PARTIE

Lettre IV

a. La fin de la lettre est différente dans Br : « Je vous remercie de vos livres et de vos souhaits quoique je n'aie point reçu les uns ni senti l'accomplissement des autres. Il nous est venu hier des matrones du pays qui voyaient je ne sais combien de belles choses dans des tasses barbouillées de marc de café. Pour moi, je me suis trouvé si bête que je n'ai jamais rien su voir de tout cela. »

Lettre V

a. Br ajoute : « ô ta France ta France ! elle empoisonne et corrompt tous ses voisins ; elle a plus d'une manière de faire des conquêtes, et ses armes sont moins à craindre que ses mœurs. »

Lettre VII

a. Tout le paragraphe est censuré dans l'édition parisienne de 1761.

b. Br porte en marge : « Tant que la révélation n'établit que des faits et que ces faits n'ont rien d'absurde, on est sans contredit obligé de les croire ; mais la révélation même ne peut autoriser un raisonnement faux. Car si une fois quelque raisonnement faux peut établir la vérité, comment saurai-je si celui qui rejette la révélation n'établit pas ainsi la vérité et n'est pas aussi bon contre la révélation que celui qu'elle autorise contre le sens commun ? Sitôt que la révélation choque la raison elle détruit elle-même le principe dont elle tire sa preuve. » Le mot *révélation* employé absolument signifie la « révélation divine ». Ces lignes écartées du roman se retrouveront dans l'*Émile* (livre IV, in *OC*, p. 615-616).

c. Ce paragraphe final diffère dans Br, puisque la fin initiale supposait le mariage de Bomston avec Laure : « Au reste je dois vous dire que votre lettre m'a jeté dans une inquiétude dont vous ne sauriez me tirer trop tôt. À présent que je vous ai bien expliqué ce que je sens et ce que je pense, dites plus précisément vos intentions afin que je m'y conforme : car j'ai résolu de ne point retourner à Clarens que je ne sache si vous aurez du plaisir à m'y voir. Quelque estime que j'aie pour Milady Bomston elle ne sait rien de moi sinon que je suis l'ami de son mari et le vôtre. Édouard lui-même a jugé que ni lui ni moi n'étions désormais les maîtres de mes propres secrets et qu'il n'appartient qu'à votre mari d'en disposer. Comme les nouveaux époux sont inséparables, et qu'il ne faut pas faire soupçonner à Milady que son mari lui fait des mystères, je n'ai point consulté mon ami dans cette occasion, et je me contenterai, s'il le faut, de chercher pour différer notre voyage des prétextes qui pourront le surprendre, mais auxquels il acquiescera sûrement. Il est déjà convenu que nous passerons à Florence et que nous y resterons quelque temps. Pour moi, quoi qu'il arrive, si je continue avec eux la route jusqu'à Milan, je n'irai pas plus loin que je n'aie une réponse de vous. J'aime autant ne vous pas revoir que vous revoir pour vous quitter encore ; apprendre à vivre chez vous en étranger est une humiliation que je n'ai pas méritée. »

Lettre VIII

a. Toute la fin du paragraphe est censurée dans l'édition parisienne de 1761.

b. « Tous trois vers la fin du mois prochain. Je ne saurais vous dire quel empressement j'ai de voir et d'embrasser cette femme étonnante [Laure]. Je vois au ton dont il me parle de sa femme qu'il en est devenu véritablement amoureux ; d'où je conclus que la marquise est tout à fait oubliée, et c'est assurément lui faire grâce. En vérité Milady méritait bien que sa vertu fût ainsi récompensée, Milord que la sienne ne lui fût plus pénible, et vous méritez bien aussi d'avoir dans un si doux spectacle le prix de votre courage. » (Variante biffée de Br)

Lettre XI

a. Dans CP figure une note finalement abandonnée : « Le premier doute qui fasse flotter un sceptique dans son sentiment ! Ceci me paraît bien près du galimatias. Je crois pourtant entrevoir une espèce de sens. Jusque-là M. de Wolmar vivait avec sécurité dans ses doutes. Cette vanité s'ébranle. Ses doutes commencent à lui devenir suspects. Il doute s'il lui est permis de douter. Ou bien ne serait-ce point que les prétendus sceptiques sont, au fond, très affirmatifs, très décidés pour l'avis contraire à celui des autres ; sauf à l'abandonner sitôt qu'on le prend. Mais il me semble que M. de Wolmar tel qu'on nous le peint, homme simple et vrai, toujours plein de candeur et de bonne foi, n'était pas sceptique dans ce dernier sens. »

b. Une note a été biffée par Rousseau dans CP : « Je ne puis m'empêcher de rire quand j'entends célébrer des conversions faites à l'article de la mort, beaucoup plus dues au désir d'être laissé tranquille et au délire de la fièvre qu'à l'éloquence du convertisseur. J'ignore ce qu'on fera de moi quand ma tête n'y sera plus et que le peu de force qui me restera sera employé à soutenir les approches de la mort. Je sais bien que, dès à présent, ma résolution est de faire en pareil cas tout ce qu'il faudra pour me délivrer, le plus tôt qu'il sera possible, des importunités d'un criailleur. »

c. Les pages qui suivent (jusqu'à « mon pasteur n'aura pas la dernière place », p. 852) ont été censurées dans l'édition parisienne de 1761.

Lettre XIII

a. « Sort-elle de la tombe ou du fond de mon cœur ? » (Ms Rey)

DOSSIER

SUJETS D'ESTAMPES

Dès l'été 1757, Rousseau pense à une série d'illustrations pour son roman, qu'il fait graver par Gravelot par l'intermédiaire de son ami genevois Coindet. Les douze gravures paraissent d'abord séparément à Paris (Duchesne, 1761), avant d'être insérées dans l'édition Duchesne de 1764, aux endroits indiqués par Rousseau : nous avons fait de même dans notre édition. Sur l'histoire de ces gravures, on consultera :

FRANÇOIS, Alexis, *Le Premier Baiser de l'amour ou J.-J. Rousseau inspirateur d'estampes*, Genève/Paris, Sonor/Cres, 1920.
« J.-J. Rousseau et les arts visuels », *Annales de la Société Jean-Jacques Rousseau*, vol. 45, 2003.
LABROSSE, Claude, « Le rôle des estampes de Gravelot », in *L'Illustration du livre et de la littérature au dix-huitième siècle*, Presses universitaires de Varsovie, 1982, p. 83-98.
MARTIN, Christophe, « *Dangereux suppléments* ». *L'illustration du roman en France au dix-huitième siècle*, Louvain/Paris, Peeters, 2005, p. 129-140.

La plupart de ces Sujets sont détaillés pour les faire entendre, beaucoup plus qu'ils ne peuvent l'être dans l'exécution : car pour rendre heureusement [1] un dessin [2], l'Artiste ne doit pas le voir tel qu'il sera sur son papier, mais tel qu'il est dans la Nature. Le crayon ne distingue pas une blonde d'une brune, mais l'imagination qui le guide doit les distinguer. Le burin marque mal les clairs et les ombres, si le Graveur n'imagine aussi les couleurs. De même dans les figures en mouvement, il faut voir ce qui précède et ce qui suit, et donner au temps de l'action une certaine latitude ; sans quoi l'on ne saisira jamais bien l'unité du moment qu'il

---

1. Avec suffisamment d'habileté. **2.** Le mot est orthographié *dessein*.

faut exprimer. L'habileté de l'Artiste consiste à faire imaginer au Spectateur beaucoup de choses qui ne sont pas sur la planche ; et cela dépend d'un heureux choix de circonstances, dont celles qu'il rend font supposer celles qu'il ne rend pas. On ne saurait donc entrer dans un trop grand détail quand on veut exposer des Sujets d'Estampes, et qu'on est absolument ignorant dans l'art. Au reste, il est aisé de comprendre que ceci n'avait pas été écrit pour le Public ; mais en donnant séparément les estampes, on a cru devoir y joindre l'explication.

Quatre ou cinq personnages reviennent dans toutes les planches, et en composent à peu près toutes les figures. Il faudrait tâcher de les distinguer par leur air et par le goût de leur vêtement, en sorte qu'on les reconnût toujours.

1. Julie est la Figure principale. Blonde, une physionomie douce, tendre, modeste, enchanteresse. Des grâces naturelles sans la moindre affectation : une élégante simplicité, même un peu de négligence dans son vêtement, mais qui lui sied mieux qu'un air plus arrangé : peu d'ornements, toujours du goût ; la gorge couverte en fille modeste, et non pas en dévote.

2. Claire ou la Cousine. Une brune piquante ; l'air plus fin, plus éveillé, plus gai ; d'une parure un peu plus ornée, et visant presque à la coquetterie ; mais toujours pourtant de la modestie et de la bienséance. Jamais de panier ni à l'une ni à l'autre.

3. Saint-Preux ou l'Ami. Un jeune homme d'une figure ordinaire ; rien de distingué ; seulement une physionomie sensible et intéressante. L'habillement très simple : une contenance assez timide, même un peu embarrassé de sa personne quand il est de sang-froid ; mais bouillant et emporté dans la passion.

4. Le Baron d'Étange ou le père : il ne paraît qu'une fois, et l'on dira comment il doit être.

5. Milord Édouard ou l'Anglais. Un air de grandeur qui vient de l'âme plus que du rang ; l'empreinte du courage et de la vertu, mais un peu de rudesse et d'âpreté dans les traits. Un maintien grave et stoïque sous lequel il cache avec peine une extrême sensibilité. La parure à l'Anglaise, et d'un

grand Seigneur sans faste. S'il était possible d'ajouter à tout cela le port un peu spadassin [1], il n'y aurait pas de mal.

6. M. de Wolmar, le Mari de Julie. Un air froid et posé. Rien de faux ni de contraint ; peu de geste, beaucoup d'esprit, l'œil assez fin ; étudiant les gens sans affectation.

Tels doivent être à peu près les caractères des Figures. Je passe au sujet des Planches.

1e ESTAMPE : Le premier baiser de l'amour
(I, Lettre 14, p. 93)

Le lieu de la Scène est un bosquet. Julie vient de donner à son ami un baiser *cosi saporito* [si savoureux], qu'elle en tombe dans une espèce de défaillance. On la voit dans un état de langueur se pencher, se laisser couler sur les bras de sa Cousine, et celle-ci la recevoir avec un empressement qui ne l'empêche pas de sourire en regardant du coin de l'œil son ami. Le jeune homme a les deux bras étendus vers Julie ; de l'un, il vient de l'embrasser, et l'autre s'avance pour la soutenir : son chapeau est à terre. Un ravissement, un transport très-vif de plaisir et d'alarmes doit régner dans son geste et sur son visage. Julie doit se pâmer et non s'évanouir [2]. Tout le tableau doit respirer une ivresse de volupté qu'une certaine modestie rende encore plus touchante.

Inscription de la 1e Planche : Le premier baiser de l'amour.

2e ESTAMPE : L'héroïsme de la vertu
(I, Lettre 60, p. 205)

Le lieu de la Scène est une chambre fort simple. Cinq personnages remplissent l'Estampe. Milord Édouard sans épée, et appuyé sur une canne, se met à genoux devant l'Ami, qui est assis à côté d'une table sur laquelle sont son épée et son chapeau, avec un livre plus près de lui. La posture humble de l'Anglais ne doit rien avoir de honteux ni de

---

1. Le mot est injurieux. Voir *supra*, I, 57, n. 1, p. 191. **2.** Nuance subtile, quasi marivaldienne : « se pâmer » signifie « tomber en défaillance » (*Acad.* 1762) ; « s'évanouir » a le même sens mais implique une perte de connaissance.

timide ; au contraire, il règne sur son visage une fierté sans arrogance, une hauteur de courage ; non pour braver celui devant lequel il s'humilie, mais à cause de l'honneur qu'il se rend à lui-même de faire une belle action par un motif de justice et non de crainte. L'Ami, surpris, troublé de voir l'Anglais à ses pieds, cherche à le relever avec beaucoup d'inquiétude et un air très confus. Les trois Spectateurs, tous en épée, marquent l'étonnement et l'admiration, chacun par une attitude différente. L'esprit de ce sujet est que le personnage qui est à genoux imprime du respect aux autres, et qu'ils semblent tous à genoux devant lui.

Inscription de la 2ᵉ Planche : L'Héroïsme de la valeur.

3ᵉ ESTAMPE : Ah ! jeune Homme ! à ton Bienfaiteur !
(II, Lettre 10, p. 266)

Le lieu est une chambre de cabaret, dont la porte ouverte, donne dans une autre chambre. Sur une table, auprès du feu, devant laquelle est assis Milord Édouard en robe de chambre, sont deux bougies, quelques lettres ouvertes, et un paquet encore fermé. Édouard tient de la main droite une lettre qu'il baisse de surprise, en voyant entrer le jeune homme. Celui-ci encore habillé, a le chapeau enfoncé sur les yeux, tient son épée d'une main, et de l'autre, montre à l'Anglais d'un air emporté et menaçant la sienne, qui est sur un fauteuil à côté de lui. L'Anglais fait de la main gauche un geste de dédain froid et marqué. Il regarde en même temps l'étourdi d'un air de compassion propre à le faire rentrer en lui-même ; et l'on doit remarquer en effet dans son attitude que ce regard commence à le décontenancer.

Inscription de la 3ᵉ Planche : Ah ! jeune Homme ! à ton Bienfaiteur !

4ᵉ ESTAMPE : La honte et les remords...
(II, Lettre 26, p. 359)

La Scène est dans la rue devant une maison de mauvaise apparence. Près de la porte ouverte, un laquais éclaire avec deux flambeaux de table. Un fiacre est à quelques pas de là ; le cocher tient la portière ouverte, et un jeune homme s'avance pour y monter. Ce jeune homme est St. Preux sortant d'un lieu de débauche dans une attitude qui marque le remords, la tristesse, et l'abattement. Une des habitantes de cette maison l'a reconduit jusque dans la rue ; et dans ses adieux, on voit la joie, l'impudence, et l'air d'une personne qui se félicite d'avoir triomphé de lui. Accablé de douleur et de honte il ne fait pas même attention à elle. Aux fenêtres sont de jeunes Officiers avec deux ou trois compagnes de celle qui est en bas. Ils battent des mains et applaudissent d'un air railleurs en voyant passer le jeune homme qui ne les regarde ni ne les écoute. Il doit régner une immodestie dans le maintien des femmes et un désordre dans leur ajustement, qui ne laisse pas douter un moment de ce qu'elles sont, et qui fasse mieux sortir la tristesse du principal personnage.

Inscription de la 4e Planche : La honte et les remords vengent l'amour outragé.

5e ESTAMPE : L'inoculation de l'amour
(III, Lettre 14, p. 400)

La Scène se passe de nuit, et représente la chambre de Julie, dans le désordre où est ordinairement celle d'une personne malade. Julie est dans son lit avec la petite vérole ; elle a le transport. Ses rideaux fermés, étaient entre-ouverts pour le passage de son bras, qui est en dehors ; mais sentant baiser sa main, de l'autre elle ouvre brusquement le rideau, et reconnaissant son ami, elle paraît surprise, agitée, transportée de joie, et prête à s'élancer vers lui. L'amant, à genoux près du lit, tient la main de Julie, qu'il vient de saisir, et la baise avec un emportement de douleur et d'amour dans lequel on voit, non seulement qu'il ne craint pas la communication du venin, mais qu'il la désire. À l'instant Claire, un bougeoir à la main, remarquant le mouvement de Julie, prend le jeune homme par le bras, et l'arrachant du lieu où il est, l'entraîne hors de la chambre. Une femme de chambre, un peu âgée, s'avance en même temps au chevet de Julie pour la retenir. Il faut qu'on remarque dans tous les personnages une action très vive, et bien prise dans l'unité du moment.

Inscription de la 5e Planche : L'inoculation de l'amour.

6ᵉ ESTAMPE : La force paternelle
(III, Lettre 18, p. 419)

La Scène se passe dans la chambre du Baron d'Étange, père de Julie. Julie est assise, et près de sa chaise est un fauteuil vide : son père qui l'occupait est à genoux devant elle, lui serrant les mains, versant des larmes, et dans une attitude suppliante et pathétique. Le trouble, l'agitation, la douleur sont dans les yeux de Julie. On voit, à un certain air de lassitude, qu'elle a fait tous ses efforts pour relever son père ou se dégager ; mais, n'en pouvant venir à bout, elle laisse pencher sa tête sur le dos de sa chaise, comme une personne prête à se trouver mal ; tandis que ses deux mains en avant portent encore sur les bras de son père. Le Baron doit avoir une physionomie vénérable, une chevelure blanche, le port militaire, et, quoique suppliant, quelque chose de noble et de fier dans le maintien.

Inscription de la 6ᵉ Planche : La force paternelle.

7ᵉ ESTAMPE : La confiance des belles âmes
(IV, Lettre 6, p. 505)

La Scène se passe dans l'avenue d'une maison de campagne, quelques pas au-delà de la grille, devant laquelle on voit en dehors une chaise arrêtée, une malle derrière, et un Postillon. Comme l'ordonnance de cette estampe est très simple, et demande pourtant une grande expression, il la faut expliquer.

L'ami de Julie revient d'un voyage de long cours ; et, quoique le mari sache qu'avant son mariage cet ami a été amant favorisé, il prend une telle confiance dans la vertu de tous deux, qu'il invite lui-même le jeune homme à venir dans sa maison. Le moment de son arrivée est le sujet de l'Estampe. Julie vient de l'embrasser, et le prenant par la main le présente à son mari, qui s'avance pour l'embrasser à son tour. M. de Wolmar, naturellement froid et posé, doit avoir l'air ouvert, presque riant, un regard serein qui invite à la confiance.

Le jeune homme, en habit de voyage, s'approche avec un air de respect dans lequel on démêle, à la vérité, un peu de contrainte et de confusion, mais non pas une gêne pénible ni un embarras suspect. Pour Julie, on voit sur son visage et dans son maintien un caractère d'innocence et de candeur qui montre en cet instant toute la pureté de son âme. Elle doit regarder son mari avec une assurance modeste où se peignent l'attendrissement et la reconnaissance que lui donne un si grand témoignage d'estime, et le sentiment qu'elle en est digne.

Inscription de la 7e Planche : La confiance des belles âmes.

8e ESTAMPE : Les monuments des anciennes amours
(IV, Lettre 17, p. 615)

Le paysage est ici ce qui demande le plus d'exactitude. Je ne puis mieux le représenter qu'en transcrivant le passage où il est décrit.

Nous y arrivâmes après une demi-heure de marche, par quelques sentiers ombragés et tortueux qui montaient insensiblement entre les rochers, et n'avaient rien de plus incommode que la longueur du chemin. Ce lieu solitaire formait un réduit sauvage et désert, plein de ces sortes de beautés qui ne touchent que les âmes sensibles, et paraissent horribles aux autres. Un torrent formé par la fonte des neiges, roulait à vingt pas de nous une eau bourbeuse, et charriait avec bruit du limon, du sable et des pierres. Derrière nous, une chaîne de roches inaccessibles séparait l'esplanade où nous étions de cette partie des Alpes qu'on nomme les Glacières, *parce que d'énormes sommets de glace qui s'accroissent incessamment, les couvrent depuis le commencement du monde. Des forêts de noirs sapins nous ombrageaient tristement à droite ; un grand bois de chênes était à gauche au-delà du torrent ; et, presque à pic au-dessous de nous, cette immense plaine d'eau que le lac forme au sein des montagnes nous séparait des riches côtes du pays de Vaud, dont le spectacle était couronné par la cime du majestueux Jura.*

Au milieu de ces grands et superbes objets, le petit terrain où nous étions étalait les charmes d'un séjour riant et champêtre. Quelques ruisseaux filtraient à travers les rochers, et roulaient sur la verdure en filets de cristal. Quelques arbres

fruitiers sauvages enracinés dans les hauteurs, penchaient leurs
têtes sur les nôtres. La terre humide était couverte d'herbe
et de fleurs. En comparant un si doux réduit aux objets qui
l'environnaient, il semblait que ce lieu désert dût être l'asile de
deux amants échappés seuls au bouleversement de la nature.

Il faut ajouter à cette description que deux quartiers de
rocher tombés du haut et pouvant servir de table et de siège
doivent être presque au bord de l'esplanade ; que dans la
perspective des côtes du pays de Vaud qu'on voit dans l'éloignement, on distingue sur le rivage des villes de distance en
distance, et qu'il est nécessaire au moins qu'on en aperçoive
une vis-à-vis de l'esplanade ci-dessus décrite.

C'est sur cette esplanade que sont Julie et son Ami ; les
deux seuls personnages de l'Estampe. L'Ami posant une
main sur l'un des deux quartiers lui montre de l'autre main
et d'un peu loin des caractères gravés sur les rochers des
environs. Il lui parle en même temps avec feu ; on lit dans
les yeux de Julie l'attendrissement que lui causent ses discours et les objets qu'il lui rappelle ; mais on y lit aussi que
la vertu préside, et ne craint rien de ces dangereux souvenirs.

Il y a un intervalle de dix ans entre la première Estampe
et celle-ci, et dans cet intervalle Julie est devenue femme et
mère : mais il est dit qu'étant fille, elle laissait dans son
ajustement un peu de négligence qui la rendait plus touchante ; et qu'étant femme elle se parait avec plus de soin.
C'est ainsi qu'elle doit être dans la Planche septième ; mais
dans celle-ci, elle est sans parure, et en robe du matin.

Inscription de la 8e Planche : Les monuments des
anciennes amours.

9e ESTAMPE : La matinée à l'anglaise
(V, Lettre 3, p. 662)

Un salon : sept figures. Au fond vers la gauche une table
à thé couverte de trois tasses, la théière, le pot à sucre, etc.
Autour de la table sont, dans le fond et en face,
M. de Wolmar, à sa droite en tournant, l'Ami tenant la
gazette ; en sorte que l'un et l'autre voient tout ce qui se
passe dans la chambre.

À droite aussi dans le fond, Madame de Wolmar assise tenant de la broderie ; sa femme de chambre assise à côté d'elle et faisant de la dentelle ; son oreiller est appuyé sur une chaise plus petite. Cette femme de chambre, la même dont il est parlé ci-après, Planche onzième, est plus jeune que celle de la Planche sixième.

Sur le devant, à sept ou huit pas des uns et des autres, est une petite table couverte d'un livre d'Estampes que parcourent deux petits garçons. L'aîné, tout occupé des figures, les montre au cadet ; mais celui-ci compte furtivement des onchets qu'il tient sous la table [1] cachés par un des côtés du livre. Une petite fille de huit ans, leur aînée, s'est levée de la chaise qui est devant la femme de chambre, et s'avance lestement sur la pointe des pieds vers les deux garçons. Elle parle d'un petit ton d'autorité, en montrant de loin la figure du livre, et tenant un ouvrage à l'aiguille de l'autre main.

Madame de Wolmar doit paraître avoir suspendu son travail pour contempler le manège des enfants : les hommes ont de même suspendu leur lecture pour contempler à la fois Madame de Wolmar et les trois enfants. La femme de chambre est à son ouvrage.

Un air fort occupé dans les enfants ; un air de contemplation rêveuse et douce dans les trois spectateurs. La mère surtout doit paraître dans une extase délicieuse.

Inscription de la 9ᵉ Planche : La matinée à l'anglaise.

10ᵉ ESTAMPE :
Où veux-tu fuir ? le Fantôme est dans ton cœur
(V, Lettre 9, p. 727)

Une chambre de cabaret. Le moment : vers la fin de la nuit. Le crépuscule commence à montrer quelques objets ; mais l'obscurité permet à peine qu'on les distingue.

L'ami qu'un rêve pénible vient d'agiter, s'est jeté à bas de son lit, et a pris sa robe de chambre à la hâte. Il erre avec un air d'effroi, cherchant à écarter de la main des objets fantastiques dont il paraît épouvanté. Il tâtonne pour trouver la porte. La noirceur de l'Estampe, l'attitude expressive

---

1. On attendrait « sur la table », ce qui serait conforme à l'estampe gravée.

du personnage, son visage effaré doivent faire un effet lugubre et donner aux regardants une impression de terreur.

Inscription de la 10e Planche : Où veux-tu fuir ? Le Fantôme est dans ton cœur.

11e ESTAMPE : Claire ! Claire !
Les enfants chantent la nuit quand ils ont peur
(VI, Lettre 2, p. 757)

La scène est dans un salon. Vers la cheminée, où il y a du feu, est une table de jeu à laquelle sont, contre le mur, M. de Wolmar qu'on voit en face, et vis-à-vis, St. Preux, dont on voit le corps de profil, parce que sa chaise est un peu dérangée ; mais dont on ne voit la tête que par derrière, parce qu'il la retourne vers M. de Wolmar.

Par terre est un échiquier renversé dont les pièces sont éparses. Claire, d'un air moitié suppliant, moitié railleur, présente au jeune homme la joue, pour y appliquer un soufflet ou un baiser, à son choix, en punition du coup qu'elle vient de faire. Ce coup est indiqué par une raquette qu'elle tient pendant d'une main, tandis qu'elle avance l'autre main sur le bras du jeune homme pour lui faire retourner la tête qu'il baisse et qu'il détourne d'un air boudeur. Pour que le coup ait pu se faire sans grand fracas, il faut un de ces petits échiquiers de maroquin, qui se ferment comme des livres, et le représenter à moitié ouvert contre un des pieds de la table.

Sur le devant est une autre personne qu'on reconnaît, au tablier, pour la femme de chambre ; à côté d'elle est sa raquette sur une chaise. Elle tient d'une main le volant élevé, et de l'autre elle fait semblant d'en raccommoder les plumes ; mais elle regarde à travers en souriant, la scène qui se passe vers la cheminée.

M. de Wolmar un bras passé sur le dos de la chaise, comme pour contempler plus commodément, fait signe du doigt à la femme de chambre de ne pas troubler la scène par un éclat de rire.

Inscription de la 11e Planche : Claire ! Claire ! Les enfants chantent la nuit quand ils ont peur.

12ᵉ ESTAMPE [L'imprécation de Claire]
(VI, Lettre 11, p. 861)

Une chambre à coucher dans laquelle on remarque de l'élégance, mais simple et sans luxe ; des pots de fleurs sur la cheminée. Les rideaux du lit sont à moitié ouverts et rattachés. Julie, morte, y paraît habillée et même parée. Il y a du peuple dans la chambre, hommes et femmes, les plus proches du lit sont à genoux, les autres debout, quelques-uns joignant les mains. Tous regardent le corps d'un air touché mais attentif ; comme cherchant encore quelque signe de vie.

Claire est debout auprès du lit, le visage élevé vers le Ciel, et les yeux en pleurs. Elle est dans l'attitude de quelqu'un qui parle avec véhémence. Elle tient des deux mains un riche voile en broderie, qu'elle vient de baiser, et dont elle va couvrir la face de son amie.

On distingue au pied du lit M. de Wolmar debout dans l'attitude d'un homme triste et même inquiet, mais toujours grave et modéré.

Dans cette dernière Estampe la figure de Claire tenant le voile est importante et difficile à rendre. L'habillement français ne laisse pas assez de décence à la négligence et au dérangement. Je me représente une robe à peigner très simple, arrêtée avec une épingle sur la poitrine, et pour éviter l'air mesquin, flottant et traînant un peu plus qu'une robe ordinaire. Un fichu tout uni noué sur la gorge avec peu de soin ; une boucle ou touffe de cheveux échappée de la coiffure et pendante sur l'épaule. Enfin, un désordre dans toute la personne qui peigne la profonde affliction sans malpropreté, et qui soit touchant, non risible.

Dans tout autre temps, Claire n'est que jolie ; mais il faut que ses larmes la rendent belle, et surtout que la véhémence de la douleur soit relevée par une noblesse d'attitude qui ajoute au pathétique.

Cette Planche est sans Inscription.

ENTRETIEN SUR LES ROMANS

Préface de *La Nouvelle Héloïse* :
ou Entretien sur les romans,
entre l'éditeur et un homme de Lettres
par J.-J. Rousseau
Citoyen de Genève

Avertissement

Ce Dialogue ou Entretien supposé était d'abord destiné à servir de Préface aux Lettres des deux Amants. Mais sa forme et sa longueur ne m'ayant permis de le mettre que par extrait à la tête du recueil, je le donne ici tout entier, dans l'espoir qu'on y trouvera quelques vues utiles sur l'objet de ces sortes d'Écrits. J'ai cru d'ailleurs devoir attendre que le Livre eût fait son effet, avant d'en discuter les inconvénients et les avantages, ne voulant ni faire tort au Libraire, ni mendier l'indulgence du Public.

Préface de *La Nouvelle Héloïse*
ou
Entretien sur les romans

N. Voilà votre Manuscrit. Je l'ai lu tout entier.

R. Tout entier ? J'entends : vous comptez sur peu d'imitateurs.

N. *Vel duo, vel nemo* [soit deux, soit aucun].

R. *Turpe et miserabile !* [honte et misère !][1] Mais je veux un jugement positif[2].

---

1. Perse, *Satires*, I, v. 3, éd. A. Cartault, Les Belles Lettres, 1951, p. 16. Le recueil de Perse s'ouvre sur un dialogue entre le poète qui revendique son droit à dire ce qu'il pense, y compris dans un genre méprisé comme la satire, et un partisan de la poésie hellénisante, jugée plus raffinée. **2.** Fondé sur des raisons.

N. Je n'ose.

R. Tout est osé par ce seul mot. Expliquez-vous.

N. Mon jugement dépend de la réponse que vous m'allez faire. Cette correspondance est-elle réelle, ou si c'est une fiction ?

R. Je ne vois point la conséquence. Pour dire si un Livre est bon ou mauvais, qu'importe de savoir comment on l'a fait ?

N. Il importe beaucoup pour celui-ci. Un Portrait a toujours son prix, pourvu qu'il ressemble, quelque étrange que soit l'Original. Mais dans un Tableau d'imagination, toute figure humaine doit avoir les traits communs à l'homme, ou le Tableau ne vaut rien. Tous deux supposés bons, il reste encore cette différence que le Portrait intéresse peu de Gens ; le Tableau seul peut plaire au Public.

R. Je vous suis. Si ces Lettres sont des Portraits, ils n'intéressent point ; si ce sont des Tableaux, ils imitent mal. N'est-ce pas cela ?

N. Précisément.

R. Ainsi, j'arracherai toutes vos réponses avant que vous m'ayez répondu. Au reste, comme je ne puis satisfaire à votre question, il faut vous en passer pour résoudre la mienne. Mettez la chose au pis : ma Julie.....

N. Oh ! si elle avait existé !

R. Hé bien ?

N. Mais sûrement ce n'est qu'une fiction.

R. Supposez.

N. En ce cas, je ne connais rien de si maussade : Ces Lettres ne sont point des Lettres ; ce Roman n'est point un Roman ; les personnages sont des gens de l'autre monde [1].

R. J'en suis fâché pour celui-ci.

N. Consolez-vous ; les fous n'y manquent pas non plus ; mais les vôtres ne sont pas dans la nature.

R. Je pourrais..... Non, je vois le détour que prend votre curiosité. Pourquoi décidez-vous ainsi ? Savez-vous jusqu'où les Hommes diffèrent les uns des autres ; combien les caractères sont opposés ; combien les mœurs, les préjugés, varient

---

1. Voir II, 17, n. 3, p. 304.

selon les temps, les lieux, les âges ? Qui est-ce qui ose assigner des bornes précises à la Nature, et dire : Voilà jusqu'où l'Homme peut aller, et pas au-delà ?

N. Avec ce beau raisonnement les Monstres inouïs, les Géants, les Pygmées, les chimères de toute espèce, tout pourrait être admis spécifiquement dans la nature ; tout serait défiguré, nous n'aurions plus de modèle commun ? Je le répète, dans les Tableaux de l'humanité chacun doit reconnaître l'Homme.

R. J'en conviens, pourvu qu'on sache aussi discerner ce qui fait les variétés de ce qui est essentiel à l'espèce. Que diriez-vous de ceux qui ne reconnaîtraient la nôtre que dans un habit à la Française ?

N. Que diriez-vous de celui qui, sans exprimer ni traits ni taille, voudrait peindre une figure humaine, avec un voile pour vêtement ? N'aurait-on pas droit de lui demander où est l'homme ?

R. Ni traits, ni taille ? Êtes-vous juste ? Point de gens parfaits : voilà la chimère. Une jeune fille offensant la vertu qu'elle aime, et ramenée au devoir par l'horreur d'un plus grand crime ; une amie trop facile, punie enfin par son propre cœur de l'excès de son indulgence ; un jeune homme honnête et sensible, plein de faiblesse et de beaux discours ; un vieux Gentilhomme entêté de sa noblesse, sacrifiant tout à l'opinion ; un Anglais généreux et brave, toujours passionné par sagesse, toujours raisonnant sans raison......

N. Un mari débonnaire et hospitalier empressé d'établir dans sa maison l'ancien amant de sa femme....

R. Je vous renvoie à l'inscription de l'Estampe *.

N. *Les belles Âmes* !... Le beau mot !

R. Ô philosophie ! combien tu prends de peine à rétrécir les cœurs, à rendre les hommes petits.

N. L'esprit romanesque les agrandit et les trompe. Mais revenons. Les deux amies ?... Qu'en dites-vous ?... Et cette conversion subite au Temple ?... La Grâce, sans doute ?.....

R. Monsieur !......

N. Une femme chrétienne, une dévote qui n'apprend point le catéchisme à ses enfants ; qui meurt sans vouloir

* Voyez la septième Estampe [p. 505].

prier Dieu ; dont la mort cependant édifie un Pasteur, et convertit un Athée !.... Oh !...

R. Monsieur......

N. Quant à l'intérêt, il est pour tout le monde [1], il est nul. Pas une mauvaise action ; pas un méchant homme qui fasse craindre pour les bons ; des événements si naturels, si simples qu'ils le sont trop ; rien d'inopiné ; point de coup de Théâtre. Tout est prévu longtemps d'avance ; tout arrive comme il est prévu. Est-ce la peine de tenir registre de ce que chacun peut voir tous les jours dans sa maison, ou dans celle de son voisin ?

R. C'est-à-dire, qu'il vous faut des hommes communs et des événements rares ? Je crois que j'aimerais mieux le contraire. D'ailleurs, vous jugez ce que vous avez lu comme un Roman. Ce n'en est point un ; vous l'avez dit vous-même. C'est un Recueil de Lettres...

N. Qui ne sont point des Lettres : je crois l'avoir dit aussi. Quel style épistolaire ! Qu'il est guindé ! Que d'exclamations ! Que d'apprêts ! Quelle emphase pour ne dire que des choses communes ! Quels grands mots pour de petits raisonnements ! Rarement du sens, de la justesse ; jamais ni finesse, ni force, ni profondeur. Une diction toujours dans les nues, et des pensées qui rampent toujours. Si vos personnages sont dans la nature, avouez que leur style est peu naturel ?

R. Je conviens que dans le point de vue où vous êtes, il doit vous paraître ainsi.

N. Comptez-vous que le Public le verra d'un autre œil ; et n'est-ce pas mon jugement que vous demandez ?

R. C'est pour l'avoir plus au long que je vous réplique. Je vois que vous aimeriez mieux des Lettres faites pour être imprimées.

N. Ce souhait paraît assez bien fondé pour celles qu'on donne à l'impression.

R. On ne verra donc jamais les hommes dans les livres que comme ils veulent s'y montrer ?

N. L'Auteur comme il veut s'y montrer ; ceux qu'il dépeint tels qu'ils sont. Mais cet avantage manque encore

----

1. Il est commun.

ici. Pas un Portrait vigoureusement peint ; pas un caractère assez bien marqué ; nulle observation solide ; aucune connaissance du monde. Qu'apprend-on dans la petite sphère de deux ou trois Amants ou Amis toujours occupés d'eux seuls ?

R. On apprend à aimer l'humanité. Dans les grandes sociétés on n'apprend qu'à haïr les hommes.

Votre jugement est sévère ; celui du Public doit l'être encore plus. Sans le taxer d'injustice, je veux vous dire à mon tour de quel œil je vois ces Lettres ; moins pour excuser les défauts que vous y blâmez, que pour en trouver la source.

Dans la retraite, on a d'autres manières de voir et de sentir que dans le commerce du monde ; les passions, autrement modifiées ont aussi d'autres expressions : l'imagination toujours frappée des mêmes objets, s'en affecte plus vivement. Ce petit nombre d'images revient toujours, se mêle à toutes les idées, et leur donne ce tour bizarre et peu varié qu'on remarque dans les discours des Solitaires. S'ensuit-il de là que leur langage soit fort énergique ? Point du tout ; il n'est qu'extraordinaire. Ce n'est que dans le monde qu'on apprend à parler avec énergie : premièrement, parce qu'il faut toujours dire autrement et mieux que les autres, et puis, que [1] forcé d'affirmer à chaque instant ce qu'on ne croit pas, d'exprimer des sentiments qu'on n'a point, on cherche à donner à ce qu'on dit un tour persuasif qui supplée à la persuasion intérieure. Croyez-vous que les gens vraiment passionnés aient ces manières de parler vives, fortes, coloriées [2], que vous admirez dans vos Drames et dans vos Romans ? Non ; la passion pleine d'elle-même, s'exprime avec plus d'abondance que de force ; elle ne songe pas même à persuader ; elle ne soupçonne pas qu'on puisse douter d'elle. Quand elle dit ce qu'elle sent, c'est moins pour l'exposer aux autres que pour se soulager. On peint plus

---

1. Parce que. **2.** « Il ne faut pas confondre *colorier* avec *colorer*, et *coloris* avec *couleur*. *Colorer* se dit des couleurs naturelles, et *colorier* des artificielles » (*Féraud*). Voir plus loin « le coloris de leurs fausses vertus » (p. 917). Diderot écrit dans sa *Réfutation d'Helvétius* (1773) que Rousseau est un « grand coloriste ».

vivement l'amour dans les grandes villes ; l'y sent-on mieux que dans les hameaux ?

N. C'est-à-dire, que la faiblesse du langage prouve la force du sentiment ?

R. Quelquefois du moins elle en montre la vérité. Lisez une lettre d'amour faite par un Auteur dans son cabinet, par un bel esprit qui veut briller. Pour peu qu'il ait de feu dans la tête, sa lettre va, comme on dit, brûler le papier [1] ; la chaleur n'ira pas plus loin. Vous serez enchanté, même agité peut-être ; mais d'une agitation passagère et sèche, qui ne vous laissera que des mots pour tout souvenir. Au contraire, une lettre que l'amour a réellement dictée ; une lettre d'un Amant vraiment passionné, sera lâche, diffuse, toute en longueurs, en désordre, en répétitions. Son cœur, plein d'un sentiment qui déborde, redit toujours la même chose, et n'a jamais achevé de dire ; comme une source vive qui coule sans cesse et ne s'épuise jamais. Rien de saillant, rien de remarquable ; on ne retient ni mots, ni tours, ni phrases ; on n'admire rien, l'on n'est frappé de rien. Cependant on se sent l'âme attendrie ; on se sent ému sans savoir pourquoi [2]. Si la force du sentiment ne nous frappe pas, sa vérité nous touche, et c'est ainsi que le cœur sait parler au cœur. Mais ceux qui ne sentent rien, ceux qui n'ont que le jargon paré des passions, ne connaissent point ces sortes de beautés et les méprisent.

N. J'attends.

R. Fort bien. Dans cette dernière espèce de lettres, si les pensées sont communes, le style pourtant n'est pas familier, et ne doit pas l'être. L'amour n'est qu'illusion ; il se fait, pour ainsi dire, un autre Univers ; il s'entoure d'objets qui ne sont point, ou auxquels lui seul a donné l'être ; et comme il rend tous ses sentiments en images, son langage est toujours figuré. Mais ces figures sont sans justesse et sans suite ; son éloquence est dans son désordre ; il prouve d'autant plus qu'il raisonne moins. L'enthousiasme est le dernier degré de la passion. Quand elle est à son comble, elle voit son objet parfait ;

---

1. Sa lettre sera écrite avec beaucoup de verve. « Brûler le papier » n'est pas une expression répertoriée. **2.** Les mêmes expressions sont employées par le personnage « Rousseau » pour décrire le « charme secret » du *Devin de village* (*Rousseau juge de Jean-Jacques*, 2e dialogue, p. 288). Voir la réaction de Bomston (I, 60, p. 206) et la Présentation, p. 13-15.

elle en fait alors son idole ; elle le place dans le Ciel ; et comme l'enthousiasme de la dévotion emprunte le langage de l'amour, l'enthousiasme de l'amour emprunte aussi le langage de la dévotion. Il ne voit plus que le Paradis, les Anges, les vertus des Saints, les délices du séjour céleste. Dans ces transports, entouré de si hautes images, en parlera-t-il en termes rampants ? Se résoudra-t-il d'abaisser, d'avilir ses idées par des expressions vulgaires ? N'élèvera-t-il pas son style ? Ne lui donnera-t-il pas de la noblesse, de la dignité ? Que parlez-vous de Lettres, de style épistolaire ? En écrivant à ce qu'on aime, il est bien question de cela ! ce ne sont plus des lettres que l'on écrit, ce sont des Hymnes.

N. Citoyen, voyons votre pouls ?

R. Non : voyez l'hiver sur ma tête. Il est un âge pour l'expérience ; un autre pour le souvenir. Le sentiment s'éteint à la fin ; mais l'âme sensible demeure toujours.

Je reviens à nos Lettres. Si vous les lisez comme l'ouvrage d'un Auteur qui veut plaire, ou qui se pique d'écrire, elles sont détestables. Mais prenez-les pour ce qu'elles sont, et jugez-les dans leur espèce. Deux ou trois jeunes gens simples, mais sensibles, s'entretiennent entre eux des intérêts de leurs cœurs. Ils ne songent point à briller aux yeux les uns des autres. Ils se connaissent et s'aiment trop mutuellement pour que l'amour-propre ait plus rien à faire entre eux. Ils sont enfants, penseront-ils en hommes ? Ils sont étrangers, écriront-ils correctement ? Ils sont solitaires, connaîtront-ils le monde et la société ? Pleins du seul sentiment qui les occupe, ils sont dans le délire, et pensent philosopher. Voulez-vous qu'ils sachent observer, juger, réfléchir ? Ils ne savent rien de tout cela. Ils savent aimer ; ils rapportent tout à leur passion. L'importance qu'ils donnent à leurs folles idées, est-elle moins amusante que tout l'esprit qu'ils pourraient étaler ? Ils parlent de tout ; ils se trompent sur tout ; ils ne font rien connaître qu'eux ; mais en se faisant connaître, ils se font aimer : Leurs erreurs valent mieux que le savoir des Sages : Leurs cœurs honnêtes portent partout, jusque dans leurs fautes, les préjugés de la vertu, toujours confiante et toujours trahie. Rien ne les entend, rien ne leur répond, tout les détrompe. Ils se refusent aux vérités décourageantes : ne trouvant nulle part ce qu'ils sentent, ils se replient sur eux-mêmes ; ils se détachent du reste de l'Univers ; et créant entre eux un petit monde différent du nôtre, ils y forment un spectacle véritablement nouveau.

N. Je conviens qu'un homme de vingt ans et des filles de dix-huit, ne doivent pas, quoique instruits, parler en Philosophes, même en pensant l'être. J'avoue encore, et cette différence ne m'a pas échappé, que ces filles deviennent des femmes de mérite, et ce jeune homme un meilleur observateur. Je ne fais point de comparaison entre le commencement et la fin de l'ouvrage. Les détails de la vie domestique effacent les fautes du premier âge : la chaste épouse, la femme sensée, la digne mère de famille font oublier la coupable amante. Mais cela même est un sujet de critique : la fin du recueil rend le commencement d'autant plus répréhensible ; on dirait que ce sont deux livres différents que les mêmes personnes ne doivent pas lire. Ayant à montrer des gens raisonnables, pourquoi les prendre avant qu'ils le soient devenus ? Les jeux d'enfants qui précèdent les leçons de la sagesse empêchent de les attendre ; le mal scandalise avant que le bien puisse édifier ; enfin le lecteur indigné se rebute et quitte le livre au moment d'en tirer du profit.

R. Je pense, au contraire, que la fin de ce recueil serait superflue aux lecteurs rebutés du commencement, et que ce même commencement doit être agréable à ceux pour qui la fin peut être utile. Ainsi, ceux qui n'achèveront pas le livre, ne perdront rien, puisqu'il ne leur est pas propre ; et ceux qui peuvent en profiter ne l'auraient pas lu, s'il eût commencé plus gravement. Pour rendre utile ce qu'on veut dire, il faut d'abord se faire écouter de ceux qui doivent en faire usage.

J'ai changé de moyen, mais non pas d'objet. Quand j'ai tâché de parler aux hommes on ne m'a point entendu [1] ; peut-être en parlant aux enfants me ferai-je mieux entendre ; et les enfants ne goûtent pas mieux la raison nue que les remèdes mal déguisés.

> *Cosi all'egro fanciul porgiamo aspersi*
> *Di soave licor gl'orli del vaso ;*

---

1. Allusion à la préface de *Narcisse* (1752), au *Discours sur l'inégalité* (1755) et à la *Lettre à d'Alembert* (1758).

> *Succhi amari ingannato in tanto ei beve,*
> *E dall'inganno suo vita riceve.*

[Ainsi à un enfant malade, nous présentons les rebords de la coupe enduits de suaves liqueurs : trompé alors, il boit les sucs amers, et c'est de son erreur qu'il reçoit la vie [1].]

N. J'ai peur que vous ne vous trompiez encore : ils suceront les bords du vase, et ne boiront point la liqueur.

R. Alors ce ne sera plus ma faute ; j'aurai fait de mon mieux pour la faire passer.

Mes jeunes gens sont aimables ; mais pour les aimer à trente ans, il faut les avoir connus à vingt. Il faut avoir vécu longtemps avec eux pour s'y plaire ; et ce n'est qu'après avoir déploré leurs fautes qu'on vient à goûter leurs vertus. Leurs lettres n'intéressent pas tout d'un coup ; mais peu à peu elles attachent : on ne peut ni les prendre ni les quitter. La grâce et la facilité n'y sont pas, ni la raison, ni l'esprit, ni l'éloquence ; le sentiment y est, il se communique au cœur par degrés, et lui seul à la fin supplée à tout. C'est une longue romance [2] dont les couplets pris à part n'ont rien qui touche, mais dont la suite produit à la fin son effet. Voilà ce que j'éprouve en les lisant : dites-moi si vous sentez la même chose ?

N. Non. Je conçois pourtant cet effet par rapport à vous. Si vous êtes l'auteur, l'effet est tout simple. Si vous ne l'êtes pas, je le conçois encore. Un homme qui vit dans le monde peut s'accoutumer aux idées extravagantes, au pathos affecté [3], au déraisonnement continuel de vos bonnes gens. Un Solitaire peut les goûter ; vous en avez dit la raison vous-même. Mais, avant que de publier ce manuscrit, songez que le public n'est pas composé d'Ermites. Tout ce qui pourrait arriver de plus heureux serait qu'on prît votre petit bonhomme pour un Céladon [4], votre Édouard pour un D. Quichotte, vos caillettes pour

---

1. Le Tasse, *La Jérusalem délivrée*, I, 3, v. 5-8, Les Belles Lettres, t. I, p. 2. Cette image, topique, est empruntée à Lucrèce (*De rerum natura*, I, v. 936-942, trad. J. Kany-Turpin, GF-Flammarion, 1997 ; rééd. 2018, p. 102-104).
2. Voir V, 7, n. 2, p. 717. **3.** Montré avec ostentation. *Pathos* « ne s'emploie que pour signifier les mouvements que l'Orateur excite dans les Auditeurs, et n'est en usage que dans la conversation et dans le Comique » (*Trévoux*).
4. Le « petit bonhomme » est Saint-Preux ; Céladon, nom du berger amoureux d'Astrée dans le roman *L'Astrée* (1612-1627) d'Honoré d'Urfé, est employé comme paronomase : « On dit d'Un homme à beaux sentiments, en matière de galanterie, que c'est un *Céladon* » (*Acad.* 1762).

deux Astrées [1], et qu'on s'en amusât comme d'autant de vrais fous. Mais les longues folies n'amusent guère : il faut écrire comme Cervantès, pour faire lire six volumes de visions.

R. La raison qui vous ferait supprimer cet Ouvrage m'encourage à le publier.

N. Quoi ! la certitude de n'être point lu ?

R. Un peu de patience, et vous allez m'entendre.

En matière de morale, il n'y a point, selon moi, de lecture utile aux gens du monde. Premièrement, parce que la multitude des livres nouveaux qu'ils parcourent, et qui disent tour à tour le pour et le contre, détruit l'effet de l'un par l'autre, et rend le tout comme non avenu. Les livres choisis qu'on relit ne font point d'effet encore : s'ils soutiennent les maximes du monde, ils sont superflus ; et s'ils les combattent, ils sont inutiles. Ils trouvent ceux qui les lisent liés aux vices de la société, par des chaînes qu'ils ne peuvent rompre. L'homme du monde qui veut remuer un instant son âme pour la remettre dans l'ordre moral, trouvant de toutes parts une résistance invincible, est toujours forcé de garder ou reprendre sa première situation. Je suis persuadé qu'il y a peu de gens bien nés qui n'aient fait cet essai, du moins une fois en leur vie ; mais bientôt découragé d'un vain effort on ne le répète plus, et l'on s'accoutume à regarder la morale des livres comme un babil de gens oisifs. Plus on s'éloigne des affaires, des grandes villes, des nombreuses sociétés, plus les obstacles diminuent. Il est un terme où ces obstacles cessent d'être invincibles, et c'est alors que les livres peuvent avoir quelque utilité. Quand on vit isolé, comme on ne se hâte pas de lire pour faire parade de ses lectures, on les varie moins, on les médite davantage ; et comme elles ne trouvent pas un si grand contrepoids au dehors, elles font beaucoup plus d'effet au dedans [2]. L'ennui, ce fléau de la solitude aussi bien que du grand monde, force de recourir aux livres amusants, seule ressource de qui vit seul et n'en a pas en lui-même. On lit beaucoup plus de romans dans les Provinces qu'à Paris, on en lit plus dans les

---

1. Caillette : « femme frivole et babillarde » (*Acad.* 1762). Voir la variante de II, 27, p. 879. **2.** Voir le programme de lectures de Saint-Preux (I, 12, p. 84-87).

campagnes que dans les villes, et ils y font beaucoup plus d'impression : vous voyez pourquoi cela doit être.

Mais ces livres qui pourraient servir à la fois d'amusement, d'instruction, de consolation au campagnard, malheureux seulement parce qu'il pense l'être, ne semblent faits au contraire que pour le rebuter de son état, en étendant et fortifiant le préjugé qui le lui rend méprisable. Les gens du bel air, les femmes à la mode, les grands, les militaires ; voilà les acteurs de tous vos romans. Le raffinement du goût des villes, les maximes de la Cour, l'appareil du luxe, la morale épicurienne ; voilà les leçons qu'ils prêchent et les préceptes qu'ils donnent. Le coloris de leurs fausses vertus ternit l'éclat des véritables ; le manège des procédés est substitué aux devoirs réels ; les beaux discours font dédaigner les belles actions, et la simplicité des bonnes mœurs passe pour grossièreté.

Quel effet produiront de pareils tableaux sur un gentilhomme de campagne, qui voit railler la franchise avec laquelle il reçoit ses hôtes, et traiter de brutale orgie la joie qu'il fait régner dans son canton ? Sur sa femme qui apprend que les soins d'une mère de famille sont au-dessous des Dames de son rang ? Sur sa fille à qui les airs contournés et le jargon de la ville font dédaigner l'honnête et rustique voisin qu'elle eût épousé ? Tous de concert ne voulant plus être des manants, se dégoûtent de leur village, abandonnent leur vieux château, qui bientôt devient masure, et vont dans la capitale, où, le père, avec sa croix de Saint-Louis [1], de Seigneur qu'il était, devient valet ou chevalier d'industrie ; la mère établit un brelan ; la fille attire les joueurs, et souvent tous trois, après avoir mené une vie infâme, meurent de misère et déshonorés.

Les Auteurs, les Gens de Lettres, les Philosophes ne cessent de crier que, pour remplir ses devoirs de citoyen, pour servir ses semblables, il faut habiter les grandes villes ; selon eux fuir Paris, c'est haïr le genre humain ; le peuple

---

1. Ordre royal et militaire créé par Louis XIV en 1693 pour récompenser les services militaires par des pensions avantageuses, payées par les impôts auxquels seul le tiers-état est soumis.

de la campagne est nul à leurs yeux ; à les entendre on croirait qu'il n'y a des hommes qu'où il y a des pensions, des académies et des dîners [1].

De proche en proche la même pente entraîne tous les états. Les Contes, les Romans, les Pièces de Théâtre, tout tire sur les Provinciaux ; tout tourne en dérision la simplicité des mœurs rustiques ; tout prêche les manières et les plaisirs du grand monde : c'est une honte de ne les pas connaître ; c'est un malheur de ne les pas goûter. Qui sait de combien de filous et de filles publiques l'attrait de ces plaisirs imaginaires peuple Paris de jour en jour ? Ainsi les préjugés et l'opinion, renforçant l'effet des systèmes politiques, amoncellent, entassent les habitants de chaque pays sur quelques points du territoire, laissant tout le reste en friche et désert : ainsi pour faire briller les Capitales, se dépeuplent les Nations ; et ce frivole éclat qui frappe les yeux des sots, fait courir l'Europe à grands pas vers sa ruine. Il importe au bonheur des hommes qu'on tâche d'arrêter ce torrent de maximes empoisonnées. C'est le métier des Prédicateurs de nous crier : *Soyez bons et sages*, sans beaucoup s'inquiéter du succès de leurs discours ; le citoyen qui s'en inquiète ne doit point nous crier sottement : *Soyez bons* ; mais nous faire aimer l'état qui nous porte à l'être.

N. Un moment : reprenez haleine. J'aime les vues utiles ; et je vous ai si bien suivi dans celle-ci que je crois pouvoir pérorer pour vous.

Il est clair, selon votre raisonnement, que pour donner aux ouvrages d'imagination la seule utilité qu'ils puissent avoir, il faudrait les diriger vers un but opposé à celui que leurs Auteurs se proposent ; éloigner toutes les choses d'institution ; ramener tout à la nature ; donner aux hommes l'amour d'une vie égale et simple ; les guérir des fantaisies de l'opinion ; leur rendre le goût des vrais plaisirs ; leur faire aimer la solitude et la paix ; les tenir à quelques distances les uns des autres ; et au lieu de les exciter à s'entasser dans les Villes, les porter à s'étendre également sur le territoire pour le vivifier de toutes parts. Je

---

1. Ce paragraphe est traversé par le souvenir de la brouille avec Diderot, au sujet de la retraite de Rousseau à l'Ermitage, mais aussi de la pension du roi que Diderot reprochait à Rousseau d'avoir dédaignée.

comprends encore qu'il ne s'agit pas de faire des Daphnis, des Sylvandres, des Pasteurs d'Arcadie, des Bergers du Lignon[1], d'illustres Paysans cultivant leurs champs de leurs propres mains, et philosophant sur la nature, ni d'autres pareils êtres romanesques qui ne peuvent exister que dans les livres ; mais de montrer aux gens aisés que la vie rustique et l'agriculture ont des plaisirs qu'ils ne savent pas connaître ; que ces plaisirs sont moins insipides, moins grossiers qu'ils ne pensent ; qu'il y peut régner du goût, du choix, de la délicatesse ; qu'un homme de mérite qui voudrait se retirer à la campagne avec sa famille et devenir lui-même son propre fermier, y pourrait couler une vie aussi douce qu'au milieu des amusements des Villes ; qu'une ménagère des champs peut être une femme charmante, aussi pleine de grâces, et de grâces plus touchantes que toutes les petites-maîtresses[2] ; qu'enfin les plus doux sentiments du cœur y peuvent animer une société plus agréable que le langage apprêté des cercles, où nos rires mordants et satiriques sont le triste supplément de la gaieté qu'on n'y connaît plus ? Est-ce bien cela ?

R. C'est cela même. À quoi j'ajouterai seulement une réflexion. L'on se plaint que les Romans troublent les têtes : je le crois bien. En montrant sans cesse à ceux qui les lisent, les prétendus charmes d'un état qui n'est pas le leur, ils les séduisent, ils leur font prendre leur état en dédain, et en faire un échange imaginaire contre celui qu'on leur fait aimer. Voulant être ce qu'on n'est pas, on parvient à se croire autre chose que ce qu'on est, et voilà comment on devient fou[3]. Si les Romans n'offraient à leurs Lecteurs que des tableaux d'objets qui les environnent, que des devoirs qu'ils peuvent remplir, que des plaisirs de leur condition, les Romans ne les rendraient point fous, ils les rendraient sages. Il faut que les écrits faits pour les Solitaires parlent la langue des Solitaires : pour les instruire, il faut qu'ils leur plaisent,

---

1. Autre référence aux personnages de l'univers bucolique de *L'Astrée* et de *L'Arcadie* (1504), pastorale de l'Italien Sannazaro. **2.** Voir II, 27, note de Rousseau, p. 360. **3.** L'allusion au don-quichottisme permet de dénoncer l'aliénation mondaine. La « folie romanesque » (sous-titre du *Pharsamon* [1737], roman de jeunesse de Marivaux) vient d'un usage toxique de la littérature de fiction, de même que celle de Cleveland vient d'un abus de livres de philosophie.

qu'ils les intéressent ; il faut qu'ils les attachent à leur état en le leur rendant agréable. Ils doivent combattre et détruire les maximes des grandes sociétés ; ils doivent les montrer fausses et méprisables, c'est-à-dire, telles qu'elles sont. À tous ces titres un Roman, s'il est bien fait, au moins s'il est utile, doit être sifflé, haï, décrié par les gens à la mode, comme un livre plat, extravagant, ridicule ; et voilà, Monsieur, comment la folie du monde est sagesse.

N. Votre conclusion se tire d'elle-même. On ne peut mieux prévoir sa chute, ni s'apprêter à tomber plus fièrement. Il me reste une seule difficulté. Les Provinciaux, vous le savez, ne lisent que sur notre parole : il ne leur parvient que ce que nous leur envoyons. Un livre destiné pour les Solitaires est d'abord jugé par les gens du monde ; si ceux-ci le rebutent, les autres ne le lisent point. Répondez.

R. La réponse est facile. Vous parlez des beaux esprits de Province ; et moi je parle des vrais campagnards. Vous avez, vous autres qui brillez dans la Capitale, des préjugés dont il faut vous guérir : vous croyez donner le ton à toute la France, et les trois quarts de la France ne savent pas que vous existez. Les livres qui tombent à Paris font la fortune des Libraires de province [1].

N. Pourquoi voulez-vous les enrichir aux dépens des nôtres ?

R. Raillez. Moi, je persiste. Quand on aspire à la gloire, il faut se faire lire à Paris ; quand on veut être utile, il faut se faire lire en Province. Combien d'honnêtes gens passent leur vie dans des campagnes éloignées à cultiver le patrimoine de leurs pères, où ils se regardent comme exilés par une fortune étroite ? Durant les longues nuits d'hiver, dépourvus de sociétés, ils emploient la soirée à lire au coin de leur feu les livres amusants qui leur tombent sous la main. Dans leur simplicité grossière, ils ne se piquent ni de littérature ni de bel esprit ; ils lisent pour se désennuyer et non pour s'instruire ; les livres de morale et de philosophie sont pour eux comme n'existant pas : on en ferait en vain

---

1. Rousseau est attentif à l'évolution du lectorat au cours du siècle, notamment de la petite bourgeoisie et des milieux populaires auprès desquels son roman remportera un immense succès *via* les cabinets de lecture.

pour leur usage ; ils ne leur parviendraient jamais. Cependant, loin de leur rien offrir de convenable à leur situation, vos romans ne servent qu'à la leur rendre encore plus amère. Ils changent leur retraite en un désert affreux, et pour quelques heures de distraction qu'ils leur donnent, ils leur préparent des mois de malaise et de vains regrets. Pourquoi n'oserais-je supposer que, par quelque heureux hasard, ce livre, comme tant d'autres plus mauvais encore, pourra tomber dans les mains de ces Habitants des champs, et que l'image des plaisirs d'un état tout semblable au leur, le leur rendra plus supportable ? J'aime à me figurer deux époux lisant ce recueil ensemble, y puisant un nouveau courage pour supporter leurs travaux communs, et peut-être de nouvelles vues pour les rendre utiles. Comment pourraient-ils y contempler le tableau d'un ménage heureux, sans vouloir imiter un si doux modèle ? Comment s'attendriront-ils sur le charme de l'union conjugale, même privé de celui de l'amour, sans que la leur se resserre et s'affermisse ? En quittant leur lecture, ils ne seront ni attristés de leur état, ni rebutés de leurs soins. Au contraire, tout semblera prendre autour d'eux une face plus riante ; leurs devoirs s'ennobliront à leurs yeux ; ils reprendront le goût des plaisirs de la nature : ses vrais sentiments renaîtront dans leurs cœurs, et en voyant le bonheur à leur portée, ils apprendront à le goûter. Ils rempliront les mêmes fonctions ; mais ils les rempliront avec une autre âme, et feront, en vrais Patriarches, ce qu'ils faisaient en paysans.

N. Jusqu'ici tout va fort bien. Les maris, les femmes, les mères de famille..... Mais les filles ; n'en dites-vous rien ?

R. Non. Une honnête fille ne lit point de livres d'amour. Que celle qui lira celui-ci, malgré son titre, ne se plaigne point du mal qu'il lui aura fait : elle ment. Le mal était fait d'avance ; elle n'a plus rien à risquer.

N. À merveille ! Auteurs érotiques [1] venez à l'école : vous voilà tous justifiés.

---

[1]. « *Érotique* se dit de ce qui appartient à l'amour, ou qui en procède. Délire *érotique*, Poète *érotique*, vers *érotiques*. C'est tout l'emploi de ce mot » (*Féraud*).

R. Oui, s'ils le sont par leur propre cœur et par l'objet de leurs écrits.

N. L'êtes-vous aux mêmes conditions ?

R. Je suis trop fier pour répondre à cela ; mais Julie s'était fait une règle pour juger des livres * : si vous la trouvez bonne, servez-vous-en pour juger celui-ci.

On a voulu rendre la lecture des Romans utile à la jeunesse. Je ne connais point de projet plus insensé. C'est commencer par mettre le feu à la maison pour faire jouer les pompes. D'après cette folle idée, au lieu de diriger vers son objet la morale de ces sortes d'ouvrages, on adresse toujours cette morale aux jeunes filles **, sans songer que les jeunes filles n'ont point de part aux désordres dont on se plaint. En général, leur conduite est régulière, quoique leurs cœurs soient corrompus. Elles obéissent à leurs mères en attendant qu'elles puissent les imiter. Quand les femmes feront leur devoir, soyez sûr que les filles ne manqueront point au leur.

N. L'observation vous est contraire en ce point. Il semble qu'il faut toujours au sexe un temps de libertinage, ou dans un état, ou dans l'autre [1]. C'est un mauvais levain qui fermente tôt ou tard. Chez les peuples qui ont des mœurs, les filles sont faciles et les femmes sévères : c'est le contraire chez eux qui n'en ont pas. Les premiers n'ont égard qu'au délit, et les autres qu'au scandale. Il ne s'agit que d'être à l'abri des preuves ; le crime est compté pour rien.

R. À l'envisager par ses suites [2] on n'en jugerait pas ainsi. Mais soyons justes envers les femmes ; la cause de leur désordre est moins en elles que dans nos mauvaises institutions.

Depuis que tous les sentiments de la nature sont étouffés par l'extrême inégalité, c'est de l'inique despotisme des pères que viennent les vices et les malheurs des enfants ; c'est dans des nœuds forcés et mal assortis, que victimes de l'avarice ou de la vanité des parents, de jeunes femmes effacent par

---

* 2e partie, p. 194. [NdE : voir II, 28, p. 315.]
** Ceci ne regarde que les modernes Romans Anglais.

---

1. Qu'il faut toujours aux femmes un temps de liberté dans leurs mœurs, qu'elles soient mariées ou non. **2.** Les grossesses.

un désordre, dont elles font gloire, le scandale de leur première honnêteté. Voulez-vous donc remédier au mal ? remontez à sa source. S'il y a quelque réforme à tenter dans les mœurs publiques, c'est par les mœurs domestiques qu'elle doit commencer, et cela dépend absolument des pères et mères. Mais ce n'est point ainsi qu'on dirige les instructions ; vos lâches Auteurs ne prêchent jamais que ceux qu'on opprime ; et la morale des livres sera toujours vaine, parce qu'elle n'est que l'art de faire sa cour au plus fort.

N. Assurément la vôtre n'est pas servile ; mais à force d'être libre, ne l'est-elle point trop ? Est-ce assez qu'elle aille à la source du mal ? Ne craignez-vous point qu'elle en fasse ?

R. Du mal ? À qui ? Dans des temps d'épidémie et de contagion, quand tout est atteint dès l'enfance, faut-il empêcher le débit des drogues bonnes aux malades, sous prétexte qu'elles pourraient nuire aux gens sains ? Monsieur, nous pensons si différemment sur ce point, que, si l'on pouvait espérer quelque succès pour ces Lettres, je suis très persuadé qu'elles feraient plus de bien qu'un meilleur livre.

N. Il est vrai que vous avez une excellente Prêcheuse. Je suis charmé de vous voir raccommodé avec les femmes : j'étais fâché que vous leur défendissiez de nous faire des sermons *.

R. Vous êtes pressant ; il faut me taire : je ne suis ni assez fou ni assez sage pour avoir toujours raison. Laissons cet os à ronger à la Critique.

N. Bénignement : de peur qu'elle n'en manque. Mais n'eût-on sur tout le reste rien à dire à tout autre, comment passer au sévère censeur des spectacles, les situations vives et les sentiments passionnés dont tout ce recueil est rempli ? Montrez-moi une scène de théâtre qui forme un tableau pareil à ceux du bosquet de Clarens ** et du cabinet de toilette ? Relisez la lettre sur les spectacles ; relisez ce

---

* Voyez la Lettre à M. d'Alembert sur les Spectacles, p. 81, 1ère édition. [NdE : la page contient notamment cette phrase : « Parcourez la plupart des pièces modernes : c'est toujours une femme qui sait tout, qui apprend tout aux hommes ; c'est toujours la dame de Cour qui fait dire le catéchisme au petit Jean de Saintré » (*Lettre à d'Alembert*, p. 99-100).]
** On prononce *Claran*.

recueil..... Soyez conséquent, ou quittez vos principes.....
Que voulez-vous qu'on pense ?

R. Je veux, Monsieur, qu'un critique soit conséquent lui-
même, et qu'il ne juge qu'après avoir examiné. Relisez mieux
l'écrit que vous venez de citer ; relisez aussi la préface de
Narcisse, vous y verrez la réponse à l'inconséquence que
vous me reprochez. Les étourdis qui prétendent en trouver
dans le Devin du Village, en trouveront sans doute bien plus
ici. Ils feront leur métier : mais vous...

N. Je me rappelle deux passages *... Vous estimez peu vos
contemporains.

R. Monsieur, je suis aussi leur contemporain. Ô ! que ne
suis-je né dans un siècle où je dusse jeter ce recueil au feu !

N. Vous outrez, à votre ordinaire ; mais jusqu'à certain
point vos maximes sont assez justes. Par exemple, si votre
Héloïse eût été toujours sage, elle instruirait beaucoup
moins ; car à qui servirait-elle de modèle ? C'est dans les
siècles les plus dépravés qu'on aime les leçons de la morale
la plus parfaite. Cela dispense de les pratiquer ; et l'on
contente à peu de frais, par une lecture oisive, un reste de
goût pour la vertu.

R. Sublimes Auteurs, rabaissez un peu vos modèles, si
vous voulez qu'on cherche à les imiter. À qui vantez-vous
la pureté qu'on n'a point souillée ? Eh ! parlez-nous de celle
qu'on peut recouvrer ; peut-être au moins quelqu'un pourra
vous entendre.

N. Votre jeune homme a déjà fait ces réflexions : mais
n'importe ; on ne vous fera pas moins un crime d'avoir dit
ce qu'on fait, pour montrer ensuite ce qu'on devrait faire.
Sans compter, qu'inspirer l'amour aux filles et la réserve aux
femmes, c'est renverser l'ordre établi, et ramener toute cette
petite morale que la Philosophie a proscrite. Quoi que vous
en puissiez dire, l'amour dans les filles est indécent et scandaleux, et il n'y a qu'un mari qui puisse autoriser un amant.

---

* Préface de Narcisse, p. 28 et 32 ; lettre à M. d'Alembert, p. 223, 224.
[NdE : « Il faut occuper les peuples à des niaiseries pour les détourner des
mauvaises actions ; il faut les amuser au lieu de les prêcher » (Préface de
Narcisse, OC, t. II, Gallimard, « Bibliothèque de la Pléiade », 1961, p. 972) ;
« Il y a des pays où leurs mœurs sont si mauvaises qu'on serait trop heureux
d'y pouvoir remonter à l'amour » (Lettre à d'Alembert, p. 173).]

Quelle étrange maladresse que d'être indulgent pour les filles, qui ne doivent point vous lire, et sévère pour les femmes, qui vous jugeront ! Croyez-moi, si vous avez peur de réussir, tranquillisez-vous : vos mesures sont trop bien prises pour vous laisser craindre un pareil affront. Quoi qu'il en soit, je vous garderai le secret ; ne soyez imprudent qu'à demi. Si vous croyez donner un livre utile, à la bonne heure ; mais gardez-vous de l'avouer.

R. De l'avouer, Monsieur ? Un honnête homme se cache-t-il quand il parle au Public ? Ose-t-il imprimer ce qu'il n'oserait reconnaître ? Je suis l'Éditeur de ce livre, et je m'y nommerai comme Éditeur.

N. Vous vous y nommerez ? Vous ?

R. Moi-même.

N. Quoi ! Vous y mettrez votre nom ?

R. Oui, Monsieur.

N. Votre vrai nom ? *Jean-Jacques ROUSSEAU*, en toutes lettres ?

R. *Jean-Jacques Rousseau*, en toutes lettres.

N. Vous n'y pensez pas ! que dira-t-on de vous ?

R. Ce qu'on voudra. Je me nomme à la tête de ce recueil, non pour me l'approprier ; mais pour en répondre [1]. S'il y a du mal, qu'on me l'impute ; s'il y a du bien, je n'entends point m'en faire honneur. Si l'on trouve le livre mauvais en lui-même, c'est une raison de plus pour y mettre mon nom. Je ne veux pas passer pour meilleur que je ne suis.

N. Êtes-vous content de cette réponse ?

R. Oui, dans des temps où il n'est possible à personne d'être bon.

N. Et les belles âmes, les oubliez-vous ?

R. La nature les fit, vos institutions les gâtent.

N. À la tête d'un livre d'amour on lira ces mots : *Par J.-J. Rousseau, Citoyen de Genève.*

R. *Citoyen de Genève* ? Non pas cela. Je ne profane point le nom de ma patrie ; je ne le mets qu'aux écrits que je crois lui pouvoir faire honneur.

N. Vous portez vous-même un nom qui n'est pas sans honneur, et vous avez aussi quelque chose à perdre. Vous

---

1. À lire au sens juridique du terme : « être garant en Justice » (*Acad.* 1762).

donnez un livre faible et plat qui vous fera tort. Je voudrais pouvoir vous en empêcher ; mais si vous en faites la sottise, j'approuve que vous la fassiez hautement et franchement. Cela du moins sera dans votre caractère. Mais à propos ; mettrez-vous aussi votre devise [1] à ce livre ?

R. Mon Libraire m'a déjà fait cette plaisanterie, et je l'ai trouvée si bonne, que j'ai promis de lui en faire honneur [2]. Non, Monsieur, je ne mettrai point ma devise à ce livre ; mais je ne la quitterai pas pour cela, et je m'effraye moins que jamais de l'avoir prise. Souvenez-vous que je songeais à faire imprimer ces Lettres quand j'écrivais contre les Spectacles, et que le soin d'excuser un de ces Écrits ne m'a point fait altérer la vérité dans l'autre. Je me suis accusé d'avance plus fortement peut-être que personne ne m'accusera. Celui qui préfère la vérité à sa gloire peut espérer de la préférer à sa vie. Vous voulez qu'on soit toujours conséquent ; je doute que cela soit possible à l'homme ; mais ce qui lui est possible est d'être toujours vrai : voilà ce que je veux tâcher d'être.

N. Quand je vous demande si vous êtes l'auteur de ces Lettres, pourquoi donc éludez-vous ma question ?

R. Pour cela même que je ne veux pas dire un mensonge.

N. Mais vous refusez aussi de dire la vérité ?

R. C'est encore lui rendre honneur que de déclarer qu'on la veut taire : Vous auriez meilleur marché d'un homme qui voudrait mentir. D'ailleurs les gens de goût se trompent-ils sur la plume des Auteurs ? Comment osez-vous faire une question que c'est à vous de résoudre ?

N. Je la résoudrais bien pour quelques Lettres ; elles sont certainement de vous ; mais je ne vous reconnais plus dans les autres, et je doute qu'on se puisse contrefaire à ce point. La nature qui n'a pas peur qu'on la méconnaisse change souvent d'apparence, et souvent l'art se décèle en voulant être plus naturel qu'elle : c'est le Grogneur de la Fable qui rend la voix de l'animal mieux que l'animal même [3]. Ce

---

1. *Vitam impendere vero* (« consacrer sa vie à la vérité ») : devise empruntée à Juvénal (*Satires*, IV, v. 9) et adoptée par Rousseau dans sa *Lettre à d'Alembert* (p. 188-189). **2.** Voir la lettre de Rousseau à Rey du 24 avril 1760 (*CC*, n° 973, t. VII, p. 75). **3.** Allusion à une fable de Phèdre (V, 5) rapportée par Plutarque (*Symposiaques*, V), et racontée ainsi par Lesage : un bouffon se fait admirer pour son imitation d'un porcelet ; afin de le confondre, un paysan fait crier sous son manteau un véritable cochon de lait ; sous les huées du public, il l'exhibe et dit aux spectateurs : « Ce n'est pas moi que recueil est plein de choses d'une maladresse que le dernier barbouilleur eût évitée. Les déclamations, les répétitions, les contradictions, les éternelles rabâcheries [1] ; où est l'homme capable de mieux faire qui pourrait se résoudre à faire si mal ? Où est celui qui aurait laissé la choquante proposition que ce fou d'Édouard fait à Julie ? Où est celui qui n'aurait pas corrigé le ridicule du petit bonhomme qui voulant toujours mourir a soin d'en avertir tout le monde, et finit par se porter toujours bien ? Où est celui qui n'eût pas commencé par se dire : il faut marquer avec soin les caractères ; il faut exactement varier les styles ? Infailliblement, avec ce projet il aurait mieux fait que la nature.

J'observe que dans une société très intime, les styles se rapprochent ainsi que les caractères, et que les amis confondant leurs âmes, confondent aussi leurs manières de penser, de sentir, et de dire. Cette Julie, telle qu'elle est, doit être une créature enchanteresse ; tout ce qui l'approche doit lui ressembler ; tout doit devenir Julie autour d'elle ; tous ses amis ne doivent avoir qu'un ton ; mais ces choses se sentent, et ne s'imaginent pas. Quand elles s'imagineraient, l'inventeur n'oserait les mettre en pratique. Il ne lui faut que des traits qui frappent la multitude ; ce qui redevient simple à force de finesse, ne lui convient plus. Or c'est là qu'est le sceau de la vérité ; c'est là qu'un œil attentif cherche et retrouve la nature.

R. Eh bien, vous concluez donc ?

N. Je ne conclus pas ; je doute, et je ne saurais vous dire, combien ce doute m'a tourmenté durant la lecture de ces lettres. Certainement, si tout cela n'est que fiction, vous avez fait un mauvais livre : mais dites que ces deux femmes ont existé ; et je relis ce Recueil tous les ans jusqu'à la fin de ma vie.

R. Eh ! qu'importe qu'elles aient existé ? Vous les chercheriez en vain sur la terre. Elles ne sont plus.

N. Elles ne sont plus ? Elles furent donc ?

---

vous sifflez. C'est le cochon lui-même. Voyez quels juges vous êtes » (*Gil Blas*, III, 6, éd. É. Leborgne, GF-Flammarion, 2008, p. 236). **1.** « Rabâcherie », tout comme « rabâchage », est synonyme de « redites » en registre familier. Grimm l'emploie dans la *Correspondance littéraire*.

R. Cette conclusion est conditionnelle : si elles furent, elles ne sont plus.

N. Entre nous, convenez que ces petites subtilités sont plus déterminantes qu'embarrassantes.

R. Elles sont ce que vous les forcez d'être pour ne point me trahir ni mentir.

N. Ma foi, vous aurez beau faire, on vous devinera malgré vous. Ne voyez-vous pas que votre épigraphe seule dit tout.

R. Je vois qu'elle ne dit rien sur le fait en question : car qui peut savoir si j'ai trouvé cette épigraphe dans le manuscrit, ou si c'est moi qui l'y ai mise ? Qui peut dire, si je ne suis point dans le même doute où vous êtes ? Si tout cet air de mystère n'est pas peut-être une feinte pour vous cacher ma propre ignorance sur ce que vous voulez savoir ?

N. Mais enfin, vous connaissez les lieux ? Vous avez été à Vevey ; dans le pays de Vaud ?

R. Plusieurs fois ; et je vous déclare que je n'y ai point ouï parler du Baron d'Étange ni de sa fille ; le nom de M. de Wolmar n'y est pas même connu. J'ai été à Clarens : je n'y ai rien vu de semblable à la maison décrite dans ces Lettres. J'y ai passé, revenant d'Italie, l'année même de l'événement funeste [1], et l'on n'y pleurait ni Julie de Wolmar, ni rien qui lui ressemblât, que je sache. Enfin, autant que je puis me rappeler la situation du pays, j'ai remarqué dans ces Lettres, des transpositions de lieux et des erreurs de Topographie ; soit que l'Auteur n'en sût pas davantage ; soit qu'il voulût dépayser ses Lecteurs. C'est là tout ce que vous apprendrez de moi sur ce point, et soyez sûr que d'autres ne m'arracheront pas ce que j'aurai refusé de vous dire.

N. Tout le monde aura la même curiosité que moi. Si vous publiez cet Ouvrage, dites donc au Public ce que vous m'avez dit. Faites plus, écrivez cette conversation pour toute Préface : Les éclaircissements nécessaires y sont tous.

R. Vous avez raison ; elle vaut mieux que ce que j'aurais dit de mon chef. Au reste ces sortes d'apologies ne réussissent guère.

---

1. Rousseau quitte l'ambassade de Venise en août 1744 et retourne à Paris en passant par le lac Majeur (où il visite les îles Borromées), le Valais et Genève (*Confessions*, VII, t. II, p. 63).

N. Non, quand on voit que l'Auteur s'y ménage ; mais j'ai pris soin qu'on ne trouvât pas ce défaut dans celle-ci. Seulement, je vous conseille d'en transposer les rôles. Feignez que c'est moi qui vous presse de publier ce Recueil, et que vous vous en défendez. Donnez-vous les objections, et à moi les réponses. Cela sera plus modeste, et fera un meilleur effet.

R. Cela sera-t-il aussi dans le caractère dont vous m'avez loué ci-devant ?

N. Non, je vous tendais un piège. Laissez les choses comme elles sont.

OBSERVATIONS DE ROUSSEAU
sur les retranchements voulus par Malesherbes dans l'édition parisienne de *La Nouvelle Héloïse* (lettres du 19 février 1761)

Malesherbes, directeur de la Librairie du roi, avait fait parvenir à Rousseau le 16 février 1761 (CC, n° 1298, t. VIII, p. 117-123) la liste de tous les passages modifiés (par le censeur Piquet) sur l'édition d'Amsterdam (Rey 61). Les retranchements opérés dans l'« édition de Paris » portaient essentiellement sur les parties V et VI, dans les passages où il est question de religion (V, 5 et VI, 11, notamment). Cette « mutilation » a suscité les deux réponses de Rousseau ci-dessous (CC, n°ˢ 1303 et 1304, t. VIII, p. 132-137), publiées seulement en 1817 dans l'édition Musset-Pathay.

Rousseau
à Chrétien-Guillaume de Lamoignon de Malesherbes

[Montmorency, le 19 février 1761]

Je n'ai pu bien juger de l'effet des retranchements dont Monsieur de Malesherbes a eu la bonté de m'envoyer la note et les raisons, parce que je n'ai pas l'édition de Paris sous les yeux ; mais je pense que cette mutilation doit être bien choquante à la lecture et produire bien des disparates.

Quelques-uns de ces retranchements me paraîtraient assez à propos et convenables, même dans ma façon de penser ; mais le plus grand nombre et les plus importants sont ceux auxquels je ne puis acquiescer, parce qu'ils vont directement contre l'objet du livre et que les images trop libres mais nécessaires à l'effet du reste n'étant plus rachetées par rien d'utile, un bon livre que j'ai cru donner ne devient plus qu'un roman libre et scandaleux que je supprimerais moi-même, si j'en avais le pouvoir. Je ne me soucie pas qu'on me lise en France, s'il faut employer pour cela six volumes de fadeurs, uniquement à servir de secrétaire d'amour à la jeunesse, et à donner aux lecteurs l'érudition du coucher.

Une dévote vulgaire, humblement soumise à son directeur, une femme qui commence par le libertinage et finit par la dévotion n'est pas un objet assez rare, assez instructif pour remplir un gros livre, mais une femme à la fois aimable, dévote, éclairée et raisonnable, est un objet plus nouveau et selon moi plus utile. C'est pourtant cette nouveauté et cette utilité que les retranchements exigés font disparaître. Il est vrai que c'est précisément sur la supposition de cette piété éclairée que Monsieur de Malesherbes ne veut pas qu'elle ait des sentiments différents de la doctrine de l'Église. Mais ce mot d'Église a besoin d'explication. L'Église Romaine n'exige point une piété éclairée, elle exige une piété aveugle, et quant à l'Église protestante, c'est précisément parce qu'elle exige une piété éclairée qu'elle laisse à chacun l'usage de sa raison. Voit-on que le livre qui effarouche si fort les théologiens catholiques effarouche aussi les nôtres ? C'est une nouvelle sorte d'intolérance, dont les prêtres ne s'étaient pas encore avisés, de vouloir qu'un protestant soit protestant à leur mode plutôt qu'à la sienne.

Monsieur de Malesherbes pense que la doctrine mise dans la bouche de Julie mourante est celle de l'Auteur ou de l'éditeur du livre. Cependant il veut qu'on tronque cette profession de foi. Or il est clair que dans une édition faite par mes soins les suppressions seront de ma part un désaveu tacite. Quoi ! Monsieur de Malesherbes veut-il que je renie ma foi ? Ou le courage que je crois sentir en moi me trompe, ou quand je verrais devant moi l'appareil des supplices, je n'ôterais pas un mot de ce discours. Je n'entrerai point dans le détail des motifs qui ont déterminé M. de Malesherbes à ordonner ces retranchements. Ces motifs étant tirés de principes que je n'adopte point n'ont aucune autorité pour moi. Je n'imaginais pas qu'un Roman genevois dût être approuvé en Sorbonne et comme je n'ai point désiré qu'il fût imprimé en France, rien ne m'oblige à souscrire aux conditions sous lesquelles il y peut être imprimé. Je remarquerai seulement que ces retranchements sont faits avec tant de soin qu'il ne reste rien à mes calvinistes en fait de doctrine que le plus superstitieux Catholique ne pût avouer. Autant vaudrait exiger que tout protestant qui vient à Paris fît abjuration sur la frontière. Il s'en faut bien que les Romans de l'Abbé Prévost, surtout le *Cleveland*, ne soient traités avec tant de sévérité. Or il me paraît assez étrange qu'un prêtre Catholique puisse dans ses romans faire parler des protestants selon leurs idées plus librement qu'un protestant dans les siens.

Monsieur de Malesherbes m'élève des scrupules sur les sentiments de Julie et de St. Preux qu'il n'a point élevés sur les miens propres dans mon *Discours sur l'inégalité* ni même dans ma *Lettre à Mr d'Alembert* dont les dix ou douze premières pages contiennent sans détour directement et sous mon nom des sentiments du moins aussi hardis et aussi durement énoncés : au lieu que dans le Roman ceux contestés entre les interlocuteurs ne peuvent être imputés avec certitude ni à moi ni à personne.

J'ai pensé aux changements proposés, et j'ai vu que je ne pouvais rien substituer aux choses retranchées sans changer aussi l'objet de ce livre et sans le gâter, ce que je ne veux pas faire. Que si je ne voulais qu'adoucir ces mêmes choses je n'y réussirais jamais, n'ayant ni ce Talent-là, ni le goût qui le rend utile : à la vérité il y a beaucoup de mauvaises notes que je voudrais qui n'y fussent point, mais ce ne sont pas celles-là que Monsieur de Malesherbes exige qu'on retranche. Je pourrais consentir qu'on les ôtât absolument toutes pourvu que le Texte entier restât tel qu'il est dans la première édition ; encore ce sacrifice me coûterait-il beaucoup.

Je remercie très humblement Monsieur de Malesherbes de sa bonne volonté, mais je ne sais ni veux apprendre comment il faut préparer un livre pour le mettre en état d'être imprimé à Paris.

Rousseau
à Chrétien-Guillaume de Lamoignon de Malesherbes

À Montmorency le 19 févr. 1761

Voilà, Monsieur, ma réponse aux observations que vous avez eu la bonté de m'envoyer Sur *la Nouvelle Héloïse*. Vous l'avez élevée à l'honneur auquel elle ne s'attendait guère d'occuper les théologiens ; c'est peut-être un Sort attaché à ce nom, et à celles qui le portent d'avoir toujours à passer par les mains de ces Messieurs-là [1].

Je vois qu'ils ont travaillé à la conversion de celle-ci avec un grand zèle, et je ne doute point que leurs soins pieux n'en aient fait une personne très orthodoxe, mais je trouve qu'ils l'ont traitée avec un peu de rudesse, ils ont flétri ses charmes et j'avoue qu'elle me plaisait plus, aimable quoique hérétique, que bigote et maussade comme la voilà. Je demande qu'on me la rende comme je l'ai donnée ou je l'abandonne à ses directeurs.

Recevez, Monsieur, les assurances de mon profond respect.

JJ Rousseau

---

1. Malesherbes se défendra par la suite de ces imputations : « on imaginera peut-être que c'était moi qui avais le ridicule de vouloir rendre Héloïse catholique, ce qui n'est pas juste car en vérité je n'ai pas eu ce projet » (*Observations sur les lettres de Rousseau*, cité par R.A. Leigh, *CC*, t. VIII, p. 136).

LES AMOURS
DE MILORD ÉDOUARD BOMSTON [1]

Rousseau présente lui-même cet appendice à son roman dans ses Confessions :

J'avais écrit à part *les aventures de Milord Édouard*, et j'avais balancé longtemps à les insérer soit en entier soit par extrait dans cet ouvrage où elles me paraissaient manquer. Je me déterminai enfin à les retrancher tout à fait, parce que n'étant pas du ton de tout le reste elles en auraient gâté la touchante simplicité. J'eus une autre raison bien plus forte quand je connus Mad^e de Luxembourg. C'est qu'il y avait dans ces aventures une Marquise romaine d'un caractère très odieux, dont quelques traits, sans lui être applicables, auraient pu lui être appliqués par ceux qui ne la connaissaient que de réputation. Je me félicitai donc beaucoup du parti que j'y avais pris, et m'y confirmai. Mais dans l'ardent désir d'enrichir son exemplaire de quelque chose qui ne fût dans aucun autre, n'allai-je pas songer à ces malheureuses aventures et former le projet d'en faire l'extrait pour l'y ajouter. Projet insensé dont on ne peut expliquer l'extravagance que par l'aveugle fatalité qui m'entraînait à ma perte.

Quos vult perdere Jupiter dementat [Ceux qu'il veut perdre, Jupiter les rend fou]

J'eus la stupidité de faire cet extrait avec bien du soin, bien du travail et de lui envoyer ce morceau comme la plus belle chose du monde ; en la prévenant toutefois, comme il était vrai, que j'avais brûlé l'original, que l'extrait était pour

---

1. Cet « extrait » (ou résumé) est publié en 1780 dans l'édition Du Peyrou et Moultou de Genève, à partir d'une copie faite pour Girardin du manuscrit que Rousseau avait offert à la maréchale de Luxembourg en 1760.

elle seule et ne serait jamais vu de personne à moins qu'elle
ne le montrât elle-même ; ce qui, loin de lui prouver ma
prudence et ma discrétion, comme je croyais faire, n'était
que l'avertir du jugement que je portais moi-même sur
l'application des traits dont elle aurait pu s'offenser. Mon
imbécillité fut telle que je ne doutais pas qu'elle ne fût
enchantée de mon procédé. Elle ne me fit pas là-dessus les
grands compliments que j'en attendais, et jamais, à ma très
grande surprise, elle ne me parla du cahier que je lui avais
envoyé. Pour moi, toujours charmé de ma conduite dans
cette affaire, ce ne fut que longtemps après que je jugeai sur
d'autres indices de l'effet qu'elle avait produit [1].

Les bizarres aventures de Milord Édouard à Rome étaient
trop romanesques pour pouvoir être mêlées avec celles de
Julie sans en gâter la simplicité. Je me contenterai donc d'en
extraire et abréger ici ce qui sert à l'intelligence de deux ou
trois lettres où il en est question [2].

Milord Édouard dans ses tournées d'Italie avait fait
connaissance à Rome avec une femme de qualité Napolitaine dont il ne tarda pas à devenir fortement amoureux ;
elle de son côté conçut pour lui une passion violente qui la
dévora le reste de sa vie, et finit par la mettre au tombeau.
Cet homme, âpre et peu galant, mais ardent et sensible,
extrême et grand en tout, ne pouvait guère inspirer ni sentir
d'attachement médiocre.

Les principes stoïques de ce vertueux Anglais inquiétaient
la Marquise. Elle prit le parti de se faire passer pour veuve
durant l'absence de son mari, ce qui lui fut aisé, parce qu'ils
étaient tous deux étrangers à Rome et que le Marquis servait dans les troupes de l'Empereur [3]. L'amoureux Édouard
ne tarda pas à parler de mariage, la Marquise allégua la
différence de religion et d'autres prétextes. Enfin ils lièrent
ensemble un commerce intime et libre, jusqu'à ce
qu'Édouard ayant découvert que le mari vivait, voulut
rompre avec elle, après l'avoir accablée des plus vifs

1. *Confessions*, X, t. II, p. 284-285. **2.** Principalement les lettres V, 12 et VI,
3. Voir le dernier paragraphe, p. 948. **3.** L'empereur d'Allemagne Charles VI
(1685-1740).

reproches ; outré de se trouver coupable sans le savoir, d'un crime qu'il avait en horreur.

La Marquise femme sans principes, mais adroite et pleine de charmes, n'épargna rien pour le retenir et en vint à bout. Le commerce adultère fut supprimé, mais les liaisons continuèrent. Tout indigne qu'elle était d'aimer, elle aimait pourtant : il fallut consentir à voir sans fruit un homme adoré qu'elle ne pouvait conserver autrement ; et cette barrière volontaire irritant l'amour des deux côtés, il en devint plus ardent par la contrainte. La Marquise ne négligea pas les soins qui pouvaient faire oublier à son amant ses résolutions : elle était séduisante et belle ; tout fut inutile. L'Anglais resta ferme ; sa grande âme était à l'épreuve. La première de ses passions était la vertu. Il eût sacrifié sa vie à sa maîtresse, et sa maîtresse à son devoir. Une fois la séduction devint trop pressante ; le moyen qu'il allait prendre pour s'en délivrer retint la Marquise et rendit vains tous ses pièges. Ce n'est point parce que nous sommes faibles, mais parce que nous sommes lâches que nos sens nous subjuguent toujours. Quiconque craint moins la mort que le crime n'est jamais forcé d'être criminel.

Il y a peu de ces âmes fortes qui entraînent les autres et les élèvent à leur sphère, mais il y en a. Celle d'Édouard était de ce nombre. La Marquise espérait le gagner, c'était lui qui la gagnait insensiblement. Quand les leçons de la vertu prenaient dans sa bouche les accents de l'amour, il la touchait, il la faisait pleurer ; ses feux sacrés animaient cette âme rampante, un sentiment de justice et d'honneur y portait son charme étranger ; le vrai beau commençait à lui plaire : si le méchant pouvait changer de nature, le cœur de la Marquise en aurait changé.

L'amour seul profita de ces émotions légères ; il en acquit plus de délicatesse : elle commença d'aimer avec générosité ; avec un tempérament ardent, et dans un climat où les sens ont tant d'empire, elle oublia ses plaisirs pour songer à ceux de son amant, et ne pouvant les partager, elle voulut au moins qu'il les tînt d'elle. Telle fut de sa part l'interprétation favorable d'une démarche où son caractère, et celui d'Édouard qu'elle connaissait bien pourraient faire trouver un raffinement de séduction.

Elle n'épargna ni soins, ni dépense pour faire chercher dans tout Rome une jeune personne facile et sûre ; on la trouva, non sans peine. Un soir après un entretien fort tendre, elle la lui présenta ; disposez-en lui dit-elle avec un soupir, qu'elle jouisse du prix de mon amour ; mais qu'elle soit la seule. C'est assez pour moi si quelquefois auprès d'elle vous songez à la main dont vous la tenez. Elle voulut sortir, Édouard la retint. Arrêtez, lui dit-il ; si vous me croyez assez lâche pour profiter de votre offre dans votre propre maison, le sacrifice n'est pas d'un grand prix, et je ne vaux pas la peine d'être beaucoup regretté. Puisque vous ne devez pas être à moi, je souhaite dit la Marquise que vous ne soyez à personne ; mais si l'amour doit perdre ses droits, souffrez au moins qu'il en dispose. Pourquoi mon bienfait vous est-il à charge ? avez-vous peur d'être un ingrat ? Alors elle l'obligea d'accepter l'adresse de Laure (c'était le nom de la jeune personne) et lui fit jurer qu'il s'abstiendrait de tout autre commerce. Il dut être touché, il le fut. Sa reconnaissance lui donna plus de peine à contenir que son amour, et ce fut le piège le plus dangereux que la Marquise lui ait tendu de sa vie.

Extrême en tout, ainsi que son amant, elle fit souper Laure avec elle, et lui prodigua ses caresses, comme pour jouir avec plus de pompe du plus grand sacrifice que l'amour ait jamais fait. Édouard pénétré se livrait à ses transports ; son âme émue et sensible s'exhalait dans ses regards, dans ses gestes ; il ne disait pas un mot qui ne fût l'expression de la passion la plus vive. Laure était charmante ; à peine la regardait-il. Elle n'imita pas cette indifférence ; elle regardait, et voyait dans le vrai tableau de l'amour un objet tout nouveau pour elle.

Après le souper, la Marquise renvoya Laure et resta seule avec son amant. Elle avait compté sur les dangers de ce tête-à-tête ; elle ne s'était pas trompée en cela ; mais en comptant qu'il y succomberait, elle se trompa ; toute son adresse ne fit que rendre le triomphe de la vertu plus éclatant et plus douloureux à l'un et à l'autre. C'est à cette soirée que se rapporte, à la fin de la quatrième partie de la Julie, l'admiration de St. Preux pour la force de son ami [1].

---

1. Voir IV, 17, p. 617.

Édouard était vertueux mais homme. Il avait toute la simplicité du véritable honneur et rien de ces fausses bienséances qu'on lui substitue, et dont les gens du monde font si grand cas. Après plusieurs jours passés dans les mêmes transports près de la Marquise, il sentit augmenter le péril et prêt à se laisser vaincre il aima mieux manquer de délicatesse que de vertu ; il fut voir Laure.

Elle tressaillit à sa vue. Il la trouva triste ; il entreprit de l'égayer, et ne crut pas avoir besoin de beaucoup de soins pour y réussir. Cela ne lui fut pas si facile qu'il l'avait cru. Ses caresses furent mal reçues, ses offres furent rejetées d'un air qu'on ne prend point en disputant ce qu'on veut accorder.

Un accueil aussi ridicule ne le rebuta pas, il l'irrita. Devait-il des égards d'enfant à une fille de cet ordre [1] ? Il usa sans ménagement de ses droits. Laure malgré ses cris, ses pleurs, sa résistance, se sentant vaincue, fait un effort, s'élance à l'autre extrémité de la chambre, et lui crie d'une voix animée : Tuez-moi si vous voulez ; jamais vous ne me toucherez vivante. Le geste, le regard, le ton, n'étaient pas équivoques. Édouard, dans un étonnement qu'on peut concevoir, se calme, la prend par la main, la fait rasseoir, s'asseye à côté d'elle, et la regardant sans parler, attend froidement le dénouement de cette comédie.

Elle ne disait rien ; elle avait les yeux baissés ; sa respiration était inégale, son cœur palpitait ; et tout marquait en elle une agitation extraordinaire. Édouard rompit enfin le silence pour lui demander ce que signifiait cette étrange scène. [2] Me serais-je trompé lui dit-il ? ne seriez-vous point Lauretta Pisana ? Plût à Dieu ! dit-elle d'une voix tremblante. Quoi donc ! reprit-il avec un souris moqueur ; auriez-vous par hasard changé de métier ? Non, dit Laure ; je suis toujours la même : on ne revient plus de l'état où je suis. Il trouva dans ce tour de phrase, et dans l'accent dont

---

1. La conversion de Laure semble s'inspirer de la transformation de Théophé, ancienne esclave de sérail, par un ambassadeur français qui devient son Pygmalion malgré lui (Prévost, *Histoire d'une Grecque moderne* [1740], éd. A.J. Singerman, GF-Flammarion, 1990). **2.** Nous remplaçons le point d'interrogation par un point.

il fut prononcé quelque chose de si extraordinaire qu'il ne savait plus que penser et qu'il crut que cette fille était devenue folle. Il continua : Pourquoi donc charmante Laure, ai-je seul l'exclusion ? Dites-moi ce qui m'attire votre haine. Ma haine, s'écria-t-elle d'un ton plus vif. Je n'ai point aimé ceux que j'ai reçus. Je puis souffrir tout le monde, hors vous seul.

Mais pourquoi cela ? Laure, expliquez-vous mieux, je ne vous entends point. Eh ! m'entends-je moi-même ? Tout ce que je sais, c'est que vous ne me toucherez jamais...... non ! s'écria-t-elle avec emportement, jamais vous ne me toucherez. En me sentant dans vos bras, je songerais que vous n'y tenez qu'une fille publique, et j'en mourrais de rage.

Elle s'animait en parlant. Édouard aperçut dans ses yeux des signes de douleur et de désespoir qui l'attendrirent. Il prit avec elle des manières moins méprisantes ; un ton plus honnête et plus caressant. Elle se cachait le visage ; elle évitait ses regards. Il lui prit la main d'un air affectueux. À peine elle sentit cette main qu'elle y porta la bouche et la pressa de ses lèvres en poussant des sanglots et versant des torrents de larmes.

Ce langage, quoique assez clair, n'était pas précis. Édouard ne l'amena qu'avec peine à lui parler plus nettement. La pudeur éteinte était revenue avec l'amour, et Laure n'avait jamais prodigué sa personne avec tant de honte qu'elle en eut d'avouer qu'elle aimait.

À peine cet amour était né qu'il était déjà dans toute sa force. Laure était vive et sensible ; assez belle pour faire une passion ; assez tendre pour la partager : Mais vendue par d'indignes parents dès sa première jeunesse, ses charmes souillés par la débauche avaient perdu leur empire. Au sein des honteux plaisirs, l'amour fuyait devant elle ; de malheureux corrupteurs ne pouvaient ni le sentir ni l'inspirer. Les corps combustibles ne brûlent point d'eux-mêmes ; qu'une étincelle approche, et tout part. Ainsi prit feu le cœur de Laure aux transports de ceux d'Édouard et de la Marquise. À ce nouveau langage, elle sentit un frémissement délicieux ; elle prêtait une oreille attentive ; ses avides regards ne laissaient rien échapper. La flamme humide qui sortait des yeux de l'amant pénétrait par les siens jusqu'au fond de son cœur ; un sang plus brûlant courait dans ses veines ; la voix d'Édouard avait un accent qui l'agitait ; le sentiment lui semblait peint dans tous ses gestes ; tous ses traits animés par la passion la lui faisaient ressentir. Ainsi la première image de l'amour lui fit aimer l'objet qui la lui avait offerte. S'il n'eût rien senti pour une autre, peut-être n'eût-elle rien senti pour lui.

Toute cette agitation la suivit chez elle. Le trouble de l'amour naissant est toujours doux. Son premier mouvement fut de se livrer à ce nouveau charme ; le second fut d'ouvrir les yeux sur elle. Pour la première fois de sa vie elle vit son état ; elle en eut horreur. Tout ce qui nourrit l'espérance et les désirs des amants se tournait en désespoir dans son âme. La possession même de ce qu'elle aimait n'offrait à ses yeux que l'opprobre d'une abjecte et vile créature, à laquelle on prodigue son mépris avec ses caresses ; dans le prix d'un amour heureux elle ne vit que l'infâme prostitution. Ses tourments les plus insupportables lui venaient ainsi de ses propres désirs. Plus il lui était aisé de les satisfaire, plus son sort lui semblait affreux ; sans honneur, sans espoir, sans ressources, elle ne connut l'amour que pour en regretter les délices. Ainsi commencèrent ses longues peines, et finit son bonheur d'un moment.

La passion naissante qui l'humiliait à ses propres yeux, l'élevait à ceux d'Édouard. La voyant capable d'aimer, il ne la méprisa plus. Mais quelles consolations pouvait-elle attendre de lui ? quel sentiment pouvait-il lui marquer, si ce n'est le faible intérêt qu'un cœur honnête qui n'est pas libre peut prendre à un objet de pitié, qui n'a plus d'honneur qu'assez pour sentir sa honte ?

Il la consola comme il put, et promit de la venir revoir. Il ne lui dit pas un mot de son état ; pas même pour l'exhorter d'en sortir. Que servait d'augmenter l'effroi qu'elle en avait puisque cet effroi même la faisait désespérer d'elle ? Un seul mot sur un tel sujet tirait à conséquence et semblait la rapprocher de lui : c'était ce qui ne pouvait jamais être. Le plus grand malheur des métiers infâmes est qu'on ne gagne rien à les quitter.

Après une seconde visite, Édouard n'oubliant pas la magnificence anglaise lui envoya un cabinet de laque et plusieurs bijoux d'Angleterre. Elle lui renvoya le tout avec ce billet :

J'ai perdu le droit de refuser des présents. J'ose pourtant vous renvoyer le vôtre ; car peut-être n'aviez-vous pas dessein d'en faire un signe de mépris. Si vous le renvoyez encore, il faudra que je l'accepte : mais vous avez une bien cruelle générosité.

Édouard fut frappé de ce billet, il le trouvait à la fois humble et fier. Sans sortir de la bassesse de son état, Laure y montrait une sorte de dignité. C'était presque effacer son opprobre à force de s'en avilir. Il avait cessé d'avoir du mépris pour elle ; il commença de l'estimer. Il continua de la voir sans plus parler de présents ; et s'il ne s'honora pas d'être aimé d'elle, il ne put s'empêcher de s'en applaudir.

Il ne cacha pas ces visites à la Marquise. Il n'avait nulle raison de les lui cacher, et c'eût été de sa part une ingratitude. Elle en voulut savoir davantage. Il jura qu'il n'avait point touché Laure. Sa modération eut un effet tout contraire à celui qu'il en attendait. Quoi ! s'écria la Marquise en fureur, vous la voyez et ne la touchez point ? Qu'allez-vous donc faire chez elle ? Alors s'éveilla cette jalousie infernale qui la fit cent fois attenter à la vie de l'un et de l'autre, et la consuma de rage jusqu'au moment de sa mort.

D'autres circonstances achevèrent d'allumer cette passion furieuse, et rendirent cette femme à son vrai caractère. J'ai déjà remarqué que dans son intègre probité Édouard manquait de délicatesse. Il fit à la Marquise le même présent que lui avait renvoyé Laure. Elle l'accepta ; non par avarice ; mais parce qu'ils étaient sur le pied de s'en faire l'un à l'autre ; échange auquel à la vérité, la Marquise ne perdait pas. Malheureusement elle vint à savoir la première destination de ce présent, et comment il lui était revenu. Je n'ai pas besoin de dire qu'à l'instant tout fut brisé et jeté par les fenêtres. Qu'on juge de ce que dut sentir en pareil cas une Maîtresse jalouse, et une femme de qualité.

Cependant plus Laure sentait sa honte, moins elle tentait de s'en délivrer ; elle y restait par désespoir, et le dédain qu'elle avait pour elle-même rejaillissait sur ses corrupteurs. Elle n'était pas fière ; quel droit eût-elle eu de l'être ? Mais un profond sentiment d'ignominie qu'on voudrait en vain repousser ; l'affreuse tristesse de l'opprobre qui se sent et ne peut se fuir ; l'indignation d'un cœur qui s'honore encore, et se sent à jamais déshonoré ; tout versait le remords et l'ennui sur des plaisirs abhorrés par l'amour. Un respect étranger à ces âmes viles leur faisait oublier le ton de la débauche ; un trouble involontaire empoisonnait leurs transports, et touchés du sort de leur victime, ils s'en retournaient pleurant sur elle et rougissant d'eux.

La douleur la consumait. Édouard qui peu à peu la prenait en amitié, vit qu'elle n'était que trop affligée, et qu'il fallait plutôt la ranimer que l'abattre. Il la voyait ; c'était déjà beaucoup pour la consoler. Ses entretiens firent plus : ils l'encouragèrent ; ses discours élevés et grands rendaient à son âme accablée le ressort qu'elle avait perdu. Quel effet ne faisaient-ils point partant d'une bouche aimée, et pénétrant un cœur bien né que le sort livrait à la honte, mais que la nature avait fait pour l'honnêteté ? C'est dans ce cœur qu'ils trouvaient de la prise, et qu'ils portaient avec fruit les leçons de la vertu.

Par ces soins bienfaisants, il la fit enfin mieux penser d'elle. S'il n'y a de flétrissure éternelle que celle d'un cœur corrompu, je sens en moi de quoi pouvoir effacer ma honte [1]. Je serai toujours méprisée, mais je ne mériterai plus de l'être ; je ne me mépriserai plus. Échappée à l'horreur du vice, celle du mépris m'en sera moins amère. Eh ! que m'importent les dédains de toute la terre quand Édouard m'estimera ? Qu'il voie son ouvrage et qu'il s'y complaise ; seul il me dédommagera de tout. Quand l'honneur n'y gagnerait rien, du moins l'amour y gagnera. Oui, donnons au cœur qu'il enflamme une habitation plus pure. Sentiment délicieux ! je ne profanerai plus tes transports. Je ne puis être heureuse ; je ne le serai jamais, je le sais. Hélas ! je suis indigne des caresses de l'amour, mais je n'en souffrirai jamais d'autres.

Son état était trop violent pour pouvoir durer ; mais quand elle tenta d'en sortir, elle y trouva des difficultés qu'elle n'avait pas prévues. Elle éprouva que celle qui renonce au droit sur sa personne ne le recouvre pas comme il lui plaît, et que l'honneur est une sauvegarde civile qui

---

1. Le monologue intérieur de Laure est transcrit au discours direct libre. Cette forme rare à l'époque se rencontre chez Diderot et Rousseau.

laisse bien faibles ceux qui l'ont perdu. Elle ne trouva d'autre parti pour se retirer de l'oppression que d'aller brusquement se jeter dans un couvent et d'abandonner sa maison presque au pillage ; car elle vivait dans une opulence commune à ses pareilles, surtout en Italie, quand l'âge et la figure les font valoir. Elle n'avait rien dit à Bomston de son projet, trouvant une sorte de bassesse à en parler avant l'exécution. Quand elle fut dans son asile, elle le lui marqua par un billet, le priant de la protéger contre les gens puissants qui s'intéressaient à son désordre et que sa retraite allait offenser. Il courut chez elle assez tôt pour sauver ses effets [1]. Quoique étranger dans Rome, un grand seigneur considéré, riche, et plaidant avec force la cause de l'honnêteté, y trouva bientôt assez de crédit pour la maintenir dans son couvent, et même l'y faire jouir d'une pension que lui avait laissée le cardinal auquel ses parents l'avaient vendue.

Il fut la voir. Elle était belle ; elle aimait ; elle était pénitente ; elle lui devait tout ce qu'elle allait être. Que de titres pour toucher un cœur comme le sien ! Il vint, plein de tous les sentiments qui peuvent porter au bien les cœurs sensibles ; il les lui prodiguait ; il l'en accablait ; il n'y manquait que celui qui pouvait la rendre heureuse, et qui ne dépendait pas de lui. Jamais elle n'en avait tant espéré ; elle était transportée ; elle se sentait déjà dans l'état auquel on remonte si rarement. Elle disait : Je suis honnête ; un homme vertueux s'intéresse à moi : amour, je ne regrette plus les pleurs les soupirs, que tu me coûtes ; tu m'as déjà payé de tout. Tu fis ma force et tu fais ma récompense ; en me faisant aimer mes devoirs, tu deviens le premier de tous. Quel bonheur n'était réservé qu'à moi seule ! C'est l'amour qui m'élève et m'honore ; c'est lui qui m'arrache au crime, à l'opprobre ; il ne peut plus sortir de mon cœur qu'avec la vertu. Ô Édouard ! quand je redeviendrai méprisable, j'aurai cessé de t'aimer.

Cette retraite fit du bruit ; les âmes basses, qui jugent des autres par elles-mêmes, ne purent imaginer qu'Édouard n'eût mis à cette affaire que l'intérêt de l'honnêteté. Laure était trop aimable pour que les soins qu'un homme prenait

---

1. Pour mettre en sûreté ses biens.

d'elle ne fussent pas toujours suspects [1]. La Marquise qui avait ses espions fut instruite de tout la première, et ses emportements qu'elle ne put contenir achevèrent de divulguer son intrigue. Le bruit en parvint au Marquis jusqu'à Vienne ; et l'hiver suivant il vint à Rome chercher un coup d'épée pour rétablir son honneur qui n'y gagna rien.

Ainsi commencèrent ces doubles liaisons, qui, dans un pays comme l'Italie, exposèrent Édouard à mille périls de toute espèce ; tantôt de la part d'un militaire outragé, tantôt de la part d'une femme jalouse et vindicative ; tantôt de la part de ceux qui s'étaient attachés à Laure et que sa perte mit en fureur. Liaisons bizarres s'il en fut jamais ; qui l'environnant de périls sans utilité le partageaient entre deux maîtresses passionnées, sans en pouvoir posséder aucune ; refusé de la courtisane qu'il n'aimait pas ; refusant l'honnête femme qu'il adorait ; toujours vertueux, il est vrai, mais toujours croyant servir la sagesse en n'écoutant que ses passions.

Il n'est pas aisé de dire quelle espèce de sympathie [2] pouvait unir deux caractères si opposés que ceux d'Édouard et de la Marquise ; mais, malgré la différence de leurs principes, ils ne purent jamais se détacher parfaitement l'un de l'autre. On peut juger du désespoir de cette femme emportée quand elle crut s'être donné une rivale, et quelle rivale ! par son imprudente générosité. Les reproches, les dédains, les outrages, les menaces, les tendres caresses tout fut employé tour à tour pour détacher Édouard de cet indigne commerce, où jamais elle ne put croire que son cœur n'eût point de part. Il demeura ferme ; il l'avait promis. Laure avait borné son espérance et son bonheur à le voir quelquefois. Sa vertu naissante avait besoin d'appui, elle tenait à celui qui l'avait fait naître ; c'était à lui de la soutenir. Voilà ce qu'il disait à la Marquise, à lui-même, et peut-être ne se disait-il pas tout. Où est l'homme assez sévère pour fuir les regards d'un objet charmant, qui ne lui demande que de se laisser aimer ? où est celui dont les larmes de deux beaux

---

1. En clair, on répand la rumeur que Laure est enceinte de Bomston. **2.** « Se dit de la convenance et du rapport d'humeurs et d'inclinations » (*Acad.* 1762). Voir III, 4, n. 1, p. 378.

yeux n'enflent pas un peu le cœur honnête ? où est l'homme bienfaisant dont l'utile amour-propre n'aime pas à jouir du fruit de ses soins ? Il avait rendu Laure trop estimable pour ne faire que l'estimer.

La Marquise n'ayant pu obtenir qu'il cessât de voir cette infortunée, devint furieuse. Sans avoir le courage de rompre avec lui, elle le prit dans une espèce d'horreur. Elle frémissait en voyant entrer son carrosse, le bruit de ses pas en montant l'escalier la faisait palpiter d'effroi. Elle était prête à se trouver mal à sa vue. Elle avait le cœur serré tant qu'il restait auprès d'elle ; quand il partait elle l'accablait d'imprécations ; sitôt qu'elle ne le voyait plus elle pleurait de rage ; elle ne parlait que de vengeance : son dépit sanguinaire ne lui dictait que des projets dignes d'elle. Elle fit plusieurs fois attaquer Édouard sortant du couvent de Laure. Elle lui tendit des pièges à elle-même pour l'en faire sortir et l'enlever. Tout cela ne put le guérir. Il retournait le lendemain chez celle qui l'avait voulu faire assassiner la veille ; et toujours avec son chimérique projet de la rendre à la raison, il exposait la sienne, et nourrissait sa faiblesse du zèle de sa vertu.

Au bout de quelques mois le Marquis mal guéri de sa blessure mourut en Allemagne, peut-être de douleur de la mauvaise conduite de sa femme. Cet événement qui devait rapprocher Édouard de la Marquise, ne servit qu'à l'en éloigner encore plus. Il lui trouva tant d'empressement à mettre à profit sa liberté recouvrée qu'il frémit de s'en prévaloir. Le seul doute si la blessure du Marquis n'avait point contribué à sa mort effraya son cœur, et fit taire ses désirs. Il se disait : Les droits d'un époux meurent avec lui pour tout autre ; mais pour son meurtrier ils lui survivent et deviennent inviolables. Quand l'humanité, la vertu, les lois ne prescriraient rien sur ce point, la raison seule ne nous dit-elle pas que les plaisirs attachés à la reproduction des hommes ne doivent point être le prix de leur sang ; sans quoi les moyens destinés à nous donner la vie seraient des sources de mort, et le genre humain périrait par les soins qui doivent le conserver ?

Il passa plusieurs années ainsi partagé entre deux maîtresses ; flottant sans cesse de l'une à l'autre : souvent voulant renoncer à toutes deux et n'en pouvant quitter aucune, repoussé par cent raisons rappelé par mille sentiments, et chaque jour plus serré dans ses liens, par ses vains efforts pour les rompre : cédant tantôt au penchant, et tantôt au devoir ; allant de Londres à Rome et de Rome à Londres sans pouvoir se fixer nulle part. Toujours ardent, vif, passionné, jamais faible ni coupable, et fort de son âme grande et belle quand il pensait ne l'être que de sa raison. Enfin tous les jours méditant des folies, et tous les jours revenant à lui, prêt à briser ses indignes fers. C'est dans ses premiers moments de dégoût qu'il faillit s'attacher à Julie, et il paraît sûr qu'il l'eût fait, s'il n'eût pas trouvé la place prise [1].

Cependant la Marquise perdait toujours du terrain par ses vices ; Laure en gagnait par ses vertus. Au surplus la constance était égale des deux côtés ; mais le mérite n'était pas le même et la Marquise avilie, dégradée par tant de crimes finit par donner à son amour sans espoir les suppléments que n'avait pu supporter celui de Laure. À chaque voyage, Bomston trouvait à celle-ci de nouvelles perfections. Elle avait appris l'anglais ; elle savait par cœur tout ce qu'il lui avait conseillé de lire ; elle s'instruisait dans toutes les connaissances qu'il paraissait aimer : elle cherchait à mouler son âme sur la sienne et ce qu'il y restait de son fonds ne la déparait pas. Elle était encore dans l'âge où la beauté croît avec les années : La Marquise était dans celui où elle ne fait plus que décliner ; et quoiqu'elle eût ce ton du sentiment qui plaît et qui touche, qu'elle parlât d'humanité, de fidélité de vertus avec grâce ; tout cela devenait ridicule par sa conduite, et sa réputation démentait tous ces beaux discours. Édouard la connaissait trop pour en espérer plus rien. Il s'en détachait insensiblement sans pouvoir s'en détacher tout à fait, il s'approchait toujours de l'indifférence sans y pouvoir jamais arriver. Son cœur le rappelait sans cesse chez la Marquise ; ses pieds l'y portaient sans qu'il y songeât. Un homme sensible n'oublie jamais, quoi qu'il fasse, [2] l'intimité dans laquelle ils avaient vécu. À force d'intrigues, de ruses, de noirceurs, elle parvint enfin à s'en faire mépriser ; mais il la méprisa sans cesser de la plaindre ;

1. Voir I, 56-60, p. 188-208. **2.** Nous ajoutons ici une virgule.

sans pouvoir jamais oublier ce qu'elle avait fait pour lui ni ce qu'il avait senti pour elle.

Ainsi dominé par ses habitudes encore plus que par ses penchants, Édouard ne pouvait rompre les attachements qui l'attiraient à Rome. Les douceurs d'un ménage heureux lui firent désirer d'en établir un semblable avant de vieillir. Quelquefois il se taxait d'injustice, d'ingratitude même envers la Marquise, et n'imputait qu'à sa passion les vices de son caractère. Quelquefois il oubliait le premier état de Laure et son cœur franchissait sans y songer la barrière qui le séparait d'elle. Toujours cherchant dans sa raison des excuses à son penchant, il se fit de son dernier voyage un motif pour éprouver son ami ; sans songer qu'il s'exposait lui-même à une épreuve dans laquelle il aurait succombé sans lui.

Le succès de cette entreprise et le dénouement des scènes qui s'y rapportent sont détaillés dans la 12e lettre de la 5e partie, et dans la 3e de la 6e de manière à n'avoir plus rien d'obscur à la suite de l'abrégé précédent. Édouard aimé de deux maîtresses sans en posséder aucune paraît d'abord dans une situation risible. Mais sa vertu lui donnait en lui-même une jouissance plus douce que celle de la beauté, et qui ne s'épuise pas comme elle. Plus heureux des plaisirs qu'il se refusait que le voluptueux n'est de ceux qu'il goûte, il aima plus longtemps, fut moins subjugué, resta libre et jouit mieux de la vie que ceux qui l'usent. Aveugles que nous sommes, nous la passons tous à courir après nos chimères. Eh ! ne saurons-nous jamais que de toutes les folies des hommes il n'y a que celle du juste qui le rende heureux ?

CHRONOLOGIE INTERNE
DE *LA NOUVELLE HÉLOÏSE*

1732 : Saint-Preux (19 ans) est nommé précepteur non salarié de Julie d'Étange (17 ans). Promenade de Julie sur le lac avec Saint-Preux et la Chaillot (I, 52, *P. S.*).

1733 : Premières lettres d'amour. Mort de la Chaillot. Arrivée de la cousine Claire (18 ans), inséparable « duègne » de Julie (I, 7).

1734 : Été : Programme d'études (I, 12). Baiser dans le bosquet de Clarens (I, 14).
Automne : Voyage de Saint-Preux dans le Valais (I, 23). Retour du Baron d'Étange (56 ans ; III, 18) du service, accompagné de son ami Wolmar (45 ans ; III, 20) qu'il présente à Julie (I, 22).
Hiver : Séjour de Saint-Preux à Meillerie (I, 26). Il est bientôt rappelé par Julie qui se révolte contre le mariage forcé avec Wolmar (I, 28). Union des deux amants (I, 29).

1735 : Printemps : Projet de rendez-vous au chalet (I, 38). Voyage de Saint-Preux à Neuchâtel pour le rachat de Claude Anet (I, 43). Mariage de Fanchon (I, 46 et 53). Arrivée de Bomston à Vevey, avec lequel Saint-Preux découvre la musique italienne (I, 48). Julie voit son espoir de grossesse déçu (I, 49).
Automne : Rendez-vous d'amour dans la maison de Julie (I, 54). Querelle entre Saint-Preux et Bomston ; duel évité grâce à la lettre de Julie (I, 58). Colère du Baron provoquant une fausse couche chez sa fille (I, 63).
Hiver : Départ de Bomston qui emmène Saint-Preux (23 ans ; I, 65). Après une halte de quinze jours à Besançon (II, 2), Bomston repart en Italie (II, 9).

1736 : Saint-Preux est à Paris depuis trois semaines quand Bomston repasse par Vevey (II, 15). Mariage de Claire avec M. d'Orbe (II, 18).

1737 : Julie cite la *Réfutation de Pope* de Crousaz publiée en 1737 (date historique). Reproches adressés à son amant (qui a 25 ans ; II, 27). Découverte des lettres de Saint-Preux par Mme d'Étange. Mort de

Mme d'Étange. Julie attrape la petite vérole. Retour clandestin de Saint-Preux et « inoculation de l'amour » (III, 14).

Été : Wolmar revient à Vevey « après trois ans d'absence » (III, 14).

Automne : Le mariage de Julie avec Wolmar lui est imposé par son père (III, 18). Saint-Preux lui rend sa parole (III, 11).

1738 : Mariage de Julie ; lettre récapitulative (III, 18). Saint-Preux est à Londres.

1740 : Automne : Départ de l'escadre de l'amiral Anson pour le tour du monde (date historique), avec à son bord Saint-Preux engagé comme ingénieur (III, 25) – heureuse diversion à son désespoir (III, 21).

1744 : Printemps : Julie est mariée depuis « près de six ans » et mère de deux garçons (l'aîné a 6 ans, V, 3). Saint-Preux a quitté l'Angleterre « depuis quatre ans » (IV, 1) ; Claire d'Orbe (28 ans) est veuve et mère d'Henriette (7 ans ; IV, 9).

14 juin : Anson aborde les côtes anglaises (date historique). Retour de Saint-Preux (30 ans passés) pendant l'été (IV, 6-7). Il rend visite à Claire à Lausanne (IV, 9). Il découvre le jardin de « l'Élysée » de Julie (IV ; 11).

Août : Promenade sur le lac et visite des lieux des anciennes amours « dix ans » après (IV, 17). La gazette annonce la maladie de Louis XV (date historique). Bomston est retardé par les opérations militaires dans les Flandres (V, 1).

Octobre : Installation de Claire à Clarens (V, 6). Vendanges tardives au moment des « premières gelées » (V, 7).

Hiver : Toute la communauté des belles âmes est réunie à Clarens, avant de « s'éparpiller » au printemps suivant (V, 14).

1745 : Printemps : Bomston et Saint-Preux partent pour l'Italie. Songe de Saint-Preux à Villeneuve « dix ans » après son voyage dans le Valais (V, 9).

Mai : Bataille de Fontenoy (date historique). Claire (presque 30 ans) se rend à Genève pour le mariage de son frère (VI, 2 et 5). Saint-Preux reçoit une lettre de Julie « après sept ans de silence » (VI, 7).

Septembre : Accident à Chillon puis mort de Julie (VI, 11).

Fin de l'automne : Saint-Preux est rappelé par Claire à Clarens avant les neiges de l'hiver (VI, 13).

CHRONOLOGIE
DE LA VIE DE ROUSSEAU

	CONTEXTE HISTORIQUE ET INTELLECTUEL	VIE ET ŒUVRE DE ROUSSEAU
1712	Addison et Smith créent le périodique *The Spectator*.	Naissance de Jean-Jacques Rousseau à Genève.
1713	Naissance de Diderot. Challe, *Les Illustres Françaises* (roman). Fin de la guerre d'Espagne.	
1715	Naissance de Condillac. Lesage, *Gil Blas de Santillane*.	
1715-1723	Régence de Philippe d'Orléans.	
1717	Watteau, *Pèlerinage à l'île de Cythère*.	
1718	Voltaire, *Œdipe*. Watteau, *Les Fêtes galantes*.	
1719	Du Bos, *Réflexions critiques sur la poésie et la peinture*. Defoe, *Robinson Crusoé*.	Premières lectures (romans, Plutarque).
1720	Banqueroute du système de Law.	
1721	Montesquieu, *Lettres persanes*. Marivaux, *Le Spectateur français*.	
1722	Marivaux, *La Surprise de l'amour*. Defoe, *Moll Flanders*.	
1722-1724		Son père Isaac Rousseau s'installe à Nyons. Jean-Jacques est mis en pension chez le pasteur Lambercier, à Bossey, où il passe des années heureuses.
1723-1774	Règne de Louis XV.	
1724-1725		De retour à Genève chez son oncle, il entre en apprentissage chez le graveur Ducommun.
1725	Marivaux, *L'île des esclaves*.	

	Vie et œuvre de Rousseau	Repères littéraires et culturels
1726		Swift, *Les Voyages de Gulliver*.
1726-1743		Ministère de Fleury.
1728	14 mars : Départ de Genève et arrivée chez Mme de Warens à Annecy le 21. Envoyé à Turin, Rousseau abjure le protestantisme et se convertit au catholicisme. Devenu laquais chez Mme de Vercellis, il accuse la cuisinière Marion du vol d'un ruban.	Voltaire, *La Henriade*. Chardin, *La Raie*.
1729	Retour à Annecy et installation chez Mme de Warens. Il passe deux mois au séminaire des Lazaristes.	
1730	Se faisant passer pour un maître de musique, il donne des leçons à Neuchâtel.	
1731	Après trois mois à Paris, il retourne à Annecy *via* Lyon.	Prévost, *Manon Lescaut et Cleveland*.
1731-1742		Marivaux, *La Vie de Marianne*.
1733		Pope, *Essai sur l'homme*.
1734		Voltaire, *Lettres philosophiques*. Montesquieu, *Considérations sur les causes de la grandeur et de la décadence des Romains*.
1734-1735		Marivaux, *Le Paysan parvenu*.
1734-1749		Saint-Simon rédige ses *Mémoires*.
1735	Installation aux Charmettes près de Chambéry. Rousseau se cultive en autodidacte.	Tencin, *Mémoires de Comminge*. Rameau, *Les Indes galantes*.
1736-1738		Crébillon fils, *Les Égarements du cœur et de l'esprit*.

CONTEXTE HISTORIQUE ET INTELLECTUEL		VIE ET ŒUVRE DE ROUSSEAU
1737		Maladie. Voyage à Montpellier. Aventure avec Mme de Larnage.
1740	Prévost, *Histoire d'une Grecque moderne*. Chardin, *Le Bénédicité*. Boucher, *Le Triomphe de Vénus*.	
1740-1741		Rousseau devient précepteur des fils de M. de Mably, prévôt-général à Lyon.
1740-1748	Guerre de Succession d'Autriche.	
1740-1786	Règne de Frédéric II de Prusse.	
1742	Fielding, *Joseph Andrews*.	Il invente un nouveau système de notation musicale qu'il présente à l'Académie des sciences de Paris. Il fait la connaissance de Diderot, puis de Condillac en 1745.
1743-1744		Rousseau suit des cours de chimie chez Rouelle. Il est nommé secrétaire d'ambassade à Venise. Découverte de l'opéra italien.
1745	Rameau, *Platée*.	En ménage à Paris avec Thérèse Levasseur, lingère. Leurs enfants seront déposés aux Enfants trouvés. Rousseau fait jouer *Les Muses galantes* et retouche un opéra de Voltaire et Rameau.
1745-1764	Mme de Pompadour, favorable aux philosophes, est la favorite du roi.	
1746	Condillac, *Essai sur l'origine des connaissances humaines*.	

C H R O N O L O G I E

1746-1747		Il devient secrétaire chez Dupin (fermier général). Séjours à Chenonceau.
1747-1749	Richardson, *Clarissa Harlowe*.	Rédaction des *Institutions chimiques* (inachevé).
1748	Traité d'Aix-la-Chapelle mettant fin à la guerre de Succession d'Autriche. Voltaire, *Zadig ou la Destinée*. Montesquieu, *De l'esprit des lois*. Hume, *Essai sur l'entendement humain*.	
1749	Diderot, *Lettre sur les aveugles*. Fielding, *Tom Jones*. Condillac, *Traité des systèmes*.	Rédaction des articles de musique pour l'*Encyclopédie* et mise en chantier des *Institutions politiques*. Visite à Diderot emprisonné à Vincennes ; une « inspiration subite » en chemin lui fait composer son premier *Discours*.
1749-1788	Buffon, *Histoire naturelle*.	
1750	Discours préliminaire de l'*Encyclopédie* par d'Alembert.	Son *Discours sur les sciences et les arts* couronné par l'Académie de Dijon connaît un succès polémique, mondain et littéraire.
1751	Voltaire, *Le Siècle de Louis XIV*.	
1751-1752		Après avoir abandonné sa place de secrétaire, Rousseau devient copiste de musique.
1752		Son opéra *Le Devin de village* est joué devant le roi avec succès. Représentation de sa pièce *Narcisse* au Théâtre-Français.
1752-1754	Querelle des Bouffons.	
1753		Parution de la *Lettre sur ma musique française* contre Rameau. Début de la rédaction de son second *Discours*.

	CONTEXTE HISTORIQUE ET INTELLECTUEL	VIE ET ŒUVRE DE ROUSSEAU
1754	Condillac, *Traité des sensations*.	Rousseau est réintégré dans l'Église calviniste et recouvre sa qualité de citoyen de Genève.
1755	Tremblement de terre de Lisbonne. Greuze, *Le Père de famille*.	Son *Discours sur l'origine et les fondements de l'inégalité parmi les hommes* connaît une réception embarrassée chez les encyclopédistes.
1756	Voltaire, *Poème sur le désastre de Lisbonne*.	Installation avec Thérèse à l'Ermitage, dans la forêt de Montmorency, à l'invitation de Mme d'Épinay. *Lettre sur la Providence* à Voltaire. Composition des premières parties de *La Nouvelle Héloïse*.
1756-1763	Guerre de Sept Ans.	
1757	Attentat de Damiens contre Louis XV. Diderot, *Le Fils naturel et ses Entretiens*.	Passion pour Sophie d'Houdetot. Brouille avec Diderot, Grimm et Mme d'Épinay. Rousseau quitte l'Ermitage pour le Montlouis à Montmorency.
1758	Helvétius, *De l'esprit* (ouvrage condamné). Dans les milieux conservateurs, début d'une campagne haineuse contre les philosophes.	Réponse à l'article « Genève » de l'*Encyclopédie* par sa *Lettre à d'Alembert sur les spectacles*. Rupture publique avec Diderot.
1759	Voltaire, *Candide*. Premiers *Salons* de Diderot.	Invitation chez un admirateur, le maréchal de Luxembourg. Rédaction de l'*Émile*.
1759-1767	Sterne, *Tristram Shandy*.	

1760	Diderot rédige *La Religieuse* (publiée en 1781). Macpherson, *Poèmes d'Ossian*.	Rousseau travaille à son traité de théorie politique, *Du contrat social*.
1761	Greuze, *L'Accordée de village*. Fragonard, *Cascatelles à Tivoli*.	Publication de *La Nouvelle Héloïse* qui connaît un immense succès à Paris. Rousseau fait lire à Malesherbes son *Essai sur l'origine des langues*, commencé vers 1754. Crise morale.
1762	Affaire Calas. Voltaire publie son *Traité sur la tolérance*. Gluck, *Orphée et Eurydice*. Avènement de Catherine II de Russie.	Janvier-février : Lettres autobiographiques à Malesherbes. Mai : Publication du *Contrat social* et de l'*Émile* dont la *Profession de foi du vicaire savoyard* provoque une cascade de condamnations. Juin : Chassé de France, Rousseau trouve refuge à Môtiers. Composition du mélodrame *Pygmalion*.
1763-1764		Condamné à Genève, Rousseau renonce à sa citoyenneté. Attaques violentes et libelles contre lui (dont *Le Sentiment des citoyens* de Voltaire), auxquels répondent sa *Lettre à Christophe de Beaumont, archevêque de Paris* et ses *Lettres écrites de la montagne*. Initiation à la botanique auprès du D[r] d'Ivernois. Premier projet des *Confessions*.
1764	Expulsion des jésuites. Voltaire, *Dictionnaire philosophique*. Beccaria, *Des délits et des peines*. Stanislas Poniatowski, placé par Catherine II de Russie, devient roi de Pologne.	

	CONTEXTE HISTORIQUE ET INTELLECTUEL	VIE ET ŒUVRE DE ROUSSEAU
1765		Rédaction du *Projet de constitution pour la Corse*. 6 septembre : Lapidé par des fanatiques menés par un pasteur, Rousseau trouve refuge sur l'île Saint-Pierre, dont il est expulsé le 16 octobre. Séjour à Strasbourg puis à Paris, sous la protection du prince de Conti.
1766		Début janvier : Départ pour l'Angleterre. Séjour à Londres puis à Chiswick. Rédactions des livres I à VI des *Confessions*. Juillet : Rupture avec Hume.
1767	Diderot, *Salon de 1767*. Vernet, *Marines*.	Retour incognito en France. Séjours à Trye, à Bourgoin puis à Lyon. Parution de son *Dictionnaire de musique*.
1768	Voltaire, *L'Ingénu*. La France achète la Corse aux Génois.	Lettre à d'Ivernois exposant son délire de persécution et son idée d'un complot universel. 30 août : Mariage civil avec Thérèse à Bourgoin.
1769	Galiani, *Dialogues sur le commerce des blés*. Mercier, *L'An 2440*.	Rédaction des livres VII à XII des *Confessions* à Monquin.
1770	*Sturm und Drang*, mouvement politique et littéraire qui entraîne un renouveau culturel dans les pays allemands.	Retour à Paris et installation rue Platrière. Lectures publiques des *Confessions*, bientôt interdites par le lieutenant de police sur demande de Mme d'Épinay.
1770-1775		
1771	Régime répressif du gouvernement Maupéou qui succède à Choiseul.	Rédaction des *Considérations sur le gouvernement de Pologne* et des *Lettres élémentaires sur la botanique*.

C H R O N O L O G I E

	Vie et œuvre de Rousseau	Événements et œuvres
1772		Cazotte, *Le Diable amoureux*. Diderot, *Supplément au Voyage de Bougainville*.
1772-1776	Rédaction des *Dialogues* (*Rousseau juge de Jean-Jacques*).	
1773		Diderot, *Le Paradoxe sur le comédien* et *Réfutation d'Helvétius*.
1774	Rousseau assiste à une représentation de l'opéra *Orphée et Eurydice* de Gluck.	Avènement de Louis XVI. Turgot au ministère des Finances. Goethe, *Les Souffrances du jeune Werther*.
1775		Beaumarchais, *Le Barbier de Séville*. Rétif de La Bretonne, *Le Paysan perverti*.
1776	24 février : Dépôt manqué d'un manuscrit des *Dialogues* à Notre-Dame. Début de la rédaction des *Rêveries du promeneur solitaire*.	Ministère de Necker (père de Mme de Staël). Indépendance des États-Unis.
1778	Mai : Invitation à Ermenonville chez le marquis de Girardin. 2 juillet : Mort de Rousseau.	Mort de Voltaire.
1779	Publication des *Lettres à M. de Malesherbes*.	
1781		Kant, *Critique de la raison pure*.
1782	Publication à Genève des *Confessions (I-VI)*, des *Dialogues* et des *Rêveries*.	
1784		Beaumarchais, *Le Mariage de Figaro*. David, *Le Serment des Horaces*.
1786		Isabelle de Charrière, *Lettres écrites de Lausanne*. Mozart et Da Ponte, *Les Noces de Figaro*.

	CONTEXTE HISTORIQUE ET INTELLECTUEL	VIE ET ŒUVRE DE ROUSSEAU
1787-1788	Mozart et Da Ponte, *Don Giovanni*. Bernardin de Saint-Pierre, *Paul et Virginie*.	Publication de la seconde partie des *Confessions*.
1789	États généraux et Révolution française. Déclaration des droits de l'Homme : abolition des privilèges féodaux.	
1791	Sade, *Justine*. Louvet de Couvray, *Les Amours de Faublas*. Mozart, *La Flûte enchantée* et *Requiem*.	
1792	Août : Proclamation de la République. Septembre : Massacres des royalistes.	
1793	21 janvier : Décapitation de Louis XVI. Robespierre instaure la Terreur. Novembre : Décapitation des Girondins, de Mme Roland et d'Olympe de Gouge.	
1794	Exécution de Danton. Juillet : Chute de Robespierre. Mort du poète André Chénier.	La Convention vote le transfert des restes de Rousseau au Panthéon.

BIBLIOGRAPHIE SÉLECTIVE

ÉDITIONS MODERNES

Éd. H. Coulet et B. Guyon, in *Œuvres complètes*, Gallimard, « Bibliothèque de la Pléiade », t. II, 1961.

Éd. R. Pomeau, Garnier frères, « Classiques Garnier », 1960 ; rééd. 2012. [Préface essentielle et notes utiles, mais le texte est fautif en maints endroits et souffre d'une ponctuation abusivement modernisée. Il a été repris tel quel dans l'ancienne édition GF de M. Launay (1966) et dans celle du Livre de Poche (éd. J.-M. Goulemot, 2002).]

Éd. H. Coulet, Gallimard, « Folio », 1993, 2 vol. [Texte fidèle à la leçon de Rey 61, corrigeant les coquilles de l'édition de la « Bibliothèque de la Pléiade ».]

Éd. C. Van Staen, Honoré Champion, « Œuvres complètes », 2012, 2 vol. [Reproduit un large éventail des différentes leçons du texte, mais modernise sans distinction la ponctuation de Rousseau.]

BIBLIOGRAPHIE CRITIQUE
SUR *LA NOUVELLE HÉLOÏSE*

Recueils collectifs

De l'émotion chez Rousseau, numéro spécial, *L'Esprit créateur*, n° 52, Baltimore, The Johns Hopkins University Press, 2012/4.

L'Amour dans La Nouvelle Héloïse. Texte et intertexte, éd. J. Berchtold et F. Rosset, *Annales de la Société Jean-Jacques Rousseau*, n° 44, Genève, Droz, 2002.

La Nouvelle Héloïse aujourd'hui, numéro spécial, *Études Jean-Jacques Rousseau*, n° 5, 1991.

La Question sexuelle : interrogations de la sexualité dans l'œuvre et la pensée de Rousseau, éd. J.-L. Guichet, Classiques Garnier, « L'Europe des Lumières », 2012.

Lectures de La Nouvelle Héloïse, éd. O. Mostefai, *Pensée libre*, nº 4, Association nord-américaine des études Jean-Jacques Rousseau, 1993.

Rousseau et le roman, éd. C. Bournonville et C. Duflo, Classiques Garnier, « Rencontres », 2012.

Sources et postérités de La Nouvelle Héloïse de Rousseau. Le modèle de Julie, éd. G. Goubier et S. Lojkine, Desjonquères, « L'Esprit des lettres », 2012.

Voix et mémoire : Lectures de Rousseau, articles réunis et présentés par A.-M. Mercier-Faivre et M. O'Dea, Lyon, Presses universitaires de Lyon, 2012.

Sélection d'ouvrages

ACHER, William, *Jean-Jacques Rousseau écrivain de l'amitié*, Nizet, 1971.

CHALLANDES, Laure, *L'âme a-t-elle un sexe ? Formes et paradoxes de la distinction sexuelle dans l'œuvre de Jean-Jacques Rousseau*, Classiques Garnier, « L'Europe des Lumières », 2011.

CLÉMENT, Pierre-Paul, *Jean-Jacques Rousseau, de l'Éros coupable à l'Éros glorieux*, Neuchâtel, La Baconnière, « Langages », 1976.

JONES, James F., *La Nouvelle Héloïse : Rousseau and Utopia*, Genève, Droz, « Histoire des idées et critique littéraire », 1977.

LABROSSE, Claude, *Lire au XVIIIᵉ siècle : La Nouvelle Héloïse et ses lecteurs*, Lyon, Presses universitaires de Lyon/Éditions du CNRS, 1985.

LECERCLE, Jean-Louis, *Rousseau et l'art du roman*, Armand Colin, 1969.

MALL, Laurence, *Origines et retraites dans La Nouvelle Héloïse*, New York, Peter Lang, « Eighteenth Century French Intellectual History », 1999.

MCDONALD, Christie, *The Extravagant Shepherd. A Study of the Pastoral Vision in Rousseau's Nouvelle Héloïse*, Genève, Institut et musée Voltaire, 1973 ; rééd. Oxford, The Voltaire Foundation, 2007.

RACAULT, Jean-Michel, *L'Utopie narrative en France et en Angleterre : 1675-1761*, Oxford, The Voltaire Foundation, 1991.

SÉITÉ, Yannick, *Du livre aux lires. La Nouvelle Héloïse, roman des Lumières*, Honoré Champion, « Les Dix-Huitièmes Siècles », 2002.

TILLEUL, Anne, *La Vertu du beau. Essai sur « La Nouvelle Héloïse »*, Montréal, Humanitas Nouvelle Optique, 1989.

VAN LAERE, François, *Une lecture du temps dans La Nouvelle Héloïse*, Neuchâtel, La Baconnière, 1968.

VARGAS, Yves, *Rousseau. L'énigme du sexe*, PUF, « Philosophie », 1997.

Sélection d'articles et de chapitres d'ouvrages

BACZKO, Bronisław, *Rousseau, solitude et communauté*, Mouton, 1974, *passim*.

BALIBAR, Étienne, « Aimances de Rousseau : sur *La Nouvelle Héloïse* comme traité des passions », in *Citoyen sujet et autres essais d'anthropologie philosophique*, PUF, « Pratiques théoriques », 2011, p. 155-181.

BARNY, Roger, « *La Nouvelle Héloïse*, IV, lettre 17. Une lecture politique », in *Études textuelles*, Les Belles Lettres, 1991, vol. 1, p. 77-93.

BECQ, Annie, « Retours : une lecture de la lettre IX de la cinquième partie de *La Nouvelle Héloïse* », in A. Becq, A. Mothu et C. Porset (éds), *Amicitia Scriptor. Mélanges offerts à Robert Mauzi*, Honoré Champion, 1998, p. 145-151.

BENREKASSA, Georges, « Le désir d'Héloïse », in J.-L. Jam (éd.), *Éclectisme et cohérences des Lumières. Mélanges offerts à Jean Ehrard*, Nizet, 1992, p. 55-67.

–, « Le désir et le besoin, le plaisir et le trouble. *Éros* aveugle et énigmatique », in *La Question sexuelle*, *op. cit.*, p. 383-408.

BERCHTOLD, Jacques, « L'impossible virginité du jardin verbal. Les leçons de la nature selon la lettre IV, 11 », in J. Söring et P. Gasser (éds), *Rousseauismus. Naturevangelium und Literatur*, Berlin, Peter Lang, 1999, p. 53-83.

–, « La tentation du désert dans *La Nouvelle Héloïse* », in F. Lestringant et S. Moussa (éds), *Le Désert, l'espace et l'esprit*, Lille, Université Charles-de-Gaulle Lille III, 2000, p. 207-231.

–, « Distension temporelle et dispositif épistolaire dans *La Nouvelle Héloïse* », in M. Escola, J. Herman *et al.* (éds), *La Partie et le Tout. La composition du roman, de l'âge baroque au tournant des Lumières*, Louvain, Peeters, 2011, p. 373-384.

BÉRENGUIER, Nadine, « Le "dangereux dépôt" : virginité et contrat dans *Julie ou la Nouvelle Héloïse* », *Eighteenth-Century Fiction*, n° 9, 1997/4, p. 447-463.

BLANC, André, « Le jardin de Julie », *Dix-Huitième Siècle*, n° 14, 1982, p. 357-376.

BONNET, Jean-Claude, « Le système de la cuisine et du repas chez Rousseau », *Poétique*, n° 22, 1975, p. 244-267.

CHARLES, Shelly, « Rappeler, varier, combiner. La mémoire romanesque de *La Nouvelle Héloïse* », *Poétique*, n° 173, 2013/1, p. 63-86.

COZ, Michel, *La Cène et l'autre scène. Désir et profession de foi chez Jean-Jacques Rousseau*, Honoré Champion, 1998, p. 255-295.

CROCKER, Lester G., « Julie ou la nouvelle duplicité », *Annales de la Société Jean-Jacques Rousseau*, Genève, Droz, n° 36, 1963-1965, p. 105-152.

DELON, Michel, « "Fatal présent du ciel qu'une âme sensible". Le succès d'une formule de Rousseau », *Études Jean-Jacques Rousseau*, n° 5, 1991, p. 53-64.

–, « Rousseau à la lettre », *Europe*, n° 930, 2006, p. 3-7.

DEMORIS, René, « De Marivaux à *La Nouvelle Héloïse*. Intertexte et contre-texte, entre fantasme et théorie », in J. Berchtold et F. Rosset (éds), *L'Amour dans La Nouvelle Héloïse*, *Annales de la Société Jean-Jacques Rousseau*, Genève, Droz, n° 44, 2002, p. 317-340.

–, « Une femme qui se noie : de la jouissance féminine chez Rousseau », in J.-L. Guichet (éd.), *La Question sexuelle, op. cit.*, p. 361-382.

DUCHET, Michèle, « Clarens : le lac d'amour où l'on se noie », *Littérature*, n° 21, 1976, p. 79-90.

EHRARD, Jean, « Le corps de Julie », in R. Trousson (éd.), *Thèmes et figures du siècle des Lumières. Mélanges offerts à Roland Mortier*, Genève, Droz, « Histoire des idées et critique littéraire », 1980, p. 95-106.

FERRAND, Nathalie, « J.-J. Rousseau, du copiste à l'écrivain. Les manuscrits de *La Nouvelle Héloïse* conservés à la bibliothèque de l'Assemblée nationale », in J.-L. Lebrave et A. Grésillon (dirs), *Écrire aux XVIIe et XVIIIe siècles. Genèses de textes littéraires et philosophiques*, Éditions du CNRS, 2000, p. 191-212.

GROSPERRIN, Jean-Philippe, « "Un certain unisson d'âmes" [I, 45] : rhétorique de la sympathie et imaginaire dans *La Nouvelle Héloïse* », in Th. Belleguic, É. Van der Schueren et S. Vervacke (éds), *Les Discours de la sympathie. Enquête sur une notion de l'âge classique à la modernité*, Québec, Presses de l'université Laval, 2007, p. 149-170.

–, « "Un spectacle si peu prévu". Scènes d'opéra et poésie romanesque dans *La Nouvelle Héloïse* », in J. Berchtold, Ch. Martin et Y. Séité (éds), *Rousseau et le spectacle*, Armand Colin, 2014, p. 237-254.

GUICHET, Jean-Luc, « L'Élysée de *La Nouvelle Héloïse* : entre nature et politique », *Études Jean-Jacques Rousseau*, n° 14-15, 2003-2004, p. 195-210.

HARTMANN, Pierre, « "Où est ce philosophe ?" : la figure du philosophe dans *La Nouvelle Héloïse* », in P. Hartmann et F. Lotterie (éds), *Le Philosophe romanesque. L'image du philosophe dans le roman des Lumières*, Strasbourg, Presses universitaires de Strasbourg, 2007, p. 83-104.

HOWELLS, Robin J., « Désir et distance dans *La Nouvelle Héloïse* », *Studies on Voltaire*, n° 230, 1985, p. 223-232.

LABROSSE, Claude, « Puissance de la fiction, pouvoirs de l'instant », *Études Jean-Jacques Rousseau*, n° 5, 1991, p. 29-44.

LAVEZZI, Élisabeth, « Un rêve pictural. L'illustration de *Julie ou la Nouvelle Héloïse* », *Francofonia*, n° 13, 1993/24, p. 53-76.

LEBORGNE, Érik, « De Saintré à Saint-Preux : culte amoureux et vassalité dans *La Nouvelle Héloïse* (I, 35) », in J. Berchtold et F. Rosset (éds), *L'Amour dans La Nouvelle Héloïse*, *Annales de la Société Jean-Jacques Rousseau*, n° 44, Genève, Droz, 2002, p. 79-97.

–, « Lecture kleinienne des *Amours de Claire et Marcellin* », in Chr. Hamman et J.-C. Sampieri (éds), *Rousseau et les minora*, 2018.

LEONE, Maria, « La matinée à l'Anglaise ou l'expérience du supplément heureux (*NH*, V, 3) », *L'Information littéraire*, vol. 53, 2001/2, p. 38-45.

LOJKINE, Stéphane, « Représenter Julie : le rideau, le voile, l'écran », in S. Lojkine (éd.), *L'Écran de la représentation*, *Théorie littéraire. Littérature et peinture du XVIe au XXe siècle*, L'Harmattan, 2001, p. 7-20.

LOTTERIE, Florence, « *Amabam amare*. Aspects et enjeux de la langue amoureuse dans les *Lettres portugaises* et *La Nouvelle Héloïse* », in J. Berchtold et F. Rosset (éds), *L'Amour dans La Nouvelle Héloïse*, *Annales de la Société Jean-Jacques Rousseau*, n° 44, Genève, Droz, 2002, p. 79-97.

MAGNOT, Florence, « Le malheur des échanges dans *La Nouvelle Héloïse* », *Corpus*, n° 69, 2015, p. 127-147.

MARCOVITS, Francine, « Rousseau et l'éthique de Clarens. Une économie des relations humaines », *Stanford French Review*, n° 15, 1991, p. 323-348.

MARTIN, Christophe, « L'exemple de *La Nouvelle Héloïse* », in *Dangereux suppléments. L'illustration du roman en France au XVIIIe siècle*, Louvain/Paris, Dudley/Peeters, « La République des lettres », 2005, p. 129-143.

–, « "Les monuments des Anciennes Amours". Lieux de mémoire et art de l'oubli dans *La Nouvelle Héloïse* », *Eidôlon*, n° 72, 2006, p. 333-347.

–, « "L'empire des sens". Julie et le plaisir dans *La Nouvelle Héloïse* », in H. Pfeiffer, É. Décultot et V. de Senarclens (éds), *Genuss bei Rousseau*, Würzburg, Verlag Königshausen und Neumann, 2014, p. 173-190.

MAUZI, Robert, « La conversion de Julie dans *La Nouvelle Héloïse* », *Annales de la Société Jean-Jacques Rousseau*, n° 35, 1959-1962, p. 29-48.

–, « Le problème religieux dans *La Nouvelle Héloïse* », in *Jean-Jacques Rousseau et son œuvre. Problèmes et recherches*, Klincksieck, 1964, p. 159-170.

PAVEL, Thomas, « L'enchantement de l'intériorité », in *La Pensée du roman*, Gallimard, « Essais », 2003.

PERRIN, Jean-François, « De l'amour électif comme réel absolu : mémoire et passion dans *La Nouvelle Héloïse* de J.-J. Rousseau », *Eighteenth-Century Fiction*, n° 26, 2013-2014/2, p. 189-208.

–, « Mémoire de l'amour et sentiment moral dans *La Nouvelle Héloïse* : l'accent de la valeur », in B. Guion (éd.), *Le Sentiment moral*, Honoré Champion, 2015, p. 249-263.

POMEAU, René, « Le paysage de *La Nouvelle Héloïse* : l'Asile, l'espace », in Paul Hallberg (éd.), *The Feeling for Nature and the Landscape of Man*, Gothenburg, Kungl. Vetenskaps & Vitterhets-Samhället, 1980, p. 132-142.

PROUST, Jacques, « Les maîtres sont les maîtres », *Romanistische Zeitschrift für Literaturgeschichte*, n° 1, 1977, p. 145-172 ; rééd. in *L'Objet et le texte*, Genève, Droz, 1980.

RÉTAT, Pierre, « L'économie rustique de Clarens », *Littératures*, n° 21, 1989, p. 59-68.

ROBINSON, Philip, « Literature Versus Theory. Rousseau's Second Preface to *Julie* », *French Studies*, n° 44, 1990, p. 403-415.

ROUSSET, Jean, « Rousseau romancier. *La Nouvelle Héloïse* », in *Jean-Jacques Rousseau*, Neuchâtel, La Baconnière, 1962.

–, « Une forme littéraire : le roman par lettres », in *Forme et signification*, José Corti, 1962, chap. IV, p. 65-108.

RUSTIN, Jacques, « Le motif de l'arrivée à Paris dans les romans français du XVIIIe siècle, des *Lettres persanes* (1721) à *La Nouvelle Héloïse* (1761) », in Cl. Klein (éd.), *Le Vice revisité. Vérité et mensonge dans le roman des Lumières*, Strasbourg, Presses universitaires de Strasbourg, 2003, p. 35-92.

SCLIPPA, Norbert, « *La Nouvelle Héloïse* et l'aristocratie », *Studies on Voltaire*, n° 284, 1991, p. 1-71.

SEGUIN, Jean-Pierre, « Imagination, délire et travail du style. Remarques sur un "détail" de *La Nouvelle Héloïse* », *L'Information grammaticale*, n° 44, janvier 1990, p. 13-18.

SPAAS, Lieve, « D'un Clarens à l'autre. Structures du désir sexuel dans *La Nouvelle Héloïse* », *Studies on Voltaire*, n° 284, 1991, p. 73-82.

–, « *La Nouvelle Héloïse*, fiction et révolution », in T. L'Aminot (dir.), *Politique et révolution chez Jean-Jacques Rousseau*, Oxford, The Voltaire Foundation, 1994, p. 49-56.

SPECTOR, Céline, « Rousseau : éthique et économie. Le modèle de Clarens dans *La Nouvelle Héloïse* », *Cahiers d'économie politique*, n° 53, 2007/2, p. 27-53.

STAROBINSKI, Jean, « *La Nouvelle Héloïse* », in *Jean-Jacques Rousseau, la transparence et l'obstacle*, Gallimard, « Bibliothèque des idées », 1971, p. 102-148 et 393-414.

–, « Socialité de la musique », in *Le Remède dans le mal. Critique et légitimation de l'artifice à l'âge des Lumières*, Gallimard, « Essais », 1989, p. 209-232.

VIGLIENO, Laurence, « Julie ou la nouvelle Eurydice. Mort et renaissance dans *La Nouvelle Héloïse* », *Études Jean-Jacques Rousseau*, n° 5, 1991, p. 65-76.

–, « Rousseau et l'interprétation des rêves », *Études Jean-Jacques Rousseau*, n° 8, 1996, p. 9-23.

–, « Manuscrit calciné, manuscrit occulté, d'un mariage scandaleux imaginé par les deux frères ennemis » [les amours de Bomston et l'histoire de Mme de La Pommeraye], in M. Accarie, J.-G. Gouttebroze et E. Kolter (éds), *Marginalité et littérature*, Éditions du CNRS/Université de Nice-Sophia Antipolis, 2001, p. 589-603.

ZAGAMÉ, Antonia, « Le lecteur juge de la "vérité" du récit : *La Nouvelle Héloïse* (1761) », in *L'Écrivain à la dérobée. L'auteur dans le roman à la première personne (1721-1782)*, Louvain, Peeters, « La République des lettres », 2011, p. 78-93.

ADAPTATION CINÉMATOGRAPHIQUE

REUSSER, Francis, *Ma nouvelle Héloïse*, Suisse, 2012, 82 min.

TABLE DES LETTRES ET MATIÈRES CONTENUES DANS *LA NOUVELLE HÉLOÏSE* [1]

PREMIÈRE PARTIE

---

1. Publiée dans l'édition Duchêne de 1764.

SECONDE PARTIE

TROISIÈME PARTIE

QUATRIÈME PARTIE

CINQUIÈME PARTIE

SIXIÈME PARTIE

---

1. Laquelle.

LES AMOURS
DE MILORD ÉDOUARD BOMSTON [1] 935

Édouard fait connaissance à Rome avec une dame Napolitaine.
Caractère de cette dame. Nature de leur liaison. Cette dame veut lui
donner une maîtresse subalterne. Danger d'une situation
qu'Édouard évite. Caractère de Laure : effet du véritable amour sur
elle. Édouard la visite souvent sans l'aimer. Effet terrible de son assiduité auprès de Laure sur la Marquise. Laure change de conduite, et
se retire dans un couvent. La Marquise hors d'elle-même, divulgue
sa propre intrigue. Son mari l'apprend à Vienne. Ce qui en résulte.
Situation singulière à Édouard. Entreprise funeste de la Marquise.
Le Marquis meurt en Allemagne. Édouard ne veut pas profiter de cet
événement. Sa manière de vivre jusqu'au moment où il connut Julie.

---

1. Extrait de la table des *Œuvres complètes* de Rousseau, Genève, 1780.

TABLE

Cet ouvrage a été mis en pages par

\<pixellence\>

N° d'édition : L.01EHPN000832.N001
Dépôt légal : novembre 2018
Imprimé en Espagne par Novoprint (Barcelone)